Morir bajo tu cielo

Novela

Juan Manuel de Prada

Morir bajo tu cielo

El papel utilizado para la impresión de este libro es cien por cien libre de cloro y está calificado como **papel ecológico**.

Avinguda Diagonal, 662, 6.ª planta. 08034 Barcelona (España)
www.espasa.com
www.planetadelibros.com

Adaptación de la cubierta: Booket / Área Editorial Grupo Planeta a partir de la idea original de más!gráfica
Imagen de la cubierta: más!gráfica
Ilustraciones de las páginas 2, 3, 4 y 5: Calderón Studio
Primera edición en Colección Booket: septiembre de 2015

Depósito legal: B. 15.665-2015
ISBN: 978-84-670-4551-2
Impresión y encuadernación: Liberdúplex, S. L.
Printed in Spain - Impreso en España

Biografía

Juan Manuel de Prada nació en Baracaldo en 1970, aunque pasó su infancia y adolescencia en Zamora. Con su primer libro, *Coños* (1995), y los relatos de *El silencio del patinador* (1995, ampliado en 2010) sorprendió a la crítica por su poderosa imaginación y su audaz uso del lenguaje. En 1996 debutó en la novela con la monumental *Las máscaras del héroe*, con la que obtuvo el Premio Ojo Crítico de Narrativa de RNE. En 1997 recibió el Premio Planeta por *La tempestad*, que fue traducida a una veintena de idiomas y significó su consagración internacional, después de que la revista *The New Yorker* lo seleccionara como uno de los seis escritores más prometedores de Europa. Su tercera novela, *Las esquinas del aire* (2000), también fue recibida con entusiasmo por los lectores y la crítica, así como *Desgarrados y excéntricos* (2001). *La vida invisible* (2003) recibió el Premio Primavera y el Premio Nacional de Narrativa, y con *El séptimo velo* (2007) se alzó con el Premio Biblioteca Breve y el Premio de la Crítica de Castilla y León. En 2012 publicó *Me hallará la muerte* y en 2014 *Morir bajo tu cielo*, que ha sido considerada por la crítica la mejor novela de su autor. En 2015 ha publicado su último libro, *Dinero, demogresca y otros podemonios*.

Islas
Filipinas
-1898-

ILOCOS NORTE
CAGAYÁN
ILOCOS SUR
NUEVA VIZCAYA
MAR DE FILIPINAS
Sierra de Caraballo
ÉCIJA
DAGUPÁN
ZAMBALES
Tarlac
Baler
Montes Mingan
PAMPANGA
BIAK NA BATO
BULACÁN
LUZÓN
Manila
BATAÁN
TONDO
CAVITE
LA LAGUNA
BATANGAS
TAYABAS
TAMARINES NORTE
TAMARINES SUR
ALBAY
CATANDUANES
MINDORO
MANRIQUE
SUBUYÁN
SAMAR
TABLAS
MASBATE
ISLAS VISAYAS

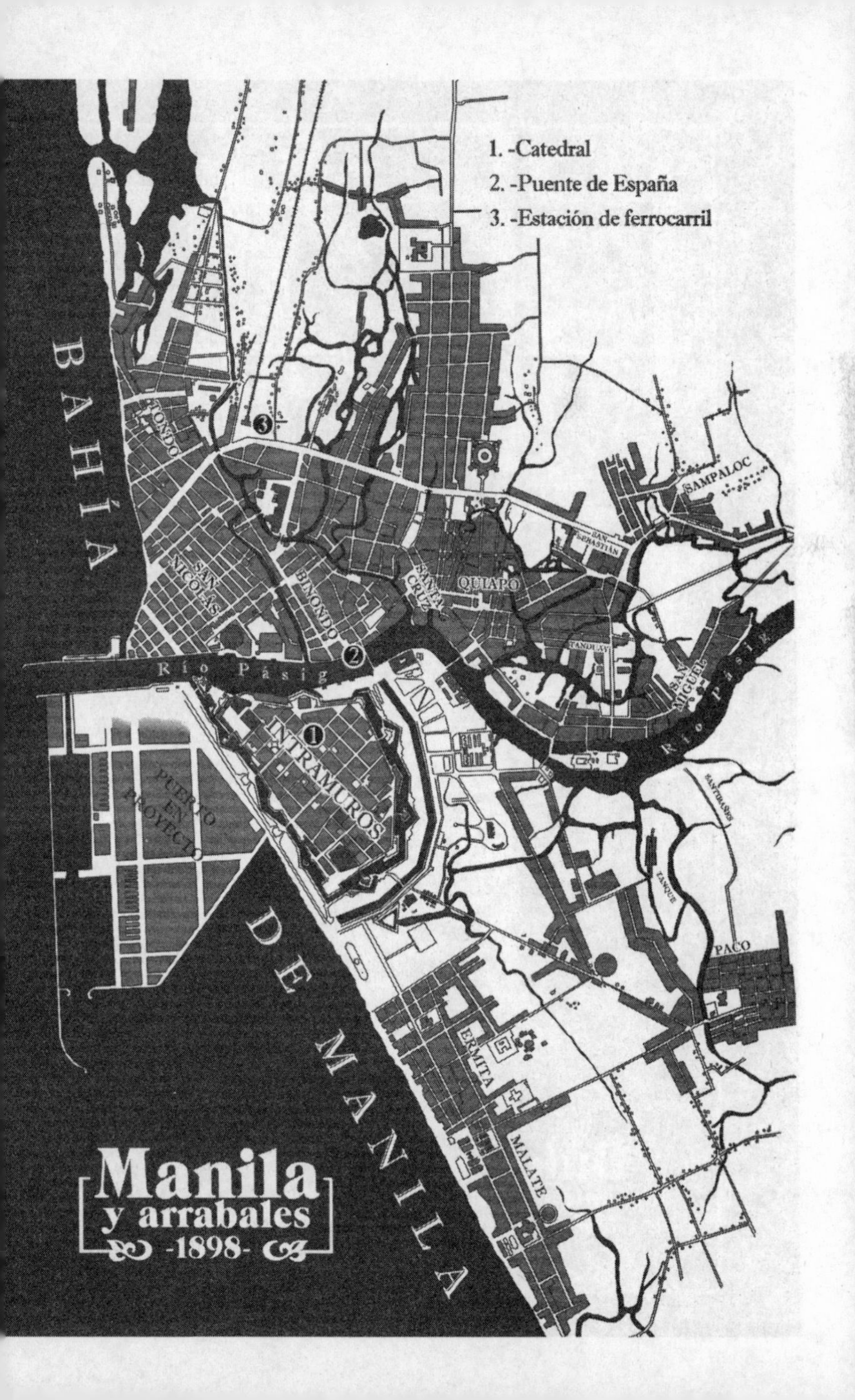
1. -Catedral
2. -Puente de España
3. -Estación de ferrocarril
BAHÍA DE MANILA
TONDO
SAN NICOLÁS
BINONDO
SANTA CRUZ
QUIAPO
SAMPALOC
SAN SEBASTIÁN
TANDUAY
SAN MIGUEL
Río Pásig
INTRAMUROS
PUERTO EN PROYECTO
PACO
ERMITA
MALATE
Manila
y arrabales
-1898-

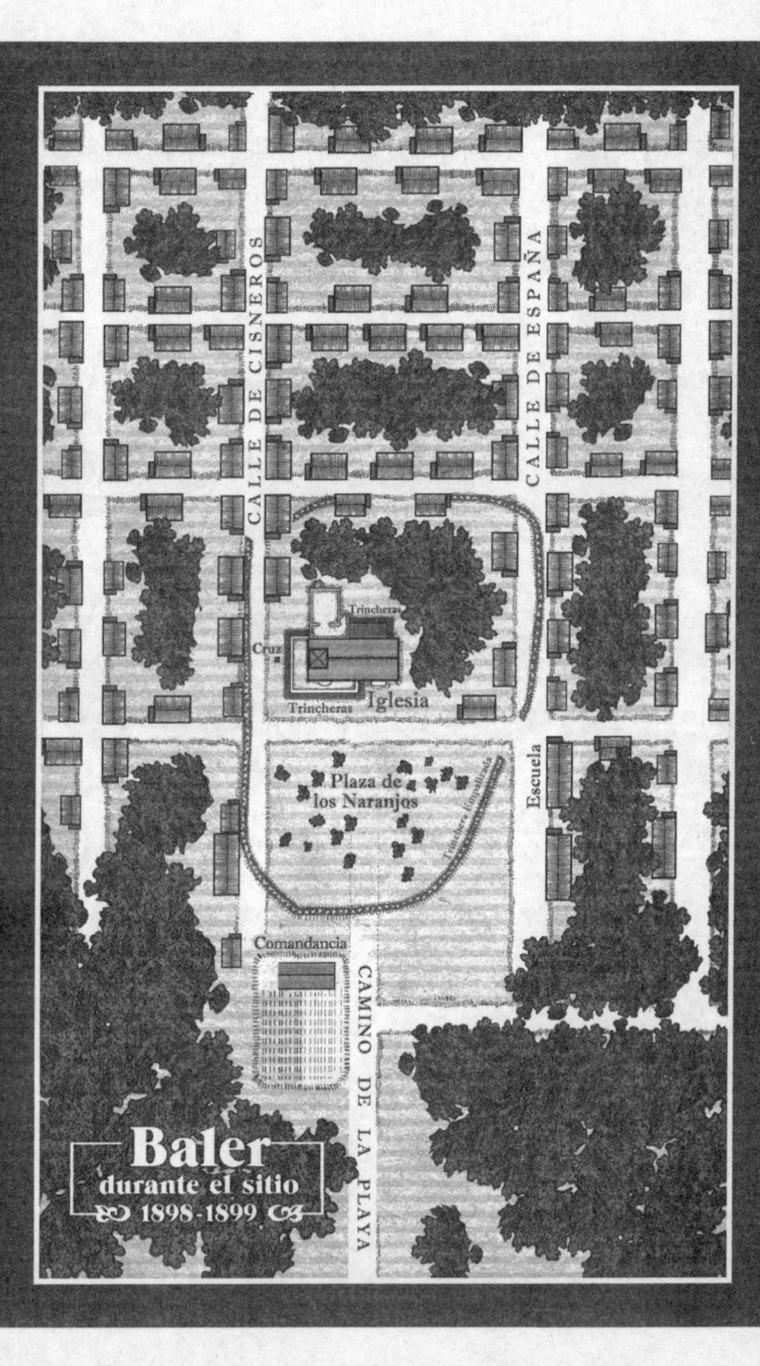
CALLE DE CISNEROS
CALLE DE ESPAÑA
Trincheras
Cruz
Iglesia
Trincheras
Plaza de los Naranjos
Trinchera Empalizada
Escuela
Comandancia
CAMINO DE LA PLAYA
Baler
durante el sitio
1898-1899

Iglesia de Baler
durante el sitio
1898-1899

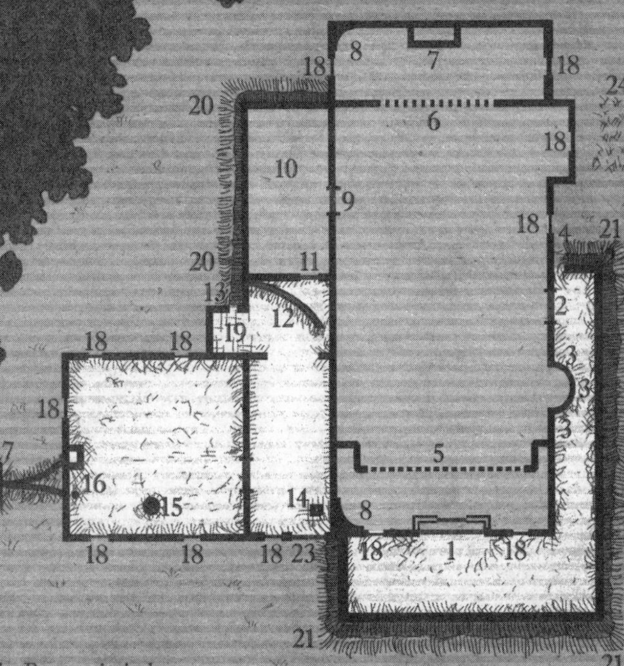

1. -Puerta principal
2. -Puerta lateral
3. -Aspilleras del baptisterio
4. -Paso a las trincheras
5. -Coro
6. -Barandilla del presbiterio
7. -Altar mayor
8. -Parapetos
9. -Entrada a la sacristía
10. -Sacristía
11. -Puerta al corral
12. -Trinchera protegiendo la sacristía
13. -Apertura que comunica la sacristía con foso y trinchera
14. -Horno
15. -Pozo construido por los asediados
16. -Letrina y urinario
17. -Fosa séptica
18. -Aspilleras
19. -Cuarto de baldosas
20. -Foso y trinchera de la sacristía
21. -Foso y trinchera de la iglesia
22. -Cruz
23. -Puerta fortificada del convento
24. -Huerto

A mi hermana Transi,
en el amor y en la guerra.

Ensueño de mi vida, mi ardiente vivo anhelo.
¡Salud!, te grita el alma que pronto va a partir.
¡Salud! ¡Ah, que es hermoso caer por darte vuelo,
Morir por darte vida, morir bajo tu cielo,
Y en tu encantada tierra la eternidad dormir!

JOSÉ RIZAL, *Mi último adiós.*

PRÓLOGO

Octubre de 1897

Era un pájaro a la vez bello y temible, tan bello y temible como los pensamientos que le inspiraba aquella mujer.

Teodorico Novicio cerró por un instante los ojos, para espantar el merodeo de aquellos pensamientos, que no dejaban de rondarlo. Temió que, al volver a abrirlos, el cálao hubiese volado y desaparecido en la fronda, pero seguía allí, encaramado en la copa del tíndalo, picoteando las panojas de flores blancas, pavoneándose como un príncipe en día de asueto. Alguna vez, allá en la infancia borrosa, Novicio se había tropezado en sus incursiones por la selva con uno de aquellos extraños pájaros solitarios que parecían levantar viento con el batir de sus alas y amedrentaban al paseante desprevenido con aquel pico inverosímil, rematado por una excrecencia córnea a modo de gorro frigio. Desde la punta del pico hasta el extremo de las plumas caudales todo era, en realidad, inverosímil en el cálao: su envergadura gigantesca, casi mitológica, que cuando volaba proyectaba sobre el suelo una sombra intimidante, como de resucitada bestia jurásica; su plumaje mayoritariamente pardo, que se ennegrecía en el pecho para tornarse súbitamente rojo en el cuello y en los muslos; y, sobre todo, su amedrentador pico bermejo, de casi dos palmos de longitud, que los guerreros ilongotes empleaban a guisa de tocado en las cacerías que emprendían en pos de cabezas humanas. Los ilongotes creían a pies juntillas que el cálao los protegía en estas cacerías, por eso utilizaban como ornamentos sus huesos, plumas y uñas en collares, pulseras y pendientes; y por eso, después de cobrarse las cabezas que atestiguaban su hombría ante el resto de la tribu, sacrificaban un cálao, para que aplacase a los espíritus errabundos de sus víctimas.

Cuando Novicio era niño, los ilongotes todavía campaban por sus fueros en la región; y avistar un cálao era una señal de mal agüero y más que probable indicio de que los ilongotes andaban al acecho. Por eso, cada vez que se tropezaba con un cálao en la espesura de la selva, después de quedarse durante unos segundos atenazado por el estupor, Novicio echaba a correr despavorido, de regreso al pueblo, prometiéndose que nunca más volvería a aventurarse solo en la selva. De aquellos miedos infantiles subsistía su hábito vergonzante de llevar en el pecho, colgado del cuello, un amuleto o *anting-anting* heredado de sus antepasados, que supuestamente lo tornaba invisible ante sus enemigos e invulnerable a las balas. Novicio sabía bien que tales propiedades milagrosas eran falsas; y se avergonzaba de mantener aquella superstición, como una supervivencia de la infancia, después de haber frecuentado las logias de Manila, donde a la vez que el odio minucioso a la religión traída por los frailes le habían inculcado el menosprecio del animismo. Pero, si no tenía un santo al que encomendarse, ni una Virgen ante la que implorar protección, ¿quién iba a salvaguardarlo en los trances difíciles? Ahora mismo, por ejemplo, que todos sus pensamientos estaban invadidos por el recuerdo de aquella mujer que había conocido días atrás en la escuela de Baler, ¿qué podía hacer para espantar su recuerdo? Sólo le restaba, como un asidero último, su *anting-anting*, apenas un fragmento de roca ígnea que había llegado a redondear en sus aristas, de tanto manosearlo, hasta convertir ese gesto en un movimiento reflejo. Volvió a tocarlo, con una mezcla de zozobra y veneración, antes de sacar una flecha de la aljaba que llevaba colgada de la espalda en bandolera. El cálao aún no había advertido su presencia.

Novicio se había marchado de Baler casi treinta años atrás, cuando apenas contaba diez, al cuidado de un hermano de su madre que trabajaba en la aduana del puerto de Manila y había logrado enriquecerse cobrando coimas a cambio de hacer la vista gorda ante ciertas mercancías de contrabando que pasaban por sus manos. Así había logrado su tío comprarse una casa más que apañada en el barrio de Tondo, habitado mayormente por funcionarios *castilas*, con *caída*, azotea, aljibe y baño, y atendida por una pareja de criados que descargaban a su tía de las labores domésticas. Aunque su tío, en su empeño por mimetizarse con los vecinos del barrio, asistía a misas, novenas y demás prácticas religiosas (y se hacía acompañar de toda su familia), para codearse con la flor y nata de la sociedad local, no había podido impedir que uno de sus hijos, Juan Luna, le saliese librepensador y artista, tan mañoso con los pinceles que consiguió una plaza en la Academia de Bellas Artes de San Fernando, en Madrid, desde donde aprovechó para viajar a París y darse a la vida golfa o bohemia en Montmartre. Allí conoció el amor sifilítico de las Mimis y la borrachera tormentosa del ajenjo; y resacoso de ambos regresó a Manila, dispuesto a introducir las costumbres gabachas en el círculo de sus amigos y allegados. De ese círculo formó enseguida parte Novicio, que aunque casi un lustro más joven que su primo Juan Luna, gustaba de imitarlo en sus preferencias, por hacerse grato ante sus ojos, pues admiraba su genio borrascoso, a la vez que temía sus accesos de cólera, que le cambiaban el carácter expansivo a la menor contrariedad. Por imitación de su primo Juan, Novicio empezó a leer libros abstrusos o incendiarios que proclamaban la soberanía de los pueblos y exhortaban a degollar a los curas; por imitación de su primo, empezó a frecuentar los tugurios y lupanares donde los pintores recolectaban a las modelos de sus cuadros; y, por imitación de su primo, empezó a asistir a las tenidas de una logia masónica de Manila, regentada por *castilas* revirados que planeaban la expulsión de todas las congregaciones religiosas, después de haber estudiado en sus colegios y hasta de haber profesado las órdenes menores en sus seminarios. Así descubrió Novicio que en el *castila* subsiste, a modo de resabio atávico, una querencia clerical irrefrenable que lo obliga a cortejar a los curas con una vela votiva, o bien a perseguirlos con un garrote.

Aunque le gustaban mucho más las partidas de naipes y las peleas de gallos que las tenidas, Novicio había participado en ellas, siquiera remolonamente, durante varios años, por no disgustar a su primo Juan Luna; pero, en cuanto tuvo oportunidad, se sumó al Katipunan, una sociedad secreta autóctona, creada y dirigida por tagalos, que si bien era de inspiración masónica, incorporaba ritos y formas de proselitismo que los masones reputaban bárbaros. Asistiendo a las reuniones del Katipunan, que tenían en efecto algo de primitivo y agreste —como de masonería que se hubiese asilvestrado, nostálgica del taparrabos—, Novicio recobró el amor por su tierra ancestral, que en las logias masónicas se le había embarullado de cháchara librescas y afrancesadas; y como era de natural pacífico —mucho menos genial, pero también menos calenturiento que su primo Juan, que entretanto se había casado, para a los pocos meses asesinar a su mujer y a su suegra, en un arrebato pasional—, esa emergencia de amor a la raza y a la patria no se contaminó del funesto odio al *castila*, tan frecuente entre los conspiradores. Tal vez por ello mismo Emilio Aguinaldo, a la sazón cabecilla de los insurrectos que batallaban contra el ejército español, le había propuesto sumarse a sus huestes. Como Aguinaldo era hombre templado y a su manera magnánimo, Novicio aceptó la propuesta; y aunque creía más en la suavidad de la persuasión que en la violencia de las armas, había acabado por resignarse a enarbolarlas. Los insurrectos de Aguinaldo carecían de organización y adiestramiento militar, apenas disponían de armas de fuego y no contaban con una estrategia definida, más allá de golpear repentinamente donde el enemigo se mostrara flaco o desprevenido; pero a cambio poseían un conocimiento del terreno que los *castilas* jamás podrían adquirir, soportaban mejor las intemperancias del clima y se habían granjeado la adhesión de la gran mayoría de la población tagala, harta de soportar ciertas fatuidades y abusos de los *castilas*. En las fragosidades de Biacnabató, casi treinta leguas al suroeste de Baler, al cobijo de una sierra escabrosa que hasta entonces sólo habían poblado las alimañas, instaló su campamento Emilio Aguinaldo. Desde allí dirigía las operaciones militares; y allí fue congregando partidas de campesinos descontentos y proscritos a los que procuró infundir —sin demasiado éxito— cierta disciplina militar e instruir en el manejo de las armas; no tanto en las de fuego, puesto que carecían de ellas, como en las armas blancas y arrojadizas. En Biacnabató había aprendido Novicio a blandir el bolo, una suerte de machete que los tagalos empleaban para desbrozar los campos; también a tensar el arco y disparar flechas.

Novicio aborrecía las armas de fuego, porque igualan al valeroso y al cobarde, al traidor y al héroe; y porque abrevian tanto la decisión de quitar una vida que la alivian de su carga moral, hasta hacerla intrascendente. El manejo del arco, en cambio, exigía temple y sosiego, nervios aquietados y pulso firme; y obligaba a contener la respiración mientras se tensaba la cuerda y se apuntaba a la pieza que se deseaba abatir. En ese breve ínterin, el arquero tenía ocasión de meditar lo que se disponía a hacer y tiempo suficiente para decidir si no le arredraban las consecuencias. Novicio todavía no se había visto en la obligación de disparar su arco contra un *castila*; pero sospechaba que pronto tendría que hacerlo, y no quería que para entonces le temblase el pulso. Mientras apuntaba al cálao que ahora ahuecaba las plumas de la pechuga en la enramada, orondo y desapercibido de su presencia, Novicio pensó que ensartar una flecha en la pechuga de aquel pájaro era lo más similar a ensartarla en el pecho de un hombre; y que, haciéndolo, lograría ahuyentar definitivamente los escrúpulos que hasta entonces le habían impedido matar. Acarició muy levemente el emplumado de la flecha, un segundo antes de soltar la cuerda, como si esa caricia funcionara a modo de sortilegio, mejorando su puntería; y una décima de segundo antes de que la flecha saliese disparada, el cálao reparó en su presencia y se volvió para mirarlo con una mirada que a Novicio se le antojó aviesa o proterva, una mirada que el pico casi reptiliano y la excrecencia ósea que lo coronaba hacían todavía más aviesa o proterva. Cuando la flecha ya zumbaba en el aire y la cuerda súbitamente destensada vibraba con un reverbero, la mirada del cálao se tornó execrable, como si su temible belleza, al comprender o intuir que su vida se hallaba en peligro, se hubiese desvanecido de repente. La flecha se ensartó en su pechuga con un golpe sordo, como si se hubiese hincado en la corteza de un alcornoque; y el cálao soltó una especie de mugido de becerro que ahuyentó a todos los animales de los contornos, llenando el cielo de aves en desbandada y el suelo de una escurribanda de roedores y otras faunas menudas.

Cayó el cálao dando tumbos entre la enramada, con lentitud y pesantez. Cuando por fin alcanzó las malezas del suelo, lo hizo sin apenas golpearse, muy blandamente; aunque la flecha le había alcanzado el corazón, todavía pataleaba en los estertores de la agonía, y su pico se entreabría dando boqueadas, mostrando una lengua cárdena y genital, y su pechuga, atravesada por el astil de la flecha, palpitaba atropelladamente, como unos días antes había palpitado el pecho de la mujer que lo había saludado en la escuela de Baler, al sospechar que Novicio era uno de esos filibusteros que pretendían derrocar la dominación española. Sólo que la palpitación de aquella mujer, según había advertido Novicio, era al mismo tiempo retadora y trémula, a diferencia de la palpitación del cálao, que era cada vez más convulsa, a medida que la sangre le anegaba los pulmones y una telaraña de niebla trepaba a sus ojos, petrificando su mirada. Al expirar, el cálao tensó las patas y las meció muy despaciosamente, curvando las garras, como si quisiera arañar a su matador, o como si se despidiera desdeñosamente del mundo. Novicio se palpó el *anting-anting* antes de tomar entre sus brazos el cálao exánime; escondía todavía entre sus plumas un calor agónico que apenas un minuto después, cuando decidió cargarlo sobre los hombros como si fuese un venado o un jabalí (y calculó que no pesaría mucho menos), ya se había desvanecido.

Novicio caminó hacia la choza de nipa en la que pernoctaban él y la media docena de hombres que se había traído de Biacnabató, todos oriundos del distrito del Príncipe y mejores conocedores de la región que él mismo. Cuando Aguinaldo había solicitado voluntarios para desempeñar una misión peligrosa en Baler, Novicio había sido el primero en ofrecerse, por deseo de recuperar los paisajes de su infancia y volver a reunirse con su familia. Según le refirió Aguinaldo, Baler era un lugar idóneo para el desembarco de armas, ahora que la vigilancia en los puertos de Manila, Cavite y demás plazas principales de Luzón se había intensificado; pero el comandante político-militar del distrito, a quien tampoco se le escapaba este extremo, había solicitado al mando de Manila que le enviara refuerzos para vigilar la costa. El requerimiento había sido atendido, y desde hacía casi un mes se habían instalado en Baler cincuenta soldados de un batallón de cazadores, al mando de un joven teniente de apenas diecinueve años de edad, tan intrépido como bisoño. Aguinaldo había pedido a Novicio que exterminase al destacamento, que era tanto como pedir los cuernos de la luna, pues con media docena de hombres y sin armas de fuego poco podían hacer frente a un contingente bien pertrechado y casi diez veces superior en número. Así que Novicio se había escondido en la espesura de la selva, desde donde probaba a captar nuevos adeptos para la causa revolucionaria, enviando a sus hombres a Baler como avanzadilla, en labores de propaganda. Pero los balereños eran más bien medrosos y reacios a alistarse en ninguna causa revolucionaria; y Novicio hubo de conformarse con reclutar apenas una veintena de adeptos entre los familiares de sus hombres.

Los nuevos adeptos eran todos campesinos que, hasta la fecha, habían aceptado con más resignación que entusiasmo la vida que sobrellevaban —por lo demás, la misma que habían sobrellevado sus padres y abuelos—, entreverada de penurias y alborozos, sobresaltos y rutinas, que es la argamasa con que se modelan las vidas corrientes y en paz con Dios. En la propaganda subversiva que los hombres de Novicio les habían repartido, esa vida pacífica se describía como un cúmulo de calamidades sin cuento —siempre permitidas, auspiciadas o promovidas por el *castila*— y se pintaba con colores vehementes la nueva vida que vendría después de la rebelión, una vida idílica sin penalidades ni disputas, sin desigualdades ni sinsabores, en la que las pasiones más mezquinas del hombre serían súbitamente abolidas y sustituidas por los impulsos más nobles. Por supuesto, Novicio sabía que este paraíso en la tierra o democracia beatífica era una quimera. Sin embargo, para su sorpresa, su auditorio la aceptaba sin rechistar, como los niños aceptan la existencia de las hadas y los trasgos, incluso se enardecían y exaltaban mientras les evocaba ese imaginario reino de paz y justicia universales; y aplaudían exultantes cuando Novicio remataba sus discursos con aquellos apóstrofes ebrios de fanatismo: «¡Ya está bien de sufrir, de aguantar y de llorar! ¡Una nueva aurora germina, sobre la sangre de nuestros héroes y el llanto de nuestras madres!». Y otras majaderías de parecido jaez. Como Novicio era hombre templado y ecuánime que no se dejaba arrastrar por impulsos ciegos, aquellas arengas le provocaban cierta vergüenza de sí mismo. En su fuero interno, reconocía que no hacían sino envenenar el alma de las gentes ingenuas; y ni siquiera sabía si la vida que les traería la revolución sería mejor que la vida que hasta entonces habían padecido. Estos conflictos de conciencia, que de modo más o menos mitigado o lacerante siempre habían pesado en el ánimo de Novicio, se habían agravado ahora, después de conocer a aquella mujer en la escuela de Baler, pues sabía que el hipotético triunfo de la revolución redundaría en muchas zozobras y padecimientos, injurias y persecuciones, para ella y para quienes compartían su misma vocación; y esta certeza lo hacía sentirse miserable. Exactamente el mismo sentimiento lo invadió mientras descabezaba a machetazos al cálao que acababa de cazar, mientras arrojaba su cuerpo muerto a una caldera de agua hirviente para después desplumarlo, mientras extendía sobre una tabla su cuerpo ya desplumado para partirle el esternón con el bolo y descoyuntarle las patas, antes de sacarle las entrañas.

Novicio rasgó la membrana que envolvía la bolsa abdominal y dejó que aquel amasijo de tripas como culebras de sangre caliente se ensortijase entre sus dedos, antes de eviscerarlas de cuajo. Las tripas del cálao tenían un color tumefacto y desprendían un vapor oleaginoso y un hedor acre de matadero mal ventilado. Arrojó las tripas al suelo y añadió al despojo la hiel, que desprendió de la cavidad interna del cálao con un movimiento casi quirúrgico, ayudándose de la punta del bolo; la vesícula le llenaba casi la mano, y era como una bolsa gelatinosa invadida por la gangrena. El resto de vísceras —el hígado y la cachuela y los bofes, el corazón y las criadillas y los riñones— las fue arrancando con minuciosidad de médico forense y juntándolas en un perol para que escurrieran, antes de preparar el guiso que por la noche compartiría con sus fieles, a modo de ceremonia de iniciación previa a su incursión en Baler. Con un repeluzno, Novicio contempló las piltrafas que se amontonaban en el perol —más que de un ave, parecían de un niño— y, a continuación, sus manos, enguantadas de sangre hasta más allá de la muñeca, manos de matarife o sicario que acrecentaron todavía más su vergüenza. Algo semejante había experimentado la semana anterior, cuando por primera vez se decidió a visitar Baler, supuestamente para preparar el ataque a la guarnición militar y estudiar sus defensas, pero en realidad deseoso de volver a abrazar a sus familiares, después de tantos años de alejamiento, y de pasear sus calles, para recuperar las huellas extraviadas de la infancia. Baler había cambiado muy poco desde entonces: permanecía idéntica la plaza de los naranjos, que servía de inmenso atrio arbolado a la iglesia; e idéntica también, si acaso con el enlucido de las paredes algo más desconchado, la robusta iglesia erguida por los frailes franciscanos, con sus paredes como baluartes y su convento o sacristía aneja donde de niño se revestía de monaguillo y se pimplaba un buchito de vino de consagrar, con el beneplácito del párroco. Observó con extrañeza, sin embargo, que el portón de la iglesia estaba trancado cuando apenas había empezado a ponerse el sol; algo inconcebible allá en su niñez, pues los franciscanos se preciaban de mantener la iglesia abierta día y noche, como médicos del alma siempre vigilantes. Después de rodear los muros de la iglesia, buscando en vano otra entrada, Novicio se demoró por las calles del pueblo, tal vez algo más desbrozadas y allanadas que veinte años atrás, pero convertidas al menor aguacero en el mismo fangal que entonces; y pasó revista a las muy rústicas casas que se alineaban a derecha e izquierda, los mismos *bahays* construidos con cañas y nipa que él había ayudado a levantar cuando era niño. Algo más descuidadas o esquilmadas estaban las sementeras, tal vez porque los soldados de la guarnición las hubiesen saqueado, tal vez porque el estado de guerra latente que se respiraba en la región hubiera disuadido a los campesinos de cuidarlas con excesivo esmero. No le pasaron inadvertidas a Novicio las nuevas construcciones que se repartían en derredor de la plaza de los naranjos, porque eran de dimensiones más abultadas que los *bahays* aledaños y tenían una armazón de madera que las hacía más resistentes: la cabaña de la comandancia, justo enfrente de la iglesia, con su propio huerto, establos y cochiqueras; y, algo más apartada, la escuela, que por la noche se empleaba como albergue donde pernoctaban los soldados de la guarnición que no cabían en comandancia. Al lado de la escuela, en un *bahay* modesto, vivían en comunidad las monjas a las que se había encargado el cuidado de la escuela, cinco hijas de la Caridad recién llegadas de Manila que no habían tardado en ganarse la simpatía de los balereños, agradecidos de sus abnegaciones con los más pobres y ancianos, así como de sus desvelos en la instrucción de la chiquillería.

—Pues mejor les iría a esos niños siendo analfabetos que aprendiendo las fábulas del catecismo que les estarán enseñando las jodidas monjas —profirió Novicio, mientras compartía con su familia una humilde morisqueta, el arroz cocido que era el plato más habitual en la casa del pobre.

Su exabrupto había hecho callar sombríamente a sus parientes, que hasta ese momento lo habían acogido con gran algazara. Novicio se arrepintió enseguida de aquella salida de tono, que habría encajado mejor en sus conciliábulos katipuneros que en el *bahay* de sus padres, cuyas paredes estaban forradas de estampas, crucifijos y escapularios. Agachó la cabeza, compungido, y luego pasó revista con gesto mohíno a los rostros de sus familiares, congregados todos en torno a una mesa de tablones podridos, sepultados entre arrugas y consumidos como momias los más ancianos, desengañados y como abrochando a duras penas el esqueleto dentro del pellejo los más jóvenes, mirándolo todos de hito en hito, atónitos o recriminatorios.

—Perdonen si me puse demasiado bravo —se excusó, en un susurro—. Son días de mucho jaleo y muchos nervios.

Entonces sonó una voz milenaria, totémica, en la que se compendiaba todo su árbol genealógico, generaciones y generaciones de hombres mansos, caballerosos y honorables. Tal vez fuese su padre, o alguno de los hermanos de su padre, o todos juntos a la vez, como los coros de las tragedias griegas:

—Deberías preocuparte de que esas monjas no sufran ningún atropello cuando lancéis vuestro ataque.

Novicio cabeceó, en señal de acatamiento:

—No se preocupen. Nadie las rozará siquiera.

Después de la morisqueta se sirvió todavía una tinola, pero Novicio apenas la probó, afligido por la encomienda familiar, que lo obligaba a tomar precauciones que hasta entonces no había previsto. Se despidió embarazosamente de sus parientes cuando la noche ya empezaba a caer, aturullado por los remordimientos. Afuera, el calor se había hecho sofocante, como si la noche se hubiera inundado de un magma a la vez ardiente y húmedo que obligaba a tomar aire antes de la zambullida. Todavía algún balereño regresaba a casa, después de la jornada en el campo, aguijoneando en vano a su carabao, que iba rastrillando con los cuernos, cabizbajo, el camino, como si lo quisiera sembrar con sus legañas. Novicio pasó de largo ante la escuela, convertida en albergue militar, no sin antes saludar muy obsequiosamente al centinela adormilado o morugo destocándose el sombrero, y se detuvo por un instante ante la vivienda donde se alojaban las monjas, antes de volver a cubrirse, fingiendo que musitaba una oración. Entonces apareció inopinadamente aquella mujer.

—¡Buenas noches, amigo! —lo saludó con una efusividad sincera, pero acaso demasiado cordial, considerando que no se conocían de nada—. ¿Forastero por estos pagos?

Iba ataviada con un hábito azul que la noche hacía negrear y una toca blanca que casi fosforecía, con alas almidonadas que se balanceaban como antenas vibrátiles. Era muy menuda pero nada frágil, nerviosa como el rabo de una lagartija, y tenía un rostro de facciones limpias y despejadas, de un cutis finísimo que parecía no haber recibido la injuria del sol. La luna palpitaba en lo alto, como la vejiga de un pez; y su luz permitió a Novicio distinguir los ojos grandes y absortos de aquella mujer, su mandíbula como una lección de anatomía y, sobre todo, su sonrisa ancha que desarmaba cualquier reticencia. Novicio pensó que era un despropósito que una mujer así se hubiese consagrado a una vocación de dudoso propósito, en lugar de dejarse disputar por los hombres. Y pensó también que él se habría contado gustosamente entre sus pretendientes, aunque fuese demasiado flaca para su gusto (pero así su amor sería más casto, un amor hecho de luz que no conociese la ofuscación ni el hastío). Novicio se avergonzó de aquel tropel de pensamientos insensatos que, en un santiamén, se habían abalanzado sobre él, dejándolo mudo. Se llevó instintivamente la mano al pecho, para resobar su amuleto.

—¿Habla usted español? —le preguntó la mujer, extrañada de que no le respondiese.

—Perdone, señora —reaccionó al fin—. Soy del lugar, pero hacía mucho tiempo que no venía por aquí. Me llamo Teodorico Novicio, para servirla.

Se inclinó galantemente, como hacía la gente de cierta alcurnia en los cenáculos de Manila, y, tomando la mano de la monja, la besó con pulcritud. Aunque era una mano delicada, el tacto de su piel era áspero, erosionado en mil labores domésticas y obras de misericordia.

—Encantada, señor Novicio —dijo ella, con un gesto apreciativo de su cortesía—. Llámeme hermana, hermana Lucía. No soy señora de nada ni de nadie, en todo caso sierva.

Pero sus facciones no eran las de una sierva. Resplandecían en la oscuridad, como envueltas en un nimbo. Novicio pensó que, por contraste, sus facciones boscosas y aceitunadas, estragadas por la vida agreste de los últimos años, le parecerían a ella más propias de macaco que de hombre. Y, además, no se le escapaba que la vida selvática lo delataba con un característico olor a chotuno.

—¿Sierva? ¿Y cómo es eso? —preguntó.

—Sierva de Dios y de los pobres, que son mis dueños.

Sus palabras habían sonado como una declaración programática, cinceladas y solemnes, y Novicio no quiso que las suyas pareciesen amedrentadas:

—Pues hermana la llamaré, si así lo prefiere, con mucho gusto, puesto que ambos somos miembros de la misma especie humana. —Y, como si no le hubiese bastado con aquella perogrullada, añadió—: Y la filantropía es obligación entre semejantes. Para servirla en cualquier caso, hermana, pues por sierva no la tengo. Yo me declaro servidor suyo; aunque no, desde luego, de la monja, sino de la mujer.

Sor Lucía se llevó la mano a la boca, tratando inútilmente de tapar la hilaridad que le provocaba la retórica relamida de Novicio. Su carcajada espabiló al centinela que hacía guardia en la escuela.

—¡Anda, que no se trae bien aprendida la lección ni nada, señor Novicio! —exclamó cuando al fin logró dominar la risa—. Con que los niños de la escuela se trajesen la mitad de bien aprendidas las suyas ya me conformaba yo.

Novicio se sintió por un instante pueril y ridículo; pero enseguida descubrió que en el gesto risueño y en el desparpajo de sor Lucía había una complicidad franca que lo estaba invitando a reírse; y así lo hizo, sin ambages ni resistencias. Tal vez por evitar los ofuscamientos que habían llevado a su primo Juan a la cárcel, Novicio había procurado eludir en lo posible el trato con las mujeres, en quienes siempre había visto una rémora que impide o debilita o desbarata los designios viriles, cuando no un elemento de infiltración que los frailes utilizaban para inocular sus doctrinas en el hogar. De modo que sus roces y transacciones con mujeres siempre habían sido urgentes y más bien bestiales, sin cortejos ni pamplinas; y no se había preocupado de que tales mujeres fueran agraciadas, incluso se había cerciorado adrede de que fueran más feas que Picio, para no dejarse embaucar por ellas. Pero aquellas prevenciones se derrumbaban ante sor Lucía, cuya franqueza no era chabacana, como la que solían gastarse las mujeres que le cocinaban el rancho, allá en Biacnabató, pero tampoco frívola y artificiosa, como había sorprendido en tantas *castilas* que se pavoneaban por las calles manileñas. Sor Lucía era una mujer que escapaba a las clasificaciones burdas que hasta entonces le habían servido para compartimentar a las mujeres, como si fueran ganado; y esta dificultad para adscribirla a cualquiera de las casillas en las que iba archivando a las demás mujeres provocaba en Novicio cierto desasosiego. Tal vez sor Lucía lo intimidase.

—Y, por cierto —apostilló—, me ha llamado monja. Que conste que yo no soy monja.

—¿Cómo que no es monja? —se enfadó Novicio, exasperado de que le negase la evidencia—. Entonces será que va disfrazada, no siendo carnaval.

Volvió a reírse sor Lucía, esta vez con una cierta condescendencia, como si ya estuviese cansada de explicar una diferencia que al común de las gentes pasaba inadvertida.

—Las hijas de la Caridad no somos monjas en el estricto sentido de la palabra, puesto que no profesamos ni hacemos votos religiosos, sino tan sólo promesas renovables cada año —recitó, con fingida paciencia.

Novicio resopló, abrumado por la jerga eclesiástica, que se le antojaba jeroglífica (o tal vez le fastidiase entenderla a la perfección, a despecho de sus postizos pruritos revolucionarios). Levantó el rostro al cielo, en el que empezaban a titilar tímidamente las estrellas. Era un cielo bajo el que le hubiese gustado morir; y todavía más gustosamente en defensa de sor Lucía.

—Pues retiro lo de monja y no se dispute más —accedió Novicio. Y cambió de tercio, aunque tampoco demasiado—: Usted me sabrá decir si ha ocurrido algo en la iglesia del pueblo, para que esté cerrada a cal y canto.

—Nos hemos quedado sin párroco —dijo ella, con un puchero—. Se nos murió hace un par de semanas, el pobre. Era muy viejito ya.

—¡Y ahora que por fin habíamos conseguido quedarnos sin frailes... se nos llena el pueblo de monjas!

Novicio se sorprendió de que, a través de sus comentarios y ocurrencias, sin dimitir de su anticlericalismo, estuviese tratando de captar la simpatía de sor Lucía. Lo debía de estar logrando, porque ella había vuelto a reír sin rebozo.

—No se haga ilusiones —dijo cuando la hilaridad se lo permitió—. Pronto vendrá el nuevo párroco. Nosotras, entretanto, le vamos allanando el terreno.

De la selva lejana llegaban los ruidos de la noche, un concierto de murmullos hipnóticos que eran como una brisa para el alma. Ambos enmudecieron por un segundo, pero la hermana Lucía no tardó en romper el encantamiento:

—Y, dígame, señor Novicio, ¿es usted un deportado?

Su voz había sonado inesperadamente inquisitiva, incluso severa. Novicio se sobresaltó:

—¿Cómo dice?

—Perdone si le he ofendido —se excusó sor Lucía, que trataba de recuperar entre balbuceos el tono cómplice de la conversación, sabiendo que tal vez fuese imposible ya, pues Novicio se había puesto en guardia—. Apenas hace un par de meses que nos hemos instalado aquí. Pero nos dijeron que el gobierno manda al distrito del Príncipe, desterrados, a muchos...

No se atrevió a formular la palabra, por temor a resultar infamante.

—A muchos filibusteros, ¿no es así? —murmuró Novicio, con lastimada ironía—. Otras veces los llaman *tulisanes*. Tratan de denigrarlos con este tipo de calificativos. Pero en realidad son patriotas.

Novicio miró con el rabillo del ojo al centinela que hacía la guardia ante la escuela, a escasos veinte o treinta metros de donde ambos se hallaban, por temor de que estuviese tratando de averiguar su diálogo. Pero el centinela ya daba cabezadas.

—¿Y es usted un patriota, señor Novicio? —le preguntó sor Lucía a bocajarro.

Se abrió un silencio atirantado como la cuerda de un arco antes de propulsar la flecha. A Novicio se le llenaron los ojos de niebla; pero el rostro de sor Lucía conjuraba la noche.

—Márchense, hermana —dijo, sin responder a su pregunta—. Vuélvanse a Manila. O, mejor todavía, regresen a España. Baler es un lugar peligroso.

—¿Por qué habríamos de hacerlo? —preguntó ella, con una desarmante inocencia—. Nuestro sitio está aquí, señor Novicio. Nadie dijo que nos gusten los destinos seguros.

Sor Lucía introdujo las manos en las bocamangas de su hábito, cada una en la contraria, como si de súbito la hubiese recorrido un escalofrío, pese a la calidez sofocante de la noche. Novicio sintió el absurdo deseo de cobijar sus manos junto a las suyas, allá dentro de las bocamangas del hábito, las cuatro manos como gazapos en una madriguera.

—Márchese, hermana, y no tiente más la suerte.

Y, como si quisiera predicar con el ejemplo, echó a andar sin despedirse, en dirección a la selva. Sabía que el recuerdo de esa mujer indefensa en medio de la zapatiesta que pronto se iba a desatar en Baler lo martirizaría en los próximos días, infectando sus insomnios.

—¿Volveré a verlo pronto? —gritó ella, cuando ya se lo tragaba la noche, a riesgo de despertar al centinela—. Me gustaría mostrarle la escuela y la labor que hacemos con los niños.

Había algo en aquella mujer —tal vez su inocencia entreverada de temeridad y desparpajo— que le hacía bullir la sangre en las venas, soliviantándolo y a la vez trastornando por completo sus falsas seguridades. Novicio desanduvo el camino, para evitar la escandalera, y se encaró con ella:

—La labor que hacen la conozco de sobra —masculló, acompañando sus palabras de aspavientos rabiosos, como si quisiera amilanarla—. Están adoctrinándolos y llenándoles la cabeza de paparruchas y supersticiones.

—¿Cómo se puede ser tan grosero? —lo reprendió sor Lucía, que no parecía dispuesta a dejarse amilanar tan fácilmente—. A esos niños los estamos enseñando, entre otras cosas, a leer y escribir, para que puedan ser hombres de fuste el día de mañana. —Y se permitió preguntarle con sorna—: Por cierto, ¿quién le enseñó a usted a leer, señor Novicio? Porque usted sabe leer y escribir, eso salta a la vista. Y también sabe mucha gramática parda, me parece a mí. A ver, ¿quién le enseñó?

Novicio no supo si sentirse halagado o zaherido. Se vio, como a través de un túnel o un catalejo, en el colegio que regentaban los dominicos en Manila, recitando la cartilla ante un padre que aspiraba rapé.

—Eso no viene al caso ahora, hermana —se rebeló—. Lo que le pido es que se vayan de Baler mañana mismo...

—Estamos enseñando a esos niños a no odiar, señor Novicio —lo interrumpió sor Lucía con decisión, con cierta impertinencia incluso—. Estamos arrancándoles la cizaña del odio que usted y otros como usted les sembraron.

Aquella mujer había logrado al fin sublevarlo. Y habría querido echarle un buen rapapolvo, replicándole que el odio lo habían sembrado los *castilas*, empezando por los propios frailes, que todo lo querían mangonear; pero intuía que su diatriba incurriría pronto en las exageraciones y trazos gruesos de la soflama, que el desparpajo de sor Lucía habría sabido de inmediato desmontar y ridiculizar; y, además, Novicio contemplaba con temor la posibilidad de que el centinela dormitante aguzase el oído, curioso de lo que allí se disputaba. Así que se fue con el rabo entre las piernas, no sin antes dirigir a sor Lucía una mirada de ofendido y mal reprimido enojo, a la que ella respondió con una sonrisa beatífica, pero íntimamente orgullosa de su triunfo. Novicio, en su rechazo casi instintivo de la religión, había caracterizado a los católicos según unos cuantos estereotipos archisabidos: el fraile untuoso e hipocritón, zampatortas y lascivo; la beata que sublima su furor uterino repartiendo su devoción entre todos los santos; el meapilas profesional y farisaico, que afecta una piedad de la que carece y se come todas las hostias que le pasan por delante con tal de medrar y sacar tajada; la monja bigotuda y pasivamente bestial, que obedece sin rechistar las consignas del obispo o de la madre superiora como un autómata, mientras se atiborra de dulces y avemarías; y así sucesivamente. Pero aquella maldita monja, o hermana, o lo que demonios fuera, no casaba en ninguno de aquellos estereotipos —como tampoco encajaba en los diversos nichos o casillas misóginas en las que Novicio clasificaba a las mujeres—, lo que le provocaba una incomodidad o quemazón creciente.

—Venga a visitar nuestra escuela, señor Novicio. Nos sentiremos muy honradas —dijo todavía sor Lucía a lo lejos, en un tono amable, o así prefirió juzgarlo él, haciéndose el desentendido.

En los días sucesivos, mientras preparaba el golpe de mano con sus fieles y aleccionaba a los campesinos de Baler que se habían sumado a la revolución, Novicio no dejó de pensar en sor Lucía. Pensaba, por supuesto, en el modo de evitarle la desgracia cuando se iniciasen las hostilidades (puesto que daba por supuesto que la muy tozuda no haría caso de sus admoniciones y permanecería con las otras monjas en Baler); pero pensaba también en ella de un modo ensimismado que lo ruborizaba, al estilo de un padre que piensa en la hija que lo enorgullece o del enamorado que piensa en la mujer a la que platónicamente venera, aunque ella lo ignore. Ciertamente, no había turbiedad ni concupiscencia en sus pensamientos; pero aunque fuesen elevados, eran también, por ello mismo, más desquiciantes, porque lo hacían más consciente de una flaqueza que no quería reconocer. Embadurnó las vísceras del cálao en manteca y las echó a freír al fuego, para que sirviesen de pitanza a sus hombres, mientras se imaginaba —pese a su voluntad— situaciones peregrinas en las que actuaba como protector de sor Lucía, como escudero o chambelán de sor Lucía, como ángel custodio de sor Lucía. Esto último era lo que más lo encabronaba, porque él no creía en los ángeles. ¿O es que, en el fondo, sí creía?

—Y con las monjas, ¿qué hacemos? ¿Las raptamos? —preguntó uno de sus hombres, mientras daban cuenta de las vísceras del cálao llevándoselas a la boca con los dedos.

En la choza que compartían, al abrigo de una quebrada, se respiraba una atmósfera de establo o hura de verracos en celo. La expectativa del rapto repartió sonrisas pícaras entre sus hombres. Alguno hizo una broma sórdida que relumbró en la penumbra como un fogonazo de magnesio.

—A las monjas no se les toca ni un pelo de la cabeza. A quien se atreva a hacerles daño, lo rajo —sentenció Novicio, con un laconismo hosco que no dejaba resquicios a la duda. Luego, se limpió los restos de grasa de las comisuras de los labios y adoptó el tono de la arenga, que cada vez le resultaba más impostado—: Cuando pasen algunas horas, hemos de emprender una operación arriesgada, con la que haremos un señalado servicio a nuestra patria y daremos un paso más en el camino de nuestra libertad. ¿Os encontráis con fuerzas para seguirme?

Sus fieles respondieron jubilosamente, blandiendo los bolos, galvanizados por el ardor guerrero que les transmitían las vísceras del cálao, que habían devorado sin tomar aliento, atragantándose casi, y cuya sustancia ya se inmiscuía en su sangre, como un combustible preternatural. Bajaron al pueblo, dejando atrás la opulenta selva, que hasta entonces les había parecido hostil y ahora en cambio se les antojaba hospitalaria como la placenta para el niño gestante, pues los acongojaba la expectativa de la muerte. El calor de los últimos días se había aplacado un tanto; y de la tierra ascendía una humedad incitadora, como si a los gusanos se les hiciese la boca agua, anticipando el festín de cadáveres que les aguardaba. Bajaban en un silencio luctuoso o turbado: habían repetido una y otra vez, como en una letanía, los pasos que habrían de dar para que el golpe de mano no fracasara, hasta aprendérselos de memoria; pero ahora, en el momento de llevarlos a cabo, se les habían olvidado inexplicablemente, como al cómico se le olvida en la noche del estreno el papel que ha recitado en mil ensayos un minuto antes de que se alce el telón. O tal vez hubiesen interiorizado esos pasos de un modo tal que podían ejecutarlos maquinalmente, sin intervención de la voluntad siquiera. Se habían vestido, como era costumbre entre los campesinos tagalos, con camisola de nipis blanca, con los faldones por encima de los pantalones de guinga y salacot de nito que llevaban a la espalda, colgado del cuello; remetido en el pantalón, con el mango asomando en la cintura pero cubierto por la camisa, llevaban el bolo, salvo Novicio, que portaba en bandolera una funda de cordobán, en la que guardaba el arco y las flechas. Llegaron a la trinchera que los españoles habían excavado en derredor de Baler, donde los esperaban agazapados los veinte balereños que habían conseguido reclutar, también silenciosos como muertos prematuros y también amnésicos de los planes que en unos minutos tendrían que ejecutar. Blandían los bolos de un modo muy escasamente guerrero, como si se dispusieran a cortar forraje; y algunos ni siquiera tenían bolo y se conformaban con enarbolar aperos de labranza, de utilidad más que dudosa.

—¡Ánimo, valientes! —los exhortó Novicio, en un susurro, antes de brincar la trinchera—. La patria sabrá recompensar vuestro sacrificio. Recordad que lo prioritario es conseguir las armas de los *castilas*.

Pensaba que repitiendo a modo de ensalmo aquella recomendación alejaba la posibilidad (o certeza) funesta de una escabechina. Sin necesidad de mayores especificaciones (pues, en efecto, todos los hombres habían interiorizado su papel en el drama), Novicio abandonó la trinchera, flanqueado a derecha e izquierda por dos de sus fieles; los demás se repartieron entre los lugareños, a los que dividieron en dos grupos, que salieron un par de minutos más tarde de la trinchera: uno de ellos, siguiendo los pasos de Novicio, en dirección a la comandancia donde pernoctaba la mayoría de la guarnición con su oficial al mando; el otro, tomando un camino lateral que los llevaría hasta la escuela, donde se albergaban los soldados que no tenían cabida en comandancia, unos veinte aproximadamente. Un quinqué que pendía de la marquesina de la comandancia, convocando un cónclave de polillas, indicó a Novicio el camino entre la oscuridad, que a medida que proseguía su avance se iba haciendo más oprimente. Respiraba con dificultad, como si el aire se hubiese vuelto arena y le atorase los bronquios; y en las sienes notaba la batahola de la sangre, como una galerna en miniatura. Miró a izquierda y derecha, para cerciorarse de que los dos hombres que lo acompañaban no se habían rezagado; y creyó distinguir en sus facciones la rigidez del espanto. Dejaron atrás, a la derecha, la escuela, donde pronto se trabaría también combate, alumbrada por otro quinqué, y el *bahay* donde dormía sor Lucía con las demás hijas de la Caridad. Novicio sintió, allá en sus adentros, que una piedra imán tiraba de su carne y de su alma, reclamándole que sirviera de escudo para aquella mujer, pero siguió caminando sin inmutarse, o fingiendo que no se inmutaba. Habría querido cambiar el plan de ataque, para preservar la seguridad de las monjas antes de que comenzara el rifirrafe, pero ya era demasiado tarde.

—Buenas noches nos dé Dios.

Se habían detenido los tres ante la comandancia, en la misma linde del círculo de luz que derramaba el quinqué, como pasmarotes que han extraviado el camino de vuelta a casa. El saludo de Novicio había sonado estridente, como si escuchando su propia voz quisiera espantar el fantasma de los malos augurios. El centinela, sobresaltado, manoteó el aire por delante de su cara, espantando el cónclave de las polillas. Farfulló:

—A las buenas noches.

Y sonrió con una sonrisa zangolotina, mostrando unos dientes arrasados por la piorrea y espaciados como almenas en un adarve. Le manchaba las mejillas granujientas esa pelambre que les sale a los mozos después de la pelusilla del bozo y antes de la barba hirsuta. Novicio calculó que acabaría de cumplir dieciocho años.

—Pues discutía yo con mis compadres aquí presentes si el próximo párroco de Baler será también franciscano —dijo Novicio, con un deje que se pretendía palurdo, pero que sonó tristísimo, apiadado del centinela casi imberbe.

—¡A menudo se lo va a preguntar! —dijo el muchacho, confianzudo y sin cuestionarse siquiera la ridiculez de aquella conversación—. No distingo de razas entre los curas; y procuro alejarme de ellos cuanto puedo.

Rió nerviosamente, casi con un relincho. Entonces uno de los hombres que flanqueaban a Novicio, con una prontitud felina, se puso de un brinco ante el centinela, extrajo el bolo del pantalón y le asestó un machetazo en la cabeza. Cuando Novicio vio el bolo incrustado en el cráneo del centinela y la sangre manando pujante de la herida y empapando su rostro, estuvo a punto de arremeter contra su subordinado, pues habían dispuesto que se limitaría a propinarle un golpe para hacerle perder el sentido. Pero tendría que guardarse las recriminaciones para más tarde; ahora sólo le restaba actuar, aunque repudiase los métodos de sus hombres.

—¡A las... armas, caza...dores! —acertó aún a advertir el centinela con voz desfallecida, antes de caer muerto sobre el porche.

Para entonces ya se les acababa de sumar uno de los grupos de lugareños que los había seguido desde las trincheras, mientras el otro se lanzaba al asalto de la escuela. Entraron en la comandancia como quien entra en una cueva lóbrega, arramblando con cachivaches y tropezando con los cuerpos dormidos de los soldados españoles, que abandonaban sus camastros en paños menores, entre el griterío aturdidor de los asaltantes y el zumbido de los bolos que se descargaban sobre sus espaldas. Pronto se sumarían al griterío los lamentos de los heridos y los estertores de los agonizantes; y empezaron a sonar los primeros disparos cuando los soldados más ágiles e intrépidos lograron alcanzar sus armas, mientras otros también ágiles pero más pusilánimes echaban a correr en dirección a la selva, perseguidos por los asaltantes, que a veces les daban caza, del modo más ensañado y truculento. Novicio ordenó a sus hombres que buscaran el arsenal y cargaran con cuantas armas y cajas de munición pudieran, mientras subía al altillo de la cabaña, en busca del oficial al mando del destacamento, para exigir su rendición. Extrajo el arco de la funda de cordobán y lo cargó con una flecha, antes de echar abajo de una patada la puerta de la habitación más espaciosa.

—No me hará prisionero, no se moleste siquiera en intentarlo.

Era, tal como habían informado a Novicio, un teniente bisoño y jovencísimo, casi tan joven como el centinela que acababan de despachar a ultratumba. Se hallaba sentado sobre su cama, con la guerrera abrochada salvo en el cuello, y trataba de calzarse las botas. Alguien había prendido fuego a la comandancia, por efecto del nerviosismo de los defensores o del frenesí incendiario de los asaltantes, y las llamas, todavía incipientes, alumbraban el rostro magro y anguloso del oficial, mordiéndole los contornos de sombra como una jauría de perros mastines.

—Déjese de monsergas y ríndase, que no pienso hacerle daño —ordenó Novicio desabridamente, como si lo increpase.

Tensó el arco y apuntó al corazón del teniente, sabiendo que no le iba a disparar, salvo que hiciese algún movimiento brusco. La nipa de la comandancia ardía ya descontroladamente y la madera empezaba a crepitar. Siempre le había molestado esa estridente gallardía de los españoles, aferrada a un inaprensible ideal de honor, cuando no a la más negra honrilla. Novicio siguió acercándose al oficial, que con un movimiento de prestidigitador se llevó un revólver a la frente. Había empezado a sollozar, como un chiquillo que se queda huérfano el día de su cumpleaños.

—¡No haga locuras! —gritó Novicio, tratando de inspirar autoridad—. ¡Entrégueme ahora mismo ese revólver!

—No permitiré que me hagáis perrerías, ni dejaré que mis hombres se entreguen por salvarme la vida. —El teniente hablaba atropelladamente, pero tratando de mantener un vestigio último de prestancia militar—. Que Dios se apiade de mi alma.

Y se pegó un tiro que le reventó la cabeza, dejando un círculo de carne chamuscada en la sien y la pared sobre la que su cadáver cayó salpicada de masa encefálica. Sobreponiéndose al pasmo y a la consternación, Novicio soltó un juramento, maldiciendo la terquedad de los *castilas*; tapó el cadáver del teniente con una manta y bajó a la carrera antes de que las llamas lo cercaran. Comprobó que la comandancia había sido tomada y su guarnición reducida: algunos soldados habían logrado escabullirse, desapareciendo en la noche; otros habían sido hechos prisioneros por sus hombres, que los apuntaban con los fusiles que habían logrado arrebatarles o amenazaban con rebanarles la garganta con sus bolos; los más infortunados yacían aquí y allá, en las posturas más indecorosas, sobre el porche de la comandancia, macheteados por la espalda. Los hombres de Novicio, además, habían saqueado el arsenal, juntando una veintena de fusiles y varias cajas de munición que rendirían un precioso servicio a Aguinaldo, cuando lograsen reunirse con él en Biacnabató. Entre la humareda que ya empezaba a invadir la comandancia, Novicio descubrió que los rostros de sus hombres, sin embargo, no mostraban esos signos de frenesí que suelen exaltar a la soldadesca, una vez alcanzada la victoria y antes de entregarse al pillaje. Cuando escuchó entre el tumulto detonaciones de fusiles, comprendió enseguida la razón: el asalto a la escuela había fracasado; y los soldados que allí pernoctaban se defendían con denuedo de sus atacantes, que después de un primer momento de desconcierto se habían reorganizado e intentaban un nuevo asalto. En las proximidades de la escuela, media docena de bultos se arrastraban penosamente, dejando tras de sí un reguero de sangre, en busca del cobijo de los naranjos de la plaza; el resplandor de las llamas alcanzaba a iluminar confusamente su agonía, que parecía una premonición de los padecimientos del infierno. En sus previsiones más pesimistas, Novicio había calculado que podrían tener muchas bajas, o incluso ser aniquilados por completo, y así se lo había transmitido sin ambages a sus hombres. Pero viéndolos arrastrarse por el barro, desmadejados como monigotes mientras se vaciaban de sangre, Novicio se avergonzó de sí mismo y de la causa que promovía, que reclamaba sacrificios de vidas a cambio de recompensas improbables, tal vez inexistentes. Apartó pudorosamente la mirada de los moribundos y fue a posarla en el *bahay* de las monjas, que ahora los atacantes empleaban como parapeto frente a las descargas de fusilería procedentes de la escuela. Novicio manoseó su amuleto, para calmar la ansiedad.

—Que cuatro hombres carguen con los fusiles y las municiones y nos esperen en la linde de la selva —ordenó—. El resto, acudid en ayuda de nuestros compañeros y cubridme las espaldas. Voy a tratar de rescatar a esas jodidas monjas.

Sus fieles asintieron, algo perplejos o contrariados de que Novicio se expusiera por unas mujeres que encarnaban la religión de los opresores; pero se tranquilizaron pensando que las querría tomar como rehenes, para llevarlas a Biacnabató y utilizarlas luego en alguna transacción o pedir rescate por ellas a los *castilas*, y transmitieron sin variación las órdenes a los demás hombres. Novicio salió a la carrera de la comandancia cuando ya la humareda provocada por el incendio lo expulsaba, seguido de un puñado de balereños que disparaban sin ton ni son, supuestamente contra la escuela donde los cazadores se habían hecho fuertes. El olor acre de la pólvora, mezclado con el humo, le envenenaba los pulmones y apenas le permitía hilvanar pensamientos congruentes. Pero tampoco era el momento más adecuado para ponerse a pensar, mientras arreciaban las balas. Aprovechó el impulso de la carrera para derribar de un empellón la puerta del *bahay* donde se refugiaban las monjas.

—¡Síganme, hermanas! —exclamó—. Yo las protejo.

Tardó en distinguirlas en la oscuridad. Habían volcado un par de mesas de tablas macizas, la una contra a la otra, empleándolas a guisa de escudo frente al fuego cruzado que arreciaba contra las paredes del *bahay*, y se habían refugiado entre ambas, abrazándose las unas a las otras, hasta formar un amasijo de indistinta blancura. Novicio escuchó el runrún de sus rezos —enseguida distinguió la salutación del ángel a María—, que absurdamente se contagió a sus labios.

—¡No hay tiempo para oraciones! —las amonestó—. Vengan conmigo, esto es una escabechina. —Y, viendo que las monjas no aflojaban su abrazo, se identificó—: ¡Soy Teodorico Novicio! ¡Sor Lucía me conoce bien y sabe que soy de fiar!

Entonces se deslió al fin el abrazo de las monjas acurrucadas y se alzó entre ellas sor Lucía, que como las otras estaba destocada y vestía un camisón de tupido hilo blanco que le cubría del cuello a los pies. A Novicio lo asaltó una mezcla de embarazo y piedad.

—Lo conozco bien, señor Novicio —dijo—. Pero no tengo muy claro que sea usted de fiar.

Seguían arreciando los disparos de fusil, que sin embargo no arredraban a sor Lucía; tampoco la ruborizaba mostrarse de aquella guisa ante Novicio, a quien en cambio turbaba extraordinariamente contemplar sus cabellos retajados. Apartó la vista pudorosamente, como si la hubiese sorprendido desnuda, mientras las otras hermanas, a requerimiento de sor Lucía, se aprestaban a abandonar el *bahay* encorvadas y en hilera. Novicio sintió de repente un calor abrasivo en el costado, seguido inmediatamente de una tibieza indolora, casi voluptuosa; luego, esa tibieza se transformó en escozor, en hormiguillo, en dolor lancinante. Se llevó la mano al costado y al instante se le empapó en sangre. La alarma trepó al rostro de sor Lucía:

—Hay que curarlo, señor Novicio.

La pérdida de sangre le anestesiaba el dolor. Supersticiosamente, Novicio pensó que aquella herida superficial era el justo castigo por haber expuesto la vida de aquellas mujeres desvalidas.

—Lo tengo bien merecido —murmuró—. Por raptar monjas...

Aunque todavía la alarma tensaba sus facciones, Novicio creyó adivinar una fugaz sonrisa clandestina en los labios de sor Lucía. Salieron a la noche por la puerta trasera del *bahay*, con las monjas en reata. Los soldados alojados en la escuela seguían resistiendo el asedio de los asaltantes, que sin embargo habían logrado recomponerse y guarecerse de sus disparos. Novicio ordenó la retirada, dejando que sus hombres se hicieran cargo de las monjas y reteniendo a su lado a sor Lucía, que miraba con incredulidad y pavor la carnicería de soldados macheteados y balereños abatidos por disparos de fusil, alumbrados todos por el incendio de la comandancia, que añadía una lividez desesperada a sus rostros. El cielo se llenaba de pavesas que ascendían en un loco empeño de hacerse estrellas.

—Estará orgulloso de lo que ha hecho, señor Novicio —musitó sor Lucía.

El reproche le dolió más que la herida de su costado, que seguía sangrando hasta empaparle la camisa. El resplandor de las llamas transparentaba la silueta de sor Lucía bajo el camisón de lino. Novicio cerró los ojos, demasiado débil por la hemorragia o demasiado conturbado por la visión apenas presentida de aquel cuerpo que hubiese deseado sostener entre sus brazos, para protegerlo de todo mal.

—Camine —ordenó, con voz algo desfallecida—. Vaya delante de mí, y no se le ocurra hacer ninguna tontería.

Se habían interrumpido por fin los disparos, y los soldados de la escuela empezaban a gritar sus nombres, para cerciorarse de que estaban vivos; otros que se habían refugiado en la plaza de los naranjos salían de sus escondrijos y deambulaban atolondrados. Sor Lucía obedeció remolonamente.

—¿Es que me tiene miedo, señor Novicio? —le preguntó con algo de retranca, volviendo el rostro.

Su camisón fosforescía en la oscuridad y restallaba al ritmo de sus pasos como una sábana en un tendedero.

—No. Sólo le tengo respeto.

Sor Lucía calló, respetuosa también de aquella respuesta de Novicio, o temerosa de lo que su laconismo ocultaba. Corrieron hacia la selva, que anunciaba su proximidad con una fragancia húmeda y cruda como la herida de Novicio en el costado. Allí los aguardaban los supervivientes del ataque, que acogieron a su jefe entre aclamaciones, enarbolando los fusiles que acababan de rapiñar. En la espesura de la selva, la noche era más apretada y ofidia, dispuesta a abalanzarse sobre sus huéspedes, pero el camisón de sor Lucía exorcizaba las tinieblas, como las lámparas de las vírgenes prudentes. Novicio se odió por recordar aquella parábola evangélica.

PRIMERA PARTE

Enero de 1898

1

—Y todos estos barcos, ¿marcharán también a España, como el vapor que tomaremos mañana madre y yo? —le preguntó Enriquillo, embelesado ante el espectáculo.

—No, hijo, todos estos barcos son de transporte fluvial —le respondió el capitán Las Morenas—. Los has visto un montón de veces llevando pasajeros por el río Pásig.

Enrique Las Morenas sabía bien que separarse de su hijo sería más desgarrador que amputarse un miembro, pero la decisión había sido tomada y no había marcha atrás. Enriquillo regresaba a España con Carmen cuando todavía duraban las celebraciones por la paz de Biacnabató, un armisticio que el gobernador general de Filipinas, Fernando Primo de Rivera, había alcanzado con los insurrectos que acaudillaba Emilio Aguinaldo. En Manila habían empalmado las fiestas navideñas con las celebraciones de la paz, según la consabida receta hispánica, que sabe hacer del exceso —casi tanto como de la necesidad— virtud, añadiendo recenas a las cenas, tornabodas a las bodas y octavas a sus festividades más jubilosas. Para los *camagones* —designación entre injuriosa y compasiva que los nativos empleaban para referirse a los españoles que llevaban mucho tiempo en el país, sin hacerse a sus usos—, en su mayoría militares que ansiaban el retorno a la península y funcionarios que consideraban aquel destino como una suerte de destierro, la prolongación de la farra y el regocijo ayudaba a espantar las aprensiones y malos augurios (puesto que todos sospechaban que la paz de Biacnabató no sería duradera); para los indios —según la designación entre familiar y desdeñosa que los *camagones* empleaban para referirse a los nativos— las fiestas eran siempre ocasión de alegría, aunque lo que celebraran no fuese exactamente de su agrado, pues su carácter era naturalmente inclinado a los agasajos y a las expansiones del ánimo. En las últimas semanas se habían organizado regatas y carreras de caballos que habían hecho las delicias de los niños góticos y las señoritas cursis; se habían organizado espectáculos circenses al aire libre y pasacalles con gigantes y cabezudos, para disfrute de la chiquillería; se habían celebrado funciones de gala en el teatro Zorrilla, en honor del ejército triunfante, con abundancia de damas emperifolladas como papagayos y caballeretes perejiles; se habían oficiado misas solemnes en la catedral, con liturgias de códice miniado, sermones altisonantes y somníferos, atronadores *tedeums* y mucho dispendio de incienso; y la Cámara de Comercio, para sumarse a las diversiones, había ofrecido premios muy rumbosos a las iluminaciones más espléndidas, tanto en las fachadas de las casas como en los botes, canoas, barcazas y demás embarcaciones que participasen en la fiesta marítima celebrada en la desembocadura del río Pásig. A esta fiesta había acudido el capitán Las Morenas con su hijo, mientras Carmen se quedaba, por voluntad propia, preparando el equipaje para la vuelta.

—¿Y nuestro vapor tendrá una iluminación tan bonita? —le preguntó Enriquillo.

Acababa de cumplir ocho años; y el libro del mundo lo interpelaba con sus infinitos capítulos y notas a pie de página, haciendo de su vida recién estrenada un perpetuo estado de asombro. El capitán Las Morenas pensó que la curiosidad incesante y gozosa de su hijo tal vez fuese el estado natural del hombre, allá en el Edén; y que el conformismo paulatino que se abalanza sobre nosotros extinguida la niñez, ese agostamiento de la curiosidad que disfrazamos fingiendo que ya conocemos todas las respuestas, constituye el primer aviso de la decrepitud, la antesala de la muerte.

—Sospecho que no, Enriquillo —sonrió Las Morenas—. Pero si logras mantenerte atento, tal vez consigas ver cosas aún más bonitas.

—¿Como qué? —inquirió el niño, acucioso.

Habían comenzado los fuegos artificiales que servían de colofón a la fiesta marítima. No hay pueblo en el mundo tan aficionado a la pirotecnia como el filipino, que gusta de lanzar cohetes y bengalas y de prender ruedas de fuego y morteretes en todas sus solemnidades, desde el bautizo hasta el entierro. Los fuegos artificiales perforaban la noche y después se abrían en lo alto entre estallidos, como orquídeas de corola voluptuosa o actinias de tentáculos ondulantes.

—Como, por ejemplo, el mar de ardora —se le ocurrió a su padre—. A veces, por la noche, el océano emite una luz misteriosa.

—¿Es que encienden lámparas en el agua? —se escamó Enriquillo.

—No, es que hay una gran concentración de medusas luminiscentes, o de plancton marino.

Enriquillo abrió la boca y los ojos en señal de pasmo, tratando de imaginar aquel prodigio. Las Morenas siguió alimentando su fantasía de imágenes que le hicieran más liviana la travesía:

—Y, con un poquito de suerte, podrás ver saltar a los delfines en el canal de Suez.

—¿Es que saltan los delfines? —se maravilló Enriquillo—. ¿Como las liebres?

—Y más aún.

La que saltaba como una liebre era la curiosidad de Enriquillo, que todo lo miraba como si hubiese sido recién creado: el día y la noche, el cielo y la tierra y cuanto en ellos se contiene era para él fuente de misterio, un tesoro siempre renovado que jamás agotaba sus provisiones. Crecer —pensó Las Morenas— es conformarse con una realidad que se repite y amoldarse a ella, convirtiéndonos nosotros mismos en criaturas en serie, con actitudes previsibles, con palabras gastadas, con pasiones estereotipadas, con preocupaciones triviales de tan archisabidas. De todo este deterioro que la vida nos arroja encima se sentía salvado el capitán Las Morenas, cuando estaba al lado de su hijo.

—¿Y madre no me pondrá pegas si me paso el día entero en cubierta? —insistió Enriquillo.

—Ya me encargaré yo de decirle que no te las ponga.

Su matrimonio con Carmen llevaba muchos años languideciendo, o tal vez nunca había sido vigoroso (lo que explicaría su mala salud de hierro). Aunque no podía afirmarse con propiedad que hubiese sido un matrimonio concertado por sus respectivas familias —a quienes unía una amistad de varias generaciones robustecida por alianzas comerciales—, ambos habían sido aleccionados desde la infancia para que su noviazgo fuese algún día una realidad; y lo fue, en no escasa medida merced a la atracción física que pronto se manifestó entre los dos vástagos, que sirvió para facilitar el designio de sus progenitores, pero también para enmascarar una palmaria ausencia de sintonía espiritual que, a medida que el fuego de la pasión se fue aquietando (y después extinguiendo), no hizo sino agravarse, para degenerar por último en una suerte de hastío muy protocolariamente cortés que disimulaba el divorcio de dos almas que habían llegado a ser extrañas y cerradas la una para la otra. Tal proceso de necrosis y distanciamiento se había producido sin interferencia de terceros, sin turbios episodios adulterinos, sin que ni siquiera mediaran querellas; simplemente, el amor conyugal había ido gangrenándose hasta hacerse puro formalismo sin vitalidad. Pero su cáscara era tan correosa —tal vez porque ambos reconocían en el otro una nobleza originaria que ni siquiera la incompatibilidad de caracteres podía oscurecer— que ninguno de los dos se había atrevido a traicionarlo; y no tanto por temor al escándalo o a la comidilla como por apechugar estoicamente con las consecuencias de su error. El nacimiento y crianza de Enriquillo habían servido para cubrir de bálsamo la herida, ya que no para cicatrizarla y sanarla; y puesto que pronto se reveló como un niño de salud más bien frágil que heredaba algunas de las afecciones paternas (en especial la anemia crónica), tanto Carmen como Las Morenas cifraron en su cuidado un estímulo constante y una empresa común. Desvelándose por Enriquillo habían encontrado ambos la paz que buscaban y conseguido que su matrimonio no se hundiera en la aridez y la amargura, que es el desaguadero más habitual de los matrimonios fundados sobre trampantojos. Y, amándolo con abnegación y porfía, habían logrado que algo de ese amor se irradiase sobre las miserias y asperezas de su relación, dulcificándola idealmente. Pero, como suele ocurrir con todos los sentimientos ideales, al capitán Las Morenas le resultaba más sencillo mantener su amor conyugal cuando Carmen se hallaba lejos de él, allende el océano, al contrario de lo que sucede con los sentimientos verdaderos, que se nutren y afianzan con la proximidad del ser amado. De este modo, mientras Carmen permaneció en Cádiz y él se mantuvo ocupado en las vicisitudes de una guerra selvática y extenuante, Las Morenas pudo figurarse sin dificultad que cada día amaba más a su mujer; espejismo que no tardó en hacerse añicos cuando Carmen vino a Manila, alarmada por el telegrama que le notificaba que su marido convalecía en un hospital.

—Y con esto se acabaron las fiestas —mintió Las Morenas, para hacer menos pesarosa la marcha a Enriquillo.

Las barcazas y canoas habían apagado las luces que engalanaban sus cubiertas, tras la entrega de premios que había clausurado la fiesta marítima, y bogaban Pásig adentro, con esa desganada melancolía que nos acomete cuando sabemos que los días de júbilo quedaron atrás. También a Enriquillo lo había ganado la melancolía, que en él no era desganada, sino más bien mohína. Las lágrimas le ahogaban la voz:

—A mí me gustaría quedarme con usted, padre. Aunque se hayan acabado las fiestas.

—Vamos, Enriquillo, que no se diga. En Cádiz tienes mar como en Manila, y fiestas tan buenas o mejores. —Las Morenas trataba de resultar convincente, pero sabía que sus dotes persuasivas eran más bien nulas—. Cuando lleguéis, estarán por celebrarse los carnavales. Y aún te queda ver lo que los Reyes Magos te han dejado en casa de los abuelos...

Enriquillo se encogió de hombros, despechado:

—Aquí les pedí que me trajeran soldaditos de plomo y no me hicieron caso...

—Pero te trajeron una pelota bien bonita, hombre —se esforzó Las Morenas—. Y fíjate que traer los regalos hasta Manila debe de costarles un Potosí...

Notó que la manecilla de Enriquillo se ablandaba y humedecía, como si la inminencia del llanto doblegase su resistencia.

—Madre dice que no me trajeron los soldaditos porque no quieren que de mayor sea militar...

Se habían adentrado en Intramuros, donde se hallaba el hotel en el que se hospedaban. Aunque sucesivos incendios y terremotos habían destruido el antiguo esplendor del recinto amurallado, todavía se respiraba allí, entre baluartes lastimados de asedios y fosos de agua corrompida, entre campanarios memoriosos de muertos y callejuelas desmemoriadas de reyertas, el señorío barroco de una España que ya había dejado de existir.

—Bueno, si es como madre dice, habrá que tenerlo en cuenta —masculló Las Morenas, que tampoco deseaba que su hijo eligiera su oficio, pero sentía aquel intento de encauzar o torcer su vocación como una profanación o un avasallamiento—. El parecer de los Reyes Magos es siempre digno de consideración.

—¿Y el de madre? —preguntó Enriquillo, raudo como un lince.

—Más incluso. Tu madre siempre tiene razón. —Y, como le pareciera que la frase era demasiado terminante y Enriquillo estaba a punto de sollozar, precisó—: O, al menos, sus razones. El tiempo lo irá madurando todo.

Aunque Carmen había tratado de transmitirle cierto desapego hacia la vocación militar (no tanto por animadversión hacia la milicia como por amoroso egoísmo de madre), Enriquillo profesaba una admiración ingenua y rendida hacia su padre y una curiosidad incansable hacia todas las disciplinas y peculiaridades tocantes a su oficio: sabía distinguir los diversos empleos militares por sus divisas; sabía identificar desde sus primeras notas los toques de corneta; sabía, en fin, cuadrarse ante un oficial y formar como el mejor soldado. Habiéndose criado en un cuartel, tal vez aquellas habilidades no fuesen demasiado meritorias, incluso podrían calificarse de miméticas; pero Enriquillo, además, conocía de cerca las penalidades de la vida militar, pues había vivido separado de su padre durante más de un año, desde que lo destinaran a Filipinas hasta que lo hirieron en Cabanatuán con una herida de bolo que a punto estuvo de alcanzarle la femoral. Cuando Carmen supo que su marido convalecía en un hospital de Manila y que, aunque fuera de peligro, su recuperación se había complicado por culpa de las enfermedades tropicales que hacían fácil presa en su naturaleza más bien delicada, había tomado un vapor para Filipinas y llevado consigo a Enriquillo, que no quiso de ningún modo quedarse al cuidado de sus abuelos. La llegada inesperada de Carmen y Enriquillo a Manila había alegrado la convalecencia de Las Morenas y abreviado sus padecimientos, pero también le había complicado un tanto la vida, obligándolo a solicitar permiso para instalarse con su familia en un hotel de Intramuros, pues el ambiente cuartelero de Manila era más bien agropecuario, en poco o en nada parecido al de Cádiz. El capitán Las Morenas había hecho malabarismos para conciliar sus obligaciones como oficial con las atenciones que le reclamaba su familia, recién llegada a una tierra por completo exótica y, considerando algunas de sus peculiaridades —clima y alimentación sobre todo—, un tanto inhóspita, aunque el carácter de sus gentes fuese hospitalario.

Cuando se proclamó el fin de las hostilidades, en vísperas de Navidad, Las Morenas había pensado que podría dedicarse más esmeradamente a los suyos, mientras aguardaba que lo devolvieran a la península, tal como había solicitado; pero, extrañamente, le fue denegada la petición, y por lo que pudo averiguar entre los altos mandos, el gobernador Primo de Rivera barajaba encomendarle alguna misión en las «provincias pacificadas», que era la expresión eufemística que la propaganda oficial empleaba para referirse a aquellas regiones donde, tras el armisticio, se habían refugiado los rebeldes, aguardando la ocasión para volver a la carga. Las Morenas sabía de algunos oficiales que habían probado a viajar con sus familias a estos destinos, que desde Capitanía General se presentaban como apetitosas sinecuras (aunque eran más bien pudrideros para los oficiales más molestos o refractarios); y sus relatos coincidían siempre en resaltar las mil y una calamidades que hacían imposible la crianza de los hijos y sometían a sus esposas a sacrificios y abnegaciones impropios de su condición. Nada deseaba menos Las Morenas que exponer a Carmen y Enriquillo a semejantes privaciones y vergüenzas; y, aunque finalmente no se confirmara su envío a provincias, tampoco creía que la paz lograda en Biacnabató fuera duradera, sino más bien un subterfugio del gobierno español, que ante la ruina del erario público sólo aspiraba a ganar tiempo. Le había costado sobremanera convencer a Carmen de que regresaran a Cádiz con Enriquillo, justo cuando Manila se engalanaba como una novia, dichosa de ofrecer a los visitantes su rostro más jovial; y hasta había tenido que encajar algún reproche (nunca demasiado agrio, como corresponde a un matrimonio regido por inercias y formalismos) que lo culpaba de querer librarse de su compañía, por considerarla engorrosa. Cuando lo cierto es que la compañía de Enriquillo era la que el capitán Las Morenas más ansiaba; y la compañía de Carmen, aunque le hacía más lacerante la conciencia de su fracaso conyugal, también le recordaba más vivamente sus compromisos. Y Las Morenas no era hombre dispuesto a cejar ni un ápice en los compromisos que un día asumió.

—Anda, Enriquillo, vete a darle a mamá un beso de buenas noches.

Por un alquiler módico (irrisorio al cambio, como ocurría con casi todo en Manila, donde los funcionarios de medio pelo podían vivir como potentados), Las Morenas había conseguido una habitación muy desahogada, comunicada además con una dependencia más reducida. Enriquillo se despidió hasta la mañana siguiente de su madre, que se azacaneaba entre un barullo de ropas y baúles, preparando el equipaje en la estancia principal; cuando entró en su cuarto, donde Las Morenas ya lo aguardaba, tenía la mirada arañada de murria, pero su padre prefirió pensar que era somnolencia. Rezó con él las oraciones como lo hacían en Cádiz, repitiendo las mismas palabras ancestrales que otras veces sonaban a salvoconducto para la eternidad y aquella noche, en cambio, tenían la música lastimera de una despedida. Cuando las concluyeron, Las Morenas musitó protocolariamente:

—¿Quieres que te cuente un cuento?

Pero ya sabía la respuesta de Enriquillo, también musitada, casi clandestina, para evitar que Carmen los escuchase:

—No, padre. Prefiero que me cuente una batalla. —Generalmente, la petición era risueña, pero Enriquillo se había olvidado de sonreír aquella noche—. Que sea esta vez una batalla filipina, por favor.

Siempre le pedía que le contase batallas célebres; pero no le bastaba con las generalidades sumarias que se explicaban en las academias militares, sino que demandaba pormenores y circunstancias que exigían a Las Morenas desempolvar mamotretos de estrategia militar y adquirir erudiciones de hormiga que no lo dejasen en evidencia. Carmen nada sabía de aquellas narraciones clandestinas.

—¿Qué te parece La Naval de Manila? —secreteó.

Enriquillo se recogió bajo el embozo de la sábana, saboreando el deleite que le procuraban aquellas crónicas nocturnas.

—Me parece de perlas —dijo.

—Pues resulta que durante la Guerra de los Ochenta Años, que enfrentó a España con los holandeses, fueron muchas las veces que los esbirros de la Compañía Neerlandesa de las Indias Orientales, con sede en Batavia, trataron de saquear Manila —comenzó Las Morenas.

—¿Y a qué se dedicaba esa Compañía, padre? —lo interrumpió Enriquillo, dando así principio al largo rosario de preguntas encadenadas que cada noche dilataban la narración de la batalla.

—Era una junta de ladrones, hijo, a la que los secuaces de Calvino concedieron poderes próximos a los de un gobierno. Podían acuñar moneda y tenían el monopolio del comercio...

—¿Y quién era Calvino?

Y así se iba desplegando la curiosidad arborescente de Enriquillo, que poco a poco iba atrapando a su padre en un laberinto que desbordaba sus conocimientos, sus horizontes inquisitivos, su capacidad inventiva incluso. Pero el cansancio se iba apoderando poco a poco del niño, que voluptuosamente se dejaba arrullar por la voz de Las Morenas, cada vez más aterciopelada y salmódica:

—... Entre la flota holandesa y Manila sólo se interponían aquellos galeones, ruinosos de tan viejos. Todos los marinos y soldados, con sus oficiales al frente, se encomendaron a la Virgen del Rosario que se venera en la iglesia de Santo Domingo, recibieron la comunión y se lanzaron a la caza del enemigo...

Las Morenas esperó que Enriquillo le preguntara si aquella Virgen del Rosario que se veneraba en Manila era la misma que la patrona de Cádiz, pero el niño ya dormía con una respiración que se le quedaba como ensimismada en los labios. Besó su boquilla entreabierta y salió de su cuarto de puntillas, cuidando de cerrar la puerta tras de sí con picaporte. Carmen había desperdigado, como en una almoneda, un revoltijo de enseres sobre la cama que luego iba metiendo en los baúles, aprovechando cualquier hueco o resquicio, con paciencia de miniaturista.

—El niño duerme como un bendito —susurró Las Morenas.

Carmen estaba en camisón, desembarazada de corsés y enaguas; la lámpara de la mesilla, de luz muy medrosa, acertaba sin embargo a descifrar los contornos de su cuerpo, que seguía siendo turgente y de carnes lozanas, en la frontera misma del exceso. Las Morenas recordó con perplejidad y pudorosa melancolía la excitación que en otro tiempo sentía cada vez que Carmen le permitía vislumbrar aquellas turgencias, el deseo acucioso de acariciarlas y solazarse con ellas.

—Si no te apresuras, llegarás tarde, Enrique —dijo ella, en un tono que era casi amonestador, como si quisiera disuadirlo de rememoraciones estériles.

Seguía siendo, a su modo, bella; de esas bellezas bruscas, imperiosas, un poco bastas incluso, que en la juventud son un reclamo para la concupiscencia y en la madurez corren el riesgo de ajamonarse y tornarse vulgares. Pero Carmen más bien se había amojamado con los años; y sus rasgos, al afinarse, se habían hecho más expresivos y enérgicos, sin dejar de ser sensuales, aunque los perjudicase siempre un mohín de disgusto. Las Morenas empezó a excusarse:

—Me hubiese gustado que pudieras venir conmigo...

—Bah, no te preocupes —lo atajó Carmen, como fatigosa de sus disculpas—. Tengo que hacer el equipaje y mañana hay que madrugar. Además, alguien tenía que quedarse con el niño.

A Las Morenas lo humillaba tenerse que poner el uniforme de gala, porque su ánimo no estaba para fiestas; y este rechazo del ánimo se comunicaba a su organismo en forma de rechazo fisiológico, de náusea casi. Pero estaba obligado a asistir al baile de etiqueta que se ofrecía en las Casas Consistoriales en honor del gobernador general, Fernando Primo de Rivera, marqués de Estella, el artífice de la paz de Biacnabató. Su ausencia se hubiese interpretado entre el estamento militar como una desafección.

—Estaré poco tiempo, en cualquier caso —dijo—. Lo justo para hacer el paripé y que quede constancia de que me he pasado por allí.

El uniforme de gala, colgado de la percha del armario, semejaba un ahorcado con ínfulas de elegancia. Las Morenas se quedó en paños menores para ponérselo; aunque apenas por un instante, se abochornó de que Carmen pudiera reparar en sus muslos entecos, de los que ya había desertado el vello, cruzados por la cicatriz de la herida que le habían infligido en Cabanatuán.

—No tengas prisa, Enrique. Se supone que tenéis que celebrar la victoria, ¿no? —En sus palabras había un retintín sarcástico, como si tácitamente le afeara que, llegada la hora de las celebraciones, la despachase a Cádiz, después de haberla tenido a su lado durante la convalecencia—. Por cierto, esta tarde, mientras estabas con el niño en los fuegos artificiales, te trajeron ese sobre de Capitanía.

Apuntó hacia su mesilla, afectando desinterés. En el anverso del sobre alguien había escrito con pulcra caligrafía inglesa su nombre; en el reverso figuraba, estampado muy primorosamente, el título nobiliario del remitente («El Marqués de Estella»), con su escudo de armas: en los cuarteles de la izquierda, las armas de Primo, un león rampante de gules y un águila de sable en campo de oro; en los cuarteles de la derecha, las armas de Rivera, cuatro franjas ondeadas de azur en campo de plata. Las Morenas guardó el sobre en un bolsillo interior de la guerrera, afectando también desinterés.

—¿Es que no vas a abrirlo? —se sorprendió Carmen.

—Es la invitación al baile, nada más —dijo, sin darle mayor importancia.

Carmen pareció quedar satisfecha con la explicación, tan insatisfactoria; o, si no lo quedó, lo disimuló sin esfuerzo, tal vez porque el disimulo entre ambos se había convertido en una rutina. Las Morenas le estampó un beso muy casto en la frente y salió del hotel, con la repetida promesa de un pronto regreso. Intuía que aquel sobre era heraldo de noticias funestas que atañían a su más inmediato futuro, pero se había prometido supersticiosamente que no se dejaría perturbar por tales noticias hasta que Carmen y Enriquillo no hubiesen tomado el vapor que los devolviera a España, pues no deseaba contagiarles sus aprensiones y mucho menos que se atribulasen con su suerte y postergasen su retorno. Con la caída de la noche, una brisa húmeda aventaba la parte alta de la ciudad que mira al mar, refrescando sus pensamientos. Todavía los campanarios de las iglesias y los conventos de Intramuros repicaban jubilosos, aunque ya las callejuelas empedradas se empezaban a recoger en un silencio claustral, sólo interrumpido a intervalos por el taconeo premioso de los escasos transeúntes, los golpes de las puertas al echar el tranco y el andar acompasado de las patrullas de servicio. Por contraste con la oscuridad reinante en las leprosas murallas, las Casas Consistoriales ostentaban en la fachada guirnaldas; y la luz de las arañas que iluminaban su interior se esparcía sobre la ciudad, como un perfume costoso y engreído. Junto a la breve escalinata de entrada, se hallaba la carroza del gobernador, que por ser día especialmente fausto tiraban seis caballos, ya que habitualmente la primera autoridad civil rodaba en coche de cuatro, privilegio que sólo compartía con el arzobispo de Manila. Rodeaban la carroza cuatro alabarderos ataviados con casacas azul turquí con charreteras y entorchados y botonaduras doradas que, en comparación, hacían palidecer el uniforme de Las Morenas, aunque desde luego no desentonaban con el ambiente que reinaba en las Casas Consistoriales.

Se había reunido allí ese séquito de palaciegos establecidos y postulantes que gulusmean la mesa del poder, en espera de alguna migajilla en forma de privilegio, exención, sobresueldo o mamandurria, honradísimos de ser, siquiera por unas horas, vistosos comparsas de una feria de las vanidades que a Las Morenas se le antojaba mojiganga de muy mal gusto. Allí se congregaban las matronas emperejiladas, cotorronas de pechos como albardas asomados al balcón del escote; allí los pisaverdes a los que hacían monadas con los abanicos, chisgarabises de apenas veinte años que se ponían morados a palpar culos en las angosturas de pasillos y camarines; allí los maridos cornudos, con el frac acribillado de medallas y condecoraciones, como estantiguas reumáticas que aturdían a las prometidas de los pisaverdes con un añejo repertorio de galanterías mientras bebían marrasquino para anestesiar el ataque de gota; allí la clerigalla más cortesana y camandulera, cabildeando con los militarotes liberales, que eran los que más gozosamente se acogían a esa religiosidad cínica que permite comulgar por las mañanas, acudir por las tardes a una casa de tolerancia y asistir por las noches a la logia masónica. Las Morenas se abrió paso entre toda esta patulea, en un esfuerzo estéril por cumplimentar al general Primo de Rivera, que estaba blindado a las aproximaciones de los advenedizos por una cohorte de oficiales arribistas y miramelindos. Como le repugnaba que lo tomasen por otro arribista más, terminó por desistir; y, agotado su repertorio de sonrisas forzadas y lisonjas fingidas, fue a parar a una salita que se había quedado casi vacía, después de que los criados hubieran acudido con el refrigerio al gran salón central, donde luego se bailarían valses y rigodones.

—Créanme, amigos. Hasta la fecha, todos los intentos de reforma que se hacían desde Madrid se anulaban en las esferas inferiores, por culpa de la avaricia y lenidad de nuestros funcionarios. Los abusos no los remedia un real decreto mientras una autoridad celosa no vigile, al pie del terreno, su ejecución.

Quien así disertaba desde la atalaya de una imaginaria probidad —como hacen siempre los fariseos y los puritanos— era Parada, un catedrático jubilado, resbaloso como una anguila y tarasca como un lucio, al que el gobierno de Cánovas había encargado la reforma administrativa de Filipinas y al que luego el gobierno de Sagasta había confirmado en su puesto, como conviene a las pantomimas de alternancia en el poder (que, junto a sus cementerios de cesantes, requieren también una élite de chupópteros de consenso). Escuchaban a Parada un canónigo de la catedral de mirada teologal y manos mantecosas, como de amasar pan, que entrelazaba seráficamente sobre la barriga; y un chupatintas jovenzuelo con las orejas como hojas de lechuga mustia, de una palidez acendrada que sólo se logra con una dieta de yeso o unas sesiones intensivas de manubrio. Parada sacó otra vez la lengua a paseo, encantado de escucharse; era un vejancón arrogante, algo cargado de espaldas, que miraba a sus interlocutores (a los que, sin embargo, no dejaba meter baza) con ojos encharcados de niebla:

—Y aquí, en Filipinas, hay esa nefasta costumbre de que los proyectos de reforma se queden en proyectos, para perpetuar los abusos, mientras la autoridad duerme tan tranquila —peroró—. Como los altos funcionarios que el gobierno envía vienen para pocos años, su única pretensión es hacerse cuanto antes con una fortuna que luego les permita vivir de los ahorros, de vuelta a España. —Parada hizo una pausa al reparar en Las

Morenas y le lanzó una mirada taimada, que podía ser al mismo tiempo apreciativa y rencorosa—. Pedir que alguien que viene como extranjero para hacer dinero se interese por el bien del país es como pedir peras al olmo. No sé lo que pensará el capitán Las Morenas...

Ambos habían tenido anteriormente algún rifirrafe, pues Parada había querido mangonear en asuntos de intendencia del ejército que Las Morenas tenía encomendados; y Las Morenas se lo había impedido sin miramientos. Parada lo miró con una suerte de fiereza metálica, como si sus ojos fueran alfileres que clavan insectos sobre el corcho. Se sujetó sobre el puente de la nariz sus gafas de gruesa montura, que súbitamente agrandaron sus ojos, restándoles capacidad de intimidación.

—Pues, si he de serle sincero, no tengo una opinión formada —se escabulló Las Morenas al principio. Pero luego pensó que aquel fatuo merecía algún sofoco—: Aunque yo diría que el origen del problema está en querer resolver desde la corte los problemas de Ultramar. Mucho más eficaz que andar mandando arbitristas para resolver los problemas administrativos sería formar funcionarios entre los propios filipinos, remunerándolos decorosamente. Un cuerpo de funcionarios nativos, conocedores de los problemas y necesidades de sus paisanos, es lo que se necesita en Filipinas. Lo demás son ganas de marear la perdiz.

Se hizo un silencio acongojado, como de quirófano o cadalso, incongruente con el bullicio de hervidero humano que llegaba hasta sus oídos. Sonaron los primeros compases del vals que servía de apertura al baile, momento que el canónigo y el chupatintas aprovecharon para sonreír y balancear la cabeza al ritmo de la melodía, como badajos bobalicones.

—Vaya, capitán, a lo mejor ha equivocado su vocación y debiera ser usted el comisionado del gobierno para asuntos administrativos —se enviscó Parada—. Lástima que ese método que usted postula de confiar responsabilidades a los indios no haya dado resultados demasiado halagüeños en el ejército, ¿no le parece?

Las Morenas había humillado al fatuo arbitrista, que ahora no pararía hasta comprometerlo y hacerle cometer algún desliz. Parada, en su modo de tirar la piedra y esconder la mano, le recordaba esas culebras que escupen su veneno y de inmediato se retiran, con un movimiento retráctil.

—Es una lógica consecuencia de lo que acabo de denunciar —dijo Las Morenas, manteniendo el aplomo y la serenidad—. Si a los filipinos no les permitimos acceder a la administración, ni en general a aquellos trabajos que exigen el concurso de aptitudes que excedan la mera fuerza bruta, difícilmente podemos pedirles que luchen por la patria. Nadie se implica en una causa que no siente como propia. Mientras a los filipinos no se les confíen puestos de responsabilidad, mejor será que el ejército se nutra con tropas peninsulares.

El canónigo suspiró con melindre más propio de monja. Trató de dulcificar el ambiente:

—Precisamente eso es lo que solicitaba nuestro anterior gobernador, el general Polavieja. Pero sus peticiones no fueron atendidas...

En su tono melifluo se percibía que añoraba los modos más contundentes, de palo y tentetieso, del anterior gobernador; pero se cuidaba de arremeter contra Primo de Rivera, antes de que los otros interlocutores no mostraran sus cartas. El chupatintas, que se removía en su asiento deseoso de intervenir, soltó un aguijonazo contra Polavieja:

—¡Cómo que no fueron atendidas! Sin querer dejar por mentiroso a Su Reverencia, debemos recordar que Cánovas ofreció a Polavieja más de seis mil hombres de refuerzo, pero él no se conformó y pidió el triple. —Aunque empleaba un tono pomposo con el canónigo, se notaba que no tenía demasiado respeto hacia su ministerio—. ¡Con muchos menos Hernán Cortés conquistó el imperio azteca!

—Pero los hombres de Cortés sabían por lo que luchaban —terció Las Morenas, merodeando el barranco—. No creo yo que los muchachos que reclutan en España y nos envían aquí lo tengan tan claro. Todos, por cierto, de las clases más humildes, que son las que no pueden pagar la cuota para librarse del alistamiento. Con razón alguien dijo que, en los ejércitos permanentes, un soldado es un esclavo con uniforme.

Se hizo de nuevo el silencio, ahora más estupefacto ante la osadía de Las Morenas. En el salón de baile la orquesta había acometido los compases de un rigodón, que llegaban hasta la salita despiojados de corcheas y un poco desafinados.

—¿Y quién dijo esa lindeza? —se engalló Parada—. ¿Bakunin?

—No, señor, Donoso Cortés, marqués de Valdegamas —lo rectificó Las Morenas.

El canónigo se llevó la mano mantecosa al sobaco para rascarse los picores que le causaba el balandrán. El chupatintas amurrió el gesto, como si hubiese olfateado alguna vianda envenenada:

—¡Donoso, qué horror! A esa reliquia ya sólo la reivindican los carlistones.

Parada soltó una risita extraña, como de resorte averiado:

—Quién sabe, a lo mejor el capitán Las Morenas simpatiza con los carlistones. Sin que lo sepan sus superiores, por supuesto...

—A los carlistones, como ustedes dicen, los combatí en Molins del Rey y la Seo de Urgel, donde me gané el ascenso a teniente —lo atajó Las Morenas, ahora sin molestarse en disimular su acritud—. Y, combatiéndolos, aprendí a respetarlos. Al menos ellos luchaban por un ideal y morían gustosos por él.

Ahora Parada estalló en una carcajada forzada que le arreboló el rostro. Su voz engreída se alzó hasta hacerse casi vozarrón:

—¡Ideal! ¿Y en qué consistía ese ideal, si puede saberse?

—Pues por ejemplo...

—¡En el origen divino de los reyes! —lo interrumpió el chupatintas, arqueando las cejas y abriendo los ojos en un aspaviento exorbitante. Eran ojos de besugo fiambre, como bolitas de porcelana viscosa, a juego con la palidez de su rostro.

—En el origen divino de los reyes creerán los absolutistas —lo corrigió Las Morenas—. Y sospecho que muchos liberales cortesanos, puestos a medrar y a conseguir algún puesto en palacio, estarían dispuestos también a afirmarlo, aunque no crean en Dios. —Comprobó con alborozo que Parada se removía inquieto en su silla—. No, los carlistas creen en el origen divino del Derecho, fuente de la justicia. Y creen en un rey que encarne esa justicia, al servicio del pueblo. O, mejor, de los pueblos que componen España, que por mucho que algunos se empeñen en igualarlos no tienen el mismo origen, ni la misma lengua, ni las mismas costumbres. Creen en un rey que jure las leyes de cada reino o provincia, guardándolas y haciéndolas guardar.

—Esa monarquía de la que habla el capitán es por completo quimérica e inviable —objetó Parada, lanzándole una mirada rencorosa—. El Estado que consagra nuestra Constitución no admite esas veleidades foralistas; y nuestra reina regente no tiene por qué jurar leyes de no sé qué terruños. Pero, claro, para los carlistones nuestra amada regente María Cristina, al igual que su augusto hijo, que Dios guarde, son usurpadores. Espero que no lo sean para usted también...

Parada rió malicioso; ahora su risa era como un tintineo de moneda falsa. El canónigo cloqueó, temeroso de que la tertulia improvisada degenerase en trifulca:

—Repórtense, caballeros. Ambos deberían saber que nuestro amado pontífice nos exhorta a aceptar sin reservas el poder civil vigente. Recordemos lo que les dijo por carta a los cardenales franceses: «Aceptad la República, que es el poder constituido y existente entre vosotros. Respetadlo y sedle sumisos, como si representase el poder venido de Dios». —Volvió a suspirar melifluamente—. No vayamos nosotros ahora a ser más papistas que el Papa.

Parada remachó tribunicio:

—Muy bien dicho. Como católico me inclino ante la autoridad infalible del Santo Padre en materia de fe; pero como ciudadano reivindico mi derecho a pronunciarme libremente en materia política.

Las Morenas miró con desprecio al canónigo, representante de esa clerigalla acomodaticia y zampatortas que vende su primogenitura por un plato de lentejas. El pollastre chupatintas se choteó, fingiendo adulación:

—Da gusto que haya ministros de la Iglesia como nuestro ilustre canónigo. Son los que aseguran que el progreso de la Humanidad y la modernización de la Iglesia vayan juntos de la mano. ¿Monarquía o República, qué más da? Lo importante es acatar el poder vigente. —Hizo una pausa y añadió, sarcástico—: Siempre, por supuesto, que se tengan en consideración las necesidades del clero...

—¡Faltaría más! —saltó el canónigo—. Tengo entendido que algunos ministros de Sagasta pretenden quitar la asignación del presupuesto destinada al culto. ¡Esa es una política hostil a la religión y a Dios, y los hombres de fe deben reprobarla!

Buscó la anuencia del catedrático Parada y el pollastre chupatintas, que se escaquearon, más proclives a caminar de la mano por la vía del progreso que a reprobaciones retrógradas. Parada aprovechó para volver a meter cizaña:

—Pues tengo entendido que los carlistones, de haber ganado la guerra, habrían retirado también esa asignación.

—Así es, en efecto —reconoció Las Morenas, que aprovechó para lanzar una pulla al canónigo—: Claro que, a cambio, habrían devuelto a la Iglesia, para asegurar sus medios de subsistencia, todas las propiedades que los gobiernos liberales les arrebataron en las desamortizaciones.

El canónigo parpadeó y se pasó pensativamente la mano por la sotabarba, más partidario de la sopa boba presupuestaria que de labrar la tierra:

—Desengañémonos, señores —dijo al fin—. El poder establecido es el poder legítimo, y a él debe obedecerse. La Constitución promulgada por Su Majestad Alfonso XII, que en paz descanse, establece que la religión católica, apostólica y romana es la del Estado y que la nación se obliga a mantener el culto y a sus ministros; y eso va a misa.

Las Morenas sonrió para velar su amargura:

—¿A qué misa? En esa Constitución también se dice que todo español está obligado a defender la patria con las armas. Y, extrañamente, entre la tropa sólo encuentro españoles pobres, porque los ricos se libran de defender la patria pagando una cuota.

A sus contertulios les desagradaba que la conversación derivase hacia asuntos tan espinosos, seguramente porque ellos mismos habrían librado del alistamiento a algún familiar pagando la cuota, o mediante tejemanejes en el Ministerio de Guerra. El pollastre chupatintas, que estaba en edad de ser reclutado, arremetió contra Cánovas, que todavía tenía el cadáver recientito:

—Lo que está claro es que Cánovas se negó a enviar más tropas porque temía que ese envío pudiera ser interpretado por la prensa como un desmentido de la postura oficial, que hablaba de una pronta resolución del conflicto.

—Don Antonio Cánovas, que en paz descanse, era un gran estadista y un gran cristiano cuya pérdida debe deplorar cualquier español bien nacido —afirmó el canónigo, atiplando todavía más su voz meliflua—. Si se negó a enviar más soldados fue porque sabía que, estando próxima la estación de las lluvias, aumentaría el número de bajas entre nuestros hombres, que caen como moscas por culpa de las enfermedades tropicales.

Parada debía su nombramiento a Cánovas; pero sabía perfectamente que el bollo es para los vivos y el hoyo para los muertos:

—Sea como fuere, el caso es que Polavieja renunció. Me cuentan mis amigos de Madrid que ahora está intrigando y que se postula para cuando vuelvan al poder los conservadores. No sería mal ministro de la Guerra, me parece.

—Un poco beatorro, tal vez —apostilló, jocoso, el pollastre chupatintas.

Parada y el canónigo se sumaron al cachondeo. La risa les repicaba en las barrigas blandulonas. Sabían que la alternancia pactada por Sagasta y el difunto Cánovas era una pantomima que les aseguraba seguir disfrutando de sus prebendas y canonjías, aunque la chusma patalease. Las Morenas se avergonzó de servir al régimen corrupto que sostenían aquellos bellacos.

—Está usted muy callado, capitán —lo interpeló Parada—. ¿Qué opinión le merece su nuevo jefe, el general Primo de Rivera?

Las Morenas se sentía como Cristo ante los fariseos, esquivando sus asechanzas. Pero aquella maldad sinuosa lo obligaba a mantenerse alerta; y ese estado vigilante lo estimulaba:

—Como militar no puedo hacer críticas de un superior, bien lo saben ustedes. El general Primo ha actuado hasta la fecha con gran inteligencia: primero, lanzando una ofensiva que intimidó a los rebeldes; después, ofreciendo el indulto a quienes abandonaran las filas enemigas e iniciando una política de apaciguamiento.

El chupatintas, que al parecer frecuentaba todos los mentideros de Manila, destiló unas gotitas de bilis:

—Dicen que, apenas obtenida la primera victoria, telegrafió a Madrid, asegurando poco más o menos que la revuelta había sido definitivamente aplastada. Pero ni sus aparentes victorias ni la paz firmada por Aguinaldo bastan para contrarrestar su fama de gafe.

La orquesta había abandonado el repertorio de valses y rigodones y se decantaba por pasajes zarzueleros que permitían bailes más arrimados.

—El general Primo no hace sino obedecer las órdenes de Madrid —intervino el canónigo, quitando credibilidad a esas supersticiones populares—. La calamidad mayor que padecemos es el gobierno de Sagasta, que no quiere gastarse un duro en Filipinas, porque tiene el erario exhausto. Por culpa de Sagasta se ha firmado ese tratado de paz tan ignominioso. ¿Dónde se ha visto que una nación como España firme un tratado con una pandilla de filibusteros? A los filibusteros, como a las malas hierbas, hay que aniquilarlos hasta no dejar ni uno.

Pero esta última proclama debió de parecerle poco caritativa e impropia de su estado y se ruborizó, con ese color sonrosadote del culo de un bebé cuando se le pega una palmada. A Las Morenas siempre le había molestado el desparpajo belicoso de los estrategas de salón:

—El general hizo lo único que podía hacer. Con los rebeldes refugiados en las espesuras de Biacnabató no quedaba otro remedio. Nuestras tropas no están preparadas para la guerra de montaña, que exige conocimiento del terreno y caballería.

El chupatintas, por una vez, asintió a las observaciones de Las Morenas. Era un pragmático al que no preocupaba negociar con filibusteros; en cambio, no le gustaba tanto que los filibusteros fuesen recompensados, a cambio de entregarse:

—Lo que en verdad hace vergonzoso ese tratado de paz es que España haya accedido a pagar un millón setecientos mil pesos a Aguinaldo. ¡Esto ya es el acabose!

—¡Y si sólo fuese pagar! —se encabritó Parada—. Porque se puede librar una orden de pago que cumpla con los requisitos administrativos y yo no tendría nada que oponer. Pero el caso es que han estado regateando durante casi medio año. Aguinaldo pedía tres millones, Primo le ofrecía medio millón. Y así, con el tira y afloja, llegaron a esa cantidad, sin seguir un procedimiento administrativo, sin aprobación de las Cortes, ¡sin cumplir ninguno de los requisitos que establece el reglamento!

A falta de ideales, los chupópteros del régimen disputaban por tiquismiquis de leguleyos. Las Morenas pensó que España estaba perdida: a un hombre lo puedes enviar a la batalla en defensa de su honor, de su familia o de su religión, pero no en defensa de un plazo administrativo. Sería tanto como pedirle morir por el sistema métrico decimal.

—Al menos una satisfacción nos resta, caballeros —terció el canónigo, siempre componedor y posibilista—. Según pude leer en *El Imparcial*, Aguinaldo, poco antes de subir a bordo del barco que lo llevaba deportado a Hong Kong, gritó: «¡Las Filipinas, siempre españolas!». Y dicen que lanzó varios vivas a España.

Esbozó un pucherito, como si lo emocionara la conversión súbita del hombre que había batallado a los españoles durante años. Las Morenas reventó sus ensueños:

—En efecto, Aguinaldo ha abjurado de todas sus ideas revolucionarias, aunque me permito dudar de su sinceridad. De todas menos de una: sigue creyendo que España debe promulgar nuevas leyes que restrinjan el poder de los frailes, si quiere ser un país... ¿Cómo decían antes? —ironizó—. Un país donde el progreso de la Humanidad y la modernización de la Iglesia vayan juntos de la mano.

El canónigo removió sus mantecosas posaderas en el asiento, como si ya empezase a notar la guindilla revolucionaria en el ano. El pollastre chupatintas no iba a ser, desde luego, quien llegada la circunstancia se preocupase de administrarle linimento en las escoceduras:

—Me parece saludabilísimo que la Iglesia dé un paso atrás en las cuestiones de orden temporal. Los tiempos de Pío IX quedaron dichosamente atrás. Y cuanto más empeño ponga la Iglesia en dilatarlos, más posibilidades habrá de que el populacho se revuelva, como pasó durante el traslado de la carroña... perdón, los restos mortales de aquel papa infame. —El chupatintas, infatuado como un lorito, buscó la anuencia del canónigo, que achantó la mui—. A mí lo que de verdad me preocupa es que los filibusteros estén instruyendo otra vez a sus soldados en provincias y reclutando nuevos adeptos. Y que, con el dinero recibido, vayan a comprar fusiles y municiones para un nuevo levantamiento.

Sonaba en el salón de baile la marcha real, como acompañamiento socarrón a los malos augurios. Parada, deseoso de comprometer a Las Morenas a toda costa, volvió a escupir su venenito:

—¿Tampoco a esto tiene nada que decir, capitán?

—¿Qué voy a decir que ustedes no sepan? —ironizó Las Morenas—. Estamos celebrando el fin de las hostilidades, pero he pedido a mi esposa que regrese con nuestro hijo a España de inmediato. Mañana parten en el vapor *Alfonso XIII*. Imagino que con esto les bastará para comprender que esta paz no me parece muy fiable.

—Hace usted muy bien —apuntilló el pollastre—. Últimamente, quienes vivimos en Manila empezamos a darnos cuenta de que esta no es la ciudad segura que nos repetían. El Katipunan tiene también sus células en la capital.

—¡A imitación de las logias masónicas! —se santiguó el canónigo.

El pollastre se cruzó de piernas y se sacudió unas motas del pantalón, como si se sacudiera las migas de un imaginario mandil. Avinagró el gesto:

—No mezclemos churras con merinas. El Katipunan es una merienda de monos; la masonería, en comparación, una academia de próceres.

Y así, con sus ínfulas de prócer en fase germinal, aliviaba el oprobio de ser tan sólo un chupatintas, al que los maestres de su secta ni siquiera se dignaban enchufar. Concluida la marcha real, sonaron aplausos fervorosos y se desató el bullicio otra vez. Arrastrando consigo un enjambre de invitados adulones, el general Primo de Rivera abandonaba el baile, campechanote y triunfante, repartiendo zalemas, palmaditas y agasajos como si fueran caramelos. Parada ni siquiera había escuchado las últimas palabras de Las Morenas, pero en cuanto vislumbró al gobernador y a su séquito cacareó con voz potente, para que lo oyeran:

—Capitán, un grupo de funcionarios civiles hemos impulsado una suscripción, en homenaje de gratitud al general Primo de Rivera. Ya hemos logrado reunir la suma de seis mil pesos. ¿Podremos contar con su aportación?

Volvió a mirarlo con fiereza metálica, aunque sonreía hipócritamente enseñando unas encías gelatinosas, casi genitales. La repulsa moral que hasta entonces había provocado en Las Morenas aquel bellaco, capaz de despellejar en su ausencia al superior al que luego halagaba ante la galería, se transformó en asco fisiológico, en náusea pujante e incontenible. Por defender a bellacos como aquel Las Morenas había combatido a los carlistas en Molins del Rey y la Seo de Urgel.

—El general Primo ya ha recibido, en premio por la paz lograda, la Cruz Laureada de San Fernando y diez mil pesetas de pensión anual —dijo—. ¿De veras cree necesaria esa suscripción, Parada? ¿No sería mejor destinar ese dinero a los pobres? El propio general creo que se lo agradecería. Caballeros, si me permiten...

El canónigo, como en un acto reflejo, le alargó una de sus manos blancurrias como bodigos mal cocidos, para que se la besase, pero Las Morenas apenas inclinó levemente la cabeza en señal de despedida. Sus contertulios se levantaron, galgueando como zascandiles en pos del general Primo, que ya había entrado en la salita, de repente invadida por una multitud de petimetres lameculos y señoronas casquivanas que le hacían la rosca. Las Morenas se cuadró ante el general, haciendo entrechocar los tacones de sus botas; y Primo le correspondió con un breve ademán de reconocimiento, invitándolo a relajar la ordenanza militar. Aprovechó la turbamulta para abandonar la fiesta antes incluso que el homenajeado. Aquel ambiente de júbilo aspaventero le producía una mezcla de desazón y encono muy similar a la que el hambriento experimenta cuando contempla una tarta en el escaparate de una pastelería; no era envidia, ni tampoco despecho, sino más bien una suerte de escandalizada, tristísima perplejidad. Al llegar al hotel, Las Morenas se quitó las botas antes de entrar en la habitación y se tumbó en la cama que compartía con Carmen sin desvestirse siquiera; el sobre del general Primo de Rivera, que se había guardado en el bolsillo de la guerrera, le quemaba como una angina de pecho. Lo separaba de Carmen una almohada que los criados del hotel colocaban verticalmente en mitad del colchón, al parecer según inveterada costumbre del establecimiento, para que sus huéspedes pudieran dormir abrazados a ella. Este caprichoso uso no había logrado disipar en el capitán Las Morenas la impresión de que aquella almohada, como la espada que el rey Marc interpuso entre los cuerpos de Tristán e Isolda en el lecho donde habían consumado su adulterio, estaba allí para recordarle el fracaso de su matrimonio.

—¿Qué pasó entre nosotros, Carmen? —murmuró.

La oía respirar acompasadamente, demasiado acompasadamente como para que estuviese dormida. Se volvió hacia ella y comprobó que, en efecto, tenía los ojos abiertos, absortos en algún pensamiento indescifrable, tal vez en la pura nada.

—No te entiendo, Enrique. ¿Qué quieres decir?

Por las noches, descendía sobre Intramuros una humedad como de ciénaga que parecía anegar los pulmones, sin dejar sitio para respirar.

—Quiero decir: ¿cuándo nos dejamos de amar?

Muchas veces había tratado Las Morenas de establecer una fecha exacta a ese rompimiento, sin lograrlo jamás. Recordaba el noviazgo incandescente, el vértigo del deseo como un ladrón furtivo en la noche de bodas, aquel desmayarse, atreverse, estar furioso, áspero, tierno, liberal, esquivo y demás ebulliciones del ánimo enumeradas por Lope. Recordaba la fuerza arrasadora de aquel cataclismo llamado amor; y, de repente, recordaba aquel amor convertido en un cementerio donde yacían las cenizas de una pasión efímera que ambos habían creído nacida para la eternidad. ¿Cuándo se habían dejado de amar?

—Creo que en realidad nunca nos amamos, Enrique —dijo Carmen, sin volver la cara, mirando al cielo raso de la alcoba, o más exactamente al mosquitero que coronaba la cama a modo de dosel, como una telaraña donde pataleaban sus frustraciones—. Aquello fue la suma de dos egoísmos. Al principio nuestros egoísmos buscaban la misma cosa, llámalo felicidad inmediata o placer o satisfacción de un apetito; y como lo logramos fácilmente, confundimos aquella euforia con el amor. Pero aquella euforia se enfrió. Y se disipó el espejismo.

Lo había dicho sin encono, sin atisbo de reproche, incluso con una aquietada gratitud. Las Morenas acarició el óvalo de su rostro y dijo:

—Y, sin embargo, de esa suma de espejismos nació Enriquillo. Aunque sólo fuera por ello, mereció la pena.

Carmen se volvió hacia su marido y le acarició también el rostro, al que el sudor y los cañones de la barba, que ya empezaban a apuntarle, otorgaban un aspecto febril o temulento.

—Capitán Enrique Las Morenas, tiene usted un hijo que lo admira mucho —dijo ella con sentido énfasis—. Y no es para menos. Ese niño tiene un padre del que puede sentirse orgulloso.

—Carmen, no dejes que se haga militar. Por Dios te lo pido, no lo dejes.

Había algo angustioso y premonitorio en su súplica. Las Morenas se llevó otra vez la mano al pecho, donde guardaba el sobre de Primo de Rivera.

—¿Ocurre algo malo, Enrique? ¿A qué viene ahora pedirme eso? Tú siempre has alimentado esa vocación en el niño, aunque yo me opusiera.

—Lo sé, y bien que me arrepiento de ello. —Tragó saliva, como si le costase confesar su desencanto—. Esta noche, en el baile de las Casas Consistoriales, estuve conversando con unos indeseables sin más principios que su propio provecho. Y de repente, Carmen, me di cuenta de que durante toda mi vida no he hecho otra cosa que defender los intereses de esa gentuza. Para eso fueron creados los ejércitos permanentes, aunque a los incautos nos embauquen con soflamas patrióticas: para servir los intereses de los gobernantes venales, de los ricachos sin escrúpulos y de los medradores. Para eso y para nada más.

—Tú nunca los has servido, Enrique. Jamás has compadreado con esos tipejos.

—Pero no se trata de compadrear o no compadrear; es que lo manejan todo a su gusto. Y los militares somos peones de una partida de ajedrez que ellos controlan. —Al respirar, el aire le sonaba como un estertor, y era espeso como el limo o la pez—. Ser militar es, hoy por hoy, colaborar con el mal. Y, llegado el momento, nos dejarán en la estacada, no lo dudes. —La tomó de los hombros y la sacudió con vehemencia—. Júrame que, si no vuelvo a España, te encargarás de que el niño no sea militar. Y, a ser posible, búscale otro padre.

Carmen se amedrentó:

—¿Es que te has vuelto loco? ¿Cómo puedes decir eso?

Y, al ver que su marido temblaba, lo abrazó un poco envaradamente, porque ya apenas recordaba cómo hacerlo; y él se abrazó a ella con desesperación y congoja, como el náufrago se aferra a una tabla que no puede soportar su peso. Y su temblor se comunicó a Carmen, como un secreto seísmo, y ambos lloraron en silencio, acunados recíprocamente por sus temblores. Todavía por la mañana temprano seguían abrazados y temblorosos; y todavía cuando cargaban el equipaje en el carruaje que habría de llevarlos al puerto los agitaba un rescoldo de aquel temblor, que de algún modo redimía los años de alejamiento e incomprensión mutua. Por las calles de Intramuros apenas transitaban unos pocos frailes, agustinos, franciscanos o dominicos con sus hábitos blancos, parduscos o negros, arrastrando las sandalias por las aceras y marchando al ritmo marcado por el entrechocar de las cuentas de sus rosarios. Salieron de Intramuros por la puerta de Santa Lucía, a través de un puente levadizo con rastrillo que vigilaba una guardia indígena, y se dirigieron hacia el puerto por la Calzada, el paseo que rodeaba las fortificaciones desde la playa de la Luneta hasta el río, abrazando toda la parte de tierra de la ciudad murada. Aunque de los fosos brotaba un hedor fangoso y pútrido, el paseo de la Calzada era sitio de lucimiento para carrozas y carruajes, a imitación pobretona del Salón del Prado, que los *camagones* frecuentaban muy peripuestos por la tarde, con la caída del sol.

—Padre, anoche no acabó de contarme la batalla de La Naval —dijo de repente Enriquillo, rompiendo su silencio luctuoso.

Había algo retador en su voz, como si hubiese detectado entre sus padres una alianza que entendía intuitivamente como una conjura; y contra la que se defendía atacando. Las Morenas sintió algo parecido a la vergüenza que siente el niño cuando es sorprendido en una travesura; lanzó una mirada compungida a Carmen, que se hallaba sentada al lado de Enriquillo —ambos enfrente de él—, esperando tropezarse con su censura, pero para su sorpresa se encontró con un insospechado gesto de risueña y comprensiva resignación.

—Anda, cuéntasela —accedió.

Enriquillo esbozó una sonrisa muy tímida, casi un rictus de amargo triunfo. Era la primera escaramuza que libraba en defensa de su vocación, tras la conjura de sus padres; y la había ganado.

—¿Por dónde nos habíamos quedado? —preguntó Las Morenas, mohíno.

—Por donde los defensores de Manila van a encomendarse a la Virgen del Rosario, antes de enfrentarse a los holandeses —dijo Enriquillo—. ¿Y esa Virgen es la misma que la patrona de Cádiz?

—La misma —asintió su padre—. Ya sabes que a ella fue atribuida la victoria...

—En la batalla de Lepanto —lo interrumpió Enriquillo, todavía desafiante—. Esa ya me la contaste.

Desde que le narraba batallas antes de dormirse, había regido entre ellos un pacto de discreción que Enriquillo siempre había cumplido. Tal vez Carmen hubiese averiguado mucho tiempo atrás cuál era la naturaleza de aquellas narraciones nocturnas; pero, desde luego, Enriquillo no deseaba que pudiera alegar ignorancia.

—Entre la flota holandesa y la ciudad de Manila sólo se interponían aquellos dos viejos galeones españoles —prosiguió Las Morenas, sin atreverse ya a mirar a Carmen—. Era un choque desigual...

—¿Cuántos barcos tenían los holandeses? —volvió a interrumpirlo Enriquillo.

Carmen estalló en una carcajada, que disimuló llevándose un pañuelo a la boca y fingiendo un acceso de tos. Las Morenas contempló con una vaga pesadumbre los cañones de la muralla, roñosos y carcomidos por el óxido, y los baluartes excavados por el salitre y el azote de las olas, como titanes a punto de derrumbarse. Calculó que, en un asedio, no resistirían ni siquiera la primera andanada.

—Quince fragatas, mucho más rápidas y mejor dotadas que los dos galeones españoles —respondió Las Morenas, tras un leve titubeo—. Durante horas y días no cesó el cañoneo entre aquellos dos castillos marinos y las veloces fragatas holandesas. Los dos galeones resistían el impacto de los cañonazos, porque estaban construidos con molave, que es el árbol filipino de madera más dura y resistente...

Siguió la crónica de la batalla, siempre salpimentada por las preguntas de Enriquillo, que era una cornucopia de incesante curiosidad. El carruaje ya se acercaba a los muelles, en la margen derecha del río Pásig; una muchedumbre de embarcaciones pequeñas —canoas, vintas y paraos, sampanes chinos que bogaban con la ayuda de pértigas, lanchones entoldados con rejillas de bejuco y cargados hasta los topes de mercancías— se deslizaba en la proximidad de los grandes vapores, atracados en la bocana. La mañana restallaba con un enjambre de jarcias y arboladuras de las que colgaban toldos y banderas, grímpolas y gallardetes como llamas eufóricas y coruscantes.

—Cuando sea mayor, me gustaría defender Manila de los invasores, como hicieron los tripulantes de aquellos dos galeones —dijo Enriquillo cuando su padre concluyó la narración de la batalla.

Había una pueril y conmovedora solemnidad en sus palabras que las hacía doblemente quiméricas; pues, más allá de que Enriquillo eligiera o descartara la vocación militar cuando creciese, a Las Morenas le parecía poco probable que, para entonces, Manila siguiese siendo una plaza española.

—*Tabí, tabí* —gritaba el cochero desde el pescante, pidiendo paso cortésmente a la multitud que invadía los muelles.

Las Morenas se inclinó hacia delante, para revolver cariñosamente el pelo de Enriquillo, y tomó sus manos, que aquella mañana le parecieron más huesudas que de costumbre, como afinadas por una madurez prematura. Un hormiguero de cargadores chinos desharrapados, con la pinga sobre los hombros, se disputaba con voces chillonas el equipaje de los *bagos*, que así se llamaba a los forasteros recién desembarcados. También había multitud de filipinos, afanados en cargar y descargar mercancías en varios carretones tirados por soñolientos carabaos.

—¿Y no podríamos marcharnos en el próximo vapor? —preguntó Enriquillo, suplicante, antes de bajar del carruaje, dirigiendo la pregunta a ambos.

El conductor descargaba los baúles, que un par de indios se echaron a las espaldas, para acercarlos al lanchón que llevaría a los pasajeros desde el muelle al vapor *Alfonso XIII*, bramante en la bocana como un toro en el chiquero.

—Aquí el que manda es tu padre —dijo Carmen.

Más que una exculpación desabrida, era una petición de socorro. En apenas cinco minutos, ella cargaría en solitario con toda la responsabilidad en la educación de Enriquillo; y parecía justo que Las Morenas afrontase aquel mal trago. Enriquillo escrutó con ansiedad a su padre, que le apretó las manos más fuertemente.

—En Cádiz, cuando lleguéis, tendrás bandas de música y desfiles de cabezudos —dijo, procurando inútilmente resultar jovial.

—Pero no es por las fiestas por lo que quiero quedarme —protestó Enriquillo—. Quiero estar con usted, padre.

Las Morenas bajó del carruaje, dándole la espalda a Enriquillo, que así quizá no advirtió el temblor húmedo de su mirada.

—Volveré muy pronto, hijo. —Sus esfuerzos por resultar convincente naufragaban—. Y, entretanto, estaréis más seguros allí.

Lo bajó a pulso del carruaje, tomándolo de los brazos. Era liviano como uno de esos vilanos que arrastra la brisa.

—¡Pero si ya se ha firmado la paz! —se enfurruñó Enriquillo—. ¡Manila es tan segura o más que Cádiz!

—Hay paces más peligrosas que la misma guerra, hijo —murmuró Las Morenas, mientras lo dejaba sobre el piso del muelle. Y, entrelazando sus dedos con los de Enriquillo, le dijo—: La próxima vez que echemos un pulso, cuando vuelva a Cádiz, puede que me ganes.

Carmen tomó de la mano al niño y le hizo una mamola.

—Mejor será que tu padre se entrene, si no quiere que le des una paliza. ¡Eres hombre muerto, Enrique!

Un segundo después ya se arrepentía de haber empleado aquella expresión metafórica, que las circunstancias hacían tan desafortunada. Y que, encima, suscitó en Enriquillo una asociación de ideas funesta:

—Padre, si Dios nos prohíbe matar... Entonces, ¿las guerras son un pecado?

—Un pecado y un crimen, claro que sí —respondió Las Morenas, sin inmutar el semblante.

El niño rumió por un instante la respuesta, antes de disparar de nuevo:

—Entonces, los militares, ¿son criminales?

Las Morenas cruzó una mirada atolondrada con Carmen. El conductor del carruaje se había reunido nuevamente con ellos, después de cerciorarse de que los porteadores chinos habían dejado los baúles en el lanchón.

—No, Enriquillo —dijo al fin, haciéndole una cucamona a su hijo en la nariz—. Los militares somos las víctimas. Los criminales son los que provocan las guerras. Pero haces más preguntas que el catecismo de Ripalda.

Se acercaban al embarcadero. Enriquillo guardó un silencio rabioso, mientras unos lagrimones gordos y lentos le resbalaban por las mejillas.

—Para el verano estaremos otra vez juntos los tres, ya has oído a tu padre —terció Carmen, tratando de consolarlo—. Pero tienes que prometerle que vas a aplicarte mucho.

Enriquillo se sorbió los mocos y frunció el entrecejo en un puchero. Tenía la voz velada por el llanto:

—Padre... Y si apruebo, ¿me enseñará a montar a caballo?

Se hallaban ante la escalerilla del lanchón. Los pasajeros subían cogiéndose a una maroma después de despedirse muy plañideramente de familiares y allegados. Entre el pasaje, subían al lanchón de regreso a España, cabizbajos y taciturnos, algunos soldados tullidos, con muletas o con el brazo en cabestrillo, que saludaron al capitán como buenamente pudieron. Las Morenas apenas lograba hacerse oír, entre el chirriar de cadenas y palancas de las grúas que subían la carga a los lanchones. Se puso en cuclillas y arrimó la boca a la oreja de su hijo:

—Palabra de honor. Pero tienes que prometerme una cosa.

—¿Cuál?

La expectación brillaba al fin en sus ojos, exorcizando las lágrimas. La sirena del *Alfonso XIII*, allá en la bocana, lanzó un mugido ronco y lastimero que anunciaba que se aproximaba la hora de la partida.

—Prométeme que no seguirás mi ejemplo —pidió Las Morenas, con una gravedad que desconcertó a Enriquillo—. Prométeme que de mayor serás cualquier cosa antes que militar.

Los marineros ya se disponían a levantar las escalas. Carmen y Enriquillo eran los únicos dos pasajeros que aún restaban en tierra. El niño se había quedado perplejo y atenazado: por un lado deseaba complacer a su padre, prometiéndole lo que le demandaba; pero su conciencia —tan recta, a pesar de ser un niño, o precisamente por ello mismo— le impedía mentir.

—Dejaos de promesas ahora —dijo Carmen, saliendo en su auxilio—. Enriquillo lo que te promete es que va a estudiar mucho, para no defraudarte. Y tú le enseñarás a montar si aprueba. Después, Dios dirá. —Le hizo un gesto a su marido, para que se incorporase, y reclinó la cabeza sobre su pecho, antes de besarlo. Aunque no fuese un beso arrebatado, había en él más amor contenido del que Carmen le había mostrado en los últimos años—. Te estaremos esperando, Enrique. No tardes.

Los cabestrantes del lanchón izaban ya las cadenas de las anclas. Entre las gentes que se agolpaban en el embarcadero se habían empezado a agitar los pañuelos, en señal de despedida. Enriquillo, mordiéndose otra vez las lágrimas, abrazó con ardor a su padre, que lo aupó por un instante, apretándolo contra sí, para notar los latidos de su corazón, como un pajarillo que se rebela contra su cautiverio.

—Hala, hijo, pórtate bien —susurró. Y, al devolverlo al suelo, le sacudió una palmada en el culo. Cuando ya había subido al lanchón, seguido de su madre, Las Morenas gritó—: ¡Y procura estar despierto cuando atraveséis el Canal de Suez! ¡Recuerda el mar de ardora! ¡Y dile al capitán que te avise si se avistan delfines!

Sonó la hélice, triturando sus palabras; mientras la lancha desatracaba, el mar se cubrió en derredor de mantos de espuma. Pronto, los rostros de Carmen y Enriquillo, como sus brazos alzados al aire, se fundieron en una misma masa borrosa e indistinta. Las Morenas dijo en un murmullo, como si hablase para su coleto:

—Los delfines son aún más bonitos que los caballos...

Volvió a sonar la sirena del *Alfonso XIII*, ahora con exultación, recibiendo al pasaje. Las Morenas hizo ademán de llevarse la mano al bolsillo interior de la guerrera, para sacar el pañuelo; y se topó con el sobre que la noche anterior le habían llevado al hotel, por indicación de Primo de Rivera. Las Morenas lo abrió y leyó la citación escueta, fijada para la semana siguiente, en la que se le asignaría nuevo destino. Arrugó la citación y elevó la mirada al cielo, sucio de hollín y vapor. Se supo desgajado, amputado para siempre.

—Cualquier cosa menos militar, Enriquillo —mascculló.

2

Era como albergar una riña de gatos —o, más exactamente, de demonios— allá en las entrañas, o tal vez en esos adentros del alma que se entreveran con las vísceras, como ocurre siempre que nuestro dolor ni siquiera obtiene el beneficio del duelo. Y ese dolor sin duelo, enquistado como un chancro, corría el riesgo de pudrirse, provocando una septicemia moral que lo infectara para siempre.

Apenas un par de meses antes, el teniente Saturnino Martín Cerezo se hallaba cómodamente instalado en Málaga, disfrutando con su esposa Teresa de un destino plácido que era casi una prolongación de su reciente luna de miel, después de haberse curtido durante varios años combatiendo a las cabilas rifeñas en Melilla. En Málaga, Teresa se había quedado embarazada; en Málaga, paseando con ella por playas y alamedas, escuchando en la cama la lenta germinación de su vientre, Martín Cerezo había saboreado esa jubilosa plenitud que, como por milagro, visita efímeramente a los hombres (o tal vez sólo a algunos hombres): la sensación de estar penetrado de eternidad, en conformidad con el mundo, acariciado por una luz que lo hacía invulnerable. Y, de repente, aquel interregno de beatitud se rompió en añicos, precipitándolo a un abismo sin fondo: el embarazo de Teresa adquirió un cariz preocupante; por la noche, su cuerpo destilaba un líquido de transparencia ambarina que dejaba su rastro sobre las sábanas, como una flor mortuoria que abre lentamente su corola. A medida que su barriga se agrandaba, Teresa enflaquecía; su piel se tornaba más ajada y macilenta; y un dolor agudo, como una aguja candente que le atravesara el útero, empezó a torturarla, al principio muy de vez en cuando, pero poco a poco con mayor asiduidad y de forma más intensa. Aunque aún faltaba más de un mes para que rompiera aguas, Martín Cerezo decidió llevarla al hospital una noche en que aquel dolor se le quedó atrapado en el vientre. El doctor que los atendió no lograba disimular la turbación, que tal vez fuese el aspaviento de su pavor; finalmente confesó al teniente con voz adelgazada y medrosa que habría que adelantar y forzar el parto, y con voz casi exangüe que tal vez hubiese que elegir entre la vida de la madre y la vida del hijo. Martín Cerezo trató de encajar con aplomo aquellas palabras que habían detenido la circulación de la sangre en sus venas, llenándole los tímpanos de un zumbido que no parecía de este mundo. Cuando habló con Teresa, que se debatía entre dolores desgarradores en una cama del hospital —el rostro en el que un día se había copiado la belleza del mundo desencajado y arañado de mil arrugas—, ocultó la segunda precisión del médico, para comunicarle solamente que había que anticipar el parto. Entonces Teresa, como si el caudaloso y renegrido dolor que la anegaba se hubiese escurrido por alguna secreta esclusa, poseída por una paz que casi llegó a intimidarlo, solicitó confesión. En el hospital se hallaba en aquel momento un fraile franciscano, muy servicial y dicharachero, que hacía las veces de capellán, llevando a los enfermos el viático y un poco de confortación en los trances de la agonía. Cuando Martín Cerezo los dejó a solas en el cuarto, la expresión de Teresa era serena, casi beatífica. En apenas diez o quince minutos, el fraile salió, huidizo y con el gesto preocupado. Teresa, en cambio, estaba radiante, como si se hubiera librado de un lastre de pecados milenarios, y arrostraba el futuro con una suerte de alegría intrépida, sintiéndose acaso inmortal. Le dijo a su marido que no admitía que el médico hiciese nada que dificultara el nacimiento del hijo que ambos habían esperado durante aquellos ocho meses con tan ardiente deseo; y que lo fiaba todo a la voluntad de Dios. Martín Cerezo trató de oponer alguna objeción o cautela, pero Teresa le pidió que no se molestara en hacerlo, jugueteando con su mano como si le estuviera contando las falanges. Luego, repitió sus instrucciones al médico que la iba a asistir en el parto, el mismo médico que había anticipado a su marido las infaustas nuevas con la voz quebrada por el espanto.

Pero aquel espanto se había escondido detrás de la falta de certezas sobre lo que habría de ocurrir. En cambio, el espanto que sacudía al médico cuando volvió a reunirse con Martín Cerezo, después de más de dos horas en el quirófano, era desatado y hormigueante; y en su atropello ni siquiera lograba elegir eufemismos que restaran brutalidad a lo que tenía que decir. Teresa había muerto por desgarro uterino, en medio de una hemorragia que no habían logrado cauterizar; y la niña —era una niña— había nacido muerta, ahorcada por el cordón umbilical, lívida como un ángel arrojado a una ciénaga. El teniente Martín Cerezo aulló hasta quedarse afónico, se dio de puñadas y cabezazos contra la pared, zarandeó al médico y buscó como un lobo al fraile confesor, como si quisiera arrancarle los hígados a mordiscos; luego lloró ante el cadáver de Teresa, jugueteando con su mano yerta, contándole las falanges, abrazándola hasta que unos enfermeros lo arrancaron de la camilla donde yacía, para llevarla a la morgue. Teresa había sido siempre muy religiosa, devota de sus santos y observante de ritos que el escepticismo de Martín Cerezo juzgaba supersticiosos; pero su fe acérrima había logrado conmover en más de una ocasión la incredulidad de su marido, que había dejado que las oraciones de la infancia volviesen a sus labios, o que la emoción volviera a rozarlo, mientras veía desfilar una imagen de la Virgen en las procesiones de Semana Santa. Pero aquella disposición benévola de Martín Cerezo se declaró derrotada por lo que consideraba un sarcasmo de Dios. Rezó y blasfemó a un tiempo, sintiendo que su plegaria y su increpación eran igualmente indiferentes a aquel Dios que se mantenía callado, amurallado en un silencio olímpico, ajeno a su angustia y a su odio. Porque el teniente Martín Cerezo —lo reconoció no sin zozobra, no sin horror— odiaba a Dios, que le había dejado viudo y huérfano de hija; y, como el objeto de su odio era infinito y omnipresente, su odio era inabarcable y se derramaba sobre todas las cosas, invadiendo sus sueños y vigilias, el testimonio de sus sentidos, el registro purulento de sus pensamientos, su misma respiración. Inevitablemente, algo de ese odio minucioso, vasto como el universo, lo desvió hacia el fraile que había confesado por última vez a Teresa, al que obligó a oficiar sus exequias fúnebres y también las de la niña cuya alma ya acamparía en el limbo.

Martín Cerezo, aunque había evitado alistarse en la masonería que infestaba las academias militares y los cuarteles, se había distinguido siempre por cultivar un tibio anticlericalismo; pero la pérdida de Teresa, que juzgaba consecuencia directa de los consejos de aquel fraile, lo había convertido en un anticlerical furibundo, espumeante de improperios, que esperaba poder devolver algún día a los frailes, centuplicado, el mal que —a su dudoso juicio— le habían infligido. Ni siquiera hallaba consuelo imaginando una vida de bienaventuranza para Teresa y para la hija salida de sus entrañas; pues no podía aceptar que un Dios que se las había arrancado sin inmutarse hubiese proyectado otro bien mayor para ellas. Y, no creyendo en recompensas de ultratumba, tampoco creía en castigos; sólo que, al negar la existencia de un infierno en el más allá, el infierno se fue inmiscuyendo fatalmente en su más acá, infernando sus días hasta convertirlos en páramos de desesperación. Ningún dolor hay intolerable cuando quien lo padece cree firmemente que algún día acabará, y que la conclusión será feliz; pero cuando la desesperación se infiltra en el ánimo y se adueña de él, calcinándolo con su llama gélida, el dolor se hace infinito, eterno como el propio infierno, pero incardinado en una vida finita, en un imposible metafísico que revienta las costuras del alma. Y así vivía el teniente Martín Cerezo desde que perdió a su mujer y a su hija: invadido infernalmente, reventado por un dolor que no admitía cura; y que, para no darle descanso, aguzaba sus percepciones, haciéndolas más vívidas: así, su aflicción se tornó más inconsolable, y su rabia más enervante y desquiciadora, puesto que no podía dirigirla contra nadie, salvo contra Dios, que era inmune a sus ataques. Notaba esa rabia sin desahogo posible colonizando cada repliegue de su alma, irradiándose concéntricamente de zona en zona anímica, hasta gangrenarlo por completo; y notaba que la virulencia contaminante de aquella rabia sin destinatario acabaría, de tanto crecer, estallando como un forúnculo y manchando de odio y destrucción cuanto tocase.

No habían transcurrido ni siquiera quince días de la tragedia cuando solicitó que lo destinasen a Filipinas, que consideró —acaso ilusoriamente— el único lugar del mundo en el que podría dar fin a su dolor: no porque allí esperase hallar el refugio contra sus zarpazos, sino más bien el antídoto definitivo que era la muerte. Había leído en los periódicos de Madrid crónicas de las campañas militares contra los filibusteros tagalos, donde los hombres caían como moscas, macheteados por el enemigo o víctimas de enfermedades tropicales ignotas; y ansiaba hallar una muerte así, bárbara y hedionda, en algún paraje que ni siquiera figurase en los mapas. Pero la muerte ansiada se le escurría como arena entre los dedos: recién desembarcado e incorporado a un batallón de cazadores expedicionarios que supuestamente se estaba organizando para lanzar una ofensiva contra los insurrectos, se firmó la paz de Biacnabató; y con la paz, su estancia en Manila —como la de todos los soldados acuartelados— se enfangó de ociosidad y tedio. Sólo que, si en los demás hombres el tedio y la ociosidad engendraban tan sólo acedia y si acaso cierta neurastenia, en el teniente Martín Cerezo brindaban pasto para que su dolor y su rabia se hiciesen todavía más feroces, como bestias a las que se priva de su alimento. Los altos mandos trataban de combatir el muermo que atenazaba a sus hombres manteniéndolos ocupados en rutinas que, a la vez que favorecían la disciplina, distrajesen su aburrimiento; y no cesaban de advertir, para mantenerlos en tensión, que tal vez aquella paz alcanzada fuese solamente provisional. Pero al teniente Martín Cerezo no le bastaba con mantener la tensión ni distraer el aburrimiento: necesitaba dejar de sentir, de pensar, de respirar, necesitaba dejar de vivir. Y mientras aguardaba la movilización que —según su cálculo— habría de traerle la muerte, se dedicó con denuedo a anticiparla, mediante el único fármaco del dolor que tenía a mano.

Nunca había incluido la bebida entre sus hábitos, que siempre habían sido muy austeros, incluso morigerados y respetuosos hasta lo maniático de lo preceptuado en las ordenanzas militares. Tal vez porque su organismo no estaba preparado, la bebida le procuró un inesperado interregno en su dolor, un ámbito borroso —como una duermevela sin contornos— en el páramo de sus días infernados que abolía, siquiera por unas horas, el reinado de la rabia. Como sus superiores estaban al tanto de su tragedia, nadie se atrevía a amonestarlo, mucho menos a enviarlo al calabozo; y así podía pasarse las noches de claro en claro y los días de turbio en turbio en la cantina del cuartel, hasta perder la consciencia y anegarse en morapio, como aquellos tudescos moscos de los sorbos finos de los que habla el poeta. Como ellos, el teniente Martín Cerezo buscaba por soga al nieto de la vid; y día a día se iba ahorcando un poco más, derrumbado sobre una mesa de la cantina, encharcado en su propio vómito, siempre con un retrato de Teresa a la vista, porque allá donde la inconsciencia de la borrachera lograba anestesiar su rabia y su dolor, allá donde la riña de gatos o demonios que se libraba en los adentros de su alma se apaciguaba siquiera por unas horas, siempre estaba Teresa, resucitada y esplendente, guiándolo a las aguas tranquilas por caminos rectos, como una verde pradera en la que al fin podía descansar. Sus compañeros lo miraban con piedad y condescendencia; y nunca faltaba algún buen samaritano que, viéndolo reducido a escombros, lo tomaba en hombros y lo depositaba en el lecho, que siempre amanecía al día siguiente húmedo de todos los humores, tantos que ni siquiera se podían distinguir las lágrimas. Últimamente, además, le habían asignado un asistente, un tal Jaime Caldentey, un mallorquín solícito y abnegado, muy espabilado y si acaso un poco pamplinero, que parecía querer redimirlo de su recién adquirido vicio, para lo cual urdía los entretenimientos más variopintos, siempre con el propósito de que alguno acabara cautivando al teniente. Era un empeño por completo inútil, pues Martín Cerezo sabía bien lo que quería, que era morir.

—Este es el puente de España, mi teniente —lo aleccionaba Caldentey—. Aquí, a sus pies, tiene el río Pásig, que corta Manila por la mitad. A mano izquierda tiene Intramuros y, más allá, los barrios de Ermita y Malate; y a la derecha, a nuestras espaldas, los barrios de Santa Cruz, Quiapo y San Miguel, y de cara, Binondo, San Nicolás y Tondo.

Caldentey era rubiasco, de una delgadez elástica y zancuda, y manoteaba mucho al hablar. Martín Cerezo sospechó que todo aquel derroche de actividad escondía un fondo neurótico, corroído de miedos que de ese modo permanecían sepultados, o siquiera dormidos. Se había empeñado en ejercer de cicerone para él, mostrándole de día la ciudad, en un afán por mantenerlo alejado de la cantina.

—Las noches junto al río Pásig son una de las grandes atracciones de Manila —continuaba Caldentey, acompañando su discurso de gestos de charlatán o vendedor de crecepelos, como si quisiera convencerlo de algo—. En su orilla derecha, está el paseo de la Escolta, que es donde se halla la mayoría del comercio europeo. Por las tardes, si no llueve, la Escolta se llena de carruajes; es el lugar de lucimiento favorito para la gente postinera, o para la que quiere aparentar postín.

—Que será mucha más que la auténticamente postinera —murmuró Martín Cerezo.

El puente de España era una construcción de piedra y hierro, con gruesos pilares hundidos en el caudaloso Pásig. A lo largo de la acera de ambos pretiles, iba y venía una muchedumbre de indios, sangleyes, soldados peninsulares, soldados tagalos, funcionarios y mestizos, estos últimos trajeados con dril blanco de deslumbrante tiesura, a la usanza colonial europea, por distinguirse de los nativos desharrapados. El río Pásig se deslizaba manso, casi inmóvil, como si no hubiese leído a Heráclito; la reverberación solar bruñía las aguas hasta tornarlas una lengua de oro fundido.

—Aquí, mi teniente —proseguía Caldentey—, la única pega es que el clima es insoportable y más bien malsano. Bueno, y que hay pocas diversiones.

Esta última mención sacó a Martín Cerezo de su letargo. Sabía bien lo que quería:

—¿Y qué diversiones tienen ustedes aquí?

—Prácticamente ninguna, mi teniente —respondió Caldentey, que aún no había advertido las intenciones de Martín Cerezo—. Tomamos algún refresco en la terraza del Casino Español o en el café de la Alhambra. Paseamos por la playa de la Luneta o el Malecón. De noche, si acaso, montamos una partida de naipes en el cuartel. Y de vez en cuando algún *bailujan*, que es como llaman aquí a las verbenas.

Caldentey se había esforzado por excluir de su enumeración toda forma de diversión directamente etílica; pero no se le escapaba que, en sus ramificaciones y corolarios, todas lo eran. Martín Cerezo mintió, para ganarse su voluntad:

—Pues, hombre, no me parece un panorama tan desolador. Para quien busque divertirse de forma decente, al menos.

—Así lo creo yo, mi teniente.

Harto del morapio de la cantina, Martín Cerezo se había pasado al *lambanog*, una especie de aguardiente autóctono, hecho con flor de coco, que apenas le dejaba resaca; y cuya graduación era tan elevada que, en los días de la probanza, antes de que su organismo se acostumbrara a él, no sólo anestesiaba su rabia y su dolor, sino que le hacía perder la noción de quién era, como si el ser que habitaba su cuerpo se convirtiera de repente en un impostor, o más exactamente en un absoluto nadie, una sombra hueca que le permitía deambular por el infierno de la vida en un estado de perpleja disociación, sin saber si estaba en Filipinas o en España, sin saber si era ayer o mañana, sin saber si se hallaba en la vigilia o en el sueño, sin saber siquiera si estaba vivo o muerto. Estos trances apenas duraban tres o cuatro horas, pero la extraña y placentera impresión de sentirse vacío como una carcasa de la que hubiesen desertado pensamiento y voluntad perduraba hasta el día siguiente. Y así, convertido en un fantasma sin peso ni sustancia, una persona inexistente que flotaba fuera de sí mismo, Martín Cerezo sentía como si hubiera penetrado sigilosamente en otra dimensión, olvidado de las convenciones del tiempo y del espacio, y contemplaba su propia vida con completa y abstraída indiferencia, como suponía que la contemplaría Dios, ese Dios que nada había hecho en el parto de Teresa y nada tampoco por consolarlo en su duelo. Semejante estado de vaciedad y abandono de sí mismo era, sin embargo, transitorio; y, a medida que se iba habituando al *lambanog*, se iba haciendo más breve y perdiendo intensidad. Por eso Martín Cerezo le había preguntado a un sangley que abastecía de licores la cantina del cuartel si conocía algún otro brebaje, más fuerte todavía que el *lambanog*, que actuase como un fármaco contra la vida; y el sangley, mirándolo de forma revirada y sarcástica, le había dicho: «Vaya al barrio de Binondo, entre los esteros más alejados del río. Usted lo que busca es *veneno negro*».

—Y el que ande detrás de alguna diversión indecente, ¿qué oportunidades tiene? —preguntó Martín Cerezo.

—No le entiendo, mi teniente —se resistió Caldentey, afectando virtud o gazmoñería.

—Venga, hombre, no me fastidie... Simplemente quiero conocer algún antro poco recomendable.

Aquella expresión empleada por el licorero sangley, *veneno negro*, tan expresiva y sintética de lo que buscaba (algo que lo matase y que sumiese su conciencia en una espesa y perpetua noche), no había dejado de martillear su pensamiento. Ingenuamente, Caldentey entró al trapo, con una especie de indulgente picardía:

—Pues para el que busca una dalaga de quince años, en la Calzada de las Aduanas suelen apostarse unas cuantas que sólo de mirarlas se pone uno a babear. —Chasqueó la lengua y manoteó, como si quisiera espantar aquella visión tentadora—. Pero ese es un vicio demasiado caro para soldados rasos. Claro que usted...

Habían cruzado el puente y se internaban en Binondo por la calle del Rosario, donde los sangleyes vivían hacinados como chinches, infestando el aire con el olor vaporiento y promiscuo de su comida, y daban rienda suelta al espíritu comercial característico de su raza, abriendo —amontonando, más bien— establecimientos en ambas aceras, todos ellos de aspecto cuchitrilesco, pero beneficiados por esa brisa de exotismo misterioso que tiene la escritura china, con algo de laberinto y algo de criptograma.

—En realidad, Caldentey, yo me estaba refiriendo a algo más... clandestino.

Tendría que haber dicho, para ser completamente sincero, algo más sórdido, o turbio, pero prefería mantener así el tono de la conversación, en un clima brumoso.

—¡Ahora comprendo! —dijo Caldentey, golpeándose la frente con la palma de la mano—. Mi teniente busca una casa de *fantán*.

La algarabía chinesca aturdía a Martín Cerezo; era como hallarse encerrado en un sótano infestado de conejos capones.

—¿Cómo ha dicho?

—Una casa de *fantán* —repitió Caldentey, elevando la voz hasta desgañitarse—. El *fantán* es un juego que gusta mucho a los sangleyes, como a nosotros el tute o el mus.

—¡Ah, vamos! Se refiere usted a una timba.

—Exacto, mi teniente. ¿Es eso lo que busca?

Martín Cerezo asintió, caviloso. Entre las calles de Binondo serpenteaban los esteros, al principio navegables para canoas y otras embarcaciones de corta eslora, luego —a medida que se internaban en zonas fangosas, cada vez peor urbanizadas— estrangulados de malezas y viveros de millones de mosquitos reunidos en cónclave aquí y allá, como nubes de hollín. Las calles adoquinadas y tiradas a cordel dieron paso primero a galpones desvencijados, con techos de cinc pintados de rojo y acribillados de agujeros, y luego a míseras chozas rodeadas de cieno, quincalla e inmundicias. Había que caminar sobre unos pontones para no hundirse en el terreno pantanoso; y, a su paso, surgían callejones ciegos, estrechos y sucios, donde fugazmente refulgía una mirada que parecía escrutarlos amenazante. Martín Cerezo llevaba apenas un par de semanas en Manila, y casi todo el tiempo borracho o inconsciente, pero en sus lapsos de lucidez había desarrollado una suspicacia vigilante obsesiva, tal vez lindante con la manía persecutoria, después de haber escuchado a algunos compañeros más veteranos referirse a una secta de tagalos, a modo de imitación o parodia masónica, llamada Katipunan, que reclutaba a sus secuaces entre la población indígena. Una mera incisión en el brazo bastaba a aquellos fanáticos para sellar su juramento de adhesión a la secta y desligarse de todo vínculo anterior, incluido el parentesco consanguíneo. Aspiraban a la independencia de Filipinas; y, para lograrla, estaban dispuestos a purificarse en el fuego de todos los crímenes, al que arrojaban, a modo de yesca, los afectos y gratitudes de antaño, transmutados en resentimiento. Las historias que se contaban sobre el Katipunan estaban, por supuesto, infectadas por las calenturas de la fantasía, que las hinchaba de detalles truculentos y hórridos; pero, reducidas a su más pálida y escueta versión, bastaban para poner los pelos de punta. Martín Cerezo no podía por menos, sin embargo, de admirar a los katipuneros, pues sus víctimas predilectas —contra las que dirigían sus golpes más crueles— eran los frailes.

—¿Lleva mucho tiempo en Manila? —preguntó Martín Cerezo, al hilo de sus reflexiones.

—Pronto hará un año, mi teniente. Tiempo suficiente para conocer algo a estas gentes —respondió Caldentey.

Mientras cuidaban de no ensuciarse las alpargatas en el barro, veían asomarse a las puertas entreabiertas indios que los miraban con aparente respeto bonachón. Pero Martín Cerezo había oído que aquellas míseras barriadas eran el caladero donde el Katipunan se aprovisionaba de adeptos.

—¿Y oyó hablar del Katipunan? —preguntó, exagerando el secreto.

—¿Quién no ha oído hablar del Katipunan? —dijo Caldentey, casi ofendido—. En la toma de Pantubig, en la provincia de Bulacán, donde hice la campaña, tuve que bregar con esos salvajes.

Martín Cerezo asintió ponderativamente. Creía escuchar a sus espaldas bisbiseos acompañados de ruidos chirriantes, como si un grupo de katipuneros estuviese afilando sus bolos.

—¿Y es verdad que el Katipunan profesa un odio manifiesto a los frailes?

—¡Anda la leche, mi teniente! —se desinhibió Caldentey—. ¡Y a todos los españoles en general!

—Bueno, es natural que, cuando algo inspira odio, la ofuscación que el propio odio provoca... se haga extensiva a todo cuanto tiene algún tipo de relación o vínculo con lo odiado —se embrolló Martín Cerezo—. Además, ¿acaso no es España un país de meapilas insoportables?

Soltó una carcajada satisfecha, casi orgullosa de su malignidad. Caldentey miró con abrumado desconcierto a su superior; no sabía si hablaba en broma o en serio o si todo lo que hablaba era una farfolla con la que pretendía aturdirlo. Replicó:

—De meapilas y de comecuras, mi teniente. No hay término medio. —Y, tras una pausa, añadió—: Pero el odio al *castila* es cada vez más evidente. Hasta hace poco, los niños indígenas, cuando veían a un soldado español, tenían la sana costumbre de saludarlo haciendo una reverencia. Ahora lo que hacen es insultarnos y salir corriendo.

Habían alcanzado los esteros más alejados del río. En aquellos confines del barrio de Binondo, la presencia sangley volvía a hacerse patente en cartelas a modo de pendones que ostentaban los jeroglíficos caracteres chinos; pero faltaba en las fachadas de las casas —que eran más bien tabucos lóbregos— esa ornamentación colorista y exótica que había abrumado a Martín Cerezo, un rato antes. Aquí la pestilencia del aire era combatida con emanaciones acres y picantes; y los escasos chinos que se dejaban ver —apoyados indolentemente en los quicios de las puertas— les chistaban a su paso, ofreciéndoles mercancías de contrabando, paraísos artificiales, amor mercenario. Se respiraba allí un clima de depravación sin sensualidad, insalubre y árida, como para viciosos terminales. Caldentey buscó en el rostro del teniente algún signo de desazón propio del neófito, pero se tropezó con una mirada en la que parecían enviscarse mil tigres enjaulados.

—Me da a mí, Caldentey, que tú eres de los meapilas —se burló Martín Cerezo, introduciendo repentinamente el tuteo—. En cuanto entramos en terreno pecaminoso, te acoquinas.

—No es eso, mi teniente. Es que no me acuerdo de dónde estaba la casa de *fantán* —mintió Caldentey.

Aunque la zozobra se la provocaba más bien la actitud entre jaque y desenvuelta del teniente, lo cierto es que orientarse en aquellos andurriales resultaba cada vez más arduo. Las callejuelas formaban una maraña inextricable y eran cada vez más angostas y sombrías; y los tabucos que se alineaban a ambos lados eran todos iguales, como repeticiones de una misma pesadilla. Del fondo de uno de aquellos callejones vieron salir a dos chinos que llevaban casi a rastras un cuerpo inerte que arrojaron con la mayor naturalidad en un estero, como si se tratase de un despojo. Tal vez estuviese narcotizado, tal vez muerto. Martín Cerezo se preguntó si ese torpor tan profundo lo proporcionaría el veneno negro.

—¿Qué le sucede a ese individuo? —preguntó a Caldentey.

Miró cómo se movía en el barro, arrastrándose con lentitud de molusco, para después volver a desplomarse sobre él, dimitido de su humanidad.

—Ha fumado más de la cuenta —dijo su asistente, compungido—. Si no muere de esta, poco le falta.

—¿Fumado? ¿Qué demonios ha fumado?

—Opio, mi teniente. El veneno negro de los sangleyes. El que prueba esa droga jamás se harta, y todo cuanto hay en el mundo le importa de repente un comino: familia, trabajo, amigos, todo lo tira por la borda.

Martín Cerezo nada tenía que tirar por la borda, puesto que todo lo había perdido en un hospital de Málaga; y tal vez por ello la expectativa de arrojarse por ella, desembarazado de lastres, se le hacía más dulce y halagüeña. El hombre o piltrafa arrojado sobre el estero ya había dejado de moverse. Caldentey apretó el paso.

—Pero... puede que ese hombre esté agonizando —dijo, tal vez envidioso de su destino.

—Puede ser, mi teniente —murmuró Caldentey—. Pero nosotros nada podemos hacer. Si interviniésemos, los sangleyes nos rajarían. El que se aventura hasta aquí lo hace bajo su entera responsabilidad. Aquí no rigen las leyes españolas; y mucho menos los preceptos evangélicos.

La voz de Martín Cerezo sonaba intrigada, casi exultante:

—¿Y qué rige entonces?

—Rigen las hermandades chinas —respondió Caldentey, apretando los labios—. Ellas imponen sus propias leyes y protegen a sus asociados. Y al que no cumple lo eliminan por la vía rápida, de un tajo en el cuello.

Y se llevó expresivamente un dedo al gaznate. Habían dejado atrás el cuerpo inerte del opiómano, que ahora gorgoteaba quejumbrosamente.

—Esta es la timba de la que le hablé, mi teniente —dijo Caldentey, adoptando una actitud envarada, incongruente en un hombre que manoteaba tanto al hablar—. Si me disculpa, yo no entraré.

En apariencia, era un tabuco como cualquier otro, con una fachada costrosa que amenazaba ruina y un tejadillo desvencijado. En la puerta, había un cartel en chino, tagalo y español que rezaba: «El Gobernador permite que se juegue aquí al *fantán*».

—Pero Caldentey, hombre, si hasta Primo de Rivera bendice este lugar... —dijo Martín Cerezo con sorna.

—Es falso que esté permitido el juego, mi teniente. El cartel es un reclamo para atraer infelices, sobre todo indios. —Caldentey se mantenía hierático—. Pero la razón es otra. Cada cual arrastra su pecado, y el mío es el juego.

Martín Cerezo se carcajeó:

—Muy venial me parece ese pecado.

—Yo me conozco bien, mi teniente —se resistió Caldentey—. Una vez que empiezo, no hay manera de contenerme. Me alisté en el ejército escapando de unas deudas de juego que tenía en el pueblo; y sé que si vuelvo a las andadas, tendré que escapar también del ejército.

Como no le convenían testigos, Martín Cerezo no insistió, viendo la oportunidad de librarse de su asistente:

—Entonces, ¿qué haremos? ¿Nos vemos en el cuartel?

Caldentey se cuadró, vencido por la responsabilidad:

—No puedo permitir que ande solo por estos andurriales, mi teniente. Si le parece bien, puedo venir a recogerlo en... ¿un par de horas, por ejemplo?

—Un par de horas estará bien —acordó Martín Cerezo, lanzando a su asistente un guiño picaruelo y palmeándole la espalda.

Y se internó en la casa, con la temeridad insensata del buzo que se zambulle sin ponerse antes la escafandra. En el interior del antro reinaba una oscuridad espesa, como de niebla coagulada, a la que poco a poco se fueron acostumbrando sus ojos. Se hallaba en un vestíbulo de paredes desnudas y piso de tierra, en cuyo centro había una especie de balcón circular, ante el que se agolpaban los curiosos. Martín Cerezo se asomó y descubrió una planta subterránea, excavada al modo de una catacumba, donde un público bastante numeroso se agolpaba vociferante ante media docena de mesas de *fantán*, iluminadas de forma tan tenue que ni la luz lograba taladrar el vapor allí condensado, haciendo indiscernibles las vicisitudes del juego. Martín Cerezo descendió al sótano por una escalera de peldaños desiguales que había a un extremo del vestíbulo; las paredes chorreaban agua y el barrillo deslizante del suelo obligaba a caminar con mucho tiento. La presencia de un militar español, con el característico uniforme de rayadillo, no pasó inadvertida; y los jugadores interrumpieron su algarabía, mirándolo con una mezcla de recelo y aversión.

—Por favor, señores, sigan jugando sin temor —los animó el teniente, impostando una voz despreocupada.

La humedad atoraba sus bronquios. Un sangley que hacía de gancho para incautos cruzó una mirada de astucia con Martín Cerezo, ante quien se inclinó muy reverenciosamente, cruzando las manos en el pecho; luego, al alzarse, hizo un signo apenas perceptible —un pestañeo, un leve fruncimiento de los labios— a los encargados de las mesas, que reanudaron el juego. Se volvieron a vocear las apuestas, que los auxiliares de cada mesa iban colocando en las cuatro esquinas numeradas de un tablero de bronce. Los encargados arrojaban al centro del cuadrado un montón de ochavos taladrados en su centro, que a continuación cubrían con un tazón. Durante un rato se sucedieron más y más apuestas, en un griterío como de ratas a la greña. Cesaron a una voz imperiosa del banquero, que con un largo punzón de marfil fue separando los ochavos de cuatro en cuatro, ensartándolos por el orificio. Al concluir esta peculiar y habilidosa operación, quedaron tres ochavos, y un murmullo apreciativo dio a conocer que aquel era el número ganador. Con un rastrillo, el banquero recogió las apuestas perdedoras. A Martín Cerezo el *fantán* se le antojó un juego tedioso y pueril.

—Sin duda, el señor busca otros juegos menos inocentes, ¿verdad?

Se le había acercado por la espalda el sangley que unos minutos antes había avalado con un gesto su entrada en la timba. Martín Cerezo notó algo parecido a un escalofrío u hormiguillo placentero recorriéndole el cuerpo, de la cabeza a los pies.

—¿Cómo lo ha adivinado? —dijo, volviéndose.

El sangley se inclinó de nuevo reverencioso y le hizo una señal para que lo siguiera. Precedido por él, se internaron ambos en un túnel apuntalado con maderas podridas, tímidamente alumbrado con lamparillas de aceite de coco, que los obligaba a caminar encorvados. En algunos huecos excavados a modo de hornacinas en las paredes del pasadizo humeaban mechas de incienso ensartadas en la tierra. Martín Cerezo no tardó en percatarse de que el aroma del incienso no hacía sino enmascarar otros hedores de letrina, formando con ellos una amalgama nauseabunda. El sangley lo condujo a través del pasadizo hasta una habitación raquítica, cuya entrada custodiaba otro sangley, membrudo y de gesto hosco, ataviado con unos calzones negros de una tela que semejaba hule. En la lobreguez de aquel cuarto se hacinaba un bulto informe; con horror y asco y un sentimiento nefando de oprobio, Martín Cerezo creyó distinguir entre diez y doce niños de ambos sexos, arrebujados en el suelo, completamente desnudos y apilados como sardinas en banasta. Le trepó por la garganta una llamarada de ira, pero recordó que allí no regía otra ley que la iniquidad caprichosa de las hermandades chinas; y que quienes osaban contrariarla morían degollados.

—No busco niños —dijo, mordiéndose la rabia—. Quiero veneno negro.

Los sangleyes se cruzaron una mirada de estupor, contrariados por haber confundido el vicio del español; y el que hacía de gancho en la timba le pidió excusas muy ceremoniosamente, para después llevarlo a través del pasadizo, rodeando la sala de juego, hasta un cuarto que servía de antesala al fumadero, presidido por un altar con un diosecillo ventrudo y de labios como belfos, de aspecto más batracio que propiamente humano. El gesto astuto del sangley era ahora de preocupación, como si temiera que Martín Cerezo fuese la avanzadilla de una incursión militar en el antro.

—Por supuesto, podremos contar con la discreción del señor...

—Por supuesto. Como espero yo contar con la suya —dijo Martín Cerezo, en un tono a la vez abrupto y cortés.

—En ese caso —concedió el sangley, refitolero—, su primera pipa será un obsequio de la casa.

Entraron en un vasto aposento abarrotado de un humo muy denso que revolvía el estómago y hería la pituitaria. Martín Cerezo trató de deslindar, entre el cúmulo de olores fétidos, aquellos que parecían más distinguibles: así, creyó detectar una vaharada como de pescado pútrido; y también un olor más sutil —aunque la fetidez reinante lo hiciera igualmente repulsivo—, como de botica o droguería.

—Ese olor tan rico es el anfión —lo instruyó, tal vez con ironía, el sangley.

En aquella atmósfera de pudridero, entre el humo espeso, las llamas diminutas de las lamparillas de aceite de coco semejaban fuegos fatuos. Martín Cerezo tardó en discernir, derrumbada sobre los bancos de madera que se repartían por el fumadero, una clientela promiscua de razas y clases sociales, hombres que más bien parecían momias de miembros rígidos como los de un espantajo y rasgos cadavéricos en los que brillaba el cartílago de la nariz y ojos de blancura aterradora que sólo mostraban la esclerótica; de sus gargantas salía a veces un ronroneo húmedo que tal vez fuese un estertor. Todos ellos parecían frágiles como hojaldres que amenazan con desintegrarse al más mínimo golpe.

—El señor nos visita por primera vez —informó el sangley a un anciano enteco de barbas de chivo—. Trátalo como se merece.

Y, con otra reverencia untuosa, se escabulló entre el humo. El anciano dispuso un escaño de madera para que Martín Cerezo se tendiese sobre él y se preparó parsimoniosamente una pipa. Introdujo primero la punta de una gruesa aguja en un frasco que contenía el jugo de la adormidera; cuando lo extrajo, al extremo de la misma se había adherido un poco de aquella sustancia almibarada, que al contacto de sus dedos formó una especie de bolita negruzca. Martín Cerezo contempló aquella bolita dúctil con inescrutable deleite, como el suicida contempla el arma que pronto le arrebatará la onerosa vida. Anticipó gozosamente el instante en que su conciencia fuera al fin borrada, el momento en que su alma se desprendiese como una pavesa de su cuerpo.

—Cargue sin miedo la pipa —pidió al anciano—. Quiero morirme pronto.

Extrajo del bolsillo interior de la guerrera la fotografía manoseada de Teresa, cuyas facciones le parecieron entre el humo del fumadero más virginales y ovaladas, dignas del pincel de algún maestro florentino. El anciano no racaneó y volvió a introducir la aguja en el frasco, engordando la bolita de opio, que aproximó a una lamparilla que tenía a su vera. Al contacto con la llama, la esfera de opio chisporroteó, liberando el agua mezclada con la droga; cuando adquirió una consistencia pastosa, el anciano la tomó entre sus dedos y la moldeó hasta que adquirió una forma cónica. Desvió por un instante la mirada hacia Martín Cerezo, reparando en su divisa.

—¿El teniente es *bago*?

—¿Vago? —se extrañó Martín Cerezo, ignorante todavía, como *bago* que era, de la jerga filipina—. No, señor, llevo muchos trabajos a cuestas, pero ahora sólo quiero descansar y olvidar.

El anciano sonrió sin apenas inmutar los labios, de una manera que Martín Cerezo no acertó a distinguir si era tímida o pérfida. Dijo:

—El señor sabe lo que quiere.

Y prosiguió elaborando la pipa. Llevó la cazoleta a la llama de la lamparilla para calentarla e introdujo en su orificio el cono de anfión. Esperó unos segundos; y, cuando la pasta se hubo dilatado suficientemente y empezó a segregar un líquido bituminoso, la atravesó con un punzón. Luego, volvió a poner la cazoleta en la llama y el opio se inflamó como un magma deseoso de incendiar el mundo. El anciano arrimó la boquilla de la pipa a los labios de Martín Cerezo.

—Aspire ahora, teniente. Verá qué gustosa.

Obedeció, como un autómata sin voluntad. El humo del opio le llenó la boca, se precipitó por su garganta, se ramificó en sus pulmones, restallando como un látigo en sus cavernas más íntimas; enseguida se fundió con su sangre y se adentró en su corazón, como el galope de un caballo salvaje, para trepar en un relampagueo hasta su cerebro, haciendo arder en sus circunvoluciones millones de células, que crepitaban como paja seca. Martín Cerezo sentía que el humo del opio se le inmiscuía en las meninges y en otros repliegues más íntimos de su ser, acaso en la propia alma, que imaginó por un instante como un fruto que se pudre de tan maduro y enseguida se arruga y adelgaza y consume, antes de volatilizarse. Al tratar de hablar, la saliva se le derramaba por las comisuras de la boca, como caudalosa baba:

—¿Dónde está ese cielo del que te hablaban los curas, Teresa? —bramó, con un mugido de bestia herida—. ¿Dónde cojones está ese cielo, que no lo veo?

Y sintió que el humo, al salir de su cuerpo, se trenzaba como una mata de ortigas en torno a su tráquea, tronzándola con un chasquido de leña seca. El anciano, misericordioso o impío, volvió a acercarle la boquilla de la pipa; la segunda bocanada de opio siguió el mismo itinerario que la anterior, pero discurría ya por un terreno desbrozado y arrasado y su función fue más bien calcinadora, como una lengua de fuego que hurgase en aquellos recodos en los que aún se refugiaba un mínimo residuo de lucidez. Martín Cerezo vio salir a través de sus fosas nasales y de sus tímpanos y de las cuencas de sus ojos su alma torturada, como ramas de una yedra que culebrean o lombrices renegridas y renegadas de Dios, un serpenteante sargazo que se abrazaba en el aire, hasta formar un nido de áspides que se dispersaba por el suelo. Así, extirpado al fin de su alma podrida, Martín Cerezo se sintió como una piedra que se hunde sobre un lecho de légamo, sin hambre alguna de ser, invadida de una muerte poderosa como un imán que tiraba de él hacia el fondo, siempre hacia el fondo, hasta reposar en algún cementerio sideral, al lado del cadáver de Teresa, que tenía cuerpo de niña, y que estaba apilada entre otros cuerpos de mujeres que también eran niñas, como sardinas en banasta. Un letargo de pez fósil se derramó sobre sus miembros, acunado por la música muda de un universo difunto.

—¿Y nuestra hijita? —dijo, con una voz gutural que parecía venida de ultratumba—. ¿Sigue golpeando en tu vientre? Quiero ver su rostro.

Y Teresa, el cadáver de Teresa, se alzaba entre los cadáveres apilados en su derredor, con el vientre abultado, tenso como la piel de un tambor. Y brotaba de su útero un manantial de sangre, una hemorragia cálida y bautismal que fecundaba el mundo. Y entre la escombrera de cadáveres que alfombraba aquel cementerio sideral, alumbrado por una luna sin cráteres, germinaba una planta que no figuraba en los repertorios de botánica, como una enredadera de tejido umbilical que extendía sus zarcillos entre los muertos, que hurgaba en su carroña y se alimentaba vorazmente de ella, vaciándola de vísceras, para emerger otra vez, rasgando con sus pedúnculos las pieles mustias y apergaminadas, como en una primavera caníbal. Y de cada pedúnculo nacía súbitamente una flor, se desplegaba una corola de pétalos danzantes, giróvagos, que escondía, allá al fondo de su remolino aturdidor, allá en las entrañas de sus pistilos, unas fauces de dragón. Y Martín Cerezo —el pez fósil que Martín Cerezo era entonces— sucumbía al reclamo de esas fauces, se dejaba tranquilamente tragar por ellas, y notaba el descenso hacia el estómago del dragón como un voluptuoso deslizamiento a través de un tobogán, y a medida que descendía se acrecentaba la calidez palpitante del estómago, que de repente era una placenta, y en ella, incandescente como un carbunclo, estaba su hijita, envuelta en pañales, y al inclinarse sobre ella descubría que tenía los ojos de su madre Teresa, la naricilla de Teresa y los labios carnosos de Teresa y los mismos pendientes en las orejas que su madre Teresa llevaba el día del parto. Y sonreía como Teresa, y su sonrisa se agrandaba hasta invadir todo su rostro, hasta hacerse calavera.

—Una última bocanada, teniente —dijo el anciano que le había preparado la pipa, acercándole la boquilla a los labios exangües.

Entonces se oyó un alboroto al otro extremo del fumadero, tal vez en la antesala donde se veneraba al dios ventrudo y batracio; y entre la humareda se vio avanzar con paso decidido —insensatamente decidido— a un soldado larguirucho como una garza, con su característico uniforme de rayadillo. Lo seguía el sangley que un rato antes había conducido al teniente Martín Cerezo hasta allí.

—No queremos líos con el ejército —decía, en un tono más conminatorio que contemporizador.

—Los líos los tendrán si no me muestra dónde se halla mi teniente.

Caldentey arramblaba a su paso con los escaños de madera donde se hallaban derrengados los clientes, extraviado por completo su sentido de la orientación. Estaba poseído por una suerte de insensata bizarría, la misma que poseía a los caballeros andantes cuando se aprestaban a liberar doncellas y desfacer entuertos. Al fin vislumbró, entre el viscoso humo, el lugar donde Martín Cerezo dormía el sueño del opio. Se abalanzó sobre él, temeroso de que ese sueño ya no tuviera retorno, y lo sacudió, agarrándolo de la botonadura de la guerrera, al principio suavemente, luego sin contemplaciones.

—¡Mi teniente, tiene que despertar! Se ha recibido un sobre a su nombre en el cuartel. Lo remite el general Primo de Rivera.

Martín Cerezo navegaba por mares oscuros y abisales, allá donde se refugian las conciencias dormidas, tal vez sordas para siempre. Caldentey se decidió a abofetearlo en los carrillos; y como el teniente seguía sin reaccionar, le arrojó un cubo desbordante de agua que había al pie del banco, en previsión de que algún cliente requiriese métodos drásticos de reanimación.

—Lo siento mucho, mi teniente. Pero tendrá que despertar, si no quiere que acabemos ambos ante un consejo de guerra.

El chapuzón inopinado logró penetrar en el corazón de su letargo. Martín Cerezo sintió que era expulsado del estómago del dragón, sintió una ingravidez nueva que lo obligaba a ascender, alejándose para siempre de su hijita y también de Teresa, que se quedaban allá abajo, entre los escombros de un cementerio sideral, apiladas ambas entre un montón de cadáveres, mientras él seguía ascendiendo, ascendiendo como un pájaro que remonta los eslabones de la cadena evolutiva, sediento de una luz que explique su origen. Y en este ascenso vertiginoso notaba que le faltaba el aire, notaba que se ahogaba, hasta que su cuerpo ingrávido recobraba la pesantez cuando le era restituida su alma renegrida y renegada de Dios, su alma como un amasijo de sanguijuelas en pugna por su sangre. Abrió la boca hasta casi descoyuntarse la mandíbula, en busca de un aire que le lavase los pulmones encharcados de humo.

—Creo que ya le han asignado destino, mi teniente —le anunció Caldentey, en un tono que se pretendía alborozado.

Sabía que Martín Cerezo estaba deseoso de abandonar la ociosidad de la vida cuartelera, que lo había empujado a tal estado de postración. Caldentey se prometió olvidar este episodio y ayudar a que el teniente lo olvidase también.

—Se parecía a ti, Teresa... Era idéntica a ti —barboteó Martín Cerezo, con la mirada todavía fija en la nada.

—¿Cómo dice, señor?

Caldentey le tomó suavemente entre las manos la cabeza torturada de demonios familiares, como si la aupase en una almohada. Martín Cerezo al fin reconoció a su asistente; sonrió dulcemente:

—Quiero reunirme pronto con ellas, Caldentey.

3

—¡Paz y bien! —saludó fray Cándido al curial que salió a abrirle la puerta del palacio arzobispal.

Se había esforzado por imprimir al saludo un timbre azorado y también azogado, para hacerse perdonar la tardanza. Pero el curial no estaba dispuesto a seguirle el juego; sin dignarse siquiera mirarlo, elevó los ojos hacia el campanario de la catedral, cuyo reloj acusaba implacablemente a fray Cándido.

—Llega usted con veinte minutos de retraso.

Fray Cándido Minaya era flaco y vivaracho, vibrante como la cuerda de un arco y, en sus movimientos, rápido como la flecha que el arco dispara. Rondaba los cuarenta años, pero se mantenía fibroso y terne como un veinteañero, tal vez porque su Esposa —como llamaba San Francisco a la pobreza— lo mantenía desprendido de las asechanzas de la edad, por mantenerlo también desprendido de la solicitud terrena. Trató de explicarse, esbozando una sonrisa compungida:

—Si yo le contara... No damos abasto en el hospital.

El curial posó la vista sobre su tonsura, con mal disimulado desdén, tal vez incluso con grima. Era uno de esos sacerdotes regaloncillos y comodones, untuosos y molletudos que florecen como hongos allá donde reside el poder eclesiástico, golosos de canonjías y chocolate con picatostes. Fray Cándido había aprendido a reconocer a estos sacerdotes, incapaces de efusión cordial alguna, hinchados de una ciencia egoísta, a la vez crueles y pueriles; y procuraba mantenerse todo lo lejos que podía de ellos, para que no le agostasen la vocación con su aliento agrio.

—Mejor no me cuente —dijo el curial con displicencia, franqueándole a regañadientes la puerta—. Pensábamos que se había olvidado de su cita. Como comprenderá, Su Excelencia no está acostumbrado a esperar a quienes le solicitan audiencia.

—Lo comprendo perfectamente —se morigeró fray Cándido—. Pero no me quedó otro remedio que asistir a nuestro cirujano en una operación muy seria. Nada menos que una pierna gangrenada.

Guardaba en la retina las imágenes tremebundas y angustiosas de la operación, en la que a punto había estado de fallecer el soldado herido, macheteado salvajemente pocos días antes de que se decretase la paz de Biacnabató. Pero no quiso entrar en detalles, pues no se le escapaba que al curial le importaban un ardite las razones de su dilación. Lo siguió a través de un pasillo rumoroso de intrigas o de rezos, con óleos tenebristas en las paredes de santos degollados, decapitados, desmembrados o poseídos por una meningitis mística.

—Por supuesto, imagino que antes de venir se habrá esmerado especialmente en su higiene —dijo de repente el curial, volviéndose hacia fray Cándido.

Era cauteloso como un gato, frío como una culebra, reservado como un crustáceo. Su rostro, blanco y orondo y muy meticulosamente afeitado, semejaba una vejiga.

—No comprendo... —murmuró fray Cándido.

—Según tengo entendido, en su hospital atienden a leprosos... Supongo que se habrá desinfectado antes de venir.

En el hospital de San Lázaro, barrio de Santa Cruz, atendían, en efecto, a leprosos. Pero en los últimos años el lazareto había ido prestando espacio a las sucesivas remesas de heridos que les llegaban de las campañas contra los insurrectos. Fray Cándido parpadeó atónito y recurrió a la ironía, que el curial no captó:

—¡Oh, no se preocupe, padre! Como soy por completo lego en medicina, no tengo que sanar a los leprosos. Me tienen encomendadas labores de limpieza.

—Es un alivio saberlo —dijo el curial, con un rictus displicente.

A fray Cándido siempre lo había sobrecogido la dureza de corazón de ciertos sacerdotes, como manifestación especialmente depurada del misterio de iniquidad. Esta crueldad del sacerdote al que se le fosiliza el corazón le parecía algo así como el reverso oscuro de la virtud de la castidad, producido por su corrupción o desecamiento: como el sacerdote tiene que huir de lo carnal, corre el peligro de pasarse de la raya y distanciarse de lo humano. Fray Cándido rezaba todos los días para que esa falta aberrante no se sumase a sus muchas faltas y jamás se le resfriase la caridad. También tendría que rezar y pedir perdón por la maldad que entonces se permitió, para zaherir al curial:

—Me dedico a labores de limpieza —dijo socarronamente—. Yo me encargo, por ejemplo, de lavarles las llagas, de quitarles los excrementos, de cambiarles los apósitos empapados de sangre y de pus... En fin, lo típico.

El curial debió de palidecer, pero no se le notaba en su rostro de blancura lechosa; en cambio, el temblor de la mandíbula, que se comunicó a su papada convirtiéndola por un instante en un flan, delataba que había sufrido el golpe. Sin decir palabra, enratándose casi con los faldones de la sotana, corrió al despacho del arzobispo, para anunciar la llegada de fray Cándido. No había transcurrido ni medio minuto cuando asomó medroso a la puerta, autorizándolo a pasar.

—Paz y bien, Excelencia —dijo fray Cándido, inclinando la testuz, en espera de que el arzobispo le diese la venia para acercarse a besar su anillo.

Bernardino Nozaleda, arzobispo de Manila, se hallaba sentado detrás de un escritorio de madera labrada que hacía las veces de parapeto, presidido por un crucifijo de marfil y coronado por montañas de periódicos filipinos y españoles que se mantenían en delicado equilibrio, como obeliscos a punto de sucumbir. Estaba en aquel instante leyendo un ejemplar atrasado de *El Imparcial*, que dobló con cierto aplacado disgusto.

—Pase, pase, fray Cándido, haga el favor.

Fray Cándido corrió a tomar su mano —que le pareció demasiado callosa y ruda para un hombre dedicado al estudio— con una reverencia, pero antes de poder depositar su ósculo en el anillo episcopal, Nozaleda la retiró, por abreviar las formalidades. Vestía con sotana blanca, según se permitía en las regiones tropicales; y con fajín, solideo y muceta negros que recordaban su pertenencia a la orden de predicadores. El arzobispo Nozaleda era un cincuentón vigoroso y fornido, de cabello crespo y frente espaciosa, el rostro más redondo que aguileño, la tez morena, vivos y prietos los ojos bajo las antiparras de lentes diminutas como alubias que no conseguían esconder su inteligencia, nariz un poco corva y labios muy finos, afilados en la controversia teológica. Adoptaba —como suelen hacer muchos dominicos, a imitación del Buey Mudo— una expresión imperturbable que alguien poco observador podría confundir con la del zote; pero fray Cándido sabía bien que era exactamente lo contrario: doctor en filosofía y derecho canónico, había sido predicador general y vicerrector de la Universidad de Santo Tomás de Manila, hasta que León XIII lo nombrase, con apenas cuarenta y cinco años, arzobispo de Manila, sin que todavía lo hubiesen consagrado como obispo. Se decía en los mentideros eclesiásticos que Nozaleda seguía empleando el púlpito para explicar sus lecciones, nostálgico de la cátedra; y también que aprovechaba sus audiencias para enzarzarse con el solicitante en arduas disputas y así ejercitarse en el método escolástico. Pero ¿quién era fray Cándido para meterse en intríngulis con un sabio como Nozaleda? Tan sólo un discípulo fogoso del Poverello, que nada podía hacer frente a un discípulo de Santo Domingo. Salvo que simplicidad y sutileza pudieran machihembrarse.

—Está uno ya un poco cansado de las campañas difamatorias de la prensa —dijo Nozaleda, con una voz en la que palpitaba la recia sensatez asturiana—. Ahora están empeñados en afirmar que el atraso de Filipinas es culpa de los frailes. Pero siéntese, por favor, fray Cándido.

Hizo un ademán con el brazo para señalarle una silla con pasamanería; inevitablemente, derribó un obelisco de periódicos con la misma desganada indiferencia con la que Yahvé derribó la soberbia de Nemrod, echando por tierra la torre de Babel. Los periódicos cayeron perezosamente al suelo, como un otoño cansado, y el curial se apresuró a agacharse para recogerlos.

—¿Quién ha fundado universidades y colegios en Filipinas, sino los frailes?— dijo Nozaleda después de tomar aire, como si se dispusiera a lanzar un alegato—. ¿Quién enseñó a los indios el uso del arado y el manejo del telar? ¿Y a cultivar el maíz y el cacao, el café y la caña dulce? ¿Y a construir casas y calzadas? Pero todo esto la prensa liberal lo oculta.

Fray Cándido ayudó a recoger los periódicos al curial, que parecía temeroso de que le fuera a contagiar los miasmas de la lepra. Luego se sentó en la silla que le había indicado el arzobispo Nozaleda, enfrente de su escritorio.

—Y encima, esos pájaros vienen ahora con que las obras públicas son monopolio del Estado —metió baza fray Cándido.

—Así lo estableció aquel infausto decreto de régimen municipal del año 86 —asintió Nozaleda, un poco retrancado—. Nos retiró la dirección y tutela de las obras públicas. ¿Y cuál ha sido el resultado? Abandono de calzadas, ruina de puentes y escuelas que nosotros mismos erigimos y de los que ahora se nos aparta ignominiosamente, para que los ministros y sus amiguetes hagan negocio. ¡He aquí los resultados del Progreso que tanto cacarea la prensa de Madrid!

Nozaleda formuló un rictus de fatiga que afinó todavía más sus labios. Fray Cándido se atrevió a actuar como abogado del diablo:

—Sin embargo, dicen que, con la reforma del decreto, se ha racionalizado la administración...

—¡Racionalizado la administración! —se burló Nozaleda—. Llaman racionalizar a inflar los gastos. ¡Pero si nosotros nos bastamos y nos sobramos para manejarnos con los gobernadorcillos de cada lugar, transmitiéndoles las instrucciones del gobierno y sacándolos siempre del atolladero! Ahora los gobernadorcillos se vuelven locos, tratando de interpretar las confusas y contradictorias órdenes de los funcionarios y los militares.

—Yo tampoco veo tan mal que nos hayan apartado de esas labores —se atrevió fray Cándido a contradecirlo—. No tenemos por qué actuar de intermediarios para el Estado...

—Pero fray Cándido, por el amor de Dios —lo corrigió Nozaleda sin acritud—, ¡si con frecuencia el fraile es el único español peninsular que hay en el pueblo! ¿Quién sino él conoce las necesidades de los indios? ¿Quién puede interpretar mejor sus deseos? No hemos hecho otra cosa sino prestar servicios al Estado en Filipinas, y ahora pretenden apartarnos como si fuéramos leprosos. —Aquí fray Cándido se rió, recordando su enfrentamiento con el curial—. ¿Ocurre algo?

—Nada en absoluto, Excelencia —mintió piadosamente—. Recordaba a ese presuntuoso de Maura, cuando defendió su reforma en el Congreso, haciéndose el gallito del gallinero liberal. Con los años se le han ido apagando los ardores, y en su propio partido lo tienen por carca. Acabará pasándose al partido conservador, ya lo verá.

Nozaleda se tanteó la cruz pectoral, como si se dispusiera a esgrimirla contra la patulea politiquilla.

—No me extrañaría —mascullό—. Aunque será para pervertir a los conservadores... todavía más.

—Nunca se sabe, Excelencia —se encogió de hombros fray Cándido—. A lo mejor algún día lo necesita como aliado.

Nozaleda se subió las antiparras sobre el caballete de la nariz, pensativo; y suspiró resignado:

—En fin, nosotros, en cualquier caso, seguiremos haciendo lo que esté de nuestra mano para ayudar al gobierno.

Su voz había sonado en exceso protocolaria, como de pronunciamiento oficial hecho a beneficio de inventario. Pero el curial, que seguía en el despacho, un poco cuzo y metete, no advirtió que en el tono melifluo de Nozaleda había un fondo de sorna y se enardeció:

—¡No hay sacrificio más honroso que el que se hace en holocausto de la patria!

Nozaleda lo fulminó con una mirada desdeñosa. Su voz sonó como en sordina; y el final de su frase se perdió —demasiado tenue u opaca— en una especie de penumbra:

—Déjese de tanto holocausto y tanta gaita. Mejor sería...

El curial se retrajo como un caracol en su concha, pero aún se resistió a abandonar el despacho, conformándose con retroceder hasta la pared, por si el arzobispo deseaba encomendarle algún recado.

—Cuando voy de visita pastoral a algún lugar del campo —rememoró Nozaleda—, los lugareños me dicen: «Sólo en los conventos podemos estar sin echar mano al bolsillo». ¡Aunque tampoco hubiese estado mal que la echasen de vez en cuando! Tengo muchas parroquias y conventos en la archidiócesis en la más completa miseria. Pero, en efecto, bien saben los indios que los consejos de sus párrocos no les cuestan dinero y que su auxilio en la necesidad no solicita contraprestación. En las oficinas municipales, en cambio, les sablean cientos de pesos por cualquier fruslería: por tomarles declaración, por terciar en una disputa sobre una servidumbre, por expedir una patente industrial, por todo. ¡Se trata de ordeñar como sea al pueblo!

El curial volvió a meter la cuchara, ahora algo más medrosamente:

—Sólo los ministros de la Iglesia pueden ser consoladores de los afligidos, pacificadores de las familias, promotores del bien común...

Nozaleda zanjó su letanía sin miramientos:

—Sí, sí, puede retirarse. Déjenos solos.

Todavía dijo el curial unas pocas palabras borrosas, antes de hacer mutis. Nozaleda resopló, como si acabara de quitarse una losa de encima. No le pasó inadvertido el gesto de regocijo de fray Cándido.

—¿También usted ha tenido que soportar las impertinencias de este buen sacerdote? Le pido disculpas, fray Cándido. Tengo a mi secretario postrado con un ataque de gota y he tenido que echar mano de un suplente. —Amusgó los ojos y frunció el morro—. ¡Qué le vamos a hacer!

Miró por encima de las antiparras de forma escrutadora a fray Cándido, que se preguntó si aquel comentario sería un mero desahogo o un cebo que se le tendía para incitarlo a la maledicencia. Ante la duda, decidió soslayar el asunto:

—¿Puedo serle completamente sincero, Excelencia?

—Debe serlo, fray Cándido —asintió el arzobispo—. Sólo accedería a la petición que aquí lo trae si compruebo que es usted un hombre sincero.

Fray Cándido se miró su hábito de estameña marrón, ceñido por un rosario que hacía las veces de cinto, y las sandalias astrosas que habían probado el polvo de muchos caminos. Luego, con sobrecogimiento y conciencia de su insignificancia, deslizó la vista por las paredes de aquel despacho, tapiadas de libros en los que se congregaba todo el saber humano y la revelación divina, mamotretos crujientes de carcoma y de silogismos que combaban los anaqueles con el peso de los cánones y las disquisiciones teológicas.

—Para serlo del todo —empezó fray Cándido—, he de señalarle que no en todas las parroquias y conventos se puede entrar sin echar mano al bolsillo. He conocido a muchos frailes que viven en la pobreza, a imitación de Nuestro Señor, pero también a otros que aventajan en afán recaudatorio al mismísimo gobierno. —Esperó a comprobar si la reacción de Nozaleda era airada, pero sólo rumiaba sus palabras con las manos entrelazadas sobre el abdomen—. En algunas provincias, las órdenes se han proclamado propietarias de grandes haciendas con títulos de adquisición dudosos y han considerado a los naturales del lugar arrendatarios o aparceros, cuando no jornaleros a su servicio.

Nozaleda cabeceó lentamente, con un gesto a la vez caviloso y huraño, como si la denuncia de fray Cándido le resultase de muy ardua digestión.

—¿Y qué propone entonces usted? —dijo al fin—. ¿Una desamortización como las de Madoz o Mendizábal?

—En modo alguno, Excelencia —se apresuró a responder fray Cándido—. Aquellos bellacos despojaron a la Iglesia para beneficiar a caciques y grandes propietarios. La filosofía permanente nos enseña que, por derecho natural, todas las cosas son comunes en origen; y que hay un destino universal de los bienes. Así que digo yo que, en mitad del origen y del destino (o sea, en el tiempo que nos ha tocado vivir), lo mejor sería que las órdenes tuvieran esas tierras en régimen comunal con los nativos; y que, de tener que dividirlas, las repartiesen entre el mayor número posible de gente. —Carraspeó, tratando de rescatar la cita—: «No debe tener el hombre las cosas exteriores como propias, sino como comunes, de modo que fácilmente dé participación de estas en las necesidades de los demás».

Nozaleda emitió un ruido gutural de asentimiento, casi un mugido:

—*Summa Theologiae, Secunda Secundae*, cuestión 66, artículo 2. —Volvió a mirar a su interlocutor por encima de las antiparras—. ¡Vaya, veo que sería usted un formidable abogado del diablo en una causa canónica! Claro que los masones pronto tratarían de intoxicarlo...

Fray Cándido intuyó que estaba merodeando el filo de un precipicio. Retrocedió algún palmo:

—Lo tendrían más que difícil, Excelencia. Sólo trato con leprosos y con soldados tullidos. Y con los frailes de mi convento, naturalmente.

—¿Es que no sabe que la consigna masónica es la «política solapada»? —Nozaleda hablaba ahora en voz muy baja, como en un discreteo de confesionario—. El ejército y la función pública están infestados de masones, y lo mismo empieza a ocurrir con el clero. Pero nadie lo quiere creer; o si lo creen no hacen nada por impedirlo, y así ha venido el desastre. Ahí tiene usted el ejemplo del Katipunan. ¿Quién tiene la culpa de que se formara? ¡Los españoles que importaron las logias y las autoridades que las consintieron! Si los masones españoles difaman a los religiosos, con la coartada de la libertad de pensamiento, la libertad de imprenta, la libertad de asociación, la secularización de la enseñanza y demás caramelos liberales, y encima aparecen ante los ojos de la plebe como ilustres reformistas y ejemplares demócratas, ¿por qué no habrían de imitarlos los filipinos? Su lógica y su táctica son muy sencillas: «No digamos nada contra España, nada contra el rey, nada contra el ejército; digamos que nos hemos levantado en armas exclusivamente contra los abusos del clero». Y así consiguen que los masones españoles los aplaudan.

Por la única ventana del despacho se veía un trozo de cielo calinoso y amarillento, como vómito de un enfermo de paludismo, y la cúpula de la catedral, como el casco de un guerrero sobre el que pronto arreciarían las balas.

—En eso, al menos, demuestran tener talento práctico —convino fray Cándido—. Si hubieran señalado como enemigos al ejército, a los gobernadores, a los empleados públicos y a los administradores de Hacienda se les habrían cerrado las puertas de todos los medios de agitación y propaganda que ahora explotan con el beneplácito de los liberales.

—Todas las calamidades que afligen a España podrían haberse evitado si jamás se hubiese consentido en el país la masonería, pero... —Nozaleda se encogió de hombros y extendió los brazos, mostrando a fray Cándido las palmas de las manos, consternado o harto—. Pero se consintió, y ya vemos las consecuencias. ¿Usted le ve algún remedio a la situación?

Fray Cándido se carteaba con varios frailes diseminados por la isla de Luzón; y esta correspondencia le permitía hacerse una idea panorámica:

—Hace seis meses —dijo—, el Katipunan estaba relegado a los montes, o arrastraba una vida vergonzante en algunos pocos pueblos que simpatizaban con los insurrectos. Hoy la plaga ha cundido: los indultados de Biacnabató se han diseminado por las provincias centrales y han conseguido atraer a sus filas a un gran número de tagalos, incluso en pueblos que antes de la paz eran fieles a la causa española. Hay quienes temen que pronto se llevará a efecto un levantamiento general.

Nozaleda musitaba en latín una oración que brotaba de sus labios con un crepitar de briznas de paja. Fray Cándido tardó en reconocer el salmo: *Surgentes testes iniqui, quae ignorabam, interrogabant me; retribuebant mihi mala pro bonis, desolatio est animae meae.* «Se presentaban testigos inicuos, me acusaban de cosas que ni sabía; me pagaban mal por bien, dejándome desamparado». Cuando al fin lo hizo, se sumó al rezo, por acompañar a Nozaleda en su tribulación. Luego se abrió un silencio acongojado.

—¿Qué hemos hecho mal, fray Cándido? —preguntó Nozaleda, en un tono casi gemebundo—. No sólo trajimos el Evangelio a estas tierras sin civilizar, sino que también hemos defendido a los indios de los abusos de muchos peninsulares, que han tenido en nosotros un severo fiscal. ¿Puede decirse de nosotros que hayamos abandonado los deberes de nuestro cargo?

Se había despojado del boato de su cargo y dignidad, había descendido de la cátedra y el púlpito, y ya sólo era un hombre desamparado que imploraba el auxilio divino. A fray Cándido lo conmovió este gesto de humildad del dominico, que le recordó al San Francisco desnudo y aterido de las florecillas. Estuvo a punto de invocar aquella expresión de San Ambrosio —*casta meretrix*—, para explicar que la Iglesia se preserva casta, pese a albergar en su seno hijos emputecidos, pero decidió no hacerlo, pues Nozaleda era más ducho que él en los alambiques y finustiquerías teológicas; y, además, lo que necesitaba aquel hombre, tan seguro de su ciencia hasta un minuto antes, era un poco de calor humano.

—Algunos los habremos abandonado y otros no, Excelencia; o más bien, todos los habremos abandonado algo, en mayor o menor medida —dijo fray Cándido, en un intento de confortarlo—. Es verdad que todos estamos llamados a la santidad, pero también que cada santo es hombre antes de ser santo.

Nozaleda trató de reponerse de su consternación y espantar el abatimiento:

—Pero no olvide que se puede ser santo siendo cualquier clase o especie de hombre. También los libertinos pueden llegar a ser santos, si se convierten. También los réprobos.

Fray Cándido nunca había sido libertino ni réprobo; pero dudaba que pudiese alcanzar algún día la santidad. En apenas un instante, como en un examen de conciencia vertiginoso, vio de forma simultánea, pero sin superposición, los episodios de su vida, demasiado irrelevante o poco significativa como para merecer la recompensa de la santidad: vio a un niño inquieto, hijo de unos pobres labradores de Madridejos, más amigo de hacer novillos y retozar en la era que de hincar los codos o ayudar en la siega; vio al monaguillo que apenas se sabía los latines de la liturgia y que, en cuanto el cura se despistaba, se trasegaba en la sacristía un buchito del vino de consagrar; vio su embobamiento mientras escuchaba a un elocuente fraile que había venido del convento de Pastrana para predicar en la festividad de San Sebastián, patrono de su pueblo; y vio a sus padres departiendo con aquel fraile a la salida de la ermita y preguntándole si quería irse con él a Pastrana; se vio jugando a la pelota en el patio del convento de Pastrana con otros niños como él que habían sido enviados allí por sus padres, pues no podían pagarles siquiera la crianza, y disputar la pelota a los frailes que se remangaban el hábito; se vio estudiando a regañadientes bajo la vigilancia atenta de los frailes, y rezando con remolonería los laudes bajo la vigilancia algo más somnolienta de los mismos frailes, que eran humanos como él; se vio ingresando en el noviciado del mismo convento, siempre expectante de que lo enviaran a misiones, donde podría vivir su fe como una aventura, tal como había soñado alternando la lectura de hagiografías y novelas de Salgari; se vio cruzando el océano, recién inaugurado el canal de Suez, y arribando a las islas Filipinas, que aprendió pronto a amar más que a su misma tierra, porque esta la había heredado por imposición de la sangre y aquella le había ganado la voluntad, como una mujer se gana la voluntad de un hombre: con una carantoña y una bofetada, con una palabra promisoria y un improperio, siendo muy hospitalaria y muy inhóspita a la vez, porque amamos más cuanto más esforzado es nuestro amor, y es más grata la recompensa cuanto más esquiva y huidiza. También se vio... Pero Nozaleda le estaba hablando:

—Y usted, fray Cándido, por lo que veo, ha elegido como vía de santificación ese pueblo del distrito del Príncipe: Baler.

Nozaleda había extraído de las torres de papel derrumbado que invadían su escritorio un legajo que debía de contener la petición de traslado de fray Cándido, así como todas las cartas que se había cruzado con el provincial de la orden franciscana y, tal vez, los documentos que certificasen sus méritos, y también sus deméritos. Bien sabía fray Cándido que los deméritos, aunque más escasos, pesaban más; y que uno, en concreto, era grávido como el plomo. Se preguntó si Nozaleda, al referirse a Baler como su «vía de santificación», habría formulado veladamente un sarcasmo.

—Si la penitencia es, como se nos ha dicho, una vía de santificación, sin duda —dijo fray Cándido con aplomo, sin rehuir su vergüenza—. Debo reparar, en la medida de lo posible, mis errores de juventud.

Nozaleda arrimó la silla al escritorio, como si quisiera zambullirse en el expediente de fray Cándido, a la vez que movió la mano en un ademán que parecía restar gravedad a esos errores de juventud.

—Baler fue su primer destino como misionero, después de su ordenación —constató Nozaleda, en un tono de nuevo rumiante—. Allí estuvo casi cinco años, hasta que sus superiores lo trajeron a Manila. ¿No evangelizó tanto como ellos deseaban?

Fray Cándido concluyó que, salvo que fuera un cínico o un completo indolente, Nozaleda no había leído en profundidad el legajo que ahora repasaba al desgaire, donde se especificaba exhaustivamente la causa de ese traslado fulminante.

—Evangelicé todo lo que pude —respondió cauteloso, sin saber si desengañarlo de su ignorancia o aprovecharse de ella—. Los tagalos, aunque seguían todavía con sus prácticas paganas, ya estaban medio evangelizados. En los cinco años que allí estuve conseguí que vinieran casi todos a misa, y no nació niño en el pueblo que no fuera bautizado. Con los ilongotes que pueblan las montañas vecinas, en cambio, no pude. Aunque al menos logré hacerme amigo suyo.

—Eso ya es mucho más de lo que consiguen la mayor parte de los misioneros. Son irreductibles esos ilongotes —ponderó Nozaleda, mientras se ajustaba las antiparras para descifrar las diversas caligrafías del legajo, cada cual más enrevesada—. Sorprendentemente, mientras usted hacía sus gestiones a través del provincial de su orden, una hija de la Caridad, la hermana... Lucía Cifuentes solicitó a este arzobispado que se sirviera enviarlo como párroco a Baler, tras el fallecimiento del anterior. Y a continuación hacía una alabanza de sus prendas personales y espirituales que para mí quisiera yo... —sonrió irónicamente— cuando mis hermanos en la orden de predicadores tengan que entonar mi panegírico. ¿Cómo explica esta coincidencia?

Algo parecido a la beatitud —agradecida beatitud— se derramó sobre las facciones de fray Cándido cuando evocó a sor Lucía:

—La traté mucho, siendo ella todavía novicia, en el beaterio de Santa Rosa, donde se formaba. Fui su confesor, inmerecidamente; y ella fue, si no mi confesora, mi principal confidente. Nunca le estaré suficientemente agradecido. Sor Lucía fue la primera mujer a la que me permitieron confesar, después de mi... percance. Y si me lo permitieron fue porque ella lo pidió encarecidamente, después de saber lo ocurrido.

Había preferido, por honestidad, no ocultar aquel episodio oprobioso, para que Nozaleda no pensase que era uno de esos hipócritas que excusan su error con subterfugios vergonzantes; pero, al mismo tiempo, eludía por delicadeza referirse a él de manera explícita. Nozaleda siguió obviándolo:

—Esa sor Lucía... es una mujer levantisca. Supongo que estará al tanto de sus andanzas.

—Una mujer con carácter, diría yo más bien, Excelencia —lo corrigió afablemente fray Cándido—. Supe que los insurrectos se la llevaron de rehén, junto a otras hermanas, después de dar un golpe de mano en Baler. Ocurrió aquello hará como tres meses. Imagino que la conducirían a su escondrijo en Biacnabató y que, una vez firmada la paz, regresará de un momento a otro a Manila. De hecho, ya fueron liberando a otras hermanas antes, que aseguraron a su llegada que sor Lucía estaba bien de salud y de ánimo. —Hizo una pausa; por un segundo, se alarmó—: ¿Es que Su Excelencia tiene otras noticias?

Nozaleda se apresuró a tranquilizarlo:

—Ninguna que nos haga temer por su vida, fray Cándido. Aunque tal vez un poco por su decoro. Según hemos sabido por boca de algunos insurrectos acogidos al indulto de Primo de Rivera que actuaron en aquel ataque a Baler, sor Lucía nunca llegó a Biacnabató; y tampoco, por cierto, el cabecilla insurrecto que dirigió el ataque, un tal Novicio, primo de ese pintor famoso, el masón Juan Luna. Al parecer, el tal Novicio desoyó en varias ocasiones las órdenes de su jefe, Emilio Aguinaldo, que pedía que le enviase las monjas que había hecho prisioneras en Baler, para poder utilizarlas en sus negociaciones. Novicio le fue enviando a trancas y barrancas a las hijas de la Caridad en varias remesas, pero se quedó con sor Lucía, temeroso de que Aguinaldo la matase, o de que la chusma a su mando se propasase con ella.

Esperó a que fray Cándido reaccionase ante aquel cúmulo de enormidades. Lo hizo lacónicamente:

—Qué bárbaro.

—Un escándalo, sí —asintió Nozaleda, que sin embargo no parecía en exceso escandalizado, sino más bien encandilado por la peripecia de sor Lucía, como si de un folletín romántico se tratase—. «La monja y el filibustero», qué novelón habría escrito Fernández y González con ese título. Han estado perdidos en la selva durante meses los dos solos. Y a estas horas tal vez sigan así.

La situación era, en efecto, estrambótica y digna de ser romanceada. Fray Cándido no supo si lamentar la suerte adversa de la muy querida amiga en paradero desconocido o celebrar su aventurerismo y desenvoltura, que él conocía sobradamente y a buen seguro le habrían permitido sobrevivir en la selva sin excesivas penurias, así como plantar cara a los hipotéticos avances del cabecilla insurrecto.

—Tenga la certeza de que no habrá hecho nada de lo que pueda avergonzarse, Excelencia —dijo—. Respondo por ella.

—Ella también responde por usted, fray Cándido. Aunque, la verdad, no sé yo si será el mejor aval. —Se rió francamente, sin cortapisas ni melindres afectados—. Resulta que, además, se ha declarado en rebeldía.

—¿Cómo que se ha declarado en rebeldía?

Aquella nueva sí lo dejaba estupefacto, pues había tenido muchas ocasiones de profundizar en la vocación de sor Lucía mientras la confesaba; y siempre le había parecido de una firmeza, tesón y entusiasmo irreductibles. Aún tuvo que esperar un poco, hasta que amainase la hilaridad de Nozaleda:

—Sor Lucía se ha negado a regresar a Manila, aduciendo que su sitio está al lado de los balereños, a quienes ha prometido instruir y cuidar. Me reconocerá que esa sor Lucía es una auténtica monja alférez. —Y añadió, recuperando súbitamente la seriedad—: Por supuesto, no he dado mi autorización.

—¿Por qué? —preguntó fray Cándido.

En su tímida pregunta aleteaba el desencanto, pues albergaba la ilusión de reunirse con la vieja amiga en Baler. Sor Lucía, acaso sin pretenderlo, se había convertido en su consejera espiritual: conversando con ella, había conseguido confrontarse con aquel episodio de su pasado que creía sepultado para siempre; desde Baler, sor Lucía le había escrito en repetidas ocasiones, exhortándolo a asumir un enojoso deber que durante años había soslayado, por pusilanimidad, miedo o egoísmo. Ella había sido quien lo había incitado para postularse como párroco de Baler; y se suponía que ella habría de ser su sostén, llegada la hora de afrontar el mal trago.

—Usted mismo lo ha dicho, fray Cándido. —Nozaleda estaba hablando, pero su voz le llegaba como en sordina, incapaz de taladrar sus atribuladas reflexiones—. Los indultados de Biacnabató se han diseminado por las provincias y han allegado muchas voluntades entre los indios. No puedo permitir que la vida de esas mujeres se exponga alegremente a peligros que ahora mismo sólo podemos imaginar; y tal vez nuestra imaginación se quede corta. En Baler ya hubo una escabechina; y sólo por milagro las hijas de la Caridad se salvaron. No voy a dejar que sigan exponiendo insensatamente su vida en lugares donde apenas existe protección militar, lugares donde esa pomposa reforma administrativa impulsada por Maura no ha llegado siquiera. —Volvió a tantearse la cruz pectoral, un tanto soliviantado—. He ordenado a las hijas de la Caridad que limiten su apostolado y sus atenciones a los necesitados de Manila y de otras ciudades suficientemente pobladas donde esté asegurada su protección, al menos mientras no se aclare la situación política. —Hizo una pausa pesarosa y miró a fray Cándido con una paternal condescendencia, o tal vez fuese compasión—: De modo que su primera misión en Baler consistirá en hacer entrar en razón a esa mujer y conseguir que vuelva a Manila.

Indudablemente, Nozaleda no había tenido ocasión de probar la cabezonería de sor Lucía, que hacía de aquella encomienda una quimera. Pero fray Cándido prefirió callar este particular:

—Entonces... —balbuceó al fin, sin saber si lo trababa el gozo o el peso de la responsabilidad—, ¿he de entender que accede a mi petición, Excelencia? ¿Seré párroco en Baler?

Nozaleda apartó de sí el legajo donde se reunía toda la documentación sobre su caso, desde las cartas de recomendación de sor Lucía a los informes sobre su antigua suspensión. Fray Cándido tenía fama de díscolo y trabucaire entre la clerecía; pero aquel gesto de generosidad de Nozaleda infundió en su ánimo mansedumbre.

—Si sus superiores no han impedido que llegue hasta mí su petición, ¿cómo habría de negárselo? ¿Quién soy yo para entorpecer sus vías de santificación?

Le dirigió una mirada de inteligencia, a la vez comprensiva y magnánima, que reconfortó a fray Cándido y le insufló fuerzas para nombrar su oprobio sin circunloquios ni elusiones:

—Excelencia, tal vez no sepa que en su día fui suspendido...

—¿Cómo no habría de saberlo? —se enojó Nozaleda—. He leído muy atentamente todos los documentos que me ha remitido su provincial y repasado su proceso. —Volvió a subirse las antiparras sobre el caballete de la nariz. Sus labios afilados se sabían todos los cánones—: Pero de aquello hace muchos años. Y usted fue repuesto en su ministerio pasado algún tiempo...

—Su canónigo penitenciario podrá darle todos los detalles, Excelencia —dijo atropelladamente fray Cándido—. Él intervino en el proceso.

—No necesito ningún detalle más —lo cortó Nozaleda. Y enseguida adoptó un tono indulgente—: Debió de pasar un infierno, fray Cándido...

Unas nubes sucias habían enturbiado todavía más el cielo, hasta eclipsar la luz palúdica del sol. Las sombras se extendieron por el despacho de Nozaleda como ladrones sigilosos.

—En el vacío total, cuando más solos estamos, cuando nos faltan apoyos y nos convertimos en malditos de los hombres, el alma palpa en la oscuridad a Dios.

La voz de fray Cándido había sonado como emergida de una celda subterránea, cargada de cadenas y grilletes, rota de cilicios y de trenos, purgada hasta la misma médula del dolor, allá donde la resistencia humana pende de un hilo.

—Y, después de palparlo, debe ascender otra vez a la luz —lo confortó Nozaleda—. A mí no me interesa lo que usted haya podido hacer en el pasado. A mí lo que me interesa es lo que haga a partir de este instante. ¿Recuerda la pregunta de Nicodemo? *Quomodo potest homo nasci, cum senex sit? Numquid potest in ventrem matris suae iterato introite et nasci?*

«¿Cómo puede nacer un hombre, siendo viejo? ¿Acaso puede por segunda vez entrar en el vientre de su madre y nacer?». Fray Cándido recordaba bien la respuesta de Jesús; él mismo notó, al repetirla, que su voz se lavaba, por un misterioso soplo, de amargura:

—Lo que nace de la carne es carne, lo que nace del Espíritu es espíritu. No te extrañes de que te haya dicho: «Tenéis que nacer de nuevo». El viento sopla donde quiere y oyes su ruido, pero no sabes de dónde viene ni adónde va. Así es todo el que ha nacido del Espíritu.

Nozaleda se irguió repentinamente, afianzando los pulgares sobre el escritorio. Su complexión fornida se le hizo todavía más imponente a fray Cándido, que se arrodilló como si fuese a recibir la absolución.

—Levántese, que ya es de sobra con que me haga la reverencia —dijo Nozaleda, socarrón—. A usted el soplo del viento lo lleva a Baler. Le deseo de corazón que nazca de nuevo allí. —Rezongó unas palabras ininteligibles, tal vez fuesen una bendición—. Lamentándolo mucho, tendré que dar parte de su nombramiento a Primo de Rivera, cumpliendo con lo establecido en el decreto famoso de Maura. Estos liberales han venido a terminar con la alianza del trono y el altar, pero no para dejar al altar a su aire, sino para hacerle bailar la danza que a ellos les gusta. Sospecho que lo llamarán para darle instrucciones, antes de que se vaya a Baler. Excuso decirle que...

—Naturalmente, Excelencia —se atrevió a interrumpirlo fray Cándido, de nuevo jovial—. Todas sus instrucciones me entrarán por un oído y me saldrán por el otro, sin rozarme siquiera la sesera. A Dios lo que es de Dios.

Nozaleda rió sin recato, con risa jacarandosa que valía con creces por una absolución:

—No esperaba menos de usted, fray Cándido.

4

—¿Y es aquí donde tenemos que alojarnos? —bramó Menache—. Pues menuda pocilga.

Les habían ordenado que se instalasen en uno de los sollados del barco, un recinto lóbrego y sin ventilación. Antonio Menache era uno de los soldados más veteranos, curtido en la extracción del carbón, allá en las minas pavorosas de Pueblonuevo del Terrible, donde se había involucrado en varias huelgas y revueltas que acabaron dando con sus huesos en la trena, de donde pudo salir alistándose como voluntario en el ejército; o como «carne de cañón», prefería decir él. Menache era cetrino y cenceño, con arrugas como chirlos cruzándole la cara en las que parecía haberse inmiscuido el tizne del carbón; tenía en las niñas de los ojos un brillo airado que en la oscuridad parecía llamear de resentimiento, alimentado por las humillaciones padecidas en sus propias carnes y en las de sus antepasados, allá desde el origen de los tiempos.

—Al menos no pasaremos frío —bromeó Chamizo.

Y es que, en efecto, hasta aquel almacén o sentina llegaba el calor de las calderas del barco y su rugido como una constante regurgitación, espantando el frío húmedo del enero barcelonés que en el puerto, mientras hacían cola para embarcar, los había despedido con una cellisca. Juan Chamizo era el más atípico de los reclutas de aquel batallón de cazadores que embarcaba rumbo a Filipinas. Maestro de escuela con plaza en Madrid, había decidido alistarse sustituyendo a su hermano menor, recién casado con una moza de Utiel y padre ya de un par de churumbeles que vinieron de carambola, además de abnegado enfermero de los padres con un pie en la tumba. Venciendo las resistencias del hermano, Chamizo se había apuntado como voluntario, aprovechando su visita a Utiel en verano; antes de que tomaran el tren que los habría de ir repartiendo por cuarteles diversos, a los quintos del lugar les hicieron un homenaje de mala conciencia, en el que el alcalde del pueblo —un cacique achaparrado y gesticulante— les endilgó un discurso de retórica apolillada, en el que proclamó abnegado y sublime el servicio que iban a rendir a la patria. A Chamizo aquel discurso del prócer municipal le había brindado muy jugosos motivos de meditación: en primer lugar, que suelen ser hombres bajitos, mucho más enérgicos que los altos, los que exhortan a los demás hombres a meterse de hoz y coz en los líos que, con frecuencia, esos mismos hombres bajitos han provocado; en segundo lugar, que las guerras sólo son una desgracia para las gentes sencillas y pobres que las padecen, mientras que para la gente acomodada son inspiradoras de discursos huecos; y, por último, que los próceres siempre llaman, en abusivo empleo de la sinécdoque, «servicio a la patria» lo que no es sino servicio a sus enjuagues, chanchullos e intereses.

—Y nadie podrá decir que nos han traído engañados —apuntilló Menache—. Llevan mucho tiempo tratándonos como cerdos.

Chamizo asintió, contrariado de tener que darle la razón. Amaba a su patria como el que más y estaba dispuesto a derramar hasta la última gota de sangre por ella, si fuera preciso. Pero, para que el amor a la patria hasta la entrega de la propia vida no sea una empresa ridícula sino admirable, debe fundarse en la pertenencia a un cuerpo que padece en todos sus miembros, partícipes de una misión común. En España tal solidaridad en los padecimientos no existía, pues la ley establecía la posibilidad de que los hijos de los ricos se librasen del servicio militar, pagando una cuota al Tesoro Público de mil quinientas pesetas si el destino era a una unidad peninsular, y de dos mil si el destino era a Ultramar. Inevitablemente, los únicos que a la postre eran reclutados —los únicos que morían por la patria— eran los hijos de labradores, jornaleros y menestrales, casi todos ellos analfabetos y tan zurrados por la adversidad que, no habiendo aún cumplido los veinte años, ya parecían ancianos, más por resabiados que por achacosos. Chamizo amaba, desde luego, a su patria como el que más; pero tenía capacidad de discernimiento, había aprendido a ver y nadie podía pretender que se sacase los ojos para defender ciegamente los intereses de los que no tenían coraje para defenderlos.

—Como cerdos nos trataron en Tarragona, dándonos un rancho de sobras; hacinados como cerdos nos trajeron en un tren hasta Barcelona; y como cerdos nos llevan ahora al matadero —insistió Menache, dando voz insurgente a las cavilaciones de Chamizo.

Un cuartel de Tarragona les había servido, en efecto, como asentamiento, mientras duró el período, más bien escaso, de instrucción. Y cuando ya parecía que su destino más probable sería la agitada Cuba, donde la destitución de Weyler había dado alas a los insurrectos y renovados bríos a los yanquis, había llegado la orden de traslado a Manila, a modo de regalo envenenado de Reyes. La orden, amén de la consabida consternación, había provocado entre la tropa perplejidad sin cuento, pues no hacía ni cuatro días que la bazofia del rancho se había rematado con una copichuela de coñá, para brindar por la paz de Biacnabató que Primo de Rivera acababa de firmar con Aguinaldo, el caudillo tagalo. Pero no hubo explicaciones que mitigaran aquella perplejidad; y a los pocos días el Batallón de Cazadores Expedicionarios número 2 embarcaba rumbo a Manila en el vapor *Isla de Mindanao*, de la compañía Trasatlántica, que transportaba pasaje civil, con el que sólo se había permitido a los oficiales mezclarse, confinando a la clase de tropa en las tripas del barco, para que su servicio a la patria fuese todavía más sublime y abnegado.

—¡Vamos, vamos, muchachos, deprisa! —voceó el cabo González Toca, situado al pie de una escalerilla por la que seguían descendiendo los soldados.

Vicente González Toca era un cuarentón corrido, baturro, de cintura borrosa y manos como serones. Tenía la testuz abultada, las facciones cortadas a golpe de hacha —un poco simiescas o como de ídolo azteca, aunque siempre risueñas— y el pelo canoso cortado a cepillo. Había combatido con los carlistas cuando era apenas un muchacho, formando en las partidas del Maestrazgo y participando después en la conquista de Cuenca. A la conclusión de la guerra había conseguido, después de mil triquiñuelas, que lo admitieran en el ejército alfonsino, no porque él reconociera a su rey (antes habría dejado que le arrancaran todas las muelas), sino porque la vida castrense era el aire que respiraba y cualquier otra vida le hubiese parecido gas mefítico. Desde que su quinta se licenciara, González Toca había logrado reengancharse hasta media docena de veces; y aunque su edad avanzada (que había falseado en más de una ocasión) lo habría excluido de cualquier leva, siempre se las arreglaba para camelar a los reclutadores, presentándose como voluntario ante cualquier rumor de guerra. Cultivaba todos los vicios de la vida castrense, pero también la virtud del compañerismo.

—La litera que cojáis ahora será la que ocupéis durante toda la travesía, muchachos —aleccionaba a los soldados—. Quien pretenda luego cambiarla sin permiso será debidamente sancionado.

Unas bombillas de petróleo iluminaban aquí y allá el reducto con una luz rácana de leves resplandores rojizos, como robada de un óleo tenebrista que pintase las llamas purificadoras del purgatorio. Sólo junto a las escalerillas unas lámparas mucho más potentes lograban exorcizar las sombras. Las quejas e increpaciones de la tropa eran apagadas por el estrépito de las carreras en disputa de una litera y de los petates al caer sobre aquellos colchones más finos que papel de fumar.

—¡Más cómodo que estos camastros es el musgo de las piedras, me cago en tal!

Quien así se manifestaba, en un tono más jocundo que airado, era Julián Calvete, un zagal de la montaña de León acostumbrado a dormir al relente, bajo las estrellas de Valdelugueros, que según había dicho a sus compañeros titilaban con más intensidad que en ningún otro lugar del mundo (aunque, en puridad, el poco mundo que conocía Calvete, antes de que lo reclutaran, se reducía a Valdelugueros y sus confines). Era un muchacho con los dieciocho años recién cumplidos, elástico y fibroso, que al andar parecía dar brincos, acostumbrado a caminar con polainas entre riscos y peñascales; tan acostumbrado que se había resistido a cambiarlas por las botas que les habían repartido en el cuartel de Tarragona. Tenía facciones de arcángel, muy angulosas y limpias, pero de arcángel palurdo que aún no conoce las asechanzas del demonio; y una piel muy atezada, morena de nieve y de luna.

—¡Y anda que no nos han hecho bajar! Las bodegas de mi pueblo no están tan hundidas como esta sentina —dijo con voz medrosa otro recluta de su misma edad, Salvador Santamaría.

De Santamaría, que trabajaba como jornalero en Campo de Criptana, se rumoreaba que era gitano, porque se le daba bien el cante —cuando por fin se decidía a arrancar, después de vencer su timidez patológica— y tenía el pelo un poco ensortijado y brillante, como si se lo hubiese lamido una vaca. Pero él lo negaba con ahínco, como si en repudiar la sangre calé le fuera la honra familiar; y a veces al borde del llanto casi, cuando sus compañeros más bromistas o ensañados se ponían pesados a hurgar en su genealogía, que era más bien barullera (pues, allá donde triunfa la pobreza, el mejor remedio contra el frío es la promiscuidad). Santamaría era, además, algo inocente, más por falta de picardía que por falta de luces; y, al igual que muchos de sus compañeros, doncel a machamartillo, aunque como todos anduviese amancebado con su mano por matar el gusanillo de la ansiedad. Sentía por Chamizo la fascinación que el mozo sin instrucción, si es de buena índole, siente por quien juzga cultivado (porque, si la índole es mala, suele más bien sentir envidia y rencor); y procuraba arrimarse a él siempre que podía, por si se le pegaba algo de su sabiduría.

—Como torpedeen este jodido barco, no creo que nos dé tiempo a subir a cubierta —dijo el cabo González Toca, viendo atestado el lugar y ocupadas todas las literas, una vez que hubieron descendido los soldados.

Chamizo se había tumbado ya en su camastro, en la fila más alta de literas, empleando como almohada las manos cruzadas bajo la coronilla. Dijo con una suerte de irónica resignación:

—Aunque nos diese tiempo no podríamos. La compañía ha colocado a unos marineros a modo de centinelas para impedir que lo hagamos. Sólo nos dejan subir al alba, para asistir a misa, y cuando se anuncie que el barco va a atracar. Las comidas las haremos en un comedor especial, separados del resto de pasajeros.

Menache gargajeó y escupió sobre el suelo; a la luz penumbrosa de las lámparas de petróleo, su saliva parecía sucia de hollín:

—¡Así revienten esos cabrones! No valemos para ellos ni lo que las cabezas de ganado. Pero todo tiene su lógica. Hay que convertir a los hombres en bestias, si se desea que luego se comporten como bestias.

El cabo González Toca se acercó y lo reprendió:

—Me vas a meter en un buen lío si sigues hablando así. —Bajó la voz, hasta adoptar un tono de secreteo—: Tengo la obligación de informar a los oficiales de cualquier conversación sediciosa o de tipo revolucionario. Te ruego que no te vayas de la lengua, Menache.

Chamizo salió en su defensa:

—Lo siento, cabo. Pero nadie tiene derecho a tratar así a un ser humano. No somos una paca de alfalfa, a la que se pueda transportar de un lado para otro de cualquier manera.

—Diles a los oficiales lo que te salga de los cojones, cabo —despachó el asunto Menache, en cuyo pecho se iba cociendo una oscura cólera—. A mí como si me fusilan.

Se oyó una voz lastimera al fondo. Era Julián Calvete, oprimido por los primeros retortijones:

—¡Me estoy mareando! ¿Por qué demonios no organizarán las guerras cerca de la casa de uno?

Los soldados del batallón estallaron en una carcajada unánime que alivió sus pesadumbres. Unas horas más tarde, cuando el barco ya se había adentrado en alta mar y bregaba con las olas que se estrellaban en sus costados, aquellos primeros síntomas de mareo se intensificaron y comenzaron a extenderse como una epidemia. En la penumbra rugiente se empezaron a oír, de repente, las onomatopeyas que acompañan a las arcadas y el chapaleo del vómito, como una papilla que se derrama.

—Creo que voy a morirme —se lamentó Calvete, llevándose las manos al vientre, como si estuviera parturiento.

Había crecido pastoreando cabras, trepando con ellas por las escarpaduras más inhóspitas y siguiéndolas por cárcavas y despeñaderos; pero después de cada brinco y volatín, sabía que pisaría otra vez tierra firme, o —si el paso era falso— que se descalabraría, contando siempre con un suelo inamovible. Ahora sentía que su camastro se sostenía sobre un suelo movedizo que se balanceaba siempre de forma imprevisible (ni siquiera se mecía acompasadamente), como un borracho aquejado de convulsiones. Lo mismo que a Calvete le ocurría a otros muchos soldados del batallón, hombres de tierra adentro para quienes el mar era tan sólo una región legendaria, acaso soñada por los cartógrafos.

—Pues yo no estaría tan mal si esto no apestase —dijo Santamaría, tumbado en una litera de la fila más alta—. Esto es peor que una leonera.

Chamizo pensó que, si no hallaban pronto un entretenimiento que disipase los contornos de la cruda realidad, la travesía de tres semanas hasta Filipinas se convertiría en una pesadilla. Por su experiencia como maestro de escuela, Chamizo sabía que nada prende más la atención de los chavales que la narración de episodios traumáticos de su propia existencia, porque de ellos aflora de inmediato un yacimiento de miedos ancestrales afines que los hermana. Sabía que todo hombre alberga, allá en un rincón remoto y sepultado de la memoria, un miedo que cree conjurado y que, sin embargo, vuelve siempre a empañar su sosiego; y sabía también que esos miedos, fundados muchas veces en causas nimias y hasta irrisorias, requieren un exorcismo, o siquiera una anestesia, que sólo se obtiene cuando se confiesan en voz alta. A veces, incluso, esa expulsión de los miedos a través de la palabra puede resultar placentera, aunque Chamizo no lograba explicar las razones de este bienestar, que tal vez guardase ciertas similitudes con el alivio del pecador que reconoce sus pecados. Tal vez detrás de todo miedo se agazape un pecado que nos tortura y que ni siquiera nos atrevemos a nombrar.

—Os propongo un juego —dijo en voz alta, pero no tan alta como para despertar a los que ya se habían dormido, que eran pocos—. Vamos a contar el episodio de nuestra vida en el que más miedo hayamos pasado, el que nos haya dejado una huella tan profunda que, cada vez que lo recordamos, volvemos a vivir el miedo de entonces.

El rugido de las calderas parecía, de pronto, el rumiar de los pensamientos. Nadie se decidía, sin embargo, a arrancar, atenazados todos por la vergüenza.

—Hala, Calvete, empieza tú, a ver si así se te pasan las náuseas —lo incitó Chamizo.

El zagal leonés era más bien pudoroso, al modo en que lo son los hombres que no han sido contaminados —maleados— por las desinhibiciones artificiosas que propicia el trasiego de la ciudad. Le costó arrancar; pero, como si al enhebrar las primeras palabras hubiese salvado el principal escollo, empezó a hablar a una velocidad febril:

—Pues resulta... resulta que mi padre se había cogido una pulmonía de órdago —empezó—. Yo era muy chico y apenas recuerdo nada, pero me viene a las mientes un cura que vino a traerle el viático. Entonces, cuando habían probado todos los mejunjes de la botica, se presentó el barbero en casa con un tarro de cristal lleno de agua; y en el agua, culebreando, culebreando, sanguijuelas, unos bichejos muy feos y muy asquerosotes que yo ya había visto alguna vez en las charcas donde abrevaban las bestias, esperando a que metieran las patas en el agua para agarrarse como ventosas y chupar la sangre. Y entonces el barbero sacó las sanguijuelas del frasco, cogiéndolas por la cola, que yo lo vi. —Calvete hizo el gesto correspondiente, juntando el pulgar y el índice y agitando la mano ante el rostro de los reclutas, que habían hecho corro y retrocedieron sugestionados, como si en verdad una sanguijuela se retorciese entre sus dedos—. Y las fue colocando en el pecho de mi padre, que respiraba como si tuviera piteras en los pulmones. Y entonces las bicharracas se pusieron a mamarle la sangre enferma y a sacarle el veneno, y se iban hinchando las muy putas, hasta ponerse de gordas como morcillas, y ya no podían culebrear, porque el pellejo lo tenían muy tirante. Y entonces el barbero volvió por casa a las pocas horas y fue arrancando a las bicharracas, metiéndoles una navajita por el hocico, porque se habían pegado a la piel como el liquen a la roca, y tirándolas en un fardel como despojos; y despojos parecían, que eran como las asaduras del marrano en la matanza, pero negras, negras, negras como babosas. —Se detuvo asqueado, como si volviese a contemplarlas—. Y entonces el barbero, viendo que yo me quedaba como embelesado mirándolas, cogió una del fardel y me la acercó a la cara, riéndose, y yo me quise hacer el valiente y no me eché *p'atrás*. Y entonces el barbero apretó la sanguijuela como si fuera la teta de una vaca y me soltó sobre la cara la sangre de mi padre, zas, un montón de sangre en la cara, como si me hubieran vomitado encima, pero con un vómito frío, porque la sangre ya era como la sangre de un muerto. Y entonces eché a llorar y corrí a lavarme, pero por mucho que lloré y me lavé no se me marchó el asco; y todavía me despierto por las noches pensando en las jodidas sanguijuelas que me chupan la sangre y luego me la escupen y me muero... me muero del miedo.

Y para ratificar la pervivencia de ese miedo, Calvete había empezado a tartamudear e hipar nerviosamente hacia el final de su narración; pero un instante después sintió un inmenso alivio, como si le hubieran arrancado del alma una de aquellas sanguijuelas ahítas de sangre. Menache soltó una sonora carcajada, con la que tal vez tratase de espantar sus propios miedos.

—Venga, Menache, cuéntanos tú el mayor miedo que hayas vivido —dijo Chamizo, a quien tácitamente se había asignado el papel de maestro de ceremonias.

Menache esbozó un rictus esquivo en el que se fundían el desdén y la petulancia. Chamizo lo compadeció secretamente, porque se le notaba que era un hombre reconcomido por el gusano del resentimiento; e intuía que ese gusano no daría por concluida su pitanza hasta devorar enteramente su humanidad.

—Una fruslería es la historia de Calvete, comparada con la mía —farfulló, retador—. Porque yo sé lo que es pasarlas canutas, ¿entendéis? Yo sé bien lo que es notar el aliento de la muerte en el cogote, me cago en... —y soltó la blasfemia redonda—. En la mina os quisiera yo ver a vosotros, pollastres, en la mina de carbón, excavando túneles, con el miedo de picar en mal sitio y que te salga de repente una emanación de gas y te deje tieso en un santiamén, como yo he visto a muchos compañeros, más tiesos que el almidón, un rato después de haber estado charlando con ellos como ahora lo estoy haciendo con vosotros. Yo tuve suerte de no envenenarme con el gas, pero un día se me derrumbó la galería en la que estaba picando, con otra media docena de compañeros. ¿Vosotros sabéis lo que es eso? Toneladas de tierra y los pedruscos que sostenía el entibado cayendo encima de ti; y en unos minutos descubrir que casi todos tus compañeros han muerto aplastados, y los que no han muerto están con una pierna rota, o con las costillas hechas puré, y no pueden moverse. Y tú, que todavía te puedes mover, te arrastras y descubres que la galería ha quedado cegada con el derrumbe; y que el aire escasea, y que encima está mezclado con carbonilla, y que al respirarlo parece que los bronquios se te van atorando, y que los mocos de la nariz se te fraguan como la cal. Y que no te queda otra sino implorar auxilio a gritos, con la esperanza de que los demás compañeros te oigan, y rezar si tienes fe, o cagarte en todos los santos si no la tienes, y esperar durante horas y horas, mientras te asfixias. ¡Mientras te asfixias, cojones, mientras te asfixias como un perro! —Berreó como si la desesperación que lo gangrenaba por dentro le hubiese mordido una nueva víscera—. Eso hay que vivirlo para poder contarlo. Yo lo viví y me salvé de chiripa, pero todavía tengo metida la carbonilla en las entrañas. Y cuando estoy en un sitio cerrado parece que me llevan los demonios...

Y remató su historia ensartando blasfemias y vituperios que mezclaban a Dios con el ministro de la Guerra, a la Virgen con la reina regente y al Espíritu Santo con la Hacienda Pública, en incongruente batiburrillo. Más que la historia de su desgracia en la mina y salvamento *in extremis* había impresionado a los oyentes la ferocidad de su gesto, esa furia desgañitada y sin medicina posible que asomaba a sus labios, y las gesticulaciones de bestia acorralada que, una vez concluida la narración, se convirtieron en paseos agitados por la bodega del barco. Los soldados que hacían corro lo miraban revolverse entre las literas amedrentados y cohibidos.

—Pues mi miedo es de los que dan risa —intervino el cabo González Toca, por espantar los demonios que Menache había liberado—. Qué coños, es un miedo para mearse de la risa. —Y, después del arranque de jovialidad, para hacerse de rogar, musitó abochornado—: Pero me da reparo...

Entonces los soldados pidieron por aclamación que se guardase sus reparos; y el cabo, burlón, se encogió de hombros mirando a Chamizo, como resignándose a exponer intimidades que lo avergonzaban:

—¿Quién no ha tenido miedo alguna vez a mearse en la cama? —empezó para ganarse a su público, que estalló en una marea de hilaridad—. Pues ese es el miedo que tengo yo todavía. A los seis años yo me meaba en la cama, y mi madre, para poner remedio a mis incontinencias, ¿sabéis lo que hizo? Pues, cada vez que yo mojaba las sábanas, las colgaba del balcón de la casa; y como vivíamos en la plaza del pueblo, casi enfrente del Ayuntamiento, excuso deciros que todo el pueblo veía aquellos manchurrones amarillentos que se exhibían durante toda la mañana. Y excuso deciros también las chanzas que se gastaban conmigo en la escuela los niños mayores y hasta los niños de mi misma edad, que ya habían aprendido a contenerse; y las reprimendas del maestro, que, en vez de afear la crueldad de mi madre, la aplaudía, porque era de los que piensan que la letra con sangre entra y que la madurez se alcanza con desengaños y coscorrones, en lo que no le faltaba razón. Así que, por evitarme la afrenta de la sábana orinada colgada del balcón, como si fuera un pendón cristino, y las chuflas de los otros niños, y las amonestaciones del maestro, di en vivir atemorizado; y era llegar la noche y no podía pegar ni ojo, porque me desazonaba el miedo a mearme; y si me quedaba dormido, me despertaba al poco, soñando que ya había mojado las sábanas; y aunque comprobar que sólo había sido una pesadilla me aliviaba y me permitía quedarme otra vez dormido, volvía a sobresaltarme apenas cerraba los ojos; y así la noche entera, y así noche tras noche, hasta que por fin conseguí controlar la puñetera vejiga. —Hizo una pausa para esperar que se extinguiera o terminara de desahogarse el enjambre de risas mal contenidas—. Pero todavía me sigo despertando muchas noches, pensando que me he meado. Y en sueños siento con tanta intensidad el calorcillo húmedo del orín y el descanso de la vejiga que me hago cruces; y como ya no distingo el sueño de la realidad, temo despertarme cualquier día con las sábanas mojadas...

A González Toca, pese a ser el más veterano del batallón entre la clase de tropa, no le importaba convertirse en el hazmerreír de los más jóvenes, en parte porque le gustaba amenizar sus ratos de ocio (pues sabía que el ocio del soldado es la gatera por la que se cuelan las serpientes de la angustia) y en parte porque así sentía que resucitaba su juventud extinta. Entre el auditorio todavía se prolongaron los comentarios jocosos durante un rato, hasta que González Toca le pasó el testigo a Chamizo:

—Hay que predicar con el ejemplo, Juan —dijo—. Queremos que nos cuentes tu miedo.

Y enseguida González Toca fue jaleado por los demás, excepto por Menache, que seguía encerrado en las mazmorras de su desesperación. Chamizo sabía bien cuál era el miedo que quería contar; alguna vez había tratado de contarlo en un poema, o en un relato al modo de las leyendas becquerianas, pero nunca había hallado el tono idóneo, tal vez porque era demasiado vagaroso o inaprensible. Y temía que esas lacras se agudizasen, ante un auditorio poco receptivo a ciertas sutilezas o devaneos mentales:

—Me ocurrió cuando fui a examinarme de maestro a Madrid —comenzó, después de carraspear para aclararse la voz—. Había un examen por escrito, en el que hacían una primera criba; y después un examen oral para quienes la superasen, al que iban llamando a la gente por orden alfabético, empezando por un apellido que elegían al azar. Yo aprobé el primer examen, según supe cuando hicieron públicas las calificaciones; y en el segundo iniciaron el examen por apellidos que empezaban por la letra D, lo que me auguraba una larga espera y muchos paseos en balde desde la pensión en la que me hospedaba hasta la escuela normal, pero al presentar mi documentación para el segundo examen conocí a una muchacha madrileña, Rocío Cuevas, que resultó ser la inmediatamente anterior a mí en la lista de aprobados. Era una mujer muy salada, pero también muy honesta, no os vayáis a pensar; y muy guapa, por cierto, con una belleza española, al estilo de las majas de Goya, o al menos así me lo pareció a mí, que tal vez estuviese un poco sugestionado. Rocío se ofreció a avisarme cuando se aproximara nuestro turno, dejándome recado en la pensión en la que yo me hospedaba, lo que en verdad le agradecí, porque andaba un poco alcanzado de ahorros para desplazarme todos los días hasta la escuela, y además quería sacar tiempo para estudiar en la pensión, pues algunas lecciones apenas las había repasado. Y como Rocío me había despertado confianza y parecía encantada con hacerme aquel favor, me despreocupé por completo de la marcha del examen oral. No me despreocupé, en cambio, de Rocío, en quien pensaba intensamente y muy a menudo, cuando estudiaba las lecciones, y también mientras hacía mis abluciones por la mañana, o mientras fumaba un cigarrillo, tumbado en la cama de la pensión. Mis pensamientos eran de todo tipo: a veces castos y ensoñadores; a veces lascivos y un poco escabrosos, no lo negaré; aunque, curiosamente, los más frecuentes eran de tipo fantasioso. La imaginaba convertida en mi novia, la imaginaba en el altar intercambiándose conmigo las alianzas de boda, la imaginaba siendo madre de mis hijos... —Chamizo esperó que sus compañeros lo interrumpieran con chascarrillos y brutalidades, pero guardaron un reverente silencio, y en sus miradas creyó descubrir, incluso, un temblor herido, como un rasguño de melancolía—. Eran pensamientos que me hacían sentir incómodo, porque de alguna manera escarbaban en mi debilidad y hacían más grande y más fúnebre mi soledad. Entonces procuraba emplearme a fondo en el estudio; y si, pese a mis esfuerzos, persistían los pensamientos, dejaba la mente en blanco, para que la imagen cada vez más vívida de Rocío no la ocupase. En el techo de mi habitación, justo encima de la cama, había una mancha de humedad que me facilitaba esta tarea; y del mismo modo que, cuando somos niños, nos entretenemos buscando similitudes en la forma caprichosa de las nubes, yo buscaba parecidos inverosímiles en los contornos de aquella mancha de humedad: que si el mapa de tal provincia, que si el curso accidentado de tal río, que si los borrones de tinta que dejaba mi plumín en los cuadernos. Día tras día, contemplaba la mancha de humedad, mientras aguardaba el aviso de Rocío; y día tras día observaba, al principio con extrañeza y luego con secreta dicha, que los contornos de la mancha variaban, y que en sus variaciones iban modelando rasgos del rostro de Rocío que me habían pasado inadvertidos, o que ya había olvidado: un día la nariz respingona, otro día los rizos del cabello, de repente aparecía su oreja con su lóbulo y los pliegues del cartílago, o la línea de su mandíbula, o más increíblemente aún el mohín de sus labios, y las leves arrugas de las comisuras, y el despuntar de los dientes. Así día a día; y a medida que la mancha iba incorporando nuevos rasgos del rostro de Rocío los anteriores se iban perfilando más nítidamente. Pensaréis que me estaba volviendo loco, que el aislamiento y la fascinación que aquella joven me había provocado me estaban induciendo a ver en el techo de la habitación lo que sólo existía en mi imaginación; y así pensaba yo también, al menos hasta que un día le pedí a la dueña de la pensión que me dijera si aquella mancha de humedad tenía alguna forma reconocible. La mujeruca, al principio, pensó que le reprochaba que me hubiese asignado una habitación con goteras y prometió cambiarme de cuarto en cuanto le fuera posible; pero yo deshice el equívoco y le insistí en lo que antes le había solicitado. Y ella, después de fijarse un rato, me dijo: «Pues parece talmente el rostro de una joven, de una joven muy bonita y pizpireta, si no fuera porque los ojos están apenas dibujados». En lo que tenía razón; pero aquel mismo día, mientras liaba un cigarrillo tras otro tumbado en la cama, incapaz ya de concentrarme en el estudio, comprobé cómo la mancha volvía a variar levemente, hasta dibujar los ojos que le faltaban para completar el rostro de Rocío. Pero en aquellos ojos había una fijeza fría y vidriosa que en nada se parecía a la vitalidad bulliciosa que yo había descubierto en los ojos de Rocío Cuevas, aunque en lo demás la mancha de humedad fuese su réplica casi exacta. Aquella mirada sin vida empezó a desazonarme; y entonces, al reparar en el calendario, caí en la cuenta de que casi habían transcurrido quince días desde que comenzara el examen oral. Me asaltó la sospecha de que Rocío hubiese olvidado por completo su promesa de avisarme cuando se aproximara nuestro turno; así que tomé rápidamente el tranvía que llevaba hasta la escuela. Llegué justo a tiempo de escuchar al tribunal mi nombre, convocándome para la prueba. Cuando la concluí, pregunté entre compañeros y profesores por Rocío Cuevas; así supe que había fallecido trágicamente dos semanas atrás, justo después de aprobar el primer examen, descalabrada al caer en la escalera de su casa; y no se había podido determinar si se había trompicado ella misma o si alguien la había empujado. Aprobé el examen y conseguí plaza de maestro, con el alma en los zancajos, pero no tenía el cuerpo para celebraciones; cuando volví a la pensión a recoger mis bártulos, un pintor estaba encalando el techo de mi habitación. De la mancha que reproducía el rostro de Rocío ya no quedaba ni rastro, sepultada por los brochazos. Pero la dueña de la pensión, antes de que yo pudiera decir nada, me comentó: «¿Querrá creerlo, Juan? Fue marcharse usted y el rostro que aparecía en la mancha se desdibujó por completo. ¿Será que nunca estuvo allí?». Pero yo sabía que había estado, ¡vaya si había estado!, para avisarme de que llegaba mi turno en el examen oral, cumpliendo la promesa que Rocío me había hecho.

Chamizo había ido adelgazando la voz, hasta hacerla pender de un hilo, manteniendo a su auditorio como en un trance. Cuando concluyó su historia, la luz de las lámparas de petróleo tembló, como si un espectro se paseara entre las literas.

—Bravo, Chamizo —intervino Menache, batiendo palmas desganadamente—. Contando cuentos eres un fenómeno. Pero esa historia es más falsa que un duro sevillano. ¿A quién quieres engañar?

Entre los soldados hubo un gesto de instintivo rechazo; todos aguardaban que Chamizo se encarase con el aguafiestas, certificando la veracidad de su historia, pero Chamizo prefirió no responder a la provocación, o sólo lo hizo de forma elusiva:

—En este mundo traidor nada es verdad ni es mentira; todo es según el color del cristal con que se mira —dijo, citando a Campoamor—. Pero hay que evitar los cristales ahumados, Menache. Sirven para protegerse del sol, pero no dejan ver la luna ni las estrellas.

Menache no entró en dibujos ni disquisiciones. Habló con desapego:

—Lo que pasa es que los literatos sois todos unos engañabobos. Pero conste que no me parece mal. Si la gente quiere que la acunen con cuentos, alguien tendrá que contárselos.

—No sólo de pan vive el hombre —murmuró Chamizo.

Había en Menache una causticidad deseosa de derramarse y destruir todo en su derredor que lo perturbaba. El encantamiento creado se había hecho añicos de repente; y Chamizo volvió a su litera, más mohíno que contrariado. El cabo González Toca, en cambio, no se recataba de mostrar su contrariedad ante la actitud mezquina de Menache y trataba de resucitar la velada:

—Venga, Santamaría, que tú todavía no nos has contado tu historia.

Pero Salvador Santamaría ya se había emboscado en el retraimiento, después de escuchar con fruición la historia de Chamizo, que lo había dejado pensativo y algo conturbado.

—Si yo no tengo historias que contar, cabo... —se excusó, pudoroso—. Mi vida es muy del montón.

—Coño, como la de todos. Pero algo habrá que te haya metido miedo —insistió González Toca.

Santamaría recordó, como en un hiriente restallido de la conciencia, a su padre agarrando brutalmente a su madre y forcejeando con ella, antes de cruzarle la cara de un bofetón y arrojarla al suelo. Recordó también a su madre con el rostro amoratado, llorando en soledad su desdicha. Tenía apenas cinco o seis años cuando vio aquello por primera vez (o cuando lo vio de forma consciente); y sintió entonces tal horror que creyó que moriría fulminado en el acto. Pero aquel episodio se repetiría luego decenas o cientos de veces, rutinariamente, hasta que ni siquiera llegó a inmutarlo. Tal vez la impasibilidad que había desarrollado a modo de escudo o de callo a lo largo de los años lo horrorizase todavía más.

—Que no, cabo, que no tengo nada que contar —protestó, enfurruñado.

Y se refugió en su litera, arrollándose en la manta. Finalmente el corro se disolvió, un poco a regañadientes, y el rugido sordo de las calderas se fue convirtiendo en un arrullo. Menache, que tenía su litera a la vera de Santamaría, alargó el brazo y le tiró de la manta:

—¿Estás despierto? —preguntó en un susurro.

Santamaría trató de escrutar sus facciones en vano, pues se fundían en la oscuridad, o tal vez cuando se aproximaba a él la oscuridad se hiciese más espesa. Sólo veía el relumbre de sus ojos, como un destello de fiebre.

—Sí, ¿qué pasa? —respondió en el mismo tono.

—Yo creo que tú a lo que tienes miedo es a las mujeres —se cachondeó Menache.

A veces, en verdad, Santamaría se preguntaba si algún día podría acercarse a una mujer sin temor a repetir las violencias que su padre propinaba a su madre. Y en estas ocasiones la virginidad le dolía como una afrenta o una úlcera.

—No sé qué quieres decir —se defendió.

—Quiero decir que no has follado en tu puta vida.

Menache soltó una risilla aviesa, como un gorgoteo de malignidad apenas perceptible al oído. Pero a Santamaría le pareció estridente.

—¡Deja de reírte, Menache! —le exigió, aunque su tono era más bien implorante.

—Tienes un problema muy gordo, Santamaría. A tu edad ya han follado hasta los cartujos. ¿Cuántos años tienes?

Había en su obscenidad áspera un propósito dominador. Santamaría se arrugó:

—Dieciocho recién cumplidos.

—Pues con dieciocho años yo ya tenía una práctica de cojones, nunca mejor dicho —rió su dudosa gracia—. Si no das alpiste al pajarito, el pajarito se queda chuchurrido.

Menache cerró los párpados, para que hicieran de dique ante la pujanza de las lágrimas. Chuchurrido, así se sentía él: mustio y empequeñecido.

—Como no desatasques pronto las cañerías vas a explotar, chaval, hazme caso. Aprovecha este viaje para hacerlo; así, cuando vuelvas a España, tendrás la instrucción hecha. A las mujeres les gustan los hombres con oficio, tú ya me entiendes.

Santamaría se perdía en medio de aquella cháchara insidiosa. Balbució:

—¿Quieres decir que me eche novia en Filipinas?

—No jodas, chaval. —La risa de Menache se hizo fanfarrona—. Para que te contraten en la Maestranza hay que torear primero en plazas de tercera, y además pagando. Búscate una gachí como Dios manda, con sus buenas tetas y un culo como una mesa camilla, que ya tendrás tiempo de encontrar una novia modosita, de esas que parecen un fideo.

Trató de escabullirse de la telaraña que Menache urdía en torno a sus dubitaciones, pero ya era demasiado tarde:

—Bueno, a ver si conozco a la mujer adecuada...

Menache estalló en una carcajada convulsa:

—¡No seas majadero, chaval! La mujer adecuada no existe... y cualquiera lo es, con tal de que tenga parrús. —Elegía calculadamente los términos más malsonantes, para que su causticidad resultase todavía más lesiva—. En cuanto te pongas a ello, comprobarás que es coser y cantar.

Le irritaba aquel tono, entre sórdido y condescendiente; pero tenía que reconocer que, de algún oscuro modo, también le resultaba incitador. Santamaría estuvo tentado de preguntarle cuándo se había estrenado en estas lides, pero Menache se anticipó:

—¡Hay que joderse! ¿Dónde se ha visto que a un bigardo como tú lo asusten las mujeres? Tienes que ponerle remedio cuanto antes. Me han dicho que en Port Said, donde haremos nuestra primera escala, hay unas putas de órdago.

—¡Baja la voz, te lo suplico! —se desmoronó Santamaría, temeroso de que alguien más estuviese escuchando sus tribulaciones eróticas.

Menache supo que era entonces cuando debía lanzar su rejonazo; lo supo con esa clarividencia aciaga que asiste a quien ha sufrido muchos daños y sabe cómo infligirlos:

—Yo creo que eso te pasa porque las mujeres te recuerdan a tu madre.

Santamaría sintió un frío hormigueante en todos sus miembros.

—¿Por qué metes a mi madre en el ajo sin ton ni son? —preguntó con la voz quebrada, al borde del sollozo.

—¡Huy, por Dios, que al nene le han tocado lo más sagrado! —se ensañó Menache, y, a continuación, impostó un gimoteo—: «¡Mamita, mamita, no dejes que las mujeres malas me perviertan!».

Se dejó acariciar por una ráfaga de satisfacción miserable que lo refrescó por dentro, matando o adormeciendo su rabia, mientras Santamaría se hundía en un silencio lloroso; pero unos minutos más tarde, se avergonzaba ya de su vileza:

—Santamaría, hombre, no te pongas así, que era una broma.

—Déjalo, Menache, el mal está hecho —respondió.

Lo sorprendió que su voz, de común medrosa, hubiese sonado tan dura, sin contusiones ni resquebrajaduras.

—Perdóname, a veces parece como que una nube me ensombreciera el alma... —insistió Menache.

El rugido de las calderas maquinaba alguna fechoría clandestina. Por fin Santamaría volvió a hablar; ahora la dureza de su voz se había aguzado de crueldad o sarcasmo:

—No te preocupes, Menache. Llevas razón. Ya encontraré una puta que se me abra de patas. Hay que torear primero en plazas de tercera, aunque sea pagando.

* * *

La campanilla que anunciaba la primera misa del alba los despertaba bruscamente (pero su sueño era frágil como un hojaldre, perturbado por los bamboleos del barco y el latigazo de las olas); y abandonaban las literas ansiosos por comerse a bocados un poco de aire puro, después de tantas horas encerrados en aquel antro apestoso, con los párpados todavía cosidos de legañas, grávidos de sueños que la brisa salobre de la mañana se encargaba de disipar. Las misas se celebraban en la cubierta, sobre un altar improvisado, a imitación de las misas de campaña; y si el viento soplaba se apagaba el pabilo de los cirios, como si Dios estuviese celebrando su cumpleaños en alta mar, y se hinchaba la casulla del cura, que parecía que estuviese a punto de alzar el vuelo, como un globo aerostático o un místico en plena levitación, y las hojas del misal se alborotaban, traspapelando antífonas con el desparpajo de un liturgista hereje. A las misas del barco, más madrugadoras que la devoción del pasaje, sólo acudía la tropa; y tenían ese recogimiento o misteriosa unción que da la somnolencia, esa aureola penitencial que tienen las misas de alborada, cuando en ellas se cuelan los golfos que vienen de jarana y los latines los amansan y adormecen. Los reclutas cabeceaban de vez en cuando, a semejanza de los golfos, pero en sus cabeceos había un asentimiento genuino al sacrificio que se celebraba en el altar; y se arrancaban las legañas de los párpados, como si recolectasen migajas de ámbar, hasta llegar plenamente despiertos a la comunión, que el cura administraba con mucho tiento, para evitar que las hostias saliesen volando.

—*Ite, missa est.*

—*Deo gratias.*

Y así, desayunados de Dios, se asomaban a la borda y el mar hasta les parecía abarcable y doméstico. Al quinto día de navegación, recién concluida la misa, asomó en lontananza la cabecera del Canal de Suez, que había abreviado enormemente las travesías a Filipinas, uniendo las aguas del mar Mediterráneo y el mar Rojo. El vapor sujetó su rumbo al itinerario que le marcaban las balizas, moderando la marcha, hasta arrimarse a los muelles de Port Said, haciendo cola en la larga fila de buques atracados. Las antiguas cabañas levantadas por los constructores del canal para guarecerse de los rigores del clima se habían reconvertido en caserones de moderno gusto oriental, con galerías destacando de las fachadas. Desde los muelles se avistaba el canal, una obra de ingeniería en verdad faraónica, pero de un faraonismo sin enigma, como si los templos, pirámides y catacumbas del antiguo Egipto, sus esfinges y obeliscos, hubiesen perecido bajo toneladas de cemento y todo su séquito de sacerdotes, escribas y archimagos hubiese sido suplantado por un ejército de estibadores, capataces y burócratas, sin contar con el enjambre de tahúres y prostitutas que merodeaba el puerto, al reclamo de los pasajeros europeos, que desembarcaban con ganas de probar todas las inmundicias. Santamaría se acercó a Chamizo, que contemplaba desde la borda las labores de amarre.

—¿Tú crees que aquí habrá gachises como Dios manda? —le soltó a bocajarro.

Empleó, de todas las expresiones con las que Menache se había referido a las putas, la que le pareció menos ofensiva. Pero Chamizo estaba acostumbrado a un Santamaría siempre medroso y aquella desenvoltura desconocida en él lo sorprendió:

—Hombre, como Dios manda precisamente me temo que en este sitio encontrarás pocas. Pero de las otras, a manta.

Santamaría se encorajinó:

—¿Y quién te ha dicho a ti que yo busque de las otras?

Chamizo lo había visto cuchichear con Menache en los primeros días de la travesía y había temido que lo estuviese maleando; nunca había querido intervenir, por evitar a Santamaría conflictos, pero sospechaba que ese súbito interés de Menache obedecía a un afán por arrancarlo de su influencia.

—Tranquilo, Salvador, no hace falta que te encampanes —dijo Chamizo, expeditivamente—. Te las apañas con la gachí que pilles y santas pascuas.

—¿Pero tú crees que las habrá de mi gusto? —insistió Santamaría.

Era tal su empeño por reafirmar su virilidad que empezaba a resultar cándido. Cuando el vapor todavía no había concluido las maniobras de amarre, se arrimó a su costado un lanchón cargado hasta los topes de hulla.

—Pues digo yo que sí —respondió Chamizo con acritud—. Y si no hay gachises de tu gusto pues te coges un dromedario, que para lo que quieres te sirve igual.

—No te entiendo...

—¡Anda! ¿No tienen los dromedarios dos buenos bultos donde agarrar, como si fuesen tetas? Ah, no, perdona, esos son los camellos. Pues te pillas un camello y te desahogas con él.

Santamaría lo miró entre airado y doliente, y luego ambos se quedaron como absortos contemplando la cochambre de los barrios de Port Said, que relumbraba al sol como una quincalla de bazar derramada sobre el polvo de arenisca, erizada de minaretes y de faros extintos. Del lanchón había descendido con agilidad pasmosa, casi arácnida, una avalancha de etíopes, bereberes y egipcios que invadió la cubierta del vapor, como en un feroz abordaje, y abrió las compuertas de los costados, para colocar enseguida los andamiajes que facilitaban el repostaje de carbón.

—La historia de Rocío y la mancha de humedad era mentira, ¿verdad?

—De cabo a rabo —mintió Chamizo.

—No, si al final Menache tendrá razón y resultará que eres un embustero.

La voz casi se le quebraba. Chamizo presentía que en su interior se libraba una batalla agónica y sintió lástima por él:

—Ten cuidado, Salvador. Las verdades descarnadas pueden ser demasiado indigestas. Uno tiene que saber sublimar las verdades de la vida, hacerlas parecer embustes, para que no se nos atraganten.

Pero tal vez estaba siendo demasiado enrevesado para un jornalero manchego atribulado por algún trauma de la infancia. La curiosidad de los pasajeros había hecho corro en torno de los repostadores. Aquella invasión de zarrapastrosos sudorientos, de tez oscurecida por el pringue o la carbonilla, adornados de una musculatura que sólo habían visto en las láminas de los libros de anatomía, provocaba entre las pasajeras una rara excitación, entre la repugnancia y la lujuria, el miedo y el deseo de que las raptasen, para incorporarlas a su serrallo. Y se azoraban cuando los zarrapastrosos les mostraban los dientes voraces y blanquísimos, en contraste con los rostros renegridos, y les hacían visajes obscenos con una mímica casi genital, y les hablaban en una aljamía (porque en su jerigonza insertaban de vez en cuando palabras en inglés o francés, portugués o español) que, mezclada con el hedor de sus cuerpos y el tizne de sus rostros, les resultaba erotizante.

—Aquí más de una le ponía los cuernos al marido de buena gana —comentó el cabo González Toca, después de reírse de los melindres de pavisosa con que las pasajeras disimulaban el cachondeo.

—Pues más tontas son si no se los ponen. Con decirles que les duele la cabeza y que prefieren no descender a tierra... —terció Menache—. Total, los maridos están deseosos de quedarse solos, para ver si pueden beneficiarse a alguna negra... —Lanzó un guiño revirado a Santamaría—. Pagando, claro está.

Calvete, el zagal leonés, se había desentendido de aquella conversación, que juzgaba demasiado cochina para su gusto arcangélico, y se asomaba con prevención a la borda, embobado con la agilidad de los repostadores, a quienes dirigía desde el lanchón un morazo de barba apostólica o patriarcal. Cada vez que una faena requería el concurso de muchos, el morazo ritmaba sus esfuerzos, al estilo de los cómitres en galeras, con un canto cadencioso y jadeante. Los repostadores subían y bajaban por los tablones inclinados que unían el vapor con el lanchón con la misma facilidad y sentido del equilibrio con que Calvete saltaba los barrancos, allá en las montañas de Valdelugueros.

—¡Estos sí que tienen mérito! —exclamaba, sinceramente admirado—. ¡Y encima lo hacen descalzos!

—Lo que tiene mérito, mi querido pastorcillo, es tu candor. Dime —se interesó González Toca—, ¿te has gastado la paga que nos dieron en el cuartel?

—Ni tocarla —aseguró Calvete, palpando su petate—. ¿Por qué lo dices?

González Toca soltó una risotada ancha como el canal, sacando pecho:

—Pues porque quiero que me la prestes, que aquí las diversiones deben de ser muy caras. Y, total, tú eres poco amigo de ese tipo de diversiones...

—Anda, mira tú qué listo —se resistió Calvete—. ¿Y por qué no les pides un préstamo a los oficiales? Ellos tienen mejor paga, seguro que no tendrán problema en darte alguna propina.

Y señaló hacia la cubierta de proa, donde en efecto un grupo de oficiales, algunos de ellos pertenecientes al cuerpo de cazadores, departían mundanamente con los pasajeros de primera y contemplaban las faenas de repostaje. En los cinco días que llevaban de travesía, todavía no se habían dignado visitar el sollado en el que viajaba la tropa; pero la compañía Trasatlántica vigilaba celosamente que la segregación de pasajeros fuese respetada. Calvete envió un saludo a los oficiales, agitando la mano y lanzando vivas a España, hasta atraer su atención. González Toca se cuadró, luciendo su mejor sonrisa de escaparate, mientras mascullaba por lo bajinis:

—Una propina de palos te voy a dar yo a ti, Calvete.

—Eso será si me pillas, cabo —dijo el zagal, palmeando la oronda barriga de González Toca.

Entretanto, un finísimo polvo de carbonilla que casi podía mascarse ascendía hasta la cubierta, con el acarreo de la hulla, dificultando la respiración. Se habían tendido ya las escalerillas y se inició el desalojo del barco, empezando por el pasaje de primera clase. En el muelle aguardaba una ringlera de botes que trasladaban a los viajeros hasta Port Said, donde podrían permanecer hasta la caída de la tarde. La ciudad, abrasada por los vientos calcinados del cercano desierto arábigo, era una Babilonia de baratillo, con un barrio europeo que se pretendía cosmopolita y resultaba más bien babélico, una suerte de almoneda menesterosa en la que apenas se podía dar un paso con sosiego por las aceras, atestadas de granujas y galopines que mosconeaban en derredor de los visitantes, ofreciendo sus servicios de cicerone en un mejunje de lenguas que recordaba el esperanto o el volapuk. Los dependientes de los establecimientos, más bien costrosos, asediaban también al paseante invitándolo a examinar sus mercancías en inglés, turco, italiano, francés, ruso o español; y al paseante que no se detenía lo vituperaban sin remilgos, escoltándolo con sus maldiciones hasta que lo perdían de vista. Entre la población del lugar se distinguían, en un cafarnaum de razas y atuendos, árabes arrogantes de mirada severa, ataviados con chilabas blancas y abigarrados jaiques, a veces seguidos a distancia de sus mujeres, como una recua sojuzgada que ocultaba el rostro bajo un tupido velo; también había bastantes judíos, a los que se distinguía por sus túnicas ceñidas a la cintura con bandas anchas de variados colores y los bonetes de los que, a veces, colgaban filacterias; y turcos tocados con un fez que les hacía sudar la gota gorda, envueltos en un caftán y con las piernas enfundadas en unos zaragüelles que caían, formando pliegues hasta los tobillos; y había, en fin, muchos negros de torso desnudo, con la piel a veces garrapateada de jeroglíficos tribales, y mujeres de su misma raza, aherrojadas de brazaletes y ajorcas, al aire los senos bamboleantes que contemplaban golosos los forasteros, los franceses de forma ponderativa y galante, los ingleses afectando escándalo puritano pero reconcomidos por el rijo, y los soldados españoles con delectación torera, volviéndose a su paso como si trazaran una chicuelita en el aire, con el infalible piropo en los labios, a veces florido y a veces grosero, dependiendo del estado de ánimo y del estado de las gónadas.

—Un poco de compostura, que con la vista también se peca —reclamaba jocosamente el cabo González Toca. Y, viendo pasar a su lado a otra negraza que caminaba erguida como un huso, sosteniendo una espuerta sobre la cabeza y con los brazos en jarras, se giró como una peonza, prendida la vista del temblor de sus nalgas—: ¡Madre de Dios! ¿Y para qué coños quieren en esta tierra estatuas, con estos monumentos de ébano?

Y se rascaba el cabello del cogote, cortado casi a cercén. Se iban deteniendo, aquí y allá, en los comercios atestados de chucherías tan costosas como inútiles, a veces talladas en los materiales más peregrinos —sándalo o marfil, ámbar o azabache— con esa habilidad insuperable de los pueblos orientales. El griterío babélico crecía por momentos, hasta convertirse casi en borrachera de aullidos, bajo un sol que derretía la sesera y hacía fluctuar la línea del horizonte. Menache se había detenido en un tenderete donde se exponían estampas sicalípticas, seguramente procedentes de Francia, en las que unas señoritas un poco percheronas se mostraban en porreta, adoptando poses inverosímiles, frunciendo los labios en un mohín melindroso o impúdico, enseñando unas tetas como albardas, unos culos como tubérculos y unos sobacos intonsos y equidistantes del vello púbico, que siempre era de color sepia. A Menache pronto se sumaron los demás, con general guasa.

—Mirad, esta es Eva después de comerse la manzana —dijo Menache, apuntando a una postal en la que la señorita esbozaba un gesto de empacho, llevándose una mano al vientre.

—No —adujo Chamizo—. Es Eva en otoño, que es cuando se cae la hoja.

Y todos rieron con esa risa un poco estridente que, a simple vista, parece una risa salaz, muy típica del macho cuando va en manada, pero que Chamizo más bien identificaba con la risa nerviosa del que trata de espantar el canguelo. Desde que se alistara en el ejército, Chamizo había tenido sobradas ocasiones para comprobar que la concupiscencia asfixiante del soldado es, antes que expresión de un apetito primario, mecanismo de defensa para distraer el acecho de la muerte. El hombre que se sabe en peligro de muerte necesita entregarse a otro impulso que contrarreste ese aliento frío que lo devora; y no hay otro impulso tan pujante como el genesíaco, que en su versión paródica, auspiciada por la camaradería, adquiría manifestaciones bastante chabacanas. A Chamizo, en cambio, le faltaba valor para preguntarse si la sublimación de la sexualidad, mediante ensoñaciones más o menos mórbidas o fantasiosas (al estilo de la que él había urdido sobre la mancha de humedad), no sería también otro subterfugio —más sofisticado si se quiere, pero igualmente patético— para espantar el mismo miedo. Habían alcanzado, entretanto, los confines del barrio europeo de Port Said; al final de la avenida de las tiendas, anunciado pomposamente en la planta principal de un edificio desbaratado y mugroso, había un café danzante a cuyo reclamo acudieron los soldados como novillos a la esquila del cabestro.

—¡Pues anda que no se dan pote ni *ná*! —exclamó Calvete.

El café, en efecto, tenía sus pujos de casino, con mesa de tapete resobado para jugar a los naipes y una ruleta herrumbrosa que, al girar, hacía castañetear los rodamientos, como si le crujieran los meniscos. Había, al final del salón casi desierto, una orquesta desafinante donde unas cuantas jóvenes extranjeras ejecutaban —de modo tristísimo y funeral, como si al soplar sus instrumentos vomitasen su amargura— una alegre pieza para baile. Las había rubias y morenas, trigueñas y castañas, de carnes magras y abundantes, chaparritas y altiriconas; y todas ellas, aunque estuviesen en edad núbil, ajadas por esa tristeza milenaria, como de hule gastado y descolorido, que se les queda a las chicas para todo, aunque se pinten la cara y se tiñan el pelo. Aquellas, además, estaban pintadas a chafarrinones, mostrando unas ojeras violáceas que metían miedo, ojeras de sereno acatarrado o poetisa mística, y las greñas mostraban en las raíces el color natural de sus cabellos, que eran un poco ratoniles y estropajosos. Al acabar la pieza, una de las músicas improvisadas recorrió, bandeja en mano, el local, haciendo, al par que una colecta, exhibición de su talle, que era más bien larguirucho, como de potranca que se desgualdraja y le suenan las tabas al caminar. Debía de ser por lo menos rusa; y guardaba, como en una nevera, el frío de la estepa en la mirada. Cuando se acercó a la mesa donde se habían sentado Menache y Santamaría, se tambaleaba sobre los tacones.

—Tengo dos pesetas —susurró Santamaría, atragantándose casi—. ¿Tú crees que me bastará?

Menache fingió enojo:

—¿Con semejante cardo borriquero vas a desvirgarte? ¡Anda ya, hombre, si no tiene más que huesos! Y, además, es una vieja pelleja. ¿A ti te falta un hervor o qué?

Había gritado todo lo que había podido, para humillarlo ante sus compañeros y avergonzarlo ante la cabaretera, que aunque no entendía lo que hablaban amusgó el gesto ante el tono bronco de Menache, intuyendo además que la estaba injuriando.

—Habla bajo, te lo suplico —cuchicheó Santamaría, al borde del llanto—. ¿Me prestarías...?

—No te presto ni una perra chica —zanjó Menache—. Vete a pedirle limosna a otro, anda.

Santamaría se levantó del velador y echó a correr en dirección a la calle, abrasado de despecho y con la vista nublada por sucesivas oleadas de sangre alterna que sentía palpitar en las sienes. Cruzó una mirada contrita con Chamizo y se perdió entre la barahúnda de la calle, adentrándose en el barrio árabe, que se iba adensando de miseria e insalubridad a medida que se alejaba de la multitud. Allí las casas, que eran más bien cuchitriles, estaban hechas de adobe, al igual que las tapias tras las que se amontonaban los desperdicios y la chatarra; había tabernas por doquier, penumbrosas y adormecidas por el humo arabesco del narguile, y otros tugurios de naturaleza más temible, guardados por jenízaros harapientos que se sentaban tan panchos en una jamuga, merodeados de moscas, mientras unas mujerucas embozadas les escachaban los piojos de la cabeza. En la revuelta de una calle, Santamaría divisó a una mujer muy oscura y esbelta, tal vez etíope, que le sacaba casi una cabeza, sin contar la pelambre rizosa que la coronaba, a modo de casco o penacho. Vestía una almalafa de lino que transparentaba su silueta; y sobre la almalafa un grueso collar de ámbar con adornos de plata. También llevaba pendientes de aro en las orejas, brazaletes y pulseras, ajorcas y sortijas, una ferretería entera que hacía entrechocar con un tintineo voluptuoso mientras caminaba. En varias ocasiones la etíope volvió la cabeza, para comprobar que Santamaría la estaba siguiendo; y en todas las ocasiones le sonrió promisoriamente, exagerando cada vez más su contoneo. Port Said ya se había quedado atrás; el terreno se había vuelto más árido y rocoso, y las únicas construcciones visibles eran chozas más bien primitivas y miserables. La etíope se adentró en una de ellas, apartando un paño estampado que hacía las veces de puerta corredera, pero al instante se asomó, sonriendo a Santamaría con una sonrisa como un piano sin teclas bemoles.

—*Bienvenu le garçon* —le dijo, en un francés abominable.

Del interior de la choza brotaban vaharadas de un hedor nauseabundo, como de curtiduría o matadero de pollos. Santamaría vaciló y a punto estuvo de retroceder, pero finalmente decidió entrar en la choza, tratando en vano de dominar un temblor creciente. Cuando sus ojos se acostumbraron a la oscuridad, pudo distinguir en el suelo un camastro sobre el que se dibujaban manchas como mapas de cochambre; también varias toallas dobladas y una palangana con su jofaina sobre el suelo. No se atrevió a comprobar si contenían algún líquido.

—Soy español —dijo Santamaría.

Pensó por un instante que la especificación resultaba absurda en aquel lugar, pero enseguida descubrió que había servido a la etíope para ajustar sus tarifas:

—*Espagnol, très joli.* —Y extendió una mano ante Santamaría, desplegando unos dedos de larguísimas falanges—. *Cinq* pesetas.

Santamaría rebuscó en los fondillos del pantalón las monedas que aún guardaba.

—Dos pesetas —dijo, mostrándolas como si fuesen medallas de guerra—. Tengo dos pesetas.

—*Deux* pesetas no *lit*. *Deux* pesetas, *main seulement* —replicó la etíope, negando con la cabeza y sacudiendo el puño cerrado, en un gesto obsceno que Santamaría, pese a su desconcierto, supo de inmediato interpretar.

Se sentía ridículo regateando con una prostituta, como si estuviese en una feria disputando con un tratante el precio de alguna mula matalona. Las oleadas de sangre alterna en las sienes volvieron a nublarle la vista; de buena gana hubiese marchado en aquel mismo instante, pero la virginidad le dolía como una afrenta o una úlcera. La etíope, imperturbable, seguía repitiendo el mismo gesto.

—Está bien, está bien. Toma las dos pesetas.

La etíope se arrodilló ante él y empezó a desabotonarle la bragueta. Santamaría, cohibido, notó que su falo se retraía como un caracol en su concha cuando una mano intrusa le hurgó en los calzones; era una mano rasposa y fría, como una culebra a punto de cambiar de camisa. La etíope logró al fin atrapar sus genitales y los extrajo por la bragueta muy expeditivamente, como si estuviera arrancando las vísceras de un conejo. Una tristeza inmensa se abatió sobre Santamaría; probó a cerrar los ojos, para que la sordidez de la situación se atenuase, mas en vano. Pronto acudió a su boca el primer sollozo, como un vómito de negra pena.

—*Femmelette, tu es femmelette* —murmuraba rabiosa la etíope.

Santamaría se tragó el sollozo, que tenía un sabor de trementina. La etíope lo miraba con gesto desdeñoso; y Santamaría sintió entonces la emergencia del odio, como una dentellada en el corazón, tal vez la misma dentellada que su padre sufría cada vez que le cruzaba a su madre la cara de un bofetón, arrojándola al suelo. Echó casi instintivamente la mano al bolsillo y extrajo la navaja que lo acompañaba siempre, desde que tenía uso de razón. Brilló el filo en la oscuridad de la choza como una sonrisa corva; la etíope interrumpió al instante sus labores, retrocedió de un salto y se pegó a la pared. El francés abominable había desertado de sus labios, en los que se atropellaba algún chamullo tribal.

—¿Ves como ya no eres tan exigente? —dijo Santamaría—. Ahora harás lo que yo te pida.

Agitó la navaja en el aire, como si buscase un relumbre que pudiera atemorizar aún más a la mujer, cuyos ojos de acongojada córnea brillaban en la oscuridad. Se había derrumbado y hecho un ovillo en el suelo; Santamaría se agachó y le arrancó la almalafa de un tirón, antes de magrearla con ensañamiento. Calculó que, después de cometer su fechoría, tendría el tiempo justo para regresar al barco, antes de que zarpase; y que los hipotéticos vengadores de la etíope no tendrían tiempo de organizarse e ir a buscarlo, antes de que el mar pusiese una distancia infranqueable.

—Anda, levántate y ponte de espaldas —dijo con muy piadosa crueldad, sintiendo otra vez el vómito de negra pena en la boca.

La etíope obedeció sin rechistar, siguiendo dócilmente con la mirada el filo de la navaja, como si se tratase de la vara de un zahorí. La obligó a inclinarse hacia delante y él hizo lo propio, dejando caer su peso sobre ella y acercándole la navaja al cuello, que hundió ligeramente en la piel. Con la mano que le quedaba libre, Santamaría palpó el cuerpo fibroso y cimbreante de la etíope, que se tensó al sentir la penetración. Esta reacción espoleó a Santamaría, que repitió el gesto, mientras la etíope gemía cada vez más débilmente. Una turbamulta de miedos y fantasmas infantiles se enzarzaron en su alma, como alimañas a la greña, mientras bogaba dentro de aquel cuerpo que ni siquiera podía reconocer como humano en la oscuridad. Tampoco a sí mismo podía reconocerse como tal; y cuando por fin escupió su veneno, lloró en la choza, derrumbado al lado de la etíope que también lloraba, dos gurruños de carne irreconocible y confusa.

Cuando al fin se incorporó, arramblando las toallas y la jofaina, la etíope aún lamentaba su infortunio. Santamaría volvió a la carrera al embarcadero, abriéndose paso a codazos entre la multitud que ya iba de retirada; cada vez que tomaba aire para respirar sentía un escozor vivísimo en la garganta, como de alcohol sobre carne viva, porque estaba gangrenado por dentro, infestado de negra muerte acaso para siempre. Logró tomar *in extremis* uno de los últimos botes que devolvían a los pasajeros al *Isla de Mindanao*, cuya cubierta estaba invadida de mercachifles que ofrecían su quincalla en un pentecostés de lenguas y de razas. Entre otras muchas pacotillas, vendían a los viajeros miniaturas de motivos religiosos —virgencitas y crucifijos, sobre todo— que aseguraban que habían sido talladas en madera del Monte de los Olivos. Bastó que un mercachifle le acercara alguna de aquellas fruslerías para que se reavivara el escozor que lo calcinaba íntimamente.

—¿Qué tal te fue en Port Said? —le preguntó Chamizo, saliendo a su encuentro—. Nos tenías a todos un poco preocupados...

Santamaría se volvió hacia la borda, como si fuese a arrojar los bofes a la mezcla de mares que enfrentaban sus oleajes en el canal. Al fondo, Port Said se pavoneaba ridículamente, encendiendo sus primeras luces, como bisuterías sin brillo que no lograban esconder su podredumbre mestiza; los mástiles de los barcos anclados en la bahía eran un ramaje confuso, secretas lanzas exigiendo un sacrificio de sangre. El agua tenía una consistencia oleaginosa, casi pútrida.

—No recuerdo nada —dijo al fin—. No quiero recordar nada.

Y, en la primera arcada, se le precipitó el alma a la noche, como un huésped aterrorizado de su anfitrión que se suicida, arrojándose por una ventana.

5

—Me encargaré de que la lleven mañana mismo a San Miguel —voceó Novicio, de espaldas a la gruta—. Desde allí, le será sencillo encontrar transporte hasta Manila.

Se hallaban al fin en Biacnabató, provincia de Bulacán, en el que había sido el último cuartel general de los patriotas acaudillados por Emilio Aguinaldo, antes de que se firmara la paz con los *castilas*. Sor Lucía se había adentrado en una de las grutas que habían servido como refugio a los hombres de Aguinaldo, para cambiarse los harapos que había vestido durante meses en las fragosidades de Sierra Madre, prófugos ambos tanto de las guarniciones del ejército español como de las partidas de insurrectos. Los campesinos de la zona habían mostrado una muy sincera piedad hacia la religiosa, que había conseguido sobrevivir en las circunstancias más inhóspitas; y le habían proporcionado algunas viandas, así como ropas que no lastimasen su pudor, aunque no fueran acordes con su estado. Novicio se volvió y caminó hasta la embocadura de la cueva, exasperado por la tardanza de sor Lucía o temeroso de que le hubiese ocurrido cualquier percance. Las paredes abovedadas, sigilosas de estalactitas y aguas subterráneas, se llenaban de una resonancia monótona, como el zumbido de un abejorro. Novicio enseguida comprendió que sor Lucía estaba rezando el rosario.

—¡Ya está bien con esa murga! ¡Salga de una maldita vez! —ordenó, lanzando una voz que se extravió en el laberinto de galerías.

Pero la reverberación del rezo siguió inalterable todavía durante casi cinco minutos. Al fin emergió del interior de la gruta sor Lucía, caminando resueltamente con los puños cerrados, como si estuviera dispuesta a darse de mamporros con los murciélagos, o con el propio Novicio.

—¡Le he dicho mil veces que no me moleste cuando estoy rezando! —lo regañó—. Llevo más de tres meses sin poder confesar ni comulgar por su culpa. ¿Y encima quiere quitarme de rezar? ¡Antes muerta, Teodoro!

Había dejado de llamarlo señor Novicio en cuanto se quedaron solos, pero en lugar de designarlo por su nombre de pila, Teodorico, reminiscente de reyes visigodos y ostrogodos, se refería siempre a él como Teodoro, para que la etimología de su nombre resultase todavía más evidente y afrentosa para un revolucionario: «Regalo de Dios». Apenas se hubieron enterado de la rendición de Aguinaldo, se habían dirigido a Biacnabató, donde Novicio esperaba encontrar todavía algunos de sus libros y enseres personales; pero el campamento de Aguinaldo había sido desmantelado por completo. Los mismos lugareños que los habían acogido caritativamente, suministrándoles ropa y comida, narraron a Novicio las últimas vicisitudes de aquella intentona revolucionaria: los *castilas* habían lanzado una ofensiva, estrechando el cerco sobre Aguinaldo y construyendo fortificaciones allá donde lograban conquistar terreno; al mismo tiempo, el nuevo gobernador general, Primo de Rivera, había ordenado la deportación de los familiares de los sublevados y restringido el movimiento de las personas, exigiendo salvoconductos y autorizaciones administrativas muy rigurosas; así logró estrangular las vías de abastecimiento de Aguinaldo y descorazonar a sus seguidores, que viendo rotos sus vínculos familiares fueron perdiendo fuelle en su ardor guerrero. Cuando la comida empezó a escasear y las deserciones entre sus fieles se hicieron frecuentes, Aguinaldo se avino a firmar un armisticio con Primo de Rivera, por el que a cambio de cesar en la lucha y entregar las armas obtenía para sí y para sus hombres el indulto, así como la devolución de todos los bienes embargados y una suculenta indemnización. Aguinaldo y sus lugartenientes se habían exiliado en Hong Kong, donde al parecer gozaban de una absoluta libertad de movimientos y hasta del beneplácito de las autoridades británicas para reorganizar sus huestes y establecer contactos con emisarios yanquis, traficantes de armas y otros detritos humanos interesados en el menoscabo de la declinante España, antaño dominadora del orbe. Según había podido comprobar conversando con los patriotas del lugar, este arreglo firmado por Aguinaldo era, en realidad, una excusa para ganar tiempo y lograr que los *castilas* bajaran la guardia y redujesen los efectivos militares en el archipiélago; y tal argucia la juzgaban muy sagaz y provechosa. Novicio, por el contrario, la hallaba indigna y aborrecible, del mismo modo que hallaba indignas y aborrecibles las armas de fuego, calificadas con razón por don Quijote como «diabólica invención» que permite que un infame y cobarde brazo quite la vida a un valeroso caballero; y consideraba que todas las artimañas desplegadas para engañar o confundir al adversario eran infracciones contra el honor.

—Y, por supuesto, Teodoro, no sueñe con que yo vaya a marchar a Manila —lo reprendió sor Lucía—. Volvemos a Baler.

Se había apañado un atuendo heteróclito que en otras circunstancias hubiese provocado la hilaridad de Novicio: corpiño de amazona, pantalones de guinga, botas militares muy altas y remangadas y, en la cabeza, a modo de toca improvisada, un pañuelo de jusi. Durante las semanas que habían estado escondidos en Sierra Madre, Novicio había visto crecer el cabello de sor Lucía, que aunque greñudo por la falta de higiene había alcanzado ya una longitud perturbadora. También era perturbador su talle, ahora delatado por el corpiño. Novicio cerró los ojos, para espantar los malos pensamientos, y se llevó la mano a su amuleto.

—Se han ofrecido para llevarla a San Miguel. Desde allí marchará a Manila. No hay nada más que hablar —dijo muy reposadamente, viendo con cierta prevención cómo sor Lucía trataba de desfogar su ira trepando a una peña.

—De aquí no me muevo, si no es para volver a Baler —insistió ella, con los brazos en jarras, una vez coronada la peña—. Allí es donde están mis obligaciones. Hay muchas almas a las que atender.

Y su rostro volvió a albergar esa sonrisa ancha que desarmaba las reticencias de Novicio.

—Tiene que obedecerme, hermana. Sólo busco su bien. —Hubiese deseado explicarse con más convincentes razones, pero siempre que se enzarzaba en disputas con sor Lucía acababa trabucando sus razones, así que atajó por las bravas—: ¿Para qué coños ha profesado usted el voto de obediencia, si no es para obedecer a la autoridad? Pues aquí soy yo el que representa la autoridad, por algo soy el varón.

Sor Lucía lo miró primero con estupor, luego con alborozo, y se carcajeó en sus barbas, palmeándose los muslos. Tenía los muslos demasiado entecos, más incluso de lo que en ella era habitual, tras las privaciones de Sierra Madre; al menos, para el gusto de Novicio, que en alguna ocasión había pensado que si una mujer tan flaca fuese su esposa la cebaría, después de la boda, como a los marranos. Pero sor Lucía, para su fortuna o su desgracia, no podía ser su esposa; a veces, se consolaba apostillando: «Ni mía ni de nadie».

—¡Ay, Teodoro, es usted más tonto que un camote! —se choteó sor Lucía—. En primer lugar, ya le he dicho mil veces que no soy una monja, y que por lo tanto no hago votos, sino promesas. —Hizo una pausa enfática, como si se dirigiera a un retrasado, pero para Novicio aquella distinción tiquismiquis era puro bizantinismo—. En segundo lugar, yo sólo obedezco a mis superiores eclesiásticos; fuera de estos, no tengo obligación con nadie, y mucho menos con usted. ¡Hasta ahí podíamos llegar!

—¿Tampoco obedecería a los militares españoles, si le dijeran que para su seguridad es mejor que vaya a Manila? —insistió Novicio.

—¿A los militares? Los mandaría a paseo, por supuesto.

E hizo un gesto desafiante. Novicio bramó:

—¡Pues menuda patriota está usted hecha!

—¡Anda con lo que me viene ahora! Yo, como religiosa, no me meto en esas cosas de la política.

Y afectó un tono humilde y marisabidillo, como de monjita modélica, para chinchar a Novicio, que sabía que tenía la discusión perdida. Enseguida comprendió, desde el momento mismo en que la había tomado como rehén, que era una mujer bragada; pero en lugar de reprimir en ella el más mínimo atisbo de rebeldía, Novicio había cometido el error de condescender y contemporizar; y había excusado ante sus hombres estas muestras de debilidad aduciendo que el trato que se debe dispensar a una mujer, aunque milite en las filas enemigas, debe ser siempre exquisito. Pero, íntimamente, Novicio sabía que aquella mujer le removía sentimientos que creía hibernados, ablandándolo y sacándolo de sus casillas a un tiempo; y así sor Lucía había ido ganándole poco a poco la voluntad y tal vez perdiéndole el respeto. El miedo, en cambio, nunca se lo perdió, pues nunca se lo tuvo, hasta llegar a cogerle las sobaqueras (en expresión jocosa que sor Lucía había enseñado a Novicio); y así, cogido de las sobaqueras, lo había traído al retortero desde aquella noche infausta del ataque a Baler. Ya cuando instalaron su primer campamento, cuatro leguas al sureste del pueblo, en las estribaciones de Sierra Madre, sor Lucía, en lugar de compartir las tribulaciones y los lloros de las otras hermanas, anduvo malmetiendo a sus hombres. Cuando supo que desde Manila se habían enviado refuerzos a Baler y que en la plaza habían desembarcado tropas para socorrer la guarnición diezmada, sor Lucía propuso a un par de balereños que robasen los fusiles, aprovechando algún momento en que Novicio y sus fieles relajasen la vigilancia, y que volvieran con ellos a Baler, devolviéndoselos a sus legítimos dueños; propuesta que hizo más tentadora azuzando en ellos la nostalgia de su pueblo y de sus familias abandonadas. Cuando los balereños ya flojeaban, Novicio supo de las intenciones de sor Lucía, a la que llevó a un aparte en la espesura y la apuntó en el pecho con uno de los fusiles robados:

—He sabido que andaba usted en corros y cuchicheos con unos hombres de mi partida, proponiéndoles que nos traicionasen —le dijo, adoptando el tono de un juez que no admite coartadas—. Se ha hecho usted reo de ser pasada por las armas.

Novicio apretó la boca del fusil contra su esternón, allá donde se refugiaba su crucifijo de plata colgado de una cadenita.

—Hágalo, señor Novicio. ¿A qué espera? —dijo ella, con desarmante entereza—. No le guardaré ningún rencor. No temo a quienes matan el cuerpo pero no pueden matar el alma.

A Novicio no se le había pasado por la cabeza matarla, y mucho menos con un fusil, que juzgaba un arma de cobardes; pero la cita evangélica —que enseguida identificó y hasta ubicó exactísimamente en el versículo vigésimo octavo del capítulo décimo de San Mateo, por culpa del malhadado método nemotécnico que le habían ayudado a desarrollar los dominicos— lo encabronó, pues nada odiaba tanto de sí mismo como aquel cúmulo de reminiscencias católicas de las que no había logrado desprenderse, ni aun frotando con el aguarrás de la apostasía.

—No me toree que la mato —dijo, amartillando el fusil—. Usted ha querido sublevar a mis hombres.

Sor Lucía parpadeó entonces con la misma celeridad con la que el colibrí bate sus alas, denotando extrañeza o perplejidad.

—Dispense, señor Novicio, pero eso no tiene ni pies ni cabeza. ¿Cómo va una monja a sublevar a sus hombres, que son tan aguerridos y anticlericales?

Desde aquel instante, Novicio aprendió que sor Lucía era monja cuando así le convenía titularse; y, cuando no, le soltaba aquella monserga de los votos y las promesas, para aturdirlo. Ordenó a sus fieles que extremaran las medidas de vigilancia sobre ella, dificultando en lo posible su comunicación con las otras hermanas, sobre las que ejercía notorio predicamento, y también con los balereños que todavía los acompañaban, a los que podía embaucar con sus sofismas, por ser gente rústica e impresionable. Este apartamiento al que sometió a sor Lucía le permitió conversar más tiempo con ella (y no había mayor solaz para Novicio que departir con aquella desconcertante e indómita mujer), vivaqueando en derredor de una hoguera, o al cobijo de una cueva. Como no tenía otro modo de agasajarla, salía todas las mañanas de caza con su arco y no volvía al campamento hasta cobrarse una pieza, de la que le ofrecía las primicias: a veces era un chacón, un bicho semejante a la salamandra que sor Lucía recibía con asco, aunque luego reconociese que, asado, su carne sabía a una mezcla exquisita de pollo y de trucha; a veces un jabalí o un sambar, y entonces la pitanza estaba asegurada. No pudo Novicio, en cambio, volver a cazar un cálao, lo que lo disgustó sobremanera, pues hubiese querido lucirse ante sor Lucía; no por gallear o presumir de hombría, sino porque deseaba tenerla siempre atendida con solicitud, un prurito que jamás lo había desvelado antes, en su trato con ninguna otra mujer. Estuvieron casi dos semanas escondidos en Sierra Madre, hasta que recibieron la primera comunicación de Aguinaldo, en la que ordenaba que le mandase de inmediato las armas sustraídas a los *castilas* y también los rehenes que tuviera en su poder, a los que esperaba utilizar como moneda de cambio, en caso de que tuviera que entrar en negociaciones con el ejército. Aunque sabía que Aguinaldo era hombre caballeroso que no transigía con las expansiones de la chusma, Novicio temió que las hijas de la Caridad fuesen tratadas de forma indecorosa o vejatoria por los elementos más descontrolados de Biacnabató; y temblaba de furia cuando pensaba que ese trato se le pudiese dispensar también a su dilecta sor Lucía. Compartió con ella su inquietud; y enseguida sor Lucía le brindó la solución al dilema:

—Envíe a parte de sus hombres con los fusiles. Y mande a Aguinaldo una carta diciéndole que las monjas estamos enfermas y no podemos de momento caminar.

Aunque su tez se hubiese quemado un tanto en las últimas semanas, por efecto de aquella vida a la intemperie, y sus cabellos cortados a trasquilones empezaran a enmarañarse, conservaba aquella mirada como de venado, de ojos grandes y absortos, que seguía siendo un misterio para Novicio; pero un misterio subyugador en el que le hubiera gustado quedarse a vivir. Hizo tal como sor Lucía le sugería, enviando por delante a la mitad de sus hombres con las armas y quedándose en Sierra Madre con unos pocos, encargados de velar por las hermanas, que ya para entonces —comienzos de noviembre— habían reconstruido sus rutinas comunitarias, sus rezos de horas, sus rosarios, trisagios y demás disciplinas devotas, para sorpresa y deslumbramiento de sus hombres, que las espiaban cautivados. Y era, en verdad, chocante y perturbador asistir a los rezos de las hijas de la Caridad, siempre de cara al sol naciente, en un murmullo en el que sólo Novicio podía distinguir la exacta prosodia del latín, las concordancias infalibles, esa álgebra musical de la sintaxis que los dominicos de Manila le habían enseñado a distinguir; tan chocante y perturbador como debió de resultar a Acteón contemplar el baño de Diana. Para no convertirse en ciervo o en algo todavía peor, Novicio no osaba, en cambio, espiar las abluciones de las hermanas, ni permitía que sus hombres lo hicieran; pero estimulaba su piedad comprobar que, pese a sus esfuerzos de higiene, cada vez parecían más desastradas, con aquellos camisones convertidos casi en andrajos y los pies cubiertos por unas polainas que el propio Novicio les había confeccionado, con las pieles de las bestias que cazaba. Y justo entonces, cuando la piedad amenazaba con inspirarle la idea de liberarlas, llegó la segunda comunicación de Aguinaldo, traída en esta ocasión por un emisario malencarado que le trasladó el enojo de su caudillo. En su carta, Aguinaldo amenazaba a Novicio con juzgarlo por traidor; y comprometía su honor en asegurar que las hermanas no serían ultrajadas ni molestadas en modo alguno, mientras estuviesen a su cargo en Biacnabató. Las necesitaba urgentemente para canjearlas por algunos de sus más cercanos colaboradores, que los *castilas* habían apresado durante las últimas ofensivas.

—Pues si no queda otro remedio y considera que Aguinaldo es hombre de palabra, entréguenos de una vez, señor Novicio —aceptó sor Lucía—. Dígale al emisario que nos pondremos de inmediato en camino.

Al verla resuelta a marchar, Novicio sintió un desgarro en las entrañas, como si algún espíritu bellaco se le hubiese metido en las tripas, burlando la protección de su *anting-anting*. No estaba dispuesto a separarse de ella tan fácilmente:

—No, usted se queda conmigo. Enviaré a mis hombres con las otras hermanas.

Era plenamente consciente de que una decisión tan insólita sugería —o podía sugerir a quien estuviese dispuesto a concebir desatinos— algo sórdido; y la propia sor Lucía se rebeló contra ella, alegando que antes prefería la muerte que separarse de sus compañeras. Entonces recurrió Novicio a argumentos que hubiese preferido no esgrimir (sobre todo, porque no se le escapaba que eran coartadas para disimular su deseo de mantenerse a toda costa al lado de sor Lucía, de quien ya se consideraba su legítimo y único guardián):

—Piense, hermana, que para los *castilas* soy un filibustero; y para Aguinaldo un traidor, o al menos alguien que ha desafiado su autoridad —se explicó, tratando de ganarse su comprensión. Y añadió temerosamente, como si sospechara que la galantería pudiera enfadarla—: Si usted se queda conmigo, además de regalarme su compañía, me hará un gran favor. Pues de este modo, llegados a una situación en la que mi vida peligrase, yo podría fingir ante los *castilas* que es usted mi rehén, y usted podría interceder para salvar mi pellejo.

Sor Lucía lo escrutó de hito en hito, escamada y frunciendo el ceño. Luego su rostro se iluminó y lo llamó por primera vez con aquel nombre que no era exactamente el suyo:

—Acepto, Teodoro. ¿Sabe lo que significa Teodoro?

A Novicio los dominicos —¡malditos frailes, pródigos en sabidurías!— también le habían enseñado griego. Murmuró, un poco emberrinchado:

—Mi nombre es Teodorico, no Teodoro.

—¿Y qué prefiere ser, regalo o regalico de Dios? —se burló sor Lucía—. Como regalo del buen Dios lo aceptaré —dijo, elevando los ojos al cielo y adoptando un tono resignado—, que habrá elegido a esta esclava para devolverlo al redil. Ya sabe que habrá más alegría en el cielo por un pecador...

—Ya, ya lo sé —la cortó Novicio, antes de que le endilgara otra odiosa cita evangélica.

—No, no lo sabe, mentiroso —jugueteó sor Lucía—. Usted quiere darse pisto ante mí, haciendo como que estudió con los frailes.

Aún forcejearon un poco; y Novicio aguantó los embates de sor Lucía, que muy coquetamente puso en duda que hubiese ni siquiera leído el Nuevo Testamento. Novicio entró al trapo como un torete:

—Lucas, capítulo decimoquinto, versículo séptimo: «*Dico vobis: Ita gaudium erit in caelo super uno peccatore paenitentiam agente quam super nonaginta novem iustis, qui non indigent paenitentia*».

Por fin había logrado dejarla boquiabierta. Novicio hubiese deseado la suspensión del universo físico, para saborear el gozo de aquel instante durante años o siglos. Pero ¿no estaría ansiando la eternidad que le prometieron los frailes?

—¡No me lo puedo creer! —exclamó sor Lucía, llevándose las dos manos a la boca, en actitud más pasmada que orante—. ¡En latín! ¡Teodoro, sabe usted latín!

—Me hicieron aprender de memoria media Vulgata, los puñeteros frailes —rezongó Novicio.

En medio de grandes alharacas luctuosas, marcharon todas las hijas de la Caridad, menos sor Lucía, a Biacnabató, acompañadas de los hombres que restaban en la exigua partida de Novicio. Si las escandalizaba que sor Lucía se quedase a solas con un individuo silvano y desaprensivo que tal vez guardase intenciones deshonestas o al menos homicidas, nada dijeron, estupefactas. Cuando se quedaron solos en la sierra, fugitivos de España y de los insurrectos, Novicio y sor Lucía supieron que acababan de traspasar una línea invisible, uno de esos mojones que la vida pone en nuestro camino para advertirnos que, de ahí en adelante, nuestros días se adentran en territorios incógnitos. Sabían ambos que era una situación provisional que concluiría cuando uno de los dos bandos en liza resultase triunfante, o cuando ambos decidieran allanarse y abandonar las armas; pero hasta que tal cosa ocurriera tendrían que acostumbrarse a vivir como proscritos. Y, aunque ambos fingieran que la proscripción los disgustase, la preferían antes que la justicia de los *castilas* —Novicio— o la hospitalidad de los insurrectos —sor Lucía—, que imaginaban más bien dudosas. Habían encontrado una cueva que les venía como pintiparada, nada húmeda y con recovecos que permitían a sor Lucía proteger su intimidad. De conseguir sustento se encargaba muy gustosamente Novicio, cada vez más avezado con el arco y las flechas, así como de cocinarlo; pues aunque sor Lucía se resistía, Novicio se había propuesto tenerla en todo atendida como a una reina, o siquiera como a una priora. Y atendiéndola con solicitud, cuidándola con mimo, sirviéndola con reverencia, Novicio notaba que, al fin, su vida se consagraba a una causa cierta y tangible, y también notaba los efectos benéficos que la consagración a esa causa derramaba sobre él, pues cada nuevo día sentía que un ímpetu hasta entonces desconocido lo mantenía en vela, lo mantenía en vilo, lo mantenía expectante y agradecido. Y cuanto mayores eran sus desvelos y más devota la dedicación a su nueva causa, más avergonzaba a Novicio la causa revolucionaria a la que hasta entonces se había entregado en cuerpo y alma, que definitivamente se le antojaba una entelequia mendaz, tramada por mentes utópicas que, en su alejamiento de la realidad, habían extraviado el pálpito de la vida; y se avergonzaba, todavía más, de haber arrastrado a otros, de haberlos envenenado con las mismas entelequias, de haberles tupido las meninges con aquella bazofia de proclamas energúmenas y consignas grandilocuentes que ansiaban instaurar un imposible paraíso en la tierra; y se avergonzaba, sobre todo, de haber matado por aquella entelequia y de haber permitido que otros murieran en su defensa.

Para sor Lucía, aquel secuestro (Novicio jamás empleaba la palabra rapto, por su trasfondo sórdido) había empezado siendo una calamidad contra la que se rebelaba sin rebozo, tal vez en una búsqueda del martirio, o tal vez por efusión natural de su carácter levantisco. Sin embargo, con el paso de las semanas, y a medida que su complicidad con Novicio era mayor, afrontaba el secuestro como una oportunidad para aprender cosas sobre sí misma y también sobre Dios, leyéndolas en el libro de la naturaleza, como habían hecho aquellos frailes pioneros de antaño, que explorando la botánica o desempolvando restos arqueológicos llegaban, después de ascender peldaños en la escalera de las causas, hasta el motor primero. Por supuesto, sor Lucía sabía que aquella vida selvática y contemplativa la apartaba de su vocación; pero no hacía de esta contrariedad una desazón que la reconcomiese por dentro, sino que la aceptaba gustosamente —o siquiera resignadamente— como una prueba, al estilo de aquel retiro en el desierto que Cristo afrontó, al comienzo de su vida pública. Por lo demás, en el trato con su captor, que poco a poco se iba convirtiendo más bien en su protector y paladín, había encontrado un acicate dialéctico para su fe, que como ocurre con los músculos que sólo se ejercitan rutinariamente corre el riesgo de hacerse maquinal y automática; y gozaba mucho —le costaba reconocerlo, pero así era— de sus contiendas y porfías con Novicio, en las que él siempre trataba de esconder (en vano) una formación de la que renegaba y de cegar (más en vano todavía) una inquietud espiritual que sin embargo lo seguía acuciando. Y —esto le costaba todavía más reconocerlo— también disfrutaba con las atenciones y miramientos que Novicio le dispensaba a su modo entre rudo y atolondrado, porque a nadie le amarga un dulce, sobre todo si es un dulce inopinado, como ocurrió el 13 de diciembre, cuando al despertar sor Lucía descubrió una escudilla repleta de bayas y frutas silvestres cerca de su lecho (o del remedo de lecho que el propio Novicio le había preparado, con forraje y un par de mantas), a modo de ofrenda. Hasta ella misma había olvidado que era el día de su santo.

A Novicio le remordía la conciencia que sor Lucía sobrellevase aquella vida de proscrita, expuesta a que la mordiese una serpiente o la devorase una fiera o la decapitase un ilongote (todavía no habían visto a ninguno, pero Novicio se mantenía ojo avizor, en previsión de su ataque); y trataba de acallar aquellos remordimientos expiando su culpa por todos los medios a su alcance: no sólo se preocupaba de cazar y cocinar para ella, también velaba mientras dormía (aunque ella lo ignorase), haciendo de centinela de su respiración, sin atreverse siquiera a mirarla (espiar su sueño se le antojaba una profanación), mucho menos a rozarle un solo pelo de la cabeza, pero sintiendo —mientras la respiración de sor Lucía actuaba como diapasón de sus latidos y sus pensamientos— que cada célula de su cuerpo estaba presta a morir en defensa de aquella mujer, y también a matar por ella. A veces, ciertamente, se quedaba traspuesto durante su vigilia, pero sólo después de cerciorarse de que los elementos habían amainado y las bestias de la selva se habían refugiado en sus madrigueras; y, en su duermevela, no hacía sino anticipar los deleites del espíritu que sor Lucía le regalaría al día siguiente: su alegría en medio de la adversidad, aquella especie de candor o sabiduría intuitiva que le permitía ser a un tiempo prudente e intrépida, su clarividencia y su tozudez, sus dotes de polemista y ese modo suyo —tan persuasivo y gracioso, tan arriscado también, si le convenía— de llevar el agua a su molino y salirse siempre con la suya. Sor Lucía le había contado las circunstancias biográficas infaustas que habían formado su carácter: siendo todavía una niña de apenas ocho años y residiendo en la provincia de Alvay, donde su familia se dedicaba al cultivo del abacá, su padre había viajado por asuntos de su negocio a Mindanao, donde había perecido a manos de unos piratas joloanos que merodeaban la isla; cuando la noticia llegó a Alvay su madre creyó enloquecer, y en unos pocos meses dio en consumirse tanto que su salud se quebrantó, sumergiéndola en una suerte de estupor o melancolía que la llevó a la tumba. Las autoridades de Alvay determinaron entonces mandar a la niña huérfana al colegio de Santa Isabel de Manila, regentado por las hijas de la Caridad, una fundación para huérfanas españolas donde recibió una educación esmerada y se cubrieron los gastos de su alojamiento y manutención con los fondos administrados por el patronato del colegio, que además destinaba para cada pupila, a la conclusión de sus estudios, una pequeña dote de trescientos pesos para su equipo de novia. Sor Lucía devolvió aquella dote y pidió ingresar en el beaterio de Santa Rosa que las mismas hijas de la Caridad mantenían en Manila, para conocer mejor su carisma y su regla de vida; la orfandad había convertido a aquellas hermanas en su única familia, y también la había hecho —por solidaridad— más consciente del dolor innumerable que anida en el mundo. Y aquel apóstrofe de San Vicente de Paúl se convirtió en su lema vital: «La perfección cristiana no es patrimonio exclusivo del claustro. Vuestro convento serán las casas de los enfermos, vuestro claustro las salas de los hospitales, vuestra celda las escuelas y las prisiones». Nunca había sido una niña demasiado mística, ni siquiera beata, pero en aquella donación constante había encontrado la causa cierta y tangible que, en cambio, le faltaba a Novicio (antes de conocer a sor Lucía, al menos).

—¡Usted debería ser el primero en querer regresar a Baler! —le reprochó, encaramada en la peña—. ¡Mejor sería que fuese a pedir perdón a los balereños, por el daño que les hizo!

Aquella catarata de recriminaciones hizo añicos el ensimismamiento de Novicio. Cuando hasta la cueva en la que se refugiaban llegó un eco de cohetes que despertaban bandadas de pájaros fugitivos y llenaban el cielo con el perfume dominical de la pólvora, Novicio y sor Lucía decidieron acercarse a Biacnabató, para saber a qué bando se tributaban las celebraciones y en qué circunstancia se había producido la rendición. Pero ahora que sabía que el final de las hostilidades había sido una componenda sin vencedores ni vencidos, no sabía qué decisión adoptar.

—Los balereños conocían el peligro que corrían —se defendió Novicio sin excesiva convicción—. Y murieron luchando por la patria.

Todos aquellos lugares comunes y trilladísimos se le hacían ahora repelentes, de una vacuidad que lo abochornaba, pero seguía recurriendo a ellos como por movimiento reflejo.

—¿Qué patria ni qué niño muerto? —se burló sor Lucía—. Mire su admirado Aguinaldo, cómo se ha ido pitando a Hong Kong con el dinero que le han dado.

Había empleado un retintín irónico que lo golpeó acaso más duramente que el propio contenido de la acusación. Novicio miró el cielo repentinamente anubarrado, tal vez ceniciento o cinerario, en homenaje a tanto muerto inútil.

—Está bien, la llevaré a Baler —accedió Novicio, en un tono también ceniciento—. Pero esta vez no iremos por la sierra. Aprovecharemos el valle del río Pampanga para llegar antes.

Pernoctaron aquella noche en las grutas de Biacnabató, desde donde contemplaron la caída de una lluvia torrencial, insólita en aquella época del año, azotada por un viento racheado que silbaba lúgubremente. Los truenos retumbaban a cortos intervalos, como muebles que se despeñan desde los desvanes de Dios y disputan entre sí un concierto horrísono, mientras relampagueaban los rayos, en una exhibición que dejaba en ridículo las celebraciones pirotécnicas por la paz de Biacnabató. Mientras rugían los elementos, Novicio hizo a sor Lucía una narración sucinta de su itinerario intelectual, en retribución por las confidencias que ella le había hecho sobre su vocación; no le había correspondido hasta entonces, porque referirse a su pasado se le hacía tan doloroso como extraerse una flecha, o más exactamente un haz de flechas. En el dolor de Novicio se aunaban la contrición por haber servido a unos ideales que habían infligido daño a otros y la vergüenza por haberlos traicionado, o siquiera por haberlos manchado con su escepticismo; y esta simbiosis de dolores hacía más oneroso su descargo de conciencia.

—Yo no lo puedo absolver, Teodoro —lo consoló sor Lucía—. Pero acabará encontrando la paz, estoy segura. Nadie merece la paz más que usted.

Y le puso la mano en la frente, como si quisiera apaciguar el hormiguero de sus remordimientos; y, antes de retirarla, le acarició muy levemente la mejilla, boscosa de una barba que apenas se había retajado durante los últimos meses. Fue tal el efecto pacificador —salutífero— de aquella caricia que Novicio consideró seriamente no volverse a afeitar nunca, aunque la barba le creciera más bien rala y desigual (como era común entre los hombres de su raza), para que el fantasma de la caricia le sirviese de *anting-anting*, seguramente más eficaz que el amuleto que seguía pendiendo de su cuello, más por hábito que por otra cosa, pues desde hacía semanas se había olvidado de manosearlo antes de acometer cualquier empresa. Tampoco lo hizo a la mañana siguiente, cuando muy trabajosamente se pusieron en marcha, espantando el cansancio que les había penetrado hasta la misma médula de los huesos, como ocurre siempre que nuestro organismo baja la guardia, pensando que ya ha superado las penalidades que lo han mantenido en tensión. En la cuenca del río Pampanga abundaban los esteros, invadidos por una vegetación lujuriante que impedía distinguir las ciénagas, haciendo más peligroso el avance, que sin embargo se podía ayudar de la infinidad de lianas que, a modo de báculos en relevo, descendían desde las copas de los árboles hasta las charcas. Avanzaron durante horas muy lentamente, hasta adentrarse en pantanos que les cubrían hasta más arriba de la cintura, y sus pies se hundían en una capa de limo negruzco y viscoso. El único sonido que se escuchaba era el chapoteo de los pies en aquel barro inmundo que exhalaba un hedor putrefacto, como de charca infestada de muertos, o de cementerio infestado de ranas, que a veces también quebrantaban el silencio con su concierto cacofónico, agigantando todavía más su soledad. Sor Lucía murmuró irónicamente:

—Pues menos mal que esta ruta era más descansada...

—Conozco bien el terreno, hermana —se defendió Novicio, que iba abriendo camino—. Acortamos mucho trecho, y los pantanos acaban pronto.

Un pájaro de envergadura casi mitológica huyó despavorido delante de ellos, con un aleteo que recordó a Novicio el ruido que hacen las alfombras cuando se les sacude el polvo; en su huida lanzó un graznido que más bien parecía el mugido de un becerro. Novicio no necesitó verle la excrecencia córnea sobre la cabeza para saber que se trataba de un cálao; y ya estaba a punto de avisar a sor Lucía, para que reparase en tan peregrina criatura del aire, cuando descubrió la causa de su huida, que no era otra sino un caimán que avanzaba hacia el lugar en el que ambos se hallaban, flotando como un tronco a la deriva.

—¡Jesús, María y José! —exclamó sor Lucía, santiguándose—. Ese bicharraco nos va a merendar.

Aún estaba a casi cincuenta metros; y Novicio tuvo tiempo de descolgar el arco del hombro, cebarlo con una flecha y apuntar muy cuidadosamente al entrecejo del animal, suponiendo que allí la flecha le causaría más daño y estropicio. Soltó la cuerda y la flecha fue derecha a su diana, pero su punta no se ensartó sobre aquella piel, que era correosa como una coraza y había criado musgo (que en los caimanes es como las canas en los hombres), sino que resbaló sobre ella como si fuese una espiguilla. El caimán, sin embargo, debió de advertir la agresión, porque de inmediato empezó a azotar las aguas con la cola, y su avance se tornó más sinuoso, y abrió sus mandíbulas descomunales, para mostrar unas fauces erizadas de colmillos como escarpias torcidas, amarillecidas de sarro o de cólera. Novicio lamentó, por primera y última vez en su vida, no llevar un fusil. Sor Lucía se había abrazado a su cintura y lanzado un grito de horror; en otras circunstancias, aquel abrazo lo hubiese elevado al séptimo cielo.

—Retroceda, hermana, déjeme solo —dijo.

Y, para vencer sus titubeos o su propósito de morir con él, Novicio la apartó con violencia, mientras desenvainaba el bolo. Cuando el caimán ya se le echaba encima, Novicio se zambulló en aquellas aguas cenagosas, abrazándose a la panza del saurio, que lanzó una dentellada al aire un segundo antes de advertir la maniobra de su contrincante; y, enrabietado por su error de cálculo y obligado por la tenaza de Novicio, se sumergió también en el pantano, cuya superficie se convulsionó de repente con un borbolloneo de espumas y olas encontradas, que era tan sólo un pálido eco de la lucha que en su fondo se había trabado. Novicio sentía las garras del caimán tratando de arañar su espalda y sus coletazos como violentos golpes de timón que a punto estaban de quebrarle la columna; pero mantuvo su puño apretado en torno al mango del bolo, cuya hoja hundió en el vientre del animal hasta la empuñadura, como se hunde el arado en la tierra de labranza, para que luego la tracción del carabao abra la besana. Y, poniendo en su brazo toda la fuerza bruta de un carabao, Novicio abrió el vientre del caimán, que al rasgarse descargó sobre su cuerpo un tropel de tripas cimbreantes, mientras su potente cola penduleaba furiosamente, como la aguja de una brújula que ha perdido el norte, hasta que el filo del bolo mordió su corazón henchido de una sangre que tiñó al instante el agua espumeante del pantano. Fueron segundos en los que sor Lucía temió lo peor; pero cuando vio emerger a Novicio agarrado al cadáver del caimán, chilló de alegría y entonó un trisagio que a Novicio le supo a gloria bendita.

También les supo a gloria bendita la carne del bicharraco. Novicio, después de haberse cobrado aquella pieza, disfrutaba grandemente de su hazaña, que sor Lucía no cesaba de celebrar, infundiéndole un orgullo embriagador que no saboreaba desde la pubertad, allá cuando se daba de mojicones con otros muchachos de su edad para dirimir quién era más digno del amor de la dalaga por la que todos bebían los vientos; y ese orgullo se tornaba placentero mientras desollaba el caimán, apartándole aquella piel que en otras circunstancias habría resultado valiosísima (y, al despellejarlo, el cadáver del animal exhalaba un hedor fétido, como una emanación de azufre o de cloaca), y sor Lucía le lavaba los desgarros de la espalda donde el caimán había dejado su rúbrica en la piel. La carne monda del caimán era blanca como pulpa de coco; y socarrada a fuego lento en la hoguera que Novicio prendió con yesca y pedernal y ensartada en las flechas tenía un sabor exquisito, como carne de arcángel o querubín, carne sin pecado ni espinas, con un regusto de cangrejo y también de faisán, en una mezcla inconcebiblemente sabrosa. A sor Lucía le gustaba el caimán más que a los chivos la teta, y se devoró casi un solomillo entero, con una voracidad llena de júbilo, casi inverosímil en una mujer de aspecto tan flaco. A Novicio le emocionaba verla comer con tan buen saque.

—Qué bárbaro, hermana. Parece usted una lima —ponderaba.

Y sor Lucía se llevaba una mano a la boca, con lastimado pudor, y la risa se le enrataba entre la carne a medio deglutir del caimán, atragantándola.

—A ver qué remedio —dijo al fin, después de tragar—. Con la de energías que me ha hecho gastar con esta caminata tan agradable... Pero cuando me vi desfallecer fue cuando se enfrentó a ese bicho. Algún día espero que me explique cómo logró matarlo.

Miraron ambos los despojos del caimán, que pronto servirían de pitanza a las aves carroñeras y otras faunas necrófagas.

—Ojalá lo supiese. Actué por instinto, para salvar la vida. —Sonrió, apocado—. Las vidas de ambos, quiero decir.

No le hubiese importado morir bajo aquel cielo que se atisbaba sobre la celosía del ramaje, palpitante de estrellas. Pero era aún más hermoso seguir vivo, para velar por la vida de sor Lucía.

—Espero que mañana el camino sea más llevadero, Teodoro. De lo contrario, empezaré a pensar que me ha traído por aquí para martirizarme —bromeó sor Lucía, atacando todavía otra tajada de caimán.

—Si no recuerdo mal, nos quedan unas pocas horas para terminar de vadear los pantanos —se excusó Novicio—. Aunque es el tramo más peligroso, con parajes llenos de arenas movedizas.

Esperaba una reacción asustada de sor Lucía. Pero ella siempre lo sorprendía:

—En ese caso, será mejor que me deje ir por delante. Tengo buen ojo para distinguirlas.

—¿Y cómo es eso?

El resplandor de la hoguera atribulaba su rostro, le despertaba recónditas angulosidades, hasta asemejarlo al de una amazona, antes que al de una monja.

—La plantación de mi padre estaba rodeada de marismas. Y había unas fosas de arenas movedizas tremendas. En más de una ocasión algún abacalero se quedó atrapado en esas ratoneras. —Se santiguó, compungida—. Que Dios los tenga en su seno.

Se quedaron un rato mirando el fuego, arrimando las piernas a los rescoldos que poco a poco iban secando sus ropas mojadas, sintiendo cómo el calor se arracimaba en los dedos de sus pies y ascendía luego por los empeines y pantorrillas, como un sistema cardiovascular suplementario que repartía entre ambos la misma sangre, cual vid que entre el jazmín se va enredando. Novicio escuchó los rezos de sor Lucía con creciente curiosidad, reprimiendo incluso las ganas de sumarse a ellos, y luego escuchó su respiración dormida, que era casi como la prolongación natural de su rezo, dominada por su misma cadencia. Y esa misma cadencia aún ritmaba sus pasos a la mañana siguiente, mientras se dirigían, todavía entumecidos, hacia el pantano, que poco a poco se iba transformando en una inmensa ciénaga. Tenían que arrancar los pies del fango, donde a cada paso se enterraban, cuidando de no dejar las botas allí atrapadas. Novicio avanzaba preocupado por las posibles fosas de arenas movedizas que pudieran abrirse aquí y allá, prestas a engullir a un hombre en cuestión de segundos y a dispensarle una muerte atroz. Pero sor Lucía caminaba con un aplomo casi sobrenatural, como si un ángel le marcase la ruta entre los cañaverales cada vez más tupidos y las nubes de mosquitos que espantaban a manotazos, como si apartaran sucesivos cortinajes que enseguida volvían a cerrarse, entorpeciendo su paso. De vez en cuando se volvía hacia Novicio y le advertía:

—Mucho cuidado a la derecha. Ni se le ocurra meter allí el pie.

Era como si anteriormente hubiese cruzado aquellas ciénagas cientos de veces. Alcanzaron por fin, cuando el sol ya les hería el rostro, una elevación del terreno mucho más seca y buscaron acomodo entre las raíces de unos árboles umbrosos, retorcidas como los tentáculos de un pulpo y tapizadas de un musgo blando como un colchón. Estaban derrengados y parecían trogloditas, cubiertos de aquel barro que, al secarse, formaba una costra cenicienta y se resistía a desprenderse de la piel. Sor Lucía se entretuvo descascarillando la espalda de Novicio durante un rato, atacada a cada poco por la risa, y curando las heridas que le había infligido el caimán; y Novicio se reía también, un poco más a regañadientes y como atenazado por el pudor, con las cosquillas que la cura le provocaba. Para ahuyentar la complacencia, Novicio se dirigió a una mata de bambúes que crecían en la orilla de un riachuelo, de la que cortó a golpe de bolo un par de cañas, para que les sirviesen de báculos en lo que restaba de camino hasta Baler. Entonces, al apartar la maleza, descubrió oculta una canoa pintarrajeada con motivos rudimentarios cuya procedencia enseguida reconoció. Sor Lucía había reparado en su gesto de alarma y corrió a reunirse con él. Novicio trató de infundirle calma:

—Son ilongotes, hermana. Deben de andar por aquí cerca.

Sor Lucía reprimió un escalofrío. Jamás se había tropezado con un miembro de la tribu de los ilongotes, que había permanecido impermeable a las prédicas de los misioneros y que celebraba el acceso a la edad adulta de sus miembros decapitando a sus enemigos; pero había escuchado muchas veces las historias que los tagalos de Baler contaban, acerca de su ferocidad casi mitológica.

—¿Y si destruyéramos su canoa, para que no puedan seguirnos? —se le ocurrió.

—Mejor dejarla como está —dijo Novicio, mientras retrocedían ambos, sin volver la espalda—. Tal vez todavía no hayan reparado en nosotros. Y, además, ya no les servirá de nada, ahora entramos en terreno seco.

Se agazaparon entre las raíces musgosas de los árboles, que actuaban como parapeto, espiando las matas de bambú donde se hallaba oculta la canoa, a la espera de que acudieran a buscarla sus dueños. De la selva llegaba un murmullo acuático, una ululación cavernosa que reverberaba en la bóveda vegetal, amalgamando el canto de las aves, el zumbido de los insectos, el lenguaje viperino de las culebras y el rugido sordo de los depredadores al acecho. También los olores de la selva, dulces o acres, aromáticos o hediondos, se fundían en perfecta simbiosis; y eran tan densos que los obligaban a respirar con ansiedad.

—Mírelos, Novicio.

Era una pareja de guerreros ilongotes, menudos y esbeltos, con la piel tatuada de los mismos o parecidos pintarrajos que la canoa, las orejas taladradas por pendientes que eran astillas de hueso pulimentado y, sobre las cabezas, el majestuoso tocado que elaboraban con el pico y la excrecencia ósea que le crecía a modo de casco al cálao. Novicio no ignoraba que aquellos tocados los reservaban los ilongotes para sus cacerías de cabezas humanas. Ambos iban armados: el que parecía ostentar mayor autoridad empuñaba una lanza de palma brava en forma de arpón y un gran arco de casi dos metros de longitud, cuya cuerda estaba confeccionada con bonote, filamento de corteza de coco, y sobre la espalda cargaba un carcaj de caña; el que lo seguía portaba una larga cerbatana, y los dardos ponzoñosos los llevaba ensartados en una tira de cuero que a modo de canana le cruzaba el pecho. Ambos, en fin, llevaban atado con bejucos a la cintura, en una ancha vaina de madera, el machete con el que decapitaban a sus víctimas. Y ambos iban con los perendengues al aire, bamboleantes como el badajo de una campana sin música; pero sor Lucía ni siquiera se inmutó, tal vez porque la situación no invitaba a melindres ni aspavientos. Novicio notó que un insecto se había posado sobre su cuello, clavando a conciencia su aguijón en la carne, que de repente empezó a arderle; pero soportó estoicamente las ganas de aplastarlo, mientras los ilongotes empujaban la canoa aguas adentro y se instalaban por fin en ella, alejándose hacia los pantanos. Al poco, se empezó a escuchar el chapaleo de los remos sobre el agua espesa de fango y, a medida que ese chapaleo se perdía en la lejanía, los ruidos de la selva, hasta entonces mezclados en una misma aleación, se fueron disociando lentamente, hasta componer un concierto aturdidor. Novicio y sor Lucía permanecieron todavía un rato inmóviles y en silencio, hasta que tuvieron la certeza de que los ilongotes se habían alejado suficientemente. Cuando por fin se decidieron a adentrarse en la selva, la rigidez se había apoderado de sus músculos. Sor Lucía alzó los ojos para mirar al sol, que ya había empezado a declinar sobre el horizonte.

—En un par de horas empezará a anochecer —murmuró.

Novicio asintió, meditabundo:

—Será mejor que encontremos un lugar seguro para dormir. No podemos caminar de noche.

Por primera vez sentía que no podía garantizar la protección de sor Lucía; y esa escondida certeza lo afligía como un baldón.

—¿Y los ilongotes? —preguntó ella—. ¿También interrumpen su cacería durante la noche?

—Mucho me temo que no —dijo gravemente Novicio, tras un titubeo en el que consideró mentirla. Pero ya no podía mentir a quien sentía como un apéndice de sí mismo, tal vez la parte más valiosa de sí mismo—. De hecho, es de noche cuando desatan sus cacerías. Pero no conocemos el terreno tan bien como ellos, y cualquier intento de escapar sólo nos conduciría, en el mejor de los casos, a perdernos.

Trató de esbozar una mueca cómica, fingiendo que había recobrado el humor, pero sus ojos tenían un barniz vidrioso, como si miraran al vacío, y su rostro estaba muy demacrado y amarillento, como el de un santo de Ribera. Aquel pavor que en la infancia le infundían los guerreros ilongotes había vuelto a apoderarse de él, reduciendo a escombros su temple. Imaginaba a los ilongotes fundidos con la sombra, que a medida que se acercaba el crepúsculo era más oscura y deslizante; los imaginaba enterrados entre la hojarasca, o pegados al tronco de un árbol hasta mimetizarse con su corteza, antes de lanzar el golpe que cortase de un solo tajo sus cuellos.

—En cuanto alcancemos un promontorio nos detendremos y no moveremos un solo dedo —dijo, afectando entereza—. Al menos desde lo alto podremos advertir si se acercan a nosotros, por muy sigilosos que sean.

Sor Lucía asentía, tratando de convencerse de sus posibilidades de escapatoria.

—¿Cree que enviarán más hombres para buscarnos? —preguntó.

—Unos diez hombres suelen formar sus partidas de caza —respondió Novicio, sin alterar la voz—. Llegado el caso tendremos que vender caro el pellejo. Espero que no se achante y envíe alguno al infierno, hermana —bromeó—. ¿Sabe utilizar el bolo?

—No cuente conmigo para eso, Teodoro —respondió ella, medio en chanza, medio en serio—. Mi religión me prohíbe enviar a la gente al infierno.

—¡Menuda religión! Todo son prohibiciones.

Rieron ambos, para espantar el miedo. De vez en cuando, a medida que se internaban en la selva, tenían que deslizarse otra vez en charcas de agua, temblando al sentir su contacto frío y viscoso y el hedor de putrefacción que desprendían, para no desviarse de los claros que la luz moribunda del sol teñía de tonalidades púrpuras, casi cárdenas. Alcanzaron, en mitad de uno de aquellos claros, un tíndalo gigantesco que se alzaba sobre la vegetación feraz, como un vigía antediluviano que guardara memoria del Génesis. Tenía una copa ancha y frondosa y un tronco lleno de protuberancias que facilitaban el ascenso. Novicio palmeó la corteza, como si saludara a un viejo amigo.

—Creo que no será mal sitio para pasar la noche —dijo—. La tierra que lo rodea está completamente seca y no conserva huellas de nuestras pisadas. Y arriba hay espacio de sobra para dos inquilinos.

Sor Lucía alzó la mirada hacia el nacimiento de las ramas más bajas, que era bastante accesible y seguro, pues el tíndalo es árbol robusto, de madera apretada y rezumante de savia.

—¿Está seguro de que no nos descubrirán? —preguntó, vacilante.

—Al menos estaremos más escondidos que en el suelo. Y prometo estar vigilante toda la noche.

—Yo puedo darle relevos, Teodoro —trató de animarlo ella—. Le advierto que no estoy tan cansada...

Era una advertencia irrisoria, pues aunque la última luz ya se desvanecía, su rostro de facciones limpias estaba excavado de arrugas; y tenía unas ojeras lívidas que pregonaban su agotamiento. Novicio se ciñó las correas que aseguraban su arco y sus flechas a la espalda, así como el bolo a la cintura, y se encaramó a las ramas más bajas, desde donde alargó un brazo para ayudar a subir a sor Lucía, que trepó con una facilidad que volvió a maravillarlo. Siguieron ascendiendo en silencio durante un rato, hasta alcanzar una horcadura formada por dos gruesas ramas, en la que Novicio se acomodó, para comprobar su consistencia; luego tironeó de una liana que se enredaba entre las hojas, para asegurarse un medio de descenso rápido hasta el suelo.

—Nos quedamos aquí, hermana. Deme la mano —dijo en un tono imperioso, para vencer sus reticencias.

Porque ahora no le quedaba otro remedio sino descansar su espalda sobre el pecho de Novicio, sentados ambos a horcajadas sobre la rama. Novicio se despojó de la guerrera y se la tendió a la hermana Lucía, que denegó obstinada con la cabeza y se ciñó el busto con ambos brazos.

—Vamos, mujer, no se haga ahora la mojigata, que entre nosotros hay confianza.

Pero sor Lucía sabía que hay confianzas que consiguen conmover hasta las fortalezas mejor guarnecidas. Se defendió:

—No se preocupe, Teodoro. No tengo frío.

—Lo tendrá en breve —insistió él, casi enfadado—. Déjese de remilgos y cójala.

Finalmente sor Lucía se cubrió con la guerrera. Echándole valor, Novicio la arrimó cuanto pudo a él, para transmitirle su calor, y le susurró al oído:

—Ahora duerma. Yo vigilaré.

Sor Lucía no se atrevió esta vez a contrariar su orden y colocó las manos sobre el pecho de Novicio y la cabeza sobre su hombro, dejándose acunar por los latidos de su corazón, que al sentir la proximidad de sor Lucía se desbocaron. Entonces ella notó una dureza en la sien, algo así como un pedrusco en mitad del boscoso pecho de Novicio.

—¿Qué demontres tiene ahí? —se quejó.

—Es mi *anting-anting* —se excusó Novicio—. Espero que no le moleste.

Pero sor Lucía, sin mediar palabra, hundió la mano como una zarpa en el pecho de Novicio y arrancó de un tirón el amuleto, rompiendo la correa que lo sujetaba a su cuello. Un segundo más tarde ya lo había arrojado a la oscuridad.

—¿Se ha... se ha vuelto loca? —balbució Novicio, incrédulo ante el atrevimiento de sor Lucía, que no sabía cómo castigar—. Me protegía contra...

Y antes de que concluyera la frase un aquelarre de espíritus llenó la noche con sus alaridos, hasta casi quebrarle los tímpanos. Pero tal vez sólo fuese una ilusión acústica, porque en cuanto habló sor Lucía todo aquel pandemónium se desvaneció:

—¿No le da vergüenza ser tan supersticioso? —lo abroncó—. Parece mentira, en un hombre tan cultivado como usted.

Novicio se solivianto apartándola de sí.

—¡Mire quién fue a hablar! ¿Y qué son sus malditos rezos, sino supersticiones de la peor especie?

Ella atacó como una fiera, dándole de puñadas:

—¡Usted qué sabrá, pedazo de animal! Yo con mis rezos hablo con Dios.

—¿Dios? ¿Qué Dios? —se sublevó Novicio—. ¿Dónde está ese Dios, que no lo veo? ¿Dónde, dígame?

—En todas partes —susurró sor Lucía, súbitamente amilanada.

—¡En todas partes! ¡Menudo Dios metomentodo debe de ser, entonces, para estar en todas partes! —se embaló Novicio, olvidado ya de los ilongotes—. Pues yo miro a todas partes y ¿sabe lo que veo? ¡Materia, materia y nada más que materia! Sólida, líquida o gaseosa, pero materia en cualquier caso.

Sor Lucía inspiró aire hasta colmar sus pulmones, armándose de paciencia. Luego musitó en un tono salmódico:

—¿Y cuál es la propiedad más evidente de esa materia que, según usted, lo invade todo? A ver, dígame, sabihondo. ¿Cuál es la propiedad de toda materia, sólida, líquida o gaseosa?

Novicio no acertó a responder. Sospechaba que sor Lucía trataba de enviscarlo en alguna trampa; y, por experiencia, sabía que cualquier palabra sería usada en su contra.

—Dígamelo usted, hermana —se pacificó.

—¡La mutabilidad, alma de cántaro! Toda materia es mudable por naturaleza. ¿Qué estudia la ciencia, a fin de cuentas, sino los cambios de la materia? Y esa mutabilidad lo que demuestra es la posibilidad que tiene la materia de existir de diversas maneras. Y todo aquello que puede existir de diversas maneras tiene que ser ajustado desde fuera, para que exista de una manera concreta, y no de cualquiera otra de las posibles. —Expulsó el aire de los pulmones, como si soplase sobre el barro incrédulo con que había sido amasado Novicio—. ¿Me sigue? El universo tuvo que ser ajustado, ya en su primer momento; y el ajuste se hizo con el fin de que pudiera darse la vida humana en la Tierra. Cualquier variación ínfima, entre las infinitas posibles, hubiese hecho inviable la aparición de la vida humana. ¿De veras cree que una evolución ciega de la materia, mudando a la buena de Dios (quiero decir, mudando a la buena de la nada), hubiese podido cristalizar en un ser único como usted?

Novicio no supo si debía interpretar aquel último comentario como un piropo o tan sólo como un habilidoso recurso para captar su benevolencia. Refunfuñó:

—No trate de halagarme. Para crearme a mí, tampoco hace falta tanto ajuste.

Se atrincheró, morugo, en su propia materia. Pero sor Lucía, una vez iniciado el asedio, no iba a ceder tan fácilmente:

—Pero usted ha leído libros, Teodoro. Ningún proceso de la materia explica su deseo de conocer. Ningún proceso de la materia explica que usted se emocione ante la belleza de un poema.

Ningún proceso de la materia explica su búsqueda de la verdad, la belleza y el bien. En usted, como en cualquier ser humano, hay una actividad que no puede atribuirse a la materia, que necesita una fuente distinta de la materia, que no puede ser mudable, caduca y perecedera como la materia. —A medida que se acercaba al desenlace de su argumento, iba adelgazando la voz—. El espíritu no puede nacer de la materia, tiene su origen en otra fuente externa, en una realidad distinta de la materia. A esa realidad la llamamos Dios.

Novicio se imaginó a Dios, allá en lo alto, viéndolos disputar sobre su existencia, ajeno a las penalidades que sufrían, ajeno a los ilongotes que merodeaban por los alrededores, ajeno a la noche y a la sangre y al miedo. Apostilló irónicamente:

—Otros lo llaman el Gran Arquitecto. En las logias de Manila me hablaron de él...

—Prefiero que no crea en Dios en absoluto antes que en ese dios de los masones, Teodoro —volvió a enardecerse sor Lucía—. Dios no puede dejar la vida que ha creado funcionando mecánicamente. Si Dios tiene los atributos de una persona, si es inteligente y libre, no puede haber creado el mundo porque le guste ver arder las estrellas, o cómo las lagartijas corretean por una pared. Una persona sólo puede satisfacerse con relaciones personales; y el universo está hecho para que los seres humanos tengan relaciones personales con un Dios personal. Por eso rezo, Teodoro. No es una superstición, sino una relación de persona a persona.

Volvió a reclinar la cabeza sobre su pecho; y Novicio dejó que los latidos de su corazón se aquietasen y sus huesos se llenasen de una tibieza reparadora, como si dentro de ellos se hubiese prendido una lumbre.

—Ojalá tenga razón, hermana. Sería bello que ese Dios suyo existiese.

—Terminará descubriéndolo por sí mismo, Teodoro. —Y, para borrar los últimos vestigios de su enfado, le propuso—: Si quiere, puede llamarme Lucía.

Novicio elevó agradecido la vista al cielo, allá donde los ruidos del mundo jamás alcanzaron. Bromeó:

—Se lo agradezco de veras. Pero, ya que me da la venia para llamarla por su nombre, déjeme que se lo trabuque un poco, como usted hizo con el mío. ¿Qué le parece si la llamo Luscinda, como el personaje del *Quijote*?

Sor Lucía recordaba el pasaje cervantino donde aparecía Luscinda, la amada del atribulado Cardenio, que andaba enloquecido por los montes, porque su amigo Fernando se la había arrebatado. Murmuró:

—Y, gustándole el *Quijote*, Teodoro, ¿cómo se explica que combata a España?

—¿Combatirla? —Su voz se enronqueció, como lastrada de un dolor milenario—. Diga más bien que ella nos combate porque se entregó, se dejó poseer, por hijos de mala madre que la adulteraron hasta hacerla irreconocible. ¡Cómo hubiese deseado amar a España! ¿Recuerda lo que decía el morisco Ricote, otro personaje del *Quijote*? «Es dulce el amor de la patria».

Sor Lucía se hallaba ya al borde de la inconsciencia, extenuada, pero aún tuvo fuerzas para comentar:

—Es dulce el amor de la patria... Teodoro, es increíble el memorión que tiene usted. Seguro que también recuerda las oraciones que le enseñaron de niño. ¿Rezará conmigo?

Pero antes de que hubiese terminado la salutación de la primera avemaría ya se había quedado dormida. Novicio alzó un brazo y rodeó con él los hombros de sor Lucía, que se le antojó delgada como un junco, pero también como un junco resistente y casi imposible de quebrar. Pensó, mientras respaldaba su sueño, que en aquel momento era el hombre más feliz del mundo; y agradeció secretamente que Dios le hubiese brindado aquella relación personal, que era el más hermoso regalo que jamás hubiera disfrutado. Había perdido la noción del tiempo; y una o dos veces su cabeza se bamboleó de un lado a otro, deseosa de entregarse también al descanso. El brazo que sostenía a sor Lucía se le había quedado dormido, presa de un hormiguillo que poco a poco fue derivando en dolor lancinante, pero se esforzó por no moverlo, para no despertarla, ni siquiera cuando los mosquitos empezaron a menudear contra él; y aquella inmovilidad tan molesta lo hundía en una especie de placer masoquista, o tal vez fuera una mortificación que ofrecía por sor Lucía, a cambio de asegurar su bien. A medida que transcurrían las horas, las faunas nocturnas del lugar empezaban a detectar su presencia en el tíndalo: primero fueron los búhos, que aleteaban en su derredor con ojos absortos y amonestadores; más tarde, en las ramas más altas del árbol, oyó un susurro furtivo de las hojas que al principio creyó causado por una serpiente, hasta que al fin descubrió que se trataba en realidad de un tarsero, un pequeño lémur con los tarsos o falanges prensiles, largos como sarmientos membranosos, y unos ojos como canicones, de un color entre pardo y verdoso, ojos nictálopes que le recordaron otra vez el acecho de los ilongotes. Cuando ya empezaba a alborear se despertó sor Lucía con un respingo, apretándose más contra él. Novicio miró en su derredor alarmado, tratando de descifrar qué era lo que la había sobresaltado.

—Soñé que nos caíamos del árbol —dijo ella, todavía soñolienta—. Duerma ahora usted, Teodoro. Yo me mantendré en vela hasta que amanezca del todo.

El paisaje en derredor recuperaba lentamente sus contornos. Novicio se desentumeció, espantando el hormiguillo de sus miembros anquilosados, y respiró a pleno pulmón el noble aliento de los árboles invadidos de pájaros madrugadores que gorjeaban saludando la aurora. Aquel aire sin estrenar, directamente venido del primer capítulo del Génesis, hacía palpitar su corazón con renovados bríos; el cambio que obraba en su interior era el mismo que ejercía sobre el paisaje, como si un mago, con un gesto caritativo, hubiese puesto fin a toda la miseria terrenal. Hasta donde alcanzaba la vista, la vegetación lozana extendía su manto, bajo el que de buena gana se hubiese arrebujado feliz. Con la cabeza de sor Lucía reclinada en su pecho, Novicio creyó estar viviendo uno de esos momentos privilegiados de la vida, cuando el alma se imbuye de una reconfortante sensación de gracia, sin patetismos rimbombantes ni sentimentalismos estridentes. Seguramente los ilongotes seguirían rondando por allí cerca, seguramente en los pantanos seguirían agazapados los caimanes, seguramente los hombres seguirían matándose en algún confín del planeta, pero en aquel paisaje que se extendía ante su mirada no se tenían noticias sobre la desgracia del género humano. Sor Lucía insistió:

—Descanse un poco, Teodoro.

Aceptó su invitación, cerrando voluptuosamente los párpados mientras los tímidos rayos del naciente sol le acariciaban la espalda; pero enseguida sintió que un escalofrío recorría todo su cuerpo, como si un sexto sentido quisiera alertarlo, antes de que aquel sentimiento de beatitud lo venciese. Novicio abrió nuevamente los ojos y permaneció inmóvil como una estatua, al ver que sor Lucía se llevaba un dedo a los labios y luego señalaba a las sombras que aún se refugiaban entre las malezas, temerosas del advenimiento de la mañana. Muy cerca de ellos, uno de los ilongotes que se habían tropezado el día anterior se hallaba a la vera de una palmera de delgado tronco, con el propósito evidente de treparla para poder otear los alrededores desde su cima. Antes, cortó una liana con su machete y formó con su extremo dos apretados lazos que anudó en torno a sus tobillos, para asegurar su protección en caso de caída; luego, con rapidez y facilidad que no parecían completamente humanas trepó por el tronco de la palmera, hasta alcanzar su espeso penacho de hojas, entre las que se acomodó, para inspeccionar el terreno, y en la esperanza de avistar a sus escurridizas presas. Novicio se descolgó del hombro el arco y extrajo sigilosamente una flecha, mientras sor Lucía se encogía a su lado, hasta casi mimetizarse con los líquenes que tapizaban las ramas del tíndalo. Tensó la cuerda del arco y apuntó al ilongote, cuidándose de colocar las medias plumas que remataban el astil de la flecha en la posición correcta que asegurase su trayectoria rectilínea. Novicio aguardó a que el ilongote reparara en su presencia, pues repudiaba la idea de disparar contra alguien desprevenido a quien ni siquiera se le concedía la posibilidad de conocer a su matador; cuando al fin el ilongote cruzó la mirada con la suya, Novicio soltó la cuerda del arco, que vibró alborozada mientras la flecha zumbaba rauda hacia su diana, atravesando limpiamente su garganta. El ilongote tal vez no tuvo tiempo de comprender lo ocurrido: miró con pasmo a Novicio y a sor Lucía, cuyas cabezas ya no podría enarbolar ante los otros miembros de su tribu, y retrocedió lentamente hacia atrás, perdiendo el equilibrio. Sus manos trataron de asirse a las hojas de la palmera, pero resbalaron, hasta que finalmente su cuerpo cayó, yendo a chocar violentamente contra el tronco, del que quedó colgado bocabajo, con los tobillos enganchados por los lazos de la liana que había dispuesto para evitar un accidente. Poco a poco, la sangre de la garganta fue tiñendo su rostro y borrando los pintarrajos que lo ilustraban, hasta agolparse en los cabellos enmarañados, que empezaron a gotear como un despojo.

—Tardarán poco en descubrir su cadáver —dijo Novicio, quebrando aquel silencio acongojante, cuando por fin se cercioró de que el ilongote estaba muerto—. Será mejor que nos pongamos rápidamente en camino.

Sor Lucía farfullaba algo parecido a un responso. Le costó reaccionar, paralizada por el espanto; pero Novicio la espabiló asiéndola firmemente de las muñecas y sacudiéndola como si tratase de ahuyentar su estupor. Bajaron del tíndalo apresuradamente y se internaron en la selva, buscando la protección de la fronda, siempre con Novicio por delante, abriendo paso entre la maleza con su bolo. Al rato, oyeron a sus espaldas un alarido seguido de lililíes en la lejanía, señal inequívoca de que los ilongotes habían hallado el cadáver de su compañero y estaban reorganizando la cacería. Apretaron aún más el paso, mientras se adentraban en una región donde la selva se tornaba especialmente umbrosa y acechante, como si aún no hubiese sido registrada por los cartógrafos y estuviera esperando a los primeros exploradores desprevenidos que osasen hollarla, para tragarlos en su seno. Sor Lucía, jadeante, preguntó a Novicio:

—¿Sabe dónde estamos?

Novicio se volvió rápidamente. Mintió con aplomo:

—Por supuesto que sí. Tenemos que seguir en esta dirección.

Pero su única guía era el itinerario del sol, como por la noche habría de serlo la posición de la estrella polar. Cuando se acercaba el crepúsculo, después de una caminata de casi diez horas, descubrieron a dos ilongotes que remontaban la corriente de uno de los afluentes del Pampanga montados en una canoa; puesto que bogaban en una dirección contraria a la que ellos llevaban, Novicio supuso que les habrían perdido la pista, o que se habrían cobrado otros trofeos y volvían a su poblado, satisfechos. Escuchó sus canturreos, mientras se alejaban por el río, tratando en vano de distinguir su sentido, que parecía más lastimero que exultante, o acaso más suplicante que lastimero. Caminaron durante tres días más, siempre en dirección noreste; y cuando se paraban a descansar, nunca encendían hogueras, aunque el relente de la madrugada los hiciera tiritar, por temor a que los ilongotes pudieran localizarlos. Sor Lucía ya no hablaba con la franqueza y el desparpajo que había exhibido en días anteriores; y Novicio, después de haber compartido con ella tantas confidencias celosamente guardadas incluso a sus amigos de mayor confianza, después de haber estado dispuesto a dejarse persuadir por sor Lucía hasta de la existencia de Dios, pensó que aquella reserva tan incongruente en un carácter como el suyo, expansivo por naturaleza, expresaba una especie de arrepentimiento por la locuacidad mostrada en el pasado, que tal vez se le antojase en exceso familiar o indecorosa. A Novicio no se le escapaba que en ocasiones excepcionales la gente, embargada por el *pathos* que acompaña determinadas coyunturas, revela en un rapto de sinceridad desinhibida sus ideas más secretas a personas que se han cruzado azarosamente en su vida; sinceridad que, al día siguiente, les provoca un tortuoso sentimiento de culpa al que reaccionan con malhumor y exagerada reserva. Tal vez a sor Lucía le sucediese algo semejante; pero Novicio se resistía a aceptar que la franqueza que siempre le había mostrado fuese como la borrachera de la que ya nos avergonzamos, cuando todavía nos dura la resaca. Sor Lucía le había permitido acercarse a su corazón; y lo que Novicio había entrevisto o atisbado era demasiado hermoso. De súbito, una vida sin aquella fluencia recíproca se le antojaba una vida árida e indigna de tal nombre.

—Si piensa que va a librarse tan fácilmente de mí, se equivoca de cabo a rabo —dijo sor Lucía sin venir a cuento, o viniendo a cuento de sus cavilaciones, que tal vez hubiese adivinado, pues tenía algo de zahorí—. Tenemos muchos asuntos pendientes usted y yo, Teodoro. Pero primero habrá que digerir todo lo que hemos vivido en estos meses.

—Será una digestión bien larga —asintió Novicio—. ¡Porque mira que hemos vivido cosas!

Sor Lucía se ruborizó muy pudorosamente.

—Cosas que no se olvidan, Teodoro.

Rieron con ganas, casi con estrépito; y, al hacerlo, notaron que los músculos se les acalambraban y que las articulaciones de los huesos amenazaban con descoyuntarse. Habían alcanzado, entretanto, una amplia extensión de selva desbrozada que les anunciaba la proximidad de Baler. El trabajo de caminar, el mero intento de seguir avanzando, o tan sólo de moverse, se les hacía cada vez más penoso, insoportable casi; o puede que, en el fondo, aunque no lo quisieran confesar, lo que se les anticipaba como penosa era una existencia nuevamente reglamentada por las convenciones establecidas, por las rutinas y ceremonias que exige la vida social, después de varios meses de vida robinsoniana, asaltada por constantes sobresaltos y perfumada por confidencias que bastaban para enaltecer todos los recuerdos. Sor Lucía se arrodilló en el camino, para agradecer a la divina Providencia los favores recibidos, que fue enumerando de forma improvisada; y, al final de su enumeración caótica, se volvió hacia Novicio con una mirada recriminatoria que le exigía arrodillarse a su lado. Novicio lo hizo a regañadientes y entre rezongos, no tanto porque lo violentase sumarse a la oración como porque las rodillas estaban reclamando una cura de descanso.

—Gracias, sobre todo, Señor, por poner en mi camino a Teodoro —dijo sor Lucía, como remate de su oración—. Él ha sido el brazo que ha portado tu escudo protector durante todo este tiempo. Aunque a veces reniegue de Ti, lo hace por no desmerecer su fama de comecuras. Le gusta fingir que es un zoquete, pero es el hombre más caballeroso que he conocido nunca, y el más sensible, y se sabe mejor las Escrituras que muchos de tus ministros. Gracias, Señor, por concederme el don de conocer a alguien así, a una tan bella persona.

Novicio agachó la testuz, hasta clavarse la barbilla en el esternón, para disimular el puchero que anunciaba la inminencia del llanto. Nunca se había visto más feo y más astroso que entonces, pero las palabras de sor Lucía lo habían lavado y vestido y ungido con el más precioso de los ungüentos; y cada célula de su rendido cuerpo se sentía anegada por una burbujeante dicha que sólo se podía expresar a través de las lágrimas. Trató en varias ocasiones de corresponder a los piropos de sor Lucía, pero una y otra vez la voz se le quedaba atorada entre amagos de llanto; y a la postre, como si quisiera desmentir a sor Lucía y quedar ante Dios como un zoquete, sólo acertó a farfullar:

—Gracias, Dios de sor Lucía, por haber creado a esta jodida monja.

Ella también tenía los ojos llorosos, pero al escuchar que la llamaba monja se abalanzó risueña sobre él y empezó a darle mojicones.

—¿Cuántas veces tengo que decirle que no soy una monja, maldito?

Novicio le agarró las muñecas y perdieron juntos el equilibrio, anudados por una risa contagiosa; un segundo después se soltaron, urgidos por el pudor, y se arrastraron como pudieron, sin fuerzas para erguirse, hasta recostarse sobre el tronco de un tamarindo que allí cerca había. Cuando por fin pudieron controlar la hilaridad y enjugarse las lágrimas, se tendieron cuan largos eran sobre la hierba, con los brazos extendidos. Parecían figuras crucificadas y jadeantes, con los corazones pugnando por abandonar la caja torácica y fundirse en un mismo vuelo.

—Qué jodida Luscinda... —murmuró Novicio—. Es monja cuando a ella le conviene; y cuando no, no. —Y, tras una pausa que se llenó con las carcajadas rendidas de sor Lucía, cambió el tono jocoso por otro más compungido—: Ahora en serio, hermana: sé que no ha sido nada fácil todo lo ocurrido. Le pido sinceras disculpas por haberla traído a mal traer.

Sor Lucía escrutaba el cielo, mareante de un azul límpido, como si quisiera penetrar en los misterios que aún no han sido revelados.

—¿Qué hará a partir de ahora? —preguntó pudorosamente Novicio.

—Con sobrevivir tal vez sea bastante —respondió sor Lucía en un tono ensoñador. Y luego, añadió con tozudez—: A través de las hermanas que envió con sus hombres a Biacnabató he comunicado a mis superiores la intención de quedarme en Baler, atendiendo la escuela que allí hemos levantado. No pienso moverme de ese pueblo. —Frunció los labios y apretó los dientes, por si quedaba alguna duda de su disposición—. ¿Y usted, Teodoro?

Novicio también elevó la mirada al cielo, implorante. En el azul vivísimo creía ver las almas de los que habían muerto, cuando asaltó la comandancia de Baler en busca de fusiles para proveer la insurrección; y las hojas encarnadas del tamarindo añadían al azul del cielo una celosía de sangre. Contestó en un hilo de voz:

—Me presentaré en casa del gobernadorcillo de alguna aldea próxima y me entregaré, acogiéndome al indulto de Biacnabató. Luego, si mis paisanos me han perdonado, tal vez regrese a Baler y podamos seguir siendo amigos.

Era lo que sor Lucía más deseaba en el mundo, pero le parecía una dicha acaso demasiado peregrina.

—¿Y si no le conceden el indulto? —preguntó.

Novicio miró el rostro amado de aquella mujer, en el que nunca podría copiarse, en el que nunca podría fundir su aliento. Pensó que aquel rostro era su única patria.

—Entonces me echaré otra vez al monte —respondió. Y recordó al morisco Ricote—: Es tan dulce el amor de la patria...

6

La luz filtrada a través de las conchas de nácar que suplían los cristales en las ventanas extraía vistosos relumbres de la tela estampada de su vestido. Guicay giró sobre sí misma, casi con jactancia, y el vuelo del vestido se arremolinó, inundando la habitación de reflejos tornasolados.

Las hijas de la Caridad no le prohibían seguir las costumbres tradicionales del país, tampoco en la indumentaria. Pero entre las pupilas del beaterio de Santa Rosa se consideraba de mal gusto vestir como lo hacían las mestizas de provincias; y cuando se endomingaban —sobre todo a la hora del paseo vespertino—, se vestían siempre a la europea, siguiendo (aunque fuese con dos o tres años de retraso) los patrones llegados de Madrid, que a su vez seguían (con otros dos o tres años de retraso) los patrones impuestos por los modistas de París. A Guicay aquella imitación caduca de las modas europeas se le antojaba de un provincianismo pretencioso y estomagante; pero siempre había vestido como lo hacían sus compañeras, pues nada deseaba menos que llamar la atención entre los manileños o que las hermanas pensaran que pretendía hacer de su atuendo una expresión de protesta o reivindicación racial, política o del tipo que fuera. Se enorgullecía, desde luego, de la sangre tagala que corría por sus venas, pero no más —ni menos— que de la española que con ella se había mezclado; y su orgullo nada tenía que ver con la procedencia étnica o geográfica de esas dos sangres, sino con que tales sangres pertenecían a su padre y a su madre. El orgullo que le inspiraba su madre tagala era, ciertamente, de naturaleza distinta al que le inspiraba su padre *castila*, pues no en vano sólo la recordaba brumosamente, por haber fallecido cuando Guicay apenas contaba siete años. Pero, aunque fuese un orgullo hecho de retazos de recuerdos, o incluso de falsos recuerdos alimentados por don Ramiro, su padre, no por eso era menos pujante, pues Guicay hallaba un gozo muy íntimo en imitar en todo a su difunta madre, empezando por su vestuario y acabando por ciertos alardes de temperamento racial que el padre viudo evocaba siempre con nostalgia. Y, reproduciendo esos rasgos temperamentales, Guicay aspiraba a consolar la viudez de don Ramiro; y acaso también a evitar que se casase en segundas nupcias, de tal modo que Guicay pudiera ocupar el lugar que la madre había dejado vacante en la administración de la hacienda, en el trato con los criados, en la intendencia del hogar, en las mañas culinarias (a un hombre se le conquista siempre por el estómago, y en esto los padres no son una excepción) y, sobre todo, en las conversaciones reposadas de sobremesa, y en las conversaciones desveladas previas al sueño, que eran los momentos del día en que don Ramiro se mostraba más vulnerable y necesitado de su compañía. Quizá porque Guicay se desvivía por tener bien atendido a su padre, porque había asumido que su obligación primera en la vida era velar para que la viudez no se le hiciera en exceso onerosa, aquella estancia en Manila se le había atragantado desde el principio; no tanto porque la disciplina impuesta por las hermanas le resultase fastidiosa, no tanto porque sus avances e insinuaciones en pos de suscitar en ella una vocación religiosa la incomodasen, ni porque los estudios le exigieran demasiados esfuerzos, sino porque los meses que llevaba apartada de su padre la iban inundando de zozobras, e infundiéndole la certeza de que nada cuya realización le exigiese alejarse de él merecía la pena.

Aquella tarde, ante la difícil encrucijada en que se hallaba, Guicay sentía más deseos que nunca de mostrarse ante el mundo como una mestiza; y lo sentía de manera imperiosa, como si fuera un desafío o una hazaña exigida por el honor. Se miró ante el espejo, como si compareciese ante un tribunal, exagerando el gesto retador hasta hacerlo casi pendenciero y resaltando la prestancia de su talle, como creía que una mujer debe hacer para afrontar las circunstancias más difíciles. Se había vestido para la ocasión de un modo por completo inadecuado; pero esa atrevida, casi temeraria elección era su primera y más auténtica respuesta ante los cargos que pronto habrían de imputarle. Se había puesto un vestido de bordada y casi transparente piña, y una saya suelta que le cubría hasta los pies; en su borde inferior asomaban unas diminutas chinelas adornadas con los más primorosos bordados; y en la cabellera, que previamente se había perfumado con aceite de coco y recogido en un moño, había ensartado una peineta de carey, en atención a sus ancestros españoles, dejando al aire los aretes de concha de caracol que llevaba en las orejas, a modo de pendientes. Pero enseguida pensó que debía subrayar su aspecto agreste, así que retiró la peineta y dejó que su cabello de azabache se derramara sobre los hombros hasta alcanzar casi la cintura; era un cabello lustroso, que más que a una Magdalena penitente recordaba a una Magdalena en la plenitud satisfecha de sus días pecaminosos, cuando aún ni siquiera concebía que tuviese algo de lo que arrepentirse. Mientras ensayaba mohínes ante el espejo, mientras entornaba sus párpados de pestañas rizosas y fruncía muy levemente sus labios en un rictus altivo, mientras levantaba la nariz menuda, un poco arremangada, y buscaba la luz más favorecedora para su piel de un color moreno pálido, Guicay pensó que, ante todo, debía esforzarse por no mostrar ni pizca de arrepentimiento.

Si sor Mercedes esperaba de ella que apareciese cabizbaja y contrita, estaba aviada. Sabía que su situación era muy comprometida; sabía que, si la denunciaban ante la guardia civil, su padre podría verse envuelto en un escándalo gravísimo que acabase incluso en la deportación (aunque se preguntaba adónde deportarían a un hombre al que ya habían deportado hacía más de veinte años, por sublevarse contra la dinastía usurpadora); y sabía que, si ocasionaba ese disgusto a su padre, jamás podría perdonárselo a sí misma. Pero hasta que la desgracia no se hubiese consumado, Guicay debía esforzarse por conservar la entereza, como si nada hubiera sucedido, y hasta afectar enojo e indignación, como si lo que estaban haciendo fuese un atropello inadmisible. Y, siquiera en su origen, lo era sin duda alguna: pues sólo de atropello podía calificarse que hubiesen hurgado en los cajones de su aparador, rebuscando entre las sábanas que allí guardaba, hasta dar con la novela prohibida de José Rizal. *Noli me tangere*, se titulaba; y, desde su publicación, más de diez años atrás, había levantado muy ruidosa polvareda por irreverente, injuriosa contra el gobierno de España e impía en su sátira de las órdenes religiosas, y había sido prohibida por subversiva y herética. Guicay había descubierto la novela de Rizal en la biblioteca de su padre, oculta detrás de una hilera de libros piadosos; y la había incorporado a su equipaje, para leerla a hurtadillas y a ratos sueltos durante su estancia en el beaterio de Santa Rosa. Ya había tenido ocasión de hacerlo un par de veces —la primera un tanto sorprendida por la virulencia sarcástica de algunos pasajes, la segunda tratando de dilucidar el alma herida que había escrito aquellas páginas— cuando inopinadamente desapareció de su escondrijo. Guicay había pasado varios días en un sinvivir, tratando de hallar en los rostros de sus compañeras un rasgo delator de vergüenza culpable o aviesa satisfacción, pero todo había sido en vano. Así hasta que aquella mañana, al disponerse a abandonar el comedor, sor Mercedes, la superiora del beaterio, la había tomado del brazo, anunciándole que esa misma tarde deseaba entrevistarse con ella. Y se lo había dicho acompañando sus palabras de una sonrisa que Guicay no había sabido interpretar: una sonrisa tal vez de amenaza o tal vez de inteligencia, que en cualquier caso le había infundido desasosiego.

Y el caso es que *Noli me tangere* no le había gustado demasiado; o, si le había gustado (a trozos, como por vislumbres, más por lo que anunciaba que por lo que en verdad ofrecía), no había llegado ni de lejos a colmar las expectativas que se había hecho sobre la novela. Antes de leerla, Guicay había oído hablar mucho de José Rizal, que había llegado a convertirse en un emblema orgulloso de lo que la raza tagala podía ofrecer a España y al mundo, en contra de los prejuicios extendidos que pretendían presentar a sus miembros como gentes indolentes y de escaso cacumen, incapacitadas para el estudio y la creación artística. Los enemigos de Rizal —que, curiosamente, eran los mismos que en otro tiempo lo habían jaleado e introducido en los cenáculos masónicos europeos— se revolvieron contra él, cuando descubrieron que sus proclamas patrióticas podían exacerbar los ánimos populares, y lo llevaron ante un tribunal militar que decretó su fusilamiento. El general Polavieja ratificó la sentencia, convirtiendo de este modo a Rizal en mártir venerado cuya leyenda no haría desde entonces sino crecer. En la víspera de su ejecución, estando ya en capilla, José Rizal había escrito un poema emotivo y vibrante, que enseguida circuló de boca en boca por todo Manila y pronto se extendería hasta el rincón más recóndito del archipiélago, como se extiende el fuego sobre los vestigios resecos de un mundo que implora a gritos la purificación. Guicay se lo había aprendido de memoria y lo recitaba muy a menudo cuando se hallaba a solas, a veces mentalmente, a veces en un bisbiseo, también en voz alta si nadie estaba cerca, para que la poseyese el fervor de sus versos, escritos con el alma desembridada, puesto ya el pie en el estribo:

¡Adiós, patria adorada, región del sol querida,
perla del mar de Oriente, nuestro perdido edén!
A darte voy alegre la triste, mustia vida;
si fuera más brillante, más fresca, más florida,
también la diera, la diera por tu bien.

Tal vez porque el tono inflamado de aquel poema la había levantado en volandas decenas o cientos de veces, la lectura de *Noli me tangere* la había decepcionado. Aquel ímpetu generoso y abnegado que relumbraba en el poema se ensuciaba en la novela de pasiones mezquinas. En la sátira, Rizal se mostraba ensañado y acre; en la denuncia, exagerado hasta el histrionismo; en el llanto por las calamidades que afligían a su país, afectado y un tanto pinturero; y, en todo momento, Guicay había creído descubrir que el autor se presentaba ante el lector como una víctima incomprendida, tanto por los obtusos dominadores como por los exaltados rebeldes. Y todo este ejercicio de retórica un tanto panfletaria y narcisista se lograba, además, a costa del equilibrio de la narración, que se presentaba al principio como una intriga de corte folletinesco en la que la peripecia amorosa era ingrediente principal, para luego perderse entre digresiones extemporáneas y episodios afluentes manchados de bilis. A la postre, la trama sentimental, muy desdibujada, se resolvía chapuceramente y al modo más tremebundo e inverosímil, cediendo páginas a alegatos rimbombantes que a Guicay se le habían antojado superfluos y a semblanzas de clérigos y militarotes demasiado burdas en su exhibición de vicios y de lacras. Aunque mucho más que esta aciaga propensión al trazo grueso, había apenado a Guicay la veta de subterráneo despecho que recorría la novela. Y la apenaba porque consideraba una lástima que un hombre que, en presencia de la muerte, es capaz de escribir versos conmovedores hubiese alimentado en vida una pasión tan inútil como el rencor.

También a su padre habían tratado de empujarlo a esta pasión inútil. Deportado a Manila a la conclusión de la última guerra carlista, don Ramiro Garzón parecía destinado a agotarse en la conspiración infecunda y en la diatriba contra la dinastía usurpadora, como les había ocurrido a tantos leales a don Carlos. Pero en Manila había decidido que debía comportarse como habrían hecho sus antepasados, aquellos españoles briosos que cruzaron el charco para fundar nuevas Españas y nutrirlas con su sangre; y, poniendo en ejecución aquel propósito, combatió a los españoles adulterados que habían triunfado en la península, que en las Españas de Ultramar sólo veían momios en los que hincar las garras, tetas que ordeñar y tesoros que expoliar. Más de veinte años había costado a don Ramiro coronar aquel propósito, pues las trabas que se le habían puesto desde Madrid —prohibiéndole adquirir propiedades y desarrollar actividades mercantiles primero, después perjudicándolo en el comercio de abacá con tasas abusivas— habían sido innumerables. Viendo a su padre sobreponerse a tal cúmulo de contrariedades, Guicay había aprendido a admirarlo; y en esa admiración no era una circunstancia baladí que don Ramiro hubiese querido sellar su entrega a Filipinas casándose con una tagala, como expresión de una gratitud incesante hacia la tierra en la que había podido seguir siendo español, pese a los designios de sus enemigos.

Guicay se atusó ante el espejo el cabello que le caía en cascada sobre los hombros, mientras aguardaba la llamada de sor Mercedes. Durante algún tiempo, había considerado muy seriamente cortarse la melena para ingresar en el noviciado que las hijas de la Caridad sostenían en Manila; y durante su estancia en el beaterio de Santa Rosa se había esforzado por llevarla siempre recogida en un moño, por irse habituando a la amputación (pues como una amputación le dolía despojarse de aquella melena caudalosa que pregonaba su genealogía). Había descubierto, sin embargo, que la admiración que profesaba a las hijas de la Caridad no debía confundirla con el deseo de emularlas. El espíritu recio de los reglamentos de San Vicente de Paúl chocaba con el carácter de Guicay, tal vez demasiado sentimental o temeroso de las renuncias ímprobas; y, entre todas aquellas renuncias, una que San Vicente establecía específicamente, renovando el consejo evangélico: «Para ser verdaderas hijas de la Caridad hay que dejarlo todo: padre, madre, bienes y aspiración al matrimonio». A la madre la había perdido ya, desgraciadamente, aunque hubiese dado la vida por recuperarla; de los bienes no le importaba ni un ardite desprenderse; pero, si no quería ser deshonesta consigo misma, debía reconocer que aspiraba al matrimonio, y también a amar al hombre con el que se casase, al menos tanto como amaba a su padre, aunque fuese de un modo diverso (porque, desde luego, del modo que quería a su padre no podría querer nunca a nadie). Y como ese amor a su padre no iba a dejarla nunca mientras viviese, Guicay no podía ser hija de la Caridad. Le daba cierta pena reconocerlo, pero no reconocerlo sería tanto como desnaturalizar sus afectos y devociones.

Y la separación no había hecho sino agigantar la conciencia de su devoción filial. Tal vez aquel mal de ausencia pudiera considerarse una muestra excesiva de sentimentalismo, o un signo extremado de debilidad; pero era, en cualquier caso, una debilidad que la tornaba fuerte y un sentimentalismo que aquilataba su voluntad: pues le enseñaba que la renuncia a su padre era una pérdida con la que no podría transigir; y nada nos hace tan conscientes de nuestras posibilidades como la conciencia de nuestros límites. En los últimos días, además, la desazón que le provocaba la separación de su padre se había agudizado, después de recibir una carta suya de fondo amargo y doliente, mucho más doliente y amargo de lo que en él era habitual, en la que, acaso sin pretenderlo, mostraba que la soledad empezaba a trabajarlo con su lenta carcoma. Guicay había leído repetidamente aquella carta, como si de este modo desease conjurar el mal que asediaba a su padre; un mal difuso, acaso sólo una aprensión o zozobra sin causa concreta, que cobraba espesor cuando se refería al destino de Filipinas:

... Aquí, en esta mi segunda tierra, fundé una familia; y el amor que me inspirasteis primero tu madre y después tú ha retoñado en esta porción de España que, pese al alejamiento, ya veo como la España más verdadera, o como la única España en la que logro no sentirme extranjero, tal vez porque sus gentes, tan generosas, aún no contrajeron el microbio que en la España peninsular alcanzó categoría de epidemia. Pero el amor que profeso a esta tierra y a sus gentes no ofusca mi juicio sobre su destino. Las islas Filipinas no son, como tanto repite la prensa liberal rasgándose las vestiduras, un hijo ingrato que pretenda su emancipación antes de cumplir la mayoría de edad; las islas Filipinas son un hijo que se aparta de la madre desnaturalizada que le niega su calor maternal y que, a la vez, trata de imponerle las disciplinas más severas. ¿Qué capitales de Madrid se han invertido en estas tierras? La industria y el comercio sólo miran a Filipinas para estudiar el modo más rápido y sencillo de saquearla, sin darle nada a cambio. Las tarifas que impone el gobierno son cada vez más gravosas. Las escasas relaciones comerciales que se entablan llevan aparejada la imposición brutal de leyes contrarias a las costumbres de los lugareños, que rigen sus tratos por la confianza en la palabra dada, y contrarias también al espíritu de la tradición hispánica. Y se permite que la riqueza natural del país sea explotada en régimen de concesión a pueblos extranjeros —con Francia e Inglaterra a la cabeza— que sólo buscan el beneficio rápido, logrado a costa de esquilmar los recursos y reventar a los hombres que emplean.

Y, mientras esto sucede, allá en el parlamento o merienda de negros de la Carrera de San Jerónimo no se cansan de llamar «hijo dilectísimo» al Archipiélago al que tratan peor que a un hijastro, dedicándole discursos encendidos que no tienen otro objeto sino repartir prebendas entre altos funcionarios encargados de explotar los puestos lucrativos. Se suceden los derroches de lirismo mientras se extiende el cáncer de la codicia; y así nuestro país, que fue conquistado con la cruz y sin apenas intervención de la espada, mientras sufre los estragos de ese cáncer, busca su antídoto inútilmente en el poderío masónico, que después de vencer a las órdenes religiosas en la península, desbaratando sus reglas y arrebatando sus propiedades, quiere hacer lo mismo aquí. No lo habría conseguido si las órdenes hubieran obrado según el ejemplo divino, expulsando a los mercaderes del templo, pero algún cráneo privilegiado (y seguramente mitrado) debió de recomendarles que contemporizaran con los usos y abusos de la sacrosanta libertad de comercio; y ahora cosechan las consecuencias. Y la masonería, siempre presta a vivir del despojo, está haciendo aquí lo mismo que primero hizo en las Américas: cebarse aparentemente en las devastaciones del cáncer político para poder dedicarse de tapadillo a lo que en verdad es su razón de ser. Pues, a semejanza del cuervo, vive de devorar los ojos que el moribundo abre a la fe.

Así las islas Filipinas, convertidas en el vertedero de la escoria peninsular y en el desahogo de las concupiscencias políticas, minadas en su fe por las maniobras y proselitismos sectarios, estallaron el pasado año, revolviéndose airadas y nostálgicas de una antigua pureza; y volverán a estallar este o el que viene, pues la paz lograda por Primo de Rivera es una paz que sólo anhela mantener el estado de cosas presente bajo una apariencia externa de ponerles coto. El gobierno de Sagasta, como antes el de Cánovas (tanto monta, monta tanto, pues ambos son bufones en el tablado de la farsa alfonsina), tendrá que volver a emplear la fuerza para someter al «hijo ingrato», en realidad hijastro arrojado al fango y pisoteado impíamente, y mandará barcos cargados de tropas, pero de nada servirán tales medidas, como ocurre siempre que se ponen cadalsos a las consecuencias, después de haber puesto tronos a las causas. Las tropas que viajan en esos barcos, ¿acaso no han sido reclutadas en la miseria o captadas en nombre de un sentido del deber que en absoluto se corresponde con el anhelado bien de la patria? Ni oficiales ni soldados son conscientes de que con sus armas sólo contribuyen a mantener las prebendas de una política corrompida que engrandece a los malos y hace perecer a los buenos.

Será, querida Guicay, una guerra horrible; pues no hay guerra peor que la que guían los intereses particulares y no el bien común, ni guerra más desdichada que la que se libra sin entusiasmo, como sin duda les ocurrirá a esos mozos labradores transformados de repente en esclavos de uniforme, porque la recluta se hace en progresión de la pobreza. Quizá lleguen a sentir, en medio del combate, un ardor avivado por los colores de la bandera. Pero —¡ay!— esa bandera, salpicada y enrojecida en los asaltos, tomará el color uniforme de la sangre; y, a la vista de la sangre, el amarillo aparecerá ante sus ojos como el color de la esterilidad. Y se preguntarán entonces: «¿Para qué esta guerra? ¿A quién hay que salvar? ¿Qué se nos ha prometido a cambio de la victoria? ¿Qué conciencias se lavan con nuestras vidas arrojadas en un desmonte, o pudriéndose en un manglar...?».

Ese sentimiento de esterilidad avizorado por su padre extendió por un momento su mancha sobre el ánimo de Guicay. Tuvo que interrumpir la lectura de la carta porque habían llamado a la puerta:

—¿Señorita Garzón? Sor Mercedes la aguarda en el zaguán de la casa. —Guicay reconoció la voz de la hermana portera—. Me ha pedido que se dé usted toda la prisa que pueda.

¿En el zaguán de la casa? ¿Acaso era el sitio apropiado para mantener una conversación delicada? Guicay había supuesto que se la citaría en alguna cámara o despacho apartado, allá donde los oídos indiscretos no pudieran alcanzar lo que entre ellas se hablase, que según suponía habría de tener inevitablemente un tono agrio, pues sor Mercedes trataría de afearle la conducta con una reprimenda (si es que no había decidido denunciarla ante la autoridad); y Guicay, lejos de achantarse, le respondería con descaro y aún mayor desabrimiento, dejando siempre a salvo de responsabilidad a su padre, del que jamás confesaría —así la atasen al potro o le diesen trato de cuerda— que era propietario del libro prohibido. Pero la cita en el zaguán del beaterio la desconcertaba por completo e infundía en ella pensamientos escabrosos. ¿Sería que la superiora quería escenificar más cruelmente la expulsión, poniéndola de patitas en la calle sin atender a razones y sin permitirle siquiera hacer su equipaje? ¿O sería más bien que en el zaguán de la casa estaba ya esperándola una pareja de la guardia civil, dispuesta a llevarla al cuartelillo y someterla a los interrogatorios preceptivos? Guicay se miró por última vez en el espejo, en esta ocasión sin vestigio alguno de coquetería desafiante, tan sólo para comprobar que su entereza se había desmoronado, y su tez había palidecido, y su melena más la hacía parecer Magdalena penitente que orgullosa. Bajó al zaguán, sintiendo que sus pies eran de arena y sus piernas temblaban como flanes. Allí la esperaba, sin séquito de guardias civiles ni parecidas zarandajas, sor Mercedes, la superiora del beaterio, con la toca impecable, los puños limpios y relucientes y el hábito bien lavado y planchado (en el zaguán se respiraba el aroma del jabón y del vapor de la plancha), con el rosario de cuentas tintineantes amarrado a la cintura, a modo de cíngulo.

—Disculpe la tardanza... —dijo Guicay, haciendo una leve reverencia.

Sor Mercedes era alta y espigada, y miraba con unos ojos mansos que sabían detectar a primera vista los síntomas de cualquier enfermedad, física o espiritual. Tenía fama de severa y pragmática; y las colegialas del beaterio se encogían amedrentadas ante ella, como pupilos que han cometido una fechoría —o sin cometerla siquiera— ante una institutriz rigurosa. Era bella en un sentido poco sensual, merced a unos rasgos y a un porte rústicos y enjutos, como de Virgen románica tallada en un taller campestre, y, en contraste con su figura espigada y su rostro de belleza campesina, tenía unas manos gordezuelas, moldeadas en una sustancia blanca e invertebrada, como masa de pan candeal, que sabía extender sobre los enfermos con la misma solemnidad que emplea el sacerdote cuando administra el viático. En una de aquellas manos sostenía un paquete oblongo, muy envuelto en papel de estraza.

—Lo que tenemos que hablar es demasiado reservado como para arriesgarnos a que nos oiga alguna compañera suya —dijo sor Mercedes, dirigiéndose hacia la puerta principal—. Supongo que habrá echado en falta algo entre sus pertenencias...

—Sí... —balbució Guicay, tragando saliva—. Y tanto...

Salieron a la ciudad amurallada, vigilada siempre por las agujas de sus torres, sombrías como cipreses, y mal resguardada por el bastión de murallas que chorreaba humedad y musgosa lepra.

—A decir verdad, señorita Garzón, ese objeto de su propiedad nos lo hizo llegar una presunta amiga suya que, según he podido saber, hurga siempre que puede entre sus ropas, porque se muere de envidia, aunque se burle de usted a sus espaldas, llamándola «hija del pecado» por ser mestiza.

Guicay quiso indignarse pero no le dio tiempo, porque sor Mercedes ya se había indignado por ella:

—Pero... ¿de quién se trata?

—Eso es lo de menos ahora —resolvió sor Mercedes—. Además, se enterará enseguida, porque le he dado cuarenta y ocho horas para marcharse a su casita. En Santa Rosa no queremos ni delatoras ni racistas. A esa chusma que la aguanten sus padres.

Atravesaron un puente levadizo. A su paso, Guicay provocaba que la gente se volviese: los hombres aturdidos de admiración o deseo; las mujeres, de envidia y tal vez también de deseo. Se había levantado una brisilla que hacía tremolar su melena.

—Pero puede ir con el cuento a la guardia civil, o a los militares, despechada... Si tiene valor para hurgarme la ropa, lo tendrá para denunciarme.

—Olvida que el libro está en mi poder y que, mientras no se demuestre lo contrario, yo soy su dueña —adujo sor Mercedes con brío—. Claro que, para demostrar eso, primero tendrán que demostrar la existencia del libro, que yo negaré.

La brisilla cobró más ímpetu hasta hacerse casi ventarrón y los cabellos de Guicay, a cada minuto más alborotados, parecían esforzarse por abrazar a sor Mercedes.

—¿Mentiría por mí? —preguntó Guicay, con júbilo y también un poco escandalizada, hipócritamente escandalizada, aunque fuese de forma venial—. ¿Incluso juraría en falso?

—No veo por qué tendría que jurar por semejante fantochada. —Sor Mercedes trataba de componerse las alas de la toca, que restallaban al viento—. Pero Dios se ríe de los juramentos que exige la justicia de los hombres. En España los ministros impíos juran sus cargos y se quedan tan anchos.

Se estaban acercando a la Fuerza de Santiago, la prisión fortificada donde estuvo encarcelado José Rizal antes de ser fusilado, en la desembocadura del río Pásig. Allí el viento les sopapeaba la cara y hacía crujir las palabras, tornándolas casi ininteligibles.

—Afortunadamente, esa niñita malvada vino a mí con el cuento y no hizo una denuncia oficial —prosiguió sor Mercedes—. Si llega a venir la guardia civil por sorpresa, son capaces de cerrarnos el beaterio. Imagino que sabes que ese libro ha sido prohibido por el gobierno y que se han establecido castigos para todo aquel que sea sorprendido teniéndolo en su poder...

La adopción del tuteo por parte de sor Mercedes, tan insólita en el trato entre hermanas y pupilas del beaterio, reconfortó a Guicay. Se disiparon las últimas hilachas de su desconfianza:

—Perdóneme. Fue una ligereza por mi parte...

—Se supone que tendría que haber informado a nuestro director provincial, para que él actuase según le aconsejara la conciencia. —Sor Mercedes no mostró ni atisbo de socarronería—: Pero decidí aliviar su conciencia de una decisión tan difícil. La situación de los religiosos ya es suficientemente delicada. Cualquier calamidad que padezcan estas tierras es de inmediato atribuida a nuestra acción. Si se hubiese sabido que en uno de nuestros establecimientos circulaba un ejemplar del *Noli me tangere*, nos habrían acusado también de conspiración contra el Estado y de propaganda filibustera. ¡Lo que nos faltaba!

Aunque había dimitido por completo de la actitud desafiante, Guicay protestó:

—¡Pero ese libro no es propaganda filibustera!

Sor Mercedes le tendió el bulto envuelto en papel de estraza, encajándoselo debajo del sobaco. No se le había ocurrido a Guicay hasta entonces pensar que bajo aquel envoltorio estuviese la obra de José Rizal; y al volver a ser su depositaria, sintió una mezcla de temblor y temor.

—Bien lo sé, Guicay —dijo sor Mercedes, guiñándole un ojo—. Antes de verme contigo, lo leí de un tirón. No había tenido ocasión de hacerlo hasta hoy. —Y como aquella infracción debió de parecerle excesiva, incluso para alguien como ella, dispuesta a aliviar la conciencia de sus superiores o a saltarse los tiquismiquis legales, se santiguó—: ¡Jesús, María y José! Ha sido una experiencia de las que no se olvidan. ¡Menudas andanadas lanza contra nuestros queridísimos frailes!

Paseaban por La Luneta, entre el jaleo de carruajes que a aquella hora se cruzaban engreídos, en una exhibición que los *castilas* más pudientes repetían cada día. A lo lejos, se avistaba el campo de Bagumbayán, donde se había fusilado a Rizal. Guicay recordó los versos de su poema postrero: «En campos de batalla, luchando con delirio, / otros te dan sus vidas, sin dudas, sin pesar; / el sitio nada importa: ciprés, laurel o lirio, / cadalso o campo abierto, combate o cruel martirio, / lo mismo es, si lo piden la patria y el hogar».

—Yo estuve aquí, entre los curiosos que siguieron su paseo último hasta Bagumbayán —le confesó sor Mercedes, en un tono apesadumbrado—. Hacía una mañana muy hermosa, ni una sola nube empañaba el cielo. La transparencia de la atmósfera permitía distinguir perfectamente la silueta de los montes de Cavite.

Aquella tarde, en cambio, una turbia calina impedía distinguirlos. De repente, el paseo dedicado a los alardes frívolos de la burguesía manileña cobró, a los ojos de Guicay, el prestigio de un calvario.

—Dicen que en todo momento obró con gran entereza...

—Y tanto —asintió sor Mercedes—. Me pasmó su serenidad, sin arrogancia ni altivez. Lo acompañaban un par de jesuitas, con los que de vez en cuando hablaba, como si fueran viejos amigos; y tal vez lo fueran, porque Rizal había estudiado en el colegio de la Compañía de Jesús. Iba conducido entre una escolta de artilleros, con alguna fuerza de caballería delante y detrás...

Guicay creyó oír el lúgubre sonido de las trompetas y el sordo compás de los tambores flanqueando el paso del reo, mientras a ambos lados del paseo se agolpaba una multitud de curiosos, hombres de uniforme y de paisano, mujeres llorosas, frailes compungidos o conformes... Algunos labios bisbisearían una plegaria, otros una increpación.

—Yo estaba aquí, exactamente aquí —rememoró sor Mercedes—. Justo delante de mí se detuvo Rizal, volviendo el rostro hacia el colegio jesuita. Y dijo: «Siete años pasé yo allí. Todo lo que me enseñaron fue bueno y santo. En España y en el extranjero es donde me perdí». Eso fue lo que dijo, no me invento ni una sola palabra; y luego siguió hacia Bagumbayán.

—¿Y qué pretendía decir con eso? —inquirió Guicay.

Sor Mercedes se llevó la mano a la toca. El viento batía de cara, en su avance hacia el campo de Bagumbayán, y agitaba las alas de su toca, haciéndolas flamear, en un incendio de blancura.

—Como tantas veces ocurre, los politicastros impíos lo utilizaron miserablemente, lo agasajaron con cenas y homenajes durante su estancia en Madrid, a la vez que lo iban llenando de odio contra la Iglesia. Pero llegó un momento en que aquel tagalo al que pensaron que podrían amaestrar, como si fuese un lorito o un mono de repetición, empezó a decir y a escribir cosas que ponían en peligro sus intereses en Filipinas. —Sor Mercedes hablaba con una violencia interior impropia de la mansedumbre que las hijas de la Caridad aconsejaban a sus pupilas—. Y entonces decidieron que había que pararle los pies como fuera. Así que lo acusaron de conspirar contra la patria, para que lo juzgase el fuero militar. ¡La patria! ¡Qué asco da esa palabra sagrada en boca de los zampones que sólo miran por sus enjuagues!

Guicay pensó que sor Mercedes iba a escupir sobre la figura imaginaria de esos zampones, pero ya pisaban el campo de Bagumbayán, al que el embate del viento y el olor salino otorgaban un aspecto de cementerio melancólico, antes que de cadalso. De cara al mar había muerto Rizal, a las siete y tres minutos de la mañana. La voz de Guicay era presagiosa como la de una sibila:

—Aquella mañana España dejó de reinar en el corazón de muchos filipinos.

—Fue un espectáculo deplorable —masculló sor Mercedes—. Rizal pidió al capitán del pelotón que le disparasen de frente, pero el capitán tenía orden de hacerlo de espaldas, como es costumbre hacer con los traidores. Lo invitaron a arrodillarse, por si el miedo lo derrumbaba, pero Rizal no quiso hacerlo. A uno de los jesuitas que iban con él le dijo: «Padre, perdono a todos de todo corazón; no tengo resentimiento con nadie». Y besó un crucifijo que le tendieron. —El enojo y la lástima se fundían en su voz, en una aleación que estaba a punto de quebrarse—. El piquete que lo fusiló estaba formado por ocho soldados indígenas, detrás de los cuales pusieron a otros ocho peninsulares, apuntándolos con los fusiles, por si se resistían a disparar. ¡Querían que a Rizal lo mataran sus paisanos!

Guicay imaginó a Rizal con el cuerpo erguido, mientras se preparaban las armas, mirando por última vez el cielo de un azul purísimo. Tal vez repitiese, a modo de oración de despedida, los versos que acababa de escribir: «¡Que es hermoso caer por darte vuelo, / morir por darte vida, morir bajo tu cielo, / y en tu encantada tierra la eternidad dormir!». Cuando sonó la descarga, llenando ese cielo hasta entonces intacto con bandadas de pájaros fugitivos, Rizal giró el cuerpo hacia la derecha y cayó muerto sobre el costado. Al menos respetaron su cara y no le pegaron el tiro de gracia.

—Lo más asqueroso y siniestro de todo fue que, inmediatamente después del fusilamiento, unos energúmenos lanzaron vivas a España —continuó sor Mercedes, con mucho más enojo que lástima—. Todavía, cuando lo recuerdo, se me revuelven las tripas.

Guicay tuvo que reprimir las ganas de arrodillarse y besar aquella tierra, en la que brotaban algunas flores exangües y ateridas: «Si sobre mi sepulcro vieses brotar un día, / entre la espesa hierba, sencilla, humilde flor, / acércala a tus labios, que es flor del alma mía, / y sienta yo en mi frente, bajo la tumba fría, / de tu ternura el soplo, de tu hálito el calor».

—Sí que es, hermana, asqueroso de verdad —dijo Guicay—. Pero su sangre será semilla de nuevos discípulos. —Luego, recitó unos pocos alejandrinos del poema de Rizal, despojándolos de signos de exclamación y otros énfasis declamatorios—: «Voy a do no hay esclavos, verdugos ni opresores, / donde la fe no mata, donde el que reina es Dios».

El viento, que se había arrastrado por unos instantes sobre la arena de Bagumbayán, se alzó vibrante y limpio, para hacerse rumor, canto o gemido. Habló sor Mercedes:

—Desde luego, Rizal fue allí sin duda. No sé si podrán decir lo mismo quienes ordenaron su muerte —acusó sin remordimiento ni cargo alguno de conciencia—. El general Polavieja cometió un error tremendo, primero al firmar la sentencia de muerte y después al negarse a conceder el indulto. ¡Pensaba que todo se arreglaba con mano dura y el aplauso de los patrioteros y de los hipócritas! Y las congregaciones cometieron otro error inmenso, por no solicitar ese indulto. Si todas lo hubiesen pedido al alimón, Polavieja se habría visto entre la espada y la pared, o entre la espada y la cruz, que es mucho más peliagudo... Yo misma se lo sugerí a nuestro director provincial, pero... —Encogió los hombros, en un gesto de hastío o resignación, y tomó a Guicay del brazo, para iniciar el camino de vuelta—. Si en los puestos de mando hubiésemos estado mujeres, las cosas habrían ocurrido de muy distinta manera. Los hombres sólo veían en Rizal a un enemigo; nosotras enseguida hubiésemos distinguido en él al hijo pródigo o a la oveja descarriada... El alma femenina ve cosas que a los hombres, con toda su sabiduría, pasan inadvertidas.

Lo había dicho en un tono picaruelo, tratando de borrar del rostro de Guicay los avisos de llanto. Y lo logró, porque la voz de Guicay sonó risueña:

—Sospecho que Dios es mucho más femenino que sus representantes en la tierra.

—Pues en el pecado llevamos la penitencia, chiquilla. —Refugió las manos en las bocamangas del hábito, apretando contra su costado la mano de Guicay—. ¿Y qué te pareció la novela de Rizal?

Ahora el viento las propulsaba, lanzando sus palabras al mar, como migas para los peces.

—Pues la verdad es que me decepcionó un poco —reconoció Guicay—. No se puede plantear la historia como una narración de amores desdichados, en la que los amantes tienen que remover mil obstáculos, para enseguida dejarla abandonada y dispersarse en historias de otro tipo. Al final, el amor trágico entre los protagonistas queda desdibujado y en segundo término, aplastado por la obsesión por lanzar arengas políticas. ¿Sabe, hermana? Descubrí en el joven que había escrito esa novela un fondo de rencor que me dio mucha pena.

Sor Mercedes volvió a sujetarse la toca, que amenazaba con echar a volar disfrazada de gaviota, mientras la melena azabache de Guicay serpenteaba graciosamente en torno a su rostro, como un sargazo mecido por las olas.

—Es que Rizal, como tantos tagalos instruidos, tuvo que soportar muchas burlas injustas de quienes no reconocen que un indio esté dotado para tareas intelectuales —dijo sor Mercedes, compungida—. ¿Y sabes qué? Una injusticia no reparada es una cosa inmortal. Provoca en quien la ha sufrido un deseo natural de venganza. Y eso sólo se cura con una gran inyección de amor. Rizal, en efecto, vivió muchos años con resentimiento. —Sustituyó el tono luctuoso por otro más halagüeño—: Aunque, al final, encontró la inyección de amor que buscaba.

—Pues no sabe cuánto lo celebro —dijo Guicay—. Porque en *Noli me tangere* hay también mucho amor a España; un amor que grita desesperado, harto de que nadie lo escuche.

De repente se sentía extraña, como desgajada de sí misma y trasplantada a un paisaje soñado, mientras departía tranquilamente con una mujer de hábito sobre una novela subversiva que despellejaba a las órdenes religiosas y satirizaba a los gobernantes españoles. Sor Mercedes aprovechó aquel silencio para barrer *pro domo sua*:

—¡Cómo me gustaría contar con una joven de su sensibilidad y su cultura en nuestro noviciado! De algún modo hay que responder a ese grito de amor desesperado que lanza Rizal, y con él tantos filipinos. —Le apretó la mano con calidez—. Y tú llevas la respuesta en la sangre.

Guicay respondió a ese gesto tomando la mano gordezuela de sor Mercedes entre las suyas. Pese a su aspecto candeal, la piel de aquella mano tenía un tacto áspero, muy honradamente herido por quemaduras de yodo o de lejía.

—Se lo agradezco de corazón, hermana —dijo Guicay, procurando que su negativa no sonase a rechazo.

Sor Mercedes no se resignó a la derrota tan fácilmente:

—Tómate un tiempo para pensarlo...

—Si es que se lo acabo de decir, hermana... —Empleó un tono más coqueto que lastimero—: Lo que menos me gustó de la novela de Rizal es que en ella no encontré lo que estaba buscando. Y lo que estaba buscando era que me contase con pelos y señales el idilio de los protagonistas. Quiero saber del amor y de los enamorados, porque lo que más deseo en el mundo es enamorarme y casarme pronto. Tradicionalmente, las tagalas se casaban entre los doce y los quince años. Mi madre se casó con mi padre cuando contaba diecisiete. ¡Y yo pronto cumpliré los diecinueve y ni siquiera tengo novio!

Rieron ambas ante la hipérbole de Guicay, que más que en edad núbil insinuaba estar en edad provecta.

—Supongo que si te digo que con Cristo también puedes casarte te sonará a monserga...

—Me suena a cosa sublime —se apresuró a responder Guicay, ruborizada—. Pero el amor que yo espero habrá de ser más humano. Además, en la hacienda de mi padre podré hacer igualmente un gran servicio. Tiene cerca de cien empleados muy necesitados de instrucción.

Se ruborizó súbitamente, como si hubiese quedado expuesta su intimidad con aquel comentario. Durante un rato siguieron caminando en silencio, escoltadas por el viento.

—La mies es mucha... —dijo sor Mercedes. Su timbre ahora sí sonaba derrotado, o siquiera resignado a la derrota.

—Y los obreros pocos, sor Mercedes. Allí, en la hacienda de mi padre, tendré mi viñedo.

Abandonaron el paseo de La Luneta y se adentraron en las callejuelas de Intramuros, en busca del beaterio. Sor Mercedes digería el chasco con pesarosa lentitud. Al fin habló:

—Sólo quería pedirte un favor.

—Un favor o los que hagan falta. Estoy a su disposición para lo que necesite.

—La hacienda de tu padre... queda relativamente cerca de un pueblo llamado Baler, ¿verdad?

Las miradas de los transeúntes seguían siendo insistentes y ponderativas, casi estupefactas. Guicay se preguntó si la tela de piña de su vestido no sería demasiado transparente.

—A dos leguas y media, aproximadamente. ¿Por qué? —preguntó.

—Se trata de una de nuestras hermanas, sor Lucía se llama, no sé si llegaste a conocerla. Formaba parte de la comunidad que abrió la escuela en Baler.

El tono preocupado de sor Mercedes la alarmó:

—Naturalmente que la conozco. Y quien la conoce no la olvida. Supe que la tomaron como rehén cuando el asalto a Baler. —Sor Mercedes hizo un gesto de zozobra o disgusto, y su rostro recobró la severidad que algunas colegialas del beaterio le reprochaban. Guicay se asustó todavía más—: ¿Es que le ha ocurrido algo malo?

Estaban otra vez en el zaguán del beaterio, que con la luz del incipiente crepúsculo cobraba un aspecto catacumbal. Sor Mercedes no disimuló su exasperación:

—Han debido de ocurrirle muchas cosas malas, porque se ha tirado varios meses en la selva, acompañada de *tulisanes*. —Rectificó enseguida para que Guicay no se sintiera ofendida—: De insurrectos, quiero decir. Ahora resulta que ha vuelto a Baler y que quiere quedarse allí, ayudando a los pobres. Pero nos han prohibido mantener una comunidad en ese pueblo, después de lo que sucedió. Hay que conseguir traer de vuelta a esa locatis.

Todavía rezongó algo más, tal vez en el fondo de sus entretelas añorante de la rebeldía de sor Lucía. Guicay balbució:

—Por... por supuesto, cuente conmigo para tratar de convencerla. Aunque me temo que no sirva de nada. Sor Lucía tiene una cabeza como un apóstol, y si se le mete algo entre ceja y ceja... —Quiso morderse la lengua, pero no pudo—. De todas maneras, no veo dónde está el problema. ¿No es el carisma de las hijas de la Caridad el servicio a los pobres? Pues en Baler los hay a porrillo...

—El servicio a los pobres, pero viviendo fraternalmente en comunidad —la corrigió sor Mercedes—. Ni San Vicente de Paúl ni Santa Luisa de Marillac conciben a una hija de la Caridad viviendo sin comunidad en tiempos normales.

—Pero es que vivimos en tiempos excepcionales, hermana.

Sor Mercedes la escrutó con ahínco, como si se dispusiera a abroncarla. Pero sonrió jocosa:

—Pues razón de más para estar acompañada. Os vais a juntar el hambre con las ganas de comer. ¡Menuda pareja de temerarias! —Se rieron sin embarazo y sus carcajadas resonaron en la bóveda del zaguán como el galope de un caballo desbocado—.

Anda, guarda bien ese paquete y no te separes de él, no vayas a tener un disgusto.

Guicay abrazó el libro contra su pecho. Con un sentimiento híbrido de devoción filial y melancolía, vio perderse entre las sombras el hábito de sor Mercedes y su toca de un blanco resplandeciente, como un exorcismo de las tinieblas.

7

Al notar que los frascos que guardaba en su maletín entrechocaban, el holandés Rutger van Houten bramó al cochero:

—¡Haga el favor de no ir tan deprisa, imbécil!

Las herraduras del caballo chacoloteaban sobre el adoquinado y las ruedas del *quiles* se tragaban todos los baches del paseo de la Escolta, que a aquella hora —acababan de sonar las once en los relojes de las iglesias— estaba casi desierto, aunque todavía los cafés mostraban un aspecto medianamente animado, gracias sobre todo a los soldados ociosos que ahogaban el tedio en marrasquino y a los lechuguinos que iniciaban la ronda de pindongas. Rutger van Houten asió con fuerza su maletín y lo entreabrió muy cuidadosamente, para comprobar que los frascos no se habían quebrado: galvanizado por el resplandor de la luna, el líquido opalino adquiría una prestancia de bebedizo, al estilo de aquellos filtros de amor de la Edad Media, como el que se tomaron Tristán e Isolda de regreso a Cornualles; pero seguro que lo del filtro de amor —pensó Van Houten— era una interpolación de los censores eclesiásticos, para disculpar su adulterio. Le pareció que la morfina tenía una densidad de magma, y su mismo calor rugiente, y que estaba deseosa de disolverse en una sangre desprevenida y hospitalaria. Van Houten aspiró con fruición el aire de la noche, que también era desprevenido y hospitalario, y se repantigó en el asiento de su carruaje; le gustaba montar en aquellos *quiles* tan típicos de Manila (que en realidad eran los tílburis de siempre, pero acomodados al peculiar gusto filipino), porque se sostenían sobre dos ruedas (de este modo sentía más gratamente en sus posaderas los bamboleos del camino), contaban apenas con un asiento para dos personas (que, sin embargo, Van Houten se bastaba para llenar, porque era de complexión ancha) y, además, eran carruajes descubiertos, lo que le permitía entretenerse con el paisaje o sacudirle una patada en el culo al cochero, tirándolo del pescante, si no seguía al pie de la letra sus instrucciones. Rutger van Houten dirigió la vista hacia la ciudad murada, con sus bastiones derrengados, sus conventos de monjas o de momias, sus torres donde dormía el bronce. Imaginó la ciudad de Manila ardiendo por los cuatro costados; imaginó aquella zahúrda de indios presumidos devorada por llamas que asaban vivos a sus pobladores y calcinaban los sagrarios de los templos; imaginó tumultos en los arrabales, turbas enardecidas por el resentimiento y un instinto de rapacidad; imaginó gargantas sajadas por el bolo, imaginó cataratas de sangre espumosa y lustral, imaginó los conventos de monjas y de momias asaltados; y se imaginó a sí mismo, calmoso y olímpico como un caballo percherón, paseándose entre las cenizas candentes y las montañas de escombros y los cadáveres desmembrados y abiertos en canal como una lección de anatomía de Rembrandt, ajeno al llanto y a los gemidos implorantes lanzados en español y tagalo.

Era excitante imaginar Manila limpia de aquella cochambre de razas inferiores, limpia también de las procesiones infestadas de imágenes execrables de la madre del Galileo (a quien los españoles, en su demencia, llamaban Madre de Dios y rendían un culto idolátrico), lacrimosas de penitentes que se sacudían zurriagazos en la espalda; pero si deseaba que aquella visión se hiciese pronto realidad, debería andarse con cautela, porque a veces el apetito de destrucción y la avaricia formaban en su alma una amalgama en exceso ofuscadora. Sampaloc era, de todos los arrabales de Manila, el predilecto de los lechuguinos que sacaban de paseo a sus pindongas, para meterles mano en la *carromata* u obligarlas a que les soplasen el pífano, amparados por la protección de la capota. Con algunas de estas *carromatas* se cruzó en su camino el *quiles* de Van Houten, a través de la calzada bordeada de cañaverales frondosos, bongas y tamarindos que formaban una bóveda natural, entrelazando sus ramas en una coyunda en la que tal vez intercambiasen pólenes y llegasen a concebir frutos híbridos y dulcísimos. Van Houten hizo una mueca de disgusto a la vista de aquel arrabal, que en realidad era más bien un proyecto abortado de selva, salpicado aquí y allá por casonas ridículamente señoriales que trataban de imitar el estilo colonial de los británicos. Tenía entendido Van Houten que Sampaloc era el arrabal donde vivían todos los impresores que regentaban los innumerables talleres gráficos de Manila. Siempre le había resultado estupefaciente e irrisorio ese enjambre de publicaciones inútiles que se imprimían en la ciudad: opúsculos hagiográficos, periodiquitos ínfimos que parecían escritos por oligofrénicos, devocionarios pestilentes de letanías y trisagios, pasquines de sintaxis catatónica, montañas y montañas de papel que parecían redactadas por una manada de chimpancés que acabase de descubrir la letra impresa. Su anfitrión de aquella noche, un tagalo que respondía al pintoresco nombre de Nicomedes Arellano, era, por cierto, también impresor: según había podido saber, editaba en sus talleres libros piadosos en la lengua o galimatías indígena con el *nihil obstat* del arzobispo Nozaleda; luego, cuando echaba el cierre, imprimía en la trastienda, a escondidas del arzobispo, panfletos de agitación política. Mientras repetía mentalmente, una y otra vez, el nombre delirante de su anfitrión para no olvidarlo, Van Houten se preguntó por qué razón los tagalos escogerían siempre aquellos apelativos desquiciados: Nicomedes, Tiburcio, Deogracias, Bricio, Fulgencio, Belisario, Isabelo, Bonifacio y otras enormidades que parecían rescatadas de un santoral beodo. Calculó que los frailes los bautizarían así para luego poder escarnecerlos durante toda su vida, y para entretener las parrandas diocesanas, intercambiándose sus respectivas listas de bautizados.

—¡Buenas noches, don Rogelio! No sabe usted cuánto honor nos hace —lo saludó Nicomedes Arellano, su anfitrión, que había salido a la calzada a recibirlo.

Y no les bastaba con cargar con aquellos nombres grotescos, que además traducían el suyo al español, supuestamente como muestra de cortesía, aunque tal vez abrigasen inconfesados propósitos burlones. Porque su nombre, Rutger, que en neerlandés sonaba rugiente y fiero, españolizado parecía el nombre de un sochantre chepudito y con almorranas, o el de un chamarilero al que su mujer le pone los cuernos con el mozo de la frutería. Aunque, desde luego, mucho más infamante que su nombre españolizado era el de Nicomedes, que no parecía consciente de ello, a juzgar por esa sonrisa bobalicona y esa cara como de daguerrotipo pasmado que se les quedaba a los indios, en cuanto se ponían un traje de lino para sustituir el taparrabos y se ataban al cuello una chalina, en lugar del collar de colmillos de jabalí. Van Houten imaginó por un instante a su anfitrión ataviado con un collar de colmillos de jabalí y taparrabos; y, sin pretenderlo, imaginó su culo en carne viva, como el de un babuino o mandril.

—¡Don Nicomedes! —exclamó, sin levantarse todavía del asiento, estirando los labios en una sonrisa falsorra—. ¡Qué alegría más grande conocerlo al fin! ¡Y qué honor tan inmerecido me hace, saliendo a recibirme!

Aferrándose a su maletín, Van Houten bajó su corpachón del *quiles*, que instantáneamente ganó un palmo de alzada, y le pidió al cochero que lo esperase cuantas horas fuese necesario sin moverse del lugar. Estrechó la mano de Nicomedes Arellano al modo efusivo y aspaventero de los españoles que tanto gustaba también a los indios; era la suya una mano feble y diminuta que quedó sepultada en la mano de Van Houten, ancha como un bacalao en salazón.

—Y quiero presentarle a mi esposa Tomasa —dijo Nicomedes Arellano, haciendo un ademán ampuloso.

En la calzada sólo se discernía una figura esbelta, agazapada entre las sombras.

—Pero puede llamarme Hasay, don Rogelio. Para servirlo.

«Al menos ella ha reparado en la ridiculez de su nombre y la maquilla con diminutivos», pensó Van Houten. Hasay tenía una voz cantarina que ya había detectado en otras tagalas ricas; una voz que hacía chispear, como si fuese yesca, la víscera de su deseo. Dio Hasay un paso al frente e hizo una graciosa reverencia, al modo de una menina, bajo la mirada atenta o libidinosa de Van Houten. Era menuda y huesuda, con las clavículas asomando en el escote como arbotantes y el cuello como una esbelta torre en la que azuleaban las venas, ansiosas de brindar su sangre desprevenida y hospitalaria. Van Houten aprobó sus ojos atónitos, su mohín pizpireto, sus bracitos juveniles y sin mollas, sus muslos fibrosos adivinándose debajo de la saya, sus pies breves calzados en chinelas bordadas. Sentía una insensata atracción por las tagalas y las mestizas que no podía explicar racionalmente y que, por supuesto, jamás reconocería en público: los indios le semejaban monos a los que de buena gana hubiese arrojado cacahuetes; pero, misteriosamente, sus mujeres despertaban en él pensamientos lascivos y aberrantes (pero todos sus pensamientos lascivos eran aberrantes). Además, le resultaba muy difícil controlarse y comportarse civilizadamente delante de ellas.

—Señora, es un inmenso placer conocerla —dijo, ceremonioso.

Movió los labios en un rápido mohín, mientras la desnudaba con sus ojos de un azul gélido, antes de inclinarse para besarla en la mano; aunque más bien lo que hizo, con la excusa del beso, fue lamer subrepticiamente el dorso de su mano, para averiguar el grosor y la disposición de sus venas. Van Houten notó el escalofrío que recorrió el cuerpo de Hasay cuando sintió su lengua auscultándole la piel; al erguirse, se atusó el cabello rubio y volvió a mirarla sin rebozo. Arellano lo tomó confianzudo del hombro y lo condujo hacia su casa.

—Es usted el primero en llegar, don Rogelio —dijo. Tenía una voz cotorrona y empalagosísima—. Si le parece, podemos tomar una copita, mientras llegan los hermanos. Acabo de recibir una tuba que está de rechupete.

Nada apetecía menos a Van Houten que tomarse semejante brebaje infecto en compañía de aquel mequetrefe. Miró ponderativamente la casa:

—¡Pero vaya chocita que tienen ustedes! —Y silbó, afectando deslumbramiento, para después adoptar un tono de responsable renuncia—: Creo que será mejor que atienda a sus invitados, don Nicomedes, según vayan llegando. —Miró otra vez a Hasay con una rara intensidad, como si quisiera sacarle las asadurillas—. Entretanto, su bella esposa podría mostrarme su espléndida casa. ¿Sería tan amable, Hasay?

—¿Pues cómo no habría de serlo? —se anticipó Nicomedes, con vocación de cornudo—. Anda, Hasay, enséñale a don Rogelio la casa. Le advierto que es la más bonita de Sampaloc.

—No tengo ni la más mínima duda, don Nicomedes —asintió Van Houten, procurando que la sorna no se le derramara por las comisuras de los labios.

Para facilitar su propósito, se oyó a lo lejos el rodar de un carruaje y el chacoloteo del caballito que lo tiraba, anunciando la llegada de otro invitado. Hasay, todavía risueña pero con una sombra de miedo aleteando en la frente, se hizo cargo del huésped, guiándolo hacia el interior de la casa. Van Houten miró su figura empaquetada por la saya; tenía unos andares corretones y agitados, como ya había comprobado que les ocurría a muchas tagalas, nerviosas como escopetas. Contempló con especial delectación su cintura de avispa y su culo de caderas breves y nalgas apretadas, casi efébicas. De aquellas mujeres, de complexión perfecta para su gusto, sólo le disgustaba su dinamismo agotador. Con lo hermosas que estarían —pensó— quietecitas, dormiditas, paseándose por los pasadizos de niebla de la morfina.

—¿Y tiene pensado instalarse en Manila, don Rogelio? —le preguntó Hasay, volviéndose hacia él con un respingo, como si la hubiesen acariciado sus pensamientos nefandos.

—Nada me gustaría más —dijo Van Houten, socarrón—. Estoy harto ya de Batavia. Aquí, en Manila, todo es más reposado y placentero...

—Pues, llegado el caso, será un honor ayudarle a buscar casa —se ofreció.

—El honor inmenso es el que usted me hace.

Empleaba ese lenguaje caballeroso, tan pestíferamente español, que a Hasay parecía envolverla en una atmósfera de languidez, embaucándola. Van Houten calculó que en un par de horas de cortejo podría hacer con ella lo que le diese la gana, que naturalmente no era otra cosa sino dormirla para hacerle sus asquerosidades; pero también necesitaba tener lejos al mandril de su marido, requisito que aquella noche parecía inalcanzable. En la *caída* (que así se llamaba en Manila al vestíbulo o recibidor, por lo general la habitación mayor de la casa), dos estatuas de bronce, matronales y mofletudas, representando la una Europa y la otra Asia, acogían al visitante. Sobre una mesa con recado de escribir, una bandeja aguardaba las tarjetas de las visitas. Van Houten sacó su cartera, procurando que Hasay reparara en el billetaje políglota que casi la reventaba, y dejó su tarjeta sobre la bandeja, como quien envida con una baza imbatible: «Rutger van Houten. Exportaciones. Batavia-Hong Kong-Singapur-Macao-Manila». Para su decepción o enfado, Hasay ignoró su billetaje y empezó a moverse como una libélula entre el mobiliario de la *caída*, compuesto por butacas de rejilla, balancines, jardineras con plantas tropicales y veladores, dispuesto todo ello con la más cuidadosa simetría. Atribuyendo a Van Houten inquietudes de tipo intelectual, Hasay le mostró unos estantes con lambrequines de terciopelo en los que se alineaban las publicaciones piojosas de su marido.

—Desgraciadamente, están casi todas en tagalo, que imagino que es un idioma que usted no domina, don Rogelio —se lamentó Hasay, con un deje coquetuelo.

—Pero si usted me diera unas pocas clases, lo aprendería... ¿cómo dicen los *castilas*? En un periquete; eso es, en un periquete, Hasay.

Volvió a mirarla como si le estuviese haciendo una radiografía, escrutándola con sus ojos heladores; y a Hasay le flojearon las rodillas. Pasaron al salón de la casa, donde con holgura podrían bailar veinte y hasta treinta parejas; tenía tres balcones que se asomaban a la calzada de Sampaloc, con ventanales de conchas de nácar y horrendos cortinajes de raso azul celeste con guardamalletas de bronce. Entre los balcones, para completar el desaguisado, había jarrones japoneses, espejos a la veneciana, candelabros de cristal de roca a juego con las arañas del techo y otros cachivaches que delataban en los propietarios un gusto chabacanote, como de urracas con pretensiones. Había también un par de consolas de ébano con incrustaciones de nácar y un piano de cola (de pavo real, por lo menos), con una partitura donde bostezaban las corcheas, criando polvo. Van Houten calculó que aquel catálogo de horrores lo habría comprado Hasay con el dinero que el caradura de su marido ganaba vendiendo devocionarios a los indios; extrañamente, al comprobar que era una mujer de gusto charro, se excitó todavía más.

—La sillería es de camagón, con asiento de rejilla del más fino bejuco —le decía Hasay, en una murga propia del vendedor de una feria de muestras.

Y seguía moviéndose nerviosamente, con un frufrú de la saya apretada que la obligaba a caminar con pasos breves y acelerados. A Van Houten le gustaba mirar sus hombros al descubierto, reveladores de una osamenta armónica; y también su nuca un poco sudorosilla en la que hubiese deseado introducir la lengua, para saborear su sabor de salada ostra. Le mortificaba, en cambio, que fuese tan parlanchina; pero bastaría narcotizarla con la dosis exacta de morfina para tenerla callada. A medida que crecía su deseo sexual, aumentaban también las pulsiones homicidas de Van Houten; lo notaba porque le brotaba en las manos un calor palpitante, como de sabañones en ciernes.

—El reloj de pared es de maquinaria suiza y madera de sándalo —proseguía Hasay con su cháchara.

A ambos lados del espacioso salón se abrían dos gabinetes, uno de los cuales estaba acondicionado como tocador y dormitorio de Hasay, para aquellas ocasiones en que no tuviese que cumplir con el débito conyugal y prefiriese dormir sola o con algún amante que le calentase la cama, con la complacencia del cornudo de su marido.

—Y este es su tocador, supongo —dijo, asomándose al gabinete.

—Así es, don Rogelio. Pero no sé si debemos...

Hasay miró hacia la *caída*, donde el cornudo de su marido empezaba a depositar a los primeros invitados. Van Houten le puso una mano en la cintura:

—Por Dios, Hasay, no tenga reparo. Una mujer hacendosa hace de su tocador el lugar más santo de la tierra.

Se atrevió a bajar un poco la mano, hasta palpar el nacimiento de sus nalgas prietas, a la vez que la empujaba suavemente hacia el interior del gabinete, donde los desvaríos del mal gusto alcanzaban su apoteosis. Al fondo había una cama con un dosel a modo de pabellón del que colgaban vaporosas guarniciones de piña. La sobrecama era de raso azul bordado en motivos florales, como los mantones de Manila; y había sendas alfombras de yute del mismo color a ambos lados de la cama. Van Houten le palpó, ahora sin rebozo, las nalgas, que percibió cubiertas con ropa interior de una tela muy fina, tal vez cendal u organdí, y quiso alzarle la saya, pero Hasay se escabulló, para balbucear al borde del llanto:

—Así quise que fuera, don Rogelio: el lugar más santo de la tierra. —Trató de recomponerse, e hizo un amplio ademán con la mano, atrayendo la atención de Van Houten hacia un rincón en el que aún no había reparado—. Por eso quise que Nuestro Señor Jesucristo y su Santísima Madre me acompañaran.

Al instante se le atragantó la lujuria, como una raspa de sardina en la garganta. Van Houten contempló con incredulidad el altarcillo, con un Cristo en la cruz (¡el odioso Galileo!) tallado en marfil, sobre una imagen que reproducía a la Virgen de Antipolo; y enseguida su incredulidad se transformó en furor mal reprimido y en bascas, al sentirse fiscalizado por aquella imagen de ojos tristes y huevones, coronada por un pelo partido en crenchas, pelo humano muy fosco y ondulado, como ya había tenido ocasión de ver con espanto en las imágenes de algunas iglesias españolas.

—¿Le apetece rezar conmigo a la Virgen? —le preguntó Hasay, con un falso candor que era más bien ensañamiento.

Y se arrodilló en un reclinatorio que para tal efecto allí había dispuesto. Van Houten se volvió de espaldas al altar; en la pared descubrió una pila de plata y cristal de Bohemia, en la que estuvo a punto de meter las manos para refrescarse. Pero un instante antes de hacerlo comprendió que contenía agua bendita, y se abstuvo, no fuera a actuar sobre su piel como una solución sulfurosa.

—Deberá disculparme, Hasay, pero soy seguidor de Calvino —dijo, al fin, con respiración acezante.

—¿Y eso significa que no quiere a la Virgencita de Antipolo? —preguntó Hasay, regocijándose íntimamente de los desarreglos que las imágenes religiosas provocaban en el semblante de su huésped.

—No es que no la quiera, Hasay —respondió Van Houten, casi sin resuello—. Simplemente, mi cariño no ha degenerado en idolatría...

Hubiera deseado poderse mofar del dogma de la virginidad de María, o del dogma todavía más indignante de su inmaculada concepción, pero Hasay había empezado a rezar con voz cada vez más recia, como si estuviese recitando un exorcismo:

—Santa María, Madre de Dios, ruega por nosotros pecadores...

Van Houten contempló el hoyuelo de su nuca, impregnado de un sudor que ahora ya no podría saborear; y se juró que, cuando Manila ardiese en llamas por los cuatro costados, entregaría al cornudo de su marido a las turbas y se encerraría con Hasay en aquel mismo gabinete, que previamente habría hecho vaciar de ídolos, manteniéndola narcotizada durante días, hasta convertirla en una piltrafa. Hasay seguía ensartando un avemaría tras otra, para mantenerlo a distancia, con una determinación que nacía a partes iguales del miedo y la crueldad.

—Pero, dígame, Hasay —preguntó Van Houten, tratando de afectar sosiego—, ¿qué beneficio piensa obtener rezando a esa virgen más fea que Picio? ¿Acaso su marido no le ha enseñado que, en la lucha contra el *castila*, hay que empezar por odiar su religión?

Hasay había empezado a temblar. Mientras proseguía su rezo las sienes se le abultaban, revelando un ramaje de venas hasta entonces escondidas.

—¿Por qué odia tanto al *castila*, don Rogelio? —preguntó.

¿Por qué odiaba tanto al *castila*? Esa misma pregunta se la había hecho Van Houten cientos de veces, sin lograr nunca formular una respuesta cabal y sintética. Allá en la niñez remota, su madre lo asustaba antes de acostarse, diciéndole que si no se dormía pronto vendría el duque de Alba a sacarle las mantecas, como tantas madres holandesas hacían con sus hijos; pero esta fruslería no bastaba para explicar el odio minucioso, bituminoso y espeso como la brea que profesaba a los españoles. Más tarde, había viajado mucho por España, como por otros países europeos, que sin embargo no habían provocado en él ese asco invencible, férreo como una lapa, que sólo nos provocan aquellas realidades que nos expulsan de su seno. Odiaba a los españoles en cuanto eran y en cuanto hacían, los odiaba en sus diversiones y en sus afectos, en sus manías y en sus anhelos, en sus devociones y en sus costumbres, en sus vicios y en sus virtudes, pero sobre todo en sus virtudes. Odiaba su hermosa lengua, eufónica y áspera a un tiempo, acariciadora como un vilano y restallante como un látigo, hecha por igual para la oración y el denuesto, el requiebro y la diatriba, lengua de pólvora y arrumacos, de sarcasmos hirientes y alabanzas a Dios, lengua proteica capaz de cantar la infinita belleza del mundo y su infinito dolor. Odiaba sus ventorros con olor a perdiz escabechada y sus tabernas con olor a mugre agria, odiaba a sus monjas llagadas y a sus toreros como eccehomos con alamares, odiaba sus romances de ciego y sus bailes populares y promiscuos, sus mojigangas por carnestolendas y sus potajes por cuaresma, sus noches de bureo y sus siestas con orinal y padrenuestro. Odiaba a sus rufianes de taberna, blasfemos y noveleros, y a sus putas jacarandosas y samaritanas; odiaba a sus beatorras de bigote y tentetieso y a sus mendigos con carta de ejecutoria; odiaba a sus cupletistas lagartonas y a sus cómicos de la legua. Odiaba a sus hidalgos pobretones con las barbas entreveradas de fideos y a sus gitanazas endrinas y salerosas. Odiaba sus buñuelos de crema revenida, con los que resucitaban a los muertos, y sus cocidos pedregosos, con los que mataban a los vivos. Odiaba sus verbenas con piñata, sus bodas con recena, sus guitarras inspiradas por la luna, sus tunos tunantes y sus criadas cachondas, sus romerías con jira campestre y sus rosarios con un estrambote de letanías. Odiaba sus pasodobles con derecho a arrimar y sus procesiones de Viernes Santo, con aquellos Cristos tremendistas llenos de verdugones y aquellos sayones que parecían todos de Flandes, por la jeta de borrachos y de degenerados que tenían. Odiaba a sus labradores, que dejaban el arado para rezar el ángelus, y a sus arbitristas quiméricos, y a sus marqueses roñosos y cornudos, y a sus marquesonas manirrotas y cachondas, y a sus bandoleros de navaja de muelle y escapulario al cuello, que se trajinaban a las marquesonas después de raptarlas. Odiaba a sus monjas con jaqueca mística, a sus generales gotosos, a sus caballeros andantes y a las damas de sus pensamientos, a sus escuderos leales y a sus cesantes zarrapastrosos, a sus chupatintas desdentados y a los arrapiezos que comían rebanadas de melón en la calle, mientras emporcaban el suelo con sus pepitas y peladuras. Odiaba sus grecos de figuras pálidas y estiradas, como alimentadas de yeso y de vinagre, siempre hambrientos de Dios; odiaba sus murillos delicadísimos, que veían en los pies sucios de cualquier fregona los pies purísimos que habrían de pisar bajo su calcañar a la antigua serpiente, siempre hambrientos de Dios también; odiaba sus zurbaranes de hábitos cándidos, irradiadores de una paz que ofendía a su alma recocida en los miasmas de la depravación, y hambrientos de Dios para no variar; odiaba hasta los aquelarres goyescos, y el vuelo nocturnal de sus brujas, que parecían ahuyentadas por el soplo de Dios. Odiaba sus catedrales románicas, sus catedrales góticas, sus catedrales barrocas y churriguerescas, odiaba sus ermitas entre peñascales, asomándose a precipicios abruptos, enseñoreándose petulantes del abismo. Odiaba sus olivares y dehesas, con olivos y encinas de troncos tortuosos; y las márgenes de sus ríos, escoltadas de chopos y álamos de tronco grácil. Odiaba sus páramos y roquedales, que eran una invitación a la vida eremítica, y también sus huertas y vergeles, que eran una invitación al retozo. Odiaba a sus pastores con aliento de ajos, a sus ermitaños de pecho acardenalado de tanto golpeárselo con un guijarro, a sus monjas embellecidas por el cilicio, a sus frailes jocundos vestidos de estameña, a sus jesuitas astutos, con ojos de lebrel y labios adelgazados de silogismos. Odiaba a sus pícaros de almoneda, a sus monjes entreverados de soldado, a sus reinas varicosas y fondonas, a sus reyes prognatos y asaltacamas, a sus obispos leprosos dispuestos a liarse a garrotazos con el báculo. Odiaba sus procesiones del Corpus Christi, con aquellas custodias coruscantes que le herían la vista y le ulceraban las tripas; odiaba a sus curas trabucaires, a sus santos pecadores, a sus pecadores que retaban a duelo a quien osase discutir el dogma de la Inmaculada. Odiaba sus mulas acechadas de moscas, odiaba sus vinazos agrios y rasposos al paladar, odiaba sus vinos dulcísimos como ambrosía que se transmutaban en sangre eucarística, odiaba sus flamenquerías y sus sardanas, odiaba sus cofradías de penitentes y sus burdeles jaraneros en los que las putas se salían por peteneras y la clientela batía palmas, odiaba sus cementerios florecidos de amapolas, sus ejercicios espirituales, sus barbechos polvorientos, sus espadañas bendecidas por nidos de cigüeña, sus iglesias con olor a incienso y orines, sus castillos de matacanes sobrevolados por grajos y cornejas, sus quesos con olor a pies, sus carmelitas descalzas y andariegas, sus jamones goteando aceite en las espeteras, sus corralas vociferantes, sus timbas de tahúres y fulleros, sus gargajos como tortillas francesas, sus gandules meando hematurias en mitad de la calle y tirándose cuescos tan ricamente, como si pusieran a cantar a un ruiseñor. Odiaba su sentido del honor trasnochado, sus Vírgenes dolorosas paseándose en andas, sus relicarios con gusanera, sus mutilados de guerra con ladillas y chirlos en la jeta, sus organilleros sinvergüenzas, sus alguaciles prevaricadores, sus escribanos garduñas, sus reyertas de callejón, sus revolcones en las eras, sus monjas alféreces, sus tenorios relapsos, sus tenorios arrepentidos, sus doncellas con el virgo remendado, sus doncellas con el virgo en sahumerio, sus doncellas de virgo incorrupto por la gracia de Dios. Odiaba a sus ministros coimeros que cambiaban de partido como quien cambia de concubina; a sus políticos conservadores, tan maniobreros y meapilas; a sus políticos liberales de cintura para arriba, chanchulleros y pedantes; a sus políticos liberales de cintura para abajo, rijosillos y sarasas; y a sus carlistas tronados y reidores (aunque, al menos, de cuerpo entero). Odiaba, en fin, la gravedad sufrida de los españoles, su resignación alegre, su cordialidad festiva, su confianza locoide y meningítica en la Providencia divina, su adhesión a machamartillo a las enseñanzas de Trento. Los odiaba con un odio químicamente puro, como el enano y el tullido odian al hombre de complexión sana, como la fea odia a la guapa, como el impotente odia al viril, como quien ha tenido la desgracia de nacer en una nación de chichinabo, birriosa y abandonada de Dios odia a quienes han nacido con un designio y una estrella. Y, en su odio enciclopédico, no pararía hasta matarlos, o hasta matar todo lo que ellos amaban y exaltar todo lo que ellos detestaban; hasta que se desnaturalizasen y dejasen de ser españoles. Era aquella una misión ímproba e inabarcable, seguramente tan inabarcable como la enumeración caótica que, en un instante, acababa de abarrotar su pensamiento, pero había prometido encomendarse a ella, porque Van Houten sabía que los españoles, con todas sus lacras y tachas, eran el único pueblo que, aun en su decadencia, podría frenar el advenimiento de la nueva era que había jurado impulsar, defender y propagar (siempre que le pagasen cumplidamente su trabajo, se entiende).

—¡Don Rogelio! —oyó vocear al botarate de su anfitrión desde la *caída*—. Ya estamos todos aquí. Cuando le parezca bien, empezamos.

Hasay se había levantado del reclinatorio y se contoneaba ante un Van Houten vencido por sus rezos. Se esforzó por sonreír:

—Es usted dura de pelar, Hasay. Su marido ya me reclama. Estoy seguro de que tendremos más ocasiones para seguir intimando. Y espero que sean en terreno neutral.

Hasay había puesto los brazos en jarras, celebrando su victoria. Entonces se asomó al tocador Nicomedes, con pisadas de rata fisgona, suspicaz tal vez de que entre su esposa y el ilustre invitado holandés estuviesen ocurriendo cosas no del todo santas. Mientras lo llevaba, cogido confianzudamente del hombro, hasta la *caída*, Nicomedes le deslizó al oído, como excusándose:

—El altar tuve que ponérselo para que no hubiese alboroto en casa. Ya sabe que a las mujeres es mejor tenerlas contentas. Hasay, además, no sabe que pertenezco al Katipunan.

—La discreción ante todo, don Nicomedes —farfulló Van Houten con despecho—. Al menor descuido, las muy putas le van con el cuento al confesor.

Una vez más, como casi siempre le ocurría en sus tratos con los tagalos, lo arañaba el desaliento. Llevaba muchos años tratando de desvalijarlos, convenciéndolos de que compraran las armas de contrabando que él les servía, para asegurar el triunfo de la revolución; pero siempre se enfrentaba con sus requilorios y circunloquios, jeribeques y prolijidades, porque los tagalos eran amigos de dar rodeos en sus tratos hasta agotar a la otra parte. Era casi imposible cerrar una venta con ellos en una sola reunión; y a la hora de apoquinar eran tacaños, remolones, barulleros y cagapoquitos. Van Houten había empezado a tratar con ellos diez años atrás, concretamente con la colonia de filipinos exiliados en Hong Kong, donde se había organizado un importante foco de agitación antiespañola, con la connivencia de las autoridades británicas. Van Houten tenía en Hong Kong su segundo centro de negocio, después de Batavia; los filipinos acudieron a él asegurando que disponían de ahorros por valor de dos millones de pesos, con los que deseaban comprar armas. En realidad, aunque posaban de hombres acaudalados, no eran más que comerciantes de modesta posición; y, como luego se demostraría, sus ahorros apenas alcanzaban una décima parte de lo prometido, pero —como enseguida pudo Van Houten comprobar— eran fáciles de engañar, y pagaban por un máuser roñoso lo mismo que los chinos, mucho más taimados, pagaban por un Remington recién salido de la fábrica. Y como las transacciones, aunque fuesen de menor cuantía, le dejaban un amplio margen de beneficio, Van Houten se hizo su proveedor oficioso, organizando —con la connivencia de las autoridades de la región— una red de contrabando con ramificaciones en Hong Kong, Singapur y Macao. La mercancía llegaba al puerto de Manila escondida en sacos de harina, o en cualquier otro recipiente que garantizase una entrada en el país medianamente pacífica, después de untar a algún oficial de aduanas poco escrupuloso. Últimamente, el negocio de Van Houten había recibido un espaldarazo que podría hacerlo millonario, a poco que supiese jugar sus cartas: los Estados Unidos, decididos a formar de la nada un imperio colonial, habían fijado sus miras en Filipinas y fomentaban todo movimiento sedicioso contra los españoles; y, aunque carecían de puertos propios en la zona, operaban en todos con una desenvoltura que beneficiaba los tráficos de Van Houten.

Asegurado el abastecimiento de armas, ya sólo necesitaba garantizar la financiación, si en verdad deseaba enriquecerse e infligir daño a sus odiados españoles. Para ello, se había propuesto recaudar fondos entre los tagalos más pudientes, que en honor a la verdad no eran muchos y, además, se mostraban más bien desganados en cuestiones políticas, lo que tal vez sólo fuera una coartada de su tacañería. En su afán por camelarlos y expoliarlos, Van Houten había probado a fomentar en territorio filipino la masonería, a la que él mismo pertenecía desde muy joven, habiendo alcanzado el grado de maestro. Van Houten logró poner en marcha un par de logias en Manila, encargándose personalmente de recaudar las cuotas a los indios, a los que ascendía en los grados con una rapidez proporcionada a sus liberalidades, desprendimientos y donativos. Para su sorpresa, las autoridades no habían puesto demasiados impedimentos a su actividad, llegando en algunos casos incluso a alentarla, como si lo suyo fuese una campaña de alfabetización o beneficencia; más tarde, comprobaría que la administración española, como su ejército, estaban infiltrados (y aun infestados) de mandiles. Pero ni el ímpetu proselitista de Van Houten, ni las facilidades dadas por las autoridades lograron vencer la naturaleza indolente de los indios, a quienes las reformas masónicas se les antojaban entelequias abstrusas. De modo que, en unos pocos meses, pasada la primera fiebre del alistamiento, las recaudaciones empezaron a menguar; y Van Houten se convenció de que no podría seguir explotando la ignorancia de los indios, por mucha monserga filantrópica con que rodeara sus tareas proselitistas. Entonces supo que, aprovechando la parafernalia masónica y entreverándola con elementos extraídos de antiguos cultos paganos, algunos indios habían organizado una asociación secreta, llamada Katipunan, en donde se hacía exaltación del odio al *castila*. Empleando atavismos bárbaros y ritos de iniciación de procedencia selvática que incluían juramentos de sangre, el Katipunan había conseguido fanatizar a miles de tagalos con la rapidez de un ensalmo; y Van Houten esperaba ordeñarlos a conciencia.

—No puede usted imaginarse cuánto nos honra su presencia esta noche, don Rogelio —le confió Nicomedes, que le hablaba atropelladamente mientras lo conducía hasta la *caída*—. Por supuesto, pasaremos por alto algunas observancias exigidas en nuestro reglamento, en atención a su persona.

—Oh, no, por favor, se lo ruego —se resistió Van Houten, sinceramente contrariado—. Quiero someterme al rito de iniciación como cualquier otro neófito.

Nicomedes se dio importancia, jactancioso:

—Don Rogelio, por Dios, no pretenderá que ante usted nos pongamos una capucha y que lo obliguemos a pincharse una vena. —Nicomedes le lanzó un guiño de complicidad—. Eso son paparruchas que se hacen para impresionar a la gente inculta. ¡Pero con alguien tan docto como usted! Además, los venerables hermanos de nuestro Consejo Supremo nos han pedido expresamente que prescindamos de estos trámites.

Van Houten no opuso más resistencia, por temor a introducir perturbaciones innecesarias en el conciliábulo, que deseaba rematar con una venta rápida. Pero sintió como una amputación que se le privase de aquel rito que, según imaginaba, introducía el fanatismo en la sangre. Van Houten sintió nostalgia de sus antepasadas las fieras, perdidas allá en las tinieblas antediluvianas que había soñado Darwin; y sintió deseos de reunirse con ellas, sintió deseos de afilar sus uñas y buscar la áspera senda del bosque, gateando a la carrera, hasta clavar sus colmillos en la garganta de su presa (de cualquier presa, aleatoriamente elegida), harto de las convenciones impuestas por la civilización.

—Qué le vamos a hacer, don Nicomedes. Si la orden viene de arriba... —murmuró.

Hasay caminaba detrás de ellos, a una distancia respetuosa pero pesquisidora, como si quisiera alcanzar a oír sus secreteos.

—Hasay, querida —le dijo su marido, volviéndose hacia ella—, ¿serías tan gentil de llevarnos a la *caída* unos refrescos de limonada y chocolate? —Ella obedeció un poco desganadamente, como si se juzgara con derecho a participar del conciliábulo. Cuando se perdió al fondo de la casa, Nicomedes trató de halagar a su invitado—: Bien sabemos, don Rogelio, los muchos sacrificios que ha hecho usted por nuestra revolución. Para este su humilde servidor, acogerle hoy es un gozo semejante al que debieron de disfrutar los primeros cristianos, al acoger a San Pablo en sus viajes apostólicos.

Van Houten formuló una sonrisa como de calavera hastiada:

—Mejor será que dejemos de joder con los símiles religiosos, ¿no le parece?

Nicomedes parpadeó contrito, como si lo acabasen de pillar en un renuncio. En la *caída* los aguardaba una asamblea de apenas una docena de indios enlevitados que, para comentar el estado de sus sementeras o la última ordenanza municipal, ensayaban ademanes tribunicios. Chillaban mucho al hablar, como macacos frenéticos; y, mientras Nicomedes se los iba presentando, hacían reverencias exageradas, como si quisieran mostrar su vasallaje a la raza aria. Todos tenían nombres altisonantes, Domitilo, Hermenegildo y Filomeno, Celestino, Melquíades y Epifanio y otros por el estilo; Van Houten pensó que tal vez los frailes los bautizaran con aquellos nombres con chorreras para que los santos menos invocados del santoral no tuviesen celos de los santos más requeridos y evitar así una lucha de clases en el cielo. Hasay apareció con la bandeja de los refrescos, que acercaba a los hermanos poniendo casi el culo en pompa, lo que provocaba entre ellos alborozos de mandril. Cuando se acercó a Van Houten, todavía se pavoneaba; pero él le dirigió una mirada abrasiva que la amustió. Mientras la veía alejarse hacia el comedor, Van Houten la imaginó, arriada ya su belleza, con los ojos como canicas mareadas, la piel de un color de cera manoseada y los brazos acribillados por cráteres de lividez, mientras la morfina envenenaba su sangre desprevenida y hospitalaria. Saboreó el escalofrío de la limonada, como una titilación de placer.

—Tiene usted una esposa extraordinariamente servicial, don Nicomedes —dijo, burlón—. Estoy seguro de que le hará disfrutar de las más sabrosas delicias... Delicias de la inteligencia, me refiero.

A Nicomedes se le encapotó el ceño. Adoptó esa expresión cavilosa de los tenderos viejos, cuando sospechan que tratan de colarles una mercancía averiada:

—Desde luego, desde luego. —Y, con un vestigio claudicante de orgullo, masculló—: Pero de esas delicias disfruta únicamente el marido.

Van Houten recordó la cita de Tácito: *«Propium humani ingenii est odisse quem laeseris»*. Es natural en el hombre odiar a quienes ha agraviado. Los clásicos ya se habían asomado a los muladares del alma humana; y habían acertado a nombrar su estiércol. Y Van Houten, desde luego, odiaba a los tagalos. Tan embebido estaba en sus pensamientos de muladar que apenas atendía lo que hablaban los otros katipuneros.

—Hay que reconocer que el general Primo de Rivera está mostrando una sensibilidad hacia nuestro pueblo mayor que la de anteriores gobernadores —concedió uno de ellos—. Las fiestas que ofreció por la paz de Biacnabató resultaron excelentes.

—Pero mucho más esperanzadora ha sido su promesa de introducir la enseñanza gratuita del español en las escuelas —dijo el más anciano del grupo, condición que revestía sus palabras de una mayor venerabilidad—. Sin duda, es un paso muy meritorio en pos de restañar las heridas entre dos pueblos condenados a entenderse.

Van Houten se revolvió como un áspid. Justamente cuando creía que por fin el fermento del fanatismo había prendido, salía aquel carcamal con semejantes pamplinas. Era un indio muy atezado y aguileño, con los dientes un poco alobados y el rostro burilado de arrugas.

—¡Un momento, señores! ¿He oído bien? —se rebeló—. ¡Ah, los filipinos, siempre soñadores e inexpertos, siempre persiguiendo las mariposas del ideal! Piensan que España los quiere abrazar con guirnaldas de flores, cuando lo que desea es atarlos con cadenas. A ver —se hizo el despistado—, ¿quién fue el que hizo el último comentario?

—Fui yo, don Rogelio —reconoció con humildad el anciano de rostro burilado—. Digo yo que, si deseamos igualdad de derechos, habremos de empezar por poder tratar con el *castila* de igual a igual. Y para ello, es aconsejable conocer su idioma...

—¡Craso error, don...! —Van Houten se detuvo. En verdad no recordaba el nombre del carcamal aguafiestas, pero no descuidó la oportunidad de chancearse—: ¿Eustaquio, Hermelindo, Epaminondas?

—Epifanio, señor, Epifanio Velarde, para servirlo —dijo su oponente, algo picado.

—Disculpe, don Epifanio —prosiguió Van Houten, adoptando un tono más conciliador—. Aprender el idioma de esos piojosos será la aniquilación de su patria. ¿Qué iban a ganar adoptando ese idioma de ganapanes y de pícaros? ¿Convertirse en un país de guerras civiles, como las repúblicas bananeras de Hispanoamérica? ¿Añadir un idioma más a los cuarenta y tantos que se hablan en el archipiélago, para convertir esta tierra en una nueva Babel?

Mientras los asaeteaba con su munición hispanófoba, Van Houten recordaba con regocijo las palabras que el cónsul americano en Singapur le había confiado: «Impondremos a esos monos el inglés a sangre y fuego. Y al que se resista a hablarlo, le daremos brea y plumas». Van Houten había loado este propósito, pues sabía bien que la parla de los yanquis, con su vocación comercial y de hormiguero, mataría la originalidad de los tagalos. El carcamal Epifanio aún se atrevía a llevarle la contraria:

—Yo diría más bien que ocurrirá al revés, don Rogelio. El español puede ser la lengua que empleemos para entendernos entre todos y para hacernos entender fuera de estas islas.

—¡Craso error nuevamente, don Epifanio! —exclamó Van Houten—. El pueblo nunca asimilará esa lengua de gentes provincianas, porque carece de frases para expresar los sentimientos del pueblo filipino. El español sólo serviría para esclavizarlos. El idioma es el pensamiento de los pueblos; y, mientras ustedes conserven el suyo, conservarán la prenda de su libertad. ¡No se dejen tiranizar por la lengua de los inquisidores, háganme caso!

Y mientras lanzaba este apóstrofe, los imaginaba con íntimo regodeo aplastados por una lengua de capataces y de corredores de seguros que los anegaría en su cemento. Van Houten iba ganando adhesiones entre un auditorio cada vez más enardecido y dispuesto a cortarse la lengua si era necesario, con tal de no seguir hablando español. Epifanio, encogido, encorvado casi, susurró:

—¿Y qué hemos de hacer, entonces?

—De entrada, combatir en todos los frentes esos insensatos deseos de asimilación —respondió, tajante, Van Houten—. Y hacer de la necesidad virtud para fundar los cimientos de la patria filipina. ¿Que esos piojosos les niegan representación en Cortes? ¡Magnífico! Después de todo, aunque ustedes consiguieran enviar unos pocos diputados a esa charca de ranas, ¿qué iban a hacer, sino legitimar con su presencia los abusos y faltas que les infligen? Cuantos menos derechos les reconozcan los *castilas*, más ímpetus los avalarán luego para sacudir su yugo y aplicarles la ley del talión. Entretanto, aprovechen que el *castila* les oprime para sembrar odios por doquier. El odio pone más ardor en los corazones que el mismo amor.

Y como prueba irrefutable, allí estaba su corazón tumultuoso, que Van Houten imaginaba peludo como el de Alejandro Magno y negro como el alquitrán. Su arenga había exaltado a los otros katipuneros, Hermenegildos, Filomenos y Melquíades, que si hubiesen tenido a mano un árbol con lianas habrían trepado a él, para hacer piruetas y monadas, entre resoplidos de júbilo. El carcamal Epifanio reconoció su derrota:

—Tal vez tenga usted razón, don Rogelio. Tal vez yo defendía la enseñanza del español porque en ello veía una ocasión para mejorar el nivel de los estudios. No en vano soy maestro... y deseo, ante todo, que mis compatriotas se cultiven.

Van Houten adoptó un tono impostadamente halagador:

—¡Maestros como usted necesita esta tierra anémica de libertad! ¡Maestros que la iluminen con el faro de la sabiduría, exorcizando las tinieblas del oscurantismo traído por los frailes y sus secuaces! Pero en tagalo, don Epifanio, ¡en tagalo! Y sin titubeos ni contemporizaciones. —Decidió que era el momento idóneo para sacar en romería la memoria de su mártir, que provocaba entre los indios un instantáneo movimiento de simpatía—: No olvidemos cómo pagó el *castila* los esfuerzos conciliadores de nuestro añorado José Rizal.

—¡Eso es! ¡Sin titubeos ni contemporizaciones! —dijo un Domitilo o Celestino, prestando voz al sentir del grupo.

Un ansia de venganza les crecía en las anginas del alma, como si fuese un flemón. Mientras se procuraban entre sí argumentos que justificasen la degollina de los *castilas*, Van Houten miró al carcamal Epifanio con una mezcla de grima y desdén, como si mirase un cachivache condenado a la incuria. Nicomedes, por aliviar un poco la tensión, irguió la cresta:

—¿Y qué les parece si iniciamos nuestra reunión, señores?

La propuesta fue acogida con unánime conformidad, y los venerables hermanos subieron a la planta superior armando un estrépito de marabunta. Nicomedes introdujo un llavón de sefardita en la cerradura de un cuarto que mantenía cerrado, para evitar —supuso Van Houten— las intromisiones de Hasay, que le había salido cuza y santurrona. Pasó primero el anfitrión y seguidamente lo hicieron los otros hermanos, que corrieron a los asientos como macacos que se disputan su rama en el árbol. Enseguida Van Houten descubrió en la decoración y mobiliario del aposento influencias de las logias masónicas: había junto a la puerta un par de columnas de mampostería, rematadas por tres granadas en el capitel; sobre una plataforma se alzaba el *altar* o mesa del Venerable, donde fue a sentarse pomposamente Nicomedes, bajo un dosel en el que se había bordado un ojo colosal, como un tetragrámaton con conjuntivitis, flanqueado a derecha e izquierda por el sol y la luna, que más bien parecían, por impericia de quien los había bordado, un girasol sarasa y un plátano incitante. A ambos lados del Venerable se hallaban dos mesillas triangulares; el suelo de la habitación lo ocupaban varios escaños forrados de terciopelo rojo, dispuestos longitudinalmente y en paralelo. Se notaba que Nicomedes disfrutaba de la farsa por los ademanes señoriales que se gastaba, y por el tono orondo, redondo, pedante de sus palabras. Invitó a Van Houten a sentarse en el primer escaño y lanzó su salutación, que participaba del rollo macabeo:

—Buenas noches, venerables hermanos. Hoy es un día muy especial para quienes formamos parte de este sagrado Katipunan, pues nos honra con su visita un muy ilustre prócer, don Rogelio van Guti, que tanto se ha desvelado por despertar los corazones dormidos de nuestros compatriotas. Antes de discutir el asunto que hoy nos ha traído aquí, quisiera, si nuestro invitado no tiene nada que objetar, leer el documento que acaba de aprobar nuestro Consejo Supremo, en el que se explican las razones que nos han movido a sublevarnos contra la dominación española, que no es la propia de una madre hacia su hijo, sino...

—Adelante, adelante, soy todo oídos —lo interrumpió Van Houten, pasando por alto la corrupción de su apellido.

Lo exasperaba dilatar la ejecución de su negocio, pero transigió pensando que las razones o sinrazones de aquel documento de chichinabo —con el que, muy gustosamente, se habría limpiado el culo— servirían para mantener encendidos los ánimos de los katipuneros, pues imaginaba que sería un repertorio de desmesuras y atrocidades de la peor calaña. Pero, para su sorpresa, aquello más bien parecía una lista de agravios elaborada por una comisión rogatoria de baratillo:

—Primera: La cobranza sin compasión de elevados impuestos sobre nuestros bienes y riquezas. Segunda: La cobranza de una elevada tarifa aduanera para cualquier mercancía...

Van Houten sonrió conmovido. Aquellos badulaques acababan de descubrir las delicias del enriquecimiento rápido y la libertad para amontonar dinero a costa de emplear a sus hermanos de raza por salarios ínfimos, siguiendo las enseñanzas de Calvino; y ya estaban dispuestos a montar una revolución, para que los *castilas* no les sisaran unas monedillas. Luego venía la monserga política, que Nicomedes les endilgó engolando la voz:

—Décima: No se nos permite que tengamos delegados que comparezcan en las Cortes, para que protesten en nuestro nombre y relaten nuestros sufrimientos...

El pestiño proseguía, regado de anacolutos y cacofonías, infundiendo entre los circunstantes una melopea que anestesiaba los ardores anteriores. Hasta Van Houten empezó a bajar las persianas de los párpados.

—Decimosexta: No nos conceden ningún privilegio como los que se otorgan a los hijos a los que se quiere...

Alcanzaba a oír, entre las brumas de la somnolencia, aquellas memeces que parecían evacuadas por un cónclave de chiquilines lloricas. Van Houten se prometió recomendar a los americanos que, llegada la hora de la invasión, no dejaran de repartir, a modo de baratijas, condecoraciones entre los consejeros del Katipunan, así como de regalarles una butaca de palco en el teatro Zorrilla, para ganarse su apoyo. Pero ahora debía mirar por su negocio:

—Señores, ¿no corremos el riesgo de caer en la tentación sentimental? —preguntó, exasperado—. ¿No habíamos venido a hablar de los medios de que disponemos para derribar a esa madrastra indigna?

Nicomedes tragó saliva en su sitial de reyezuelo masónico. Los otros venerables hermanos, sobresaltados en su plácida soñarrera, hicieron garabatos de lechuzo:

—Pero antes de decidir cuáles serán nuestras acciones, debemos justificarlas —dijo al fin Nicomedes, muy digno y respetuoso de los trámites—. Prosigo. Decimoséptima: En cualquier reunión de españoles, a los tagalos que participan se les reputa personas indignas y, a veces, no se les ofrece sitio de honor.

Definitivamente, si los españoles eran odiosos —pensó Van Houten—, aquellas escurrajas de su imperio sólo habían prohijado botarates. Tal vez los españoles no les hubiesen brindado el «sitio de honor» que pretendían; pero los americanos los iban a devolver a puntapiés a la ciénaga de la que procedían, por la vía rápida y sin contemplaciones. Anticipando ese momento, Van Houten aplacó la ira que le provocaba la lista de agravios sainetescos de Nicomedes, que para remate se aderezó con sus ribetes sicalípticos:

—Vigésimo primera: Tienen acceso carnal con nuestras mujeres, y en provincias es rara la doncella tagala que no hayan desflorado.

Van Houten dejó que su exasperación se tiñese de guasa. Parodió a Cicerón:

—*Quo usque tandem abutere,* castila, *patientia nostra? Quam diu etiam furor iste tuus nos eludet?* —Deslizó la mirada sobre los escaños, donde se agolpaban los rostros de estupor de los hermanos katipuneros, que no distinguían las catilinarias de las plegarias eucarísticas, con la única excepción del carcamal Epifanio—. ¿De veras puede sufrir su paciencia que el desenfreno del *castila* desflore a sus mujeres? No es que yo pretenda que sean unos obsesos del honor como los españoles, pero de ahí a convertirse en juguete de sus burlas media un gran trecho. La pregunta es: ¿hasta cuándo, señores?

—¡Ni un minuto más! —respondió uno de los hermanos más calenturientos y zascandiles, Celestino o Hermenegildo o Domitilo.

Nicomedes, viendo que la tenida se le iba de las manos, trató de aplacar los ánimos:

—¿Y cómo debemos actuar para llevar a cabo nuestro propósito?

—¡Hipocresía y solapamiento! —respondió Van Houten.

Y sonrió zalamero. Otro hermano inquirió con retranca:

—Y con los frailes... ¿Qué hacemos con los frailes, don Rogelio?

—Lo mismo que con los demás: hipocresía y solapamiento. Pero con estos tendrán que sacrificar un tanto sus bolsillos con misas y donativos, para que no sospechen.

Rieron un poco entre dientes, poco convencidos de llevar el fingimiento hasta aflojar la plata. El carcamal Epifanio habló con una voz arrugada como sus propias carnes; pero se notaba que los otros le atribuían propiedades de oráculo, por el respeto con que lo escuchaban:

—Entretanto, considero que debemos evitar escándalos, procurándonos reunir lo menos posible. Y tal vez sería aconsejable suprimir el pacto de sangre que exigimos a nuestros adeptos, pues nos hace aparecer como salvajes ante muchos europeos.

—¡Nada de eso, don Epifanio! —saltó Van Houten—. El pacto de sangre ayuda a la cohesión de los miembros del Katipunan y a una mayor implicación en la causa. A europeo no hay quien me gane; y no veo en qué pueda ofender a la sensibilidad civilizada que unos hombres entregados a una causa noble juren lealtad empleando lo más precioso que tienen, que es la propia sangre. Yo, antes que suprimir estas ceremonias, lo que haría es fomentarlas; y así fomentarán también el espíritu sectario.

Llevó la mano al maletín donde guardaba la solución capaz de domeñar la sangre más levantisca y la posó allí, como sobre el lomo de un gato, prefigurando el placer que más tarde lo transportaría; pero sospechó que ese placer le sabría a sucedáneo o consolación, después de haber fracasado en sus aproximaciones a Hasay. Los katipuneros se habían pasado a su bando, dejando solo al carcamal Epifanio, cuya autoridad ya se les antojaba periclitada.

—¿Y si nos descubren los *castilas*? —preguntó uno.

—La negación, siempre la negación. Sin titubeos —respondió Van Houten.

—¿Y si nos llevan ante los tribunales y nos viésemos en el caso de tener que declarar bajo juramento?

—En ese caso, perjuren tranquilamente, que el Gran Arquitecto no se preocupa de esas fruslerías —se burló Van Houten—. Y aprovechen la circunstancia para denunciar a sus enemigos, atribuyéndoles las culpas de las que se les acusa a ustedes. Todos los filipinos que no profesen nuestras ideas redentoras deben ser considerados nuestros enemigos.

Van Houten sospechó que aquellos indios bellacos aprovecharían para denunciar al vecino que les disputaba una servidumbre, a la cuñada que rechazaba sus requiebros, al socio con el que compartían clientela y negocio. Sospechó que su maligno consejo convertiría la rutinaria existencia de los tagalos en un campo de Agramante; y se regocijó por ello.

—¿Y cómo debemos actuar con los miembros de nuestra propia familia? —se interesó Nicomedes.

Van Houten pensó que seguramente Hasay lo andaría cercando con preguntas capciosas, para averiguar lo que se trataba en aquellas reuniones y correr después a contárselo a su confesor, que tal vez fuera también su amante.

—Tomen todas las precauciones necesarias, y alguna más, para que no les sorprendan. Y, si les sorprenden, no duden en quitarles la vida, a ser posible lentamente, para no levantar sospechas. Hay drogas y venenos que permiten hacerlo muy discretamente. Entiendo que lo que les digo pueda sonar brutal, pero la causa a la que servimos exige a veces los sacrificios más dolorosos.

Nicomedes ensayó un puchero y agachó la testuz. Seguía el pedrisco de preguntas:

—¿Y qué precauciones hemos de tomar?

—Para empezar, no pongan nada por escrito. Documentos como el que don Nicomedes nos acaba de leer, además de ser unas pelmadas que no hay cristiano ni ateo que las aguante, pueden resultar fatales, si caen en manos del *castila*. No levanten actas de sus sesiones. Eviten que las reuniones sean en días y lugares determinados. No se reúnan en casas de hombres casados o con hijos. —Aquí lanzó una mirada acusatoria a su anfitrión, a la que se sumaron los hermanos más rendidos a sus tesis—. En el momento en que tengan noticia de alguna pesquisa en curso, rompan todos los papeles que obren en su poder: cartas, recibos, actas, planos... En fin, todo.

Nicomedes amagó intervenir, dispuesto a seguir calmosamente con el orden del día, pero ya había perdido la iniciativa de la reunión. Un hermano inquirió, jubilando definitivamente los circunloquios:

—¿Cuándo dispondremos de las armas, don Rogelio?

Hasta entonces, Van Houten había permanecido repantigado en el escaño, pero consideró que, metidos en harina, convenía erguirse, para impresionar con su complexión titánica a aquellos mequetrefes:

—Es el caso, señores, que han surgido contratiempos... imprevistos. —Frunció los labios—. Tendrán que aportar quinientos mil pesos más de lo esperado.

La cifra cayó sobre los katipuneros como una encíclica de León XIII; y su digestión se les hacía todavía más pesada y aflictiva:

—¿Medio millón? ¿Y cómo es eso? —preguntaban con angustia e incredulidad.

—Pregúntenselo a su caudillo, Emilio Aguinaldo. Se suponía que el dinero que los *castilas* le pagaron tras la paz de Biacnabató serviría íntegramente para comprar armas. Pero ha sido llegar a Hong Kong y en pocos días él y su séquito se han merendado la mitad.

La angustia y la incredulidad daban paso a un ofendido pasmo, con sus aderezos de berrinche e indignación:

—¿Y cómo se explica ese desmán? ¿En qué se lo ha gastado, el muy manirroto?

—¿A mí me lo preguntan? —se mofó Van Houten—. Tal vez en putas, tal vez en comilonas... En Hong Kong, créanme, las posibilidades para dilapidar el dinero son sobradas. El escándalo ha sido tan mayúsculo que un patriota filipino lo denunció ante los tribunales de la colonia británica. —Se encogió de hombros, displicente—. Y su glorioso caudillo ha huido a Singapur, poniendo mar de por medio.

Al enojo sucedía la consternación, que minaba el entusiasmo de los katipuneros. Nicomedes se atrevió al fin a intervenir, en un susurro de plañidera:

—¿Y entonces?

—La fuga a Singapur le ha servido para escapar de los tribunales de Hong Kong, pero no de mis garras, naturalmente —cloqueó Van Houten, alborozado—. Tengo un montón de cajas con armas de todos los calibres, incluidos algunos cañones, y como se imaginarán no pienso quedarme con el muerto. Así que conseguí que Aguinaldo me entregara, a través de mi banco en Batavia, los ochocientos mil pesos que aún le restaban de la indemnización, y acordé con él que retendría las armas hasta que se me entregasen los quinientos mil restantes, que Aguinaldo considera que ustedes podrían aportar sin causar demasiado quebranto a sus haciendas. A cambio... —Se relamió, dirigiendo su mirada heladora a los katipuneros, mansos como palomos cojos—. A cambio, le organicé un encuentro con el cónsul americano en Singapur, *mister* Spencer Pratt. Les advierto que fue una reunión muy fructífera.

Volvió a la tenida la excitación febril. Van Houten se sintió como el encargado de alimentar a los monos del zoológico, paseándose por delante de su jaula con un carretillo de plátanos.

—¿Qué hablaron? ¿Llegaron a algún acuerdo? —salivaban.

—El cónsul americano, en nombre de su nación, se comprometió solemnemente a prestar su apoyo a los patriotas filipinos.

—Contempló sus reacciones de alivio y casi sensual arrobo—. Incluso le confirmó que podrán contar con la ayuda de la armada de los Estados Unidos.

—¿Y la independencia? —preguntaron, embalados—. ¿Reconocerán los americanos la independencia de Filipinas?

Van Houten se rió hacia dentro, disfrutando de su hilaridad como un gato de sus ronroneos:

—No hubo reconocimiento explícito —dijo, ocultando la verdad—. Pero el cónsul sugirió que Filipinas podría esperar el mismo trato y la misma promesa de libertad que se les ha ofrecido a los rebeldes cubanos. O incluso más, teniendo en cuenta que Filipinas no está tan próxima como Cuba a los Estados Unidos.

Volvió a merodearlo la visión de Manila ardiendo por los cuatro costados, volvió a imaginar aquella zahúrda de indios presumidos devorada por las llamas. El carcamal Epifanio vino a desbaratar su gozosa ensoñación:

—O sea, que nos convertirán en un protectorado.

Todavía sus insidias o verdades del barquero tenían capacidad de enganche entre los otros katipuneros, que se encampanaron patéticamente:

—¡No aceptaremos tutelas de gobiernos extranjeros!

—¡Filipinas ha de ser una república independiente!

Y otras majaderías de semejante jaez. Van Houten se prometió que el carcamal Epifanio no contemplaría la alborada de la independencia. Pero ¿por qué fiarlo tan largo? ¿Por qué concederle la alborada del día siguiente? Se quedó abstraído entre el barullo reinante; y le trepó por venas y arterias esa cólera gélida y escurridiza que tan bien conocía. Sintió deseos de abrirlos a todos en canal, picarles los bofes y pegarse un banquete caníbal con ellos y con su progenie, después de entregar a la soldadesca a sus mujeres; pero tenía que aprender a encauzar ese furor. Bramó, acallando al carcamal Epifanio y a todos sus corifeos:

—¡Basta, maldita sea! Dejen todos esos tiquismiquis vanos para más tarde. ¡Ante Filipinas se alza la oportunidad de colocarse entre las naciones civilizadas, sacudiéndose el yugo opresor de la España retardataria y clerical! A veces, el progreso sólido de un pueblo exige que atempere un tanto sus ansias de independencia, máxime si quien lo ayuda en su lucha es una nación elegida que ha hecho de la libertad su religión y su bandera, como ocurre con los Estados Unidos. Ahora lo importante es romper la cadena de la esclavitud; ya habrá luego tiempo para discutir con los americanos las condiciones de la ansiada libertad. ¡Y cuanta más sangre de odiosos *castilas* derramen, más generosos serán los americanos a la hora de recompensarlos! La flojera y la contemporización son rémoras de pueblos atrasados, queridos amigos. Imiten el ejemplo de las naciones civilizadas, conquistando su querida libertad con las armas. Ha llegado la hora de que la sangre anegue los surcos de sus tierras por la conquista de ese sacrosanto derecho: ¡Libertad! ¡Libertad! ¡Libertad! Y, junto a ella, las otras dos personas de la santísima trinidad revolucionaria, Igualdad y Fraternidad. —Alzó el puño, como un martillo jupiterino—. ¡Muerte al español! ¡*Castila patay*!

Eran las dos únicas palabras tagalas que se había molestado en aprender, porque según había comprobado eran las que más transportes de entusiasmo provocaban entre auditorios fanatizados. Van Houten sudaba a chorros, expulsando las toxinas de un odio enquistado en las entretelas de su alma; y su mirada se nubló de sangre y de lágrimas, mientras los circunstantes coreaban aquel lema —¡*Castila patay*! ¡*Castila patay*!—, con la única excepción del carcamal Epifanio, que se levantó del escaño para replicar. Era corcovadito y como hecho de alfeñique, de un alfeñique que se hubiese quedado más reseco que un higo paso:

—¡No, no y no! —se empeñó ridículamente—. Hay un Dios de misericordia y equidad en el cielo que, a la par que nos castiga, nos mejora, y que sólo concede la libertad a quien ha demostrado merecerla por sus esfuerzos. Si hasta ahora no nos la ha concedido, tal vez sea porque desea vigorizar nuestras almas, templándolas en el sufrimiento. —Van Houten no supo discernir si su discurso sonaba a prédica de sacristía o a perorata pacifista, pero igualmente se le antojó nauseabundo—. La libertad no se alcanza derramando sangre, sino amando lo justo, lo bueno y lo bello. Si conseguimos elevar a nuestro pueblo hacia estas verdades inmutables, Dios nos brindará la libertad por añadidura. Entretanto, sin España o con España, seguiremos atollados en el mismo fango; y los esclavos de hoy serán los tiranos de mañana. —Se dirigió hacia Van Houten, con gesto pretendidamente modoso—. Don Rogelio, mientras nuestro pueblo no haya aprendido a amar la verdadera libertad que nace de la elevación interior, las armas no servirán de nada. Será tanto como entregar al novio una esposa a la que no ama bastante y por la que no está dispuesto a sacrificarse hasta el martirio.

Aquellas babosas metáforas nupciales, sumadas a las anteriores invocaciones a Dios, terminaron de convencer a Van Houten de que el carcamal Epifanio Velarde era uno de esos epígonos trasnochados de José Rizal, el ídolo tagalo con dengues de monja. Sus palabras habían puesto primero melancólicos a los katipuneros, que se enzarzaron luego en una vocinglería de pareceres encontrados. Habría que esforzarse para que el epígono trasnochado acompañase pronto al maestro difunto.

—¡Basta, caballeros! ¡Mi mujer duerme! —se encocoró Nicomedes, que hizo sonar una campanilla, para poner orden. Y, dirigiéndose a Van Houten, añadió—: Por orden del Consejo Supremo del Katipunan, debemos ahora someter a votación el pago de esa nueva cantidad que nos reclama don Rogelio para la compra de armas.

—Para que se sientan ustedes más cómodos, los dejaré a solas —convino Van Houten—. Esperaré sus noticias en la *caída*.

Tomó su maletín y abandonó el gatuperio. Van Houten estaba poseído por el despecho: a la grima habitual que le producía el chalaneo con los indios se añadía en aquella ocasión el enojo que la oposición del carcamal Epifanio había conseguido inspirarle. Estaba fuera de quicio, pues se jugaba demasiado en aquella operación; pero convenía que reprimiese su enfado en la medida de lo posible, para no precipitar el fracaso. Y esa represión no hacía sino avivar sus pulsiones vengativas y también, en amalgama abstrusa, su concupiscencia, todavía irritada por el desplante de Hasay. Calculó que la controversia sobre el pago de los quinientos mil pesos llevaría un buen rato a los katipuneros, cuyas voces llegaban en sordina, remotísimas y en tagalo, para asegurarse de que Van Houten no pudiera entenderlas. Al pasar ante la habitación de Hasay, sintió un deseo imperioso de allanarla, pero se contuvo, pensando en la transacción en marcha y aceptando que lo que deseaba hacer no podría hacerlo sabiendo que los ojos tristes y huevones de la Virgen de Antipolo estaban fijos en él, recriminando su perversidad. Reparó, sin embargo, en que la puerta de la habitación estaba ligerísimamente entreabierta, lo justo para poder escudriñar su interior si acercaba el ojo al resquicio entre la jamba y la hoja. Tardó casi un minuto en adaptar su pupila a la oscuridad de la habitación; y poco a poco fue distinguiendo el altarcillo en un rincón del gabinete, con una lámpara votiva que a duras penas alzaba su llamita titubeante, y la horrenda cama con dosel. Todavía tardó algo más en distinguir el cuerpo de Hasay cubierto por la sobrecama de raso: dormía en diagonal, como si quisiera colonizar el colchón, bocabajo y abrazada a la almohada dispuesta verticalmente. Sus cabellos se arremolinaban en su nuca, que todavía parecía impregnada de una incitante humedad. La sobrecama vedaba su desnudez, pero no sus formas, que Van Houten fue descifrando morosamente: el arco tenso de la espalda, el escorzo del muslo rodeando la almohada con su tenaza fibrosa, la curva del empeine. La contemplación a hurtadillas le ocupó varios minutos, tal vez un cuarto de hora, durante el cual dejó de escuchar incluso las porfías de los katipuneros en el piso de arriba. Se imaginó pegado como un liquen al cuerpo de Hasay, que el torpor de la morfina convertiría en un gurruño de formas inertes, ajenas al escrutinio de sus manos y a la inspección de su lengua. Cuando más embebido estaba en la contemplación, Hasay se rebulló, como si de repente hubiese notado el espionaje de Van Houten. Se incorporó alarmada sobre la cama y miró hacia la puerta. Dijo con una voz ronca, todavía manchada de sueño:

—Nunca seré suya, don Rogelio. Antes me verá muerta. Está usted endemoniado.

Van Houten empujó la puerta para mostrarse sin ambages, pero no osó traspasar el umbral, temeroso de la tutela que sobre Hasay ejercían las imágenes del altarcillo. El despecho y la rabia que un rato antes lo corroían habían dado paso a una saña aquietada:

—Le aseguro que será mía, Hasay. Y, después de hacerla mía mil veces de un modo que usted ni siquiera sospecha, me suplicará que la mate.

No pudo disfrutar de su reacción porque ya se oía un tropel por la escalera y, después de entornar otra vez la puerta de la habitación, corrió hasta la *caída*, donde se sentó en una butaca de rejilla, afectando indolencia. La comitiva la encabezaba Nicomedes, que fruncía el morrito como si saborease un triunfo; detrás de él, los demás hermanos mostraban gestos satisfechos, como de jaraneros que abandonan un burdel después de desatascar las cañerías, aunque en sus ojos brillaba una sombra cautelosa, como si meditaran la excusa que urdirían ante sus mujeres, para justificar la tardanza. Pero aquí la sombra cautelosa la provocaba el desembolso que pronto tendrían que hacer, si deseaban conseguir las armas que Van Houten retenía en Hong Kong.

—¡Ganamos por mayoría, don Rogelio! —anunció Nicomedes, exultante—. Compraremos sus armas.

Se palmearon mutuamente las espaldas, para sellar el pacto, mientras los otros katipuneros se acercaban como moscones a la miel para dispensarle sus halagos. Sólo el carcamal Epifanio se mantenía ajeno a las celebraciones, con gesto pesaroso. Van Houten esbozó una sonrisa aplomada y extrajo un sobre doblado de un bolsillo interior de su chaqueta:

—Aquí tiene las instrucciones para el pago, don Nicomedes. Le ruego que se deshaga de ellas tan pronto como le sea posible —dijo, casi en un silabeo, para que sus palabras quedasen grabadas en el cacumen de su anfitrión—. En cuanto se confirme el ingreso, organizaré el traslado. Lo más complicado será distribuir luego las armas entre las diversas provincias; habrá que sentarse a estudiar las necesidades de cada una de ellas. Tal vez sería aconsejable que volviésemos a vernos y tuviésemos una reunión con representantes de los diversos consejos provinciales del Katipunan.

—¡Cuente con ello, don Rogelio! —lo celebró Nicomedes—. ¡Me encantará brindarle de nuevo nuestra hospitalidad!

—¡Y a mí disfrutarla otra vez, querido amigo! —dijo Van Houten, refitolero. Lo tomó del hombro, para llevarlo a un aparte, y le cuchicheó—: Pero le aconsejo que no permita que su bella esposa luzca toda esa quincalla religiosa que guarda en su habitación. —Nicomedes se disponía a objetar algo, pero Van Houten se anticipó—: Desde luego que hay que evitar que nos reconozcan como revolucionarios, pero tan desafortunado es pecar en el disfraz por exceso como por defecto. Considere, además, que cuando estallen las revueltas, las hordas podrían irrumpir en su casa y pensar, a la vista de esos ídolos horrendos, que es usted un españolista beato. —Lo zarandeó, para espantar su pusilanimidad—. Hasay se lo agradecerá. Las mujeres, en cuanto se ven libres de la influencia de los frailes y de la superstición religiosa, dan rienda suelta a sus instintos y mejoran una barbaridad... en todos los aspectos, querido don Nicomedes. Porque no basta con disfrutar de las delicias de su inteligencia, ¿no le parece?

Y soltó una carcajada salaz. Nicomedes Arellano se quedó confuso y sin saber qué responder, mientras se iniciaba la desbandada de los asistentes a la reunión. Algunos, como el propio Van Houten, habían venido en *quiles* o *carromata*, cuyos conductores aguardaban circunspectos a la puerta; otros volvían a pie a sus casas, tomando la calzada principal de Sampaloc y dispersándose luego por las calles adyacentes, o atajando por los solares invadidos de malezas, donde tal vez todavía interrumpiesen los retozos de los petimetres que allí se ocultaban con sus pindongas, para que les soplasen el pífano. Corrían entre las sombras de la noche hacia sus hogares, temerosos de una improbable redada de la guardia civil, como almas que lleva el diablo; porque el diablo —pensó Van Houten— tarde o temprano se lleva todas las almas. Avistó a lo lejos, andando con juvenil premura, a Epifanio Velarde; le sorprendió que semejante carcamal no caminase renqueante y apoyado en un bastón.

—Cuando lleguemos a la altura de ese señor, deténgase —instruyó al conductor—. Vamos a recogerlo.

Cuando Epifanio reconoció al hombre que le ofrecía un sitio en su *quiles*, esbozó un gesto contrariado y hasta inició un movimiento retráctil. Van Houten tuvo que insistir, casi forcejear dialécticamente, para vencer sus reticencias:

—Perdóneme, don Epifanio, si dejándome arrastrar por la pasión me mostré grosero con usted y le ofendí —se excusó, muy tartufamente—. Como ya podrá imaginar, yo no defiendo la violencia como vía para alcanzar la libertad; pero conozco el temperamento local, y sé que aquí gustan los discursos vehementes. Aquello era pura retórica, don Epifanio. —Abrió la portezuela de su *quiles* y le cedió paso—. Le ruego que acepte mi invitación. Conozco un lugar tranquilo donde podríamos hablar con libertad, sin testigos enojosos. Mi pensamiento, se lo aseguro, está en casi absoluta sintonía con el suyo; podemos, si le parece bien, discutir los matices.

Cierto resquemor mantenía en guardia al carcamal:

—Se ha hecho muy tarde ya... —se resistió.

—¿Y no merece la amada patria que trasnochemos un poco más por ella? —preguntó, retoricón, Van Houten—. Usted, querido don Epifanio, es portador de los anhelos de muchos desgraciados que deseo, más que nada en el mundo, escuchar.

Finalmente el carcamal accedió, ablandado por los halagos. Van Houten dio indicaciones al cochero de seguir por aquella calzada hasta dejar atrás el presidio, para luego torcer a la derecha, hasta más allá del hospital de San Lázaro. El caballito que tiraba del *quiles*, de corta alzada como todos los filipinos, cogió un trote jubiloso, como si el espíritu del carcamal Epifanio, deseoso de abandonar su envoltura carnal, le diese alas.

—Pero, según lo que afirmó en casa de don Nicomedes —dijo, mohíno y hostil—, a los desgraciados usted sólo les ofrece venganza...

—Nada más incierto, don Epifanio —dijo Van Houten, haciéndose el modosito—. Las armas que vamos a repartir entre los patriotas son tan sólo para intimidar; o, en el peor de los casos, para que puedan defenderse. Debería haber leído el documento que entregué al cónsul americano en Singapur; estoy seguro de que lo habría suscrito de la cruz a la raya. Nuestro propósito es no pegar ni un solo tiro, si acaso unos cuantos cañonazos disuasorios de la flota americana, para que los *castilas* accedan a las peticiones de los patriotas.

Disfrutaba como un rapazuelo ensartando patrañas tan burdas que, sin embargo, se tropezaban siempre con la credulidad de sus cándidos interlocutores, tal vez porque los hombres gustan de creerse aquello que se acomoda a sus aspiraciones más quiméricas. El carcamal Epifanio rumió la patraña de Van Houten, como si fuese sabrosa alfalfa; al fin preguntó, vencidas ya casi todas sus reticencias:

—¿Qué peticiones?

—Las que usted me proponga, don Epifanio —salió enseguida al quite, magnánimo como un príncipe que cede posesiones inexistentes—. ¿Qué reformas juzga usted impostergables, para el bien de Filipinas?

Van Houten se imaginó a sí mismo como un estanque de superficie lisa y tersa, en cuyo fondo legamoso hormiguean faunas alimentadas con carroñas.

—Pues, no sé... Me pilla usted tan de sopetón... —vaciló el carcamal—. Desde luego, más respeto a la dignidad humana, más seguridad y derechos a los individuos, más neutralidad en la administración de la justicia, menos privilegios para el clero... En definitiva, una mirada más paternal del gobierno de España...

No lo había pillado de sopetón en modo alguno, pues a buen seguro el carcamal Epifanio habría recitado miles de veces aquellos lugares comunes merengosos. Toda aquella morralla pacifista y liberaloide ya la había escuchado Van Houten en labios de otros flojos y soplagaitas de la misma calaña.

—¡Magnífico, don Epifanio! —se choteó, sin abandonar su tono melifluo—. Es usted un hombre ejemplar, lleno de mesura y de amor a la patria. Próceres como usted son los que necesita la nueva Filipinas.

—Créame, don Rogelio —lloriqueó el carcamal—, el estado presente de las cosas tal vez sea malo, pero si se cambiase abruptamente, sería pésimo. Yo sé bien que las instituciones españolas tienen sus defectos, pero son ahora necesarias; si faltasen de repente, se produciría un vacío de poder que aprovecharía cualquier enemigo codicioso.

—Le aseguro, don Epifanio, que los Estados Unidos de América sólo desean la libertad de los filipinos...

El carcamal se abismó en sus pensamientos, receloso de los yanquis. Van Houten observó que tenía sus pujos de gurú al que acuden los jovenzuelos en busca de consejo, como allá en la época del taparrabos acudían al anciano de la tribu. Dejaron atrás el presidio de Manila, como una plaza de toros donde se torease con rejones a *tulisanes* y filibusteros. Volviendo la cabeza para ponderar su arquitectura, Van Houten pensó que haría una bonita pira funeraria, si se le prendiese fuego después de asegurar todas sus puertas con trancos y cerrojos, dejando a los presos dentro. Cerró los ojos, para concentrarse en el paisaje de su mente, donde resplandecían hogueras devoradoras, cuerpos degollados o troceados en cachitos, una pululación de insectos monstruosos y otras bestias inverosímiles, como en un cuadro del Bosco.

—¿Está usted seguro de la generosidad americana? —preguntó en un susurro el carcamal Epifanio, a lo que Van Houten asintió con fatua firmeza—. Ojalá esté en lo cierto. Pero, en cualquier caso, me parece muy peligroso entregar armas a hombres ignorantes, llenos de pasiones, sin educación moral, sin honradez probada.

Van Houten miró al cielo, en demanda retórica de paciencia. Parecía un crespón de vasta negrura que se hubiese extendido para evitar el lucimiento de las estrellas, esos gargajos que Dios había ido sembrando por el universo, a falta de una escupidera.

—Tendremos mucho cuidado en no hacer tal cosa, don Epifanio. En realidad, he de decirle que recibirán órdenes de no utilizar esas armas... salvo contra los frailes.

Esperaba encontrar su complicidad, aunque sólo fuera por interés corporativo, pues la muchedumbre de frailes que invadía Filipinas apenas dejaba hueco para los maestros, pero resultaba que el carcamal tampoco transigía con el anticlericalismo. De repente, se había puesto a hablar con pasión, sus ojos brillaban y el timbre de su voz resonaba vibrante, en contraste con su complexión enclenque:

—¿Habrá olvidado Filipinas lo que debe a las órdenes religiosas? ¿Habrá olvidado su deuda de gratitud con los que nos dieron la fe y nos han amparado contra los abusos del poder civil?

—¿De qué fe estamos hablando, don Epifanio? —se enrabietó Van Houten—. ¿Llama fe a esas prácticas exteriores de puro aparato? ¿A las milagrerías con que los frailes amedrentan a los campesinos? ¿Tal vez al comercio de estampitas y escapularios? ¿Para eso necesitaba el Galileo morir en la cruz, obligándonos a una gratitud eterna? Yo a eso lo llamo superstición, don Epifanio. Y supersticiones ya existían cuando ustedes andaban en taparrabos, jodiendo como monos. Los frailes sólo vinieron a perfeccionarlas; y encima los obligaron a vestirse y a atarse a una sola mujer.

Se dio cuenta de que había enseñado demasiado la patita; pero ya todo le importaba un comino, porque estaban llegando a su destino. Al pasar delante del hospital de San Lázaro, donde los franciscanos atendían a los leprosos, los abofeteó el hedor de las gasas fénicas, de las purulencias con costra de solera, de la carne llagada y aullante. Van Houten aspiró ese hedor con delectación y apretó el maletín contra su pecho, como si temiese que los frailes fuesen a bajar a mendigarle su contenido, para aplacar los dolores de sus enfermos. Imaginó a los leprosos del hospital armados con bolos y fusiles cuando al fin estallase la revolución, abriendo en canal a los frailes y usando sus tripas como escalas que arrojarían por las ventanas, para escapar de aquel antro.

—¿Se encuentra bien, don Rogelio? —preguntó el carcamal Epifanio.

Tal vez hubiese vislumbrado la palpitación de la perversidad, allá al fondo de sus pupilas. Van Houten sabía que no estaba bien, sabía que las aberraciones que asediaban su imaginación eran expresión de un trastorno cada vez más grave, pero era feliz chapoteando en ese trastorno.

—Perfectamente, don Epitafio. Sólo que me desagrada disentir con usted, por culpa de los frailes.

—No se puede estar de acuerdo en todo —contemporizó el carcamal—. Considero que en la unión con España está el bien de nuestro país, don Rogelio. Y pienso sinceramente que, si Filipinas desea seguir conservando sus esencias, debe proteger a sus frailes. ¿Que se necesitan reformas pacíficas? Por supuesto. Pero nada se arreglará con violencias.

La violencia es la única higiene del mundo, estuvo a punto de replicar Van Houten, harto del parloteo reformista del carcamal; pero tenía la saliva demasiado espesa y con un sabor como de greda que le impedía hablar en demasía. Sonrió mudamente, de un modo enigmático que lo mismo podía valer por un asentimiento que por una burla.

—Pare aquí —dijo de repente al cochero—. Quiero enseñarle algo, don Epifanio.

—¿Aquí? —se extrañó el carcamal—. Pero si aquí sólo hay casas de sangleyes...

—A veces es en los lugares más insospechados donde encontramos la verdad —dijo Van Houten, críptico. Descendió del *quiles* y ayudó a hacer lo propio a su acompañante. Luego, se dirigió al cochero—: Puede retirarse. Vuelva a recogernos en un par de horas.

El cochero obedeció como un autómata, haciendo restallar el látigo sobre el lomo del caballito, que de repente avanzaba pesaroso, como si tirase de una carroza fúnebre. Van Houten se llenó los pulmones con el aire negro de la noche, que parecía enfriar su cólera, hasta hacerla resplandecer desnuda, sin atisbo de ofuscación.

—Adelante, adelante, don Epifanio, usted primero —lo invitó.

Obedeció el carcamal, desprevenido o resignado a su suerte. Se oían los gruñidos de una piara de cerdos rifándose unos tronchos de berza, allá en su pocilga; a Van Houten aquellos ruidos le recordaban las disputas teológicas entre dominicos y jesuitas. Epifanio caminaba a tientas por el terreno embarrado y estrangulado de malezas; sus pisadas sonaban como las de un niño que busca todos los charcos.

—¿No será mejor que fuese usted abriendo camino, ya que lo conoce? —sugirió, medroso.

Pero ya era demasiado tarde, porque se había quedado atrapado en una hoya de fango, tal como Van Houten había previsto.

—Perdone, don Epifanio, enseguida voy en su rescate —dijo, relamiéndose de placer.

Dejó el maletín sobre unas matas de las que brotó una diáspora de sapos, demasiado remilgados para contemplar lo que allí iba a suceder. Los cerdos seguían gruñendo en su pocilga, cada vez más consensuadamente, cuando Van Houten se situó a la vera de la hoya donde el carcamal Epifanio seguía hundiéndose lentamente. Ya casi no alcanzaba los hombros de Van Houten, ni siquiera estirando los brazos, pero él lo ayudó a ascender tirando de sus muñecas. Después de sacarlo de la hoya, Van Houten tomó su cabeza jibarizada por las arrugas entre sus manazas; y, por un segundo, el carcamal creyó que fuese a hacerle una carantoña, o a propinarle un beso. Pero la presión de las manazas en las paredes de su cráneo se hizo pronto insufrible; y antes de que el carcamal Epifanio acertara a quejarse, los pulgares de Van Houten buscaron las cuencas de sus ojos, embistiéndolas como arietes.

—¿Qué me dices ahora, Eustaquio, Eulogio, Eufemio, Epaminondas? —bramó Van Houten—. ¿Verdad que duele?

Chasquearon los huesos parietales, como una nuez vana, mientras los pulgares de Van Houten reventaban los ojos del carcamal, córnea y esclerótica, iris y cristalino, hasta que los pulgares empezaron a majar sus retinas contra las paredes del cráneo, como se maja un ajo contra las paredes de un almirez. De vez en cuando, un rocío de sangre tumultuosa lo asperjaba, como si en su agonía el carcamal Epifanio se hubiese puesto a firmar las solapas de su chaqueta, confundiéndolas con tratados de paz o decretos reformistas. Acaso lo que más sorprendió a Van Houten es que ni siquiera exhalase un gemido —tan sólo un debilísimo gorgoteo—, mientras sus pulgares se hundían en una pulpa que le recordaba la consistencia del puré de camote. Cuando por fin cedió en la presión, el cadáver del carcamal cayó a sus pies, como una marioneta sin hilos. Van Houten volvió a llenarse los pulmones del aire negro y pútrido de la noche y se cargó el cadáver sobre los hombros; se agachó para recoger su maletín y avanzó entre las malezas, esquivando las hoyas de cieno, espantando a su paso gusarapos y babosas, lombrices y salamandras, toda una turbamulta de animales abyectos y culebreantes. Su satisfacción siniestra era como un reverso oscuro de aquel alborozo sereno que sintió el Dios del Génesis, al contemplar la obra salida de sus manos; y, mientras caminaba hacia la pocilga donde los cerdos proseguían con sus gruñidos o disputas teológicas, se sintió como un reverso oscuro de Dios, invulnerable como un dios surgido del averno, dotado de una potestad plutónica para separar la cizaña del trigo, salvando por supuesto la cizaña y entregando el trigo a los cerdos, para que les sirviese de pitanza.

—Aquí os dejo comida para que os hartéis —les dijo.

Hizo una leve torsión de espalda y descargó el cadáver de Epifanio, que fue a caer como un saco de algarrobas allá donde los cerdos tenían su comedero, provocando de inmediato su renovado alborozo. Van Houten se dejó bautizar por el relente, que a otro en su lugar le habría inspirado una suerte de angustia telúrica; pero a Van Houten, que era el reverso oscuro de Dios, le infundió beatitud. Se limpió someramente las manos en un matorral de hojas carnosas y peludas que le transmitieron un cosquilleo grato, lavándolo de recuerdos malsanos, como si el carcamal Epifanio y todo lo ocurrido aquella noche hubiese ido a parar al mismo vertedero de olvido, junto a las discusiones teológicas de los cerdos y las estrellas que habían dejado de alumbrar, sumisas al reinado de las tinieblas. Rodeó las pocilgas con andares torpones, como de cabestro que conoce la querencia de los toriles, cuidando de no quedarse atollado en el barro; y entró en una casa con paredes de nipa y adobe que a simple vista en nada se diferenciaba de las pocilgas aledañas. Muy distinto, por contraste, era su interior, tenuemente iluminado por lamparillas rojas, con un vestíbulo flanqueado por puertas de corredera y cubierto en sus paredes por lacadas tablas con incrustaciones de nácar que figuraban motivos florales y aves de abigarrado plumaje, cumbres nevadas y algún sampán deslizándose por las aguas. Aquella decoración paisajística, sin las execrables imágenes religiosas que los españoles veneraban, producía relajo y bienestar en Van Houten. Apareció, a través de las puertas de corredera que comunicaban con las estancias más reservadas, una china más bien rebolluda, aunque afinada por el maquillaje de polvos de arroz y el peinado de altos copetes. Vestía un quimono de seda muy lujosamente recamado.

—¡*Mister* Van Houten! —lo saludó—. ¡Dichosos los ojos que vuelven a verlo! Me preguntaba si ya se habría olvidado de su amiga la señora Li.

Allí sabían darle el tratamiento que merecía. Allí podría Van Houten encontrar, al fin, la sangre desprevenida y hospitalaria que apaciguase su ardor.

—Nunca me olvidaría de usted, querida amiga —murmuró como ausente—. ¿Me consiguieron una dalaga?

—Su petición ha sido atendida, *mister* Van Houten.

Se inclinó, servicial y taimada. Van Houten caminó hacia las puertas de corredera con andares plantígrados, como un gólem que se levanta de la siesta.

—¿Tal y como la solicité, señora Li? —insistió.

—Tal y como la solicitó, *mister* Van Houten. Una tagalita menuda y pizpireta de unos quince años. *Mister* Van Houten sabe perfectamente lo que quiere. Y nuestros *sam-sings* conocen perfectamente los gustos de *mister* Van Houten.

A los *sam-sings* de las hermandades chinas, sicarios encargados de proteger a sus asociados y extorsionar a los enemigos, se les encomendaba también el rapto de niños, para atender los gustos sibaríticos o aberrantes de sus superiores, o simplemente para pedir después rescate por ellos. Sobre el paradero de aquellos niños raptados nada podía averiguar la guardia civil, porque los asociados guardaban hermético silencio sobre las actividades de su hermandad.

—¿Le ha advertido que si se porta bien mañana mismo estará libre? —preguntó.

—Nunca es bueno darles esperanzas vanas, *mister* Van Houten —se excusó la señora Li—. No es la primera vez que se encapricha usted de una de esas niñas y la retiene durante semanas...

—Esta vez no podrá ser, señora Li —explicó Van Houten en un tono cansado—. Asuntos muy urgentes me reclaman en Hong Kong y Singapur. Me pasaré más de un mes lejos de Manila.

La señora Li reparó en las solapas de su chaqueta, condecoradas con rúbricas de sangre, en su expresión ausente, en sus ojos de lumbre dura.

—¿Qué le ha ocurrido, *mister* Van Houten? —preguntó, con voz cautelosa o un poco intimidada.

—Son tiempos crueles, señora Li.

Lo había dicho en un tono ronco, casi melancólico, y la china entendió que la discreción aconsejaba no preguntar más. Lo condujo a través de un pasillo, también muy tenuemente iluminado, que se abría a otras estancias clandestinas, hasta una habitación sin puerta, cuyo vano estaba cubierto por amplias cortinas. Al apartarlas, una fragancia suavísima, como de almizcle o algalia, acarició su pituitaria. La estancia estaba sumida en dulce penumbra; poco a poco, la vista de Van Houten se fue acostumbrando al lugar, hasta llegar a distinguir dos ventanas en la pared, cubiertas por sendos cortinajes bordados con figuras de grullas, algunas en reposo y otras volando hacia un horizonte paradisíaco, mientras en primer plano se veían juncos y bambúes. Las paredes estaban forradas de tapices con faisanes ahogados entre flores de almendro y crisantemos, margaritas y lotos que esparcían un diluvio de pétalos rosas. En el centro de la estancia, sobre el cabecero de una única cama, el tapiz cambiaba su ambiente idílico para dar cabida a un dragón rampante y escamoso que dirigía sus garras, su bifurcada lengua y sus ojos salidos de las órbitas, relampagueantes de avaricia, hacia una lustrosa granada, que era el símbolo del Japón, y también hacia la dalaga que se acurrucaba en la cama, desnuda y cubierta por una sábana.

—¿Conforme, *mister* Van Houten?

—Conforme, señora Li.

La china se inclinó otra vez y abandonó la estancia caminando de espaldas y sin despegar apenas los pies del suelo. Van Houten miró a la dalaga con gesto benefactor: era menuda y fibrosa, de teticas breves y caderas escurridas, aunque desde luego mucho menos bonita que Hasay y menos pizpireta (pero el horror la hacía temblar e impedía distinguir, en realidad, si era hermosa o pizpireta). Con leve desagrado, Van Houten reparó en que sus pezones eran demasiado grandes y oscuros; y sus ojos, tristes y huevones, le trajeron un recuerdo ominoso. Se acercó a ella y le acarició paternalmente la barbilla, antes de sentarse en la cama; sobre una mesilla contigua dejó su maletín, del que extrajo el frasco de morfina y la jeringa.

—¿Cómo te llamas? —le preguntó.

Hubo de repetir varias veces la pregunta, porque la muchacha no hablaba español. De los sobacos le emanaba un olor muy venialmente agrio.

—María —dijo al fin, en un murmullo.

Van Houten contempló al trasluz la morfina, sacudido por el escalofrío que le provocaba aquel nombre. Abrió el frasco e introdujo la jeringa.

—Has sido una chica afortunada —la tranquilizó, mientras proseguía sus manipulaciones, midiendo con escrupulosidad la cantidad de morfina de la jeringa—. Si esos sangleyes que te raptaron te hubiesen entregado a sus jefes, habrías sufrido mucho. Pero has tenido la suerte de caer en mis manos, que son las manos de la civilización. Y yo voy a encargarme de que no te ocurra nada malo. Ahora vas a dormir un poco, y mañana estarás de nuevo con tu familia.

Encajó la aguja hipodérmica en la boca de la jeringa y se volvió hacia la dalaga, con una sonrisa paternal y compungida. Todavía su mirada era de lumbre dura, pero el desvalimiento de la muchacha lo iba ablandando lentamente, como si una tibieza hogareña lo reconfortase por dentro. Tomó una mano de la dalaga, para apaciguar su temblor, y la refugió entre las suyas, que acababan de hacer pulpa el cerebro del carcamal Epifanio y aún conservaban algunas briznas o rebañaduras de sus pensamientos reformistas entre las uñas. La mano de la dalaga le pareció diminuta, comparada con sus manos de ogro; y esta desproporción logró conmoverlo. Algo de esa conmoción se trasladó a la dalaga, que dejó de temblar, tranquilizada al sentir una mano que, en medio de aquel mundo inmisericorde, le transmitía un poco de cobijo y calor.

—Es hora de dormir, pequeña —susurró Van Houten—. Cuando despiertes, toda esta pesadilla habrá concluido para siempre.

Con delicadeza extrema, como si se dispusiera a sacarla a bailar, tomó el brazo de la dalaga y frotó con sus dedos manchados de sangre reseca las venas en el pliegue del codo. Un poco más arriba, le ciñó una goma, hasta que la vena que buscaba adquirió un volumen rozagante. Van Houten ensartó la aguja con la habilidad de un prestidigitador y apretó muy suavemente el émbolo de la jeringuilla. Mientras la morfina se derramaba en la sangre desprevenida y hospitalaria, Van Houten sintió que un malsano y abrasador deseo navegaba su propia sangre.

—¿Ves qué sencillo, pequeña? Te quedarás dormida y en paz.

Esa paz ya había comenzado a obrar sus beneficios, como un velo de gasa en el que se quedasen atrapados los ruidos ensordecedores del mundo. La dalaga empezó a recitar algo en tagalo, tal vez una oración o un ensalmo, pero su lengua se enredaba, a medida que la morfina imponía su efecto narcotizante. En unos pocos minutos su rostro se volvió súbitamente pálido, como si la sangre se le hubiese retirado a sus cuarteles de invierno, y le brotó en las sienes y en la nuca ese sudor del sueño de morfina que tanto le gustaba saborear a Van Houten. La acomodó en la cama y se deslizó quedamente a su lado, fundiéndose en su misma paz; para entonces, la dalaga era ya una muñeca viviente, una vida en letargo que podía acariciarse y besarse con entera confianza. Así lo hizo Van Houten, con infinita reverencia e infinita delectación, enjugando cada gota de su sudor con la lengua, lavando su piel, milímetro a milímetro, de cualquier rastro salado, de cualquier rasguño o vestigio de malos sueños; y así siguió haciéndolo, con paciencia filatélica, durante casi una hora, anegado de un placer que era a la vez erotizante y casto, y que lavaba todas sus culpas. Sabía que besar de aquel modo a una muchacha narcotizada y yacer junto a ella era algo sórdido, tal vez un desvío nefando; pero el mal habría sido mucho mayor si hubiese caído en manos de los sangleyes. Y, al narcotizar a las dalagas y acostarse con ellas sin coyunda carnal, no sólo podía mirar sin horror su pasado, sino también olvidarse del mal que habitaba dentro de él. Estaba endemoniado, pero mientras aspiraba el olor de aquellas muchachas dormidas el demonio que lo invadía se apaciguaba.

—Son tiempos crueles, pequeña —murmuró—. Y los que vengan serán más crueles aún. Pero conmigo estás a salvo.

La recogió entre sus brazos, pegando su corpachón a la espalda de la niña, protegiéndola del mundo en llamas. Van Houten se sintió caliente y asistido, como rehogado de felicidad.

8

—¡Ceilán! —exclamó, como en un éxtasis dolorido, Julián Calvete—. Sólo de pensar que no la conoceré me entran ganas de llorar. ¿Y cómo decías que la llamaban los antiguos?

—Trapobana —respondió Juan Chamizo—. San Isidoro decía que era una isla que hervía de perlas y de elefantes.

Se hallaban en el sollado insalubre y mal ventilado que habían asignado a la tropa en el *Isla de Mindanao*, en travesía aún hacia Manila. Postrado en su litera y con el rostro demacrado, era difícil distinguir en Julián Calvete sus facciones arcangélicas, muy candorosamente palurdas.

—¡Trapobana! —repitió—. ¡Qué nombre tan misterioso! ¡La de riquezas que esconderá!

Chamizo le removió los cabellos:

—Ya serán menos, hombre. —Y, para mantenerlo entretenido, recordó una historia cervantina—: Contra los ejércitos de Alifanfarón, emperador de Trapobana, batalló don Quijote, en defensa del rey de los garamantas, Pentapolín del Arremangado Brazo; pero luego resultó que los ejércitos eran tan sólo rebaños de ovejas.

El zagal Calvete enseguida se interesó por la historia:

—¡A veces puede más un rebaño de ovejas, si lo manda un pastor cabal, que todo un ejército con sus generales! —Rió ampliamente—. ¿Y por qué peleaban esos señores tan importantes?

—Pues porque aquel Alifanfarón de Trapobana, que era un furibundo pagano, se había encaprichado de la hija de Pentapolín, una señora muy cristiana y agraciada, pero Pentapolín no quería entregársela si antes Alifanfarón no renegaba de la ley de su falso profeta Mahoma.

—¡Pues hizo muy bien Pentapolín entonces! —dijo Calvete, con el mismo criterio irreprochable de los leales escuderos—. Yo hubiese servido en su ejército con mucho gusto.

En estas conversaciones se les pasaba el rato; y, al menos por unos minutos, Julián Calvete se olvidaba de su postración y creía que, en efecto, estaban hablando de ejércitos fabulosos, y no de rebaños metamorfoseados por la imaginación quijotesca. A Calvete le costaba comprender que una naturaleza tan robusta como la suya, acostumbrada a vivir en una cabaña de piedras con tejado de retamas, y a aguantar los inviernos heladores que en la montaña de León duran nueve meses, y a pisar la nieve a pie enjuto, hubiese enfermado tan fácilmente y de una enfermedad tan vergonzante como aquella infección intestinal, que lo había dejado hecho unos zorros con sus fiebres y cagaleras. No era, sin embargo, el único que había sucumbido: el agua de alguno de los depósitos reservados al consumo de la tropa se había corrompido, o infiltrado de alguna sustancia tóxica; y habían ido cayendo varias decenas de hombres víctimas de la misma infección. Aunque, como no hay mal que por bien no venga, la epidemia había servido al menos para que dejaran a la tropa salir a menudo a la cubierta; y así, paseando las ansias de llegar pronto a puerto para reponer el agua, se les hacía más llevadera la tortura de dormir en aquel ergástulo. Habían tenido, además, la fortuna de que los atendiese un teniente provisional adscrito a su mismo batallón, un tal Rogelio Vigil, médico rural en sus años mozos que con la treintena corrida se había incorporado al ejército; y que, a diferencia de otros oficiales tiesos y petimetres, se había mostrado muy campechano y solícito con la tropa, convirtiendo su camarote en dispensario, pasando consulta a los enfermos a cualquier hora del día y poniendo remedio a sus apreturas. Claro que los únicos remedios que tenía a su disposición, hasta que el *Isla de Mindanao* atracase en Ceilán, eran la glucosa y el bicarbonato; y escaseaba el principal, que no era otro sino el agua limpia, necesaria para evitar que los enfermos pereciesen por deshidratación.

—¿Y somos muchos los que estamos yéndonos de vareta? —preguntaba Calvete, para consolarse en su desgracia.

—Bastantes, Julián —dijo Chamizo—. Pero no sois vosotros los que más me preocupáis.

La convivencia forzosa durante dos semanas de navegación, en un lugar además tan angosto, tétrico y dañino para la salud, había despertado prevenciones y antipatías entre los soldados, que se refugiaban de aquellos compañeros que juzgaban hostiles formando grupos con los que jugaban a los naipes y chismorreaban sin descanso. También habían empezado a incubarse los primeros odios, con frecuencia por razones nimias o casi imaginarias, como suele ocurrir en estos encierros forzosos, que con el decurso de los días y la monotonía de los horizontes se convertían en odios enquistados y feroces que Chamizo esperaba que se disipasen tan pronto como la tropa pudiese darse un garbeo por tierra firme. A veces, Chamizo sorprendía disputas en los rincones en las que los contendientes ya empezaban a amenazarse con la navaja; o escuchaba risitas impertinentes, reticencias ásperas, cuchicheos a sus espaldas que le hacían temer que en cualquier momento aquella convivencia sostenida al borde de un precipicio se despeñase en batalla campal. Pero les habían anunciado que en unas pocas horas avistarían Punta de Gales, en Ceilán; y Chamizo esperaba que la escala sirviese para reponer el agua y aliviar los ánimos.

—¡Anda que si no consigo curarme y resulta que la diño en este barco! —se lamentó Calvete. Hablaba precipitadamente, como si de súbito vomitara palabras que hasta entonces se había esforzado en retener—. No sería justo que eso me ocurriese, no señor. Hay una moza en Valdelugueros de la que estoy enamorado y a la que nunca me atreví a declarar mis intenciones.

—Ya te habrás entretenido con otras, pájaro —comentó Chamizo, en tono de chanza.

Sabía —o presumía— que Calvete no habría hecho tal cosa, pero no quería que se sintiera abochornado o disminuido por ser doncel.

—¡Jamás de los jamases! —estalló Calvete, ofendido—. Nunca he tocado a ninguna otra mujer, por respeto a la moza que te digo. Su padre es rabadán —dijo, dándose importancia—. ¡Menuda majada que tiene!

—Pero Julián, hombre, y si era tan buen partido la moza... ¿Cómo es que no te declaraste? —bromeó Chamizo—. Debiste aprovechar el momento en que te reclutaron, eso siempre ablanda mucho a las mujeres.

—¿Para qué? —dijo Calvete, que tenía el sentido común de los hombres que laten al unísono con los ciclos naturales—. ¿Para convertirla en una novia de guerra? No quise cargarla con esa inquietud. Si Dios quiere que vuelva con salud y ella sigue soltera para entonces, ya me declararé como Dios manda, con el permiso de su padre; y así ella no tendrá que sufrir en balde.

—Visto así está bien pensado —reconoció Chamizo—. Pero ya puedes rezar para que no se te adelante ningún granuja.

A Calvete lo sobrevino un escalofrío o un retortijón de tripas y se arrebujó un poco más en la manta:

—Dios no lo quiera. Pero el que se adelante lo tendrá difícil, porque su padre quiere casarla con alguien del oficio, y zagales solteros no quedamos tantos en el pueblo. —Se mordió el labio inferior, azuzado por la desazón—. ¡Estaría bueno que me fuese a morir antes de llegar siquiera a Manila! Todo mi afán era conseguir las botas reglamentarias para regalárselas a mi hermano...

Chamizo rió jovialmente, sorprendido siempre por las ocurrencias del zagal Calvete.

—¡Anda la leche! ¿Y por qué no te las quedas tú? Bien que te vendrían para trepar esos riscos...

—Mi hermano tiene la carne del calcañar menos sufrida, y se le llagan los pies.

A Chamizo lo conmovía aquella manera que tienen los pobres —o algunos pobres— de desvivirse por quienes son igual de pobres que ellos. Pero no se le escapaba que aquella era una virtud en retroceso. Hizo a Calvete una carantoña y le dijo, inclinándose sobre su litera:

—Tú piensa en lo mucho que te necesitan los tuyos y ya verás como no te sucederá nada malo.

—Dios te oiga. Pero no te acerques tanto, Juan, no sea que te vaya a contagiar. —Calvete hizo una pausa, indeciso—. ¿Tú sabes si esta enfermedad es contagiosa?

—Casi todas las enfermedades son contagiosas, Julián, no te preocupes —dijo Chamizo. Y soltó una broma macabra—: Total, si hay que servirle de pasto a los tiburones pues se sirve, y santas pascuas.

Calvete tragó saliva con dificultad, pues apenas le quedaba ya, por efecto de la deshidratación. Quiso reír pero no tenía fuerzas:

—¡Pues me pegan a mí un mordisco esos bichos y ya los veo con las tripas flojas!

Y no había acabado siquiera de decir esto cuando tuvo que levantarse a escape, para evacuar en uno de los bacines comunales que se habían distribuido entre las literas, previniendo las apreturas de los diarreicos. Aunque el bacín se hallaba justo enfrente de él, Chamizo volvió la cabeza por pudor, o tal vez por piedad, para que Calvete —a quien la fiebre y la cagalera habían empalidecido y espigado, hasta asemejarlo a un personaje salido de un cuadro del Greco— no se avergonzara de su desnudez ni de la penosa situación. Afortunadamente, el rugido de las calderas, como una constante regurgitación, acalló el chapoteo de sus deyecciones. Cuando terminó, Chamizo tomó el bacín sin mediar palabra y subió a cubierta, para volcarlo por la borda; no lo hizo tanto por caridad como por escapar del hedor coagulado que se respiraba en aquel agujero. Hacía una noche sin estrellas, muy espesa y abovedada, en la que el silbo del viento y el batir de las olas parecían amplificados por una caja de resonancia; sólo la estela de hirvientes espumas que dejaba la hélice del barco lograba hendir la oscuridad con su blancura casi fosforescente. Apoyado en la barandilla de la borda, mientras despejaba la mente de cavilaciones agoreras, Chamizo escuchó a sus espaldas unos pasos torpones y anquilosados, como de muerto al que hubiesen desalojado de su tumba, después de confiscársela. Le costó reconocer a Salvador Santamaría, que esquivaba la compañía de Chamizo desde su escarceo en Port Said; allí, según todos los indicios, había pillado una gonorrea que lo traía por la calle de la amargura, con unas purgaciones de uretra que apenas le permitían orinar. La infección también le había inflamado la conjuntiva y ulcerado los párpados, dificultando su visión y dándole un aspecto como de ciego trágico, al estilo de Polifemo o Edipo.

—¡Dios santo! —se lamentó—. No soy capaz de ver ni mis propias manos.

Y las extendía, volteándolas ante su rostro, como si estuviese probando alguna danza espectral.

—No te desesperes, Salvador —trató de sosegarlo Chamizo, que enseguida había reconocido el timbre de su voz—. No es porque veas mal, sino porque todo está muy oscuro.

Santamaría se apoyó a su lado en la barandilla, dejándose sopapear el rostro por el viento, para refrescar la quemazón de sus párpados hinchados. A Chamizo le pareció que por las comisuras se le derramaban lágrimas sigilosas, pero después de mirarlo atentamente, concluyó que la secreción era demasiado espesa y blanquecina, o tal vez purulenta.

—¡Sería horrible ahogarse en una noche así! —prosiguió Santamaría, en su tono agorero y quejumbroso.

Chamizo le palmeó la espalda con un júbilo un tanto impostado:

—¿Y por qué habríamos de ahogarnos, hombre? En apenas unas horas avistaremos Punta de Gales y haremos escala en Colombo.

—¿Y si hubiese bajíos y el barco encallase? Con esta oscuridad sería imposible distinguirlos... —insistió Santamaría.

Su tez, un tanto aceitunada, había ido cobrando un color malsano, entre lívido y verdoso, a medida que se prolongaba la travesía y avanzaba su gonorrea.

—Para eso están las cartas de navegación, Salvador, no seas bruto. Y con los aparatos de medición que llevan en los barcos, cabestrantes y brújulas y la órdiga, pueden afinar la ruta al máximo —lo aleccionó Chamizo.

—¿Aunque no luzcan las estrellas? —insistió todavía.

—Aunque no luzcan.

Chamizo seguía mirando con fijeza los párpados de Santamaría, supurantes y como abultados por orzuelos monstruosos. Desde que le confirmaran que padecía una gonorrea, sus compañeros se habían apartado de él supersticiosamente, temerosos de padecer contagio. El teniente Vigil lo estaba curando con lavativas de sulfato de magnesio y colirios e inyecciones de sulfato de cinc, pero el tratamiento exigía su tiempo. Entre el batir de las olas, Chamizo escuchó cómo le castañeteaban los dientes, de miedo o aprensión.

—Venga, Salvador, anímate. Verás como en unos pocos días estás como nuevo.

El líquido amarillento que le supuraba la conjuntiva amenazaba con sellarle los párpados. Tal vez, mientras los mantenía entornados, recordase el hedor de curtiduría o matadero de pollos de cierta choza en Port Said, el cuerpo fibroso y cimbreante de la mujer etíope sobre la que descargó su lujuria o su desesperación, como un vómito de negra pena. Mil veces había rememorado Santamaría, con aflicción y vergüenza, aquella escena que habría querido extirpar de su vida.

—Cómo lamento lo que hice en Port Said... —murmuró.

—¡Alguna vez tenías que desvirgarte, Salvador! —bromeó Chamizo, ignorante de lo que allí había ocurrido, en un esfuerzo inútil por restar importancia a su desgracia—. Quien más y quien menos ha pagado alguna vez por sus desahogos.

Santamaría sacudió la cabeza con violencia, como si espantase un presagio:

—No fue sólo eso, Juan. A la mujer la forcé. Me porté como un canalla. Esta enfermedad es un castigo del cielo.

Refugió la cabeza entre los brazos, apoyando la frente en la barandilla. Una cordillera de sollozos estremeció sus omóplatos, antes de quedar otra vez en silencio.

—Un castigo no, Salvador, no seas tan duro contigo mismo —lo consoló Chamizo—. Di más bien una penitencia y un aviso, para que te arrepientas de lo que hiciste y para que no se te ocurra volver a hacerlo nunca. —Se agachó él también sobre la barandilla, para bisbisearle—: Pero el daño que le hicieras no vas a remediarlo. Lo mejor es que no pienses más en ello, salvo para no volver a repetirlo.

Siguió un largo silencio, durante el cual un raro tembleque volvió a agitar a Santamaría. De repente, se sorbió los mocos y soltó:

—Oye, Juan, si tú te salvas y yo me muero, ¿me prometes que se lo dirás a los míos, allá en Campo de Criptana?

—¿De dónde te sacas esos pensamientos tan morbosos, si puede saberse? —se enfadó Chamizo—. Ni a ti ni a mí va a pasarnos nada.

Santamaría se revolvió como un poseso, tomando a Chamizo de los cuellos de la camisa:

—¿Me lo prometes, sí o no?

—De acuerdo, te lo prometo —concedió, exasperado—. Y tú, si me ocurre algo a mí, ¿escribirás una carta a mis padres?

Chamizo se desasió de sus manos ansiosas. Santamaría se pasó el brazo por las mejillas, para limpiarlas de lágrimas o supuraciones, y murmuró cabizbajo:

—Yo no sé escribir, Juan.

—¡Pues me da lo mismo! —gritó—. Vas y se lo dices de viva voz.

Santamaría retrocedió hacia las escalerillas, hundiéndose en la negrura de la noche.

—No, Juan. No podría hacerlo. Nunca volveré a España con vida. Sé que voy a pagar por lo que hice.

Su voz presagiosa quedó sepultada por el rugido del viento y la batahola del mar. Chamizo se rebeló contra su fatalismo:

—¡Basta de bobadas! Tú y yo volveremos a España para contarlo. —Trató de retenerlo, pero Santamaría ya no lo escuchaba—: Mira, está empezando a amanecer...

Aguzó el oído y pudo oír los andares tambaleantes, como de ánima en pena, de Santamaría, descendiendo hasta la zahúrda donde se hacinaba la tropa. La aurora empezaba a asomarse, temblorosa, sobre una costa de vegetación ubérrima, pletórica de promesas, en la que quizá se agazapase aquel hervidero de perlas y elefantes soñado por San Isidoro. Chamizo se abismó en sus pensamientos, mientras el *Isla de Mindanao* enfilaba hacia Punta de Gales y el aire se iba llenando de aromas de especias que competían con el olor salino del mar. Sobre la feracidad del paisaje empezaron poco a poco a descollar, a medida que la proximidad a la tierra era mayor, los troncos de los altísimos cocoteros, con sus penachos mecidos por la brisa, como cabelleras de una tribu de cíclopes.

—Se acabaron nuestras penalidades, soldado —anunció una voz jovial—. Al fin podremos reponer agua.

Era Rogelio Vigil, el teniente médico que los había atendido durante las últimas jornadas, mientras las infecciones intestinales causaban estragos entre la tropa. Se atusó su barba de hidalgo mientras disimulaba un bostezo; pero su mirada pedregosa de legañas delataba las muchas horas de vigilia en el camarote transformado en dispensario. Era hombre jovial, a poco que se lo propusiera; pero el uniforme, que no acababa de acomodarle a su figura más bien chaparra, le imponía demasiado.

—Buenos días, mi teniente —se cuadró Chamizo—. Así lo parece. Ceilán está a tiro de piedra.

—Descanse, descanse, soldado —lo urgió Vigil, al que los usos militares embarazaban un tanto—. ¡Menuda nochecita toledana que he pasado, atendiendo enfermos! Como no lleguemos pronto a Manila, más que cazadores expedicionarios pareceremos lisiados de guerra.

—Precisamente con uno de sus pacientes acabo de estar. Salvador Santamaría, se llama. El hombre está muy angustiado.

Vigil llenó los pulmones con aquel aire matinal y nutritivo. Hasta ellos llegaba el aroma de los bosques de canela de Colombo, exorcizando los miasmas.

—¡Pobre Santamaría! —dijo, espirando el aire sanador—. También es que hace falta tener puntería... La primera vez y va y se coge unas purgaciones. Pero no tiene por qué angustiarse. En unos pocos días remitirá la infección.

—Eso mismo le he dicho yo, pero no ha habido manera de convencerlo. —Chamizo ocultó la confidencia que Santamaría le había hecho sobre su vileza de Port Said—. Se le ha metido entre ceja y ceja que las purgaciones lo llevarán a la tumba.

Trató de reír, pero la risa le brotó desabrida. Vigil ensayaba unos extraños movimientos rítmicos, tal vez gimnásticos:

—¡Mira que lo he dicho veces! En los cuarteles, antes incluso que la instrucción de los reclutas, deberían enseñar profilaxis e higiene. ¡Pro-fi-la-xis! Es nuestra eterna asignatura pendiente. Allá donde hay suciedad y cochambre, allá que nos tiramos de cabeza los españoles.

Y amagó un gesto, como si se fuera a zambullir en las aguas cada vez más bajas que bañaban Punta de Gales. Había en Vigil una franqueza y una bonhomía que invitaban a pegar la hebra.

—Tal vez el día que empecemos a ser higiénicos empiece también nuestra decadencia... —se atrevió a conjeturar Chamizo.

Vigil hizo un movimiento más brusco que los anteriores, casi un respingo:

—¿Cómo es eso? No le entiendo, soldado... ¿Cómo se llama?

—Juan Chamizo, para servirle. Quería decir que, a veces, los peores defectos no pueden disociarse de las mejores virtudes, mi teniente. Esto es algo difícil de explicar y de entender; y tal vez por eso los arbitristas de todas las épocas lo han pasado por alto, en sus pretensiones de «europeizarnos». Los pueblos no son una materia inerte, en la que uno pueda hacer amputaciones milimétricas, liberándolos de aquello que no nos gusta. —Vigil lo miraba con curiosidad, como si estuviese ejecutando ante él un truco de magia—. Usted es médico y sabe que, con frecuencia, al arrancar un tumor podrido de nuestro organismo, arrancamos también la vitalidad que le restaba al enfermo. Se dice: seamos limpios, como los escandinavos; o circunspectos, como los ingleses; o tenaces y laboriosos, como los germanos. Pero, al hacernos limpios, o circunspectos, o laboriosos, algo muy intrínsecamente nuestro se muere, y perdemos la originalidad que nos hacía interesantes. No sé si me explico...

Vigil lo escudriñó con picardía y algo de asombro:

—Vaya si se explica, Chamizo. —Y sacudió la mano en ademán ponderativo—. Demasiado bien para un soldado raso, diría yo. Y conste que no estoy de acuerdo con usted, pero me costaría contradecirlo. —Procuró no resultar entrometido ni insolente—: Por cierto, ¿no es usted un poco talludito para recluta?

El amanecer ya incendiaba la selva de Ceilán, tiñéndola de púrpura. Chamizo le contó someramente sus vicisitudes personales y familiares, su plaza de maestro de escuela recién adquirida (pero no mencionó la revelación peregrina o fantasiosa que le permitió presentarse a tiempo al último examen) y el reclutamiento de su hermano, al que había decidido sustituir. El *Isla de Mindanao* hizo sonar exultante su sirena, mientras se aproximaba a puerto; en la cubierta comenzó el azacaneo de la tripulación, preparando el atraque.

—Y usted, mi teniente, ¿por qué se halla metido en esto? —preguntó Chamizo—. Porque juraría que no es usted un oficial veterano...

—Vaya usted a saber —murmuró Vigil, que se había puesto un poco melancólico—. Supongo que por tradición. Entre mis tatarabuelos hubo uno que estuvo en caballería. Mi abuelo materno murió en la francesada, con el grado de capitán de granaderos, llevándose por delante a unos cuantos gabachos. Mi padre fue comandante de infantería y se destacó en África. —Se mordisqueó las guías del bigote—. Y hace poco todavía que un hermano se me murió de fiebre amarilla, mientras servía en Cuba.

—Bien que lo siento, mi teniente. —Chamizo siempre se azaraba cuando se trataba de expresar condolencias—. Desde luego, no será por falta de antecedentes familiares. ¿Y seguirá la carrera militar, o lo suyo es algo provisional?

—Provisional de momento —dijo Vigil—. Pero ser militar parece que es mi destino.

—Yo creo más en el libre albedrío que en el destino, mi teniente.

—¡Coño, Chamizo, hila usted más fino que los teólogos de Trento! —se chanceó Vigil—. La verdad es que nunca tuve vocación militar, siempre pensé que lo mío era la medicina. Así hasta que me dieron plaza de médico rural en Talará, un pueblo de la provincia de Granada, cerca de las Alpujarras. Me enamoré de la hija del cacique del pueblo, ¡a mis treinta y seis años! Enamorarse es siempre un mal negocio, Chamizo, pero hacerlo a los treinta y seis años es una insensatez y una temeridad. Al padre de la moza no le gustaba que su hija se ennoviara con un medicucho sin fortuna. ¡Qué se le va a hacer! —Su voz se tiñó de una herrumbre que tal vez fuese el último vestigio, amansado y perezoso, del despecho—. Me costó mucho quitarme de la cabeza a esa mujer, y alguna vez hasta pensé en pegarme un tiro en la cabeza. Pero, ¡qué demonios!, mujeres hay hasta debajo de las piedras, y cabezas no tengo más que una, así que me conformé con castigar mi fracaso sentimental solicitando el ingreso en el ejército y pidiendo que me enviaran a Filipinas. ¡Cuando un amor se pudre hay que poner de inmediato tierra de por medio, si no quiere uno morir intoxicado! —Golpeó confianzudo a Chamizo en el pecho y trató de sonsacarlo, con tono festivo—: ¿A usted no se le ha podrido nunca ningún amor?

Chamizo se acodó en la barandilla de la borda. Miró las nubes del cielo, formando composiciones caprichosas, tal vez dibujando los rasgos de un rostro imaginario.

—Alguno tal vez en el pasado. Pero fueron amores que nunca llegaron a concretarse... salvo en mi fantasía, si acaso.

—¿Pero le dejaron herida? —insistió, inquisitivo, Vigil, que tal vez necesitase algo de solidaridad en su desengaño amoroso.

—Herida dejan todos. El caso es encontrar el ungüento que la cicatrice.

—La herida de un amor contrariado sólo se cura con el ungüento de otro amor —remachó Vigil, risueño—. A ver si tenemos suerte y en Filipinas lo encontramos.

—Yo, con tal de no encontrar el microbio que me deje la herida en carne viva, ya me conformo, mi teniente.

Tuvieron que separarse, cuando apenas se encontraban a un sexto de milla de los muelles, porque Vigil debía atender la visita de los inspectores sanitarios de Colombo, a los que tendría que ocultar la epidemia intestinal que aquejaba a la tropa, para evitar que declarasen el barco en cuarentena e impidiesen el desembarco de los pasajeros. Vigil debió de mostrarse convincente o maniático de la profilaxis ante los inspectores, pues al poco se inició ordenadamente el desembarco, que comenzó por los viajeros de primera clase. Chamizo, junto con los demás soldados sanos de su compañía, montó en una lancha que habría de llevarlos hasta el embarcadero, conducida por remeros malabares, unos fornidos mocetones de rostro barbado y muy fosca melena recogida en rodete alrededor de la cabeza y adornada con peinetas de concha. En los muelles del puerto, de casi dos kilómetros de longitud, los asaltó enseguida una muchedumbre de vendedores ambulantes, buhoneros y mendigos, descalzos todos y con el torso descubierto, aunque las partes pudendas las tapaban con unos paños ceñidos a la cintura, a modo de taparrabos, pero que les alcanzaban hasta los tobillos, como si fuesen sayas. Los oficiales y pasajeros pudientes se abrieron paso entre la multitud montando en unos raros vehículos a modo de tartanas, tirados por caballos de poca más alzada que perros, o en cochecitos de un solo asiento arrastrados por indios trotones; pero el pasaje de segunda y tercera clase tuvo que resignarse a quedar rezagado, entre la turbamulta de chalanes y pedigüeños. Así, sin embargo, pudieron disfrutar más reposadamente del paisaje de las afueras de Colombo, que era muy tupido y descomunal en su despliegue de verdor, con hileras de cocoteros y guayabos, muy gallardas palmeras, tecas de madera incorruptible, sándalos lechosos y frondosos ébanos, entre los cuales asomaban de vez en cuando las mansiones coloniales británicas, tan antipáticas y pomposas, con algo de cueva de ladrones muy respetuosos de las proporciones clásicas y algo de sepulcros blanqueados, y también, en contraste hiriente, las chozas donde se alojaban sus criados, con los que no se mezclaban, no fueran a alborotarles la sangre o la horchata que les regaba las venas. También pudieron disfrutar del atlas de razas —malabares y malayos, singaleses e hindúes— que poblaba aquella isla, con su diversidad de atuendos y ornamentos, a su vez señalados por su pertenencia a tal o cual casta. A Chamizo lo impresionaron —hasta intimidarlo casi— aquellos turbantes gigantescos que gastaban los hindúes más empingorotados y barbudos, como calabazones envueltos en vistosos ropajes o cornamentas muy delicadamente embaladas. Atravesaron en su paseo campos de caña de azúcar y plantaciones de arroz, también bosques dedicados a la extracción de la quina o la gutapercha. A medida que se acercaban a la ciudad, la flora iba siendo domesticada en jardines que parecían concebidos por matemáticos con fístula anal, porque había en su empeño geométrico un resabio de puritanismo o aversión a la vida que se quita el corsé. Por una hondonada que bordeaba un lago cuajado de nenúfares, llegaron a una vasta pagoda que había sido reedificada sobre sus ruinas, en un intento muy británico —y fenicio— de convertirla en atracción turística. Los carteles anunciaban en todos los idiomas una colección de tapices y joyas que se guardaba en el interior, pero Chamizo —como otros muchos soldados, no muy boyantes a aquellas alturas del viaje— prefirió quedarse fuera para ahorrarse la entrada, paseando entre las rodajas de columnas mordidas por la hierba. Allí volvió a encontrarse con Vigil, que salía de la pagoda.

—¿No pasa a ver los tapices? —le preguntó.

—Nunca me gustaron mucho los museos, mi teniente.

—¿Y cómo se explica eso, en un hombre cultivado como usted? —insistió Vigil, sinceramente perplejo.

Aunque aún no era mediodía, empezaba a hacer un calor sofocante que en pocos minutos empapaba las ropas de sudor. Era el calor de los trópicos, al que Chamizo, al igual que el resto de los soldados, no estaba habituado; y que, sin embargo, se iba a convertir enseguida en su hábitat natural.

—Hay algo soberbio y lastimoso en ese afán por atesorar, clasificar y amontonar obras de arte, ¿no le parece? —Chamizo miró por el rabillo del ojo a Vigil, para estudiar su reacción, mientras se enjugaba el sudor con un pañuelo—. Por no hablar de que los museos son siempre el fruto de muchos expolios. Por eso a los ingleses les gustan tanto.

La calorina había empujado a muchos soldados a internarse en la espesura y pegarse un chapuzón en el lago de los nenúfares. Disfrutaban como chiquillos salpicándose, haciéndose aguadillas y removiendo el cieno del fondo. Algunos se bañaban con las ropas puestas, lo que seguramente era poco recomendable desde el punto de vista de la profilaxis; otros, más atrevidos, se habían despojado hasta de los paños menores, y enseñaban sin rebozo los falos remorenos y embestidores, como de guerrero cartaginés, lo que seguramente fuese más recomendable desde el punto de vista de la profilaxis pero quedaba mucho menos circunspecto.

—Y entonces, ¿qué propone que se haga con las obras de arte? —sonrió irónico Vigil—. ¿Arrumbarlas en muladares? ¿Arrojarlas a la hoguera? No me diga que nos ha salido iconoclasta.

—No, tanto como eso no, mi teniente. Yo lo que creo es que las obras de arte hay que dejarlas en el lugar para el que fueron concebidas —dijo Chamizo.

—¿Aunque estén a la intemperie o en malas condiciones?

—Aun así —se atrincheró—. Después de todo, si los hombres morimos inexorablemente, ¿por qué no habrían de hacerlo también nuestras obras? Ese empeño por perdurar a través de las obras es quimérico y un poco desquiciado, propio de gente endiosada. En realidad, lo que se observa en los museos es envidia de Dios y de las bellezas de su Creación. Sólo que las bellezas de la Creación se renuevan despreocupadamente cada día, mientras que las bellezas que salen de la mano del hombre necesitan ser conservadas de forma artificiosa entre algodones, o encerradas en armarios.

Había por allí cerca un Buda de porcelana, abotargado y panzudo, resguardado en una vitrina como una cárcel de cristal, que ilustraba el aserto de Chamizo. Los soldados que se bañaban en el lago acababan de ser descubiertos por un par de inglesitas que paseaban en tílburi por el paraje y hacían aspavientos de escándalo y monerías con las sombrillas, mientras ponderaban sus pertrechos y alforjas de la virilidad.

—¿Os gusta la mojama? —las saludó un soldado.

—¡Poneos en remojo, que os presentamos batalla naval! —amenazó otro.

Pero las inglesitas eran más bien feúchas, con esa fealdad de congrio hervido que sólo se encuentra en la pérfida Albión, y mandaron al conductor del tílburi que arreara al caballito, desapareciendo entre las carcajadas de la tropa, que ya daba por vengada la derrota de Trafalgar, y hasta la de la Armada Invencible. Vigil se sumó al cachondeo:

—¡Al enemigo que huye, puente de plata! ¡Esas no han probado en la vida el rabo de toro español! —Se mondaba de la risa y se atusaba la barba de hidalgo. Luego reanudó su conversación con Chamizo—: Pues si lo que de verdad le gusta son las bellezas de la Creación, este sitio le viene como pintiparado, Chamizo; salvando a las inglesas, claro está, que son más feas que pegarle a un padre. Una tradición de este pueblo dice que Ceilán es el lugar que Adán y Eva eligieron para asentarse después de ser expulsados del Edén.

—¡No tenían mal gusto, entonces! —ponderó Chamizo—. Salieron de un paraíso para entrar en otro. Pero los cabrones de los ingleses, con su avaricia explotadora, terminarán haciéndolo puré, ya lo verá.

Había, desde luego, mucho puré por hacer con toda aquella vida exuberante que se derramaba por doquier, como en un vergel, pero en el devastar, como en el rascar, todo es empezar.

—¡Vaya, Chamizo, es usted un reaccionario tremendo! No le gustan los museos y tampoco el progreso.

—¡Progreso! ¡Anda que no se hacen burradas en nombre del progreso! —se quejó Chamizo—. El progreso consiste en alterar el alma humana para que se adapte a sus condiciones, en lugar de alterar las condiciones para que se adapten al alma humana.

Y eso, a la larga, no hará sino generar almas desacompasadas y rotas; es decir, infelices. Ya lo estamos viendo y cada día lo veremos más, mi teniente.

Chamizo y Vigil habían echado a andar, buscando los caminos menos transitados entre aquel desván botánico que ni siquiera los ingleses habían logrado todavía archivar, para convertirlo en jardín. La tropa bulliciosa, viendo que marchaban, interrumpió su baño y se vistió con premura, para no perderlos de vista.

—¿Usted piensa que el progreso y la felicidad son incompatibles? —se interesó Vigil, epatado por las tesis de Chamizo.

—En lo sustancial, cuanto más rodeados de progreso están, más desgraciados son los hombres —dijo Chamizo—. Aquí enseguida el progresista salta: «Usted lo que pretende es mantener a los pueblos en la ignorancia, con la excusa de que sean felices». Pero nada tiene que ver con eso... ¡Uno no se mete a maestro para mantener a la gente en la ignorancia! —se defendió—. Lo que ocurre es que el progreso desliga al hombre de la naturaleza, con la excusa de liberar su existencia de las limitaciones que imponen los ciclos naturales; y este desligarse de la naturaleza va marchitando al hombre, porque le impide tener una visión del mundo ligada a realidades ciertas, palpables, y lo obliga a pasarlo todo por el tamiz de su propia conciencia. Y como la realidad no puede sobrevivir encerrada en la conciencia, termina generando vapores venenosos. Esta es la tragedia del hombre moderno —concluyó Chamizo—, pero no espere que le hablen de ella en los periódicos.

Vigil se pasó también el pañuelo por la cara, sofocado por el calor o por los vapores venenosos a los que acababa de referirse Chamizo.

—¡Caramba, amigo! Usted debería estar enseñando en la universidad, no pegando tiros.

—Con que me dejen enseñar en la escuela me conformo, mi teniente. —Hizo una pausa, que aprovechó para seguir el vuelo entre la fronda de pájaros con plumajes de fiesta mayor, tal vez nunca inventariados por el celo archivístico de los ingleses—. ¿Y usted cree que vamos a tener que pegar tiros?

—¡Menuda pregunta me hace! —resopló Vigil—. Supuestamente se ha firmado la paz, pero... es una paz sostenida con alfileres. Y la dura realidad es que Sagasta se niega a asegurar con medios suficientes esa paz, con la disculpa de que empleando muchos medios se produce la desconfianza entre la opinión pública; cuando lo que se trata de ocultar es que el erario está exhausto. Pero esto los insurrectos acabarán sabiéndolo; y entonces volverán a las andadas.

Chamizo todavía conservaba incólume la capacidad para indignarse, que Vigil tal vez ya hubiera desgastado, o aprendido a mantener a buen recaudo:

—Pero la solución del problema no está sólo en los medios ni en movilizar más o menos hombres, mejor o peor armados —dijo—. El problema es que las guerras, como las paces, se hacen de espaldas al pueblo; y no por el bien del pueblo, sino por satisfacer los intereses de las oligarquías que se turnan en la gobernación de nuestra sufrida patria, en un paripé sin otro objeto que no sea tener bien atendidos sus negocios.

Vigil se detuvo, fingiendo escándalo:

—¡Cuidado, Chamizo, que esas tesis podrían ser consideradas subversivas! —Pero enseguida sus ojillos chispearon sarcásticos—: Aunque yo, desde luego, prometo guardarle el secreto.

—Se lo agradezco de veras, mi teniente —dijo Chamizo, que sin embargo parecía embalado—. Y esas oligarquías tan pendientes de sus negocios han dejado de amar a los españoles, si es que alguna vez lo hicieron. No aman, desde luego, a los españoles de Ultramar; no les mueve ya aquel impulso generoso que movió a nuestros antepasados, sino la misma ansia de rapiña que muestran los ingleses en sus colonias. Y tampoco aman a los españoles peninsulares, a los que sólo quieren como paisaje retórico de sus discursos y como carnaza para cubrir las bajas en los batallones.

—¿Y qué papel quiere que se le asigne a nuestro pueblo? —preguntó Vigil, pesaroso o resignado—. Desgraciadamente, no tiene la formación suficiente para opinar sobre asuntos tan delicados. Son los gobernantes los que han de brindar soluciones a sus problemas...

Habían tomado un camino más espacioso que los conducía, entre tiendas de malabares atestadas de chirimbolos de marfil y ébano, hasta un hotel muy peripuesto y con ínfulas arquitectónicas de palacio virreinal. Varios porteros de librea trataban de contener la marea de pedigüeños y desharrapados que pugnaba por entrar, a la vez que daban paso a los excursionistas y clientes del hotel. A Vigil y Chamizo dudaron si dejarlos pasar, pues debieron de verlos demasiado morenos o con las ropas demasiado sobadas para ser turistas de postín, pero finalmente se envainaron las reticencias, viendo los distintivos del uniforme de Vigil. En el vestíbulo del hotel, varios clientes leían revistas y diarios, cómodamente arrellanados, con las piernas indecorosamente montadas sobre los brazos de las butacas, o escarranchados sin ambages, como suelen hacer los muy atildados ingleses en cuanto se ven libres de los ritualismos que rigen sus estúpidos códigos sociales. Chamizo no pudo reprimir el comentario:

—Ya lo ve, mi teniente. Los nativos de este segundo paraíso son mayoritariamente mendigos; y sus devastadores viven opíparamente, y además son unos maleducados. Esta es la enseñanza que nos brinda este mundo tan progresista en el que vivimos. —Sacó la lengua a una inglesa con pinta de anchoa asténica que se le había quedado mirando con gesto de desagrado—. Hay una división neta e insalvable entre los que sufren y los que se aprovechan. Entre aquellos a los que se les ha pedido que lo sacrifiquen todo, aportando hasta el fin su número, su fuerza y su sangre, y aquellos otros que caminan, avanzan, sonríen y triunfan, pisando sobre sus cadáveres. En esto se resume el llamado progreso de los pueblos.

Vigil calló, meditabundo. Tuvo que reunirse con unos oficiales que lo llamaron desde el otro extremo del vestíbulo, dejando la conversación interrumpida, aunque con la promesa de una pronta reanudación. Pero los inevitables tumultos y dispersiones que se forman entre los pasajeros durante las escalas marítimas los mantendrían separados durante la visita al barrio europeo de Colombo, que Chamizo no disfrutó demasiado, porque sus calles tiradas a cordel, sus edificios suntuosos como palacios y sus iglesias severas y burocráticas como oficinas del catastro se le antojaron una muestra especialmente hórrida del progreso que pretende alterar el alma humana para que se adapte a sus condiciones. Mucho más ameno le pareció el itinerario que siguieron de regreso al embarcadero, a través de un bosque de canelos por el que, aunque de suelo algo fangoso, era una delicia pasear al crepúsculo, cuando sus flores, casi desvanecidas y exánimes por el calor del día, exhalaban su perfume más exquisito. Enredados muy gustosamente en aquel perfume embriagador, y deteniéndose de vez en cuando en las pozas naturales que asomaban aquí y allá, cubiertas de nenúfares y lentejas de agua, se les vino la noche encima, en ociosos coloquios. Así hasta que, cuando ya estaban llenando sus cantimploras para volver al barco, descendieron sobre el bosque (o tal vez ascendieron de él, pero la impresión fue como de una lluvia impremeditada) cientos, miles de lucecillas pálidas y fosforescentes, un enjambre de luciérnagas que dejaban con su vuelo una escritura temblorosa en la noche y después se congregaban en las copas de los canelos, golosas tal vez de su perfume, alumbrándolos con un fulgor entre blanco y verdoso, para después descender hasta casi el ras del suelo, como estrellas que se ponen al alcance de la mano, tangibles e incandescentes como un amor juvenil. La tropa se quedó subyugada contemplando aquella danza que parecía obedecer a una coreografía sobrenatural; y las luciérnagas, en gratitud a la devoción de su público, se quedaron entre los canelos, alumbrando sus últimas conversaciones. El cabo González Toca se había tumbado bocarriba, sobre un pequeño claro de hierba mullida, para mejor contemplar aquel espectáculo que le inspiraba dulces ensoñaciones, mientras el soldado Menache, mucho menos proclive a los arrobos contemplativos, aprovechaba el revoloteo de las luciérnagas en torno a una poza en la que acertaba a ver reflejado su rostro para afeitarse. Se metía la navaja entre las arrugas como chirlos con el desparpajo que emplearía un barbero veterano, pero por mucho que rascaba con el filo en los repliegues de la piel no lograba quitarse esa línea de suciedad que se agazapaba allí dentro, como una reminiscencia de las muchas horas consumidas en las minas de Pueblonuevo del Terrible, respirando el polvillo del carbón.

—Te vas a armar una labor, Antonio —trató de disuadirlo el cabo González Toca—. Que los bichos estos alumbran, pero no tanto.

—De memoria me conozco yo la jeta, no me jodas —dijo Menache, sobrado—. Y con la tuya también me atrevo. Ven acá que te afeito.

—Déjame de leches, que le tengo yo mucho amor a mi pellejo —se resistió el cabo González Toca, palmeándose con ambas manos la andorga—. Además, que la barba tampoco me queda tan mal.

Pero era una barba desaseada y mal retajada que lo hacía parecer un facineroso. A Menache lo contrarió la resistencia del cabo; y cuando algo lo contrariaba se apoderaba de él una irritación que era casi frenesí, y se despertaban en él unas ganas de liarla que no podía reprimir, ganas de despedazar lo que tuviera a su alcance y «subvertir el orden», como le dijo la pareja de la guardia civil que lo apresó en Pueblonuevo al acabar un mitin. Menache hundió la navaja barbera en la poza, liándose a mandobles con las lentejas de agua; de uno de aquellos enviones, removiendo en el fondo de la poza, sacó imprevistamente una sanguijuela, sostenida sobre el filo. Menache la arrojó sobre la hierba y la seccionó en dos, para después ensimismarse en su culebreo póstumo.

—Se me ha ocurrido una broma, Vicente —anunció a González Toca.

—¿Qué broma? —preguntó el otro, todavía embebido en el vuelo nupcial de las luciérnagas.

—Ven acá y deja que te afeite, si quieres que te la cuente.

No necesitaba ni siquiera emplear un tono imperioso para que lo obedeciese, pues el cabo González Toca, que no era cobardón ni especialmente sumiso, había sin embargo detectado que exasperar a Menache solía acarrear consecuencias funestas, pues aquel hombre estaba envenenado por una comezón que lo hacía revolverse indiscriminadamente contra cualquiera que se hallase en su radio de acción. Se acercó a la poza, un poco reticente, y se dejó enjabonar el rostro.

—Te advierto que al más mínimo corte me dejas de afeitar —dijo, sin excesiva convicción.

—Anda, anda, no me seas tiquismiquis. ¿O es que me tienes miedo?

Se le acercó como si fuera a besarlo y, una vez aprendidos los contornos de su rostro, de facciones cortadas a golpe de hacha, le deslizó limpiamente la navaja sobre la mejilla.

—¿Y en qué consiste esa broma? —preguntó González Toca, un poco tenso—. ¿No será peligrosa, verdad?

—¿Qué ha de serlo, hombre? —se choteó Menache—. Tú sólo tienes que vigilar que nadie me vea hacerlo.

—¿Que nadie te vea hacer qué?

González Toca contuvo la respiración, siguiendo forzadamente con la mirada, hasta casi volverse bisojo, la trayectoria de la navaja, que ahora desbrozaba la curva de su maxilar.

—¿Te acuerdas de la primera noche en el barco, cuando Chamizo, el literato de los cojones, nos pidió que contáramos cada uno de nosotros el miedo que nos había dejado más huella? —González Toca asintió nerviosamente, cuando Menache apartó la navaja—. ¿Recuerdas la historia de las sanguijuelas de Calvete? —González Toca volvió a asentir—. Pues vamos a comprobar si le siguen dando tanto respeto como cuando era niño.

Metió la navaja en la poza para limpiarla de jabón y remejió en el cieno del fondo una y otra vez, hasta sacar otra sanguijuela, que esta vez depositó cuidadosamente sobre la hierba. Las luciérnagas dejaron por un instante de brillar, como si la malicia de Menache les hubiese fundido los plomos. Volvió a repetir una y otra vez la operación, hasta recolectar una docena de sanguijuelas, que luego guardó en la cantimplora, para que no se le desecasen. González Toca se preguntó qué raro solimán le habrían derramado a Menache, allá en las minas de Pueblonuevo; o si habría nacido con ese estigma, como una herida que no deja de sangrar.

—No sé yo si eso estará bien... —murmuró.

Menache no se dignó siquiera responderle. Acercó su rostro cetrino hasta casi embestir el del cabo, manteniéndose a una distancia que les hubiera permitido morderse. Luego, con un movimiento de prestidigitador, agitó la navaja barbera en el aire y le rapó los pelos del gaznate, haciéndole cosquillas en la papada.

—Tú lo único que tienes que hacer es anunciarme con un carraspeo cuando Calvete se levante a cagar, para que yo vaya a meterle las sanguijuelas entre las mantas, y avisarme con otro carraspeo cuando Calvete vuelva a la litera —lo instruyó—. Nada más que eso. Ya verás el brinco que pega cuando note que se le han pegado a los pies.

Y se relamió, anticipando ese momento. Se trataba, después de todo, de una broma inofensiva, comparada con otras que había urdido durante la travesía. Las luciérnagas ahora volaban en tirabuzón en derredor de ambos, como un enjambre soliviantado.

—¿Y si Calvete se encabrona y le va con el cuento a Chamizo? ¿Y si Chamizo se lo cuenta a ese teniente médico con el que andaba por la mañana, o a cualquier otro oficial? —preguntó González Toca, mientras sus resistencias se iban poco a poco ablandando.

—Calvete no es un soplón. Y, en cualquier caso, da lo mismo si lo fuera. Con negar que hayamos sido nosotros, ya está todo hecho.

Menache había dejado para el final el bigote de González Toca, que retrajo los labios. Notaba el filo hozando bajo las aletas de su nariz, rascándole el bozo y las comisuras de los labios.

—No lo tengas tan claro, Antonio. Tú ya eres sospechoso oficial de cualquier fechoría, aunque tengas doscientas coartadas a tu favor...

—Me has hecho que te confíe la broma —zanjó Menache, en un tono seco y conminatorio—. Si ahora te rajas, te juro que te rajo yo a ti, con esta misma navaja.

Le levantó la barbilla y le paseó el borde romo por la gorja, simulando un degüello.

—Está bien, no te pongas así —tembló González Toca.

—Lo importante es que no me vea nadie, para que la broma no se chafe; así que ojo avizor. —Y se estiró la piel del párpado inferior, que en su tejido interior y sanguinolento tal vez estuviese sucia de carbonilla—. Anda, no te muevas que te voy a pegar un repaso.

González Toca tragó saliva y se dejó hacer, siguiendo como hipnotizado el vuelo de las luciérnagas, que hicieron de comitiva de despedida para los soldados españoles hasta que abandonaron el bosque de canelos. Allí, en sus estribaciones, se juntaron todos; y juntos fueron hasta el embarcadero, sin entonar esta vez las canciones chocarreras que solían reservarse para tales ocasiones, porque los efluvios de la canela y aquel cielo bocabajo que les habían traído las luciérnagas los habían dejado como extasiados o poseídos por una grata laxitud. Se repartieron entre las lanchas de los remeros malabares que todavía aguardaban su regreso en el embarcadero y cruzaron el brazo de mar que los separaba del vapor entre cientos de barcas y canoas y toscos esquifes que bailoteaban al compás del manso oleaje, incorporándose a la unánime impresión de felicidad y beatitud que la escala en Ceilán había dejado entre la tropa. Cuando subió a la cubierta, Chamizo se tropezó de nuevo con el teniente Vigil.

—He estado dándole vueltas a lo que me dijo en el vestíbulo del hotel, antes de que nos separásemos —le anunció Vigil a bocajarro—. Ya sabe, aquel comentario sobre los que se aprovechan y los que sufren. Y me he preguntado: ¿cómo se puede mejorar la situación de los que sufren? ¿Hay alguna fórmula mágica que lo permita? ¿O es ley fatal que haya siempre quienes se aprovechan y quienes sufren?

A Chamizo le pareció que a Vigil se le habían ahondado las arrugas de la frente, como si cavilaciones tenaces se las hubiesen excavado durante las horas precedentes.

—¿Quiere decir si habrá siempre injusticias? —Frunció los labios en un rictus doloroso—. Siempre las habrá, desde luego, porque los paraísos en la tierra no existen. Hay que desconfiar siempre de los demagogos que nos aseguran poseer la fórmula que acabe con la pobreza, o con el dolor, o con las desigualdades entre los hombres...

—Entonces, ¿qué hacemos? —preguntó Vigil, en un tono casi implorante—. ¿El *laissez faire, laissez passer*, que dicen los franceses?

De las canoas y esquifes más próximos al *Isla de Mindanao* se habían arrojado al mar varias decenas de rapaces, de las más diversas razas indostánicas, que reclamaban a los viajeros una monedilla; algunas las atrapaban al vuelo, y las que no lograban atrapar las perseguían bajo el agua —que la noche había convertido en tinta—, y regresaban de la zambullida con el níquel de la moneda brillando entre los dientes como un piropo.

—Que no se pueda acabar como por arte de birlibirloque con la injusticia no quiere decir que no se la deba reprimir o castigar o poner coto. «Dejarla pasar» es tanto como ponerle trono y exaltarla.

—¿Y qué forma de gobierno es la mejor para poner coto a la injusticia? —porfió Vigil—. ¿Tal vez una república socialista?

¿Una especie de democracia que permita también aprovecharse algo a los que sufren?

Después de probar sus habilidades en la captura de las monedas que les lanzaban desde la borda, los muchachos singaleses se habían subido a sus piraguas y esquifes, y probaban una danza perfectamente sincronizada, haciendo sonar los brazos doblados sobre los costados del cuerpo todavía mojado, con una rapidez tal que, más que movimientos de brazos, parecían trémulas palpitaciones de alas. Era su baile de despedida.

—¿Y convertirnos así todos en aprovechones que andan a la greña por unas propinillas? —ironizó Chamizo, con voz sombría. Miró por última vez la vegetación profusa que tapiaba el horizonte, ahora convertida en una masa semoviente que parecía ganarle terreno al mar—. Esa «especie de democracia» a la que usted se refiere, mi teniente, es la que más conviene a los que se aprovechan; es la que todos nuestros políticos que se turnan en el poder invocan como maniáticos. Consiste en proclamar constantemente nuevas libertades y derechos que se presentan ante los que sufren como la purga de Benito, para que se refocilen y aborreguen, mientras se siguen aprovechando de ellos. Todo ese revoltijo de libertades y derechos que reparten entre la plebe, a modo de aguinaldo de una perpetua Navidad, no son sino reclamos para distraer la atención de la única libertad que interesa a los que se aprovechan, que es la libertad para seguir amasando fortunas cada vez mayores.

—Pues dígame entonces cuál sería el remedio... —lo instó Vigil, en un tono que Chamizo no logró determinar si era retador o suplicante.

Sonó la sirena que anunciaba la partida, empapando la noche como el mugido de una vaca parturienta.

—Para combatir el poder del dinero y resarcir a los que sufren frente a los que se aprovechan no hay otra solución sino elegir a un hombre dispuesto a todo, incluso al martirio, por defender a su pueblo; y encumbrarlo tan alto, tan alto, que frente a su majestad desaparezcan las otras desigualdades, siendo todos, el rico y el pobre, el noble y el villano, iguales ante él —explicó Chamizo.

—Pero ese régimen político que usted describe es nuestra monarquía...

—Eso fue la monarquía en su origen, mi teniente —lo rectificó suavemente Chamizo—. Para combatir como un león el poder del dinero, domeñarlo, humillarlo y vencerlo, se encumbró a un hombre muy alto, haciéndolo casi como Dios. Pero el poder del dinero se las ingenió para conseguir que el monarca terminase siendo uno más de sus servidores. A este embeleco lo llaman ahora monarquía constitucional; mañana le pondrán otro nombre. Además...

Oyeron un grito desgarrador, seguido de otros intermitentes y empavorecidos, procedentes del sollado donde se amontonaba la tropa. Chamizo y Vigil bajaron alarmados por la escalerilla; a la luz exangüe de las lamparillas de petróleo, vieron a Julián Calvete, pálido y delgaducho, como un esqueleto poseído por el baile de San Vito, con el rostro demudado y sacudiéndose con las manos cada recodo de su angulosa anatomía, como si le recorriera la piel un hormigueo invisible. Llevaba en la mano una navaja abierta, que blandía nerviosamente, trazando rúbricas convulsas en el aire. Algunos soldados, tumbados ya en las literas o preparándose para dormir, se carcajeaban de aquella danza crispada y de la traza huesuda de Calvete, al que la diarrea había dejado en el chasis; otros lo contemplaban con horror, temerosos de que en su agitación les fuese a firmar un chirlo con la navaja.

—¿Qué te pasa, Julián? —lo interpeló Chamizo, todavía sin comprender—. ¡Cálmate!

Acezante y fuera de sí, Calvete seguía contorsionándose, rascándose compulsivamente, girándose sobre sí mismo, huyendo de un perseguidor fantasmagórico. Farfulló:

—¡Sanguijuelas! Son sanguijuelas... ¡Me han mordido! Estaban en mis mantas... ¡Por todas partes!

Se acercó a su litera con un correteo atolondrado y empezó a acuchillar de un modo frenético las mantas y la estera. Vigil y Chamizo corrieron detrás de él, para intentar reducirlo; pero volvió a girarse con brusquedad y a punto estuvo de afeitarles el gaznate. Sentía aquellos bichos mordiéndole las piernas, los brazos, los hombros, vampirizándole la poca sangre sana que le había dejado la infección intestinal. Chamizo le reclamó calma otra vez a gritos, pero Calvete no lo escuchaba:

—¡Hay sanguijuelas en mi litera! ¡Te juro que hay sanguijuelas!

Y lo miraba con el mismo gesto de consternado horror que debió de exhibir cuando, allá en la infancia, el barbero de su pueblo, después de tomar una de aquellas sanguijuelas gordas como morcillas que se habían cebado en su padre enfermo de pulmonía, la apretó apuntándola sobre su rostro y le arrojó un vómito de sangre fría. Chamizo pensó que estaba delirando, pero al reparar en las mantas descubrió que, en efecto, había no pocas sanguijuelas culebreando. Miró en derredor:

—¿Quién ha sido el gracioso?

Calvete, resguardándose detrás de él, con los ojos coagulados de espanto, reclamaba una respuesta, blandiendo otra vez sin control la navaja; toda la sangre de su cuerpo había afluido hacia la mano amoratada que la empuñaba, dejando su rostro blanco como el albayalde. Chamizo cruzó su mirada con la del cabo González Toca, que la rehuyó avergonzado; luego buscó la de Menache, que se la devolvió con insolencia impertérrita.

—¿Has sido tú, verdad? Has sido tú, perro rabioso... —lo increpó.

Menache se escaqueó:

—No sé de qué me hablas. —Y se dirigió luego al teniente Vigil—: Mi teniente, Chamizo se ha vuelto loco. No sé ni siquiera lo que ha ocurrido.

Calvete, súbitamente consciente de su desnudez, se abrazó contra Chamizo, tembloroso como un niño, y refugió la cara en su pecho, para sofocar los sollozos. Chamizo lo notaba jadear casi sin aire, notaba la humedad de sus lágrimas mudas y las convulsiones de su cuerpo; de repente, descendió sobre él un cansancio del tamaño del universo que lo aplastaba y hacía añicos.

—Esto es lo que quería decirle antes, cuando nos interrumpió el grito de Calvete —susurró sin fuerzas.

—¿El qué? —preguntó Vigil.

—Tanta libertad, tanto progreso y tanta zarandaja no nos han servido para ser mejores, sino para empeorar y para empecinarnos en nuestra maldad. En eso consiste todo el intríngulis: los que se aprovechan arrojan las migajas de su banquete a los que sufren, para que se las disputen. Y así consiguen convertir a los que sufren en auténticas hienas, en sacos de pus llenos de rencor. Así los que se aprovechan son cada vez más fuertes; y los que sufren, siempre a la greña entre sí, cada vez más débiles.

La voz de Chamizo se fue haciendo más abstraída mientras apaciguaba el desconsuelo de Calvete, hasta perecer estrangulada por el ruido de las calderas, que anunciaban la partida. En unos pocos días, el *Isla de Mindanao* llegaría a Manila, con las reservas de agua repuestas.

SEGUNDA PARTE

Febrero - Abril de 1898

1

Aunque el gobernador de Filipinas, general Fernando Primo de Rivera, tenía su residencia en la avenida de Malacañán, en un suntuoso palacio sobre el río Pásig, solía recibir en su despacho de Capitanía General. El edificio de Capitanía, en uno de los costados de la plaza de la Catedral, corazón de Intramuros, tenía una fábrica poco agraciada que, por fuera y por dentro, transpiraba esa delicuescencia y fingida majestad que el arte rococó, a modo de peste bubónica (o borbónica, para ser más exactos), introdujo en la arquitectura más reciamente española. El capitán Enrique Las Morenas acudió a la cita con puntualidad, incluso con una cierta prontitud madrugadora que no se molestaba en disimular su expectación. La guardia del zaguanete, armada con alabardas y uniformada de punta en blanco, lo condujo hasta la monumental escalinata que trepaba hasta la planta noble del edificio, donde se hallaban las dependencias del alto mando, bajo un artesonado más teatrero que auténticamente señorial. Indicaron a Las Morenas que aguardase en una salita contigua al despacho de Primo de Rivera, decorada según las mismas directrices pintureras de inspiración gabacha; para su sorpresa, se tropezó allí con dos hombres que, según parecía, también habían sido citados por el gobernador. A ambos los saludó con curiosidad contenida, preguntándose cuál sería la razón por la que habían sido convocados a la vez que él.

A uno de ellos lo conocía, siquiera de vista, y en las últimas semanas había oído hablar mucho de él en los corrillos de oficiales, convertido en pieza predilecta de murmuradores y malsines. Se trataba del teniente Saturnino Martín Cerezo, recién llegado a Manila procedente de Málaga a petición propia y al parecer destrozado por la pérdida en un parto aciago de su esposa y de la hija que ambos esperaban. Sobre el duelo del teniente Martín Cerezo, que al parecer incorporaba ribetes de desesperación espeluznantes, y sobre sus métodos para sobrellevarlo (o tal vez para exacerbarlo), se contaban en los cuarteles de Manila anécdotas casi inverosímiles de tan tremebundas; pero viendo el aspecto desgualdrajado y macilento del teniente, sus ojeras que de tan violáceas empezaban a verdear, su mirada vidriosa, su palidez cenicienta y su respiración como un fuelle roto, Las Morenas supuso que la desolación de la viudez le había clavado, en verdad, garras más ponzoñosas que las del mero desconsuelo.

—A sus órdenes, mi capitán —saludó a Las Morenas, levantándose del sillón Luis XV en el que estaba sentado, o más bien derrengado—. Se presenta el teniente Saturnino Martín Cerezo, del cuerpo de cazadores expedicionarios.

—Descanse, teniente —dijo, respondiendo a su saludo—. Soy el capitán Enrique Las Morenas.

Ambos habían oído hablar del otro, como en el ejército suele ocurrir; y la mirada que se cruzaron fue cautelosa, reticente, casi de una preventiva (o intuitiva) desconfianza. La otra persona que aguardaba en aquel antedespacho, convocada por el gobernador, era en cambio completamente desconocida para Las Morenas; y su presencia en aquel lugar, que según parecía le causaba cierto disgusto (y no se recataba en mostrarlo), resultaba más pintoresca, si no incongruente. En las presentaciones afirmó llamarse fray Cándido Minaya; y, como enseguida Las Morenas coligió de sus ademanes desenvueltos y su actitud dicharachera, era un franciscano fogoso y bienhumorado, de los que traen al retortero a las autoridades eclesiásticas —por su carácter arriscado, no por errores en la doctrina— y que, a poco que los dejen, ponen también en un brete a la autoridad civil, a la militar y al *sursum corda*. Las Morenas intuyó que fray Cándido, además de levantisco, era un poco metete, más por rusticidad y espontánea viveza que por desfachatez o engreimiento. Enseguida le preguntó cuál era la razón que allí lo traía; y Las Morenas no pudo contestarle, pues aunque durante la última semana, desde la partida de Carmen y Enriquillo, se había esforzado

—contrariando su natural poco proclive a los cabildeos— por sonsacar a los mandos con quienes mantenía buena relación, no había logrado ni siquiera barruntar la encomienda que Primo de Rivera le tenía reservada. Pero no dejaba de remejerlo el remusguillo de que no sería ninguna bicoca; y este pálpito había bastado para ensombrecer —todavía más— los días posteriores a la partida de Carmen y Enriquillo y para confirmar aquellas aprensiones que lo rondaban desde entonces. Porque Las Morenas estaba convencido de que nunca volvería a reunirse con su familia; y esta certeza lo invadía de una pudorosa y resignada melancolía.

—Y a usted, padre, ¿para qué lo han convocado? —inquirió Las Morenas.

Fray Cándido, culo de mal asiento, no paraba de recorrer la sala de un extremo a otro, midiéndola con zancadas desasosegadas, de izquierda a derecha y vuelta a empezar.

—Con el decreto de Maura, ahora resulta que los frailes tenemos que ponernos a disposición del mando civil o militar, según se tercie, cada vez que nos destinan a cualquier sitio —rezongó—. Y como en esta bendita tierra el mando civil y el militar están unificados, tengo que atender las instrucciones que me dicte el señor gobernador.

Lo había dicho en un tono socarrón que no dejaba resquicios a la duda sobre la diligencia con que atendería tales instrucciones. El teniente Martín Cerezo, que después de saludar a Las Morenas se había quedado de pie como un estafermo, en posición algo envarada (como si quisiera probarse capaz de mantener el equilibrio), miró con disgusto o aversión a fray Cándido:

—Cuanto más en corto se les ate, mejor —murmuró, sin importarle resultar descortés.

Fray Cándido prosiguió su conversación con Las Morenas, haciéndose el sordo aunque tenía oído de tísico:

—A mí acaban de destinarme a la parroquia de Baler, en la provincia de Nueva Écija, que ahora, con la nueva ordenación administrativa, han dividido absurdamente en distritos o no sé qué zarandajas. Ya tengo la autorización del arzobispo Nozaleda, pero también necesito el visto bueno del señor gobernador.

Las Morenas se rascó la sotabarba, pensativo o sarcástico:

—Pues sí que estamos buenos. ¿No habíamos quedado en que lo fetén era la separación de la Iglesia y el Estado?

Iba a hacer algún comentario malévolo fray Cándido, pero se abstuvo por falta de confianza con los oficiales. Ambos, al saber que el franciscano había sido destinado como párroco a Baler, habían empezado a hacer sus composiciones de lugar, que no pintaban muy halagüeñas, a juzgar por lo ceñudos que se mostraban. Fray Cándido siguió midiendo con sus zancadas la habitación, deteniéndose de vez en cuando ante un aparador de gusto afrancesado, o ante el busto pomposillo de algún emperador romano que parecía puesto allí por el decorador más histriónico de Napoleón III.

—Hay que fastidiarse —protestaba con enojo a duras penas contenido—. Con lo que cuesta toda esta morralla tendríamos para abastecer el hospital durante todo un año.

Y pisó con rabia, dando un zapatazo con la sandalia, la mullida alfombra de motivos arabizantes, más propia de la molicie palaciega que de la austeridad castrense. En el pasillo se oyó el pisar recio y el crujido característico del cuero de las botas militares; al instante, el asistente de Primo de Rivera abrió la puerta de la sala, como si se dispusiera a poner fin a su espera, pero debió de encontrarse en el pasillo con otro oficial y volvió a cerrarla, para departir antes con él. Hablaban en voz baja, como si secreteasen, pero sus susurros les llegaban nítidos:

—¿Cómo te va todo? —le preguntó el asistente de Primo de Rivera al otro oficial.

—Pues ya ves. Acabo de llegar de Cavite, de revisar la artillería del arsenal, que es una auténtica calamidad... ¿Y tú?

El asistente empleó un tono todavía más clandestino:

—Pssss... Ando estos días algo preocupado, porque me he propuesto volver a España cuanto antes y he solicitado reconocimiento médico. Ya sabes, cuestión de recomendaciones...

—Coño, pues como no tengas recomendaciones tú, que tienes al general comiendo de tu mano, ya me dirás...

—Precisamente por estar próximo al general tengo que andarme con más ojo. Acabo de conseguir un certificado del médico del batallón, diciendo que padezco jaquecas crónicas. No sé si eso bastará...

Martín Cerezo escuchaba con una especie de repugnancia cansada o impasible; Las Morenas, con más desaliento que indignación. Más impulsivo que ambos, fray Cándido se acercó a la puerta, dispuesto a inmiscuirse en la conversación y a afear la cobardía de aquella pareja de oficiales prevaricadores y duchos en escaqueos, pero Las Morenas le hizo un gesto de contención. Siguieron escuchando:

—Anda, pues entonces hoy mismo voy a pedir yo también el reconocimiento y a decirle al médico que me expida un certificado, declarando que sufro de cólicos...

—Bien que siento que no lo hayas pedido antes —se lamentó protocolariamente el asistente del gobernador—. Así nos reconocerían el mismo día y hasta podríamos marchar en el mismo vapor.

—¡Qué le vamos a hacer! Yo estaba esperando que, después de la paz, organizaran el regreso de las tropas y de los oficiales, y no se me ocurrió solicitar nada...

—¿Pero tú te has creído la milonga esa de la paz? —se burló el asistente—. Eso es una farsa montada por el gobernador para volverse a España de forma más o menos honrosa; pero, como tarde mucho en volverse, lo pilla otra vez el jaleo.

Fray Cándido había enrojecido de cólera y llevó la mano al picaporte, dispuesto a descargarla sobre aquellos dos badulaques; pero Las Morenas se alzó del diván en el que se hallaba sentado para impedirlo:

—¿Cree que merece la pena? —le preguntó.

—¿Que si merece la pena? —bramó fray Cándido—. Por cada uno de esos paniaguados que regresan a España hay un herido en mi hospital que se queda en lista de espera.

Las Morenas asintió luctuosamente. A veces lamentaba no tener un temperamento más sanguíneo para poder enojarse con justedad de las iniquidades que se perpetraban en los cuarteles:

—Si yo le contara las cosas que he visto, fray Cándido... Me dan tanto asco que a veces pienso que debería abandonar el ejército.

Se quedó callado, tal vez incapaz de contar cuál era la razón superior que lo obligaba a perseverar en medio de las corruptelas y los desmanes. El silencio compungido sirvió para enmarcar el desenlace de la conversación oprobiosa que discurría al otro lado de la puerta:

—Lo único que podría exonerarte de pasar por el tribunal sería una recomendación del mismísimo gobernador, chico —caracoleaba el asistente, sinuoso—. Contra eso no hay peros que valgan: los médicos tendrían que darte por enfermo imperativamente, aunque goces de buena salud, pues el médico que no obre así corre el riesgo de que le caiga encima un cambio de destino.

—¿Y qué debo hacer para conseguir esa recomendación? —se lanzó el otro.

—Ya te lo diré en cuanto acabe con unos papeleos que me traigo esta mañana entre manos —se hizo de rogar el asistente—. Pero ante todo, no te descuides, porque esta tranquilidad va a durar muy poco.

El asistente de Primo de Rivera, un tipo escurridizo y altiricón con aspecto de comadreja, abrió bruscamente la puerta, arramblando con fray Cándido, que era magro de carnes, y embistiendo casi a Las Morenas. Supuso enseguida que habrían escuchado algún retazo de su coloquio clandestino con el otro oficial y ardió de rabia:

—Su Excelencia los aguarda —masculló.

Fray Cándido paladeó el agravio:

—Las ratas son siempre las primeras en abandonar el barco, ¿eh, amigo?

El asistente fingió incomprensión, encaramado todavía en la peana de la altivez:

—¿Cómo ha dicho?

—El padre hablaba de ratas de agua, capitán —terció Las Morenas, mordaz—. Usted pertenece al ejército de tierra, así que no tiene por qué darse por aludido.

Cruzaron ambos la puerta y el pasillo que los separaba del despacho de Primo de Rivera. El asistente, trémulo de bochorno, se quedó petrificado en el umbral. Martín Cerezo lo miró como si lo quisiera despedazar y comer crudo y lo apartó de un empellón, para despejar el paso:

—Además —se regodeó—, las ratas no padecen jaquecas crónicas, no tiene por qué temer que lo confundan con una de ellas.

El asistente se quedó magullado por el estupor y las vejaciones, y ni siquiera tuvo ánimos para introducirlos ante el general Fernando Primo de Rivera, que se irguió caballerosamente para recibirlos. Era un sexagenario saleroso y expeditivo que aplicaba en sus enjuagues y movimientos palaciegos la misma desenvoltura que antes había empleado en los campos de batalla. Aunque estaba reumático, aún conservaba algo del vigor y del empuje que lo habían llevado a arrebatar Estella, durante la última carlistada, lo que le había valido, además de la Laureada de San Fernando, el título de marqués del lugar. Su calva relucía como un casco prusiano; y el pelo que le había desertado del cráneo se le había refugiado en las cejas hirsutas, casi alambrinas, y en el bigotón de guías también prusianas, que tal vez endureciese con fijador.

—Me tendrán que disculpar que no los haya recibido antes —se excusó, zalamero—. Aquí, en Manila, un viejo militar como yo tiene que resignarse a hacer de todo: rey, ministro de Estado, de Guerra, de Gobernación, de Fomento y de Gracia y Justicia. ¡Y, a veces, hasta de nuncio apostólico! —bromeó, tal vez para granjearse la simpatía de fray Cándido, que apenas esbozó una sonrisa rígida—. Encima, como cualquier propuesta nuestra tiene que ser aprobada por nuestros gobernantes de Madrid, todo se vuelve más engorroso. Y ya saben ustedes que el que mucho abarca poco aprieta, y perdonen que les sea tan franco. —Suspiró, indeciso—. En fin, el caso es que al fin estamos aquí.

Puso los brazos en jarras, mostrando rozagante su casaca acribillada de condecoraciones, como una constelación de estrellas gordas que competían en bailarle el agua a la Laureada. El despacho de Primo de Rivera repetía y aun sobrepujaba la opulencia merengosa de la sala de espera que hasta entonces habían ocupado. Las paredes estaban tapizadas con una tela de raso estampada con motivos florales; y en una de sus paredes, flanqueado por cortinones de terciopelo grana, se abría un amplio ventanal que se asomaba a un patio interior. Sobre el bufete del general, de oscura madera muy primorosamente labrada, se erguía un crucifijo de plata maciza a modo de pisapapeles, entre una marea de cartapacios y legajos; Las Morenas creyó distinguir entre aquellos papelorios un par de cédulas de nombramiento, a nombre de Martín Cerezo y él mismo. Alzó la vista, para no parecer un fisgón; de la pared del fondo, a espaldas del general, pendía un mapa del archipiélago filipino y el escudo de armas del marquesado de Estella moldeado en mayólica, así como una bandera de España, por si había que envolverse en ella, en un acceso de patriotismo. Primo de Rivera se volvió hacia el mapa y, sin mayores preámbulos, clavó vigorosamente el dedo índice sobre la costa oriental de la isla de Luzón:

—Baler —proclamó con énfasis—. Cabecera del distrito del Príncipe. Seguramente les sonará.

Se miraron los tres con irónica desazón; y fray Cándido se encogió de hombros, con algo de recochineo. Las Morenas se permitió ser incisivo, so capa de morigeración:

—¿No era a esas tierras, Excelencia, donde antaño se enviaba a los deportados?

Primo de Rivera se volvió otra vez hacia ellos, con toda la chatarrería y charretería de la casaca por delante:

—Eso fue hace mucho tiempo, antes de que yo gobernara en Filipinas —comenzó, afectando despreocupación—. Supongo que ya conocerán la historia más reciente de Baler. Durante el pasado mes de octubre, su guarnición fue atacada por unos filibusteros, en connivencia con algunos elementos locales. Los fusiles y municiones del arsenal de comandancia fueron robados. Por fortuna, todo este armamento ya nos fue devuelto en Biacnabató...

Martín Cerezo había leído en la prensa española las vicisitudes de aquella guarnición de Baler. Con una voz opaca, como emergida de alguna gruta memoriosa, cercenó las tentaciones triunfalistas de Primo de Rivera:

—Diez soldados fueron masacrados a golpe de bolo y otros veinte resultaron heridos. Además, los insurrectos se llevaron como rehenes a unas monjas que acababan de fundar allí una escuela. Y el oficial al mando del destacamento se suicidó.

La afirmación última, entre el elenco de calamidades que Martín Cerezo acababa de resumir, sonó especialmente atroz. Primo de Rivera se apresuró a contradecirlo:

—Me sorprende mucho, teniente, que dé pábulo a semejantes infundios. —Se le había arrebolado el rostro, como si hubiese sufrido una súbita apoplejía—. Para determinar la causa de la muerte del teniente se abrió una investigación y se concluyó que, en el curso del asalto, después de batirse con gran bizarría, fue hecho prisionero por los tagalos y posteriormente torturado y fusilado.

Las Morenas se preguntó si Enriquillo habría aceptado como verídica o siquiera verosímil esta versión embellecida, de haberla incluido entre las narraciones bélicas con que acostumbraba a dormirlo. Se había abierto un silencio erizado de reticencias que fray Cándido barrió sin remilgos:

—No veo yo que tenga mucho sentido ponernos ahora a polemizar sobre asunto tan espinoso, señores. Que Dios tenga en su seno a ese teniente.

—Tiene usted toda la razón, fray Cándido —afirmó Primo de Rivera, agradeciéndole el quite. Y siguió perorando—: En cuanto llegó a Manila noticia del asalto, se mandó de inmediato por vía marítima una compañía de cien hombres, con la encomienda de pacificar el lugar. No fue difícil, pues los insurrectos habían huido, después de tomar como rehenes a las monjas, y los lugareños depusieron de inmediato las hostilidades, mostrándose adictos a nuestra causa y pacíficos, después de alguna escaramuza sin importancia. Desde entonces, los suministros a la zona han funcionado sin sobresaltos. Y cuando se firmó la paz...

Martín Cerezo osó interrumpirlo:

—Sin embargo, Excelencia, tengo entendido que el Katipunan está muy extendido en la zona...

Había algo olímpico o alucinado, como de quien está por encima del bien y del mal, en la arrogancia de Martín Cerezo que empezaba a soliviantar a Primo de Rivera:

—¡El Katipunan ha sido disuelto, teniente! —Y golpeó con el puño en el escritorio—: El propio Aguinaldo me dio su palabra de que cesaría la captación de prosélitos tras la firma de la rendición. Y cuando mi sobrino, el teniente coronel Miguel Primo, lo llevó al vapor que habría de deportarlo a Hong Kong, Aguinaldo le confió que se avergonzaba de haber pertenecido a una secta tan bárbara, propia de pueblos sin civilizar. ¡El Katipunan, una vez desactivados sus cabecillas, ha muerto por inanición!

Parecía que Martín Cerezo iba a morderse la lengua, por no contrariarlo más, pero cuando un hombre no tiene nada que perder no tiene tampoco por qué callar:

—Es evidente que mis fuentes son muy diversas de las de Vuecencia. Según me cuentan, son muchos los pueblos en los que, después de ser abandonados por nuestras tropas, han vuelto a funcionar consejos del Katipunan.

Primo de Rivera retuvo el aire en los pulmones, a punto de estallar. La rubicundez del rostro parecía extendérsele a la constelación de medallas y condecoraciones.

—Sea como fuere, nuestra misión será mantener la plaza pacificada, haya o no haya Katipunan —dijo Las Morenas, contemporizador, por aliviarle la congestión.

—Como les estaba diciendo —carraspeó el general Primo de Rivera, volviendo al punto en que Martín Cerezo lo había interrumpido—, cuando se firmó la paz enviamos una columna de cuatrocientos hombres para que batiese el distrito, lo limpiase de partidas rebeldes, ofreciese el indulto a los insurrectos y requisase sus armas. La pacificación fue un absoluto éxito; y tanto la columna de expedicionarios como la compañía de cien hombres enviada en socorro de la guarnición fueron relevadas. Baler es, hoy por hoy, una perita en dulce. *Su* perita en dulce, caballeros.

Primo de Rivera sonrió sin convicción y volvió a sentarse en su escritorio, para firmar las cédulas con los nombramientos de Las Morenas y Martín Cerezo.

—Con la venia de Vuecencia —intervino Las Morenas, procurando extremar su cortesía—, ¿iremos a Baler por mar o por tierra?

—Por tierra —respondió Primo de Rivera, parpadeando perplejo—. ¿Por qué lo pregunta?

—Es de dominio público que el distrito del Príncipe está infestado de *tulisanes*.

Presentando a los insurgentes como *tulisanes* o asaltadores de caminos, la prensa adicta evitaba reconocer que la paz de Biacnabató era un completo fracaso. Primo de Rivera mojó la pluma en el tintero y buscó un tampón en el desorden de su escritorio, haciéndose el desentendido:

—Bandoleros y facinerosos los ha habido siempre, aquí y en Lima. Pero la rebelión ha sido sofocada, capitán. —Se recostó en la silla y volvió la mirada hacia el mapa—. Además, los accidentes del terreno impiden que las partidas de bandidos lleguen hasta Baler.

—Salvo que ya se encuentren allí... Entonces les impedirían salir.

Quien así había hablado era fray Cándido —el único con experiencia suficiente sobre el terreno—, que el gobernador creía reducido a la obediencia y la mansedumbre. Pero fray Cándido podía ser el hombre más indócil del mundo.

—Creo que no lo entiendo... —barboteó Primo de Rivera.

Con el desparpajo de un alma candorosa, o con una desfachatez casi ofensiva, fray Cándido tomó la pluma con la que el general se disponía a firmar las cédulas. Señaló en el mapa:

—A la espalda, la sierra del Caraballo. De frente, el océano. Por los flancos, corrientes invadeables, manglares y una selva impenetrable.

—Usted lo ha dicho —corroboró Primo de Rivera, afectando jovialidad—. Una región bien protegida, donde resulta difícil difundir ideas subversivas y mucho más todavía organizar una ofensiva militar.

—¿Bien protegida? —ironizó fray Cándido y ensartó la pluma en el punto preciso del mapa que representaba Baler—. Vuecencia sabe tan bien como yo que ese pueblo es una ratonera.

Primo de Rivera se quedó estupefacto del ímpetu contestatario de fray Cándido, que arrancó la pluma del mapa y trató de reparar en vano el estropicio.

—¿Y usted de qué se queja? —se enfurruñó el gobernador, arrebatándole la pluma de un zarpazo—. Nadie lo ha obligado a solicitar ese destino. Los superiores de su orden me aseguraron que fue usted quien lo solicitó... Y una de las monjas de Baler lo ha recomendado...

Fray Cándido se abismó de repente en una suerte de humildad compungida:

—Sor Lucía, en efecto. Los desvelos de sor Lucía son a veces un doloroso cáliz...

—En cuanto a ustedes —continuó Primo de Rivera, dirigiéndose a los dos militares—, después de estudiar atentamente su historial, considero que Baler es un destino óptimo para revitalizar su carrera. Usted, capitán Las Morenas, lleva demasiado tiempo apalancado —lo censuró—. Y usted, teniente, necesita una actividad que lo distraiga de pensamientos sombríos.

Había en sus palabras un retintín acusatorio, o al menos así lo interpretó Martín Cerezo, que esta vez prefirió descargar su neurastenia contra fray Cándido:

—Con la venia de Vuecencia, lo que no entiendo es por qué el fraile ha de acompañarnos —dijo, entre despectivo y hostil—. Todos sabemos del odio que el clero inspira a los insurrectos...

—Entre los insurrectos también hay resentidos como usted, en efecto —se le encaró fray Cándido, raudo como una centella en la respuesta y sin arredrarse ni un ápice.

—Entre los insurrectos hay algunos que no están dispuestos a tragarse absurdas supersticiones, como me ocurre a mí —lo corrigió, petulante, Martín Cerezo.

Las Morenas se interpuso entre ambos, conciliador:

—Vamos, teniente, repórtese...

Pero Martín Cerezo ya estaba embalado. La contemplación del hábito de San Francisco resucitaba los fantasmas de su dolor sin consuelo:

—Si por mí fuera, expulsaría a todos los frailes del territorio español.

Fray Cándido lo miró con lástima o abrumado hastío. Las Morenas renunció por primera vez a sus modales templados:

—¿No me ha oído, teniente? Le he pedido que se reporte. ¿O es que no le han enseñado a obedecer a sus superiores?

Entre ellos surgió, como entre la yesca y el pedernal, una chispa de mutua aversión. Ambos sabían que, a poco que se esforzaran, esa chispa podría convertirse en el futuro en fuego devorador. Primo de Rivera no salía de su asombro; intervino tajante:

—Y yo le recuerdo a usted, capitán, que en este despacho soy yo el que da las órdenes. —Desmontó del portaplumas el plumín que fray Cándido había torcido y lo sustituyó por otro que sacó del cajón de su escritorio—. Caballeros, su deber es aunar fuerzas, no desgastarse en inútiles trifulcas. En cuanto a usted, teniente... —se esforzó para que su reproche sonase caritativo—, a los frailes, como a los militares, hay que juzgarlos uno por uno.

—No creo que encontrásemos más de cuarenta justos sobre la faz del orbe, si nos pusiéramos a contarlos —dijo Martín Cerezo.

Se había puesto en la posición de firmes, exagerando su hieratismo. Primo de Rivera se desentendió de sus manías, mojó la pluma en el tintero y firmó muy morosamente las cédulas de nombramiento, retozando en los arabescos de la rúbrica.

—Ojalá encuentre tantos entre los cincuenta hombres de su destacamento, teniente. —Pasó el tampón secante sobre su firma—. Pueden echarles un vistazo, están pertrechándose en el patio.

Las Morenas y Martín Cerezo se asomaron al ventanal. Abajo, en el patio interior de Capitanía, desangelado y un tanto carcelario (en contraste con el estilo rococó del edificio), se hallaban en efecto cincuenta reclutas recién desembarcados. Un cabo cuarentón de aspecto rústico y facciones cortadas a golpe de hacha repartía a los soldados los característicos uniformes de rayadillo, sombreros de jipijapa y botas de campaña; algunos se quedaban extasiados ante estas últimas, tal vez porque en su vida labriega no habían gastado sino alpargatas. Un teniente del cuerpo médico estaba atendiendo a uno de los reclutas, sacudido por las bascas de un vómito. En el centro del patio, formando una especie de almiar, un montón de fusiles se sostenían unos sobre otros, esperando que los reclutas los empuñasen. Por supuesto, en cuanto lo hizo el primero, el montón, sostenido en un delicado equilibrio, se desmoronó.

—Pero si todavía les dura el mareo del viaje... —se compadeció Las Morenas.

Martín Cerezo observó que los reclutas cogían el fusil como si fuese un bieldo o una azada.

—Y nadie les habrá enseñado la instrucción —murmuró.

—Se equivoca de pleno, teniente —lo corrigió Primo de Rivera, con más retórica que certeza—. Esos hombres fueron correctamente adiestrados en Tarragona, antes de embarcar para

Filipinas. Son reclutas bisoños, ciertamente, pero seleccionados entre los mejores —mintió—. Aquí, en este cartapacio, tienen los expedientes de todos ellos. Con ustedes viajará también a Baler el teniente médico provisional don Rogelio Vigil. ¿Alguna pregunta?

Martín Cerezo tomó los expedientes y Primo de Rivera dobló con cuidado las cédulas, para evitar enfrentarse al desaliento que se retrataba en los rostros de los oficiales. Martín Cerezo abrió el fuego:

—¿Podría trasladarse conmigo a Baler el soldado Jaime Caldentey? Es un hombre extremadamente servicial.

No en vano le había sacado en muchas ocasiones las castañas del fuego, cuando los efluvios del veneno negro nublaban su entendimiento; y había cargado samaritanamente con sus despojos, cuando quería dimitir de la vida. Primo de Rivera accedió benévolo, haciéndole un signo a su asistente, que hasta entonces había permanecido como replegado en la invisibilidad, lamiéndose las llagas del despecho:

—Naturalmente que sí —dijo—. Nosotros nos encargaremos de los trámites.

Las Morenas se apartó del ventanal, con gesto algo mohíno, después de comprobar la impericia de los reclutas.

—¿Cuándo partiremos? Convendría, antes de hacerlo, adiestrar un poco a esos hombres...

—No habrá tiempo, capitán. Mañana mismo tomarán el tren para Tarlac. Y desde allí, campo a través, hasta Baler —informó Primo de Rivera, mientras introducía las cédulas de nombramiento en sendos sobres, evitando todavía cruzar la mirada con Las Morenas.

—¿Y los bastimentos? ¿Cómo los transportaremos?

—El crucero *María Cristina* ya ha dejado en Baler provisiones y munición suficientes. —Primo de Rivera procuraba que sus palabras sonasen triviales y rutinarias—. Se hallan al cuidado de don Ramiro Garzón, un hacendado de la zona. Al parecer, un carlistón recalcitrante, pero el único peninsular en muchas leguas a la redonda.

Esbozó un mohín de grima para expresar su repudio por la causa legitimista, que él tanto había contribuido a debelar, y buscó la complicidad de Las Morenas en vano.

—Vuecencia lo tiene todo previsto, por lo que veo —dijo el capitán.

Primo de Rivera supuso que Las Morenas merecía como mínimo una revisión de su expediente, para detectar alguna probable simpatía o connivencia con las antiguallas carlistas, pero aquella mañana se sentía magnánimo. Se levantó del escritorio, enarbolando las cédulas:

—La ciencia militar es, sobre todo, previsión, capitán. —Seguía sin mirarlo siquiera. Se dirigió primero a Martín Cerezo, tendiéndole su mandamiento—: Usted, teniente, estará al frente del destacamento. Bajo la supervisión del capitán Las Morenas, por supuesto, pero le corresponde el mando directo de la tropa.

—A las órdenes de Vuecencia —se cuadró Martín Cerezo—. Será un honor.

La sequedad le permitía disimular el fastidio. Primo de Rivera se dirigió entonces a Las Morenas:

—Y usted queda nombrado comandante político-militar del distrito del Príncipe, con mando en plaza y cometidos de juez de primera instancia y delegado de hacienda. Recaudará impuestos y tributos.

Las Morenas se cuadró menos impetuosamente que Martín Cerezo. Susurró algo mohíno:

—Impuestos y tributos. A eso se ha reducido nuestra dominación.

—No sólo a eso, capitán —se amoscó Primo de Rivera—. También hemos traído una religión, aquí representada por fray Cándido. Una religión que ha sacado a los pobladores de estas islas de la barbarie.

—Tiene razón Vuecencia —asintió con retranca fray Cándido—. Claro que, después de darles la religión, les hemos enseñado otras prácticas que se contradicen con la religión que les hemos dado; y que, finalmente, los han devuelto a la barbarie.

Primo de Rivera volvió a pasar por alto los donaires un tanto malévolos de fray Cándido, esta vez sin enojarse siquiera. Tenía ganas de quitarse de la vista a tan incómodos visitantes:

—No hace falta que le diga, fray Cándido, que siendo usted el intermediario con los balereños, por conocer el tagalo, deberá tener informado al capitán Las Morenas de todas las actividades o intenciones que juzgue sospechosas. —Fray Cándido asintió protocolariamente, reservándose su opinión. Primo de Rivera concluyó con solemnidad vacua—: En fin, caballeros: la Patria agradece sus servicios, que espera recompensar con creces. Pueden retirarse.

Las Morenas y Martín Cerezo repitieron el saludo, cuadrándose con una energía que desmentían sus facciones, en las que se traslucían la fatiga y el escepticismo. Fray Cándido volvió a inclinarse someramente. Cuando ya se disponían a salir, Primo de Rivera los requirió de nuevo:

—Por cierto, caballeros. Esta noche se me hará entrega en la Casa Consistorial de una suscripción muy amablemente promovida por un grupo de próceres, en señal de gratitud por la pacificación de las islas. —Saboreaba los honores como si fuesen golosinas—. Han recaudado nada más y nada menos que sesenta mil pesos que, por supuesto, destinaré a alguna obra pía. ¿Tendrán el gusto de acompañarme?

La pregunta se quedó titilando en el aire, amistosa y amenazante a un tiempo. Las Morenas se atrevió a declinar el ofrecimiento:

—Vuecencia nos tendrá que excusar. Esta tarde quisiera llevar a los hombres de nuestro destacamento al paseo de la Escolta, para que se corran una juerga. Creo que es lo mínimo que se merecen.

Primo de Rivera no logró disimular del todo su contrariedad. Se tambaleó levísimamente, como rondado por el reúma:

—Vaya, bien que lo siento. ¿Y usted, padre, vendrá?

Fray Cándido se rascó la tonsura y frunció el ceño, buscando cómo salir del brete. Al final se le ocurrió:

—Esos soldados van a ser también mis feligreses en Baler... Conviene que empiece a conocerlos y a ganármelos. Vuecencia lo sabe bien: hay mucho anticlerical infiltrado en el ejército, y no hay que bajar la guardia. Creo que acompañaré al capitán Las Morenas.

Se fueron, aprovechando que el chasco de Primo de Rivera aún no había cristalizado en decepción o ira. Cuando lo dejaron solo, su asistente se acercó, taimado, para instilarle su veneno; le temblaban los labios, como a las comadrejas cuando ventean la presa:

—Esos oficiales soliviantarán a la tropa —murmuró—. Son insolentes y malos patriotas.

Primo de Rivera estuvo en un tris de dejarse convencer por la perfidia. Pero, al fin, aunque arruinado por la pompa y la adulación de los hipócritas, tenía temple de militar; y entre los escombros de una vida falsorra que se pavonea en el escaparate, aún sobrevivía, como una florecilla aterida, algún resto de gallardía:

—No confunda la patria con su conveniencia, se lo ruego. Esos oficiales van a poner en riesgo su vida, mientras otros calientan las posaderas en un despacho.

La aspereza del comentario disuadió al asistente de sus pretensiones calumniadoras. Se disponía a abandonar el despacho casi de puntillas cuando Primo de Rivera lo requirió de nuevo:

—Por cierto, redácteme un libramiento de pago a favor del capitán Enrique Las Morenas y tráigamelo para que lo firme. Luego encárguese de que se haga efectivo de inmediato y hágaselo llegar esta misma tarde.

El asistente se sublevó:

—¿Vuecencia va a pagarles la borrachera a expensas del ejército?

Primo de Rivera le dirigió una mirada fulminante y asqueada:

—A expensas de mi peculio, imbécil. Y ahora, lárguese.

* * *

Cuando salieron los tres al patio de Capitanía, para saludar a los soldados del destacamento, se había quedado una mañana desapacible, inédita en Manila incluso en aquella época del año, que a fray Cándido le recordó las remotas mañanas de Madridejos, cuando mayo marceaba y había que arrebujarse en la manta. En un costado del patio, los soldados aún se afanaban por vestirse los uniformes de rayadillo y por ordenar su impedimenta; carentes de experiencia militar y exhaustos por la travesía marítima, mostraban un aspecto caótico, muy poco marcial, aunque entreverado de esos rasgos de gallardía anarcoide que caracterizan al soldado español. Martín Cerezo marcaba el paso a fray Cándido y Las Morenas con zancadas avasalladoras; la misión que le acababan de asignar parecía haber disipado el marasmo que lo agarrotaba apenas media hora antes, mientras esperaban a que los recibiera Primo de Rivera. Pero su mirada seguía invadida por una sombra negra como el aletazo de un cuervo.

—¡Suscripciones populares y obras pías! —rezongó—. Así han logrado afeminar al ejército.

Fray Cándido se resarció, zumbón, de los desaires que un rato antes le había dedicado Martín Cerezo:

—Nunca lo conseguirán del todo, teniente, no se preocupe. Mientras haya hombres tan celosos de su virilidad como usted...

A Martín Cerezo lo ofendió la pulla y se detuvo bruscamente, refrenándose para no partirle la jeta al fraile de un guantazo. Las Morenas, aburrido de sus querellas, contemporizó:

—Vamos, teniente, creo que hay males mucho más perniciosos para el ejército que las suscripciones populares y las obras pías.

—¿Por ejemplo? —se revolvió con fiereza Martín Cerezo.

—Pues, por ejemplo, el decaimiento de las virtudes, la falta de compañerismo, los cabildeos, el ascenso de la mediocridad, el sometimiento lacayuno al gobierno, la infiltración de los partidos políticos... ¿Hace falta que siga? —Y, como Martín Cerezo callaba, soltó—: Teniente, voy a pasar revista a la tropa.

Martín Cerezo se opuso con una belicosa prontitud:

—Corresponde pasar revista al oficial que se halla al mando de la tropa. Sólo en circunstancias excepcionales...

—Me permito recordarle, teniente —lo cortó Las Morenas—, que yo también estudié los reglamentos en la academia.

—Pues los reglamentos fueron escritos para ser cumplidos —se ofuscó Martín Cerezo.

La sombra negra de su mirada se incendió con chiribitas de furia. Pero Las Morenas no se arredró:

—Los reglamentos fueron escritos para ser interpretados, teniente. Estos muchachos han sido destinados a un remoto lugar del que quizá no regresen, cuando todavía carecen de experiencia en el combate. —Volvió a mirar entristecido a los soldados, que se gastaban bromas y se intercambiaban risas, ignorantes todavía de su destino—. Para nosotros, los oficiales, estas misiones son gajes de un oficio libremente elegido; para estos muchachos, una condena forzosa. ¿No le parece una circunstancia suficientemente excepcional? —Miró con fijeza a Martín Cerezo, hasta doblegar su gesto torvo—. Les consolará que el oficial de mayor graduación les muestre atención y afecto.

Martín Cerezo hizo un gesto de acatamiento que acompañó de un gruñido resignado, cediendo la iniciativa a Las Morenas. El cabo cuarentón que habían visto desde el despacho del gobernador repartiendo uniformes entre los soldados los estaba enseñando ahora a cargar el fusil, prueba inequívoca de que la instrucción en el cuartel de Tarragona había sido más bien penosa o inexistente. Cuando advirtió la llegada de los dos oficiales y del fraile, el cabo recompuso la figura e hinchó el pecho hasta la exageración:

—¡Atención, compañía! ¡Firmes!

Los soldados, en medio de un desconcierto de ánades, se agruparon en dos filas muy malamente alineadas. Algunos adoptaron posturas de ridículo encorsetamiento; otros de laxitud e indolencia muy poco castrenses. Algunos se habían cruzado de brazos, viéndolas venir; otros utilizaban el máuser a guisa de cayado. Había quienes se habían colgado el petate en bandolera; y hasta quienes se quitaban el sombrero e inclinaban sumisamente la cabeza ante Las Morenas, como si aguardasen su bendición. El cabo cuarentón crispó sus facciones de ídolo azteca y se rascó el cogote, no sabiendo qué hacer con tan desconcertado cuadro:

—¡Presenten armas! —gritó.

Y allí ya fue el más completo desbarajuste. Algunos soldados debieron de pensarse que las armas se presentan como si fuesen bandejas oferentes; otros, por el contrario, entendieron que presentar armas significaba ponerlas en actitud atacante, o incluso apuntar con ellas a un objetivo indeterminado. Las Morenas, Martín Cerezo y fray Cándido se agacharon instintivamente.

—¡No se alarmen! No están cargadas —trató de tranquilizarlos el cabo.

—¡No están cargadas, no están cargadas! —gesticuló fray Cándido, mostrando su tonsura—: ¡Que yo ya vengo afeitado de casa, demonios!

Martín Cerezo se adelantó para recibir el informe del cabo, que se cuadró y saludó con un énfasis un tanto histriónico o tembloroso y habló atropelladamente:

—A sus órdenes, mi teniente. Soy el cabo Vicente González Toca, del batallón de cazadores expedicionarios número 2. Sin novedad en la compañía.

—¿Sin novedad? —se burló benévolamente Martín Cerezo—. Veo que es usted muy optimista, cabo. Intégrese en la fila.

Martín Cerezo revisó, por curiosidad, el petate del cabo González Toca, que estaba compuesto por tres camisas, tres calzoncillos, un par de borceguíes y unas alpargatas, así como por un uniforme de repuesto, un morral de tapa impermeable, correajes de cuero negro, cantimplora, un par de toallas, una olla y una cuchara. Mientras el teniente husmeaba en su impedimenta, el cabo González Toca sintió que le trepaba un temblor desde la tripa; y más todavía cuando comprobó que Martín Cerezo se quedaba a su lado, junto a fray Cándido, mientras el capitán Las Morenas iniciaba la revista y se detenía ante Calvete, que se había quitado el sombrero de jipijapa y, cabizbajo, en actitud de recogimiento o respeto reverencial, lo mantenía pegado al pecho.

—Cúbrase, soldado, que yo no soy el Santísimo —dijo Las Morenas en tono afable, procurando granjearse su simpatía—. ¿Cómo se llama?

—Julián Calvete, para servirle —respondió, sonrojándose.

Se caló el sombrero, que le venía algo grande y con su ala ancha acentuaba su delgada palidez, secuela aún de la diarrea oceánica. Las Morenas descubrió con perplejidad que calzaba polainas y se había echado las botas reglamentarias al hombro, atadas con un cordel.

—¿Y cuándo piensa estrenar sus botas, Calvete? —le preguntó, dominando a duras penas la hilaridad.

—El cabo nos ha dicho que las botas son un regalo del ejército. Y yo había pensado regalárselas a mi hermano, que tiene los pies más delicados que yo.

A Las Morenas le agradaba la fisonomía del muchacho, arcangélica y un poco pasmada. Se interesó:

—¿Y en qué trabaja su hermano?

—Es pastor en la montaña de León como yo, señor. Pero él padece de eccemas en los pies.

—Pues a usted se los destrozará la jungla si no se calza esas botas.

Calvete hizo un gesto agradecido, con esa delicadeza sin artificio que sólo preservan los hombres rústicos, y luego señaló a fray Cándido:

—Mientras el padre aguante con las sandalias, yo aguantaré con las polainas.

Las Morenas aceptó la condición y prosiguió la revista. Martín Cerezo, entretanto, había empezado a consultar el cartapacio que le había confiado Primo de Rivera, con la relación y el historial de todos los soldados de la compañía; reparó enseguida en los antecedentes poco tranquilizadores de uno de ellos.

—¿Quién es el soldado Antonio Menache? —inquirió con voz destemplada.

Menache dio un paso al frente, con sonrisa expectante o lobuna:

—Servidor. ¿Qué se le debe?

Había un retintín achulado o pendenciero en su voz que no pasó inadvertido a Martín Cerezo. Un pajarraco negro volvía a aletear en su mirada:

—Aquí pone que fue usted detenido en Pueblonuevo del Terrible, provincia de Córdoba, acusado de un delito de lesa majestad, y que estuvo encerrado en el calabozo varios días, aunque no se le llegó a juzgar. ¿Es eso cierto?

—Lo es, para qué negarlo.

Martín Cerezo se le acercó hasta desentrañarle el aliento y lo miró reviradamente:

—Diga «sí, mi teniente», y no haga más comentarios mientras no se le pregunte otra cosa.

—Sí, mi teniente —obedeció Menache, más cachazudo que intimidado.

—¿Y en qué consistió ese delito? —indagó Martín Cerezo.

—Acusé a la regente, que Dios guarde, de consolarse en su viudez con los criados de palacio —respondió Menache con descaro—. No me diga dónde pueda estar el delito. Si las señoras se dieran más a los criados, nos evitaríamos la lucha de clases.

Y soltó una risotada sucia que valía por una obscenidad. Si pensaba que así iba a provocar un estallido de cólera en Martín Cerezo, se equivocaba; después de haber apurado hasta las heces y muy demoradamente el cáliz del dolor, el teniente sabía cómo infligírselo a los demás, también demoradamente:

—¿Y qué hace un hombre que arremete contra nuestros monarcas defendiendo sus posesiones? —preguntó, calmudo—. ¿Cómo espera que me crea que, llegado el momento, las defenderá con su vida?

—No teniendo donde caerme muerto, a lo mejor las defiendo con más ardor que otros que tengan algo que perder.

Volvió Menache a reír, disfrutando de su duelo con el teniente, que reforzaría su preeminencia sobre el resto de la tropa.

—Piénseselo bien, todavía está a tiempo de licenciarse —le advirtió Martín Cerezo—. No aceptaré que haga propaganda sediciosa entre los demás soldados.

—¿Licenciarme? —volvió a carcajearse Menache—. ¿Y cuál es el porvenir de un soldado licenciado? ¿Mendigar por los caminos? ¿Comer la sopa boba de los conventos? ¿Entrar a servir? Sinceramente, prefiero seguir en el ejército. Por lo menos aquí nadie me mira con cara de lástima.

Las Morenas había interrumpido su revista para escuchar las insolencias de Menache, en las que no faltaba cierto trasfondo de sabiduría entreverada de gramática parda. Se detuvo ante un soldado de facciones agitanadas y cabello muy brillante y ensortijado que, sin embargo, parecía al borde del desmayo. En la pechera de su guerrera de rayadillo se percibía el rastro de una vomitona reciente.

—¡Teniente! —voceó, dirigiéndose a Martín Cerezo—. Encárguese de proporcionar una nueva guerrera al soldado...

—Salvador Santamaría, mi capitán —dijo el aludido con voz avergonzada, casi espectral.

—Estaba la mar picada, ¿eh, Santamaría? —trató de animarlo Las Morenas—. ¿Nunca antes había visto la mar?

—Nunca, mi capitán —se encogió, contrito—. Pero no he vomitado por eso.

Lo recorrió un calambre de aprensión. Las Morenas le llevó una mano al hombro, para reconfortarlo:

—¿Y por qué ha sido, entonces?

—Es como que siento asco de mí mismo —musitó Santamaría—. Como que necesito lavarme por dentro...

Aquel arranque de marchita sinceridad conturbó a Las Morenas. Santamaría se había curado prácticamente de las purgaciones; pero le quedaban, enquistadas como un chancro, la vergüenza y la humillación por lo que había hecho en Port Said. Íntimamente, temía que no pudiese volver a tener relaciones con una mujer, porque el horror de su primer contacto carnal se alzaría siempre como una muralla de podredumbre. De la segunda fila de soldados salió entonces el teniente médico Rogelio Vigil, intercediendo por Santamaría:

—Con su permiso, mi capitán. —Hizo un saludo no demasiado ortodoxo, de lo que Las Morenas coligió que su formación militar era también defectuosa—. Puedo dar fe de que el soldado Santamaría es hombre de gran corazón y valor excepcional. Hizo frente durante la travesía a una enfermedad muy enojosa; y, una vez recuperado, se desvivió por ayudarme a curar a sus compañeros enfermos.

Las Morenas asintió apreciativamente y se dirigió otra vez a Santamaría:

—No es bueno caer en la complacencia con uno mismo, hay que mantenerse vigilante y ser nuestro censor más riguroso. Eso nos mantiene alerta y en tensión, que es la mejor gimnasia para el espíritu. —Lo volvió a tomar de los hombros y buscó su mirada atribulada—. Pero tampoco conviene sentir asco por uno mismo. Esa actitud engendra desesperanza y falta de pundonor. O todavía peor, cinismo. No quiero desesperados ni cínicos en esta compañía, ¿me ha entendido?

Lo zamarreó afectuosamente.

—Sí, mi capitán —dijo Santamaría, y formuló una sonrisa muy tímida y todavía convaleciente.

—Así me gusta, soldado. Y alegre un poco esa cara, que esta noche tendremos jarana.

Chamizo formaba al lado de Santamaría. Enseguida notó que Las Morenas no se acomodaba al prototipo del oficial altivo, acomodaticio y despreocupado de las tribulaciones de la tropa que tanto proliferaba en el ejército. Dio un paso al frente:

—Pues el soldado Santamaría, cuando logra vencer la timidez, es de los que alegran cualquier jarana. Canta como los mismísimos ángeles.

El teniente Vigil hizo las presentaciones:

—El soldado Juan Chamizo fue mi más valioso asistente durante la travesía. He tenido oportunidad de discutir con él sobre todo lo divino y lo humano: es un ameno conversador, un hombre muy cultivado y un excelente compañero. Por las noches, cuando había marejada, sosegaba a la tropa leyendo episodios del *Quijote*.

Las Morenas escrutó con curiosidad a Chamizo. Arriba, en el cielo encapotado, el sol pugnaba por mostrarse, pero su luz era todavía asmática y friolenta.

—¿Y de dónde le viene esa cultura, Chamizo? —preguntó.

Las alabanzas de Vigil lo habían sonrojado un tanto. Quiso mostrarse circunspecto para vencer el pudor, pero se envaró:

—Algún libro hemos leído, mi capitán.

Vigil salió otra vez al quite, supliendo su laconismo:

—El soldado Chamizo es maestro y ha leído una barbaridad. También tiene sus pujos de poeta; y nada manco, por cierto.

—No podremos quejarnos de tener una compañía incompleta, entonces —asintió Las Morenas, apreciativamente—. El poeta Baudelaire dijo que los únicos grandes entre los hombres son el poeta, el sacerdote y el soldado: el hombre que canta, el hombre que bendice y el hombre que sacrifica y se sacrifica. Con fray Cándido y con el soldado Chamizo nos aseguramos de completar el triunvirato. —Hizo un gesto al franciscano, para que se reuniese con ellos; luego se dirigió otra vez a Chamizo—: ¿Y qué hace usted aquí? Ya tiene casi edad para estar en la reserva.

Chamizo había conseguido vencer el pudor, pero no el envaramiento:

—Me he alistado como voluntario, mi capitán, para evitar el reclutamiento de mi hermano menor.

—¿Está enfermo su hermano? —se interesó Las Morenas.

—Los enfermos son mis padres. Mi hermano, que además acaba de casarse y tener gemelos, se encarga de cuidarlos.

Fray Cándido se había reunido con ellos repartiendo bendiciones, según exigía el reparto de papeles establecido por Baudelaire. Reparó en el petate mal cerrado de Chamizo y lo ayudó a cerrarlo, remetiendo los libros que le asomaban, entre ellos la edición de Rivadeneyra del *Quijote*, impresa en Argamasilla de Alba. Fray Cándido pidió permiso a Chamizo para hojearla; lo hizo con esa codicia que enseguida delata al lector empedernido. Las Morenas recitó de memoria cierto pasaje cervantino:

—«Alcanzar alguno a ser eminente en letras le cuesta tiempo, vigilias, hambre, desnudez, vahídos de cabeza, indigestiones de estómago...».

Chamizo le tomó el relevo:

—«... Mas llegar uno por sus términos a ser soldado le cuesta todo lo que al estudiante en tanto mayor grado que no tiene comparación, porque a cada paso está a pique de perder la vida».

Se entabló una instantánea corriente de simpatía entre ambos. Fray Cándido intervino:

—Tal vez usted cante algún día las hazañas de estos soldados, Chamizo.

Mientras se desarrollaba esta conversación, había regresado de intendencia el cabo González Toca, a quien Martín Cerezo había encargado que consiguiera otra guerrera limpia para Santamaría. Entre la botonadura de la suya, González Toca dejaba asomar una especie de escapulario con un corazón en llamas y coronado de espinas. González Toca se cuadró sacando pecho, mientras Martín Cerezo esbozaba un gesto de desagrado.

—Es un detente —explicó el cabo—. Me protege de las balas enemigas, mi teniente.

Por un instante, Martín Cerezo recordó a Teresa, su difunta esposa, siempre devota de sus santos y también del Sagrado Corazón. El dolor inmortal que creía haber anestesiado con sus expediciones en pos de veneno negro se avivó de repente, con llamas de odio y coronas de espinas supurantes de aflicción.

—Un amuleto inservible —murmuró. Escrutó con desconfianza al cabo González Toca y le preguntó—: Dígame, cabo, ¿no es usted un poco mayor para seguir en activo?

González Toca se desmoronó sin oponer resistencia. Respondió atropelladamente:

—Estaba en la reserva, mi teniente. Pero había muchas vacantes y...

—¿Cuántas veces se ha reenganchado, cabo? —lo interrumpió Martín Cerezo, implacable.

—¿Cuántas...? —Sus facciones de ídolo azteca empezaban a agrietarse, acechadas por la zozobra. Empleó los dedos para contarlas—: Batallé en el Maestrazgo y más tarde en la toma de Cuenca, en el 74...

—¿Peleó contra los carlistas? —preguntó Martín Cerezo, sinceramente admirado de que su historial se remontase hasta fechas tan tempranas.

González Toca, cabizbajo, escondió un puchero:

—Peleé con los carlistas, mi teniente. —Aunque trataba de impostar un tono compungido, no logró vencer la exultación—: ¡Tendría que haber visto con cuánta bravura nos batimos! —Pero el gesto desaprobatorio de Martín Cerezo aconsejaba aquietar la vehemencia—. Luego, las cosas fueron de mal en peor, hasta que el general Primo de Rivera nos derrotó en Estella. ¡Qué hombre tan magnánimo, el general Primo! En lugar de pasarnos por las armas nos ofreció la posibilidad de inscribirnos en el ejército alfonsino...

—Demasiado magnánimo, diría yo —acotó Martín Cerezo, rechazando la complicidad de González Toca.

—Luego estuve en la guerra cubana, hasta la paz de Zanjón —prosiguió el cabo, con voz contrita de viejo carlista que ha tenido que desertar de sus banderas—. En el 93 me reenganché y peleé en Melilla, y luego...

—¿Qué edad tiene usted, cabo? —volvió a cortarlo Martín Cerezo.

—Cuarenta y uno, mi teniente.

Lo había dicho con la boca pequeña, como quien ha sido pillado *in fraganti* y trata de negar una evidencia. Martín Cerezo frunció el ceño y siguió mirándolo de hito en hito; calculó que el cabo estaría más próximo a los cincuenta que a los cuarenta. González Toca amagó alguna aclaración balbuciente, pero el teniente la cercenó, expeditivo:

—Deme su cartilla militar. Quiero examinarla.

Con un mohín de lástima que a punto estaba de quebrarse en llanto, González Toca extrajo de un bolsillo de la guerrera su cartilla militar, que tendió en actitud implorante a Martín Cerezo; pero el teniente ni siquiera se dignó devolver la mirada al cabo. Comprobó con maligna satisfacción que la fecha de nacimiento estaba muy burdamente falsificada: González Toca había raspado el papel y el año 1856 estaba escrito con una caligrafía torpe y con una tinta más oscura que el resto de datos y especificaciones. Martín Cerezo dejó escapar entre los dientes una risilla ratonil.

—No lo haga, mi teniente, se lo suplico —musitó González Toca con voz estrangulada, al borde del gimoteo—. El ejército es toda mi vida.

Martín Cerezo vio en los ojos del cabo un fondo de desconsuelo (como si, en efecto, separarse del ejército fuera para él una suerte de viudez inconsolable) que logró rozarle una fibra que creía hibernada para siempre. Entretanto, el capitán Las Morenas había concluido la revista y empezado a arengar a la tropa, paseándose por el patio. La emoción grave de sus palabras captó la atención de Martín Cerezo:

—... No se me escapa que están ustedes aquí en vulneración flagrante del principio de igualdad sobre el que supuestamente se funda la Constitución que nuestros gobernantes aprobaron. No se me escapa que en España sólo cumplen con el deber del servicio militar los pobres que no pueden pagar la cuota. Les habrán dicho, cuando los enviaron aquí, que venían a defender las posesiones del rey; pero mucho más correcto sería decir que nos han enviado para tratar de reparar la montaña de errores que han levantado nuestros gobernantes. —Por un instante, Las Morenas cruzó una mirada con Martín Cerezo, buscando en él un atisbo de adhesión o de rechazo, pero Martín Cerezo sólo le devolvió una mirada átona e insondable—. Alguien dijo que lo que los militares tejemos por el día lo destejen los políticos por la noche; hoy ni siquiera puede afirmarse esto, porque los políticos lograron infiltrar el veneno de la lucha banderiza en el propio ejército, convirtiéndolo en un semillero de conspiraciones y en un vivero de odios que no hace sino reproducir la jaula de grillos de la política nacional. ¿Por qué peleamos aquí, entonces?, se preguntarán. Yo mismo me he hecho esa pregunta miles de veces. —Su voz se iba tiñendo de herrumbre—. Sería de ilusos pensar que nosotros solos podremos cambiar la situación; pero sería de cobardes no esforzarse por mantener vivas aquellas virtudes que cantó Calderón: la cortesía, el buen trato, la verdad, la firmeza, la lealtad, el honor, la bizarría, el crédito, la opinión, la constancia, la paciencia, la humildad y la obediencia, que son el único caudal de los soldados. Esforcémonos por demostrar, en medio de un mundo invadido por los prevaricadores, que la milicia puede seguir siendo una religión de hombres honrados. Y tal vez así algún día sus hijos se enorgullezcan de ustedes. —Hizo una pausa y puso mucho énfasis en las últimas palabras—: Porque quiero que me prometan que van a defender sus vidas con uñas y dientes, para poder regresar a España y engendrar muchos hijos.

Los soldados lo escuchaban entre la perplejidad y la emoción, poco habituados a que se dirigieran a ellos de aquel modo, sin considerarlos acémilas o carnaza, seres mostrencos o comparsas de una tragedia bufa. Las Morenas había logrado remover en su interior un sustrato de nobleza campesina que, desde que los reclutaran, habían decidido sepultar y disfrazar de chabacanería, para que pasase inadvertido. Interrumpió el murmullo de gratitud que había empezado a extenderse por el patio:

—Mañana marcharemos a Baler, soldados. Pero antes quiero que disfruten de unas pocas horas de permiso. Esta tarde, a las ocho, nos veremos en la Tabaquería, en el paseo de la Escolta. Los gastos corren de mi cuenta. —Se volvió hacia Martín Cerezo, agradeciéndole la deferencia de permitirle pasar revista a la tropa—. Son suyos, teniente.

Pero Martín Cerezo sabía bien que su deferencia había sido a regañadientes; y que, por lo tanto, no merecía gratitud. Se sintió mezquino y miserable por refocilarse en su dolor, haciendo de él una coraza contra el mundo; y envidió a un hombre como Las Morenas, que había logrado transfigurar su dolor —porque, aunque no hubiese enviudado ni perdido un hijo, Martín Cerezo intuía que el capitán también sobrellevaba su cuota de sufrimiento— en comprensión de las debilidades ajenas. Martín Cerezo reparó en el cabo González Toca, que todavía aguardaba en posición de firmes la reprimenda o sanción merecida por la falsificación de su cartilla militar; e inopinadamente se la introdujo otra vez en el bolsillo de la guerrera y le palmeó el pecho:

—Cabo, lo hago responsable del alojamiento de la tropa —dijo, y se retiró, a la zaga del capitán Las Morenas, sin aguardar a que González Toca reaccionara.

—De mil amores, mi teniente.

Una sonrisa de alivio esponjó al cariacontecido cabo, que permitió a la tropa romper filas, mientras el murmullo de gratitud se convertía en jolgorio y se lanzaban vivas al capitán Las Morenas. González Toca se pavoneó ante los soldados, sacando pecho y metiendo tripa, con los pulgares afianzados en las trabillas del cinturón; a un soldado que se había calado el sombrero de jipijapa un poco al desgaire le sacudió una colleja.

—Esta noche vamos a conocer la Tabaquería, muchachos —dijo, frotándose las manos—. Aguardiente del bueno, juegos de cartas y gachises de las que se la empinan a un muerto. ¡A ver si dejáis el pabellón bien alto! Y no olvidéis que soy yo el encargado de mantener el orden; y por lo tanto también de asignar turno en el reparto de las gachises. —Los soldados empezaron a abuchearlo jovialmente—. A ver, a ver. ¿En alguna de vuestras familias se abrazó la causa de Carlos María Isidro?

Calvete alzó medrosamente la mano:

—En la majada de mi padre siempre hubo un retrato de Zumalacárregui...

—¡El glorioso Zumalacárregui! —exclamó González Toca con arrobo—. Hubiese dado la mano derecha... qué digo la mano derecha, ¡el brazo entero!, por pelear a sus órdenes. —Puso a Calvete su manaza de pelotari sobre el hombro, como si lo fuese a ordenar caballero, y dijo solemne—: Soldado Julián Calvete, a ti te corresponderán las primicias esta noche... Bueno, las primicias que graciosamente tu cabo te conceda, después de haberlas catado él.

—Que no, que no —se escaqueó Calvete, para hilaridad del resto de la tropa—, que yo me reservo para una moza de mi pueblo...

—¡Aquí no se reservan ni las municiones, Calvete! —lo cortó González Toca, que deseaba acogerlo bajo su protección, después de haber participado en la trapisonda de las sanguijuelas, allá en el barco—. Para ti serán las primicias; y para el resto... ¡los despojos!

Se enzarzaron en una batalla fingida de gorrazos y collejas. La mañana, finalmente, se había puesto soleada.

2

A la caída de la tarde, el recién llegado a Manila que se paseara por la Escolta podía figurarse que se hallaba en la ciudad más próspera del orbe, por la ostentación que mostraban sus pobladores, que daban rienda suelta a la vanidad pavoneándose ante sus vecinos, exhibiendo sus mejores galas (o siquiera las más recargadas) y compitiendo por ver quién llevaba más enjoyada a la mujer, más enjaezada la montura, más enlucido y primoroso el carruaje. Sorprendía el número y variedad de coches que se cruzaban en el paseo de la Escolta —landós y tílburis, birlochos y calesas, más los autóctonos *quiles* y *carromatas*—, así como la indumentaria lustrosa de sus aurigas, a quienes los dueños de los coches obligaban a lucir ridículas libreas con entorchados y charreteras. La vida en Manila, para quien cobraba su sueldo en pesetas, era desaforadamente barata; y así se explicaba que empleados públicos de medio pelo vistieran con gran boato, como ministros de Sagasta, y que se pudieran permitir incluso el lujo de mantener querindonga, como ministros de Silvela. A la animación callejera propia de la hora, acrecentada además por los últimos y prolongados estertores de las celebraciones por la paz de Biacnabató, contribuían los comercios del barrio y las barracas de feria que se habían instalado en ambas veredas del paseo, convocando a los viandantes con el estrépito de los organillos y los fuegos de artificio. Los soldados del destacamento caminaban en fila de a dos, procurando mantener el orden detrás de sus oficiales, pero no se recataban de soltar piropos a las mujeres que se cruzaban en su camino, fuesen finas o bastas, sueltas o enfajadas, en la primavera del pimpollo o en la sazón del fruto maduro a punto de desmoronarse.

—¡Ahí va eso! —mugía el cabo González Toca, volviéndose al paso de una mestiza, como si llevara piedra imán en las caderas.

Hasta Menache parecía lavarse de mala baba, mientras piropeaba:

—¡Tú sí que tienes oficio para pisar, gachona!

El cabo González Toca se permitía aleccionar a los reclutas:

—La mujer como Dios manda, sin llegar a la gordura, tiene que ser abundante, porque, si no, nos deja sin merienda. —Y les señalaba los contoneos de las manileñas que se ajustaban a sus preferencias—. Y, además de abundante, cimbreante. ¡Es importantísimo que se cimbree! En la sierra de Teruel se producen las más acabadas mujeres cimbreantes, porque los altibajos y las cuestas son para el cimbreo lo mismo que el agua bendita para los bautizos; sólo que luego son un poco delgadurrias...

—Pues en Manila no es que el terreno se empine mucho, cabo —terciaba, zumbón, Chamizo.

—Pero, a falta de cuestas, Manila tiene sus buenos socavones en las calles, que también obligan a cimbrearse. ¡Y hay que ver qué señores culos se ven en esta ciudad! Si hasta dan ganas de amasarlos y meterlos en el horno, por ver si dan pan...

Siguiendo a Las Morenas y Martín Cerezo, entraron en la Tabaquería, cónclave predilecto de los peninsulares residentes en Manila. Era un local mezcla de café y taberna, estanco y casino, abarrotado de un humo de tabaco picajoso que hacía llorar de felicidad o de puro vicio a la clientela. En el piso más bajo se jugaba a la ruleta y a los naipes, sobre mesas con tapetes de fieltro verde, en medio de ese silencio reverencial de los tahúres, sólo quebrado por algún gargajeo o alguna blasfemia; y en derredor de las mesas, pululaban los engañabobos encargados de engolosinar a los incautos. Además de los oficiales convalecientes o de permiso y de los petimetres en busca de piculina, frecuentaban el lugar periodistas a sueldo del gobierno encargados de hacer rodar bulos, comerciantes en tratos venales con los inspectores de aduanas y algunas dalagas de apenas quince años, más pintadas que mascarones de proa, que aún no habían decidido si querían dedicarse a la prostitución o camelarse a un *castila* para que las hiciese reinas del hogar.

—Aquí se mueve más parné en una tarde que en la caja de los cuarteles durante todo un año —ponderó Menache.

En un extremo de la sala, encerrado en una garita, había un perista de calva bruñida como el bronce al que se le había ido poniendo cara de catalejo, encargado de examinar con una lente de aumento atornillada en la cuenca del ojo las alhajas que aportaban los clientes, después de quedarse sin blanca. Desde los altillos del local, a través de un ingenioso sistema de poleas, descendía de vez en cuando una especie de canasta en la que el perista arrojaba los objetos en los que hallaba algún valor.

—Pues yo, antes que el parné, prefería pillar a una de esas pollas —dijo González Toca, señalando hacia el voladizo del piso superior.

Allí la Tabaquería se convertía en algo así como un café danzante por el que se paseaban mujeres nativas que sacaban a bailar a la clientela, dejando tras de sí una estela mareante de perfume. Sus sobrefaldas, muy ceñidas y ajustadas a la cintura, apenas vedaban lo que el pudor exige, dejando a la vaporosa tela de los bajos transparentar las pantorrillas; caminaban sobre chancletas de suela de madera que sonaban como crótalos sobre sus cabezas, apedreándolas de pensamientos lascivos.

—¡Como que te crees tú que esas pollas se fijan en los tipos sin parné! —lo atormentó Calvete.

—Bah, esas tipas son despojos... —las despreció Menache—. Están más usadas que las bayetas en la casa del pobre.

—Pues como esas sean despojos... —González Toca le dio un codazo a Calvete, buscando su complicidad— ¡cómo serán las primicias!

En un recodo del local, apartado del casino, había un camarín donde se refugiaron Las Morenas y Martín Cerezo, para tratar de mantener la conversación que tenían pendiente y echar pelillos a la mar, después de sus primeros encontronazos y fricciones. Acuclilladas sobre unos cojines y alborotándose como gallinas cluecas, unas dalagas que hacían sonar instrumentos de percusión corrieron a obsequiarlos con sendos vegueros, que ellas mismas prendieron muy obsequiosamente. Las Morenas pidió coñá para ambos, después de consultar a Martín Cerezo, a quien todos los licores le parecían más inocuos que la limonada, después de sus incursiones en los esteros del barrio de Binondo.

—Todo este triunfalismo ambiental es insoportable —rezongó, despechado—. Ni siquiera la prensa local se atreve a contar la verdad de los hechos. ¡Qué titulares más aduladores! Cualquiera podría pensar que disfrutamos de una nueva *pax romana* y que Primo es el nuevo Augusto.

Las Morenas meció con parsimonia la copa ancha y panzuda, siguiendo el ritmo que marcaban las dalagas con sus percusiones:

—¿Y qué otra cosa podría hacer la prensa local? Primo puede decretar la suspensión de todos los periódicos que no sean adictos.

—¡Pero esa suspensión duraría lo que tardase en saberse en España! —se sulfuró Martín Cerezo—. Los periódicos de gran circulación, apoyados por la opinión pública, abogarían por sus colegas de Manila y protestarían en masa por el atropello. Primo tendría que levantar la suspensión por cojones.

A Las Morenas aquella confianza idolátrica de Martín Cerezo en la prensa libre, la opinión pública y demás entelequias liberales se le antojaba enternecedora o desquiciante:

—¿Está hablando en serio, teniente? —preguntó con sorna—. ¿De qué opinión pública habla? ¿Acaso cree que la prensa de Madrid es más libre que la de Manila? ¿Es que no se da cuenta de que, a la postre, sólo publica lo que interesa que se publique a los que mandan? Incluso cuando sacan noticias aparentemente subversivas es porque a los que mandan les conviene aparecer como paladines de la tolerancia.

La clarividencia atroz del capitán Las Morenas debió de parecer hiriente a Martín Cerezo, porque trató de traer la discusión a un nivel menos elevado:

—De lo que me doy cuenta es de que los periódicos de Manila, para asegurarse el comedero, se dedican a la alabanza servil de Primo, como si la autoridad fuese infalible. Pero, desgraciadamente, la autoridad se equivoca muy a menudo.

—La libertad de prensa, teniente, sólo sirve para que los dueños de los periódicos se arrimen libremente a los gobernantes que les garantizan la subsistencia de su negocio —insistió Las Morenas.

—Eso el público sensato e imparcial no lo admitirá —se cerró en banda Martín Cerezo.

Las Morenas paladeó morosamente su coñá. Se había propuesto saborear los placeres sencillos de la vida como si fuera la última vez que disfrutaba de ellos:

—Por Dios, teniente, eso que usted llama público sensato e imparcial son masas cretinizadas a las que se entretiene con cualquier milonga. O bien arribistas que, a cambio de que se les permita participar del cotarro, están dispuestos a comulgar con ruedas de molino.

Martín Cerezo miró la copa que sostenía entre las manos como si fuera un jarabe que debía tomarse por obligación. Sabía que, arrastrado a un terreno especulativo, llevaba las de perder:

—Lo que es una vergüenza —dijo— es que aquí se esté celebrando con todo tipo de festejos la paz cuando en provincias ya ha habido incluso ataques a destacamentos.

—Pues a uno de esos destacamentos sin protección ni auxilio nos vamos nosotros, teniente —ironizó Las Morenas—. Y si denunciáramos esa desprotección, nos motejarían de cobardes... Al menos, según tengo entendido, los balereños son amables y serviciales.

—No se fíe, mi capitán —lo contradijo Martín Cerezo, algo encorajinado—. Eso es porque la hipocresía es una cualidad que los hijos del país poseen en alto grado. A la vez que nos dispensan todo tipo de atenciones, siguen haciendo su propaganda y tomando nota de todo lo que hacemos. Cuando estalle la revuelta, ya verá cómo utilizan esos conocimientos contra nosotros. Hemos cometido el error de darles una confianza sin límites.

Las Morenas captó la vibración amarga, empapada de desconfianza y manías persecutorias, que sacudía a Martín Cerezo. Se volvió hacia las dalagas que hacían sonar sus instrumentos de percusión, que le sonrieron vergonzosas u oferentes; no le pareció que la hipocresía y la traición fuesen cualidades (o lacras) que poseyesen en alto grado, pero tal vez las estuviese juzgando con excesiva benevolencia. Es de sabios reconocer los propios defectos; y Las Morenas sabía que el principal suyo era un exceso de benevolencia.

—En fin, teniente, dejemos de quejarnos tanto —dijo, tratando de zanjar el asunto—. Y de generalizar. Las generalizaciones siempre son injustas.

—Mejor será, mi capitán —convino Martín Cerezo, mirando despectivamente a las dalagas—. Además, Primo ha creado un cuerpo de policía especial para defenderse de los que le atacan. ¿Quién nos asegura que estas golfillas no estén a sueldo de Primo? Imagínese que nos denuncian y nos meten en el calabozo.

—¡Tal vez el calabozo sea mejor destino que Baler! —bromeó Las Morenas.

Hasta el reservado que ocupaban se había acercado el cabo González Toca, que miraba engolosinado a las dalagas percusionistas, mientras los dedos se le hacían huéspedes, y no precisamente para tocar sus instrumentos.

—Con su permiso, mi capitán —se cuadró, hinchando exageradamente el pecho, como haría un atlante de circo—. Los muchachos querían hacer llegar sus respetos a los oficiales, antes de entregarse a la diversión.

—Tienen mi bendición para divertirse, cabo —le siguió la chanza Las Morenas—. Honestamente, quiero decir. O todo lo honestamente de que sean capaces.

González Toca lanzó un guiño picaruelo:

—Dejaremos alto el pabellón, mi capitán. No nos olvidarán tan fácilmente.

—No esperaba menos de ustedes, cabo.

Los soldados los saludaron sin atenerse a las ordenanzas militares, haciendo ondear sus sombreros de jipijapa, antes de lanzarse ruidosamente en pos de la diversión. Los petimetres que se repartían por las mesas del casino, enlevitados y estiradísimos, al igual que las jamelgas que los acompañaban, adobadas de afeites y embutidas en corsés que resaltaban sus lorzas de carne sobrante, los miraban con disgusto, como si repartiesen participaciones en una epidemia de sífilis, y murmuraban entre sí:

—¿De dónde sale esa soldadesca? ¿No presumían de que en la Tabaquería sólo se permitía el paso a los oficiales?

—Esta noche, al parecer, hacen una excepción. Órdenes directas del gobernador.

A los soldados no les pasaban inadvertidos los gestos de displicencia y desafiante asco, a los que respondían con otros de hostilidad, dirigidos a los petimetres, o de lúbrico descaro, dirigidos a sus jamelgas.

—¡Qué gentuza más tiesa! —los menospreció González Toca—. Deben de creerse de una raza superior, los muy imbéciles.

—Les da asco nuestra pobreza —dijo Menache—. ¡Mamarrachos! Si no fuera por otros pobres como nosotros, los tagalos ya os habrían hecho picadillo.

González Toca extendió los brazos, al modo de un director de orquesta, y aleccionó a la tropa:

—Pues se van a enterar de cómo las gastamos en el ejército. ¡Quiero que agotéis las reservas de licores del local, soldados!

Subieron, al trote y con gran bullicio, al segundo piso, a través de una escalera de caracol poco acondicionada para las estampidas. Las dalagas que sacaban a bailar a la clientela intercambiaron miradas entre amedrentadas y expectantes.

—¡No os pongáis mustias, que ya subimos a regaros, resaladas! —las piropeó o amenazó el cabo.

El capitán Las Morenas contemplaba divertido la carga de la tropa, que se abría paso a codazos por las angostas escaleras acoquinando a la clientela. También Martín Cerezo se permitió una somera concesión a la nostalgia:

—Quién tuviera su edad... Ese desparpajo se pierde con los años. ¡Y con los galones!

—Espere que vuelvan de Baler... Para entonces ellos lo habrán perdido también. —Un rictus de pesadumbre cruzó el rostro de Las Morenas, como un latigazo inesperado—. Al que se echa de menos es a fray Cándido. Pero, claro, un hombre en su estado no puede frecuentar estos garitos.

—Naturalmente —despotricó Martín Cerezo—. Los frailes satisfacen sus vicios de forma más... discreta.

Sus facciones se habían afinado al soltar la perfidia. Martín Cerezo tomó al fin el primer sorbo de coñá, venciendo el asco.

—Esta mañana fue un poco injusto con él en el despacho del gobernador, teniente —lo censuró sin acritud Las Morenas.

—¿Injusto? —saltó como un resorte Martín Cerezo—. Me conozco de sobra a los frailes. Será un obstáculo en nuestra labor. Tratará de influir en la tropa. Y, llegado el peligro, ni siquiera sabrá pegar un tiro. Mucho mejor hubiera sido negarnos a que viajara con nosotros.

Por las pupilas le asomaba una llama de azogue, deseando prenderse en cualquier cosa que mirase. Las Morenas trató de templar gaitas:

—Siendo sinceros, creo que fray Cándido nos puede resultar de gran ayuda. Los frailes conocen a los indígenas mejor que nadie.

—¡Desde luego! —exclamó Martín Cerezo con sarcasmo—. Y si los indígenas no son más leales es porque entre ellos y el Estado se interpone la influencia de los frailes, que dificulta la expansión del idioma español. Pero así, manteniéndolos en la ignorancia del español, los frailes pueden manejarlos a su antojo. Y la autoridad civil tiene que recurrir a los frailes, para que actúen como intérpretes ante los indígenas.

—¿Y no será más bien que la autoridad civil ha delegado en los frailes por comodidad y con la excusa del ahorro para el erario público? —Las Morenas trató de evitar la condescendencia, pero tal vez no lo logró—: Teniente, por favor, no se deje intoxicar por la propaganda.

—¿Por la propaganda yo? —se amoscó Martín Cerezo—. Yo lo único que quiero es que la religión vuelva a su esfera propia, que es la espiritual, para que así no se desprestigie. —Engoló la voz, untuoso o socarrón—: Es lo que todo buen católico debe desear, pues todo hijo fiel desea para su madre una reputación inmaculada... Pero, claro, para los frailes es mucho más cómodo vivir como reyezuelos y tener a las gentes amedrentadas.

No perdonaba Martín Cerezo aquel silencio de Dios que lo había dejado a solas con su viudez y amputado de descendencia. Y ese rencor se volvía sibilino, para hacerse más presentable en sociedad.

—¿Lo dice en serio? —se sorprendió Las Morenas, tratando de imprimir a su voz un tono desenfadado—. ¿De veras le parece que un tipo como fray Cándido aspira a vivir como un reyezuelo y tener a la gente amedrentada?

Martín Cerezo se mantuvo en sus trece, inconmovible como el granito:

—Como todos los frailes, estará acostumbrado a campar por sus respetos. ¡Ay, si se contaran los atropellos y liviandades cometidos por los frailes! ¡No podría imaginárselos, mi capitán!

—La verdad, teniente, es que no podría, en efecto —reconoció con sorna Las Morenas—. Llevo poco más de un año en estas tierras y la imaginación no me da para tanto. En cambio usted, que apenas lleva un mes, debe de tener una imaginación privilegiada...

Martín Cerezo se revolvió, incapaz de domeñar su enfado. Las dalagas se sobresaltaron, haciendo sonar a destiempo sus instrumentos de percusión.

—Es que me informo, ¿sabe?

—¿Dónde, teniente? —se le encaró Las Morenas, sin inmutar la sonrisa—. ¿En la «prensa libre» o en los boletines internos del Katipunan?

Se midieron con recíproco encono. Martín Cerezo sabía que en una pendencia entre oficiales, a la larga, llevaba siempre las de perder el de menor graduación; tal vez por ello se aplacase, aunque no dimitió de su beligerancia:

—Viendo el odio que el Katipunan tiene a los frailes, la primera medida que debería adoptar el gobierno es expulsar a las comunidades religiosas.

—A lo mejor no lo hace por miedo, teniente. Puede que el gobierno tema que los frailes revelen los manejos y fechorías de los políticos en estas tierras. Por ejemplo, los métodos empleados para ceder grandes explotaciones agrícolas a extranjeros...

Martín Cerezo se había quedado sin argumentos, apalancado en las consignas de la propaganda anticlerical:

—La culpa de todos nuestros males la tienen ellos. Y no me extrañaría que estuviesen conspirando para acabar con la soberanía española.

Se bebió su copa de coñá de un solo trago, como si así se inmunizara contra las consecuencias de esa hipotética conspiración. Las Morenas rió cordialmente:

—Pero, teniente, por favor, no injurie su inteligencia... ¡Si esos frailes presumen de ser todos de la pata del Cid! Si busca enemigos y conspiradores, le invito a que fije su atención en los Estados Unidos. No tienen territorios en Asia y los necesitan para su política expansionista en el Pacífico. Y, después de hacer sus cálculos, han llegado a la conclusión de que España es la potencia más débil; y de que pueden anexionarse territorios a su costa. Por eso han decidido ahora ayudar a los rebeldes cubanos con dinero y armas...

—Si España hubiese atendido las peticiones de autonomía de los cubanos... —se parapetó Martín Cerezo—. Los Estados Unidos no hacen sino exportar a quienes se lo solicitan su más preciado bien: ¡la Libertad!

Las Morenas alzó la cara hacia el techo, como impetrando paciencia o esforzándose por contener una carcajada:

—¡Ya me parecía a mí que estaba tardando mucho en enseñar el hocico doña Libertad! —se choteó—. Pues que repartan ese bien tan preciado entre sus indígenas. En cien años, se los han merendado a casi todos; en cambio, España lleva trescientos en Filipinas y los indígenas se pasean libremente por todas partes.

—Yo en cuestiones de política interna americana no me meto... —murmuró Martín Cerezo, batiéndose otra vez en retirada.

—Tiene usted razón, teniente. Volvamos a las cuestiones de política externa —aceptó Las Morenas—. En lo que a España se refiere, lo que hacen los americanos no es otra cosa sino filibusterismo a gran escala. Ya sólo les falta encontrar la excusa que los justifique ante las masas cretinizadas, eso que usted llama «opinión pública». Y, una vez encontrada esa excusa, la «prensa libre» se encargará de magnificarla.

Martín Cerezo preguntó, algo desarbolado:

—¿Qué excusa?

—Cualquier excusa, eso es lo de menos. Falsearán un documento, o se inventarán una ofensa española, fingiendo que hemos iniciado nosotros las hostilidades, cualquier cosa que justifique su intervención en defensa de Doña Libertad y su primogénita, la Señorita Democracia. —Rió su propia broma, viendo que Martín Cerezo no pasaba por el aro—. Los americanos quieren intervenir directamente en los asuntos de Cuba, teniente; y terminarán lanzando también un ataque contra Filipinas, probablemente con la connivencia de los hijos de la Gran Bretaña, que les pueden prestar el puerto de Hong Kong como centro de operaciones.

Martín Cerezo rumió las intuiciones de Las Morenas. Eran corrosivas de muchos lugares comunes que hasta entonces había aceptado dócilmente; y su inteligencia las rechazó, recelosa de quedarse desguarnecida:

—¿Piensa usted que nos podrían ganar si nos declarasen la guerra? —preguntó con ingenuidad.

—Si nos atacasen por tierra les comeríamos las asaduras; pero por mar no tenemos nada que hacer —reconoció Las Morenas—. Las defensas de Manila y Cavite son un desastre, y nuestra escuadra está llena de averías.

—No convendría que esto se supiera —cuchicheó Martín Cerezo, otra vez visitado por sus manías persecutorias—. La tropa podría desmoralizarse.

—Desde luego, teniente. Y hoy mucho menos, que nuestros hombres también tienen derecho a divertirse. —Le puso una mano en la rodilla, conciliador—. Mire, Saturnino, lo más importante es que exista entre nosotros unidad de criterio y de conducta.

—¿A qué tipo de unidad se refiere? —preguntó receloso Martín Cerezo.

—Pues a la que hubo durante siglos en nuestro ejército, antes de que asomaran las banderías políticas.

Las Morenas deseaba sinceramente ganarse al teniente; deseaba que la misión que al día siguiente iniciaban ambos pudiera desarrollarse sin fricciones. Pero era vano su deseo.

—Banderías que son legítimo fruto del parlamentarismo moderno —objetó Martín Cerezo.

—Claro, teniente, claro —dijo con desaliento—. Pero el parlamentarismo no es bueno para el ejército, que es por naturaleza jerárquico. Si esa unidad no funciona entre nosotros, nuestro ascendiente sobre la tropa se quebrará. Ofreceríamos un ejemplo muy poco edificante.

Martín Cerezo se levantó de la butaca y buscó con la mirada la salida del reservado, como si los ofrecimientos amistosos de Las Morenas comenzaran a asfixiarlo. Se permitió un sarcasmo:

—Entiendo, mi capitán. Lo que usted pretende es que yo haga lo que usted diga y que piense como usted piensa, ¿no es así?

Las Morenas cedió el paso a Martín Cerezo y le palmeó jovialmente la espalda.

—Sí a lo primero, teniente. En cuanto a lo segundo, me basta con que lo disimule. ¿Salimos a tomar un poco el aire?

En verdad, la atmósfera viciada de la Tabaquería hacía casi sobrehumano el ejercicio respiratorio. Martín Cerezo elevó la vista al segundo piso, tratando de localizar a los soldados a su mando.

—No sé si debemos dejar sin vigilancia a la tropa, mi capitán...

—Vamos, Saturnino, no se preocupe... Mañana vuelven a la disciplina; dejemos que por esta noche se desahoguen.

Había pasado a llamarlo por su nombre de pila para favorecer esa improbable unidad de acción y de criterio que le había solicitado; pero Martín Cerezo se empecinaba en mantener la distancia. Salieron a la noche, hormigueante de gentes que hacían difícil el tránsito por la acera de la Tabaquería. Vibraban pasodobles en la atmósfera; y los fuegos de artificio alumbraban súbitamente el cielo, haciendo retratos clandestinos a los ángeles. En el paseo ya lucían los farolillos venecianos; y la alta sociedad manileña, borracha de ridícula ostentación, se saludaba entre sí, enarbolando sus bastoncillos, destocándose los sombreros, agitando los abanicos o recogiéndose el vuelo de las faldas, para no manchar la tela en el barro. Un poco más allá, hacia los arrabales, el pueblo llano se solazaba en las barracas y casetas donde volatineros, malabaristas, contorsionistas y tragafuegos exhibían sus habilidades, a cambio de unas pocas monedas. En una caseta de tiro al blanco, Las Morenas avistó a fray Cándido, departiendo o regateando con su dueño, un chino gordinflón que le mostraba la ringlera de regalos entre los que podría elegir si conseguía alcanzar con una escopeta de perdigones unas dianas móviles que desfilaban, propulsadas por algún ingenio mecánico, al fondo de la barraca.

—Ahí tenemos a nuestro fraile, Saturnino —dijo Las Morenas, gritando hasta casi desgañitarse, para alzar la voz sobre el estrépito—. Y parece que no tiene ningún reparo en satisfacer sus vicios a la vista de todos.

Martín Cerezo no le rió la broma sino desganadamente. Olía a churros y otras frutas de sartén, a callos y gallinejas, como en cualquier verbena de allende el océano; y era un olor que gratificaba a Las Morenas más que un ascenso. El chino gordinflón de la caseta de tiro al blanco tendió una escopeta a fray Cándido, quien antes de empezar a disparar la sopesó muy precavidamente, comprobando que el punto de mira no estuviese torcido y asegurándose de que la culata se amoldase a su pecho. El dueño de la caseta derramó unos cuantos perdigones sobre el mostrador y se cruzó de brazos cual descansado Buda, utilizando el nacimiento de la panza a modo de balaústre. Martín Cerezo dijo, en un tono despectivo pero en el fondo curioso:

—Pues anda que no se gasta ceremonias, el frailecito.

Fray Cándido, antes de empezar a disparar, se volvió con un punto de vanidad, por comprobar si alguien lo observaba. Al descubrir expectantes a Las Morenas y a Martín Cerezo, su rostro se iluminó, acicateado por el pundonor. Agitó la mano jovialmente y fue disparando uno por uno todos los perdigones, cargando la escopeta con una rapidez endiablada. Las Morenas saboreaba voluptuosamente su veguero y lanzaba miradas de reojo a Martín Cerezo, mientras fray Cándido derribaba, una tras otra, con precisión infalible, todas las dianas que se le ponían a tiro. Silbó ponderativamente:

—¡Jodo con el cura! Al menos tendrá que reconocerme que pegar tiros sí que sabe, Saturnino.

El sangley gordinflón, enfurruñado, se estiró para conseguir el abanico pintado a mano que fray Cándido había elegido como premio. Martín Cerezo se desasosegó de repente, como si lo abrasara por dentro una mata de ortigas:

—Con su permiso, mi capitán, voy a darme un garbeo, que tengo las piernas algo anquilosadas...

Y así evitó, un tanto híspido, saludar siquiera a fray Cándido, que hizo caso omiso de su desplante, viéndolo escabullirse entre la multitud. Las Morenas abrazó efusivamente al franciscano:

—Me ha dejado usted boquiabierto. ¡Qué manera de disparar!

—Y eso que ese sangley había desviado el punto de mira —se hizo el ofendido fray Cándido—. Pero me conozco de memoria las triquiñuelas de esos truhanes.

Las Morenas le iba abriendo paso entre la multitud, para evitarle la labor plebeya de hincar codos y sacudir empujones.

—¿Le apetece que pasemos a la Tabaquería? —le preguntó. Y, viendo que fray Cándido respondía con un gesto brusco de rechazo, se excusó—: Perdón, ya me imagino que se lo prohíben los reglamentos de su orden.

Fray Cándido echó a andar en dirección contraria, repartiendo codazos y empujones sin rebozo alguno. Las Morenas lo seguía como un monaguillo.

—Qué reglamentos ni qué ocho cuartos, hombre —dijo, un poco emberrinchado—. No piso en ese antro porque no me mezclo con gentuza. ¿Sabía que tienen prohibida la entrada a la tropa?

—Pero hoy han hecho una excepción... —Le costaba acompasar su paso al de fray Cándido—. El general Primo ha dado órdenes...

—¿Y qué me dice de todos estos años? —lo interrumpió fray Cándido, rabioso—. ¡Esos perros pulgosos ni siquiera dejaban entrar a los soldados heridos en campaña! —Se reprimió—: Pero basta, que no quiero ofender a mis hermanos perros.

Pasó una *carromata* muy reluciente en dirección a la Tabaquería, con un cochero vestido con chistera, botas de montar y levita galoneada, transportando a una pareja de pipiolos. Fray Cándido escupió a su paso:

—Mírelos qué hinchados van y qué peripuestos... ¡Si no sois más que funcionarios de medio pelo! —Había empezado a vocear con una saña de verdulero impropia de su hábito—. Pero os vais a llevar una sorpresita...

Las Morenas le tironeó de la manga, para que no se encabronara más.

—¿Cómo que una sorpresita? —preguntó, un tanto alarmado.

—Bueno, digamos que aleccioné a los muchachos... —comenzó, remolón, fray Cándido.

—¿Que los aleccionó? Perdóneme, pero no entiendo.

—Que les solté una arenga, incitándolos a destrozar ese antro —soltó fray Cándido, quedándose tan pancho.

Las Morenas, en cambio, se quedó estupefacto, pero poco a poco la hilaridad pudo sobre su estupor. Temía, sin embargo, que la arenga de fray Cándido desembocara en violencias menos veniales que los meros destrozos.

—¿No se liarán a navajazos, padre? —le preguntó, regresando presuroso hacia la Tabaquería.

—Les prohibí el uso de armas, tanto blancas como de fuego —explicó fray Cándido, seráfico—. «Con las manos desnudas tendréis que hacerlo», les dije. Y son unos muchachos muy, pero que muy obedientes.

Las Morenas se abrió paso hasta asomarse a la entrada de la Tabaquería, donde fray Cándido se quedó clavado, como ante una antesala del infierno, sin avenirse a entrar. Las Morenas pudo comprobar cómo la tropa ya campaba por sus fueros por el local, acoquinando a la clientela de petimetres, para consternación de sus consortes o piculinas, lloricosas y avergonzadas de la escasa virilidad de sus acompañantes, que permitían que los reclutas las mirasen como si las estuviesen embistiendo, para luego desdeñarlas como a un despojo, porque de momento estaban más interesados en el bebercio. Menache acaudillaba un grupo sediento que se dirigía al mostrador; tenía ya la voz desentonada y beoda:

—¡Que levanten la mano quienes quieran repetir! —Todos se apuntaron instantáneamente. Menache se embarulló varias veces en el cómputo, hasta concluir—: ¡Siete y conmigo ocho! ¡Mozo, ocho copichuelas de tuba!

Y cuando el mozo ya las servía, tembloroso, llegó el cabo González Toca, abriéndose paso como un miura:

—¡Y otras ocho para mí! —dijo con vozarrón áspero, rascándose el pestorejo—: Cuando entre en calor, ya le pediré la garrafa entera...

El camarero, amilanado, dispuso otras ocho copas en el mostrador, que se apresuró a llenar. Calvete, que no se separaba del cabo González Toca, se tambaleó hasta alcanzar el mostrador, empapado de azumbres, y señaló una estatuilla de alabastro, o de algún sucedáneo que lo imitaba, con la peana incrustada en el mostrador. Representaba una ninfa, tal vez una náyade, porque tenía a los pies algo así como unos juncos.

—¿Te has fijado, cabo? —preguntó con ojos bailones como una peonza—. Vaya teticas que tiene la estatua...

El cabo González Toca se iba trasegando las copas de tuba como si fueran cacahuetes. La boca ya casi le echaba humo; esbozó un gesto displicente:

—Demasiado escurridas para mi gusto. Pero celebro que vayas ablandándote a los encantos femeninos. Así, cuando te llegue la hora de cortejar a esa moza de Valdelugueros, lo harás con mayor seguridad. —Se trasegó otra copa y le guiñó un ojo—: La veteranía es un grado. Anda, coge esa estatua, que es tuya.

—No te burles de mí, cabo... —se ruborizó Calvete.

—¿Cómo que no me burle? ¡Por Zumalacárregui que la estatua es tuya! —Intentó arrancarla de cuajo pero no pudo, y se encaramó penosamente al mostrador—. ¡Eh muchachos, ayudadme! ¡Calvete ya ha escogido mujer!

Se organizó al instante una fenomenal tremolina en derredor de la estatua de la ninfa, con algunos soldados probando a empujarla desde el suelo y otros tratando de arrancarla de cuajo de su pedestal, encaramados en el mostrador como González Toca. Los clientes de la Tabaquería mantenían una distancia prudencial con los alborotadores; algunos resolvieron abandonar el local, entre maldiciones y vituperios, otros determinaron huir por la escalera de caracol, para refugiarse en el café danzante. Hasta allí subió también el capitán Las Morenas, sin reprender a los reclutas que todavía se esforzaban, ahora más coordinadamente, en derribar a la ninfa; y comprobó que los demás habían acaparado a las bailarinas nativas, a las que se arrimaban sin miramientos, aprovechando las vicisitudes del baile, mientras los petimetres aguardaban exasperados su turno, que ya no llegaría hasta que las ranas criasen pelo. Al fondo, una estudiantina o *cumparsa* tocaba con bandurrias, laúdes y guitarras una melodía de amor quejoso. En un velador se hallaban sentados Salvador Santamaría y su protector, Juan Chamizo, que trataba de consolarlo en sus tribulaciones; eran los únicos soldados que no participaban de las expansiones de sus compañeros. A su velador vino a sentarse, para sorpresa de Las Morenas, el teniente Martín Cerezo, que los exoneró de la formalidad del saludo; tenía la mirada desazonada de las fieras que quieren escapar de la jaula. Inopinadamente, una de las bailarinas quedó libre, después de que su pareja, un recluta ajumado, tratara de propasarse, o tal vez sólo de encontrar asidero en su trompa.

—Ahí tienes una moza para bailar —dijo Chamizo a Santamaría—. Venga, Salvador, no te dejes comer los piñones.

Pero Santamaría se resistía, atenazado por la timidez o los recuerdos tortuosos de Port Said, que todavía no habían cicatrizado, que tal vez ya no fuesen a cicatrizar nunca. Chamizo lo empujó cordialmente, pero viendo que no lograba vencer del todo su retraimiento, hizo un gesto cómplice al teniente Martín Cerezo, que contemplaba la escena con cierta desapasionada incredulidad. Finalmente dijo, con algo de desgana:

—Soldado Santamaría, es una orden.

Y Santamaría, compungido, se alisó las arrugas de la guerrera y se acercó muy melindroso, casi de puntillas, a la bailarina, un poco descompuesta tras el forcejeo con el otro recluta que la había magreado más de la cuenta. Cuando ya Santamaría se disponía a requerirla, interfirió un lechuguino que lo apartó de mala manera:

—Tú, gitano, vete a robarle a tu madre —le dijo. Santamaría se quedó helado, sin capacidad de reacción—. ¿Es que no me oyes? Largo de aquí. Apestas.

Se hizo de repente un silencio de patíbulo, veteado por las desafinaciones de la *cumparsa*, que dejó también de tañer sus instrumentos. Procedente del piso de abajo, donde el cabo González Toca y su séquito habían logrado al fin arrancar la estatua de la ninfa, llegaba un estrépito de vidrios rotos y madera quebrada. Santamaría distrajo la mirada y el lechuguino aprovechó para empujarlo otra vez, más violentamente. Chamizo se levantó entonces del velador y se cuadró ante Martín Cerezo, pidiéndole permiso para intervenir; el teniente, sin inmutar el semblante, con los codos clavados en el velador, señaló a sus espaldas con el pulgar:

—Pregúnteselo mejor al capitán —indicó, muy cachazudo.

Las Morenas, que contaba hasta ese momento con pasar inadvertido, tuvo un instante de vacilación; pero recordó los agravios contra el ejército, o siquiera contra la clase de tropa, que, según fray Cándido, coleccionaba aquel antro.

—Cuenta con mi permiso, Chamizo —dijo.

Sin mayores preámbulos, Chamizo descargó un puñetazo sobre el lechuguino, que enseguida Santamaría, roto al fin su alelamiento, complementó con algunos puntapiés en las espinillas. Otros congéneres del lechuguino se incorporaron a la pelea;

entonces Martín Cerezo, cruzando una mirada de complicidad con Las Morenas, se irguió con gran pachorra y se desabotonó la guerrera, quedando en camiseta de cordoncillo cruzada por los tirantes. Martín Cerezo tenía las espaldas fornidas y unos brazos muy fibrosos, según pudo distinguir Las Morenas; se metió en el barullo y empezó a repartir leña entre los lechuguinos con un maquinal ensañamiento, si la contradicción es admisible. A su rebufo se fueron incorporando a la zapatiesta los demás soldados, aún amarrados a sus parejas de baile, que huyeron despavoridas, entre aspavientos y chillidos. En la escalera de caracol se tropezaron con el cabo González Toca y su séquito, que subían muy ufanos con la estatua de la ninfa, usándola a guisa de ariete.

—¡Muchachos, recordad lo que nos pidió fray Cándido! —voceó González Toca—. ¡Nada de armas blancas, a puñetazo limpio! ¡A por ellos, que son pocos y cobardes!

No eran tan pocos, en realidad, y estaban menos borrachos que los reclutas, y además eran más marrulleros, pero ya empezaban a llevarse la peor parte. Los músicos de la *cumparsa* también abandonaron el campo de batalla, dejando a modo de lastre sus instrumentos, enseguida requisados por los reclutas, que los enarbolaban como garrotes; sólo Santamaría, que se hizo con una bandurria y se la colgó en bandolera, no los destinó a este uso. Empezaban a volar también las sillas y hasta los veladores y sonaban los sopapos, siempre con Martín Cerezo en el meollo del zafarrancho, esquivando golpes con agilidad felina y repartiéndolos con la puntualidad de un púgil; y con cada golpe descargaba un poco de bilis retenida, un poco de dolor gangrenado, un poco de odio enfriado en las neveras de la soledad. Con regocijo, Las Morenas comprobó antes de abandonar el local que algunas bailarinas se habían sumado a la tropa, pegando patadas a los lechuguinos cuando ya estaban en el suelo, y preferentemente en la entrepierna. A la puerta de la Tabaquería lo aguardaba curioso fray Cándido.

—Su arenga surtió efecto —bromeó Las Morenas—. Van a dejar la Tabaquería como una escombrera. Se ve que exhortando a las tropas es usted mejor que el anciano Néstor.

Fray Cándido se inclinó, deferente y zumbón:

—Le agradezco la comparación homérica. Aunque también entre los santos de nuestra amada Iglesia hubo excelsos arengadores, capitán. Piense en San Bernardo de Claraval, en San Juan de Capistrano, en tantos y tantos predicadores excelsos que enardecían a los cruzados, antes de entrar en combate...

Volvían a abrirse paso entre el gentío, caminando hacia la desembocadura del río Pásig, cuya margen derecha discurría paralela al paseo de la Escolta.

—Desde luego, no faltarán santos arengadores —prosiguió la chanza Las Morenas—. Más difícil es imaginarse santos que disparen tan bien como usted.

—¡Hasta arcángeles arcabuceros pintaron nuestros pintores barrocos, capitán! Y santos que fueron antes guerreros los hubo a porrillo, empezando por nuestro San Ignacio de Loyola. —Hizo una pausa, antes de murmurar gruñón—: Ahora, con tanto pacifismo y tanta ñoñería, nos estamos afeminando...

Las Morenas no quiso entrar en dimes y diretes eclesiásticos. Trató de sonsacar a fray Cándido:

—Pero, dígame, ¿dónde aprendió a disparar así? Porque en el seminario no creo que fuera...

—En mi juventud, estuve evangelizando en la selva y tuve que aprender, para defenderme de las fieras... y para infundir respeto a los ilongotes.

Habían llegado a la altura del puente de España. El Pásig bajaba, impetuoso, caracoleando entre los cantos de la orilla. Subía del río un vaho de humedad, como una invasión sigilosa que borraba los perfumes de la noche, incluyéndolos todos en la unidad visceral de las tinieblas sin nombre.

—¿Y qué tal le fue por Baler? —lo inquirió más directamente Las Morenas—. ¿Se tropezó allí con muchas dificultades en su predicación? Su experiencia nos puede servir de gran ayuda.

Pero fray Cándido no contestó a su pregunta. Apoyado sobre el pretil del puente, se quedó abstraído contemplando las aguas del Pásig.

—Mírelo —susurró—. De noche, todos los ríos parecen el Leteo.

Su mirada se había humedecido, esmaltada de una tristeza antiquísima. Las Morenas se acodó a su lado en el pretil y contempló su perfil con el rabillo del ojo. Dijo, tratando en vano de descifrar su intención:

—El río Leteo, del que bebían los muertos para olvidar, antes de comenzar una nueva vida...

—¡Benditas mitologías de los antiguos! —exclamó fray Cándido, con voz ronca—. A nosotros, aunque aspiremos a iniciar una nueva vida, siempre nos queda el recuerdo de la antigua. —Arrancó a andar, con paso súbitamente pesaroso—. Y a veces también el remordimiento.

Las Morenas tuvo la sospecha de que fray Cándido aludía a circunstancias de la propia vida que a él se le escapaban; y que, por supuesto, no iba a hacer nada por inquirir. A cambio, trató de infundirle ánimos:

—Pero podemos arrepentirnos de lo que fuimos. Y obtener perdón. Siempre nos queda ese alivio.

—Dios nos perdona siempre. —Fray Cándido chasqueó la lengua—. Pero también necesitamos ser perdonados por aquellos a los que hicimos un mal. Y necesitamos resarcirlos.

Caminaron un rato en silencio, entre la algarabía circundante, como trasplantados a un paisaje soñado. Las Morenas se sentía incómodo sin hablar, como si el silencio lo acusase, o los acusase.

—Fray Cándido, esta mañana, en el despacho del gobernador, usted dijo que volver a Baler era...

—Un doloroso cáliz, eso dije. Pero también el único modo de sentirme perdonado por completo. —Frunció los labios, en un rictus de amargura—. Durante mucho tiempo, me costó aceptarlo. Pero hice amistad con una hija de la Caridad, sor Lucía, que me enseñó a afrontar el pasado. Conocerá a sor Lucía en Baler, estoy seguro de que le causará una gratísima impresión...

Había empezado a juguetear, inquieto, con el abanico que había ganado en la barraca de tiro al blanco. A Las Morenas lo espantaba la idea de escuchar una confesión atribulada o escabrosa de fray Cándido; trató de desviar la conversación:

—Usted habrá tratado mucho a los tagalos, supongo... ¿Cómo son en realidad?

Fray Cándido agradeció el quite:

—A primera vista, desconfiados; pero se entregan al que los ama y estima, y se ofrecen sin doblez a quien sabe tratarlos con cortesía y afecto. Y tienen un carácter... ¿cómo decirlo? —Parecía que no hallase el epíteto adecuado—. Ensimismado, introvertido tal vez...

—Hay quienes dicen, más rudamente, que son indolentes.

—Pues no haga caso a quienes digan eso. El filipino es también hombre resolutivo, cuando es preciso. La melancolía que envuelve su personalidad se resuelve en determinación cuando se halla en situaciones difíciles. —Fray Cándido alababa a los filipinos como quien celebra una parte de su vida, la mejor parte de su vida—. Es la ventaja que tiene vivir en contacto constante con la naturaleza: los espíritus se lavan y los corazones se elevan. Son más intuitivos que otra cosa; y están dotados de una memoria de elefante. Son imaginativos, con una libertad creativa que nosotros desconocemos; y sensuales con un vigor que también desconocemos.

Aquí se rió sin ambages, con una risa cómplice. Habían llegado casi a la desembocadura del Pásig.

—Espero que esta misión que me han encomendado me permita conocerlos mejor —dijo Las Morenas—. Hasta ahora, fuera del campo de batalla, he tenido poco trato con ellos.

—Dios quiera que así sea —asintió fray Cándido.

El Pásig se desangraba anchuroso en la bahía de Manila, después de demorarse en mil meandros, después de estrecharse entre huertas y zacatales, después de deslizarse entre manglares y de recoger en su cauce mil afluentes selváticos, como un pentecostés de aguas a la rebatiña. Fray Cándido navegó con la mente río arriba, hasta la laguna de Bay, cuna del Pásig, un mar de agua dulce con forma de trébol, y se complació recordando los pueblos hospitalarios de sus márgenes que tantas veces había visitado y los bosques milenarios y frondosos en los que tantas veces se había perdido, donde crecían todas aquellas especies vegetales que, allá en la juventud, aspiró quiméricamente a catalogar, creyéndose un Linneo redivivo. Y pensó en los días dichosos en que Filipinas parecía una sucursal del Paraíso.

—Capitán Las Morenas... —empezó con púdico recato.

—Llámeme Enrique, fray Cándido, se lo ruego —lo interrumpió.

—Le agradezco la confianza, Enrique... Esta mañana, cuando se dirigió a las tropas, lo hizo con un fondo de descreimiento y de tristeza. —Calló, esperando su reacción, que no se produjo—. Y un rato antes, cuando sorprendimos la conversación de aquellos oficiales miserables, me dijo que algunas cosas que ha visto en el ejército le han dado tanto asco que ha estado tentado de abandonarlo.

A Las Morenas, después de haber evitado la confesión de fray Cándido, nada le apetecía menos que confesarse:

—Así es —asintió, lacónico.

—Pero quienes deshonran nuestra vocación no pueden hacernos desistir de ella. Más bien deben ser un acicate para perseverar.

Sonó en la bahía de Manila la sirena de un vapor, funeral y última como el mugido de una vaca en el matadero.

—Si supiera cuántas sabandijas se envuelven en la bandera y apelan a los más sagrados ideales, con el único propósito de sacar tajada... —se lamentó Las Morenas—. ¡Cuánta podredumbre hay en el ejército!

Fray Cándido volvió a reírse, pero ahora su risa sonaba más calcinada que condescendiente:

—¿Y cree que esa podredumbre sólo se da en el ejército? ¿Usted se ha parado a pensar, Enrique, cuál es el pecado que más veces condena Jesús en el Evangelio y contra el que predicó más insistentemente?

—Dígamelo usted —se rindió Las Morenas.

—El fariseísmo, querido amigo. Y no olvide que fueron los fariseos quienes llevaron a Jesús al martirio, porque no soportaban su denuncia implacable: raza de víboras, sepulcros blanqueados, etcétera.

Fray Cándido ponía toda la carne en el asador al rememorar aquellas execraciones evangélicas. Las Morenas lo avisó:

—Pero no se crea que las sabandijas de las que le hablo son simples hipócritas...

—¡Es que el fariseísmo no es simple hipocresía! ¿Qué es, a fin de cuentas, la hipocresía, sino una debilidad humana? El fariseo actúa con soberbia, porque tiene el corazón endurecido; y, desde su engreimiento, quiere que su impostura pase por devoción verdadera, o por ideal sincero. Pero como enseguida se nota que esa impostura es algo puramente hueco y esclerotizado, se dedica a aborrecer y odiar a quienes tienen fe verdadera.

—Así son esas sabandijas a las que yo me refería —asintió Las Morenas.

—Se vuelven cada vez más crueles y acaban persiguiendo con saña ciega y fanatismo implacable a los que verdaderamente creen en lo que hacen —prosiguió fray Cándido, que hablaba como si recitase una salmodia—. Se regodean en la perfidia, en la persecución del justo, en la traición de la verdadera fe, de la que se presentan como sus más celosos observantes. Tengo mucha experiencia de esos fariseos, capitán. —Ahora su voz se tornó doliente—: Y, créame, aunque mi fe es robusta como un roble, tiembla como un junco ante su presencia.

Ese temblor se trasladó a Las Morenas. Musitó:

—Pero ellos se han hecho con el mando, al menos en el ejército. Y se llenan la boca con proclamas de patriotismo y amor a España.

—España es ya una carcasa vacía —dijo fray Cándido—. Ha extraviado su razón de ser. Mientras se reconoció en esa razón de ser, pudo hacerse; desaparecida esa razón de ser, sólo le queda deshacerse en todos los órdenes, en un lento proceso de descomposición. Pero hay un ínterin, mientras se multiplican los signos de descomposición, en que los fariseos fingen que tal descomposición no existe y perfuman mucho el cadáver, para que no hieda, y lo engalanan y endomingan. Es ese patriotismo hinchado que hace aspavientos para encubrir la más sórdida falta de escrúpulos y la corrupción de las virtudes públicas.

La desembocadura del Pásig se había contaminado de repente de esa podredumbre, que ascendía en vaharadas, como si bajo sus aguas oscuras se ocultase un cementerio de fariseos. Las Morenas, acongojado por la fetidez, preguntó:

—¿Y qué nos espera, entonces, si quienes mandan son fariseos?

Fray Cándido espantó el miedo, como se espanta un escalofrío. Su voz sonó aplomada, casi jovial:

—Pues lo mismo que al primero que lo denunció, supongo: el martirio. —Desplegó el abanico ganado con sus alardes de puntería—. ¿Y qué me dice del regalo que voy a hacerle a sor Lucía? ¿Elegante, eh?

Y lo blandió con gracia andaluza —o con toda la gracia andaluza que puede asistir a un natural de Madridejos que se ha tirado media vida en Filipinas—, moviendo los brazos como si fuese a bailar un fandango. Las Morenas lo aplaudió, pero seguía sumido en sus cavilaciones.

3

Amaneció con un ímpetu un tanto hosco, como si desde los altillos del cielo alguien se hubiese enojado de los excesos perpetrados durante la noche por los soldados del destacamento y hubiese querido abreviar su descanso, al estilo de la madre enfurruñada que entra en la habitación donde duerme la mona el hijo calavera, alzando abruptamente las persianas. Las Morenas no había pasado la noche de bureo, pero sí en vela, rumiando las palabras de fray Cándido y escribiendo una larga carta a Carmen, su esposa, en la que le revelaba su nuevo destino como comandante político-militar en Baler y le refería sus impresiones sobre la paz fingida que seguían celebrando tozudamente en Manila. Pero el meollo de la carta era para agradecerle que hubiese regresado a la península, llevándose consigo a Enriquillo; y para encomendarle encarecidamente que combatiese su vocación militar, pues no quería imaginar a su hijo desengañado por culpa de los fariseos que administraban el cadáver de España y se repartían sus despojos. Con esta encomienda concluyó la carta, en la que no se atrevió a hacer cábalas sobre el futuro; y mucho menos a acariciar la posibilidad de un amor conyugal retoñado —que deseaba como se desean los bienes inalcanzables—, después de tantos años de convivencia mustia, pues no quería concebir esperanzas que tal vez muriesen pronto cercenadas.

Muy temprano se acercó Las Morenas a intendencia, en Capitanía General, para supervisar el traslado a la estación de vituallas y pertrechos, así como las caballerías necesarias para su transporte hasta Baler. La estación de ferrocarril de Manila, entre los barrios de Tondo y Binondo, era más bien un apeadero en ruinas, con un edificio que parecía un galpón y un cobertizo para protegerse de la lluvia. Toda su actividad se reducía a una única línea con destino a Dagupán y paradas en Malolos, San Fernando y Tarlac, pues las anfractuosidades del terreno y la desgana administrativa habían impedido que prosperase el tendido de vías férreas. Había poco movimiento en la estación, desde luego nimio comparado con el tráfago que a aquellas mismas horas agitaría el puerto: apenas algún chino con la pinga al hombro, esperando que alguien le encargase algún recado, y algún indio en cuclillas, dormitando con su gallo entre las piernas. Un trenecillo de cuatro vagones, uno de ellos reservado para mercancías, aguardaba en el andén con la locomotora acatarrada y humeante. Algunos soldados del destacamento se habían incorporado a la comitiva encabezada por Las Morenas; otros habían sido previamente recolectados por el teniente Martín Cerezo, que dirigiría las operaciones de carga antes de la partida; y otros, en fin, iban llegando, como restos de un naufragio, con la impedimenta a cuestas, ojerosos, demacrados y contusos después de los altercados en la Tabaquería, a los que había seguido una nochecita toledana bastante notable. En sus uniformes se registraban, a modo de insignias infames, las señales de la juerga y los excesos crapulosos. Fray Cándido y el teniente médico Vigil, muy madrugadores ambos, contemplaban ya instalados en el tren el desfile poco lucido. El capitán Las Morenas dejó el carro con los pertrechos y vituallas en manos del teniente Martín Cerezo, a quien el desfogue de la Tabaquería había sentado divinamente, como una sesión de gimnasia matinal, a juzgar por el dinamismo que mostraba en sus movimientos, tal vez excesivo para los reclutas derrengados que tenían que seguir sus órdenes. Las Morenas fue a reunirse con fray Cándido y Vigil; entre consternado y festivo, les confió:

—Todavía estoy temiendo que llegue de Capitanía mi destitución por lo de anoche.

—No llegará, Enrique, no se preocupe —aseguró fray Cándido, con una pizca de orgullosa picardía—. Ese antro había acumulado demasiadas ofensas contra el ejército. Y, en último extremo, ya sabe que puede echarme a mí la culpa.

Un par de soldados habían dispuesto una rampa en el vagón de cola, mientras sus compañeros se esforzaban en conducir hasta su interior las mulas cargadas con los pertrechos y los caballos que habrían de servir de montura a los oficiales. Entre el piafar de los caballos y las coces de las mulas se movía como un bailarín el teniente Martín Cerezo, a quien secundaba Jaime Caldentey, su asistente, aquel joven rubiasco de andares zancudos que lo había acompañado en su primera expedición en pos del veneno negro. Como no había participado en la juerga de la noche anterior, no se desempeñaba con el torpor de los demás soldados; y manoteaba mucho al transmitir las órdenes del teniente:

—¡Más brío, cazadores! ¡Que no se diga que una mula se les resiste!

Llegaron entonces a la estación los últimos soldados del destacamento —y también los más activos camorristas—, con el cabo González Toca al frente, que caminaba erguido, palpándose los contornos borrosos de su barriga y arrastrando tras de sí al malencarado Menache y al tumefacto Chamizo, con el rostro bendecido de cardenales, sólo que a ninguno lo llamaban eminencia. También iban en el grupo Santamaría, con la bandurria sustraída en bandolera, y Calvete, abrazado todavía a la estatua de la ninfa que habían utilizado como ariete la noche anterior, para entonces ya descabezada, lo que le añadía cierta solera arqueológica. Caminaban un poco a rastras, sin la prestancia de González Toca, descalabrados y con las guerreras condecoradas de goterones de sangre y desgarros en las costuras, en un desfile bastante bufo; pero iban risueños y ufanos, porque los seguían algunas bailarinas de la Tabaquería, que después de las muestras probadas de virilidad que los soldados les habían regalado durante la noche no querían separarse de ellos.

—¡Un poco más de compostura, soldados! —gritó Martín Cerezo, cachondeándose—. ¡Ni que les hubiesen pegado una tunda! Y no me metan cachivaches en el tren, se lo ruego.

Esto lo decía por la estatua decapitada, de la que Calvete tuvo que desprenderse, no sin cierto desgarro, pues los zagales siempre acaban cogiendo cariño a las ninfas, según nos enseña la poesía bucólica. González Toca, ante las exhortaciones de Martín Cerezo, hinchó el pecho y exageró la prosopopeya;

los otros soldados lo imitaban, con efectos más cómicos que marciales.

—¡Así me gusta, cazadores! —los jaleaba Martín Cerezo, conteniendo a duras penas la risa—. ¡Un, dos! ¡Un, dos! ¡Un, dos!

Fray Cándido, orgulloso de la bizarría demostrada por aquellos hombres en el zafarrancho de la Tabaquería, se levantó de su asiento y asomó medio cuerpo a través de la ventanilla:

—¡Olé vuestros cojones! ¡Con trescientos como vosotros le arrebataba yo Constantinopla a los turcos! ¡Vivan los hombres valientes!

Las bailarinas, aguijoneadas por las palabras de fray Cándido y viendo que sus paladines ya se subían al tren, se abalanzaron sobre ellos, para arrancarles el último beso y dejar que las magrearan un poco, que es algo que el soldado siempre agradece mucho en las despedidas. González Toca contemplaba conmovido los restregones desde la escalerilla del vagón:

—¡Pero qué resaladas son estas tagalas! ¡Ah, si me hubieseis pillado con veinte años menos!

Inopinadamente, una bailarina de ojos fieros y mohín tímido se separó del grupo y, subiéndose también a la escalerilla, cubrió de besos la cara de González Toca. Sus facciones de ídolo azteca se arrebolaron como brasas; la parálisis del arrobo le impedía moverlas siquiera:

—¡Qué delicia, Santo Dios! —exclamó. Y le dijo a la tagala, que ya regresaba junto a sus compañeras—: ¡Te juro que no vuelvo a lavarme la cara hasta que regrese a Manila!

Sintió que le trepaba hasta las comisuras de los párpados una emoción salada, furtiva y gratificante que creía definitivamente extinta, allá en los cementerios de la juventud. Entretanto, las mulas ya habían sido recogidas en el vagón de las mercancías y Jaime Caldentey comunicaba a Martín Cerezo que todo estaba dispuesto para partir. El teniente hizo una señal al maquinista; y el silbato de la locomotora lanzó un pitido que más bien semejó un estornudo. Al fondo, entre los esteros, Martín Cerezo avizoró entonces un *quiles* con el caballito al trote, o casi al galope. El cochero hacía aspavientos, rogando que dilatasen un poco la partida, a la vez que azuzaba al caballito con el látigo. Martín Cerezo hizo visera con la mano:

—Parece que llevaremos compañía...

El caballito llegaba tan encabritado y el cochero tan descompuesto que Martín Cerezo no reparó en la ocupante del *quiles* hasta que la tuvo casi en el andén. Era una joven mestiza que rondaría los dieciocho años; vestía al gusto tradicional del país, con chambra de jusi escotada y un patadión bordado en fibras de abacá, con tapis o sobrefalda cubriéndole hasta las rodillas. Martín Cerezo corrió a abrir la portezuela del *quiles*, mientras el cochero, desde el pescante, se aprestaba a desliar las cuerdas que aseguraban el equipaje.

—Disculpe, caballero —preguntó la recién llegada—, ¿es este el tren que va hasta Dagupán, con parada en Tarlac?

—Este es, señorita —asintió Martín Cerezo—. Llega usted a tiempo.

La joven sostenía sobre el regazo un *tampipi* o maleta de viaje, muy graciosamente confeccionado con cañas, que le añadía coquetería y delicadeza. Tenía una cabellera que le descendía fluvial hasta la cintura; y calzaba unas chinelas bordadas retenidas únicamente por el dedo meñique. Todo su cuerpo jarifo exhalaba una frescura de planta recién regada; pero Martín Cerezo sabía que ciertas alegrías le habían sido vedadas para siempre. Se volvió hacia el tren, en busca de algún soldado que aún no hubiese montado en el vagón:

—¡Soldado Juan Chamizo! —gritó—. ¡Ayude a la señorita a cargar con el equipaje!

Chamizo obedeció atolondrado la orden del teniente. Se descubrió respetuoso ante la mestiza, pero luego no supo qué hacer con el sombrero de jipijapa cuando el cochero le tendió el baúl con el equipaje.

—Puede cubrirse, Juan, no se preocupe —le dijo ella.

Chamizo aún tardó algunos segundos en reaccionar, avergonzado de su aspecto desastrado. Desde las ventanillas del tren, donde se agolpaban los soldados del destacamento, crecían las cuchufletas y el pitorreo. Finalmente, después de algunos trompicones y patoserías, Chamizo cargó con el baúl de la joven, cuando ya volvía a sonar el silbato de la locomotora. La mestiza se recogió un poco el patadión y se dirigió con pasos cortos y recatados al vagón donde la aguardaba Chamizo, que ya había dejado el baúl en su compartimento. Los soldados habían enmudecido por un instante, como si al pisar la joven mestiza detuviese la órbita de los planetas; pero enseguida correspondieron a la algarabía de las bailarinas que agitaban sus pañuelos en el andén y que, cuando el tren se puso en marcha perezosamente, se fueron empequeñeciendo en la distancia, como pecados veniales y, en el fondo, conmovedores. A la joven mestiza, que aún contemplaba Manila desde la escalerilla del vagón, el aire le alborotaba el cabello y le sopapeaba el rostro; recordando el fragmento de vida que dejaba en Manila y cierta conversación con sor Mercedes, la superiora del beaterio de Santa Rosa, asomó a sus ojos una lágrima clandestina que rápidamente se enjugó con el pañuelo. Los soldados, que se agolpaban expectantes en el pasillo del vagón, la observaban compungidos.

—No ha sido nada —mintió la muchacha, cuando reparó en su presencia—. Es que se me ha metido una carbonilla...

El cabo González Toca se palpó el rostro que acababan de cubrirle de besos y fue incapaz de reprimir un puchero:

—¡Jodidas carbonillas! —se lamentó—. Exactamente lo mismo me ha ocurrido a mí, señorita. Hay que ver lo que ensucian estos trenes...

Chamizo, un poco azarado, se destacó del resto de soldados que abarrotaban el pasillo del vagón. No se atrevía a mirar a la mestiza a los ojos:

—El capitán Las Morenas le cede muy gustosamente su compartimento, señorita, y me ha pedido que la acompañe. Si es tan amable de seguirme...

Recorrieron el pasillo, sacudidos por los traqueteos del tren, que hacían trastabillar a la joven, mientras los soldados se apretaban contra la pared o la veían pasar con veneración, encaramados en sus literas. Cuando por fin alcanzaron el vagón de los oficiales, se desataron los cuchicheos admirativos (por la mestiza) o envidiosos (por Chamizo).

—¿Se ha fijado, cabo? —le susurró, ensoñador, Calvete a González Toca—. Olía como las flores del almendro...

El cabo se rascó el cogote de paquidermo y barboteó:

—Y nosotros, oliendo a sobaquina. Menudo papelón hemos hecho.

Chamizo, entretanto, guiaba a la joven hasta su compartimento. En el pasillo, asomados a una ventanilla, se hallaban fray Cándido y el teniente médico Vigil; un tupido dosel vegetal se cernía sobre el tren, una vez dejados atrás los esteros.

—*Magandang umaga*, señores —saludó la mestiza—. Perdonen la molestia...

—*Magandang umaga* —respondió enseguida fray Cándido, que no había perdido los reflejos para el piropo—: Querida niña, después de haberla conocido, la molestia sería perderla de vista.

La joven esbozó una sonrisa complacida y prosiguió su camino, deteniéndose ante el compartimento en el que se hallaban Las Morenas y Martín Cerezo, sentados en torno a unos mapas de la isla de Luzón. Al abrir la portezuela para agradecerles la deferencia de haberle prestado uno de sus compartimentos, ambos oficiales se pusieron instantáneamente de pie, para acto seguido inclinarse y besar su mano, antes incluso de que ella se la hubiese tendido.

—Encantada, caballeros —dijo, con una leve inclinación—. Guicay Garzón, a su servicio.

Martín Cerezo titubeó, antes de preguntar:

—¿Garzón? ¿No será usted familia de don Ramiro Garzón, un hacendado del distrito del Príncipe?

—Precisamente —dijo Guicay—. Soy su hija, su única hija.

A Martín Cerezo tal vez lo desconcertase que un hombre de cierta posición, aunque fuese en origen un desterrado, hubiese tenido descendencia con una indígena. Las Morenas suplió su perplejidad, tomando la iniciativa:

—Es un honor tenerla entre nosotros, señorita Garzón. Yo soy el capitán Enrique Las Morenas, nuevo comandante político-militar del distrito del Príncipe; y este es el teniente Saturnino Martín Cerezo, al mando de este destacamento.

Una vez repuesto de la impresión, Martín Cerezo intervino:

—Según nos dijo Su Excelencia el gobernador, su padre se ha quedado al cargo de nuestros bastimentos.

—Mi padre estará encantado de atenderlos, caballeros —asintió Guicay—. Irá a buscarnos a Tarlac.

Las Morenas abrió muy gentilmente la puerta del compartimento y le hizo un gesto premioso a Chamizo, para que se mostrara más obsequioso y simpático.

—Pero, por favor, señorita Garzón, instálese cómodamente. El soldado Chamizo la acompañará —dijo.

Cuando se fueron, ambos oficiales se quedaron contemplándola sin lascivia, o con la lascivia rendida ante la estupefacción.

—Hay que reconocer que es una hermosa criatura —convino Martín Cerezo.

—Es que cuando las razas se mezclan, Saturnino, se producen estos milagros —ponderó Las Morenas—. En cambio, ya ve lo que les pasa a sus amigos los americanos, que sólo procrean con doña Libertad y engendran luego unas viragos que no hay cristiano que las mire a la jeta.

Martín Cerezo sonrió por primera vez ante una pulla de Las Morenas. Chamizo, antes de entrar en el compartimento con Guicay, lanzó desde el pasillo una mirada cohibida a los circunstantes. Fray Cándido, mucho menos vergonzoso que él, le hizo a hurtadillas visajes, para que se decidiera de una maldita vez; y Chamizo por fin se decidió, con las reservas del hombre de secano súbitamente metido a buzo. Cuando se cerró la portezuela, fray Cándido suspiró:

—¡Ah, con qué gusto nos dejamos herir por Cupido, cuando somos jóvenes!

El teniente médico Vigil asintió, melancólico y un poco mohíno, pues las heridas de Cupido, cuando se tienen más de treinta años, dejan un poco escaldadas las almas. Fray Cándido detectó un fondo de pesadumbre en su silencio:

—Ayer no lo vi por la Tabaquería, Vigil —tanteó.

—Me encontraba sin ganas, padre.

—¡Vaya por Dios! No me fastidie que ese niño travieso también lo hirió a usted...

Fray Cándido lo miró con ojos de zahorí. Vigil se acodó sobre el marco de la ventanilla:

—Digamos más bien que me estoy reponiendo. E intentando inmunizarme para siempre...

Se abría ante sus ojos un paisaje feraz y montañoso, infinitamente verde, que obstruía el horizonte.

—¿Y se ha venido hasta Filipinas a curar esa herida? —preguntó fray Cándido.

—No se me ocurrió un sitio más lejano donde dejarme caer. —Vigil se encogió de hombros antes de preguntar a su vez—: ¿Y usted, fray Cándido? ¿Va de su grado a Baler o es que lo han destinado allí sus superiores?

Fray Cándido hinchó sus pulmones con el aire del exterior; pero la carbonilla lo hizo toser:

—Ambas cosas, Vigil, ambas cosas —dijo, una vez repuesto—. Vuelvo al lugar donde me estrené como misionero, hace la friolera de veinte años. Yo también fui un jovenzuelo, ¿sabe?

Un remordimiento le lanzó raudo su dentellada; pero fue apenas un instante. Vigil no lo había notado siquiera:

—¿Y no le resultó muy difícil evangelizar a esos salvajes? —Fray Cándido lo miró con desaprobación y Vigil trató de resultar menos rudo—: Quiero decir... ¿Cómo consiguió que los tagalos entendieran los intríngulis del catecismo?

—No se crea que fue tan difícil. Los tagalos también tienen un Dios único y creador del universo, a quien llaman Bathala. Vive en el cielo, es omnipotente y juez de vivos y muertos, aunque nunca se ha encarnado, ni es providente. —Se rascó la tonsura, como si los dogmas se le amontonaran allí, en forma de comezón—. Y luego, por otra parte, creen en multitud de espíritus menores, los célebres *anitos*. Pero ¿acaso nosotros no veneramos a nuestros santos? Y también creen en los demonios y en la inmortalidad del alma, que recibe después de la muerte su premio o castigo. He dedicado muchos años de mi vida a reflexionar sobre la religión de los primitivos tagalos...

—¿Y a qué conclusiones ha llegado? —lo azuzó Vigil.

—Pues, para empezar, me he dado cuenta de que la gente más sencilla es la que tiene las ideas más sutiles. Los estudiosos tienden a pensar que los pueblos paganos endiosan y rinden culto a las fuerzas de la naturaleza. Pero yo más bien creo que lo que hacen es vislumbrar verdades trascendentes como a través de un velo y darles forma poética.

Vigil parpadeó, confuso o por completo extraviado:

—No le sigo, padre —reconoció, contrito.

—A ver si me explico. No adoran la nube o el árbol, sino que saben que detrás de las nubes, o en el interior del bosque, se esconde algo más grande y misterioso. No es que quieran endiosar la nube o el árbol, sino a alguien invisible que los habita.

—Ahora Vigil lo había comprendido y lo mostraba con un gesto de alivio—. Pero no pueden explicarlo con filosofía y recurren entonces a la imaginación, a la fantasía.

El traqueteo del tren se tragaba sus palabras, las amputaba y ensordecía, como un censor fuera de sus cabales. Vigil trató de resumir:

—¿Quiere decir que la antigua religión de los tagalos podría ser algo así como una intuición fragmentaria de la Revelación?

—Algo así, en efecto —dijo fray Cándido, acodándose otra vez en el marco de la ventanilla y clavando el mentón entre las mangas de su hábito.

—¿Y cómo habrían llegado a esa intuición? —insistió Vigil, un poco irónico—. ¿Por ciencia infusa?

Fray Cándido lo escrutó con gesto desaprobatorio:

—Creo que ha empleado esa expresión en sentido burlesco. Pruebe a darle un sentido más hondo y tendrá la respuesta. —Hizo una pausa, para ayudar a Vigil a digerir sus conclusiones—. Mire, el paganismo es un intento de alcanzar a Dios a través de la imaginación; esto hace que las religiones paganas crezcan como la flora tropical, hasta morir por hipertrofia. El cristianismo, en cambio, deja poco protagonismo a la imaginación; pero si se lo niega por completo, por ejemplo impidiendo que la gente se imagine los paisajes de la vida futura, corre el riesgo de hacerse pura moralina o morir por desecación. Así que yo dejé que la imaginación de los tagalos siguiese funcionando, aunque fuese embridada, mientras los evangelizaba.

Vigil asentía lentamente, con cierto arrobo o unción:

—¡Y todo esto lo ha discurrido usted solo, qué barbaridad! —Y añadió, cambiando de tercio—: Y la soledad de la selva, ¿no llegó a enloquecerlo?

Fray Cándido se golpeó las sienes, por si le rugiese algún muelle o tornillo suelto:

—Más que enloquecerme puso a prueba mi vocación. El clima tropical inflama los sentidos; y yo era por entonces muy fogoso. —Había adoptado un tono compungido—. Ahora sigo siéndolo, pero de otra manera muy distinta. En Filipinas no siempre es fácil mantener el espíritu de frugalidad y sacrificio: la mesa siempre está puesta con los mejores manjares, la belleza de las lugareñas siempre resulta accesible y los nativos te convierten de inmediato en el rey de su aldea. Entonces uno puede correr el riesgo de creerse Dios... y actuar en consecuencia; o sea, con abuso de autoridad.

Aunque lo que decía fray Cándido no era abstruso ni intrincado, Vigil tuvo la sospecha de que se le estaba escapando algo:

—Al menos, la autoridad civil le serviría de contrapeso, o reduciría las tentaciones de creerse Dios... —dijo, riéndose.

—¡Entonces no había autoridad civil alguna! —se rió también fray Cándido—. Para los tagalos, el fraile era el único representante del gobierno español.

—¡Así que era usted un auténtico sátrapa! —bromeó Vigil.

Se quedaron pensativos ambos, errabundos por los senderos acaso divergentes de sus inquietudes. El capitán Las Morenas había salido para ofrecerles cigarrillos de su pitillera, que Vigil aceptó y fray Cándido rechazó con un puchero, refrenado por su hábito; luego Las Morenas volvió a su compartimento, para hacer lo mismo con Martín Cerezo, que se había ensimismado en la contemplación del paisaje. Le encendió una cerilla, después de que Martín Cerezo tomara un cigarro.

—No me había atrevido a comentarle nada hasta ahora, Saturnino —dijo Las Morenas, muy delicadamente—. Algunos compañeros me han advertido de que está usted pasando por muy mala racha. Si puedo ayudarlo en algo...

Martín Cerezo se inclinó hacia delante, para prender su cigarrillo. La combustión del tabaco aromó como un incienso pobre el compartimento.

—Nadie me puede ayudar, mi capitán. Soy un inconsolable. Pero se lo agradezco igualmente.

—No diga eso, Saturnino —se empeñó Las Morenas, insistiendo en el nombre de pila—. La vida nos ofrece constantes consuelos. Sólo tenemos que esforzarnos por estar atentos. —Y susurró, pudoroso—: ¿Cómo ocurrió?

Entre las volutas del humo ascendían como cenizas aventadas los añicos del alma de Martín Cerezo.

—Fue una carambola macabra... —masculló con esfuerzo—. Murieron en el parto la madre y la hija. El médico me aseguró que habría podido salvar la vida de la madre si... Pero sus ideas religiosas se lo impedían...

La rabia contenida se deshizo en una pleamar de abatimiento. Le pegó otra calada al cigarrillo, acelerando su combustión; y extrajo del bolsillo de la guerrera un retrato muy manoseado de su esposa, que tendió a Las Morenas con cierto residuo de orgullo. Era, en verdad, una mujer hermosa; o tal vez la hermosease el gesto de quien mira al futuro con insensato optimismo.

—Se la ve tan llena de vida... —musitó Las Morenas.

—Y a mí tan lleno de muerte... —completó, abstraído, Martín Cerezo—. Les envidio mucho a los que creen, porque si yo creyese al menos tendría la esperanza en el reencuentro.

La vegetación que rodeaba la vía arañaba las ventanas con garras carnívoras.

—El reencuentro ocurrirá, Saturnino —lo animó, agarrándolo por el brazo—. Y usted lo disfrutará por toda la eternidad.

Cuando Las Morenas pensaba que iba a echarse a llorar, Martín Cerezo, en cambio, rió incongruentemente, recordando un episodio de su pasado:

—Teresa también tenía mucha esperanza en ese reencuentro —dijo—. Y yo me burlaba de ella, trayendo a colación aquel pasaje del Evangelio, el de la trampa saducea, cuando Cristo describe cómo será la vida eterna: «Ni ellos tomarán mujer ni ellas marido, sino que serán como ángeles en el cielo». ¿Y qué vamos a hacer por toda la eternidad, chiquilla, sin poder tomarnos?, le decía yo, bromeando. ¡Menudo aburrimiento! Y Teresa se enfurruñaba...

Ahora sí lloró, en silencio, como si se vaciara por una esclusa abierta. Las Morenas probó a consolarlo:

—Pero es que ese pasaje siempre se interpreta mal, Saturnino —afirmó, con la serenidad de un exégeta—. ¿Qué es lo que los seres humanos buscamos, cuando nos «tomamos» a través del acto carnal? Buscamos ser conmocionados en el alma, eso es lo que buscamos. Buscamos disfrutar, aunque sólo sea por un instante y entre brumas, del cielo. Y, en vida, eso sólo podemos hacerlo de forma muy limitada y defectuosa, a través del bajo vientre. Lo que quiere decir ese pasaje es que una vez resucitados, podremos penetrar hasta en lo más impenetrable del alma del otro sin necesidad de «tomarnos» defectuosamente, como hacemos en nuestra vida mortal. —Martín Cerezo lo miró de hito en hito, transportado por un instante por esa visión, mientras las ramas que arañaban las ventanillas le susurraban que era locura—. En ese reencuentro todo nuestro cuerpo se vuelve transparente y penetrante... Todos los miembros de nuestro cuerpo, todas nuestras vísceras, la maraña de venas y arterias, cada célula de nuestro cuerpo se unirá en una armoniosa pulsación con cada célula del cuerpo amado, hasta fundirse las almas en el mismo retozo. ¿Me sigue?

Martín Cerezo lo miró con asombro, casi con miedo:

—Es difícil de entender...

—Y tanto. ¡Como que nosotros no lo podemos entender! Tendremos que vivirlo, y sólo entonces lo entenderemos. Pero alguna vez los poetas han intentado explicarlo. —Se esforzaba por mantener la exultación, tratando de arrastrar al teniente—. ¿Conoce el romance del Conde Niño?

Martín Cerezo se tragaba ansioso el humo del cigarrillo, dejando que anegase cada célula de sus pulmones y que se repartiese por la maraña de venas y arterias, que adormeciese sus vísceras y su alma dolorida, como una nostalgia de la resurrección de la carne. Murmuró avergonzado:

—Es que yo no he leído mucha poesía, mi capitán.

Las Morenas, resuelto, abrió la portezuela del compartimento y sacó la cabeza al pasillo. Voceó:

—¡Chamizo! ¿Recuerda usted el romance del Conde Niño?

El soldado salió como una exhalación, sonrojado, y se cuadró ante el oficial, para reconocer que, en efecto, lo recordaba a la perfección. Las Morenas se regocijó; y le pidió, en honor de Martín Cerezo:

—¿Podría recitarnos el final, después de que los dos enamorados hayan muerto?

Las Morenas se sentó otra vez, fumando demoradamente, mientras Chamizo se aclaraba la voz, sin comprender a qué se debía aquella petición estrafalaria, y recitó:

—De ella nació un rosal blanco,
de él nació un espino albar;
crece el uno, crece el otro,
los dos se van a juntar.
Las ramitas que se alcanzan
fuertes abrazos se dan,
y las que no se alcanzaban
no dejan de suspirar.
La reina, llena de envidia,
ambos los mandó cortar;
el galán que los cortara
no cesaba de llorar.
Della naciera una garza,
dél un fuerte gavilán.
Juntos vuelan por el cielo,
juntos vuelan a la par.

Martín Cerezo había vuelto a llorar pudorosamente, mientras Chamizo recitaba con voz muy sentida el romance; pero ahora sus lágrimas eran lentas y difíciles, como si estuviese exudando un veneno que se le hubiera pegado como brea en las ruinas calcinadas de su alma.

—Muchas gracias, Chamizo, es usted un pozo de sabiduría —dijo Las Morenas, tendiéndole la pitillera—. Cójala, hombre, y fúmeselos con la señorita Garzón a mi salud. Puede retirarse.

Chamizo obedeció cariacontecido y Las Morenas volvió a cerrar la portezuela, para reducir el estrépito del traqueteo. El tren atravesaba ahora un claro en medio de la selva y las ramas de los árboles habían dejado de arañar el alma maltrecha de Martín Cerezo.

—No sabe cuánto se lo agradezco, mi capitán... —comenzó.

—No tiene nada que agradecerme, Saturnino. Agradézcaselo a Chamizo, que se sabía el romance de memoria. —Lo miró entre las volutas azules del humo, que parecían danzar también exultantes en su derredor—. Aunque la muerte haya intentado apartarla, su esposa seguirá volando a la par con usted, Saturnino, por toda la eternidad. Recuérdelo: la garza y el fuerte gavilán siempre juntos, por mucho que la muerte, que es una reina llena de envidia, trate de evitarlo.

Y Martín Cerezo cerró los ojos, rendido por el cansancio o mecido por una brisa de beatitud. Esa misma brisa de beatitud se la llevó Chamizo a su compartimento, donde al entrar sobresaltó a Guicay, que se había levantado para coger un pañuelo de su *tampipi*. Cayó el *tampipi* y se volcó su contenido sobre el suelo; entre los mil adminículos que componen el recado de una mujer, Chamizo reparó de inmediato —por deformación profesional o hábito de alma— en un libro. Leyó en la portada el título y el nombre de su autor: *Noli me tangere*, de José Rizal. Apenas unos minutos antes, cuando lo tenía sentado frente a sí como un estafermo, contemplándola embobado e incapaz de hilvanar una sola frase coherente, Guicay había imaginado que Chamizo era analfabeto, como casi todos los soldados; pero después de oírlo recitar el romance del Conde Niño había cambiado por completo su primera y superficial impresión. Cuando Chamizo se abalanzó sobre la novela y comenzó a hojearla ávido, Guicay tembló.

—¡Me muero por leer este libro! —exclamó Chamizo—. ¿Dónde lo ha conse...?

Pero antes de que pudiera concluir su pregunta, Guicay ya había reaccionado, abalanzándose sobre él para taparle la boca con la mano.

—¿Está loco? —le reprochó, en un susurro—. Si los oficiales se enteran, me fusilan aquí mismo. —Chamizo, ofuscado por la proximidad de la muchacha, hizo un gesto de entendimiento—. Prométame que no dirá ni pío.

Chamizo asintió profusamente; pero cuando Guicay le retiró la mano de su boca y recompuso la figura, apartándose púdicamente de él, pensó que debería haber diferido un poco más su promesa. Para espantar el acecho del deseo, volvió a hojear la novela de Rizal:

—Se lo prometo, no se preocupe —dijo—. Aunque, la verdad, no me imagino al capitán Las Morenas fusilándola. No es un oficial al uso.

El pecho de Guicay, bajo la chambra vaporosa, todavía palpitaba como un pajarillo que aguanta en su jaula el asedio de un depredador.

—Tampoco usted parece un soldado al uso...

Lo halagó su comentario. Quiso prolongar aquella placentera magia:

—¿Por qué?

—Sabe recitar romances. Sabe quién es Rizal. ¿Le parece poco?

—Tal vez demasiado —ironizó Chamizo—. Y todo para ser un simple maestrillo, que es el oficio más despreciado del mundo. Pero hablemos de usted. Ha dicho que se llama...

—Guicay —dijo, con timbre de orgullo—. Significa algo parecido a Rosalía. Lo heredé de mi madre.

Se hizo un silencio macizo y luctuoso, y Guicay dejó vagar la mirada por la ventanilla. Su perfil se recortaba sobre el cielo y luego se fundía con la vegetación lujuriante. Chamizo, muy propicio a este tipo de ensoñaciones contemplativas, la imaginó como un retrato de Arcimboldo, cada circunstancia de su rostro súbitamente transformada en una hoja, en un fruto, en una flor. Desde un originario esplendor primaveral, Chamizo imaginó su lenta y soberbia maduración, hasta alcanzar una gloriosa sazón de otoño tibio. Toda esta imaginada metamorfosis de Guicay se sucedió en segundos, pero Chamizo sintió insensatamente la necesidad de quedarse a su lado durante años o décadas o siglos, para verla madurar y envejecer, para madurar y envejecer juntos a la par.

—Murió de tifus cuando yo era muy niña —proseguía Guicay, pesarosa—. Sólo recuerdo su sonrisa. Pero mi padre nunca ha dejado de contarme cosas sobre ella. —Hizo una pausa y recuperó la jovialidad—. ¡Mi padre sí que es un hombre excepcional!

—Sin conocerlo ya puedo imaginarlo, viéndola a usted —se atrevió Chamizo, galante.

Guicay se rió sin ambages. Pero enseguida recordó que enseñar los dientes ante desconocidos era una vulgaridad y se reprimió:

—No diga tonterías. Yo sólo soy una mujer filipina.

Pero Chamizo había visto sus dientes, su llamada indescifrable, su incitación carnal o carnívora.

—¿Y cómo es la mujer filipina? —siguió atreviéndose.

—¡Ah, eso debería preguntárselo a los muchos europeos que acaban a los pies de las hijas de este país! —se burló Guicay—. Algunos dicen que esto ocurre por debilidad de ellos y porque nosotras somos dominadoras. Falso de toda falsedad. La fuerza de la mujer filipina está en su humildad. Nada desarma tanto el carácter como la obediencia; y nadie nos domina más que quien lo hace con una dulce sonrisa de resignación. En esto la mujer filipina se muestra mucho más inteligente que la europea, que piensa que podrá dominar poniéndose como un basilisco. —Le lanzó una dulce sonrisa, exacta a la que acababa de describir—. Y, desde luego, la mujer filipina tiene mucho más desarrollado el espíritu de observación: nadie como nosotras sabe calar al que tiene enfrente.

Chamizo se sintió escudriñado, horadado por dentro, como iluminado en sus entretelas y pensamientos más secretos. Para espantar la impresión de estar siendo fiscalizado dijo:

—Me decía que su padre es un hombre excepcional...

—Ya tendrá ocasión de comprobarlo cuando lleguemos a Tarlac. —Guicay hablaba con tan rendida admiración de su padre que ni siquiera se molestaba en explicar sus razones—. La novela de Rizal se la tomé prestada a él. Juraría que es el único español en Filipinas que mantiene un ejemplar del *Noli me tangere* en su biblioteca.

Chamizo había empezado a hojear el libro:

—A Madrid llegaron en su día algunos ejemplares de matute, pero nunca cayó uno en mis manos... ¿Y de qué trata, si puede saberse?

Guicay hubiese preferido que Chamizo devolviera el libro a su *tampipi*, o incluso que lo guardase en su petate si deseaba leerlo, pero no quiso delatar su desasosiego:

—De muchas cosas a la vez —respondió—. En resumen, es una novela sobre lo que está mal en Filipinas y debe cambiarse. Incluso dedica un capítulo a la enseñanza, dando voz a las quejas de un maestro.

—¿En serio? —Chamizo se mostraba cada vez más interesado—. ¿Y qué dice?

—Por un lado, denuncia la existencia de una niñez sin aliciente ni estímulo; por otro, la carencia de medios de la escuela filipina.

Guicay no se había atrevido a revelar a Chamizo que ella también tenía la vocación de enseñar al que no sabe, aunque no tuviera todavía título oficial; pero esperaba que él lo descubriera sin necesidad de declarárselo. Tal vez pecase de optimista, pues sabía que el hombre —en especial el *castila*— es poco observador.

—Con razón dice el refrán: «De tal palo, tal astilla» —dijo Chamizo—. Esos males que denuncia Rizal son endémicos de la escuela española.

—También se queja de que la autoridad del maestro se ponga en duda, de que se le nieguen prestigio, buen nombre y fuerza moral —continuó Guicay—. Y de que, cuando trata de introducir reformas, se burlen de él.

Chamizo se rió, sarcástico:

—Y del sueldo que apenas da para vivir, ¿de eso no dice nada?

—De eso también —aseguró Guicay—. Y todo hace que, al fin, el maestro de la novela le coja aversión a su trabajo, porque se convierte en un diario martirio. Y que la escuela sea la cárcel que le recuerda cada día su desengaño.

El tren se había adentrado de nuevo en un tupido túnel formado por la vegetación. La sombra se derramó sobre Chamizo, como un chapuzón de fracaso:

—Y así, desengañados, nos convertimos en muertos prematuros —murmuró.

Guicay trató de levantar su ánimo:

—Pero al maestro de Rizal el desengaño le sirve para estudiar todo lo relacionado con su carrera. Descubre, por ejemplo, que los azotes, lejos de contribuir al aprendizaje del niño, lo retardan considerablemente.

Entre la oscuridad proyectada por la vegetación, las facciones de Guicay se fundieron con las de aquella difunta Rocío Cuevas que se le apareció, transfigurada en una mancha de humedad, en el techo de la habitación de una astrosa pensión madrileña. A Chamizo lo recorrió un escalofrío; y se preguntó si el cielo no le habría concedido disfrutar de una segunda oportunidad.

—No se puede enseñar mediante el miedo, Guicay. —Le rozó muy levemente el cabello que caía sobre sus pechos—. Usted también quiere ser maestra, ¿verdad?

Guicay no respondió; pero en la sombra sonrió, como si acabaran de quitarle un gran peso de encima, halagada de que Chamizo la hubiese observado por dentro, como ella hacía con él. Cerró los ojos, para prolongar el calambre que el roce de los dedos de Chamizo sobre su cabello le había provocado.

—Rizal sostiene que, cuando un niño es azotado, halla un consuelo miserable en que los demás también lo sean —dijo.

—Pues tiene más razón que un santo Rizal. Y lo que hacen los azotes en los niños lo hacen las injusticias de los gobiernos en los pueblos —afirmó Chamizo, tirando por elevación y por no ensimismarse en las calamidades de su gremio—. ¿Cómo consiguen los gobiernos que la gente no se rebele cuando la saquean, o cuando la reclutan para la guerra, dejando a los padres sin hijos? Pues lo consiguen porque la gente se consuela miserablemente pensando que ese mal lo comparte con sus vecinos. Nos convierten, sin que nos demos cuenta, en alimañas que se alegran del mal ajeno.

Guicay se maravilló de que, apenas unos minutos antes, hubiese tomado a Chamizo por un cuitado. Alguna vez había escuchado a su padre alguna reflexión similar, en torno al sustrato de resentimiento que funda el orden político moderno. Imaginó a su padre y a Chamizo enzarzados en ameno coloquio; y fue como una anticipada delicia que quiso borrar pronto de la mente, para no hacerse esperanzas vanas.

—El caso es que los métodos novedosos de este maestro de Rizal son enseguida perseguidos —concluyó Guicay—. Los padres de sus alumnos lo acusan de tener poco carácter, diciéndole que si ellos no hubieran recibido azotes, no habrían aprendido nada. De modo que el maestro de Rizal termina dando azotes otra vez a los niños, por petición de sus padres.

La tristeza había ido erosionando sus palabras. Ahora era Chamizo quien trataba de levantarle la moral:

—Yo les habría zurrado a los padres, si tan partidarios eran de los azotes... Pero usted, Guicay, si alguna vez se hace maestra, no pegue azotes nunca. Así, al menos, seremos dos. La unión hace la fuerza.

La miró por primera vez a los ojos, dos lumbres inquisitivas y expectantes en la sombra. Guicay advertía en Chamizo una inclinación creciente, perceptible en esos sutiles detalles de los que el amor se sirve para manifestarse discretamente cuando empieza a surgir, o cuando por impedimentos o convenciones sociales no le es permitido mostrarse sin ambages: un roce de manos, una mirada furtiva, una huidiza sonrisa.

—Puede quedarse con el libro, Juan —le dijo, como muestra casi suicida de confianza—. Con la promesa de que me lo devolverá, por supuesto. Creo que mi padre se disgustaría mucho si ese libro desapareciese de su biblioteca.

—Se lo prometo —aseguró Chamizo. Atarse así a su palabra ante Guicay le provocaba un cosquilleo gozoso—. Puede estar segura de que se lo devolveré.

—Si lo hace, consideraré que es usted el hombre más fiable del mundo. Todavía no he conocido a nadie que devuelva los libros que le prestan.

Había algo de reto y de donosa prueba en el compromiso de devolverle el libro. Chamizo supo entonces que Guicay se lo había prestado precisamente con ese propósito.

—Y además de devolvérselo —dijo, como quien redobla una apuesta—, prometo regalarle un ejemplar del primero que escriba yo.

No extrañó demasiado a Guicay aquella revelación. Preguntó con alborozo:

—¿Luego escribe usted?

—Hago mis pinitos —respondió Chamizo, reculando un tanto, tras el alarde inicial—. Algún día espero hacerlo medianamente bien. Entonces tal vez le lea algún poema; pero no hasta entonces.

Guicay hubiese deseado conocer también sus escrituras incipientes, sus poemas de aprendiz, sus balbuceos emborronados, porque amar es conocer, pero no quiso precipitarse ni forzarlo:

—Que sea cuando usted lo desee —dijo con esa obediencia de la mujer filipina que sirve para dominar al hombre—. Me encantará escucharlo.

Volvió de nuevo la luz al compartimento y el traqueteo del tren se hizo menos retumbante, porque le faltaba la pantalla de la vegetación que lo hacía reverberar. Quedaron silenciosos ambos, con los oídos llenos todavía de aquel reverbero y del chirriar de las ruedas sobre los rieles, mirándose casi a hurtadillas. Detrás de los postes del telégrafo y de los alambres que adquirían reflejos cobrizos a la luz del sol, la sierra se extendía como una alfombra que Dios fuese desplegando a su paso premiosamente, sin tiempo para alisarla. Fue Guicay quien tomó otra vez la iniciativa:

—Y, dígame, Juan, ¿cuándo empezó a escribir?

—Creo que desde que tengo memoria —se ruborizó Chamizo—. Pero siempre me ha faltado perseverancia. Y soy un desastre para la técnica.

Guicay se inclinó hacia él, para que la trepidación del tren no apagase su voz:

—¿De veras piensa que la técnica es tan importante?

Lo estaba mirando con algo de sorna; y de nuevo se sintió escrutado por dentro, y un poco ridículo.

—Puede que no... —balbució—. En realidad no lo sé.

—Yo creo que a la técnica se llega naturalmente, más tarde o más temprano... siempre que no falte sensibilidad —dijo Guicay, incisiva.

Chamizo estaba desarmado ante ella. Y sólo deseaba entregarse y ser dominado, dulcemente dominado:

—Sin embargo —opuso, para que la cesión no fuese completa—, a veces es horrible sentir y ser incapaz de expresar lo que uno siente. A veces una idea nos ilumina, la alimentamos durante meses, pero no podemos darle forma definitiva porque carecemos de la técnica necesaria para formularla. Es... —buscó el símil idóneo— como abrir una botella de cerveza que ha sido antes sacudida y ver cómo su contenido se vacía, convertido en espuma, sin que tengamos a mano un vaso para poder recogerla. No sé si me explico bien.

Guicay se echó a reír otra vez; y ahora mostró sus dientes sin rebozo, y se compuso el cabello con la mano, o más bien se lo descompuso, esparciendo por el compartimento un aroma de almendro florecido.

—Siempre nos queda el recurso de beber a morro de la botella, ¿no le parece? —le preguntó con algo de descaro, disfrazándolo de candidez.

—¿A morro? —Chamizo se sonrojó, como si la expresión contuviera alguna insinuación lúbrica—. Supongo que a veces no queda otro remedio...

—Y a veces es el verdadero remedio —remachó Guicay, prolongando todavía su carcajada.

Chamizo se sabía a su merced. No enmudecía para que esa rendición no fuese demasiado ostentosa:

—Pero el hábito de trabajo, la perseverancia, es lo más importante. Para llegar a alguna parte como escritor hay que convertirse en esclavo.

Guicay se puso súbitamente seria:

—Y no sólo como escritor, Juan. Quien desea algo de verdad tiene que dejarse esclavizar. La cuestión estriba en saber elegir el amo que nos esclavice. —En su tono había casi una reconvención, pero Chamizo, si hubiese sido preguntado en ese instante, no habría tenido dudas en designar a su ama—. Todos los hombres que han dejado huella de su paso por el mundo han sido esclavos de su vocación y de sus ideales; hay que darlo todo por aquello en lo que uno cree. La libertad es para los flojos. La esclavitud y el sacrificio para los fuertes.

Eran pensamientos que le había transmitido su padre; y pensaba que Chamizo sería su mejor destinatario. Él sólo deseaba encadenarse a Guicay, dejarse dominar por aquella hija del país. Como se había quedado sin palabras, tenía que recurrir a las frases de cortesía:

—¿Y conoce usted España?

—Todavía no. ¡Pero cómo me gustaría! —dijo ella, ensoñadora—. Sobre todo Madrid. Tengo unas ganas locas de viajar en tranvía.

Ahora que lo había rendido, Guicay podía permitirse el lujo de mostrarse niña, ilusionada por nimiedades. Chamizo sintió un viento de júbilo dentro de sí:

—No es muy distinto de viajar en tren, no se crea —la informó—. Ahora acaban de empezar a circular por Madrid tranvías eléctricos que poco a poco van sustituyendo a los tirados por mulas.

—¿Eléctricos? —se sorprendió Guicay—. ¿Y cómo funcionan?

—Pues con una pértiga de hierro llamada trole, que transmite la corriente del cable conductor al tranvía, por medio de una polea. El trole está fijo en el techo del tranvía y ¡menudos chispazos suelta! —explicó Chamizo, sin demasiadas esperanzas de resultar inteligible—. Pero los tranvías son cada vez más incómodos. Van siempre abarrotados...

Guicay le llevó la contraria con gran alboroto:

—¡Pues muchísimo mejor! Sobre todo para alguien que desea ser escritor como usted. Cada viajero es un mundo. Y un tranvía abarrotado es como una novela que está esperando ser escrita... ¡Seguro que alguna vez ha jugado a inventarse la biografía de su compañero de asiento!

Chamizo hizo un gesto de vago asentimiento. Probó a resistirse:

—Psssss... Puede que alguna vez lo haya intentado...

—¡Mentiroso! —lo cortó Guicay, jovial—. Confiese que lo hace constantemente. Y siempre con mujeres, ¿a que sí?

El traqueteo del tren se ensordeció, como si de repente se deslizara limpiamente por una superficie pulida y algodonosa. Chamizo se quitó la última careta:

—Así es, Guicay, así es. ¿Para qué ocultárselo? —Hizo un mohín resignado—. Entro en el tranvía, miro en derredor y elijo a cualquier muchacha que ni siquiera ha reparado en mí... —Le faltó confesar que se buscaba insistentemente en la mirada de esas muchachas, que leía en sus labios el anhelo de otros labios, que imaginaba el tacto húmedo y cálido de esos labios, hasta que en las apreturas del tranvía alguien le sacudía un pisotón o un codazo—. Entonces me hago una promesa: si la mujer elegida desciende en la misma parada que yo, la seguiré hasta su casa, la cortejaré y le escribiré cartas arrebatadas, hasta hacerla mi amante... Pero el azar nunca me favorece. Así que me quedo compuesto y sin novia.

Guicay había vuelto a jugar con el cabello entre sus manos. Se llevó una guedeja a los labios, que Chamizo también imaginaba húmedos y cálidos:

—¿Sabe lo que le digo, Juan? —lo interpeló, provocadora—. Sospecho que usted no ha estado nunca enamorado de una mujer de carne y hueso. Tal vez sí de mujeres soñadas, pero nunca de una mujer real.

—Tal vez lo que me pasa es que estoy enamorado del amor —reconoció él, algo humillado. Pero era una humillación placentera, en cualquier caso.

—O tal vez —completó Guicay—, para enamorarse de verdad, necesita que una mujer baje en su misma parada.

La locomotora resopló al internarse de nuevo entre la vegetación; el penacho de vapor de su chimenea se quedó enredado entre la enramada, como vedijas de lana. Ya no dijeron nada más, ya nada necesitaban decirse. Desde el vagón de los soldados llegaba una musiquilla de fandango que Salvador Santamaría rasgueaba en la bandurria rescatada del estropicio de la Tabaquería. Entre palmas e interjecciones de ánimo, sonó su desgarrada voz de gitano apócrifo o verídico:

—Aunque tú no lo sepas,
tengo una bala
con el nombre grabado
de una tagala...
De una tagala, niña,
de una tagala,
con el nombre grabado
tengo una bala...

Chamizo miró a Guicay con una insistencia que era casi desfachatez y luego sus labios se fueron detrás de su mirada. Pero no sólo quería llegar a su cuerpo, sino también penetrar en la persona que había en ella; esa persona con la que había entrado en dulcísimo contacto desde que la viera en la estación de Manila y en la que ya quería cobijarse para siempre. Y todo su anhelo, mientras la besaba —con la novela de Rizal súbitamente abandonada en el suelo, como el *tampipi* que ella había sostenido hasta un segundo antes en el regazo—, era que la persona de ella entrase también en él, que se prendiera en él e hiciese dentro de él su nido. Y sintió un deseo estallante, intrépido, que se repartía por su sangre, por sus venas y arterias, por cada víscera y cada célula de su cuerpo y de su alma, para fundirse con ella en un mismo vuelo, juntos a la par.

4

Sor Lucía repartió entre los niños las hojas de plátano que Moisés le acababa de cortar con gran pericia, en cuyo reverso, cubierto de un vello fino y suave como el terciopelo, se podía escribir divinamente. También se había encargado Moisés de confeccionar las plumas, cortando cañas con una celeridad pasmosa, primero con bolo para arrancarlas de la mata y luego con una navajuela para darles la forma buida idónea para escribir. Y, en fin, la tinta que se les había repartido a los niños en pequeños frascos la había obtenido igualmente Moisés, extrayéndola de los frutos maduros de un arbolito o arbusto llamado espinillo blanco, cuyo jugo, mezclado con un poco de alcaparrosa, daba un negro brillante y duradero. Nunca dejarían de sorprenderle los recursos de aquel joven mestizo, su ingenio, creatividad y disposición constantes, que lo mismo le servían para despachar en un periquete un montón de recados que para abordar sin desmayo tareas de carpintero o ebanista, albañil o alfarero que en cualquier otra persona habrían demandado un aprendizaje de meses o de años. Pero todas estas habilidades y destrezas de Moisés palidecían comparadas con su disposición natural para el arte, igual para el dibujo que para la escultura, y muy especialmente para la talla de imágenes y relieves en madera, en la que alcanzaba logros de virtuoso, aunque de un primitivismo sin artificio que al virtuoso le está vedado.

Sor Lucía había conocido al joven Moisés recién llegada a Baler con las demás hermanas de su comunidad, dispuestas a fundar una escuela. Cuando todavía no se habían instalado, los lugareños acudieron en comitiva, ofreciéndose a trabajar gratis en la erección del *bahay* que les serviría de residencia. Como homenaje de bienvenida, les regalaron además un Cristo crucificado tallado en madera, con los brazos a escuadra y unos rasgos entre románicos y totémicos, con los ojos bizantinos, los pómulos picudos y una barba campesina que daba gloria verla; estaba, además, policromado con tinturas naturales que le daban un aire de truculencia ingenua, con goterones bermellones manando como estalactitas de los clavos, las espinas de la corona y la lanzada en el pecho. El regalo se lo entregó el propio tallista, aquel Moisés que andaría entonces por las diecisiete o dieciocho primaveras, flaco como una cerbatana y muy espigado, al menos para lo que se estila entre los tagalos; era un joven introvertido, algo atormentado por la erupción de la edad núbil, que en él se manifestaba con más pelambre que en sus coetáneos, puesto que era mestizo. A sor Lucía y a las demás hermanas les gustó tanto aquel Cristo de tamaño casi natural que decidieron ponerlo presidiendo la escuela; y presidiéndola seguía desde entonces, superviviente del asalto a Baler perpetrado por los insurrectos al mando de Novicio, que le había dejado el cuerpo salpicado de balazos. A Moisés, el artífice de la talla, quiso conocerlo sor Lucía un poco mejor, al principio por el interés de aprovechar sus mañas para labores domésticas, pero enseguida atraída por el caudal de tesoros que escondía su vida interior.

Moisés era huérfano. A su padre (que sor Lucía imaginó que sería uno de esos puntos filipinos llegados desde la península en busca de fortuna) no lo había conocido jamás; y su madre acababa de morir cuando las hijas de la Caridad llegaron a Baler, víctima de unas fiebres mal curadas. Desde entonces, Moisés vivía con una tía suya, soltera y medio ciega, a la que asistía en todo, procurándole además sustento con los jornales que conseguía en las sementeras o haciendo chapucillas en los *bahays* de los balereños, que lo contrataban sabiendo que era un manitas, además de un joven fiable. Así pudo comprobarlo la propia sor Lucía, en cuanto le encomendó un par de faenas en la escuela; pero lo que la decidió a acogerlo bajo su tutela fue su carácter, que bajo una coraza de retraimiento escondía una vibración luminosa ante las cosas bellas de la vida. Aquel carácter escondido de Moisés recordó a sor Lucía el carácter de fray Cándido, su confesor durante los años de noviciado en Manila, un hombre que cuando se conocieron todavía estaba convaleciente de alguna sanción eclesiástica, pero que escondía un venero de humanidad contagiosa, deseoso de brindarse. Moisés, además (y en esto se distinguía de fray Cándido), tenía un talento natural para el arte religioso que sor Lucía se propuso estimular y encauzar, para que no se dilapidase ni desalentase. Nadie había enseñado a Moisés a tallar la madera; nadie lo había instruido en los rudimentos de la doctrina, fuera de las prédicas que hubiese escuchado a los frailes que se habían sucedido en la parroquia de Baler; y, desde luego, nadie había formado (ni deformado) su gusto estético. Todas sus dotes de artista parecía haberlas recibido por ciencia infusa, impresas en los paisajes más recónditos de su alma; y de cualquier tarugo amorfo de madera era capaz de extraer su oculta belleza, fijándola para siempre con la gubia y el escoplo, en tallas sin artificio, de un primitivismo ingenuo y arrebatado, que parecían directamente paridas por la tierra pero que eran emanaciones del alma de Moisés, fecunda y hospitalaria como la propia tierra.

Moisés se había convertido pronto en el pupilo predilecto de sor Lucía, con la que compartía sus anhelos más recónditos y a la que con frecuencia solicitaba consejo, ante las encrucijadas que la vida le iba poniendo, a modo de zancadillas o enseñanzas. Gracias a Moisés, las hermanas de la Caridad habían podido levantar el *bahay* aledaño a la escuela, luego devorado por las llamas en el asalto de Novicio; y, gracias a Moisés, sor Lucía había logrado, después de que Novicio la devolviese a Baler, poner en funcionamiento otra vez la escuela, a la que tres meses de abandono habían dejado en un estado deplorable. Muchos de los utensilios, libros y demás materiales se habían deteriorado, desde que sor Lucía y el resto de hermanas fueran tomadas como rehenes; y los que la incuria no había deteriorado, habían sido destruidos por las lluvias, o simplemente se habían desvanecido, pasto de ladrones o de urracas. Pero el mismo día en que sor Lucía regresó a Baler, se presentó ante ella Moisés y, después de abrazarla entre lágrimas celebrando su salvación, le preguntó con su habitual laconismo:

—¿Y por dónde empezamos, hermana?

Empezaron por acondicionar un pequeño habitáculo al fondo de la escuela, para que sor Lucía pudiera dormir, con un jergón no muy cómodo (pero sor Lucía era poco amiga de comodidades, y los tres meses de andanzas selváticas habían acabado con su nostalgia por las camas muelles) y una mampara de nipa que servía para aislarlo del espacio donde todavía se mantenían una docena de pupitres, algunos cojitrancos, otros comidos por el caronjo y la humedad, pero todavía en pie, después de que Moisés los reparase y volviese a clavetear. Cada vez que sor Lucía echaba algo de menos Moisés se las ingeniaba para proporcionárselo; o si proporcionárselo resultaba imposible, pergeñaba enseguida un sucedáneo que hiciese más llevadera su falta. Y así, en apenas una semana, sor Lucía pudo poner en marcha otra vez la escuela, para alegría de los balereños, que a su regreso la habían acogido con redoblada hospitalidad, compartiendo con ella lo poco que tenían. Para completar todavía más su ayuda providencial y generosa, Moisés, que era uno de los pocos balereños que hablaba medianamente bien el español, se había prestado a oficiar como auxiliar en la escuela, traduciendo en ocasiones a sor Lucía, que hablaba el tagalo medianamente mal, pese a todos sus sinceros esfuerzos por aprenderlo. Por algo se dice que el Espíritu sopla donde quiere; y a sor Lucía no le había soplado el don de lenguas.

—*Magandang umaga*. Buenos días, niños —voceó sor Lucía, entre la bulla de la chiquillería que se disputaba los pupitres—. Hoy estudiaremos el cuarto día de la Creación.

Eran en total treinta o cuarenta niños de las más diversas edades, todos necesitados de la instrucción más elemental. Sobre una corteza de molave que hacía las veces de encerado, Moisés iba escribiendo con las tinturas que empleaba para policromar sus tallas un vocabulario rudimentario: *Langit* (cielo); *Araw* (día); *Gabi* (noche); *Taón* (año); *Lupà* (tierra); *Arao* (sol); *Bouan* (luna); *Bituin* (estrella); *Illaw* (luz); *Kadiliman* (tinieblas); y otras parecidas.

—Las palabras que os está escribiendo Moisés es el vocabulario que estudiaremos hoy —indicó sor Lucía—. Y a todas esas palabras hay que sumar otra que ya conocemos de días anteriores. A ver, ¿cómo se dice Bathala en la lengua de los *castilas*?

La chiquillería coreó:

—¡Dios!

Sor Lucía asintió satisfecha y cruzó una mirada de connivencia con Moisés, para que se aprestara a traducir al tagalo el fragmento del Génesis que iba a recitar a los niños:

—Y dijo Dios: «Existan lumbreras en el cielo, para separar el día de la noche...».

Se detuvo porque le había parecido escuchar el trote parsimonioso de un caballito acercándose a la escuela. Enseguida el trote se volvió nítido; y sor Lucía escuchó una voz que hizo que su corazón brincase de gozo en el pecho.

—Por fin volvemos a vernos, Luscinda.

Seguía tan nervudo y atezado como siempre, aunque tal vez hubiese engordado un poco, después de la dieta agreste y las caminatas por la selva durante más de tres meses. Novicio montaba el caballito con gran donosura, al estilo tagalo, metiendo tan sólo el dedo gordo de los pies en el estribo. Aunque no llevaba armas, vestía una casaca militar de procedencia dudosa.

—¡Teodoro! —lo saludó sor Lucía, alborozada—. ¡Dichosos los ojos que le ven! Ya pensaba que no vendría a visitarme...

En realidad, apenas había transcurrido un mes desde que se separaran, a las afueras de Baler; pero la ausencia de Novicio desconcertaba extrañamente su vida, como en otro sentido la desconcertaba no poder asistir a misa y comulgar diariamente, por falta de párroco, o no poder rezar en comunidad con las otras hermanas. En sus sueños solía aparecer Novicio, como una suerte de ángel rudo que la salvaba de las más peregrinas celadas; en sueños, había vuelto a probar a su lado la carne sin pecado ni espinas, blanca como la pulpa de coco, del caimán; y había vuelto a dormir en sueños con la cabeza reclinada sobre su pecho intrépido, acunada por los latidos de su sangre desbocada; y había vuelto a rezar en sueños con él, puestos de rodillas ambos bajo un cielo azulísimo; y lo había escuchado en sueños repetir aquellas palabras que tanto la habían emocionado en su día: «Gracias, Dios de sor Lucía, por haber creado a esta jodida monja».

—Sería yo un descastado si no volviese a dar siquiera las gracias a mi benefactora y amiga querida —dijo Novicio, desmontando del caballito, cuyas bridas ató a uno de los postes que sostenían el tejadillo del *bahay*.

Habían sido semanas difíciles para Novicio; y también, de otra manera, para sor Lucía, que se había desvelado para que sus paisanos volvieran a acogerlo, después de que el asalto a la comandancia se hubiese saldado con un par de muertos y casi una docena de heridos entre los balereños que se habían incorporado a la partida rebelde. Tras dejar a sor Lucía sana y salva en las inmediaciones de Baler, Novicio se había presentado ante el juez de paz de Casigurán, a tres leguas de allí, declarando que deseaba acogerse al indulto decretado tras la paz de Biacnabató. Obtener el indulto había sido tarea ardua, pues el juez de paz de Casigurán tuvo que solicitar de Manila el envío de formularios, para hacerle el interrogatorio preceptivo en el que se determinase su grado de participación en la rebelión y su sincero arrepentimiento. Novicio tal vez no se arrepintiese de haber participado en la rebelión; pero, desde luego, se arrepentía muy sinceramente de que su participación hubiese provocado la muerte de inocentes, pues ya nunca más podría aceptar que las entelequias y las utopías valiesen una sola vida. Pero estos distingos tampoco cabían en el formulario que el juez de paz de Casigurán le leyó; y puesto que el formulario había tardado más de quince días en llegar por barco desde Manila, Novicio tampoco se quiso perder en especificaciones que dilatasen su indulto. Una vez conseguido, y antes de atreverse a asomar un dedo por Baler, Novicio había querido asegurarse de que las heridas de sus paisanos hubiesen cicatrizado, o siquiera dejado de sangrar; para lo que se había servido de las labores diplomáticas de sor Lucía, que había suplicado para Novicio, *bahay* por *bahay*, el perdón que poco a poco, con mayores o menores reticencias, había al fin conseguido.

—Anda, Teodoro, no te pongas zalamero, que entre nosotros sobran los cumplidos —le dijo campechanamente.

Pues no en vano era el único hombre que la había visto destocada, desde que ingresara en el noviciado. Ahora que sor Lucía se había quedado sin la toca reglamentaria se había puesto un paño de lino blanco muy ceñido sobre la frente.

—Entre nosotros nada sobra ni nada falta, Luscinda —replicó él.

Lo que pretendía significar elusivamente que la vida a su lado, pese a las asperezas y asechanzas de la selva, había sido una vida cabal y plena, como un anticipo del banquete celestial. Se tomaron de las manos, sin atreverse a fundirse en un abrazo; pero sólo con tomarse de las manos sabían que sus sangres estaban anudadas. Al contemplar su rostro de facciones limpias y despejadas, sus ojos grandes como los de un venado y, sobre todo, su sonrisa ancha que desarmaba cualquier reticencia, Novicio recordó aquella expresión cervantina puesta en boca del morisco Ricote: «Es tan dulce el amor de la patria». Porque sor Lucía era su patria; y ya no podría soportar una condena al ostracismo.

—Si tuviéramos que estarnos agradeciendo todo lo que el uno le debe al otro y viceversa, andaríamos el día entero con reverencias y cortesías —bromeó sor Lucía. Luego se volvió hacia Moisés, que permanecía circunspecto, y los presentó—: Moisés, este señor es Teodorico Novicio, del que tanto te he hablado.

Moisés lo miró, a la vez amedrentado y reverencioso:

—Es un honor, señor Novicio. —Y se inclinó, con respeto—. *Kinagagalak kong makilala ka.*

Al escuchar su nombre se extendió un cuchicheo entre los niños de la escuela, que se volvieron en sus pupitres y se quedaron estupefactos, como si se les hubiese aparecido un héroe mitológico, o tal vez un ogro que fuese a descargar sobre ellos su ira, más terrible que el trueno. Novicio inclinó también la cabeza ante Moisés y leyó las palabras escritas en la corteza de molave:

—Me alegra que les esté enseñando a los niños a hablar español, Luscinda —dijo Novicio, muy ufano—. Sin monsergas religiosas, como debe ser.

Lo había dicho para provocarla, por supuesto. Echaba mucho de menos enzarzarse con ella en disputas teológicas, echaba de menos ponerla en el disparadero con sus pullitas irreverentes y, sobre todo, echaba de menos ser derrotado (o dejarse derrotar) dialécticamente por sor Lucía. Nunca pudo imaginarse que tal cosa fuera a despertarle añoranza.

—Se equivoca, Teodoro —se le encaró sor Lucía—. Les estaba comentando el relato de la Creación, según se cuenta en el

Génesis. Hoy nos tocaba el día cuarto; pero sospecho que hasta Dios se hubiese tomado un día de descanso antes de llegar al séptimo, si se le hubiese presentado un réprobo tan tozudo como usted.

No hace falta añadir que a sor Lucía le ocurría lo mismo que a Novicio: necesitaba aquellas contiendas como el respirar, con un placer casi culpable que tal vez le convendría confesar, cuando volviesen a tener párroco en Baler.

—¡Siempre adoctrinando a los niños! —se encendió Novicio—. Ya que se pone a contarles cuentos sobre la creación del mundo, podría al menos contárselos tal como lo hace la religión ancestral de los tagalos.

Los niños no entendían ni el sentido ni el significado de su porfía, pero Moisés había esbozado una sonrisa traviesa y los niños lo imitaban. Sor Lucía puso los brazos en jarras, sarcástica:

—¿Y cómo lo explica su... «religión ancestral», si puede saberse, señor Novicio?

Había recalcado con un énfasis belicoso el tratamiento y el apellido, para que Novicio advirtiera que se habían acabado los chicoleos y las contemplaciones.

—Pues lo explica de una manera mucho más hermosa, hermana —empezó Novicio, retirándole el mote cervantino. Carraspeó, como si se aprestara a soltar una arenga—: Al principio de los tiempos, sólo existían el mar y el cielo...

—¡Arrea constipado! —lo interrumpió sor Lucía—. ¿Y quién había creado el mar y el cielo?

Novicio frunció el ceño, un tanto exasperado. Se salió por la tangente:

—Habían surgido de la nada.

—De la nada sólo puede surgir la nada, Novicio. A ver si repasa un poco los fundamentos de la física.

Sin pretenderlo, Moisés soltó una risa que sonó como una pedorreta. Y aunque se esforzó por adoptar otra vez una actitud grave, los niños de la escuela se sumaron al despiporren.

—Déjeme ahora de físicas que sólo le estoy contando un mito, hermana —se atrincheró Novicio—. Pues como iba diciendo, al principio sólo existían el mar y el cielo. Entonces apareció en el cielo un milano...

—Nacido de la nada milana —volvió a interrumpirlo sor Lucía.

—Un milano que, cansado de tanto volar y no teniendo ningún sitio donde posarse, tomó agua del mar en su pico y la lanzó contra el cielo. El cielo se enfadó, porque pensó que el mar le había escupido y, lleno de furor, empezó a arrojar gran cantidad de piedras sobre el mar...

Sor Lucía se carcajeó:

—¡Esto es el acabose! Pero si sólo existían el cielo y el mar, ¿de dónde salieron las piedras?

—Y así, cargándolo con las piedras que le arrojó, el cielo logró que el mar nunca más pudiera subir hasta su reino —siguió Novicio, ahora sin inmutarse—. Y las piedras se convirtieron en islas. Y así resultó el mundo.

Se miraron por un instante con complicidad de esgrimistas que sólo prolongan sus duelos hasta el primer arañazo. Luego sor Lucía se llevó una mano a la frente, afectando un melindre:

—¡Pues vaya sandez! ¿Así que las piedras eran islas, eh? ¿Y los continentes cómo se formaron entonces? ¿Con las cagarrutas del milano? ¡Bien se conoce que el que se inventó esa patraña era un isleño que no sabía de la existencia de los continentes!

Aquí Novicio, que nunca había salido del archipiélago filipino, se dio por aludido:

—¿Y entonces qué diremos del que se inventó las patrañas del Génesis? —bramó, imitando el soniquete sarcástico de sor Lucía—: ¡Bien se conoce que no había mirado al cielo con telescopio, porque se le olvidó mencionar que hay otros planetas, además de la Tierra!

—¡De eso nada! —lo refutó categórica—. Los planetas están incluidos entre las «lumbreras» de las que habla el Génesis.

—¡Las «lumbreras», para ser tales, tienen que despedir luz, y los planetas reciben la luz de las estrellas! —se reafirmó Novicio.

—Los planetas, como los satélites, señor Novicio, reciben la luz de las estrellas y la reflejan —dijo sor Lucía, en un susurro, para enseguida estallar—: Y si la reflejan, la despiden... ¡Luego son unas lumbreras como la copa de un pino y no se hable más! —se exaltó. Hizo una pausa, saboreando su victoria parcial sobre Novicio. Luego lanzó su ataque por otro flanco—: ¿Y cómo apareció el hombre en la tierra, según esa religión ancestral suya? ¿Por generación espontánea? ¿O se pusieron las piedras a chocar entre sí y salieron de carambola nuestros primeros padres?

Novicio intentó ponerse serio; pero la hilaridad se le salía por las comisuras de los labios:

—El primer hombre y la primera mujer salieron de una caña de bambú —dijo—. Iba esta caña flotando sobre las aguas del mar y las olas la empujaron sobre una playa donde se hallaba el milano descansando...

—Natural, con el ajetreo que se traía el pobre... —interpoló sor Lucía.

—La caña le golpeó una pata y el milano se enfadó mucho y, lleno de furor...

Moisés iba traduciendo al tagalo la conversación de Novicio y sor Lucía, para que los niños pudieran también disfrutar de su altercado. Sor Lucía seguía interrumpiendo a Novicio:

—¡Hay que ver lo furibundos que estaban todos, según su religión ancestral! Primero el cielo, ahora el milano, y todo por un quítame allá esas pajas.

—... Lleno de furor, decía, el milano le sacudió un picotazo a la caña de bambú, partiéndola en dos. Así, de un trozo de la caña surgió el primer hombre; y del otro, la primera mujer.

Sor Lucía se llevó las manos a la cabeza:

—¡Cañas tenemos! Huecos, vanos y sin sesera tuvieron que salir aquellos hombres.

—No, hermana, sino flexibles y resistentes al monzón, como demuestra la raza tagala —replicó con orgullo Novicio—. Mucho mejor preparados para soportar las inclemencias del cielo que los primeros hombres del Génesis, hechos de quebradizo barro. —Y se regodeó—: ¿Y qué me dice de lo de la costilla? Porque la paparrucha de la costilla no hay quien se la trague...

—Hechos de un barro sobre el que se derrama el aliento divino. Así se simboliza que el hombre puede parecer, a simple vista, el ser más frágil de la Creación; pero se le ha insuflado un alma viviente que lo distingue de la bestia. Y respecto a la costilla...

Sor Lucía se interrumpió, risueña, como si estuviera buscando el modo más convincente de rebatirlo. Novicio pensó que aquella mujer lo sacaba de quicio, pensó que lo traía al retortero y pensó que, sin embargo, nunca hablaba a humo de pajas: le gustaba emplear las expresiones coloquiales, sonoras y misteriosas, que había aprendido de labios de sor Lucía, durante los meses selváticos.

—A ver, a ver si no me sale por peteneras...

—La costilla —dijo al fin sor Lucía— representa la íntima unión entre el marido y la mujer, y la igualdad natural entre ambos.

Novicio se palmeó las rodillas, solazándose:

—¡Ahí la pillé en un renuncio! —dijo—. ¿Es que puede haber más igualdad que en una caña partida en dos? A mí lo de la costilla, más que a igualdad, me suena a dependencia y subordinación de la mujer al varón. —Le lanzó una mirada picarona—: ¿No le parece, Luscinda? La mujer tiene que obedecer al varón: es ley divina de su religión. ¡Y a usted le repatea reconocerlo!

Soltó una risotada y se pavoneó entre los pupitres, con los pulgares afianzados en las trabillas del pantalón. Los niños de la escuela se sumaron a la guasa.

—¡Ya quisiera usted tener una buena costilla que le hiciese asentar la cabeza, desvergonzado! —se encrespó sor Lucía—. ¡Y veríamos entonces cómo la obedecería en todo usted a ella!

Este último comentario hizo pupa a Novicio. Porque, en efecto, su espalda incólume a veces le pesaba un tantico, y arrojaba sobre sus días una sombra de soledad que se agigantaba cuando trataba de imaginar su futuro. También le dolió porque íntimamente sabía que la única mujer a la que gustosamente obedecería, aunque le mandara arrojarse a un abismo, no podría ser su costilla, porque la obligaban otros votos, o promesas, o lo que demonios fuesen.

—¿Y para qué quiero yo una mujer? ¿Para ser expulsado del Edén por su culpa? —Contempló en actitud censoria la corteza sobre la que Moisés había escrito las palabras en tagalo—. Mejor es que deje de enseñarles a los niños tantas necedades. Si yo fuera su maestro...

—¿Qué haría, si fuera su maestro? —se le encaró otra vez sor Lucía, ahora alterada de veras, y no sólo retóricamente—. ¿Les enseñaría que los astros, y los árboles, y las aves, y hasta las peñas son dioses? ¿Les recomendaría que se cuelguen del cuello uno de esos amuletos que usted empleaba para ahuyentar las desgracias? ¿Les diría que las almas de los difuntos comen morisqueta y beben tuba y que por eso, al enterrar a los muertos, conviene ponerles manjares en la tumba?

Novicio trató de aplacarla tomándola de las manos, pero sor Lucía rechazó sus pretensiones conciliadoras. Novicio se picó:

—¿Y ustedes no les rezan misas a los muertos, para que salgan del purgatorio? A nosotros nos basta con un cielo y un infierno.

—¡Míralos, qué apañadicos ellos! —se burló sor Lucía—. ¿Y quiénes van al cielo, si puede saberse?

—Pues los valientes, los que han muerto de muerte noble o han caído en la batalla.

Había adoptado, de repente, un tono grave que desmentía el tono jocoso o histriónico empleado hasta entonces. El cambio no pasó inadvertido a sor Lucía, que lo miró de hito en hito, alarmada. Intuyó que Novicio se disponía a morir así, para asegurarse el cielo soñado por su religión ancestral.

—¿Y en qué consiste el premio para los bienaventurados? —preguntó, compungida.

—Pues en seguir llevando tranquilamente la vida que aquí llevaron.

Un segundo después, Novicio se percató de que su respuesta había sonado fatalista. Y lo acongojó pensar que en la otra vida tampoco pudiera hacer nada por evitar el acoso de la soledad.

—¿Así que, según su religión ancestral, en el cielo usted seguiría siendo réprobo y yo hija de la Caridad, por los siglos de los siglos? Pues menudo panorama...

Se miraron un poco acongojados ante esa eternidad monótona y uniforme. Moisés, que hasta entonces había presenciado la disputa como si asistiera a una representación, barruntó que los contendientes o actores se disponían a quitarse las máscaras y decidió escabullirse, pudoroso, por la puerta trasera del *bahay*, sin despedirse siquiera. Esta repentina retirada desconcertó o asustó a la chiquillería. Sor Lucía dio permiso para que marchasen:

—Por hoy ha sido suficiente, niños. *Magkita tayo bukas.*

Se levantaron en tropel de sus pupitres y pusieron pies en polvorosa, como si hubieran olfateado en el aire la inminencia de una tormenta.

—Me encanta oírla hablar en tagalo, Luscinda —la halagó Novicio—. Su entonación es una delicia.

—Tendré que decirles mañana a los niños que, aunque presuma de descreído, ha llegado a rezar conmigo. Así sabrán que el ídolo revolucionario tiene los pies de barro —rezongó sor Lucía—. ¿Y a qué se debe su visita? Porque no creo que haya venido a elogiar mi tagalo.

Se puso a recoger de los pupitres las hojas de plátano que los niños utilizaban para escribir, las cañas cortadas a guisa de plumas y los tinteros; lo hacía con una suerte de desapego o despecho, sin escatimar hosquedad en el gesto. Novicio la veía moverse entre los pupitres sin importarle demasiado la tirantez de la situación, porque hacía semanas que deseaba volver a reunirse con ella; y el mero hecho de poder contemplarla era suficiente recompensa.

—Nuestro caudillo Aguinaldo —soltó Novicio— nos ha hecho llegar una orden, pidiéndonos que no causemos perjuicio alguno, ni en sus personas ni en sus bienes, a los españoles que no se hayan resistido a la revolución.

—¡A buenas horas, mangas verdes! —se pitorreó sor Lucía.

Novicio adoptó una actitud contrita:

—Yo quisiera que me hiciese usted un inventario de los bienes suyos o de sus hermanas que fueron destruidos en el asalto del pasado mes de octubre, para que el gobierno filipino pueda el día de mañana reintegrarles su valor.

Sor Lucía interrumpió la recogida de tinteros, plumas y hojas de plátano. Lo miró atónita:

—¿Pero es que le falta a usted un hervor, o qué? ¿Qué es esa majadería de gobierno filipino y de inventario y de niño muerto? Déjese de tonterías, Teodoro, y no pierda la cabeza por segunda vez, que tanto va el cántaro a la fuente que al final se rompe. Lo que tiene que hacer es ponerse a trabajar de inmediato en la sementera de su familia, para que las gentes de Baler que lo reconocen como cabecilla sigan su ejemplo y abandonen, definitivamente, las armas. Y si quiere dedicarse a un trabajo más intelectual, puede echarme una mano en la escuela, mientras yo escribo a mis amigos frailes de Manila y les pido que le hagan un hueco como maestro en sus colegios. —Sus ofrecimientos no inmutaban siquiera a Novicio, que había adoptado una actitud granítica. Sor Lucía se desesperó—: ¡Haga cualquier cosa, pero por Dios le pido que no ande ocioso! Es la ociosidad la que le inspira esas ideas tan desdichadas.

Novicio trató de esquivar su mirada implorante o acusatoria, retrocediendo hasta la mampara de nipa que separaba la escuela del chiribitil donde dormía. Se puso de puntillas para espiar lo que allí había; al comprobar la pobreza y despojamiento del habitáculo, preguntó con voz apesadumbrada:

—¿Es ahí donde duerme?

Sor Lucía asintió, avergonzada o confusa. Sin solicitar permiso, Novicio se deslizó detrás de la mampara y abullonó con infinita ternura e infinita lástima el jergón relleno de paja sobre el que dormía.

—Esto no es digno para una mujer como usted, Luscinda —dijo muy quedamente—. Le ruego que acepte venir a dormir a casa de mis padres.

Algo herida en su amor propio, sor Lucía se rebeló:

—¡Y me lo dice el hombre que me tuvo en la selva tres meses! ¡Vivir para ver!

—Aquella era otra situación muy distinta. —La miró amorosamente, o tan amorosamente como le estaba permitido mirarla—: Además, aquí no tiene quien cuide de usted. En la selva, yo me encargaba de hacerlo.

Le hubiera gustado añadir que cada noche había velado su sueño, hasta llegar a aprenderse de memoria su respiración; que cada noche había sido su escudo contra las fieras que la merodeaban; y que una noche, incluso, le había dado calor y cobijo en su pecho, mientras los ilongotes los buscaban. Pero calló, para no incurrir en el patetismo. Para su estupor, además, sor Lucía se había rendido:

—Y nunca en mi vida me sentí más protegida que entonces, Teodoro.

—Tiene que marcharse, Luscinda —le suplicó, aprovechando el flanco desguarnecido que había dejado aquella momentánea muestra de dulzura—. Las cosas se van a poner pronto muy feas. Y cuando le digo feas quiero decir que puede haber otra vez tiros. Y no sé yo si esta vez se van a conformar con tomarla de rehén...

Aquella última observación se le antojó a sor Lucía amenazante; su reacción fue más agria que amedrentada:

—¿Quiere decir que esta vez, además de asesinar a soldados desprevenidos, piensan matar a mujeres indefensas?

Este sarcasmo dolió a Novicio como una escaldadura. Algo azorado, contempló el rostro de sor Lucía y levantó delicadamente la mano; por un instante pareció que iba a acariciarla, pero desistió enseguida de hacerlo, con rabia mal contenida.

—Sabe perfectamente que no permitiría que le tocasen un pelo de la ropa —masculló—. Lo que quiero decirle es que esta vez quizá no sea yo quien esté al mando. Aguinaldo anda en tratos con traficantes de armas en Singapur y Hong Kong, y los americanos van a prestarle apoyo. Esta vez tendremos fusiles de sobra, y puede que hasta cañones.

—¿Tendremos? —se alborotó sor Lucía—. ¿Qué está diciendo, Teodoro? ¿Todas las promesas que me hizo ya no sirven para nada? Quedamos en que, una vez obtenido el indulto, dejaría para siempre sus veleidades revolucionarias.

Novicio se encogió de hombros, como si ya estuviese disfrutando o padeciendo del cielo soñado por la religión ancestral de los tagalos, donde las cosas suceden fatalmente y por toda la eternidad, sin posibilidad de suceder de otra manera.

—Pero si vuelvo a sumarme a la revolución podré al menos influir desde dentro e impedir que en Baler se cometan más desmanes.

Habría cambiado el amor a la patria en la que había nacido y esperaba morir por la única patria que amaba hasta el dolor, la patria que era ella, su alma intrépida y entregada exclusivamente a Dios. La miró con reverencia y un poco de bochorno, porque se avergonzaba de sus sentimientos.

—¡Basta ya, Teodoro! Le ordeno... ¿Me ha oído? Le ordeno que desde mañana mismo venga a ayudarme en la escuela. —Sor Lucía todavía pensaba, sin soberbia ni vanidad, que tenía sobre Novicio el ascendiente preciso para que sus órdenes fueran obedecidas—. Como no venga le advierto que, entre nosotros, cruz y raya.

—Lo siento, Luscinda —dijo él—. Mañana mismo me echaré al monte. Hace unas pocas horas salió de Manila un destacamento de soldados, rumbo a Baler. Y esta vez pretenden asentarse aquí de forma definitiva. No voy a darles el gusto de que me cojan preso, cuando vuelva a estallar la rebelión.

—¿Hace unas pocas horas? ¿Y cómo sabe usted semejante cosa? ¿Tiene acaso un ángel que le habla en sueños?

A veces, mientras trataba inútilmente de dormir, sor Lucía escuchaba en medio de la noche el tañido de los *tambulis*, cuernos de carabao que los tagalos empleaban para comunicarse entre sí. Aquellos tañidos sonaban como el lenguaje críptico de las ballenas, o como el mugido de un dragón que se desangra, y brotaban desde la espesura de la selva, para alzarse a las crestas de la sierra y después bajar rodando, cada vez más lastimeros, hasta Baler. Muchas veces sor Lucía se había preguntado si con aquellos tañidos de *tambuli* los tagalos se transmitían mensajes simples y rudimentarios, anunciando las horas o anticipando algún fenómeno atmosférico poco halagüeño, o si servían para convocar el ganado disperso, o para conmemorar a sus muertos, o —en fin— si en aquellos sonidos que perforaban la noche se escondían mil palabras cifradas.

—Naturalmente que sí, Luscinda —bromeó Novicio—. Ya sabe que los ángeles sólo hablan en sueños a los hombres justos y temerosos de Dios.

—Confunde usted los cánticos de sirena con los anuncios de los ángeles, Teodoro —lo reprendió sor Lucía—. No se deje embaucar otra vez. Usted es hombre de paz. Baler y su familia lo necesitan. —Hizo una pausa, para borrar de su voz cualquier residuo de sentimentalismo—: Yo también lo necesito.

—Pues precisamente por ello tengo que preocuparme de su bien —dijo Novicio, volviéndose hacia su caballito—. Márchese, se lo suplico.

Puso el pie en el estribo y fingió enredarse entre las cinchas, esperando que sor Lucía accediera a su petición. Pero era una ilusión sin fundamento:

—¡No me pienso marchar! ¿Me ha oído? —Se había acercado ella también al caballito y le hablaba con ferocidad, como si lo increpase—. Y, como no se presente aquí mañana, pienso decir a los soldados que se ha declarado en rebeldía, para que manden partidas en su busca y lo metan en la cárcel. —Novicio montó en el caballito, afectando impasibilidad—. ¿Me ha oído, maldito cabezota? Quiero tenerlo aquí mañana, puntual como un reloj.

Novicio aguijoneó el caballito, que inició un trote vivo, tal vez azuzado por la catarata de improperios que sor Lucía empezó a vomitar. Así estuvo durante varios minutos, descargando su munición injuriosa, hasta que Novicio se convirtió en un puntito negro apenas discernible al fondo del camino. Entonces dijo sor Lucía, en un hilo de voz desfallecida:

—Quiero tenerlo cerca, Teodoro. Necesito que me proteja, como hizo en la selva.

De pronto, se oyó el tañido retumbante y cárdeno de un *tambuli*. Y a este tañido siguió otro, y otro más, y otro, hasta llenar la mañana con su intercambio quejumbroso y atronador. Sor Lucía sintió que le faltaba el aire para respirar; y, por primera vez en su vida, aplastada por la soledad, se supo una costilla sin dueño.

5

Llegaron poco antes del crepúsculo a Tarlac, después de un viaje exasperantemente lento, cuando más animada y dispuesta a la juerga estaba la tropa, que arropaba las canciones de Santamaría con palmas y olés, sentada en cuclillas en el pasillo del vagón, o encaramada en las literas. La locomotora, resollante de vapor y carbonilla, se fue desangrando sobre la vía, en medio de los chirridos de las bielas, hasta detenerse en aquel apeadero desvencijado y sucio, como un camaranchón derrotado por la incuria. Olvidados de su incierto destino en Baler, los soldados celebraron la llegada entre vítores y aplausos y se pusieron a recoger sus petates, algo anquilosados por las muchas horas de viaje. Al ver en el apeadero a un tipo que, por su actitud tiesa y engolada, se le figuró autoridad civil a quien el retraso del tren había puesto de un humor de perros, el capitán Las Morenas se apresuró a descender de su vagón, dejando para el teniente Martín Cerezo el cuidado de la tropa.

—¿Es usted el capitán Enrique Las Morenas, nuevo comandante político-militar del distrito del Príncipe? —le preguntó aquel tipo con voz de gramófono desafinado, sin darle siquiera tiempo a posar los pies en el suelo.

—El mismo, para servirle.

—Soy Federico Encinas, gobernador civil de Tarlac —dijo, tendiéndole una mano feble y muy pulida, como de damisela que ha olvidado depilarse—. Llegan ustedes tres horas después de lo previsto. Y nos hemos tenido que chupar un chaparrón de órdago.

Tenía, en efecto, las hombreras de su traje de lino mojadas, como si no le hubiera dado tiempo a ponerse bajo cubierto antes del chaparrón, o como si el cubierto dejara mucho que desear.

En cambio, gracias a la protección de su sombrero canotié, no se le habían despeluzado las guías de su absurdo bigote corniveleto, afinadas en la punta en un delirio de retorcimiento. Usaba una displicencia de gran duque y mohínes de enfermo del estómago. Un poco rebuscadete o sarasa en sus ademanes, exhibía al hablar unos dientes acaballados y amarillentos como fichas de dominó.

—Pues bien que lo siento, don Federico —se disculpó Las Morenas—. Le agradecemos mucho la deferencia que ha tenido, viniéndonos a recibir.

El gobernador de Tarlac asomó la lengüita por debajo de los dientes equinos, hasta refrescarse las comisuras de los labios. Miró con mal disimulado desdén a los soldados que comenzaban a descender del tren:

—Si he de serle sincero, capitán, le diré que he venido obligado —confesó con petulancia—. Me telegrafiaron desde Manila exigiéndome que los recibiera con todos los honores. Me he permitido, sin embargo, obedecer a medias, dejando los honores para mejor ocasión. En las presentes circunstancias, mientras los empleados públicos nos esforzamos por mantener la calma entre los nativos, el envío de un destacamento militar se me antoja una provocación.

Las Morenas lo miró con un rictus de repugnancia comparable al que podría haber mostrado al descubrir una mosca en la sopa. Pero en aquel zascandil las guías de su bigote eran el pararrayos que llevaba a tierra todos los menosprecios.

—Como podrá imaginarse, no estamos aquí por gusto. Cumplimos con nuestro deber —dijo Las Morenas—. Celebro que usted también cumpla con el suyo.

—Lamentablemente, no podré acompañarlos hasta Baler —se excusó el mequetrefe, aunque sin molestarse en alegar razón alguna.

Entonces se entrometió en su muy poco amistoso intercambio una voz briosa:

—¡Albricias, señor gobernador! —se burló—. ¡Nos libera de una carga muy onerosa!

Pertenecía aquella voz a un hombre de estampa quijotesca que se cubría la cabeza con una boina española. Era muy patilludo y sombreaba su rostro una barba de color azafrán. Añadió:

—Afortunadamente, capitán Las Morenas, aquí estoy yo para suplir a don Federico Encinas, hasta antesdeayer ilustre reportero y hoy excelentísimo señor, por disposición del presidente Sagasta.

Lo sorprendió la socarronería que empleaba con el petimetre, a quien las guías del bigote corniveleto se le habían abatido a media asta.

—Don Ramiro Garzón, supongo —aventuró Las Morenas.

—El mismo que viste y calza —asintió—. Recibí por telégrafo la notificación de su llegada. Tengo entendido que ha viajado con ustedes mi hija Guicay.

Se estrecharon la mano calurosamente. Había empezado a descender la tropa del tren, algo entumecida tras el largo viaje.

—Enseguida la verá bajar —dijo Las Morenas—. No sabíamos que hubiese oficina de telégrafos en Baler.

—Y no la hay, capitán, no se haga ilusiones —lo desengañó Ramiro Garzón, mientras buscaba con la mirada a su hija—. Baler está incomunicado. Pero he conseguido llevar una línea hasta mi hacienda. No hace falta que le diga que la tiene a su disposición cuando la necesite.

Seguían bajando soldados del tren, pero Chamizo y Guicay se resistían todavía, amartelados y abstraídos en sus amorosos coloquios.

—Ya nos informó el general Primo de Rivera de que los bastimentos y la munición están bajo su custodia... —avanzó Las Morenas.

Garzón asintió amistosamente. El gobernador corniveleto, tal vez encabronado de que no se le rindiese pleitesía, o resentido de los sarcasmos que le había dirigido el hacendado, soltó una pullita:

—Si el general Primo supiera que don Ramiro lo combatió en Estella, tal vez se lo pensaría un poco, antes de hacerlo custodio de bienes del ejército...

—¡Pues no pierda la ocasión de hacérselo notar, don Federico! —lo animó Garzón con sorna—. Así podrá aquilatar todavía más su bien acreditada fama de correveidile.

La respuesta de Garzón, que dejó tiritando y reconcomido de odio al gobernador de Tarlac, regocijó en su fuero interno a Las Morenas, aunque terminó de crear una situación embarazosa. Al fin Guicay apareció en la escalerilla del vagón; con una mano sostenía su *tampipi*, mientras le ofrecía la otra a Chamizo, que la ayudaba a bajar. Cuando Guicay descubrió a su padre en el barullo del andén, su rostro se iluminó con una sonrisa ancha; corrió hacia él, dejando a Chamizo a cargo de su *tampipi*.

—¿Es que no vas a decirme nada? —le preguntó, coqueta, con un tuteo insólito entre padre e hija.

Garzón agarró de ambas manos a Guicay y la apartó un poco de sí, para contemplarla a placer. A pesar de las muchas horas que había durado el viaje, estaba radiante, tal vez porque lo ocurrido en el tren la hacía radiar.

—¿Y qué quieres que te diga, hija? ¿Que se me cae la baba?

Se abrazaron y Garzón la tomó en volandas, ciñéndola por la cintura. Martín Cerezo, entretanto, había comenzado a organizar a la tropa, haciéndola formar en el andén. Chamizo, antes de incorporarse a la formación, fue a devolver a Guicay su *tampipi*; al hacerlo se acariciaron la mano subrepticiamente.

—¿Lo ves, Juan? —le susurró Guicay al oído—. Ya encontraste a alguien que ha bajado en la misma parada que tú.

Chamizo volvió con sus compañeros, más contento que unas castañuelas. Don Ramiro Garzón había acudido al apeadero de Tarlac acompañado por dos *bantays* o guías tagalos que lo habían ayudado en el largo trayecto a través de la selva; subieron al tren para recoger el baúl con el equipaje de Guicay, que aseguraron con sogas sobre el lomo de una de las tres monturas que habían traído con ellos. Sobre la segunda dispusieron una silla de amazona.

—Con mucho gusto le cederé mi caballo, capitán —se ofreció Garzón—. O tal vez deba cedérselo antes al padre...

Fray Cándido no dejó que Garzón se inclinara para besarle la mano y, a cambio, se la estrechó confianzudo.

—No se preocupe, don Ramiro —dijo Las Morenas—. Hemos venido bien provistos...

Martín Cerezo y su asistente Caldentey dirigían la descarga de pertrechos y caballerías; algunas mulas le habían cogido gusto al vagón de mercancías y se resistían a abandonarlo.

—Aunque le advierto —dijo Garzón, con un mohín amargo, tras alzar la mirada al cielo presagioso de nubes— que, según el trecho, las monturas son más un estorbo que una ayuda. Tenemos tres jornadas por delante, cuatro si nos llueve, y la mitad del camino hay que avanzar a golpe de machete, por veredas invadidas por la maleza.

Los *bantays* ayudaron a Guicay a subir al caballito que habían enjaezado para ella. Martín Cerezo trajo de las riendas otro caballito para el capitán Las Morenas y una mula para fray Cándido, que montó con una agilidad de piruetista que a todos dejó maravillados. Mientras celebraban su alarde, el gobernador Encinas y un par de acólitos suyos se habían enzarzado con los *bantays*, a los que increpaban muy agriamente.

—¿Se puede saber qué ocurre? —intervino Garzón.

El gobernador manoteaba furibundo. Sus ojeras lacias trataban de reproducir la ondulación de su bigote corniveleto:

—Recordaba a sus hombres la obligación que tienen los indios, cualesquiera sean su clase y posición social, de descubrirse en prueba de respeto ante un funcionario —dijo, recitando alguna ordenanza que probablemente él mismo hubiese promulgado—. Y les recordaba también que la multa a los infractores es de cinco pesos.

—¿Cinco pesos, nada más? —se burló Garzón, para jolgorio de los circunstantes. Se dirigió luego a los *bantays*—: En ese caso, muchachos, no os quitéis el sombrero. Ya pagaré yo la multa en vuestro lugar.

Al gobernador Encinas le temblaron las guías del bigote como floretes vacilantes. Miraba a izquierda y derecha, sin encontrar un destinatario sobre el que descargar su rabia y su despecho; y Garzón ya le había dado la espalda, ninguneándolo. Cuando la tropa terminó de asegurar los pertrechos de las caballerías, Martín Cerezo dio la orden de marcha:

—¡Firmes! ¡De a cuatro, derecha! ¡De frente, en columna de viaje!

Del apeadero salía un camino al principio espacioso que los conducía hasta la floresta. El cielo ya empezaba a avinacharse cuando se pusieron en marcha: abrían la comitiva los *bantays* con el bolo en la mano, por si hubiese que desembarazar el camino de malezas, a modo de avanzadilla; la columna propiamente dicha la encabezaban el capitán Las Morenas y don Ramiro Garzón, entretenidos en ameno coloquio, y detrás iban, también a lomos de sus monturas, Guicay y fray Cándido; la columna de la tropa avanzaba a continuación, al mando de Martín Cerezo, que a veces se quedaba rezagado, para atender las necesidades de la retaguardia, donde se hallaban las bestias de carga con los pertrechos. Al capitán Las Morenas todavía le causaba pasmo la franca animadversión que Garzón había mostrado al gobernador de Tarlac, a quien habían dejado compuesto y sin novia en el apeadero, despidiéndose a la francesa.

—Ese tipejo altivo... —lo injurió Garzón, frotándose la barba azafranada—. Ha sido nombrado, como tantos otros, por influencia, sin mérito alguno. En Madrid era gacetillero de *El Imparcial*, ese periodicucho al servicio de los liberales de Sagasta que empieza a mentir desde el nombre. Después de haberle lamido el culo durante años, Sagasta le regaló este cargo, para el que se ha mostrado por completo inútil.

Las Morenas iba excesivamente envarado sobre la silla. No acababa de acostumbrarse a la corta alzada de los caballitos filipinos:

—Pues el gachó se daba ínfulas de sabelotodo, más bien.

—Lo cual, unido a su trato personal petulante, lo hace insufrible —remachó Garzón—. Pero no se crea que ese pelele es una excepción. Todos los gobiernos, lo mismo conservadores que liberales, no han hecho sino mandar a estas tierras recomendados de la más ínfima categoría. —Escupió sobre el camino, imaginándose tal vez que lo hacía sobre las camarillas que se turnaban en derredor de la regente—. Y mientras tenemos que soportar a tantos peninsulares indoctos, inmorales, descreídos y desidiosos, aquí tenemos a muchos filipinos, no menos españoles que ellos, que, a pesar de haber destacado en los estudios y de haber obtenido títulos facultativos, tienen que colgarlos como un adorno de las paredes de sus casas. ¡Qué asco, la Virgen!

—Papá, no te enojes tanto —lo reprendió Guicay—. Ya sabes que los berrinches no sirven para nada.

Garzón cabeceó, escarmentado. Musitó:

—Así es como se alimentan las revoluciones.

Fray Cándido metió baza:

—¿Y cómo es que se permite usted hablar con esa libertad? No creo que el desplante que le ha hecho a ese personajillo vaya a quedar sin desquite...

—Ya me lo quitaron todo cuando era mozo; y lo bueno de verse despojado es que uno pierde el miedo —respondió Garzón—. Me mandaron desterrado en el 76 a Filipinas; y con unos dinericos que logré salvar de la quema me instalé cerca de Baler, en unos terrenos que dediqué a plantar abacá y que, andando el tiempo, pude ampliar. Al principio, me prohibieron las transacciones con la península; pero la fibra del abacá es muy apreciada por la industria textil europea, así que nunca me han faltado compradores. —Soltó una risotada mordaz—. Con el tiempo, me hice demasiado fuerte y ya no me quisieron como enemigo; y como, además, soy el único español en muchas leguas a la redonda, a los gobernadores de Manila les conviene estar conmigo a partir un piñón.

El camino comenzaba a estrecharse, acechado por cañaverales y pantanos. Las Morenas se permitió una eutrapelia:

—¡Pues ese piñón tiene que saber un poco amargo, cuando lo comparten un partidario de don Carlos y el vencedor de Estella!

Garzón rió sin doblez, encajando el golpe:

—¡Qué le vamos a hacer! Todos tenemos que cargar con nuestra cruz.

—Y usted que conoce bien estas tierras, ¿cómo ve la situación? —le preguntó Las Morenas.

—¿He de serle sincero? —Era una pregunta retórica, pues Garzón no era de los que se muerden la lengua, como había probado en el apeadero—. El estado de rebeldía no hace sino aumentar. En algunos lugares, incluso, los revolucionarios han empezado a instalar campamentos. Tan sólo están esperando a que les lleguen armas.

—¿Y quién se las va a suministrar? ¿Estados Unidos? —intervino otra vez fray Cándido.

Garzón se encogió de hombros y tiró de las riendas de su caballito, para que esquivase un hondón. A medida que se alejaban de Tarlac, el camino, además de estrecharse más y más, se embarraba peligrosamente.

—Desde luego, quien se las suministre deberá contar con el visto bueno de los Estados Unidos, que son quienes se mueven entre bambalinas, aunque nuestro gobierno de ineptos no quiera darse cuenta de sus intenciones.

—¿Será que viven en la inopia? —se preguntó irónicamente Las Morenas.

—Me consta que no. Están al tanto de la superioridad de la escuadra norteamericana y del estado deplorable de las defensas de Cavite y Manila —dijo Garzón, con voz pesarosa—. Y Sagasta ha informado al Consejo de Ministros y a *doña Virtudes*, la viuda del usurpador. —Puso un énfasis más malévolo en el mote popular de la regente que en el calificativo dirigido a su difunto marido—. Y aun conociendo esto, acaban de autorizar el regreso a España de casi toda la infantería de marina... Están dispuestos a sacrificar no sólo nuestra sangre y nuestra hacienda, sino también nuestra dignidad... Y todo por ese maldito fetiche.

Su última frase se afiló con las aristas del encono. Fray Cándido preguntó, haciendo honor a su nombre:

—¿A qué fetiche se refiere?

—A la estirpe de los usurpadores. Por mantenerse en el trono están dispuestos a sacrificar lo que haga falta —afirmó Garzón sin paños calientes—. Temen que el desembolso en gastos militares encrespe los ánimos del pueblo. Y temen todavía más que los americanos, en lugar de conformarse con malear a los cubanos y a los filipinos, empiecen a mandar agentes a la península y a fomentar allí el republicanismo.

Se quedaron pensativos Las Morenas y fray Cándido. Ambos sabían que los ministros estaban ocupados en una política de campanario; y también que las energías de la nación estaban minadas por el caciquismo y las inmoralidades, pero no se hubiesen atrevido a señalar de un modo tan rotundo a la Casa Real como responsable última del desastre. Las Morenas dio un largo capotazo, para variar la deriva de la conversación y no tener que salir en defensa de los monarcas, a los que tampoco veneraba en exceso:

—Pero ya verá usted como cuando se produzca ese desastre, la culpa se la echarán a los militares...

—¡No le quepa ni la más mínima duda! —corroboró Garzón—. El gobierno siempre encuentra una víctima sobre la que concitar la indignación del pueblo, para desviarla del verdadero culpable. Acuérdese de lo que le digo: los americanos entrarán como Pedro por su casa, cuando quieran y como quieran.

La noche ya se abalanzaba sobre ellos, como un *tulisán* agazapado en la fronda. El camino se había ido convirtiendo poco a poco en vereda, obligándolos a avanzar en fila de a uno.

—¿Y qué harán los americanos con Aguinaldo y sus insurrectos? —se interesó fray Cándido.

—Aguinaldo es tan sólo un juguete de sus ambiciones insaciables —dijo Garzón, volviéndose respetuosamente de costado, para no dar por completo la espalda al franciscano—. Le prometerán la independencia de Filipinas a cambio de que les preste a sus hombres como carne de cañón; y, por supuesto, no cumplirán su promesa. ¿Tiene usted alguna duda al respecto, padre?

—¡Le predica usted a un convencido! —exclamó fray Cándido—. Nunca sienten esos yanquis grandes escrúpulos, cuando se trata de satisfacer sus egoísmos...

Los *bantays*, que se habían adelantado para inspeccionar los alrededores, hablaban en tagalo con Garzón, proponiéndole adentrarse en la floresta, para buscar un claro en el que pernoctar. Viendo que la noche se les venía encima sin remisión, Garzón accedió, después de solicitar anuencia a Las Morenas.

—No se detendrán ni ante la calumnia —dijo luego Garzón, reanudando el diálogo—. He tenido la oportunidad de tratar a muchos americanos aquí; y he llegado a la conclusión de que los Estados Unidos, bajo la fachada democrática, son una gran compañía comercial en manos de unos pocos plutócratas que buscan abrir sucursales y nuevos mercados. Ahora se les ha presentado en Filipinas un negocio opíparo y no repararán en nada para rematarlo.

Los *bantays* habían encontrado, al cobijo de los árboles, un terreno idóneo para instalar el campamento. Habían empezado a recolectar madera para prender varias hogueras en derredor. Martín Cerezo ordenó a la tropa que se sumara a esta labor, sin alejarse demasiado del campamento y siempre en grupos de cuatro o cinco hombres.

—¡Y eso que su Constitución les prohíbe tener colonias! —se burló Las Morenas.

—¡Constitución! ¡Por Dios, capitán! —fingió indignarse Garzón—. Ese papelajo que los americanos llaman Constitución es la obra de unos puritanos que llevaron la doctrina calvinista de la alianza de Dios con su pueblo a lo político. Y, como se creen elegidos de Dios, juzgan que todo lo que hacen, así sean los mayores crímenes y aberraciones, es mandato divino.

Fray Cándido desmontó de la mula con la misma presteza y agilidad que antes había mostrado para montarla.

—¡A eso se le llama tomar el nombre de Dios en vano! —bramó.

Las Morenas desmontó con mayores precauciones, aferrándose fuertemente al arzón. Nunca se había destacado por sus aficiones hípicas.

—Resulta muy curioso —dijo, reflexionando en voz alta— comprobar cómo la separación de la Iglesia y el Estado que los americanos han promovido y exportado a medio mundo en realidad favorece una conversión de la política en falsa religión.

Garzón se desentumeció, después de descabalgar. Con las piernas entecas ahormadas por la montura se acentuaba su estampa quijotesca.

—Es algo inevitable —dijo—. Y el amor natural a la patria lo sustituyen por una idolatría demente, ya no tanto a la patria como al régimen político que los gobierna, que divinizado les sirve como coartada para justificar todos los desmanes. Y aspiran a difundir su evangelio negro por todo el mundo.

Ya ardían las hogueras, haciendo crepitar la leña en el claro, que a su resplandor adquiría el aspecto de un improvisado salón. Los soldados descargaban los pertrechos de las mulas y repartían las frazadas entre la comitiva.

—Esta sustitución del amor sano a la patria por una idolatría demente es uno de los rasgos más repugnantes de la política moderna —acordó La Morenas.

Martín Cerezo no había perdido ripio durante el último tramo de la conversación, queriendo meter baza. Terció, un tanto hosco o reticente:

—Primero habría que definir qué es lo que entendemos por patria...

—En eso estamos de acuerdo, Saturnino —concedió Las Morenas—. Pero no es una tarea fácil. Para mí la patria es la tierra de mis padres; y, ligados a esa tierra, unas tradiciones y unos recuerdos que deseamos mantener vivos. —Una rara nostalgia le arañaba los hondones del alma, pero la espantó con una sonrisa—. Para mí la patria está, sobre todo, en la sonrisa de mi hijo Enriquillo.

Se habían también empezado a repartir viandas; algunas las calentaban al fuego, para que no cayeran como losas frías sobre las tripas. Garzón buscó con la mirada a Guicay, a quien había notado ensimismada durante todo el camino, lo que le había causado gran extrañeza, pues por lo común era parlanchina y desenvuelta. Advirtió que le había faltado tiempo para reunirse con el soldado que la había ayudado a bajar del tren en el apeadero; y advirtió también —los delataba el resplandor de la hoguera— que se miraban muy acaramelados. Por un segundo, Garzón sintió un pinchazo de dolor; pero se consoló pensando que la vida tiene leyes inexorables que es inútil tratar de contrariar.

—A ver, Guicay, que hoy estás muy callada —la azuzó su padre—. ¿Qué es para ti la patria?

Guicay lo miró con ojos grandes, esmaltados de algo parecido a la devoción:

—Patria es todo aquello que amo —dijo.

En su laconismo se refugiaba un mundo. La respuesta fue acogida con cierta bulla por los soldados, al tanto ya de su reciente idilio con Chamizo.

—¿Y qué cosas amas? —insistió Garzón, tal vez algo celoso.

Guicay se lo pensó antes de responder. Ahora su mirada era desafiante, como ofendida por la desconfianza de su padre:

—Amo el suelo donde nací —respondió al fin—; amo la hacienda en la que me crié; amo mi casa, que es mi nido; amo la paz y la libertad que en ella siempre he respirado; amo los campos de abacá, los cocales, los árboles de mi jardín, donde aprendí algo de botánica; amo la escuela donde estudié de niña; amo a las hermanas que me enseñaron; amo el recuerdo de los estudios, las travesuras, los premios de aplicación y los cánticos que entonábamos en clase; amo aquel altar dedicado a la Virgen donde mi padre me enseñó a cantar la Salve y aquel otro dedicado al Sagrado Corazón donde recibí la primera comunión; amo las procesiones de la fiesta patronal y del Corpus; amo la lengua tagala, que me enseñó mi madre, con la que puedo expresar lo que siento; y amo la lengua española, que me enseñó mi padre, con la que puedo expresar lo que pienso... —Se detuvo por un instante en su letanía, un poco intimidada por el recogimiento con el que la escuchaban todos—. Amo las caricias de mi madre, que por desgracia me faltaron pronto, y el cementerio donde descansan sus restos. Amo, sobre todas las cosas y todas las personas, al comprometedor de mi padre, que me está haciendo pasar mucha vergüenza delante de estos señores y que aún seguiré amando... con la condición de que me pague un pasaje a España, porque quiero conocer los tranvías eléctricos de Madrid, que estoy empezando también a amar.

Guicay dejó de mirar a Garzón, para que pudiera limpiarse las lágrimas que le mojaban la barba azafranada, y se volvió por un instante a Chamizo, incluido tácitamente en aquel elenco de amores, aunque fuese entre las apreturas del tranvía, que la miraba como embelesado, o incrédulo de que aquella mujer portentosa hubiese reparado en él. Las palabras de Guicay habían caído como un bálsamo o una plegaria sobre los soldados del destacamento, que habían ido haciendo corro en derredor de la hoguera. Fray Cándido también había derramado a hurtadillas alguna lágrima; y, para espantar la melancolía, soltó, con una especie de gula retrospectiva:

—Yo amo el olor de las torrijas que mi madre me cocinaba de postre los domingos, cuando era niño. ¡Ese olor es mi patria!

Rieron los soldados, descargando también la emoción que habían acumulado mientras escuchaban a Guicay. Tal vez entonces empezaban a entender lo que era la patria, que nada tenía que ver con la vaga entelequia por la que los políticos les obligaban a luchar, encubridora de sus sórdidos intereses.

—¿Y el sabor de la leche recién ordeñada? —intervino el zagal Calvete—. ¿Eso también sirve como patria?

Se rieron sus compañeros, habitados por el enjambre de amores que habían dejado atrás.

—Y la era de Campo de Criptana brillando con las parvas de la mies, como si fueran montañas de oro —dijo Santamaría—. Esa es mi patria.

—Y el olor de la tinta fresca sobre el papel recién impreso —añadió Chamizo tímidamente.

—Y la sonrisa de aquella moza que conocí en una verbena de mi pueblo y nunca volví a ver más... —se lamentó el cabo González Toca.

Por unos minutos, aquellos hombres a quienes aguardaba una selva ignota, dispuesta a tragárselos, hallaban alivio en la rememoración de esas menudencias que explican nuestra genealogía sentimental.

—Y el rumor de las olas en la playa de Marbella —se incorporó el teniente médico Vigil—. Una y otra y otra, repitiendo siempre la misma canción, recordándonos que el tiempo no importa, que seguimos vivos...

Y aquella noche, después de la rememoración de la patria, el tiempo pasó por encima de ellos sin siquiera perturbarlos con su aleteo, una vez distribuidos los turnos de guardia. A la mañana siguiente arrancó la marcha muy temprano, apenas hubo comenzado a alborear, para aprovechar al máximo las horas de luz. Se desplazaban cada vez más lentamente, porque la selva se iba cerrando a su paso y exigía a los *bantays* ir desbrozando de maleza el sendero, cada vez más borrado por la invasión vegetal. Pudieron protegerse de un aguacero que cayó a media mañana refugiándose entre las paredes de un desfiladero; y cuando volvió a brillar el sol vadearon un río no muy hondo, después de que Chamizo —que resultó el más avezado nadador— cruzase la corriente a nado, llevando consigo una soga que previamente había amarrado a un árbol robusto de la margen que dejaban atrás y que después sujetó a otro árbol de la margen opuesta. Así, utilizando la soga como pasamanos, fueron cruzando todos los miembros de la comitiva, quedándose para el final los que iban sobre sus monturas, que cruzaban las aguas con cierto recelo, temerosas de quedarse atolladas en el fango. Siguieron su ruta a través de un cañaveral, ritmado su paso por los golpes de los machetes sobre el follaje, hasta llegar antes del mediodía a un apacible arroyo de orillas alfombradas de flores. En uno de sus meandros se acuclillaron los hombres del destacamento, para rellenar sus cantimploras; el teniente médico Vigil, siempre previsor en cuestiones de higiene, cortó rodajas de limón y las fue repartiendo entre los soldados, para que las exprimieran en el agua, purgándola así de microbios y pestilencias. Los *bantays* recolectaron el carnoso fruto de un árbol que los nativos llamaban *casoy*, de sabor semejante a la manzana y semillas deliciosas, muy parecidas a cacahuetes, que comieron hasta el hartazgo, asándolas en la lumbre y dejándose luego merodear por el dulce sopor de la comilona. Cuando reanudaron el camino, los *bantays* mostraron enseguida signos de preocupación: descubrieron, aquí y allá, malezas que algún otro expedicionario acababa de quebrar a su paso y también huellas entre el barro. El capitán Las Morenas se esforzaba en cabalgar erguido y sereno, tratando de aparentar un completo dominio de sí mismo y acercándose de vez en cuando hasta la retaguardia, para infundir sosiego a la tropa; pero la desazón había hecho mella entre los soldados, que encogían el cuerpo como caracoles medrosos. Especialmente inquieto se mostraba el teniente Martín Cerezo, que mandaba parar la columna al más leve cabrilleo de una hoja; también creía escuchar a cada poco bisbiseos entre la fronda, que por lo común eran provocados por el aleteo de pájaros que al poco emergían de los matorrales, desplegando su rutilante plumaje. En alguna ocasión avanzó hasta la cabeza de la columna, para advertir al capitán de algún ruido sospechoso; pero fray Cándido, que parecía conocer el terreno mejor incluso que los propios *bantays*, se limitaba a sonreír y con una cabezada le indicaba que volviese a su posición.

—Si de verdad nos está siguiendo alguien peligroso —dijo, con voz apenada—, cuando llegue la hora surgirá dando alaridos. Este será el único ruido que oiremos. Hasta entonces, nada delatará su presencia.

Seguían el curso de un río muy ancho y caudaloso, que al menos les permitía concentrar la atención en un solo flanco. Pasado el mediodía, cuando el cielo empezaba a perder lustre, los *bantays* los sobresaltaron con un grito pánico y aturdidor:

—¡Katipunan! ¡Katipunan!

Tenían el rostro demudado y no acertaban a enhebrar ni una palabra más. En un herbazal rodeado por una empalizada natural de juncos, alguien había ensartado una caña de bambú con un estandarte muy primorosamente bordado, en el que figuraban un brazo que sostenía una cabeza decapitada y sangrante y otro, a su derecha, que empuñaba una daga.

—Es el distintivo del Katipunan, capitán —lo desengañó fray Cándido—. Nos advierten de que nos han elegido como presa, para que no podamos decir que nos atacaron a traición.

Martín Cerezo arrancó el estandarte de la caña y lo hizo un gurruño con mal contenida cólera:

—Menos mal que, según Primo de Rivera, el Katipunan se había disuelto... —rezongó.

—¿Está seguro de que piensan atacarnos? —preguntó Las Morenas—. ¿No será una advertencia para que retrocedamos, o algo parecido?

Fray Cándido lo miró con lástima y una suerte de pacífica impaciencia:

—Estoy completamente seguro de que piensan atacarnos, capitán. Los han adiestrado para eso. Esperarán a que sea de noche, para estar en ventaja; pero atacarán.

Entre la tropa ya se había divulgado la infausta nueva, que provocó un calambre de consternación. Las Morenas volvió a preguntar a fray Cándido:

—¿Cuántos pueden ser?

—Ahí sé tanto como usted —respondió meditabundo—. Podrían ser una docena o un par de cientos, depende de los adeptos que hayan logrado captar en la zona.

Garzón se sumó también al corro que se había formado en derredor de fray Cándido:

—¿Tendrán fusiles? —inquirió.

—No lo creo —contestó, un tanto maquinalmente. Aunque satisfacía la curiosidad de sus compañeros, su pensamiento enfilaba otros derroteros—. Si los tuvieran, los habrían empleado para irnos tumbando uno por uno, disparándonos desde los árboles. Además, a los katipuneros nada les gusta más que matar a sus víctimas de cerca, cara a cara, degollándolas o macheteándolas. Les gusta el olor acre de la sangre en las manos.

La pululación del miedo se extendió entre los soldados, como una nube de polillas despavoridas. Martín Cerezo sintió que, allá en las cámaras donde se había refugiado su dolor, emergía un odio antiguo, minucioso, vasto como el universo:

—La culpa de que exista el Katipunan la tienen ustedes, los frailes —murmuró.

Fray Cándido se revolvió como si acabasen de mentarle a la madre, pero Las Morenas lo retuvo:

—¿Tendremos algún indicio... antes de que nos ataquen?

Pugnaba el fraile por morderse el tropel de denuestos que Martín Cerezo le había inspirado. Cuando al fin respondió, lo hizo con una sequedad parecida al resquemor:

—Lanzan un alarido un instante antes de pasar a la carga, con el bolo en ristre. Nada más. —Y apostilló—: Aunque el mayor indicio se lo brindaremos nosotros a ellos: esperarán a atacar cuando el miedo nos haya minado por completo.

Los soldados del destacamento habían oído relatos (tal vez exagerados o apócrifos, pero en cualquier caso intimidantes) sobre la crueldad ensañada del Katipunan, también sobre los rituales que celebraba para enardecer a sus prosélitos, a quienes —según se contaba— obligaba a ingerir drogas que los mantenían impasibles al dolor, en una especie de trance homicida. Garzón intervino, menos indeciso que los oficiales:

—A una legua de aquí, aproximadamente, hay un puente. Si conseguimos llegar a él y cruzarlo, podremos hacernos fuertes en la otra ribera, donde hay una gran extensión de terreno sin apenas vegetación. —Buscó la aquiescencia de Las Morenas—. Tenemos armas y municiones en abundancia; y apostados en círculo cubriríamos todos los flancos. No se atreverían a atacarnos en aquel lugar, les causaríamos demasiadas bajas. Y a la mañana siguiente podríamos seguir el camino.

Abrazó muy estrechamente a Guicay, sintiéndola más carne de su carne que nunca; para ejemplo de la tropa, la joven mestiza mantenía la entereza allí donde otras mujeres se habrían entregado a la histeria. La propuesta de Garzón fue acogida por los oficiales con entusiasmo (o siquiera con esa exaltación exagerada propia de los momentos en que deseamos disimular nuestros reales afectos); y con cierto escepticismo por fray Cándido, que sin embargo quiso también agotar ese recurso. Echaron a caminar a marchas forzadas; hablaban muy poco, y cuando lo hacían era en un tono apagado y temblón, como si estuviesen rezando un responso. Miraban constantemente por encima del hombro hacia la vegetación espesa que dejaban a sus espaldas, tratando inútilmente de distinguir algún ruido delator de los katipuneros y sabiendo que aquel silencio ominoso no sería perturbado hasta el postrer momento, cuando el aire se poblase de repente de una algarabía espeluznante. De vez en cuando rasgaba el silencio un grito agudo, como emitido por la garganta de un demente; y se giraban con el corazón acongojado y la saliva rasposa como el asperón, esperando toparse con la reluciente hoja de un bolo a punto de golpear sus cabezas, para descubrir que de nuevo reinaba el silencio y entre la enramada brincaba un mono. Seguía rodeándolos una vegetación apabullante, de un verdor luminoso que casi hería las retinas; pero había sido crudamente ensombrecida, borrada casi, por la desnuda garra del miedo, que les nublaba la vista y se les engarfiaba en el pecho, como una gusanera premonitoria de la muerte. Sabían que estaban siendo observados, minuciosamente observados; pero también que no podían hacer otra cosa sino seguir caminando en pos de aquel puente salvador.

Poco a poco, el silencio sólo quebrado por sus propias pisadas se fue haciendo más y más pavoroso, como si hasta los animales de la selva hubiesen desertado, para no verse atrapados en la avalancha de furia que pronto se abatiría sobre ellos. El sol bajaba hacia el oeste, poniendo una cenefa de brillos rojizos que se difuminaban sobre la sierra lejana, cuyas laderas ya empezaban a cubrirse de sombras; y se levantó un aire repentinamente frío y húmedo, como escapado entre las rejas de algún cementerio, que rizaba al fondo del desfiladero la superficie del río. Llegaron al puente del que les había hablado Garzón en poco más de una hora; y entonces la desolación se derramó sobre sus exhaustos miembros como un agua negra. El puente era una rústica armazón de troncos gruesos que habían sido laboriosamente unidos con cordales de cáñamo y recubiertos con tablones tendidos sobre el punto más angosto del cauce del río, que discurría entre abruptos y elevados riscos; cientos de plantas rastreras y trepadoras habían arraigado entre los troncos del puente, rodeándolos con sus pedúnculos y haciéndolos sólidos como el propio suelo. Pero las plantas acababan de ser cortadas (todavía sus tallos tronzados destilaban savia), los tablones arrancados y los troncos se amontonaban al fondo de la garganta, de unos cuarenta metros de profundidad, hechos trizas entre los peñascales. Un silencio fúnebre aplastaba al destacamento.

—Y ahora... ¿qué hacemos? —preguntó confuso y estragado por la desesperación Martín Cerezo, que ni siquiera podía consolarse rezando.

Las Morenas trataba de sobreponerse al mazazo, pero al descender de la montura para asomarse a la garganta comprobó que sus piernas se habían vuelto arenosas y que un vértigo de angustia le zarandeaba la cabeza, como si fuese una vejiga hinchada. Ordenó a la tropa que se situara en derredor del puente, parapetándose detrás de cada peña, de cada tronco, de cada accidente del terreno, tal como le habían enseñado en los lejanos días de la academia militar, en la lección referida a las defensas desesperadas; pero advertía que los hombres, empezando por el propio Martín Cerezo, ya no confiaban en sus capacidades de mando.

—Me consta que hay un camino para descender por el desfiladero y vadear el río —dijo Garzón, con una voz también derrotada—. Pero está al menos a tres leguas de aquí. No creo que lleguemos antes de que anochezca.

Y los soldados estaban, además de paralizados por el miedo, al borde del agotamiento, tras la caminata sin descanso selva a través. Empezó a croar un sapo, como si se burlara de su desgracia en un gorgoteo de hilaridad; y al instante, decenas o cientos o miles de sapos lo imitaron, haciéndole eco y llenando la selva con aquella risa pútrida y cacofónica que parecía proceder del subsuelo, o tal vez del infierno. Luego, de repente, con la misma prontitud con que se había iniciado, cesó el estrépito; y el mismo silencio funeral llenó la bóveda del cielo vespertino.

—No hay ni rastro de ellos por ninguna parte, mi capitán —dijo Martín Cerezo, dejándose llevar por un insensato optimismo, consecuencia tal vez de los nervios—. ¿Y si el fraile se hubiese equivocado?

Miró con desconfianza y rencor a fray Cándido, que ni siquiera se dignó rebatirlo cuando se dirigió a Las Morenas:

—Pueden estar aguardando los refuerzos, o simplemente disfrutando de nuestra desazón. Sólo nos resta una salida...

—¿Y si aguantáramos hasta el amanecer? —lo interrumpió Las Morenas sin escucharlo.

—Atacarán durante la noche —insistió fray Cándido, en un tono monocorde—. Pero, si me permiten, voy a tomarles la delantera...

Las Morenas, enredado entre las brumas de la angustia, pensó que fray Cándido estaba delirando:

—¿Es que pretende ir en busca de ayuda? En diez leguas a la redonda no hay ningún destacamento militar.

Fray Cándido sacudió la cabeza, como si desease sacudirse las incoherencias del capitán:

—Y, aunque lo hubiese, ese tipo de refuerzos de nada nos servirían. Me refiero a otro tipo de ayuda. Hace muchos años, cuando me destinaron por primera vez a Baler, tuve ocasión de hacerme amigo de los ilongotes.

La mención de aquella tribu de indígenas feroces, sobre los que circulaban leyendas aún más pavorosas que las que protagonizaban los katipuneros, acabó de afligir a la tropa, entre la que ya empezaban a proliferar, como sonajeros del miedo, los castañeteos de dientes.

—¿Quiere decir que consiguió evangelizar a los ilongotes? —preguntó Garzón con estupor.

—No, pero hice algo por lo que me juraron gratitud eterna —dijo fray Cándido—. Salvé la vida a un hijo de su jefe Sakdal, que estaba con un pie en la tumba, enfermo de malaria. Nunca me cobré el favor. Pero si Sakdal siguiese todavía vivo...

En otras circunstancias menos apremiantes, tal vez aquella solución se les habría antojado alucinada; pero estaban dispuestos a aferrarse aunque fuera a un clavo candente.

—¿Y dónde se supone que se encuentra ese Sakdal? —intervino Martín Cerezo.

—Vive con su tribu en una cueva, en las estribaciones del monte Mingan, a media legua de aquí. Me sé el camino de memoria —dijo, jugueteando ahora con los nudos del cordón que le ceñía el hábito. Tal vez estuviese utilizándolos como cuentas de un improvisado rosario, o simplemente matando la desazón.

—No voy a permitir que vaya usted solo —resolvió Las Morenas.

—Es un riesgo que debo correr, Enrique —se resistió fray Cándido. Y sonrió sin demasiadas ganas—: Además, porque vayamos dos no van a cambiar las cosas.

—He dicho que voy con usted y no se hable más. El teniente Martín Cerezo se queda al mando.

No sabía Las Morenas la razón de su empeño, seguramente vano como el propio fray Cándido acababa de señalar. Sabía únicamente que la angustia era un prieto nudo que amenazaba con estrangular su voluntad; y pensó que así conseguiría aflojarlo. Garzón cedió su caballito a fray Cándido, para que pudiera cabalgar más presto que en su mula; y Las Morenas montó de nuevo el suyo, siguiendo con dificultades a fray Cándido que, en efecto, parecía recorrer un itinerario conocido aun en sus más nimios detalles. Durante los años que había permanecido en Baler, a nada se había dedicado fray Cándido con mayor tesón que a la evangelización de los ilongotes, en contra de la opinión de sus superiores; pues nunca se había logrado la conversión de ninguna de sus tribus (y cuando se conseguía convertir a algún miembro aislado, de inmediato era repudiado por su familia y condenado al ostracismo), y además las intentonas se habían saldado frecuentemente con algún percance para los misioneros, incluso con la misma muerte. Fray Cándido no había conseguido contrariar ese sino; pero, a modo de consolación, había trabado amistad con algunos ilongotes, sobre todo con su cabecilla Sakdal, y, valiéndose de su privanza, había estudiado su religión inexpugnable y jeroglífica, así como sus tradiciones y su lengua, igualmente crípticas, privilegio que no le había sido concedido a ningún otro misionero. Así fray Cándido había podido comprobar que los ilongotes no eran tan fieros como los pintaban las leyendas tagalas, donde se los comparaba con demonios o sacamantecas.

—¿Y el apelativo de «cazadores de cabezas» —le preguntó Las Morenas— también forma parte de esa leyenda?

—No, eso es verdad —reconoció fray Cándido.

La *buayat* o rito de cortar cabezas (siempre del enemigo tagalo, nunca de miembros de la propia tribu) no se celebraba, sin embargo, aleatoriamente, ni a impulsos de un anhelo de venganza, ni siquiera regido por un calendario. Los ilongotes sólo cortaban cabezas para celebrar el paso a la edad adulta de algún miembro de la tribu, o en situaciones de gran quebranto y aflicción, por ejemplo ante el fallecimiento de algún allegado muy querido; en ambos casos, se hacía para expulsar la ira del alma y alcanzar la sabiduría, muy loables propósitos logrados, sin embargo, del modo más brutal. Antes de lanzarse en pos de sus presas, los ilongotes ensayaban una danza frenética, con contorsiones que a punto estaban de descoyuntarles las articulaciones, lanzando aullidos que helaban la sangre en las venas, para aplacar el *amet* o espíritu de quienes iban a ser decapitados e invitarlo a volar, antes de que se consumara el sacrificio.

—Los tagalos conocen bien esos aullidos y danzas —aseguró fray Cándido, con el gesto duro, tal vez agravado por el declinar de la tarde—. Y a nada le tienen más terror. Si esta noche sonara esa canción, le aseguro que los katipuneros que nos persiguen correrán a refugiarse en sus poblados.

A Las Morenas, insensatamente, se le empezaba a antojar una tarea sencilla:

—No creo que ese Sakdal se niegue a hacerle el favor. —Buscó la anuencia de fray Cándido—. Después de todo, se trata tan sólo de fingir una danza...

Fray Cándido se agarraba al cuello del caballito, para pasar más fácilmente bajo las ramas de los árboles.

—Pero para los ilongotes la *buayat* es algo sagrado, como para nosotros la misa. —Se volvió inquisitivo hacia Las Morenas—: Porque usted no irá a comulgar fingiendo, supongo.

Alcanzaron las estribaciones de las montañas Mingan cuando ya el crepúsculo iniciaba su lento desangramiento. Fray Cándido guardó de repente un silencio reverencial. Las Morenas tenía nuevamente la impresión de estar siendo escrutado desde la espesura, esta vez por ojos aún más avezados que los de los katipuneros. Guardó también silencio, un silencio admirado y atónito, cuando vio brincar entre las peñas a los primeros ilongotes, menudos pero muy musculosos, como monos de extremidades prensiles, cayendo a cuatro patas desde varios metros de altura, mirándolos con ojos incandescentes o nictálopes, como si los mirasen desde la noche de una edad primigenia, haciendo muecas horribles, balanceando unas largas trenzas en las que se recogían los cabellos foscos, como si fuesen péndulos o serpientes dormidas. A Las Morenas no le estremecía tanto su aspecto monstruoso o simiesco como justamente lo contrario, el pensamiento de que eran humanos; y la conciencia de su parentesco con aquellos salvajes lo llenó de una abrumada lástima. Fray Cándido habló al fin con uno de ellos en un lenguaje gutural y antediluviano; e inopinadamente los rodeó un grupo que los condujo hacia la embocadura de una gruta de no más de un metro de altura, empujándolos sin miramientos con la punta de arpón de sus lanzas de palma. Bajo la bóveda de la cueva discurría un río subterráneo, o tal vez ni siquiera discurriese, pues sus aguas reflejaban nítidamente las fosforescencias de las estalactitas; esa misma luz mohosa y espectral iluminaba una ringlera de cabezas humanas ensartadas en picas, cabezas secas, arrugadas y renegridas, cuyos labios encogidos y gusanosos descubrían una dentadura que sonreía sin cesar, como si estuviese contemplando una visión beatífica, o tal vez execrable. Los obligaron a montar en un esquife hasta llegar a un paraje de la cueva de atmósfera nauseabunda en el que podían volver a caminar sobre suelo firme, o más exactamente limoso. Los ilongotes que los guiaban a través de aquel dédalo excavado en las entrañas de la roca les tendieron unas teas encendidas, alertándolos sobre algún inquilino de la cueva que Las Morenas no supo discernir hasta que lo tuvo encima, y en desbandada.

—Tenga cuidado, son zorros voladores —le advirtió fray Cándido, cuando ya era tarde.

Eran murciélagos grandes como perros, de una envergadura de más de metro y medio, que chillaban como hienas y lanzaban mordiscos ciegos, golpeándole la cabeza con su aleteo membranoso. Las Morenas creyó que iba a morir sofocado entre aquella jauría o manada volante, mientras sus pies se hundían en el limo del suelo, en realidad el guano defecado por los propios animales, que nunca llegaba a solidificarse por efecto de la humedad y las filtraciones de agua. Cuando ya creía desfallecer, fray Cándido lo tomó del brazo y tiró de él, hasta que llegaron, siempre escoltados por los ilongotes, hasta una suerte de anfiteatro natural en el interior de la gruta, iluminado también con teas; en su centro exacto, en olímpica soledad, se hallaba sentado sobre una protuberancia estalagmítica en forma de trono un hombre de edad indistinguible, probablemente sexagenario, muy cenceño, con los músculos esculpidos bajo la piel, que parecía fina y delicada como la de un párpado.

Era Sakdal. Miró a fray Cándido al principio con hostilidad, luego con astucia, finalmente —tras reconocerlo— con un ceremonioso alborozo, si la contradicción es admisible. Se alzó de su trono y fue a reunirse con él; le impuso las manos sobre el pecho, después sobre los hombros y sobre la frente, como si tratase de reconocerlo mediante el tacto o las pulsaciones del corazón; por último, se abrazaron al modo español. En Sakdal no había efusividad ni júbilo, pero celebraba a su modo el reencuentro con el viejo amigo, entonando una plegaria que relajó los ánimos de los ilongotes que aún custodiaban al capitán. Fray Cándido empezó a explicarse en su misma lengua, muy largamente y con su expresividad característica, que a duras penas se conciliaba con la guturalidad salmódica de los ilongotes. El rostro de Sakdal tenía algo de tótem o aguilucho; y a medida que fray Cándido le iba exponiendo sus razones se iba agriando, mostrando —de un modo siempre contenido, casi imperturbable— su contrariedad, incluso su enojo. Fray Cándido siguió insistiendo, adoptando un tono suplicante; de repente, en medio de aquella jerigonza bárbara, Las Morenas escuchó de forma nítida e indubitable el nombre de su hijo, Enriquillo; y, al sonar ese nombre, mientras reverberaba en las paredes del anfiteatro, el capitán creyó desfallecer por mal de ausencia. Enseguida dedujo que fray Cándido había nombrado a Enriquillo para resucitar la fibra paternal de Sakdal; y para conmover su ánimo, demandando piedad por aquellos soldados españoles que dejarían niños huérfanos si el Katipunan lograba finalmente masacrarlos esa noche. Se hizo un silencio lacerante, y Sakdal volvió la espalda a fray Cándido, como si necesitara rehuir el escrutinio de su mirada para adoptar una decisión. Era muy aleccionador comprobar cómo la misericordia se desperezaba, allá en su alma de piedra, y se infiltraba en su sangre, y entablaba combate agónico con su impasibilidad.

Sin aviso, Sakdal lanzó un grito; y, al instante, apareció como si hubiese brotado del suelo una multitud de ilongotes completamente desnudos, varones y mujeres con aspecto de endriagos armados de teas encendidas que esparcían por el anfiteatro círculos de luz con oscilaciones penumbrosas. A una señal de Sakdal, los varones entregaron las teas a las mujeres y se arrojaron a una especie de lodazal o piscina rebosante de cieno o de guano, que enseguida cubrió sus cuerpos con una pátina entre verdosa y cenicienta; una vez concluido aquel abyecto baño, chorreantes todavía de guano, permitieron que las mujeres trazasen en su piel muy artísticos arabescos con los dedos de sus manos, que siquiera por unos minutos dejaron de ser garras y se convirtieron en primorosos pinceles. Cuando su piel ya estuvo suficientemente historiada, las mujeres adornaron sus trenzas con agujas de hueso y conchas de nácar y plumas abigarradas, y los enjoyaron con collares y pulseras y pendientes cuyas cuentas, al entrechocar, lanzaban destellos titilantes. Finalmente, los coronaron con un extraño tocado, elaborado con el pico y la excrecencia córnea del cálao; el resultado era, en verdad, intimidante y perturbador. Cuando estuvieron compuestos y engalanados para la *buayat*, las mujeres desaparecieron del anfiteatro con la misma prontitud con la que antes habían aparecido, dejando a los hombres las teas. Fray Cándido no había vuelto a cruzar palabra con Sakdal, que contemplaba los preparativos con gesto hierático e indescifrable, como si estuviera calculando las consecuencias del sacrilegio que iba a perpetrar, por atender la solicitud de un amigo venido del remoto pasado. A fray Cándido no le pasaban inadvertidas, pese a su máscara de impasibilidad, las tribulaciones interiores de Sakdal; y se inclinó muy ceremoniosamente ante él, llegando incluso a clavar la rodilla en tierra y a besarle la mano, como hubiese hecho ante su obispo o su provincial. Luego se reunió con Las Morenas, que asistía a la escena en un estado alucinatorio. Cuando se disponían ambos a abandonar la cueva, Sakdal se dirigió a fray Cándido y le habló en un tono que traslucía amargura.

—Me dice —tradujo fray Cándido a Las Morenas— que puede convocar a sus hombres a una cacería, pero no puede impedir que se la tomen en serio. Me pregunta si soy consciente de que esta noche puede correr la sangre de los tagalos.

En su juventud, fray Cándido se había esforzado en vano para que los ilongotes abandonaran aquella práctica siniestra;

veinte años después, regresaba al escenario de sus predicaciones estériles para instigar a los que antes había intentado disuadir. Esta paradoja lo torturaba íntimamente, porque sabía que la sangre que se derramase caería sobre su cabeza; pero no era ocasión para los remilgos. Dijo con dureza:

—*Kalasanan de*.

Y entonces Sakdal extendió los brazos, en un ademán similar a la bendición, y los ilongotes de la tribu empezaron a contorsionarse de un modo epiléptico, como si les recorriera el cuerpo un oscuro azogue.

—¿Qué le ha dicho? —preguntó Las Morenas.

—Que la culpa ha sido de ellos —dijo fray Cándido, cargando sobre su conciencia con el horror que estaba a punto de desatarse—. Vámonos, Enrique, o los ilongotes pasarán por encima de nosotros. La danza para aplacar el *amet* de sus víctimas la harán en el bosque.

Fray Cándido lo precedió por el dédalo de galerías lóbregas, donde volvieron a hundirse hasta los corvejones en el guano derretido y a sufrir en los rostros la embestida y el aleteo membranoso de los zorros voladores. Volvieron a llevarlos en esquife por el río subterráneo en cuyas márgenes se alineaban las cabezas de sus víctimas ensartadas en picas, como trofeos pútridos, seguidos por otros esquifes abarrotados de ilongotes que empezaban a lanzar aullidos a la noche, mientras se apoderaba de ellos el frenesí. Cuando al fin alcanzaron el lugar entre unas peñas en el que habían dejado sus caballitos, Las Morenas volvió la cabeza, aun a riesgo de convertirse en estatua de sal, contrariando las instrucciones de fray Cándido. Los ilongotes habían invadido un claro de la selva; y, bañados por la luz de yeso de la luna, armados con arcos y lanzas, se entregaban con movimientos felinos o tal vez ofidios a una danza convulsa, forzando las articulaciones de una forma inverosímil que en cualquier otro ser humano o inhumano se habría saldado con varios huesos tronzados. Y, mientras danzaban poseídos por el *amet* de sus futuras víctimas, lanzaban aullidos que perforaban el aire como una flecha que fuese a ensartarse en el alto corazón de la noche; poco a poco, los aullidos sueltos y discordantes se fueron aglutinando, trepando unos por encima de otros, en un cántico coral y atronador, creciente siempre en volumen, que acuchillaba la tierra, hendía el cielo y sacudía la fronda de la selva, llenando el aire de gemidos horrísonos, como si el mundo estuviera con los dolores del parto y de ese parto fuese a nacer un engendro abominable, llamado a sembrar la mortandad por toda la faz del orbe. Mientras se alejaba al galope, siguiendo a duras penas a fray Cándido, Las Morenas sintió que el cántico lo perseguía, como si fuese un organismo vivo, culebreante entre los troncos de los árboles; y pensó con aprensión que lo perseguiría mientras viviese, retumbando siempre en su memoria.

—Calle y párese un momento —le indicó fray Cándido, que acababa de detener en seco su caballito.

Las Morenas lo imitó. Escucharon los últimos aullidos de aquel cántico execrable; y a continuación la selva se encogió en un silencio trémulo, en el que sólo se oían los latidos asustados de todas sus criaturas. Entonces empezaron a sonar, con un tañido asustado, los *tambulis* del Katipunan.

—¿Los oye? Se retiran —dijo fray Cándido—. Estamos salvados.

Siguieron sonando los *tambulis* durante largo rato, perentorios y atropellados, exhortando a la huida a sus prosélitos, que seguramente no hubiesen precisado tal aviso, pues habrían oído perfectamente el cántico de los ilongotes. Fray Cándido y Las Morenas volvieron a aguijonear sus caballitos, en dirección al puente derruido donde habían dejado a los restantes miembros de la expedición. De vez en cuando, en su camino se cruzaban con algún katipunero que huía en la dirección contraria, con los ojos agrandados por el miedo, ojos de ciervo despavorido que ni siquiera reparaban en fray Cándido y en Las Morenas, como si fuesen invisibles o invulnerables.

Cuando al fin llegaron al puente, sus compañeros los recibieron con reverencia y alegría muda, como hubiesen recibido a unos hacedores de milagros. Sobre la selva, la noche palpitaba, tensa como el vientre de una parturienta; y la tierra exudaba un calor húmedo y expectante, avaricioso de sangre.

6

—A este cabo lo llaman Punta del Encanto —los aleccionó don Ramiro Garzón—. Desde ese promontorio se domina toda la bahía de Baler. —Luego se dirigió más específicamente a Las Morenas—: Le recomiendo que destine un vigía a este puesto. Si sufriesen un ataque por mar, podrían anticiparlo con tiempo suficiente.

Hacía un día radiante, con una luz cálida y enceguecedora que lavaba los últimos miasmas de la pesadilla que habían vivido un par de días atrás. Sus caballitos hincaban los cascos sobre una playa de arenas finísimas, como de canela molida; la vegetación tropical, con palmeras que inclinaban sus troncos como si se asomasen a un balcón, casi alcanzaba la orilla. La lengua de tierra montañosa que formaba el cabo se coronaba con un pequeño baluarte casi derruido.

—Seguiré su consejo, don Ramiro —afirmó Las Morenas—. Aunque esta Punta del Encanto, como su nombre indica, me parece un lugar más apropiado para el amor que para la guerra. ¿No le parece así, Chamizo?

El interpelado se sobresaltó. Ya se atrevían Chamizo y Guicay a hacerse carantoñas incluso delante del padre de ella; pues la noche en que creyeron que serían degollados por los secuaces del Katipunan habían decidido declarar su amor ante Garzón, a quien entonces le pareció hermosa y desesperada aquella donación recíproca, muy acorde con las circunstancias especialísimas que estaban atravesando. Ahora que el peligro de muerte había sido conjurado, esperaba que su hija y el mozo que la cortejaba recuperasen paulatinamente la cordura y atemperasen sus impulsos.

—Desde luego que sí, mi capitán —dijo, al fin, Chamizo.

Y cruzó una mirada cómplice con Guicay, mientras palmeaba las ancas de su caballito. El esplendor pacífico del océano los convocaba con el rumor de sus olas; Las Morenas tuvo que hacer un esfuerzo para no desmontar y arrojarse al agua, liberándose de la costra de suciedad y angustia acumulada durante el viaje. Menos remilgados que él, los soldados del destacamento se deshacían de la impedimenta, que dejaban abandonada a la orilla, y corrían alborozados a pegarse un chapuzón. El teniente Martín Cerezo se desgañitaba:

—¡Les ordeno que vuelvan! ¿Quién les ha dado permiso para bañarse? ¡Salgan del agua! ¿Es que no me han oído?

Guicay soltó una carcajada cantarina; y a su hilaridad se sumaron enseguida su padre, fray Cándido y Las Morenas, que recomendó discretamente a Martín Cerezo:

—Vamos, Saturnino, deje que los muchachos se diviertan un poco. Han pasado mil penalidades en la selva. Ya habrá tiempo de devolverlos a la disciplina.

Los soldados llamaban a Chamizo, para que se incorporase al jolgorio; y como se mostraba vacilante, aderezaban su petición con cuchufletas sobre su idilio. Guicay le dio permiso y Chamizo se lanzó también al agua, dispuesto a probar las dotes natatorias de los compañeros que le habían hecho escarnio. Garzón tomó la mano de su hija, ocupando de nuevo el lugar que le había usurpado Chamizo:

—Aquí nos separamos, capitán —dijo a Las Morenas—. Ya me encargaré de que le envíen de inmediato los víveres y municiones que me confió el ejército.

Se fundieron en un abrazo, agarrándose ambos a la vez del arzón de sus respectivas sillas.

—Le agradezco de corazón todos sus desvelos, don Ramiro. Las municiones espero que no tengamos que usarlas nunca.

Este desiderátum lo había formulado sin excesiva convicción; pero impostó un tono optimista, en un intento de exorcizar los augurios funestos.

—Mi hacienda está al oeste, a poco más de un par de leguas de aquí —le explicó Garzón—. Para mi hija Guicay y para mí sería un inmenso honor brindarle nuestra casa para celebrar una fiesta de bienvenida.

—Me temo que no será posible, don Ramiro —se excusó Las Morenas, adelantándose como los almendros—. No quiero desatender a la tropa, al menos hasta que nos acostumbremos a nuestro nuevo destino. Además, allá donde voy, prefiero que ellos vengan conmigo.

Garzón se había picado un poco, pero rió sinceramente:

—Creo que no me ha entendido bien, capitán. La fiesta sería en honor de la guarnición al completo, naturalmente. ¡Y hasta estoy dispuesto a invitar a fray Cándido, con tal de que venga de vez en cuando a celebrar misa a la hacienda! —bromeó. Agitó la mano, en ademán de despedida; y aguijoneó su caballito—. Por supuesto, la fiesta la celebraremos cuando usted me indique. ¡Tenemos que seguir cruzando impresiones!

Fray Cándido y Las Morenas se despidieron también de Guicay, que condujo su caballito por la orilla del mar y se quedó algo rezagada de su padre, reunido ya con los *bantays*. Quería hacerse visible ante Chamizo antes de marchar, pero Chamizo chapoteaba con los otros soldados, disfrutando de las ahogadillas que unos a otros se hacían y desentendido de todo lo demás. Las Morenas reparó en el mohín de púdico y venial desencanto de la mestiza, que terminó por reunirse con su padre; mientras los seguía a ambos con la mirada, vio a lo lejos una procesión o comitiva procedente de Baler: la formaban los lugareños, de punta en blanco, y la presidía una monja muy gallarda a la que se le notaban las dotes de mando.

—La que va al frente es sor Lucía, de la que ya le he hablado —dijo fray Cándido; y añadió, socarrón—: Una mujer de armas tomar. Protéjase de ella como de un nublado.

Aunque, a juzgar por las muestras de contento que hacía mientras sor Lucía se acercaba, más bien parecía significar exactamente lo contrario. Entre los nativos que encabezaban la comitiva, flanqueando a la monja, había algunos que se habían ataviado de forma ridícula, colgándose unas levitas raídas encima de las camisas como mandilones y anudándose sin gracia una chalina al cuello. También había algunos que tocaban instrumentos de metal y percusión, formando una charanga horrísona, que a los oídos de Las Morenas y fray Cándido —todavía estragados por el cántico de los ilongotes— sonó sin embargo como música celestial. Bajaron ambos de sus monturas y se dirigieron al encuentro de la comitiva. Sor Lucía tomó la delantera, para hacer a Las Morenas una ofrenda floral:

—Bienvenido, capitán —dijo, con una reverencia que imitaba la obsequiosidad de los nativos—. El pueblo de Baler brinda su amistad al nuevo comandante político-militar del distrito del Príncipe. Y con él, a todos sus hombres.

Las Morenas había aceptado, por pereza mental, que todas las monjas eran feas o siquiera desaboridas, y la visión de sor Lucía lo conturbó. Fue a estrecharle la mano, olvidando que a las monjas no se les da la mano, pero la retiró enseguida, aturullado:

—*Marami samalat* —susurró, todavía en trance. Luego alzó la voz, para dirigirse al resto de los balereños—. Muchas gracias a todos.

Mientras lo abordaban algunos miembros de la comitiva, sor Lucía se dirigió a fray Cándido, abandonadas definitivamente las rigideces protocolarias; su sonrisa era más ancha que el cielo y le desbordaba el rostro:

—¡Creí que nunca llegaría el día en que por fin lo tuviéramos entre nosotros, fray Cándido! —exclamó. Y se acercó para darle un fuerte abrazo que se saltaba a la torera todos los reglamentos del decoro monjil—: Se merece usted una reprimenda y un pescozón, por tardar tanto.

Fray Cándido suplicó, exultante:

—¡Démelo usted! ¡Démelo, por Dios, que me lo merezco! Hace apenas un par de días creí que no volvería a recibir un pescozón en mi vida.

—Pues, ¿qué ocurrió? —se interesó sor Lucía, intrigada.

—Que estuvieron a punto de descabezarme —dijo él—. Pero ya le contaré, ya le contaré.

Volvieron a subir a sus monturas Las Morenas y fray Cándido, mientras los soldados del destacamento, apacentados por Martín Cerezo y con los uniformes empapados de agua y pegados al cuerpo, formaban detrás, en un desfile bufo, recibiendo los parabienes de los balereños. De esta guisa llegaron al río San José, que cruzaron en una barcaza, mientras la charanga anunciaba la llegada del destacamento a los lugareños, que aguardaban expectantes. Baler se hallaba exactamente en la desembocadura de este breve pero caudaloso río, que extrañamente discurría paralelo a la orilla del mar durante varios kilómetros; al oeste y al norte se extendía hasta la sierra una feraz llanura donde se cultivaban el arroz y el cocotero; y a continuación bullían la selva y los cañaverales acechados por los caimanes. Ya desde las afueras del pueblo, los vecinos salían de sus *bahays* al paso de la comitiva, prosiguiendo los agasajos del recibimiento; y los más hospitalarios sacaban incluso a la calle unas mesas portátiles, con pastas recién horneadas y tasajos de carne de carabao, para refrigerio de los recién llegados, que se dejaban aclamar y aplaudir, aunque tal dispendio de amabilidades les provocara cierta perplejidad. Sor Lucía había tomado las riendas de la mula de fray Cándido y le iba contando algunos detalles de su ajetreada odisea, desde que abandonara Manila para fundar con otras hijas de la Caridad una escuela en Baler hasta su regreso al pueblo en compañía de Novicio. Caminaban en dirección a la plaza de la iglesia; de repente, sor Lucía llamó la atención de fray Cándido y le señaló entre la multitud a un joven mestizo, flaco como una cerbatana y muy espigado, acompañado por una mujer muy desgastada por los achaques y los infortunios más que por los años, a la que tenía cogida del brazo.

—Ese es Moisés —dijo sor Lucía—. Vive con su tía, que se ha quedado medio ciega.

Fray Cándido asintió, compungido, mientras la mula seguía el paso, ajena a sus tribulaciones. Se volvió en la silla para reparar más atentamente en las facciones de Moisés, que lo escrutaba con ojos inquisitivos; los de fray Cándido, pesarosos y cohibidos, no le pudieron aguantar la mirada.

—¿Sabe algo? —preguntó a sor Lucía.

Y ella, por toda respuesta, denegó con la cabeza. Por el camino que los llevaba a la plaza, ya se atisbaban unos naranjos muy lozanos, y detrás de ellos la iglesia, algo achaparrada y pobretona, con muros más propios de una fortificación militar, construidos con una amalgama de pedruscos, cal y arena. A un lado habían dejado los restos calcinados de la comandancia asaltada por Novicio y sus hombres cuatro meses atrás; los soldados los contemplaron con desolación y zozobra, que se disiparon cuando llegaron por fin a la plaza de la iglesia, donde los recibieron con petardos, cohetes, fuegos de artificio y ruedas de Santa Catalina que estallaban y arrojaban chispas y centellas por doquier, mientras la campana de la iglesia empezaba a voltear y varias dalagas hacían circular entre la concurrencia unas tinajas de tuba. A fray Cándido, que se había quedado un tanto alicaído o caviloso, los balereños lo llevaron en volandas a la iglesia, que habían estado adecentando durante las últimas semanas, ansiosos de que les asignaran un párroco que al fin les quitase la roña de los pecados y les diese de comulgar. Más de tres horas se tiró fray Cándido confesando (o más bien absolviendo sumarísimamente) a los balereños, que llegaban al confesionario algo alpistadillos por la tuba, en ese exacto punto de sazón en que el alcohol nos torna más sinceros, o menos envanecidos de nuestras faltas. Y a las doce en punto, con la nave de la iglesia atestada de gente, se celebró una misa sin boato, con esa solemnidad hermoseada por la pobreza que tienen las misas de pueblo, siempre que el cura no se ponga pelmazo y estupendo desde el púlpito. Concluida la misa, prosiguió el festín en la plaza, en el que se repartió entre todos los presentes chocolate, servido con un acompañamiento misceláneo de pastas y dulces; tal vez no sobrasen las viandas, pero al menos de intención el convite sobrepujaba en generosidad a las bodas de Camacho. A las cinco de la tarde, volvieron a reventar bombas y cohetes en la plaza, en medio de una gran algazara, para anunciar el baile, que dio comienzo con un vals interpretado menesterosamente por la charanga que les había dado la bienvenida. Tenía que estrenar el baile el capitán Las Morenas; y varios balereños, enardecidos por la tuba, empujaron hasta el centro de la plaza a sor Lucía, para que fuese su pareja. Ella, a decir verdad, tampoco opuso demasiada resistencia.

—Pero... —se envaró Las Morenas— ¿tiene usted permitido el baile?

Sor Lucía se sonrió con un rubor que le encendía la mirada. Dijo, tendiéndole las manos:

—Yo diría que no, capitán. Salvo que sea por una causa patriótica, como es el caso.

A Las Morenas lo intimidaba bailar con una mujer de hábito. Se esforzaba por evitar que entre sus cuerpos hubiese —fuera de las manos que los unían— el más mínimo punto de contacto; pero sor Lucía olía a azahar, o al menos eso le pareció a Las Morenas —que olvidaba que estaba bailando en una plaza llena de naranjos—, y ese aroma iba minando poco a poco sus reservas. Los balereños, que al principio los jaleaban con gran bullanga y estrépito, habían enmudecido, lo mismo que los soldados del destacamento, viéndolos evolucionar sobre la arena como peonzas alegres o mariposas embebidas en su fulgor.

—¿Y a usted quién le ha enseñado a bailar así de bien, hermana? —preguntó Las Morenas.

Sor Lucía rió con su risa de dientes numerosos:

—Creo que está usted borracho, capitán, o que es usted muy galante —dijo, con un mohín de vergüenza—. Jamás en mi vida había bailado antes un vals. Es usted el que me está llevando.

Y entonces Las Morenas reparó en que, en efecto, la había ceñido por la cintura juncal y la estaba sosteniendo en vilo, mientras ella movía los pies en el aire, como una bailarina que desafía las leyes gravitatorias o una santa en plena levitación. Y la sentía tan grácil —pero quizá estuviese borracho, como sor Lucía le había dicho— que hubiese deseado alzarla sobre sus hombros, para que arrancase de los árboles las naranjas que embriagaban el crepúsculo con su dulzor. Cuando acabó el vals, Las Morenas la posó otra vez en el suelo, mientras los balereños aplaudían entusiasmados; y la charanga atacó los compases de otra danza más popular.

—Tendría que dedicarse a las clases de baile, capitán —lo elogió sor Lucía, algo sofocada, como si acabase de descender de un tiovivo.

—No sería mala salida, hermana —le siguió la chanza—. La milicia se está poniendo cada vez más fea.

Antes de retirarse para su rezo de vísperas, sor Lucía lo invitó a pasarse por la escuela a la mañana siguiente; todavía le duraba el mareo del baile e iba haciendo más eses que un charlatán con seseo. Las Morenas se preguntó si mirar ponderativamente a una monja cuya cintura se acababa de ceñir, aunque fuese sin deseo ni propósito libidinoso, podría considerarse pecado; concluyó que, en todo caso, lo sería venial. Sonó la voz de Martín Cerezo, siempre celosa de sus deberes, a sus espaldas:

—Mi capitán, debemos empezar a organizar la vigilancia del pueblo.

—Usted está al mando del destacamento, Saturnino —dijo Las Morenas, volviéndose hacia él. Tenía la lengua un tanto arenosa o envuelta entre trapos—. Es una labor que a usted corresponde.

Martín Cerezo estaba, por el contrario, totalmente sobrio. Tal vez la vida de campaña lo hubiese vuelto abstemio, o tal vez después de entregar su alma al veneno negro, allá en los fumaderos de Binondo, hubiese quedado inmunizado contra las bebidas destiladas. Habló con severidad, pero sin acritud:

—Si le parece bien, ordenaré que veinticinco cazadores vigilen el pueblo media noche y la otra media, los otros veinticinco.

Los naranjos empezaron a dar vueltas en torno a Las Morenas, bailando tardíamente el vals o escandalizados de los rigores del teniente.

—¿Se ha vuelto loco? —se escandalizó también Las Morenas—. ¿No ha visto la acogida que nos han dado estas gentes? ¿Acaso adivina en ellas malos propósitos?

—¿Y acaso ha olvidado usted la celada que le organizaron al anterior destacamento? —se enojó Martín Cerezo, que ya había detectado que Las Morenas estaba un tanto perjudicado por la tuba, o tal vez por los encantos de aquella monja descocada que desde el primer momento había despertado sus suspicacias—. ¿Quiere que también a nosotros nos pillen desprevenidos y entregados al sueño?

Las Morenas doblegó el cuello, herido en su amor propio. Se miró las manos, que guardaban memoria del talle de sor Lucía.

—Desde luego que no, teniente —dijo—. Dispóngalo como juzgue oportuno.

—Y otra cosa más, mi capitán —añadió Martín Cerezo—. Habrá observado la rara disposición del río de este pueblo, que discurre paralelo a la playa. Es invadeable, y con la última crecida el puente que lo cruzaba fue arrebatado por las aguas.

Las Morenas notaba los ojos flojos como canicas en un cestillo. Buscó a los soldados del destacamento, que se habían pillado una cogorza descomunal y bailaban entre sí, prodigándose mutuamente pisotones, y cantaban con vozarrones destemplados.

—Reparé en los pilares de ese puente, Saturnino —dijo Las Morenas—. Bastante recios y de mampostería.

—Así es, mi capitán. Convendría levantar otro puente nuevo, aprovechando esos mismos pilares.

—¿Y poner a trabajar a la tropa, nada más llegar? Me parece que se está usted excediendo... —se sublevó Las Morenas.

—En realidad —lo interrumpió Martín Cerezo—, había pensado que fueran los lugareños quienes lo hiciesen, mi capitán. Por ley están obligados a prestar quince días de servicio anual gratuito. —Carraspeó, mirando a Las Morenas con frialdad—. Pero tiene que ser usted quien lo decrete.

Luego su mirada se deslizó hacia los lugareños que todavía bailaban en la plaza y se tornó desdeñosa. Las Morenas se preguntó si el despecho de no haber sido apenas agasajado, a pesar de ser el oficial al mando del destacamento, habría endurecido el corazón de Martín Cerezo.

—Supongo que bromea, Saturnino —dijo—. Me parece la peor manera de iniciar nuestra presencia aquí, sobre todo teniendo en cuenta que tendremos que levantar nuevamente el edificio de comandancia, para lo que necesitamos a los balereños. Ya nos arreglaremos con el servicio de la barcaza para cruzar el río.

Martín Cerezo se cuadró con desgana:

—Usted manda, mi capitán. Pero conste que, al depender de ellos para cruzar el río, les estamos recordando nuestro aislamiento.

Las Morenas no respondió a este último comentario; y ordenó a Martín Cerezo que se retirase, encomendándole que organizara los turnos de guardia. Durante las primeras semanas, mientras se construía la nueva comandancia, el destacamento se alojó en la iglesia, donde se guardaron también los bastimentos y municiones que los criados de don Ramiro Garzón hicieron llegar desde su hacienda en los días siguientes. No eran escasas las municiones (por su cantidad, de hecho, parecían pensadas para una situación de guerra); en cambio, muchos de los víveres, según se pudo comprobar en el inventario de raciones, estaban estropeados por la humedad y la falta de ventilación y soleamiento. Por fortuna, en Baler vivían algunos pescadores a los que podían comprar todos los días sus capturas; y Las Morenas ordenó que se labrase y convirtiese en huerto el terreno baldío que rodeaba el edificio de comandancia, para asegurar una provisión de hortalizas y fruta fresca que sirviese de ayuda al rancho. Pronto empezarían a surgir otras necesidades de más difícil solución que las alimentarias: carecían de lámparas para alumbrarse, y en la iglesia ni siquiera pudieron hallar velas que las sustituyesen; faltaban uniformes para renovar el vestuario de los soldados, que lo iban necesitando con apremio, pues el clima tropical y el trabajo diario en obras de albañilería y carpintería los hacían sudar a chorros, y el sudor terminaba por corroer la tela; tampoco tenían suficiente calzado de repuesto, y la tropa se iba quedando con las alpargatas comidas por la humedad, con la excepción del previsor Julián Calvete, el zagal de Valdelugueros, que seguía calzando polainas y reservando sus botas de campaña para el hermano que padecía eccemas en las plantas de los pies. Mientras todas estas carestías se agudizaban, Las Morenas perseveraba infatigable en su esfuerzo por confraternizar con los balereños, exagerando a juicio de muchos —desde luego de Martín Cerezo, pero también de una porción nada exigua de la guarnición— las muestras de benevolencia y generosidad, las cautelas y obsequiosidades, y dispensándoles un trato privilegiado, o al menos un tanto discriminatorio para los soldados, que cargaban sobre sus espaldas con la mayor porción de trabajo. La condescendencia de Las Morenas lo llevó incluso a ordenar a la tropa que compartiese con los balereños una partida de latas de carne australiana que extrañamente hacían sus delicias, tal vez por la novedad de saborear viandas en conserva.

Con todos aquellos rasgos de bonhomía habría transigido Martín Cerezo, aunque fuera a regañadientes, si hubiesen sido simples expresiones del carácter blando de Las Morenas. Pero no se chupaba el dedo, y sabía que tan constantes y desvelados esfuerzos por atraerse la amistad de los balereños estaban, en realidad, inspirados por aquella monja alférez o monja prófuga de la disciplina que regentaba en soledad la escuela de Baler. Era la comidilla del pueblo que había convivido durante meses, allá en las espesuras de la selva, con el cabecilla insurrecto que la había hecho rehén, al que acabó sorbiendo el seso y tal vez seduciendo con sus sortilegios; y algo parecido estaba haciendo con el incauto del capitán Las Morenas, con el que se la veía pasear descaradamente por las calles embarradas de Baler, en flagrante infracción del recato, acompañándolo en la supervisión de las obras de comandancia, donde tenía la osadía de sugerir mejoras y aleccionar a los soldados que allí trabajaban. Aquella monja hechicera era además, como el propio Martín Cerezo había tenido ocasión de comprobar, desenvuelta y enemiga de los remilgos; y el botarate de Las Morenas, que bebía los vientos por ella, empezaba a parecer su mayordomo, o su caniche amaestrado, o tal vez algo todavía peor. A Martín Cerezo siempre le habían provocado grima y animadversión esos meapilas que merodean las sacristías y besan untuosamente la mano de los curas; pero los merodeadores de monjas le provocaban náuseas y ganas de estrangularlos. Tenía, sin embargo, que contenerse si no quería que le formasen consejo de guerra; al menos mientras Las Morenas, en su nueva condición de secuaz mamporrero de la monja meterete, no cometiese ningún desliz que contraviniese las ordenanzas militares. Quienes, desde luego, no se andaban con tantas contemplaciones eran los soldados del destacamento, que ya habían calado a Las Morenas, para regocijo de Martín Cerezo, a quien su asistente Jaime Caldentey tenía cumplidamente informado sobre el descontento que su comportamiento generaba en la tropa, que ya se hacía lenguas de sus devaneos monjiles:

—Y si tanto le gusta la jodida monja, ¿por qué no se la beneficia de una puta vez? —rabiaba Menache, viéndolos pasear, enzarzados siempre en coloquios que se pretendían elevadísimos—. A las monjas, como a las leyes, hay que violarlas para hacerlas fecundas.

Y soltaba una risotada patibularia, antes de volver otra vez a la faena. La comandancia ya casi había sido erigida de nuevo: levantadas las vigas maestras, dispuestos los tabiques divisorios y la estructura del tejado, ya sólo faltaba clavetear tablones y troncos, después de aserrarlos y pulirlos concienzudamente, y cubrir con adobe las fachadas, así como con nipa y caña el tejado.

—Pero mira que eres bestia —lo recriminó Chamizo, que era el único capaz de enfrentarse a un Menache cada vez más bronco y chabacano—. No ya por el hábito que lleva, que allá cada uno con sus creencias, sino por ser mujer, deberías tener un poco más de consideración con ella.

Menache lo miró con un vómito de odio; luego siguió martilleando los tablones, poniendo más brío en cada golpe:

—Hablo de las mujeres y de las monjas como me sale de los cojones, poetastro —escupió—. Ya te dejo a ti que te deshagas en piropos con la hija mestiza de Garzón, para compensar...

Se echaron el uno sobre el otro, dispuestos a llegar a las manos, en las que enarbolaban sendos martillos. Los separó el cabo González Toca:

—¡Ya basta! —exclamó con pretendida firmeza, pero le temblaba la voz—: Menache, deberías aprender a morderte la lengua. Y deja de comprometerme, te lo ruego. Tengo la obligación de informar de los desacatos e indisciplinas de la tropa, por si se te había olvidado.

Menache volvió morugo a la faena:

—Mejor es que informaras de nuestras quejas. ¿Te parece bonito que estemos aquí, deslomándonos de sol a sol, mientras esos gandules de tagalos se reservan los trabajos más descansados? Que si cortar caña, que si amasar los adobes, que si regar el huerto... Vamos hombre, no me jodas... ¡Y pudiendo exigirles que trabajen gratis, como preceptúan las leyes!

Calvete, arcangélico y cándido, intervino esta vez como abogado del diablo:

—Ahí tiene razón Menache, cabo. Los tagalos es que no la hincan. Y encima se nos obliga a confraternizar con ellos y a olvidar los años que nos han estado guerreando. ¡Pues que los olviden ellos también! Que yo me he cruzado con más de uno que me mira desafiante, cuando el capitán Las Morenas no está presente.

—Si tenéis quejas —se lamentó González Toca—, se las decís a Caldentey, para que se las traslade al teniente Martín Cerezo. O que Chamizo nos escriba una carta de protesta y la firmamos todos.

Chamizo pensó que si también Calvete, de natural tan bonancible, se sumaba a los reproches, algo muy serio y tal vez irremediable se estaba desencadenando. Procuró que sus justificaciones amainasen un poco los ánimos encrespados:

—Se nos pide que confraternicemos, en primer lugar, porque es un deber elemental de urbanidad y gratitud. Y, en segundo lugar, porque Las Morenas sabe que nuestra posición aquí es muy vulnerable. Si nos ganamos la ojeriza y el rencor de los nativos, con esta paz de mírame y no me toques que puede estallar en cualquier momento, estaríamos perdidos.

Pasó a su lado un carro tirado por carabaos y cargado con troncos de árboles y palmas de nipa que los tagalos habían desmochado. Iban alegres conduciendo el carro, tarareando sus canciones melosas, y saludaron exultantes a los cazadores, que apenas les devolvieron el gesto. Santamaría terció en la conversación con una vocecilla tímida:

—Puede que tengas razón, Juan —cedió renuentemente a los argumentos de Chamizo—. Pero en ese afán de ganarse a los balereños, yo creo que el capitán se está pasando de la raya. Porque ya me dirás tú si es de recibo que nosotros tengamos que conformarnos con comer tasajos de carne seca de carabao, que saben a estopa, mientras se nos obliga a vender a los indios las latas de carne australiana.

—¡Pero no me seas perro del hortelano, Salvador! —se enfadó Chamizo—. Esa carne enlatada es una porquería, y tal vez sea de perro. Infinitamente más saludable es el carabao. Por lo menos sabes lo que estás comiendo.

Pero a Chamizo no se le escapaba que para el perro flaco todo son pulgas; y, para el soldado descontento, todo molestias y enfados, aunque lo que se las causa fuese pensado para agradarlo. Hasta la comandancia, para comprobar la evolución de las obras, había llegado Caldentey, el asistente de Martín Cerezo, zancudo y rubiasco, con el ceño fruncido. Desde que a su jefe le asignaran el mando del destacamento, nunca más lo había vuelto a ver borracho ni desahuciado, como había llegado a verlo en aquel fumadero de Binondo; pero la sobriedad en los hábitos, lejos de dulcificar su carácter, se lo había avinagrado más. Se consolaba pensando que todo eran imaginaciones suyas, consecuencia de su propensión neurótica o aprensiva.

—¡Oye, Caldentey! —lo llamó Menache—. Dile de nuestras partes al teniente que estamos hasta el mismo sitio de vender a los indios la comida que queremos para nosotros.

Caldentey sacudió aspaventero la mano, desentendiéndose de la petición:

—A mí no me comprometáis, no seáis cabritos. Sabéis de siete sobras que todo lo que afecta a la intendencia de la plaza no es competencia del teniente, sino de la comandancia político-militar. —Recitaba una lección bien aprendida que Martín Cerezo le había sugerido repetir a cada reclamación que le hiciesen—. La competencia del teniente sólo alcanza a las cuestiones de mando directo sobre la tropa.

González Toca, que pasaba la garlopa sobre unos tablones, se encampanó:

—¡Nos ha jodido mayo con las flores! Y el turno de vigilancia que nos han impuesto, ¿tampoco es cosa del teniente? Porque es inhumano que el capitán nos tenga esclavizados durante el día y que luego el teniente nos exija durante la noche dos turnos de vigilancia con veinticinco hombres cada uno.

Se había sumado al grupo el teniente médico Vigil, que andaba un poco melancólico y peripatético atendiendo los alifafes de los balereños, convertido en una especie de médico ambulante que cada mañana hacía la ronda por todo el pueblo.

—¡Que lo diga el teniente Vigil! —pidió Menache, comprometedor y un poco hipócrita—. ¿Es cristiano y bueno para la salud estar trabajando todo el día, con este calor que agota hasta a las moscas, y luego no poder dormir en condiciones, porque la mitad de la noche la ocupamos haciendo guardia?

—Y la otra mitad, durmiendo sobre una esterilla, en el suelo de la iglesia, que no es precisamente un colchón de plumas —apostilló Santamaría.

Vigil se mordió una guía del bigote y masculló:

—Cristiano no se si será, aunque en todo caso cristiano calvinista. Bueno para la salud, desde luego que no —ironizó. Y luego aseguró solemnemente—: Os prometo que voy a comentárselo hoy mismo al capitán Las Morenas.

Menache lanzó su pulla:

—¡Eso será si la monja que lo tiene encoñado le deja un minuto de respiro!

La chirigota monjil, menos brutal que la anterior, la celebraron los otros soldados. Caldentey propuso:

—En cuanto a dormir, ya sabéis que existe una alternativa, aprobada por el teniente, que consiste en que nos repartamos por las casas del pueblo, dejando sólo un pequeño retén en la iglesia.

La propuesta fue acogida con general desagrado:

—¡Ni locos nos metemos en esas cochiqueras de los indios, para aguantarles el olor a pies y los ronquidos!

—¡Pues yo me apunto! —los contradijo Menache, con maldad dirigida a Chamizo—. A ver si tengo suerte y consigo trajinarme a una mestiza guapetona...

Caldentey informó a Martín Cerezo del disgusto de los soldados. En realidad ya lo había informado en ocasiones anteriores; y Martín Cerezo no había hecho nada por remediarlo, al menos en lo que era de su estricta incumbencia, pues entendía que si relajaba los turnos de guardia, la tropa se conformaría y cedería en sus protestas, y lo que él deseaba era que todo ese magma de creciente encono se dirigiese contra Las Morenas. Para entorpecer todavía más sus planes, esa misma semana, a requerimiento de Vigil, Las Morenas redujo a la mitad la jornada de trabajo, con el consiguiente alborozo de los beneficiados, que empezaron a dirigir sus denuestos hacia Martín Cerezo. Pero la situación, mucho más peliaguda de lo que los soldados sospechaban, no se arreglaba acortando las guardias o reduciendo las jornadas de trabajo. Influido por aquella monja embaucadora, Las Morenas había renunciado al cobro de los impuestos que la ley establecía y que legítimamente España podía reclamar, pues no en vano se había gastado una fortuna en civilizar a aquellos salvajes; y justificaba aquella renuncia propia de un flojo y de un dimisionario aduciendo que no convenía encender las iras populares. Inevitablemente, los balereños, al reparar en la pusilanimidad de Las Morenas, comenzaban a remolonear y a escatimar su colaboración. Así había tenido Martín Cerezo ocasión de comprobarlo cuando quiso excavar un pozo que asegurase el abastecimiento de agua al destacamento. Baler no tenía más agua potable que la procedente de un canal que rodeaba el pueblo por el sur y el oeste, lindante ya con el bosque. Martín Cerezo se percató de que nada resultaría más sencillo a los insurrectos que dejarlos sin agua, en cuanto hubiese un nuevo alzamiento y el pueblo fuera sitiado; para ello, a los sitiadores les bastaría con apostarse en el bosque y disparar a todo el que se aproximase al canal. La poca elevación del terreno sobre el que se asentaba Baler y su proximidad al mar habían convencido a Martín Cerezo de que, a poco que excavasen un pozo, encontrarían agua en abundancia. Pero el teniente nada sabía de aguas freáticas y, por lo tanto, no se atrevía a excavar sin antes consultar a un experto; así que solicitó el consejo de un indio con fama de zahorí que, sin más herramienta adivinatoria que un péndulo, era capaz de fijar —siempre con éxito— el lugar exacto donde debía abrirse un pozo. El zahorí, pretextando excusas siempre estrambóticas, había diferido el encargo de Martín Cerezo en hasta cinco ocasiones; y Martín Cerezo consideraba que había llegado la hora de administrarle un severo correctivo. Curándose en salud, decidió solicitar autorización a Las Morenas; para variar, lo sorprendió conversando en comandancia con la monja rabisalsera que había hechizado su voluntad, la monja resabidilla que terminaría nublándole el entendimiento y marchitando sus escasas fuerzas de hombre enfermizo y anémico, la monja polilla que, cual nueva Dalila, acabaría consumiendo las fuerzas de Las Morenas, ese carcomiento Sansón. Martín Cerezo tenía una inquina insomne a las monjas, casi tanta como a los frailes; aunque había que reconocer que aquella monja maniobrera estaba de muy buen ver. Un poco flacucha para el gusto de Martín Cerezo, pero de muy buen ver; lo cual no sabía si atenuaba o agravaba su inquina.

—Mi capitán, con su permiso... —interrumpió su conversación.

Las Morenas hablaba con una viveza y un entusiasmo impropios en él, pues deseaba impresionar a sor Lucía y aparecer ante ella como un hombre ameno y chispeante. Se volvió hacia Martín Cerezo con el gesto de embeleso retratado todavía en el semblante:

—¡Querido Saturnino! Qué bien que venga a supervisar las obras. Hoy he dado a los muchachos el día libre. —Lanzó un guiño confianzudo a sor Lucía—. Para los retoques finales es mejor recurrir a las mujeres, que tienen más fineza.

Y, en efecto, un corro de muchachas tagalas estaban entrelazando nipa, mientras otras pulían y barnizaban el balaústre del porche. Martín Cerezo ni siquiera se dignó desviar la vista:

—Estoy muy preocupado, mi capitán. No me fío de los nativos.

Las Morenas, previendo que el intercambio podría ser un poco áspero, hizo un aparte con Martín Cerezo, para no ofender las castas orejas de sor Lucía:

—Por Dios, teniente... —se contuvo—. Están trabajando para nosotros sin pedir nada a cambio.

—Tal vez algunos, mi capitán —replicó Martín Cerezo—. Pero la mayoría tratan de burlar mis instrucciones. Son unos taimados y unos fingidores descomunales. Hasta que no reciban un correctivo no espabilarán.

Las Morenas lo escrutó con piadosa curiosidad. Sospechaba que, allá en los adentros de su sesera, se agazapaba la sombra de alguna manía persecutoria, tal vez la semilla de la locura.

—Debe esforzarse por ganar su confianza. Hágame caso, Saturnino, verá como si se la gana todo irá sobre ruedas.

Se volvió otra vez Las Morenas hacia sor Lucía, como atrapado por un imán, dando por concluida la conversación con Martín Cerezo, que sin embargo volvió a requerirlo:

—Llevo semanas pidiéndole a un indio con fama de zahorí que me ayude a encontrar el sitio idóneo para excavar un pozo, y como si le dijera misa. —Hablaba en un tono neutro, como si lo hubiesen sometido a hipnosis—. ¿Qué debo hacer con él?

Las Morenas retrocedió, un poco molesto:

—Una golondrina no hace verano, Saturnino —dijo, apelando a sus depósitos últimos de paciencia—. Mañana mismo iré a visitarlo, en compañía de sor Lucía, y ya verá cómo cambia de actitud. Pero le ruego que por un caso aislado no extraiga consecuencias generales...

Martín Cerezo se irritó sobremanera. Habló casi a gritos, disparando perdigonadas de saliva:

—¿Qué cojones de caso aislado ni casa aislada? ¿Es que vive usted en las nubes? ¿No se ha enterado de que los insurrectos ya están reclutando gente a la luz del día en los pueblos de Pantabangán? ¿Tampoco se ha enterado de que en la provincia de Zambales ha habido varios saqueos? ¿Y no sabía que en Ilocos han macheteado a tres frailes? —Había ido añadiendo hostilidad a sus preguntas, que ahora hizo extensiva a sor Lucía—: ¿De esto no le ha informado su amiga la monja? Porque, por mí, como si machetean a todos los frailes que hay en Filipinas y se los comen crudos, pero a su amiga la monja se supone que debería dolerle en el alma...

Las Morenas zanjó la disputa, lacónico y terminante:

—Retírese de inmediato, teniente. Le ruego que no diga ni una palabra más si no quiere que tome medidas disciplinarias contra usted.

Martín Cerezo lo miró con ojos lentos, anidados de noche, en los que no fulguraba el rencor, porque era un rencor solidificado en cristales de hielo. Saludó reglamentariamente y se fue con paso ligero, como alma que lleva el diablo, reventando de palabrotas.

—Pero ¿qué le ocurre a ese hombre? —se asustó sor Lucía.

—Recela de los nativos; y no hay manera de quitarle ese veneno de la cabeza —dijo Las Morenas.

Trataba en vano de recuperar la alegría de unos minutos antes, cuando Martín Cerezo aún no había manchado de sospechas e inquietudes su visión arcádica de las cosas. Tal vez Martín Cerezo tuviese razón y él fuese un pánfilo, o sor Lucía lo hubiese sumergido en un marasmo de pasajero panfilismo.

—Y usted ya tiene metido ese mismo veneno también en la suya, ¿verdad? —inquirió sor Lucía, que tenía dotes de zahorí, tal vez más que el indio remolón que tanto exasperaba a Martín Cerezo.

—Prefiero espantar esa idea, porque me fío de usted —dijo, en un tono atribulado—. Pero cuando pienso en la masacre del anterior destacamento...

—Casi ningún balereño participó en ella —aseguró sor Lucía—. Y los pocos que lo hicieron están arrepentidos de su error.

—¿Y quién los enviscó, entonces? —insistió Las Morenas, poco dispuesto a dejarse convencer.

Sor Lucía, cabizbaja, rehuyó nombrar expresamente a Novicio:

—Alguno de los deportados que el gobierno ha mandado a esta región... Ellos fueron los que organizaron las células del Katipunan.

La mera mención de aquel conciliábulo bárbaro desasosegó a Las Morenas, que aún recordaba las vicisitudes de aquella noche en la que los ilongotes salvaron *in extremis* su vida y la de toda la guarnición.

—Y el Katipunan podría volver a enviscarlos cuando le dé la gana. Y podrían masacrarnos a nosotros también, como hicieron con el anterior destacamento.

Sor Lucía se había quedado mirando a las dalagas que entretejían nipa cerca de la comandancia, risueñas e ignorantes de su belleza. Habló en un murmullo:

—Cuando estalló la insurrección, el pueblo dirigió una carta al gobernador general en Manila, haciendo profesión de lealtad a España y solicitando que no vinieran militares aquí; pero no hicieron caso de su petición y enviaron un destacamento. —Chasqueó la lengua—. Al filipino estas muestras de rigor lo descorazonan. Se entibió entonces el cariño de los balereños hacia España. Y como, además, la soldadesca comete abusos en tiempos de guerra...

Las Morenas no quiso profundizar en la insinuación de sor Lucía, ni siquiera para indagar la naturaleza de tales abusos. En su lugar dijo:

—Vamos, que según usted mientras no cometamos los mismos abusos estaremos a salvo. —Sonrió con desmayo—. Pero sabe tan bien como yo que, cuando la ocasión lo requiere, errores involuntarios pueden esgrimirse como abusos, para justificar una respuesta. Una pelea con ese zahorí de marras, por ejemplo, en la que el teniente le pegase un guantazo; o un piropo subido de tono de un soldado a una dalaga...

Había observado que sor Lucía cercenaba de inmediato cualquier tipo de insinuación lúbrica; y esta vez no fue una excepción:

—Le advierto que las filipinas son mucho menos tiquismiquis que ciertas españolas hipocritonas... Pero, volviendo al Katipunan, le aseguro que en la comarca de Baler no ha cometido los crímenes aberrantes que se le imputan en otros lugares. Y, sobre todo, le aseguro que no los cometerá en el futuro.

—¿Está de guasa? —se exasperó Las Morenas—. El Katipunan es el mismo en todas partes; sus juramentos, sus métodos de captación de prosélitos, su fanatismo, sus orgías de sangre son siempre iguales. Si aquí no han cometido crímenes aberrantes, será de casualidad...

Sor Lucía, misteriosa, subió de una zancada los escalones del porche de comandancia. No quería hablar más del Katipunan, al menos por el momento:

—Le aseguro a usted que no. Pero ya se lo explicaré luego.

Las Morenas se paseó por el porche, recalcando mucho el peso del cuerpo sobre los pies, para comprobar la firmeza de los tablones. Se dirigió hacia la puerta de la comandancia, donde se hallaba el joven artista balereño que tanto le había encomiado sor Lucía, un mestizo llamado Moisés. Ya había coincidido varias veces Las Morenas con él, en sus visitas a la escuela, donde hacía de asistente; y había llegado a la conclusión de que era el protegido de sor Lucía. Moisés, encaramado en una breve escalera, estaba labrando sobre el dintel de la puerta, con gubia y escoplo, un altorrelieve de un ángel custodio con las alas desplegadas.

—¿No le parece que es un artista como la copa de un pino? —le preguntó sor Lucía, llena de orgullo.

—Y que lo diga. —Moisés agradeció, halagado, el cumplido, con una inclinación—. Merecería que algún experto pudiera valorar su trabajo y le diese una oportunidad de formarse.

—En ello estoy, precisamente —dijo sor Lucía—. Hemos enviado por barco un trabajo suyo, una talla delicadísima de la Virgen, a los jesuitas del colegio del Ateneo, en Manila. Ellos saben apreciar el arte y estimular al artista. El propio Rizal hizo varios trabajos escultóricos mientras estudió con ellos.

—Pero Moisés es ya demasiado grande para que lo admitan en un colegio...

Un segundo después de hacer este comentario se arrepintió, por miedo de aguarle la fiesta a Moisés. Sor Lucía no acusó el golpe, era inasequible al desaliento:

—Desde luego, pero si les gusta su trabajo... ¿Quién nos dice que no le pueden buscar un hueco en la Academia de Dibujo de Manila? Y si destaca allí, quién sabe, tal vez logre que lo admitan en la Escuela de Bellas Artes de San Fernando, en Madrid...

Se detuvo en su cuento de la lechera, antes de que el cántaro se quebrase. Hasta Moisés se ruborizaba con sus ensoñaciones.

—¿No será picar un poco demasiado alto? —incordió Las Morenas.

—¿Por qué habría de serlo? —preguntó sor Lucía, con convencida naturalidad—. Ese es exactamente el camino que siguió Juan Luna, el gran pintor filipino.

La comparación con el autor del *Spoliarium*, tan genial con los pinceles como fiero con las mujeres, debió de parecerle hiperbólica a Moisés, que se desazonó un tanto y trató de cambiar el hilo de la conversación:

—Sor Lucía, tal vez mañana no pueda ir a la escuela. Mi tía me ha pedi...

—Muy bien —lo interrumpió ella—, no te preocupes. ¿Pudiste ver al final a fray Cándido?

La pregunta, incisiva como un dardo, enfurruñó a Moisés, a quien causaba cierto fastidio ese empeño en favorecer sus encuentros con el nuevo párroco de Baler. Moisés había llegado, incluso, a maliciarse que sor Lucía pretendiera suscitar en él —como medio para favorecer sus estudios artísticos— una vocación religiosa para la que nunca había mostrado inclinación alguna. Pero, aparte de que Moisés no quisiera meterse fraile ni por lo más remoto, fray Cándido era calamitoso como promotor de vocaciones, según se había revelado en los encuentros que hasta entonces había mantenido con el mestizo, donde siempre se había mostrado aturullado, divagatorio y atenazado por los nervios.

—Pues vete a buscarlo, anda —lo exhortó sor Lucía antes de que Moisés respondiera—, que a lo mejor todavía lo pillas en la iglesia. Total, trabajar en el ángel ya no puedes, con la poca luz que hay.

Así era, en efecto. Y era un alivio, porque durante las horas de luz, entre los meses de marzo y junio, la humedad es ardiente en Filipinas y hay que beber incesantemente agua para no deshidratarse. Moisés recogió sus bártulos y marchó a regañadientes, con las manos remetidas en los bolsillos del pantalón y pegando puntapiés a los cantos; Las Morenas tuvo la certeza de que, en cuanto alcanzase una revuelta del camino, tomaría la dirección contraria a la iglesia. Tal vez sor Lucía también lo sospechase, pues lo miraba alejarse con una sombra de pesadumbre.

—Moisés tiene un increíble talento natural, una sensibilidad única y una vocación de caballo —afirmó—. Y las vocaciones, cuando son verdaderas, acaban imponiéndose, por mucho que sean contrariadas, ¿no le parece?

Las Morenas recordó, inevitablemente, el empeño de su hijo Enriquillo en proseguir la tradición militar de la familia; y espantó el aleteo del fatalismo convenciéndose de que, siendo tan niño todavía, su empeño no podía calificarse de vocación, sino más bien de capricho infantil.

—Y tanto. Y sospecho que las contrariedades no hacen sino robustecerlas —remachó Las Morenas.

Y temió que todos los esfuerzos de Carmen, su esposa, por disuadir a Enriquillo de su balbuciente vocación militar acabasen también robusteciéndolo en su determinación. Sor Lucía reparó en un botijo que los balereños habían dejado en el porche de comandancia, como dádiva a Las Morenas; una dádiva pintiparada para aquella época del año. Lo tomó sin pedir permiso y, con gran desparpajo, bebió del chorro codiciosamente, empinando el codo y enarcando un poco la espalda; lo hizo con notable desenvoltura y, sólo al final, por evitar mojarse la toca, casi se atragantó, por lo que acabó rozando el pitorro con los labios.

—Espero que no le dé luego asco —dijo, a modo de disculpa.

—Más bien debería ser yo quien le hiciese esa advertencia —bromeó Las Morenas—. No soy tan hábil bebiendo como usted y he dejado cien veces las babas ahí.

Un segundo después de soltar esta majadería, Las Morenas se arrepintió, pues podía interpretarse como una insinuación lúbrica. Para disipar el eco de esa insinuación, preguntó abruptamente:

—Claro que, para vocación resistente, la suya. ¿Cómo es que se ha quedado sola en Baler? Nunca había visto antes a una monja que no viviera en comunidad.

Sor Lucía, un poco desarbolada por la pregunta, se apoyó sobre el balaustre de madera todavía sin desbastar, con la mirada perdida en un horizonte imaginario. La luz crepuscular bañaba su perfil con una suerte de agónica dulzura. Las Morenas la contempló con algo parecido a la veneración; pero luego desvió la vista, abochornado de su atrevimiento.

—En primer lugar, no soy una monja. Las hijas de la Caridad... —empezó, pero desistió de hacer distingos que, según había podido comprobar, la gente lega no captaba—. Y, además, es una historia muy larga.

—Tenemos todo el tiempo del mundo —la atajó él.

Pero sor Lucía no quería detenerse ahora en aquella historia, que la obligaba a reconocer su indisciplina y su situación un tanto irregular, a la que supuestamente fray Cándido debía poner remedio, por encomienda del arzobispo Nozaleda, devolviéndola a Manila. Se sentía rara contando aquellas intimidades al capitán:

—Me quedé huérfana siendo niña —abrevió—. Las hijas de la Caridad me acogieron y decidí que quería ser como ellas. Todos necesitamos mirarnos en un espejo.

Eso era, precisamente, lo que hacía el hijo de Las Morenas: mirarse en el espejo de su padre; y, hasta que ese espejo se hiciese añicos, seguiría haciéndolo. El capitán espantó la zozobra preguntando:

—¿Y qué es lo que le gustaba de ser monja entonces?

—¿Cuando era niña? ¡El martirio, por supuesto! —respondió sor Lucía, con risueña truculencia—. Soñaba con ser degollada por indios y chinos en misiones distantes. Luego, cuando me hice mayor, me gustó mucho una frase de San Vicente de Paúl en la que se decía que las casas de los enfermos pueden ser también un monasterio y las escuelas y las prisiones la celda de un convento.

Las Morenas volvió a contemplar su perfil. Murmuró con arrobo:

—Una hermosa consigna. El mundo convertido en un templo.

—Pero el mundo también tiene sus asechanzas, capitán —dijo sor Lucía—. Quizá demasiadas para una mujer débil como yo.

Aquella última observación le sonó a Las Morenas a coquetería. Procuró que la suya no sonase a requiebro:

—Usted parece cualquier cosa menos una mujer débil.

Sor Lucía sonrió con un poso de amargura:

—No se fíe de las apariencias, capitán. Mis superiores, el arzobispo de Manila y toda la órdiga están empeñados en que abandone Baler. Pero me he encariñado tanto de esta gente...

—Algo tendrá Baler, cuando usted se siente tan ligada a este pueblo. Lo mismo le ocurre a fray Cándido, que vuelve veinte años después... —dijo Las Morenas. Y probó a sonsacarla—: ¿Sabe usted por qué ha solicitado el regreso?

Sor Lucía adoptó de repente un gesto contrito. Se detuvo ante la puerta de comandancia y llevó la mano hasta el dintel, para acariciar el ángel labrado por Moisés, siguiendo las hendiduras y relieves de la madera.

—Eso será mejor que se lo cuente él mismo —se cerró en banda—. Acabará haciéndolo, ya lo verá. Todos necesitamos que alguien nos escuche.

Las Morenas notó que había rozado alguna materia delicada o en carne viva, porque sor Lucía, por lo común tan efusiva, se replegaba en un silencio mohíno. Decidió que la conversación debía abandonar los meandros íntimos:

—Pues yo estoy deseoso de escucharle aquello que antes no me respondió. ¿Cómo es que está tan segura de que el Katipunan no cometerá crímenes en Baler?

Pero aquella pregunta también se adentraba en tales meandros, aunque Las Morenas no pudiera imaginarlo. Para justificar convincentemente su certeza, sor Lucía tenía que explicar ciertas circunstancias que prefería obviar, para no herir al capitán. Como, por ejemplo, que después de que Novicio se echase al monte para sumarse otra vez a los insurrectos, había utilizado al capitán a modo de reclamo para forzar su regreso a Baler. Esa era la razón por la que se había citado casi todas las tardes con Las Morenas; esa era la razón por la que lo había invitado tantas veces a visitar la escuela; esa era la razón por la que había paseado con él a la vista de todos por las calles del pueblo. Sor Lucía sabía bien que los insurrectos tenían informantes y correveidiles en Baler; y calculó que Novicio se enteraría pronto de su amistad con el nuevo comandante político-militar del distrito, y que al enterarse se sentiría preterido y despechado, tal vez remejido por el azoque de los celos; y que ese azoque lo obligaría finalmente a regresar. Por supuesto, sor Lucía se había preguntado si provocar en un hombre celos, siendo ella una mujer que había hecho promesa de castidad y aunque no mediase por su parte ninguna intención deshonesta ni encizañadora, sería pecado; pero el propio fray Cándido la había tranquilizado en confesión, diciéndole que en todo caso sería pecado venial, puesto que lo cometía para alcanzar un bien mayor. Y el caso es que, en efecto, Novicio había vuelto por Baler, tal como ella había previsto; y había vuelto de muy malas pulgas, encorajinado de que sor Lucía se dejase lisonjear y bailar el agua por un militar *castila* y para más inri casado (según revelaba la alianza de su dedo anular, que Las Morenas en ningún momento ocultaba). Aunque, desde luego, Novicio no reconocía la razón verdadera por la que había abandonado su escondrijo; y la explicaba diciendo que su obligación, contraída en los meses que juntos habían pasado en la selva, era proteger a sor Lucía, por lo que debía vigilar las intenciones del *castila*, lo mismo que vigilaba que el Katipunan no cometiese desmanes en la comarca. Novicio se tomaba muy en serio su condición de ángel custodio.

—Antes, cuando me referí al pintor Juan Luna, me dio la impresión de que lo conocía, capitán... —dijo sor Lucía.

Las Morenas no entendía qué pintaba el pintor Luna en el cuadro del Katipunan, pero por cortesía aceptó aquella nueva evasiva:

—Sí lo conozco. Recuerdo cuando le dieron la medalla de oro en una Exposición Nacional de Bellas Artes, hará como quince años. Yo estaba por entonces en Madrid, esperando destino, y visité la muestra. El cuadro de Luna me pareció grandioso —dijo sinceramente—. *Spoliarium*, se titulaba, que al parecer era el lugar del circo romano donde eran arrastrados y despojados los cadáveres de los gladiadores que morían en la arena. Una lección para esos memos que piensan que los indios carecen de la sensibilidad y de las dotes artísticas de los europeos.

Sor Lucía lo había dejado explayarse. Cuando por fin terminó, deslizó medrosamente:

—Pues resulta que aquí en Baler tenemos a un primo suyo, Teodorico Novicio Luna. Estudiaron juntos en Manila...

Las Morenas, todavía sin entender, acogió con prudente alegría que Baler contase entre sus vecinos a un hombre con estudios. Exageró, sin embargo, su interés, por halagar a sor Lucía:

—¿En serio? Me encantará sin duda conocerlo. Siempre es un placer conversar con personas cultivadas.

Y la miró con intención aduladora, pero sor Lucía arrancó a caminar en dirección a la escuela. Las Morenas pensó que habría llegado la hora de la recogida, aunque todavía era un poco pronto para el rezo de vísperas.

—No se puede imaginar hasta qué punto es cultivado... —ponderó sor Lucía, poniendo mucho énfasis en el elogio—. Novicio estudió con los dominicos y se sabe media Vulgata de memoria. —Decidió no andarse más por las ramas y soltó a palo seco—: Él fue quien acaudilló el asalto a Baler, antes de la paz de Biacnabató.

Las Morenas se quedó petrificado, y también confuso de que sor Lucía hubiese dedicado sus ditirambos a un hombre semejante:

—Quiere decir... el villano que provocó la muerte de una decena de cazadores y de varios balereños, amén de tomarla a usted como rehén y de retenerla durante varios meses en la selva... —Lo desconcertaba y casi enojaba que sor Lucía no se sumase a su indignación—. ¡Menuda firma! Si me disculpa, voy a hablar con el teniente Martín Cerezo. Debemos planificar cómo obrar con ese pájaro. En mi opinión, deberíamos detenerlo de inmediato...

Ahora que Las Morenas, tras el estupor inicial, empezaba a reaccionar, sor Lucía se mostraba inquieta y disconforme:

—No, no, capitán, por Dios. Le aseguro que Novicio es cualquier cosa menos un villano...

—Un fanático homicida, tal vez. Un esbirro inmundo de la peor calaña... —empezó su letanía de denuestos.

Y sor Lucía aceleró el paso y se llevó las manos a la cabeza, como si quisiera taparse las orejas. A Las Morenas le costaba seguirle el paso; pero se esforzó por hacerlo, pues deseaba cantarle las cuarenta.

—Novicio no es más que un cabezota, capitán —dijo sor Lucía, en un tono suplicante—. Y un hombre con un corazón de oro que no le cabe en el pecho.

Las Morenas la miró con lástima y algo de abatida decepción. Pero adoptó un tono cínico:

—De niña deseaba el martirio; y ahora que es mayor no le importa llevar al martirio a su patria. —Aunque trataba de sonar insolente, respiraba por la herida de su amor propio—: Pero no se crea tan original. Usted no es la primera mujer raptada que acaba encariñándose de su raptor. Helena de Troya se le adelantó unos cuantos siglos...

Sor Lucía acusó el golpe, que había sido un poco vil, porque también incluía cierta insinuación lúbrica. Su voz temblaba con un fondo de llanto:

—Novicio se acogió al indulto y no volverá a cometer ningún crimen...

—No diga estupideces, por favor —la acalló Las Morenas, soliviantado—. A estas horas ya habrá establecido otra vez contacto con sus compinches. Si es que no lo han nombrado todavía presidente del Katipunan del distrito.

—¡De eso precisamente se trata, capitán! —exclamó sor Lucía—. Mientras Novicio esté al frente del Katipunan de este distrito no se cometerán más tropelías. Puede que vuelva a combatir en buena lid al *castila*, pero nunca más volverá a hacer nada de lo que pueda avergonzarse. Y me ha jurado que no permitirá que ningún insurrecto haga en Baler nada contrario a la justicia. Antes tendrán que pasar por encima de su cadáver.

Se había enardecido, como si estuviese tan unida a Novicio que ya casi fuesen una sola carne.

—¡Valientes pomposidades! —se burló Las Morenas—. ¿Qué valor puede tener el juramento de un rebelde que probablemente ni siquiera cree en Dios?

Sor Lucía lo miró con desapego; y le habló con cierta petulancia:

—Novicio cree en mí; y cree en el Dios que vela por mí. Lo necesita como aliado, para protegerme.

A Las Morenas la relación de sor Lucía con aquel filibustero empezaba a parecerle un poco enrevesada y delirante. Y, aunque le dolía reconocerlo, el interés que mostraba por él había aguijoneado sus celos:

—¿Y dónde está el angelito ahora? —preguntó, con algo de saña—. ¿Ha vuelto a echarse al monte?

—Para en casa de sus padres. Pero ahora, justamente ahora, estará en la escuela —dijo, ignorando el pasmo de Las Morenas—. Se empeñó en cambiarme el relleno del jergón. Dice que yo no merezco dormir sobre pajas... ¡Como si Jesús no hubiese dormido en un pesebre!

Las Morenas no le rió la gracia, pero su aspereza se fue atemperando mientras sor Lucía le contaba que Novicio la había cuidado en la selva con gran esmero y dedicación, haciéndole más llevaderos los rigores de la vida agreste, procurándole cobijo y sustento, protegiéndola de las inclemencias del cielo y de la voracidad de las fieras, incluso del acecho de los ilongotes. Las Morenas se preguntó si tales hazañas y abnegaciones puede hacerlas un hombre por simple y desinteresada humanidad; se preguntó también si Novicio sería el samaritano de la parábola evangélica redivivo o si más bien —lo que le parecía más probable— se habría enamorado secretamente de sor Lucía. En cualquier caso, si sor Lucía no mentía ni exageraba, resultaba evidente que Novicio no podía ser la alimaña que en un principio había sospechado. Sintió cierta vergonzante curiosidad por conocerlo.

—Me gustaría que hablase usted con él —dijo sor Lucía, como si hubiese adivinado sus pensamientos—. Si le parece bien, yo iré entretanto a hacer unos recados.

Se habían detenido ante el *bahay* de la escuela; y sin esperar la respuesta de Las Morenas, sor Lucía empujó la puerta, invitándolo a entrar. Aunque ya había visitado la escuela en otras ocasiones, la luz crepuscular apenas le permitía guiarse entre los pupitres; sólo una candela a los pies del Cristo tallado por Moisés le indicaba el camino. Detrás de la mampara de nipa que protegía el chiribitil en el que dormía sor Lucía, un hombre rudo que apenas podía rebullirse en tan angosto espacio andaba escarbando en un jergón. Las Morenas miró hacia atrás, esperando encontrarse con un gesto animoso de sor Lucía, que sin embargo ya había desaparecido, dejándolo a solas con Novicio. Siguió avanzando con sigilo, hasta que el tagalo reparó en su presencia. Escarranchado sobre una banqueta, tenía entre sus piernas un montón de vedijas de lana.

—¡Lana de oveja, nada menos! —dijo Las Morenas, a modo de incongruente saludo—. Eso es un auténtico lujo. Le habrá costado un Potosí.

Novicio no levantó la cabeza de su labor. Remetía las vedijas en un saco de tela rayada que pronto se convertiría en verdadero colchón.

—Tengo un tío que trabaja en la aduana de Manila y la consiguió por un precio módico —se restó importancia—. Pero sor Lucía no se merece menos.

—En eso estamos totalmente de acuerdo.

Hablaba en un bisbiseo de confesionario, avergonzado de mantener aquella conversación clandestina con un cabecilla insurrecto al que pronto tal vez tendría que combatir en el campo de batalla. Se levantó de repente un ventarrón que embestía contra las paredes del *bahay*, agitando la llama de la candela; y, con la agitación de la llama, el rostro hierático y cándido del Crucificado se poblaba de sombras y visajes.

—Pues si estamos de acuerdo en eso —dijo Novicio después de un rato—, debemos también estarlo en proteger a sor Lucía, con nuestra vida si fuere preciso, y a todo lo que sor Lucía ama, empezando por los habitantes de este pueblo.

—Me parece un propósito muy loable y también lo suscribo —aceptó Las Morenas. Pero la conformidad con Novicio lo desasosegaba—: ¿Adónde quiere llegar?

Las vedijas de lana blanca se alternaban con las parduscas, en un gracioso moteado. Novicio tomaba del montón las vedijas, hasta colmar su mano nudosa de venas y falanges.

—Como usted no tiene ni un pelo de tonto, capitán —empezó halagándolo—, no se le escapará que en breve las islas Filipinas alcanzarán la independencia y se constituirán en república. Esto es algo inexorable, pues ya se ha confirmado que los Estados Unidos nos prestarán su ayuda.

Las Morenas se rió a placer, un tanto bellacamente. Recordó las palabras que había escuchado a Garzón:

—No sea iluso. Ustedes sólo son un juguete de las ambiciones de Estados Unidos. Los utilizarán como carne de cañón, para ahorrarse víctimas en la guerra; y, si finalmente nos vencen, los tratarán como a esclavos. No respetarán su lengua, ni sus costumbres, ni sus instituciones, ni su manera de vivir. En vez de aliarse con ellos, mejor harían en aliarse con España contra ellos.

A Novicio no parecía ilusionarlo demasiado la alianza con los yanquis. Encalcó la lana al fondo del colchón.

—Nosotros amamos a nuestra patria —proclamó, demasiado difusamente—. Y la queremos libre de cualquier tipo de dominación, española o americana.

—¿Y acaso les impide España amar a su patria? —saltó Las Morenas—. Si en realidad el amor a la patria se lo deben ustedes a España...

Novicio soltó el colchón, que ya estaba suficientemente lleno, y se sacudió las vedijas de lana que le habían quedado entre los muslos. El sarcasmo le cabrilleaba en la mirada:

—¿Ah sí? ¿Y cómo es eso? ¡Resulta ahora que los indios somos bestias incapaces de amar a la patria!

—Yo no he dicho tal cosa —se enfadó Las Morenas—. Pero, aunque le duela reconocerlo, ese amor a la patria se lo deben a España, por la sencilla razón de que fue España la que les dio los bienes que constituyen una patria. ¿Qué eran estas islas antes de que llegaran a sus playas Magallanes y Legazpi?

Se miraron zainos en la sombra y se palparon ambos los muslos, como si buscaran inconscientemente la vaina de una espada. Novicio desempolvó las consignas del repertorio masónico:

—Un paraíso que no conocía el mal.

Amainó afuera el ventarrón y la llama de la candela volvió a serenarse, adelgazando y espiritualizando el Cristo de Moisés. Las Morenas se burló:

—Sí, un paraíso en el que sus antepasados vivían una vida errante en el bosque, comiendo carne cruda, sin agricultura ni ganadería, dominados por tiranos sanguinarios y en una constante lucha de fieras de unas tribus contra otras. —Se había inclinado sobre Novicio, como si lo increpase—: Déjese de fantasías.

Sus rostros estaban a menos de un palmo de distancia. Novicio olía recio, a plantas aromáticas y a chotuno, como hombre de campo que era; Las Morenas envidió aquel olor silvano y viril.

—Está bien —concedió Novicio en un murmullo—. En estas islas sólo había gentes primitivas. ¿Y qué? ¿Acaso las gentes primitivas no pueden tener amor a la patria? Ese es un sentimiento innato en el corazón.

—Tiene razón —asintió Las Morenas, que volvió a erguirse—. Pero, para esas gentes primitivas, ¿en qué podía cifrarse ese amor? Podían amar su choza o su cueva, los árboles, el río y el pedazo de cielo que alcanzaban con la vista. Esta era toda su patria. Porque, al otro lado del río, vivía una tribu enemiga. ¿Qué amor a la patria se puede tener cuando se vive sin paz y sin seguridad, temiendo que el vecino te asalte en cualquier momento? Y sabiendo que, cuando eso ocurra, masacrará a todos tus hermanos y parientes, o todavía peor, los reducirá a la esclavitud. —Se regodeaba en la reconstrucción de aquel sedicente paraíso que Novicio se había atrevido a invocar, pensando que Las Morenas sería un militar ceporro y liberalote—. ¿En qué podían, una vez esclavizados, cifrar su patriotismo? ¿Podían acaso amar las cadenas que los oprimían, el látigo que llagaba sus cuerpos, el trabajo penoso que los consumía, los caprichos del déspota que los explotaba? Así era como vivían sus antepasados, Novicio: esclavitud o vida nómada en el bosque.

Novicio no tenía la elocuencia de Las Morenas. Tal vez la había tenido en otro tiempo anterior, pero todas aquellas pompas se habían esfumado. Se levantó de la banqueta de un brinco, con una elasticidad que a Las Morenas le recordó los saltos de los ilongotes entre las peñas.

—En esclavitud seguimos viviendo hoy, aunque sea una esclavitud más refinada —dijo, como al desgaire.

—¿Esclavitud de qué? —se irritó Las Morenas—. ¿De una civilización, de una religión que no exige sacrificios de sangre sino caridad, de unas leyes que impiden que nos matemos los unos a los otros?

—Queremos seguir disfrutando de esos beneficios, pero siendo libres —se escabulló Novicio.

—Entonces, alíense con nosotros —le propuso Las Morenas, en un tono más conciliador—. Yo sé bien, Novicio, que aquí se han cometido muchos abusos. Aunque llevo poco tiempo en Filipinas conozco, porque las he sufrido, las marrullerías de la política española, y sé que los falsos patriotas que rigen allí son los que aquí sacan beneficio y hacen sangría con ustedes. Pero las cosas que se logran con sacrificio y luego se pretenden disfrutar sin trabas acaban siempre desbaratadas, corrompidas y hechas añicos.

Se apoderó de él una repentina tristeza, o la conciencia de pertenecer a un mundo derrotado y extinto. Novicio no se quiso ensañar:

—Pero la libertad no tiene por qué destruir las cosas que se lograron con sacrificio...

—La verdadera libertad nace del máximo rigor, de la capacidad para dominar nuestros instintos —dijo Las Morenas, que ya no aspiraba a convencer a Novicio—. Pero la libertad que os han predicado es precisamente la contraria. Con vuestra obsesión por la libertad, sin daros cuenta, estáis sirviendo maravillosamente a los americanos, que ante todo quieren libertad para amasar riquezas y saquear vuestros recursos. —Hizo una pausa y volvió a dirigirse a su interlocutor, esta vez en un tono profético que sonó a maldición—: Vivirá para verlo, Novicio. Y, a lo mejor, para entonces le gustaría poder liberar a su pueblo de las consecuencias funestas de esa libertad. Pero no le dejarán.

Aunque sus palabras no tenían un propósito imprecatorio, Novicio se sintió zaherido. Su voz sonaba mustia, más que furiosa:

—Mire, capitán, hace algún tiempo habría polemizado con usted acaloradamente —confesó—; pero ahora le predica a alguien que está convencido de sus errores pasados. Me pretendieron inculcar que los milagros no existen; que todos los presuntos milagros se explican mediante procesos naturales regidos por las leyes de la física y la química. Pero un día empecé a fijarme con detalle en la realidad y descubrí con sorpresa que los milagros no sólo existen, sino que están sucediendo constantemente ante nuestras narices, sin que ni siquiera reparemos en ellos, porque estamos demasiado entretenidos en convencernos de que no son milagros, sino procesos naturales regidos por las leyes de la física y la química; y cuando tales leyes no bastan para explicarlos, los computamos como frutos del azar. —Tampoco estaba hablando para Las Morenas, ni siquiera para sí mismo, había un extraño y melancólico desasimiento en lo que le decía—. Desde que se me cayó la venda de los ojos, me han sucedido muchos milagros; pero el mayor de todos ellos es haber conocido a sor Lucía. Y lo único que deseo es que ese milagro siga sucediendo todos los días. ¿Me entiende?

A Las Morenas lo conmovió la discreta, casi tímida, belleza de aquel alegato. Cruzaron una mirada que ya no era desconfiada ni hostil, sino más bien cómplice, como la de dos guardianes que custodian el mismo tesoro.

—Creo que sí —dijo Las Morenas.

—Y para asegurarme de que ese milagro siga sucediendo todos los días es por lo que he decidido volver a sumarme a los insurrectos y asumir posiciones de mando —continuó Novicio, aprovechándose de aquella solidaridad que había surgido entre ellos—. Así evitaré que sor Lucía vuelva a ser secuestrada, o que vuelvan a exponerla a un tiroteo, como yo hice en su día, poniendo en peligro su vida. —Alargó una mano hacia el Cristo de Moisés, que también había sufrido las consecuencias del tiroteo, y frotó la madera astillada y perforada por las balas, como si deseara el milagro de su repentina sanación—. Yo sé que usted también quiere proteger a sor Lucía. Lo he advertido en su mirada, mientras pasea y conversa con ella; llevo varias semanas observándolo, aunque usted ni siquiera haya reparado en mí. Por ello mismo, le ruego que, cuando llegue la hora de la lucha, no oponga resistencia y entregue la plaza, para que ni sor Lucía ni los demás habitantes de Baler sufran.

Novicio sabía que le estaba pidiendo algo que un militar honorable no podía conceder, aunque compartieran un mismo objetivo.

—Lo que debería hacer, Novicio —replicó el capitán—, es combatir a los que desean independizarse.

—Que yo los combata no cambiará el hecho sustancial —se defendió Novicio—. La rebelión está a punto de desencadenarse otra vez. Si yo ahora me separase de mis hombres, se considerarían traicionados y su lucha sería más encarnizada y sangrienta. Si me mantengo entre ellos y retengo el mando, lograré contener las violencias. Le repito mi ruego: cuando llegue la hora...

—¡Basta, Novicio! —lo interrumpió Las Morenas, más afligido que exasperado—. ¿Pretende que me rinda como un cobarde? Sabe que no voy a hacer eso. Procuraré, como es obligación de cualquier oficial responsable, disminuir al máximo los daños, tanto para mi tropa como para la población de Baler. Pero no me rendiré mientras la situación no sea desesperada. ¿Lo haría usted, acaso?

Novicio se inclinó sobre el camastro de sor Lucía, para abullonar la lana del colchón. Murmuró:

—Supongo que no.

Las Morenas pensó entonces que la obligación de cualquier oficial responsable, y mucho más la del comandante político-militar de aquel distrito, sería ordenar de inmediato la detención de Novicio, para impedir que se incorporase a la insurrección. Pero sospechaba que, en efecto, esa decisión tan responsable sólo acarrearía más sufrimientos para sor Lucía y para todos los balereños pacíficos.

—Entonces —dijo—, creo que no nos queda nada por hablar. Le ruego que desaparezca de Baler cuanto antes; de lo contrario, me veré en la necesidad de apresarlo. —Y añadió, en un tono más compungido—: Sólo le pido que se esfuerce por evitar los desmanes que se están perpetrando en otras provincias.

—Le juro que me esforzaré, capitán —dijo resueltamente Novicio—. Y usted júreme que, llegado el momento, tomará todas las cautelas precisas para garantizar la protección de sor Lucía. Y que, cuando no pueda garantizarla, me confiará a mí esa protección.

Las Morenas no sabía si Novicio creía en Dios, pero se fiaba de su juramento:

—Cuente con ello —dijo, a su vez.

Se miraron por última vez, convencidos de que ninguno infringiría su juramento. Antes de salir del *bahay*, Las Morenas señaló el colchón de lana que sor Lucía podría empezar a disfrutar esa misma noche y bromeó:

—¡Quién pudiera pillarlo! Me huelo que vamos a estar mucho tiempo durmiendo muy malamente. Nuestras costillas lo pagarán.

—Entonces juremos también que quien gane se preocupará de llevarle al derrotado un colchón de lana a la cárcel —replicó jocoso Novicio.

Rieron ambos, olvidados de sus desavenencias. Íntimamente, supieron que militaban en el mismo bando.

7

La extensa vida piadosa de Baler lo dejaba al cabo del día molido y sin ganas de hacer nada, sino arrojarse en el camastro que le habían dispuesto los lugareños en el conventillo anejo a la iglesia, sin fuerzas siquiera para departir con el capitán Las Morenas, recién instalado en comandancia, o para jugar una partida de julepe con los soldados más fulleros. No acababa de explicarse fray Cándido las causas de aquel fervor insaciable de los balereños: tal vez la larga temporada que habían estado sin párroco los había hecho añorar tanto la práctica religiosa que necesitaban resarcirse a costa de su salud; o tal vez sus predecesores en Baler habían sido santos varones, pletóricos de celo apostólico, capaces de convertir a los tagalos en auténticos atletas de la fe. Sea como fuere, el caso es que fray Cándido acababa el día derrengado; y a veces le ocurría, mientras oficiaba ante el altar o dirigía el rezo del rosario, que el sueño venía a poner una cataplasma sobre su cansancio, jugándole la mala pasada de hacerlo cabecear ante los feligreses, que sin embargo confundían aquellas muestras vergonzantes de somnolencia con un extremo recogimiento. Todos los días tenía fray Cándido que pegarse un madrugón, pues a los balereños les gustaba, para empezar el día bien comulgados, escuchar una misa tempranera y en ayunas, a la que asistían los niños de la escuela, capitaneados por sor Lucía, y los campesinos que luego se tiraban todo el día en las sementeras, además de las consabidas beatas del lugar; y, acabada la misa, le pedían que rezase con ellos el rosario. Luego los niños se iban a la escuela con sor Lucía hasta el mediodía; pero a las doce en punto ya los tenía de nuevo en la iglesia, esta vez acompañados de las mujeres y los ancianos que no trabajaban en las sementeras, para rezar el ángelus y cantar la salve, que remataban con una procesión hasta las afueras del pueblo. Por las tardes no tenía más celebraciones, pero nunca le faltaban visitas al confesionario, ni peticiones para llevar el viático a un enfermo, o simplemente para mediar en conflictos familiares y vecinales.

Pero esto era jauja, comparado con el ajetreo de los fines de semana. Los sábados celebraba misa cantada con lectura de indulgencias; por la tarde, rosario al canto; y, acabadas las letanías, desfilaba todo el pueblo por la sacristía, para que bendijese el agua que iban a beber durante la semana, o el arroz que iban a plantar, o el gallo que estaban adiestrando para pelear en la gallera, o cualquier otra cosa peregrina que se les ocurriese. Así llegaba fray Cándido hecho unos zorros al domingo, en que tenía que atender confesiones a porrillo antes de celebrar misa mayor, a la que acudía todo el pueblo, con la única excepción de los muy enfermos (pues, estándolo sólo medianamente, también acudían, aunque fuese en parihuelas); y como era misa con coro, en la que se cantaban el Gloria y el Credo, las antífonas y los Kiries, las aleluyas y hasta el Agnus Dei, y como fray Cándido además predicaba un sermón en tagalo que debía alargarse —por petición expresa de los fieles— al menos media hora (pues nada los deleitaba tanto como escuchar a su párroco exponiendo cuestiones morales y sutilezas teológicas en su lengua), la misa se alargaba por lo menos hora y media. Por la tarde, todavía tenía que explicar la doctrina a los niños, bautizar a los recién nacidos, visitar a los enfermos y repartir estampas y rosarios a las beatas del pueblo, que lo traían mártir con sus impertinencias y enfadosos requilorios. *Laus Deo*.

Así, azacaneado entre tantas celebraciones y servidumbres, no había encontrado fray Cándido el sosiego necesario para reunirse con Moisés y revelarle la verdad sobre sus orígenes, según se había comprometido, ante Dios y ante su conciencia (y también ante sor Lucía, más fiscalizadora que ambos). Veinte años atrás, cuando fray Cándido llegó a Baler con la encomienda de evangelizar la comarca, la situación en que se hallaban las mujeres tagalas era en todo degradante. Tratadas del modo más vejatorio concebible, como simples muebles que se compran y se venden, a las mujeres tagalas no les cabía otro destino sino convertirse en resignados instrumentos de placer mientras al hombre que las había comprado le duraban las ganas de poseerlas, siendo relegadas como trastos viejos cuando su lujuria se enfriaba, o exigía cambiar de destinataria. No tenían, por supuesto, libertad para contraer matrimonio, ni siquiera para mostrar ante su familia sus gustos y preferencias; y los padres disponían arbitrariamente de ellas y las vendían al mejor postor, aunque por lo general cien pesos bastaban para adquirir una mujer en edad núbil, entre los trece y los quince años. El marido compraba a todos los efectos a la mujer; y la mujer a todos los efectos se convertía en esclava, una vez entregada la suma que se hubiese acordado. Era tan descarnado y pingüe aquel negocio que los padres apreciaban más tener hembras que varones entre su descendencia, pues de este modo se aseguraban unos ingresos que, en el caso contrario, tenían que desembolsar. Además, antes de que la evangelización cambiase sus costumbres, los tagalos admitían la poligamia, aunque no fuese de manera declarada, condenando a sus mujeres a una vida aborrecible al lado de sus concubinas, que solían mantener en la misma casa y comiendo del mismo puchero. Por supuesto, el varón podía repudiar a la mujer o amenazarla con el repudio caprichosamente, para mantenerla en un perpetuo estado de terror (pues el repudio era tanto como la muerte civil). A fray Cándido le había tocado tratar, veinte años atrás, con muchas de estas mujeres repudiadas por sus maridos, que las tachaban de estériles, condenándolas a ser el hazmerreír del pueblo y a vivir de la limosna, o de adúlteras, y entonces su destino era aún más aflictivo, con el rechazo de su familia y la prostitución como único horizonte. Algunas de estas mujeres repudiadas acudían a fray Cándido torturadas por los remordimientos, golpeadas y magulladas por los hombres que las habían comprado, o escarnecidas por todo el pueblo; y acudían en busca de confortación y compañía, de un poco de dinero que mitigase la crudeza de su laceria y del perdón de Dios que fray Cándido podía dispensarles, ya que el perdón de sus paisanos les había sido denegado. Fray Cándido consiguió que muchas de estas mujeres repudiadas volviesen a ser acogidas por sus familias; y a otras que no eran acogidas procuraba darles algún empleo como sacristanas o campaneras, que aunque eran oficios sin remuneración al menos les permitían sentirse otra vez útiles y las rehabilitaban ante sus paisanos, que empezaban a mirarlas con cierto respeto cuando comprobaban que disfrutaban de la confianza del párroco, que para ellos era algo así como el embajador plenipotenciario del rey de España y el vicario único de Dios en la tierra en una sola persona.

Katang, la madre de Moisés, fue una de aquellas mujeres repudiadas que fray Cándido trató de recomponer anímicamente, allá al comienzo de su ministerio. Había sido entregada en propiedad, cuando apenas contaba trece años, a un vecino propietario de la sementera colindante con la de su familia, con la esperanza de juntar en la descendencia que ambos tuvieran sus respectivos y miserables patrimonios. Desde el principio, había sido tratada como una bestia de carga sobre la que su marido desaguaba sus accesos de ira, siempre arbitrarios y siempre violentos, y sus accesos de lujuria, mucho más previsibles pero igualmente violentos. Katang había tratado de repeler inútilmente estas agresiones, que se repetían cada vez que su marido estaba embriagado (y lo estaba con mucha frecuencia); pero tales intentonas sólo habían servido para enardecerlo aún más y para que descargase sobre sus sufridos lomos un pedrisco de golpes que en más de una ocasión la había dejado descalabrada y con algún hueso quebrado. Cuando ya apalearla le producía hastío, aquel animal la repudió y expulsó del hogar o infierno conyugal; y sus padres tampoco la recibieron, pues consideraban que, además de haber malogrado sus quimeras de acrecimiento, los había deshonrado. Desde entonces, Katang no había dejado de pegar tumbos: primero se había abarraganado con algún perillán sin escrúpulos que mantenía trato carnal con varias mujeres a la vez sin dar de comer a ninguna; luego, viendo que si seguía al lado del perillán acabaría muriendo de inanición, empezó a vender su cuerpo a cambio de un poco de morisqueta. Así la conoció fray Cándido, recién llegado a Baler, convertida en un pingo y en un pingajo, con apenas dieciocho años que aparentaban al menos cuarenta, quebrantado su cuerpo por las enfermedades y minada su alma por la amargura.

Hambrienta y desarrapada, Katang empezó a frecuentar la iglesia a horas siempre intempestivas, para evitar la censura y las befas de sus paisanos, al principio en demanda de un mendrugo de pan, después en busca de misericordia y comprensión, compañía y calor humano, pues no sólo de pan vive la mujer. Fray Cándido le procuraba cuanto podía para la asistencia de sus necesidades materiales y espirituales; y poco a poco logró levantarla de los escombros en los que yacía postrada, y hasta consiguió que engordara un poco, y que su tez recuperara la color, y su expresión la jovialidad, y su alma la curiosidad por las cosas naturales y sobrenaturales. También logró fray Cándido que sus familiares la aceptaran, explicándoles que aquella transacción bárbara que habían hecho con su vecino nunca había sido matrimonio legítimo y que, a los ojos de Dios, Katang seguía siendo soltera. Cuando la volvieron a admitir en casa, Katang rejuveneció veinte años y volvió a ser la muchacha pizpireta, jovial y retrechera que había sido antes de su desgracia; y, como los lugareños comprobaban que gozaba de la predilección del párroco, no tardaron en surgirle pretendientes que se la disputaban. El propio fray Cándido la ayudaba a elegir entre todos ellos, enseñándola a distinguir a los que más le convenían por sus prendas personales, su laboriosidad y sus propósitos honestos; y Katang seguía acudiendo a su consejero y mentor, para ponerlo al tanto de sus vicisitudes amatorias, en la sacristía si eran del todo inocentes, o en el confesionario si requerían algún descargo de conciencia.

Katang siempre empleaba con fray Cándido arrumacos y gachonerías impropias entre un párroco y una feligresa, como si quisiera poner a prueba su celibato o más bien su hombría; pero fray Cándido esquivaba tales arrumacos y gachonerías como si fuesen vicisitudes archisabidas de un juego inofensivo, mientras la ayudaba a elegir novio, resultando al fin agraciado un viudo cabal y piadoso al que no le importaba lo que Katang hubiese hecho o dejado de hacer en el pasado. Así hasta que un día cualquiera, cuando ya preparaba sus esponsales, Katang llegó inopinadamente a la sacristía y declaró sin ambages a fray Cándido que él era el hombre que siempre había querido y deseado. Fray Cándido nunca había vivido su celibato con angustias y reconcomios, tal vez porque su vasta labor pastoral no le dejaba tiempo para la concupiscencia, que es la polilla del ocioso; y, hasta entonces, le había bastado con protegerse con una leve coraza de caritativa socarronería para rechazar los donaires y desenvolturas de sus feligresas. Pero aquel día en que Katang declaró tan descarnadamente sus sentimientos y se arrojó a sus brazos como un pájaro que busca su nido, fray Cándido estaba con la guardia baja, o más exactamente con la guardia ausente; y un turbión de sangre le trepó a la cabeza, nublándole el entendimiento y anegando de paso, en un instante, la gustosa pureza de la lejana infancia, allá en Madridejos, la ardua continencia de la juventud, allá en el convento de Pastrana, la serena castidad de sus primeros años como fraile, trasladado ya a las islas Filipinas, y con ellas las enseñanzas de la teología moral, los consejos de sus profesores en el noviciado, los votos renovados cada noche ante el altar de la Virgen, todo barrido de un plumazo cuando Katang lo arrinconó en la sacristía, buscando sus labios y queriendo fundirse en su aliento, mientras el mundo se quedaba sordo, mudo y muy, muy lejano, como un planeta que ha extraviado su órbita.

Fueron sólo cinco minutos; y cuando aquel turbión de sangre que le había ofuscado los sentidos y nublado el entendimiento se batió en retirada, cayó sobre él, como un manto de viscosidad, la conciencia de su pecado. Aunque era una mujer elemental y gobernada por los instintos, Katang se dio cuenta de la herida que aquel instante de debilidad había infligido a fray Cándido y no volvió a requerirlo ni a importunarlo más. Si alguna vez se cruzaba con él en las calles del pueblo, o en el camino que llevaba a las sementeras, o mismamente en la iglesia, lo miraba con gratitud compungida, como si mirándolo de este modo quisiera expresarle sin palabras que le debía la salvación de su cuerpo y de su alma y se ofrecía a devolvérsela cuando él lo desease, ignorante de que fray Cándido seguía debatiéndose en las mazmorras del remordimiento, pugnando con una herida que no dejaba de supurar. Katang finalmente se desposó con aquel viudo cabal y piadoso que el propio fray Cándido le había ayudado a elegir. A la boda llegó algo más preñada de lo que aconseja el decoro; y cuando por fin dio a luz a Moisés, a fray

Cándido le bastó hacer un cálculo somero de los meses de gestación para saber de quién era hijo aquel niño. Entonces creyó que los cimientos sobre los que se fundaba su vida se agrietaban y hundían; y después de darse de cabezadas durante varios días contra los muros del dolor, resolvió viajar a Manila, para confesar su falta al provincial, que de inmediato lo suspendió de su ministerio, temeroso de que su desliz fuera a provocar un escándalo.

Pero pasaron los meses y el escándalo no salió a la luz, por la sencilla razón de que Katang nunca quiso traficar con él, ni siquiera contárselo a los más allegados, sino que prefirió guardarlo en su corazón, como un tesoro cuya posesión la enorgullecía, un tesoro que no estaba dispuesta a envilecer entregándolo a la comidilla. Fray Cándido, entretanto, quiso saber de aquel niño que, según había oído, crecía sano y robusto, muy amado de su madre y acogido cariñosamente por su padre putativo; pero sus superiores —que lo tuvieron durante un par de años confinado en una casa de oración en Manila, para que purificara su vocación— no se lo permitieron. A fuerza de penitencias, fray Cándido llegó a albergar la duda de que Moisés fuera en realidad hijo suyo, de que hubiese llegado a ocurrir algo entre él y Katang, de que Katang en verdad existiera y no fuese tan sólo una ensoñación susurrada por el diablo, aprovechándose de su debilidad; y, poco a poco, aquellos episodios onerosos de su pasado se fueron desvaneciendo o desfigurando entre las nieblas del olvido. Así vivió fray Cándido durante casi veinte años, como otros viven con una bala ensartada en los pulmones o rozándoles el pericardio, olvidado de lo que había sucedido en Baler. Tras un período de discernimiento, le restituyeron su ministerio y lo destinaron a diversos parajes de las islas Filipinas, donde siguió ejerciendo con resultados siempre fructíferos sus labores evangelizadoras, conciliándolas con el estudio de las costumbres, ritos y tradiciones de los pueblos y tribus que se le asignaba convertir, así como de la flora y la fauna de las distintas regiones por las que iba predicando. A punto de cumplir los cuarenta años, lo destinaron de nuevo a Manila en labores organizativas y de formación; de vez en cuando las hijas de la Caridad lo requerían para que fuese a dar conferencias a sus novicias sobre la religión de los tagalos, que era una de sus especialidades. Y en el beaterio de Santa Rosa, adonde solía acudir con bastante frecuencia, conoció a sor Lucía, con quien enseguida entabló una rica fluencia espiritual, hasta convertirse en su confesor.

Aquella mujer inquisitiva y un tanto indócil acabaría convirtiéndose en la depositaria de sus confidencias; y aunque no tuviese potestad para absolver sus faltas, sí la tenía, desde luego, para reparar y sanar los estragos que esas faltas le habían infligido. Fray Cándido se quitó ante sor Lucía los vendajes que escondían aquella herida olvidada y, sin embargo, todavía supurante: le reveló la existencia de Katang y de Moisés, tal vez felizmente olvidados de él, tal vez necesitados de su ayuda; y sor Lucía escuchó sus razones, sus disculpas, su secreto dolor, sus ansias de expiación y resarcimiento que el paso del tiempo, lejos de anestesiar, había avivado. Despojada de los vendajes que la habían mantenido oprimida durante tantos años, aquella herida volvía a escocer a fray Cándido, y ni siquiera lo asistía la certeza de que fuese a cicatrizar; pero al menos sabía que ya nunca volvería a enconarse. Sor Lucía, para consolarlo en su tribulación, le había dicho que algún día la Providencia le brindaría la oportunidad de compensar a Moisés; pero ninguno de los dos podía ni siquiera sospechar que la Providencia, con magnífica ironía, se iba a servir de sor Lucía, a quien sus superiores encomendaron, en compañía de otras hermanas, la fundación de una escuela en Baler. Pronto empezó a recibir cartas desde aquel poblacho de Nueva Écija, donde sor Lucía, nada más instalarse, había inquirido por Katang y Moisés: así supo fray Cándido que Katang y también su marido habían fallecido víctimas de una epidemia de cólera que había asolado la región apenas un año antes; y que Moisés vivía con una tía carnal suya, hermana de Katang, que estaba medio ciega. En las siguientes cartas que sor Lucía le dirigió a Manila, se percibía el creciente y encendido entusiasmo que le despertaba Moisés, a quien creía sin dubitación hijo de fray Cándido; no sólo porque se apreciaran en sus rasgos signos de una ascendencia *castila*, sino sobre todo y muy especialmente porque sor Lucía descubrió enseguida en él una veta de talento y hasta de genialidad que le recordaban el talento y la genialidad de su confesor y amigo. Sor Lucía estaba convencida de que una rama tan milagrosamente dotada tenía que proceder por fuerza de un tronco pródigo en dotes como el de fray Cándido; y sólo pedía a Dios que el caudal de talento creativo que había descubierto en Moisés no se malograra, por culpa de unas circunstancias ambientales poco benignas. Desde entonces, sor Lucía no había cejado en el empeño de que fray Cándido volviera a Baler, para conocer a Moisés; y cuando falleció el párroco del lugar removió Roma con Santiago, solicitando a las autoridades eclesiásticas que concedieran el puesto vacante a fray Cándido.

Finalmente, sus desvelos y tejemanejes (y también sus oraciones, pues lo cortés no quita lo valiente) habían dado resultado. Fray Cándido había llegado a Baler con el propósito decidido de reconocerse ante Moisés como su padre y dispuesto también a arrostrar los desgarros que tal reconocimiento le acarrease. Pero lo había ido postergando, por culpa de aquella avalancha de trabajo que lo traía en un sinvivir de la mañana a la noche, atendiendo las demandas de sus feligreses; también porque Moisés no mostraba excesivo interés en acercarse a él, tal vez porque guardase ciertas reticencias hacia el clero; y, sobre todo, por una especie de miedo paralizante que lo impulsaba a diferir sus obligaciones más perentorias, para atender otras más irrelevantes. Así, en medio del torbellino de activismo al que lo obligaban los balereños (y en medio del marasmo de su indecisión), había consumido fray Cándido semanas, y aun meses enteros, sin atreverse a dar el paso. Pero aquella tarde de abril, viendo que la parroquia estaba tranquila y que nadie acudía al confesionario, decidió que había llegado para él la hora de confesarse; y caminó con resolución hacia el *bahay* que Moisés compartía con su tía, mientras recordaba —con cierta cálida melancolía— a su madre Katang. La puerta del *bahay* estaba decorada con un dintel de madera labrada, en el que figuraba —como en el dintel de la puerta de comandancia— un ángel de rasgos primitivos y candorosos con las alas desplegadas. Fray Cándido acarició las hendiduras de la madera, siguiendo las circunvoluciones y arabescos de la gubia; y notó con consternación que le temblaban los dedos de la mano. Repitió las palabras de Getsemaní:

—Triste está mi alma hasta la muerte...

Y, sintiendo que le flaqueaba la voluntad, alzó la vista al cielo, que contemplaba su aflicción con todos sus párpados abiertos, como Argos, y en cada párpado una estrella, mirándolo impávida.

—... Pero no se haga mi voluntad, sino la Tuya.

Se volvió, sin pensárselo más, hacia el *bahay* y golpeó con brío la puerta, que apenas se asentaba sobre su quicio y retemblaba a cada golpe. Escuchó, pesarosos y lentísimos, unos pasos que se acercaban, arrastrándose sobre el suelo; y, tras una breve espera, se descorrió un cerrojo y se abrió el postigo superior de la puerta. Era la tía de Moisés, que portaba en la mano una vela con palmatoria; la llama le lanzaba mordiscos en la piel cuarteada del rostro y delataba la porcelana viscosa que velaba sus pupilas.

—*Magandang gabi po* —la saludó, un tanto cohibido—. Soy fray Cándido, el nuevo párroco. ¿Está Moisés?

Se enroscaba en su garganta, como una culebrilla de estopa, la sombra de los remordimientos. La tía de Moisés lo escrutó largamente, como si tratara de que los rasgos de fray Cándido penetraran las espesuras de su ceguera; finalmente su rostro se esponjó con una sonrisa, también pesarosa y lentísima como sus andares:

—Adelante, padre. ¿Cómo usted por aquí, después de tantos años? —le preguntó en tagalo.

Fray Cándido le pegó un cachete cariñoso en las mejillas ajadas, mientras le franqueaba la puerta y lo guiaba, palmatoria en ristre, hacia el interior del *bahay*.

—Más vale tarde que nunca —dijo, también en tagalo—. Tenía que hablar con su sobrino...

—Todavía no ha regresado, pero estará al caer. Pase, pase, como si estuviese en su casa —lo animó, con sincera hospitalidad. Y su voz, que parecía devastada por mil y un sinsabores, se tornó más exultante que luctuosa cuando añadió—: Katang estaba segura de que algún día usted regresaría a Baler. ¡Le hubiese hecho tan feliz volver a verlo antes de morir! Pero ya no podrá ser...

Fray Cándido, mientras se internaba, a través de un pasillo muy estrecho, en el interior del *bahay*, se dio cuenta de que la puerta había quedado entreabierta, pero no volvió sobre sus pasos para cerrarla, pues no parecía que hubiese nada que robar en aquel humildísimo hogar. Habían llegado a un cuarto de tierra pisada, con unas banquetas de bejuco en torno a una estera, sin más mobiliario que un aparador descolado ni más adornos que una imagen de San Francisco, tallada también por Moisés con su estilo característico.

—¿Katang no llegó a odiarme? —preguntó fray Cándido abruptamente.

—Qué disparate. ¿Y por qué habría de hacerlo? —preguntó la tía de Moisés, invitándolo a tomar asiento—. Ella siempre decía que, de no haber sido por usted, habría muerto de pena y de asco. Y tenía razón, porque si usted no hubiese insistido tanto, nuestros padres no habrían vuelto a recibirla en casa. Para Katang, usted era el hombre más noble del mundo. ¡Y el más guapo también!

Su risa sonó como un cloqueo. Fray Cándido se ruborizó; aquellas lisonjas le sonaban casi a sarcasmo:

—¿Y cómo murió? —preguntó.

La tía de Moisés le narró pudorosamente la muerte de Katang, víctima del cólera, después de una agonía despiadada que sobrellevó con entereza, atendida por su marido que acabaría sucumbiendo al mismo mal; y también le narró sucintamente los últimos años de su vida, que tal vez no hubiesen sido jubilosos pero tampoco desdichados, y que siempre habían girado en derredor de Moisés, en quien Katang tenía depositadas todas sus esperanzas.

—No me extraña que las tuviera —subrayó fray Cándido—. He estado observando con detenimiento a Moisés durante todos estos días. Enseguida distingue uno que se halla ante una persona muy especial. Y sor Lucía me ha contado maravillas de él.

Hablaba con un orgullo oxidado de culpa. La vista ya se le había acostumbrado a la oscuridad del *bahay*, sin más iluminación que la vela en palmatoria que la tía de Moisés había depositado sobre la estera del suelo y el resplandor flemático de la luna, que se colaba de rondón por los ventanucos. No había tabiques que separasen las habitaciones, tan sólo mamparas portátiles de nipa, al estilo de la que Moisés había confeccionado para sor Lucía en la escuela. En un rincón, a su derecha, fray Cándido distinguió el camastro de Moisés, porque a su vera había una pequeña pila de libros y, sobre una repisita, media docena de tallas policromadas, de apenas un palmo de altura. Predominaba de forma obsesiva el motivo del ángel con las alas desplegadas; y eran ángeles custodios, porque alguno de ellos llevaba a un niño de la mano.

—Dice que es un gran artista, y tiene toda la razón —continuó fray Cándido—. Y con unas enormes ganas de saber...

Quiso preguntar a su tía si Moisés sabía o sospechaba quién era su padre, más que nada por comprobar si lo sabía o sospechaba ella, pues sor Lucía ya le había confirmado que Moisés permanecía en la más completa ignorancia, pero lo atenazó el pudor. Como si hubiese adivinado sus pensamientos, su tía habló, en un tono salmódico:

—Moisés no sabe que usted es su padre. De niño, pensaba que su madre había concebido como la Virgen María.

Era una mención demasiado candorosa para causar el más mínimo desasosiego, pero fray Cándido se remejió inquieto, como si de repente los remordimientos le creciesen como tumores hinchados. La tía de Moisés percibió su inquietud y le puso una mano sobre la rodilla, como si en ella guardase, reteniendo su calor, el afecto de la hermana difunta.

—¿Logró Katang que la gente del pueblo no se diese cuenta de que era mestizo? —preguntó fray Cándido, en un murmullo contrito.

—Por fortuna, los rasgos tagalos predominan en él. Todos en el pueblo lo creyeron siempre hijo del marido de Katang. —Sonrió como ensimismada—. Aunque, cuando era pequeño, los otros niños se burlaban de él, porque era demasiado larguirucho. —Tragó saliva, y con la saliva parecía que también se hubiese tragado una dolorosa espina—. Curiosamente, el único que dudaba sobre su origen era él mismo... De niño, pensaba que su padre era un ángel y que volvería algún día para llevárselo.

—Un ángel bajado del cielo a pedradas, tal vez —bromeó o murmuró fray Cándido, cada vez más ahogado por el tumor de la culpa.

Reparó en un listón de madera de la pared sobre el que se alineaban verticalmente varias muescas, señaladas con unas banderitas de tela en las que figuraban fechas de años todavía recientes, a partir de 1890, más o menos.

—Todos los años, por Navidad, le gustaba medirse. Quería llegar a ser el más alto del pueblo. Tal vez lo sea ya —dijo la tía de Moisés.

Fray Cándido se alzó del taburete y se acercó al listón, comprobando que las últimas muescas descollaban muy por encima de su tonsura. Habló de forma estridente, como ocurre a muchos cuando se dirigen a una persona con alguna tara congénita o adquirida, aunque tal tara en nada afecte al oído:

—Desde luego, más alto que su padre ya es un cacho. Como siga creciendo alcanzará a los ángeles.

En la niñez, Moisés había llegado a sentirse acomplejado por su altura un tanto desmedrada; pero, cuando alcanzó la edad púber, todos en el pueblo empezaron a mirarlo con reverencia, porque la altura y sus dotes de artista lo convertían en alguien distintivo y en diálogo con las nubes, que es la patria de los ángeles. Todavía por entonces, con los dieciocho años ya cumplidos, Moisés seguía provocando ese movimiento admirativo espontáneo en muchos de sus paisanos, sin ir más lejos en Novicio, el cabecilla insurrecto acogido al indulto de Biacnabató, con el que Moisés se había entrevistado en varias ocasiones, después de su primer encuentro en la escuela, cuando se enzarzó con sor Lucía en disputas teológicas en torno a la creación del mundo. A Moisés le gustaba mucho conversar con Novicio, no tanto de cuestiones teológicas como artísticas, pues no en vano era primo de su pintor predilecto, Juan Luna, y conocía de primera mano los secretos de su técnica y los trucos de su oficio. Muchas tardes, después de hacer los recados que le encomendaba sor Lucía, Moisés se reunía con Novicio en las sementeras y hablaban de las pinturas más celebradas de su primo, en las que había acertado a mostrar, con un pincel siempre vibrante e impulsivo, como acuciado de fervores épicos, la iniquidad ampulosa de los antiguos romanos, o la voluptuosidad decadente de la aristocracia europea, o el tumulto infernal de las fábricas que había conocido durante una estancia en las provincias vascongadas. En aquellos coloquios peripatéticos por las sementeras de Baler se entabló de inmediato entre ambos una camaradería hecha a partes iguales de nostalgias y anhelos: Novicio veía en Moisés al joven que él habría podido ser, si no le hubiesen infiltrado el veneno político; y Moisés veía en Novicio al hombre que deseaba ser, entregado a la causa revolucionaria. A Novicio no se le escapaba que, detrás de la fachada discreta y hasta pusilánime de Moisés, se ocultaba un espíritu apasionado, incluso turbulento, que le recordaba el suyo propio, diez años atrás; y procuraba por todos los medios desengañarlo, mas en vano, pues cuanto más se esforzaba Novicio en disuadir a Moisés, más deseos despertaba en el joven de echarse al monte. Allí había tenido que regresar Novicio, por orden seguramente del propio Aguinaldo, para organizar las partidas de patriotas que se estaban refugiando en la sierra; y lo había hecho sin despedirse siquiera de Moisés, que lo había buscado infructuosamente en las sementeras y había preguntado su paradero a sus familiares, tropezándose con un silencio hosco y desabrido. La marcha inopinada de Novicio había dejado en Moisés un sentimiento de orfandad, mezcla de orgullo herido y sombría decepción, junto a unas ansias desnortadas de escupir la ira contenida que había ido almacenando en secreto durante años, pero sin saber todavía sobre quién. Aquella noche en que fray Cándido había ido a su *bahay*, dispuesto por fin a revelarle su paternidad, Moisés había vagabundeado por las afueras del pueblo, apedreando a los perros, expoliando nidos, sacudiendo con un bejuco vergajazos a la maleza, como quien necesita vaciarse de violencia y no sabe cómo hacerlo, ni sobre quién. Cuando al fin se resignó a volver a casa, esa violencia sin destinatario le ardía en el pecho como una angina. Lo sorprendió toparse con la puerta del *bahay* entreabierta; y cuando oyó a su tía conversando con fray Cándido pensó, en un primer momento, que el nuevo párroco de Baler había ido a advertirle de que su sobrino andaba en tratos con un cabecilla insurrecto. Moisés entró con pisadas quedas, amparado por la oscuridad y apretándose a la pared de nipa. Aguzó el oído.

—Debo contarle la verdad —decía en ese instante fray Cándido, con voz contrita—. Moisés tiene derecho a saber quién es su padre. Prefiero ver el odio en sus ojos, antes que ocultárselo por conveniencia.

—Créame, no creo que sea el momento propicio —trataba de disuadirlo su tía—. Desde hace algún tiempo, Moisés anda muy alterado. Espere que vuelva la paz a su espíritu. Hay verdades que son demasiado dolorosas.

Al principio, Moisés escuchó con una perplejidad atónita, repudiando por irracional y grotesco lo que había creído entender; pero poco a poco esa revelación se iba asentando en su pecho, allá donde un amasijo de violencia sin destinatario lo ulceraba íntimamente, cayendo como vitriolo sobre una llaga.

—También es dolorosa esa verdad para mí, se lo aseguro —se lamentó fray Cándido, aplastado por la pena—. Pensé que estos hábitos acabarían enterrando el pasado. Pero me equivocaba.

—Todos tenemos que aprender a vivir con un dolor —aseguró su tía, partícipe más que consoladora de su pena—. Yo tengo la ceguera. Usted tiene el remordimiento de no haberse mostrado ante Moisés como lo que es. Katang vivió toda su vida con el dolor de no haber podido volver a verle, para enseñarle a su hijo... Y Moisés, si usted le contase la verdad, tendría que vivir con el dolor de saberse hijo de un fraile. Yo le ruego que se lo ahorre.

Moisés tuvo que apoyarse sobre la pared para no derrumbarse. El amasijo de violencia que ulceraba su pecho había encontrado al fin un destinatario; y la rabia resbalaba como una anguila por su sangre, codiciosa de lanzar mordiscos a diestro y siniestro.

—Deje que Moisés siga creyendo en los ángeles, fray Cándido —insistió todavía su tía.

Pero Moisés ya no creía en los ángeles; y se avergonzaba de haber creído durante tanto tiempo, se avergonzaba de haber vivido en la inopia y de haber prestado crédito a las fábulas de los frailes, se avergonzaba de llevar sangre *castila* en las venas, y sólo deseaba que la anguila de la rabia la devorase pronto. Retrocedió hasta la puerta del *bahay* con el mismo sigilo con que había entrado y salió a la noche, dejando atrás aquellas voces que, de repente, le sonaban lejanísimas, porque no podían taladrar la coraza de impiedad que le había crecido sobre la piel. Se despojó de las alpargatas y del blusón blanco con desapego, aunque de lo que en verdad deseaba despojarse era de aquella enfermedad que invadía su sangre, como una hemofilia ignominiosa, escarneciéndolo por ser hijo de un eunuco con tonsura en la cabeza y hábito de estameña. Echó a correr en dirección al río, absorbiendo casi a dentelladas el aire de la noche; las chinas y los abrojos del camino se le clavaban en los pies desnudos, recordándole a cada paso su mortificante origen, y el calor de la tierra le trepaba por las pantorrillas, como una llama que apaciguó zambulléndose en el río. Lo cruzó a nado, procurando no asomarse demasiado a la superficie, para que la luz de la luna no lo delatase ante el retén de soldados *castilas* que acampaban en la otra orilla, custodiando la escasa media docena de caballitos con que contaba el destacamento. Moisés sabía que los soldados *castilas* llegaban deslomados a las guardias, después de la jornada agotadora a la que los sometía el teniente Martín Cerezo; y sabía que al natural sopor producido por el cansancio se agregaba el sopor que provocaba en ellos la ingestión de tuba. Después de alcanzar la otra orilla, Moisés caminó a gatas hasta el lugar donde se hallaban los caballitos, al cobijo de unos árboles.

Dormían de pie, apoyando las ancas unos sobre otros, con las bridas atadas a los troncos de los árboles. Moisés se acercó a ellos y eligió el que le pareció menos levantisco; le acarició las crines y el lomo y le chistó palabras apaciguadoras al oído, hasta conseguir que el caballito despertase sin irritación. Tomó sus riendas y lo apartó delicadamente de los otros, que apenas se rebulleron, tan enfangados en el sueño como los soldados que los vigilaban. Moisés montó de un brinco, a pelo, y, en vez de aguijonear al caballito, le dio unas palmadas en el pescuezo, hasta conseguir que empezara a galopar, enfilándolo hacia la playa, donde el mar se unía al retumbo de la sangre en sus sienes. Desde allí, Moisés cabalgó hacia la Punta del Encanto, adentrándose en la sierra que al principio le mostraba sus senderos, para después empezar a arriscarse, entre cárcavas y gargantas, hasta cubrirse finalmente de una vegetación inhóspita. Sin consideraciones de ningún tipo —una coraza de impiedad protegía su piel y sus pensamientos—, Moisés forzó al caballito a adentrarse por parajes impracticables, aunque el miedo le agrandase los ojos y el cansancio le llenara la boca de espumarajos. Cabalgó durante horas, sin tino ni rumbo, con el único designio de internarse en asperezas sólo frecuentadas por las alimañas, donde imaginaba que se podrían refugiar los insurrectos.

Había oído contar que los prosélitos del Katipunan se embriagaban de sangre y se entregaban sin vacilación en brazos de la muerte; y quería anegarse en aquel odio indistinto, para que su odio concreto a fray Cándido pasase más inadvertido. Cuando ya empezaba a alborear, alcanzó la cima de un monte, desde el que se contemplaba un desfiladero muy hondo, como una sima que condujese directamente al averno; venciendo la resistencia del caballito, al que para entonces —ya casi reventado— le temblaban las patas, se dirigió hacia esa sima, tal vez nunca profanada por el sol. Era un descenso suicida, como dejarse resbalar por un tobogán cuya desembocadura no acertamos a atisbar, y así lo sentía el caballito acezante, al que ya los espumarajos se le extendían al pelo, como una licuefacción del horror que la luz titubeante del amanecer hacía fosforecer. Cuando al fin llegaron al fondo del desfiladero, el caballito cayó agotado y tal vez con las patas quebradas; sin inmutarse, Moisés se sacó una navaja del pantalón y lo remató para que no sufriera más. Tenía la sangre pastosa y fría, como renegada de su condición mamífera; y Moisés se limpió la pringue de las manos sobre su lomo, dibujando sus costillas, como haría para policromar la talla de un Cristo (pero también se arrepentía ahora de haber tallado aquel ídolo adorado por los *castilas*). Echó a caminar por el terreno escabroso, entre altos farallones de sombra; el piso era rojizo y poroso, revelando su procedencia volcánica, y seguía lacerando las plantas de sus pies, pero Moisés ya ni siquiera percibía el dolor, o lo percibía amordazado y envuelto entre trapos, como la reminiscencia de un sueño.

—¡Alto ahí! ¿Adónde te crees que vas?

Entre las rocas había surgido, armado con un fusil, un centinela que le hablaba retadoramente, como si lo estuviese increpando, en un tagalo muy cerrado, incluso para él. Moisés no se arredró:

—Quiero alistarme en el Katipunan. Vengo de Baler —dijo.

El centinela lo miró con fiereza y lo apuntó con su fusil. Por fin, tras comprobar que Moisés no llevaba armas de fuego, descendió del peñasco y le extendió una capucha negra que había extraído del blusón.

—Póntela en la cabeza —le ordenó, sin dejar de apuntarlo.

Moisés obedeció sin rechistar. El centinela le hincó entre las costillas el cañón del fusil, que de este modo le sirvió de traílla para llevarlo entre pedregales en los que Moisés tropezó innumerables veces, retorciéndose los tobillos y despellejándose las rodillas. Después de un largo trecho caminando a ciegas, penetraron en una cueva; Moisés lo notó por la repentina humedad que se adhería a los pulmones y por el retumbo de la voz del centinela:

—Puedes quitarte ya la capucha —le dijo.

Se trataba, en efecto, de una cueva natural, cuyas paredes, sin embargo, habían sido trabajadas por la mano del hombre, como revelaba la luz de la antorcha que portaba el centinela. Descendieron unas escaleras muy resbaladizas, cubiertas de verdín, sobre las que goteaba un agua milenaria, tal vez antediluviana. El centinela lo llevó por un corredor excavado en la roca, de cuyas paredes pendían hachones encendidos que lograban espantar la lobreguez del lugar, pero no su atmósfera ominosa. Al final del corredor, se interponía una puerta de madera maciza; en su dintel, escrita en tagalo, Moisés leyó la siguiente leyenda: «Si tienes fuerza y valor, pasa. Si es la curiosidad la que te ha traído aquí, vete».

—Espérame aquí —dijo el centinela, que se adelantó y penetró en la cámara que se hallaba al otro lado, después de golpear la puerta.

Dentro estaba Novicio, sentado ante un escritorio y tratando de desentrañar una carta que le habían hecho llegar, desde el Consejo Supremo del Katipunan, en lenguaje cifrado. En ella, se le comunicaba que se acababa de comprar una importante partida de armas a un comerciante holandés, muy bien relacionado con los americanos, que pronto se desplazaría hasta el distrito del Príncipe, para conocer de primera mano las necesidades de armamento y munición de las partidas capitaneadas por Novicio. También se le advertía de que las armas, que venían de Hong Kong, no podrían distribuirse por la isla de Luzón hasta que el puerto de Manila no estuviese bajo control de los patriotas; pero se había confirmado que la escuadra americana estaba dispuesta incluso a bombardear la capital, si los *castilas* se resistían a entregarla. Novicio acercó la carta a la llama de una vela y la dejó arder sobre un platillo, para que nadie más pudiese leerla. El miedo a lo que se avecinaba le ensuciaba el rostro cuando el centinela le anunció:

—Otro más que quiere alistarse en el Katipunan. Este viene de Baler.

Se acercaban los días de furia y convenía abreviar los trámites. Novicio sacó de los cajones del escritorio la quincalla macabra que se empleaba para impresionar a los neófitos: el estandarte del Katipunan con la daga y la cabeza decapitada y sangrante, una calavera, tres huesos que colocó sobre el escritorio en forma de triángulo, un bolo y dos velas casi consumidas; también una pluma sin tintero y un documento en tagalo, que era el contrato de afiliación. Novicio sabía que el Katipunan utilizaba aquella parafernalia para azuzar el espíritu sectario de sus prosélitos y exacerbar su fanatismo; pero no podía dejar de emplearla, como tampoco de alistar a todos los voluntarios que se le presentaran, pues si se negase a hacerlo, de inmediato sería acusado de tibieza ante los mandos de la insurrección. Novicio se preguntó si tendría fuerzas para contener el torbellino que se avecinaba.

—Hazlo pasar —ordenó al centinela.

Cuando Moisés entró y reparó en el hombre que lo esperaba en pie detrás del escritorio, sus facciones se esponjaron en una sonrisa de gratitud. En cambio Novicio, en cuanto reconoció a Moisés, se sintió anegado de una tristeza sin remisión.

—Este no es un lugar para artistas —le reprochó.

Vio fulgurar en la mirada de Moisés algo escurridizo y sinuoso, tal vez el odio, aunque lo disfrazase de patriotismo:

—El artista, antes que a su arte, se debe a su patria.

Se miraron en silencio durante largo rato, sin atreverse a pronunciar una palabra de reconocimiento o amistad, como si sus paseos por las sementeras al caer la tarde formaran parte de otras vidas, extraviadas tal vez entre el polvo cósmico. Novicio inició al fin, con infinita desgana, el ritual de afiliación al Katipunan:

—¿Estás dispuesto a entregar tu vida en la consecución de la libertad para el pueblo filipino?

—Lo estoy. —Moisés apretó los dientes—. Y también a matar, cuando sea necesario.

Novicio no alcanzaba a entender las razones de la súbita conversión de un muchacho sensible en un fanático codicioso de muerte. Lo reprendió:

—Matar es lo más fácil del mundo. Mucho más difícil es saber morir con dignidad...

—También estoy dispuesto a morir —lo atajó Moisés, como si interrumpiese una monserga archisabida.

Novicio tembló, rozado por la irradiación maligna del odio. Hizo un signo al centinela, que permanecía hierático detrás del neófito.

—Si te atrapasen, ¿tendrías valor para guardar silencio?

Moisés sonrió con suficiencia. El centinela le tomó un brazo y le acercó una tea encendida, que hizo rodar sobre su piel. Crepitó la carne chamuscada y la cámara se llenó de un olor acre. Moisés aguantó impávido, sin soltar un solo gemido y sin despegar siquiera los labios. Novicio hizo un gesto pesaroso de asentimiento dirigido al centinela:

—Basta, ya es suficiente.

Y el centinela retiró de inmediato la tea, a la vez que propinaba un suave empujón a Moisés, para que se aproximara al escritorio donde se alineaban los adminículos macabros. Novicio le indicó que pusiera una mano sobre la calavera y que alzase la otra a la altura del pecho, para sellar su ingreso en el Katipunan. Le resultaba grotesco que en la fórmula se emplease el juramento, que al fin y a la postre presupone la existencia de Dios; pero no desconocía que los hombres siempre invocan a Dios para justificar sus iniquidades y violencias:

—¿Juras solemnemente que, al ingresar en la Soberana y Venerable Asociación de los Hijos del Pueblo, sacrificarás todo cuanto amas en la vida, aun a costa de perder el último aliento, en defensa de sus sagrados objetivos?

—Lo juro —dijo Moisés, ansioso por concluir.

—¿Juras también acatar y obedecer las órdenes de tus superiores? —insistió Novicio.

Moisés lo miró con desconfianza, como si esa segunda pregunta la acabase de incorporar Novicio al ritual. Respondió con menos contundencia:

—Lo juro.

Novicio le acercó el documento de ingreso en el Katipunan y, tomando el bolo, le practicó una incisión en el brazo que el centinela acababa de quemar con la tea. Moisés mantuvo la mirada fija en Novicio, en actitud petulante o retadora, mientras la sangre brotaba de la herida con ansiedad felina y se deslizaba por su antebrazo, rápida como una joya líquida. Novicio mojó la pluma en el reguero y se la tendió sin mediar palabra.

Moisés firmó el documento de ingreso con su propia sangre. El cañón de la pluma era corvo y afilado como el pico de un ave.

8

—¿Lo ven? Así los enviscan, antes de comenzar la pelea —los instruyó don Ramiro Garzón.

Al fin el capitán Las Morenas había aceptado la invitación del hacendado. No había querido hacerlo hasta que los soldados hubiesen concluido todas las obras de reconstrucción necesarias en Baler, para que no se infiltrase en sus ánimos la tentación del relajo y la holgazanería antes de tiempo; y tampoco había querido dilatarlo más, por no ofender a su anfitrión y, sobre todo, porque intuía que los días de paz se estaban agotando. Garzón había querido recibirlos en su hacienda con una pelea de gallos, tal vez el entretenimiento predilecto de los filipinos. En torno a la empalizada de bambú que delimitaba el redondel de la gallera se congregaba un público vociferante formado por los criados y los empleados de la hacienda, que hacían sus apuestas encontradas, mientras un hombre que se paseaba entre ellos con los brazos extendidos, como un crucificado, se encargaba de recoger los pesos. Entre los invitados a la fiesta, aparte de los soldados del destacamento, que miraban con una mezcla de fascinación y espanto el espectáculo que iba a desarrollarse ante sus ojos, figuraban algunos gobernadorcillos de lugares vecinos. No había, en cambio, ningún empleado peninsular del gobierno civil.

—Pero esto es una animalada impropia de naciones civilizadas, don Ramiro... —se quejó Martín Cerezo.

—¿Por qué habría de serlo? —lo contradijo Garzón—. Las peleas de gallos son la pasión de este pueblo. Animaladas son el taylorismo o la eugenesia, admitidas por lo que usted llama «naciones civilizadas».

Garzón señaló a los gallos contendientes, a quienes sus dueños estaban enviscando. Uno tenía la cola y las alas negras como el azabache, azulencas casi de tan negras, con la pechuga de un color cremoso y un penacho de plumas cayéndole sobre el pescuezo y la espalda como la melena de un león. El otro, presumido como un pavo real, tenía plumas verdes como las moscas de la carne, doradas como las cosechas, encarnadas como llagas abiertas. Cada gallo había sido armado en su pata derecha con una cuchilla del tamaño de un dedo meñique, atada con sedal, a modo de espolón supletorio; pero, por el momento, las cuchillas estaban protegidas por una funda de cuero. Después de enviscarlos entre sí, dejándolos que alargasen el pescuezo para picotearse, sus dueños los pegaron al suelo, cada uno a un extremo del redondel; los gallos hurgaban excitados en la tierra con las patas y agitaban las alas, ansiosos de arrojarse sobre su adversario. Un criado de Garzón que hacía las veces de árbitro señaló el final de las apuestas, después de que algunos soldados se animasen a participar con unos pocos pesos. Los dueños de los gallos apartaron entonces las fundas de cuero de las cuchillas con el máximo cuidado. Se hizo un silencio solemne, casi litúrgico, mientras los gallos se acercaban, calculando calmosamente la distancia, y se escrutaban como duelistas o púgiles; y sus dueños retrocedieron hasta quedar pegados a la empalizada, desde donde les daban instrucciones, como si los pudieran comprender.

—No saben cuánto me alegra que hayan aceptado mi invitación —dijo Garzón, agradecido y jovial.

—La alegría es nuestra, don Ramiro —le correspondió Las Morenas—. No tiene más que ver a mis hombres.

Los soldados, en efecto, contemplaban como extasiados la danza preparatoria de los gallos, que después de escrutar a su adversario se encorvaban y ahuecaban las plumas del pescuezo, hasta asemejarlas a paraguas abiertos. Luego, volvían a avanzar, esta vez en círculo, como banderilleros citando al toro; y, mientras lo hacían, subían y bajaban la cabeza, midiéndose y mordiéndose con las miradas. Cuando se hallaban a un palmo de distancia el uno del otro, volvieron a erizar las plumas; luego el gallo del penacho leonino saltó sobre el otro, que anticipó su movimiento y se zafó del ataque. Volaron plumas por doquier, mientras los contendientes se arremolinaban; aturdidos, ambos se revolcaron por el suelo en una maraña indiscernible en la que sólo se distinguían sus cuchillas, como sonrisas corvas deseosas de hincarse en la pechuga del contrincante. La gente seguía expectante las peripecias del combate, que se desarrollaba en un silencio sin cacareos, como si a los gallos les hubiesen extirpado la siringe, para que no se les fuera la fuerza por la boca. Ofuscados por el calor del combate, ya no retrocedían; y sus ojos, atroces de sangre, fijos siempre en el rival, se habían olvidado de parpadear. En una de las arremetidas que velaba la creciente polvareda, el gallo presumido como un pavo real se apartó con un corte en una de las patas, que arrastraba como una piltrafa, dejando a su paso una firma hemorrágica. El gallo del penacho leonino se abalanzó, jadeante, sobre su espalda, para rematar su victoria; ambos se revolcaron por última vez, en un abrazo tortuoso, y patalearon, clavándose mutuamente la espuela, pero el gallo presumido como un pavo real, que se había quedado tullido, llevaba las de perder. Se despidió de la vida sangrando por el pico, con la cresta mustia como un gorro frigio después de una revolución frustrada y los ojos cubiertos por una membrana de niebla.

—*Requiescat in pace* —lo bendijo fray Cándido, conmovido en sus entretelas franciscanas.

El gallo perdedor, que de repente parecía blando e invertebrado, fue recogido por su dueño lloroso, mientras el dueño del vencedor besaba y enarbolaba entusiásticamente al suyo. La multitud de los apostantes se arremolinaba ante el hombre con los brazos en cruz que había contabilizado de memoria las apuestas, reclamando su dinero o renegando por su pérdida.

—Quiero presentarles a alguien —les anunció Garzón, agavillando con los brazos a Las Morenas, Martín Cerezo y fray Cándido.

Llegaba en aquel momento, jinete sobre un caballito bayo al que casi partía el espinazo, un hombrón de complexión ciclópea, rasgos tal vez un poco bestiales y cabellos claros y despeinados, como emergido de alguna leyenda hiperbórea. Descendió de su abrumada montura, que entregó a los criados de la casa, y los saludó, haciendo tremolar una mano grande como una pala en la que sujetaba una rama de bejuco. Aunque aparentaba júbilo, su gesto era levemente hastiado.

—Es un comerciante holandés con sede en Batavia —los informó Garzón—. Se llama Rutger van Houten. Quiere comprarme un cargamento de abacá, para distribuirlo en exclusiva por los Países Bajos. ¿Cree que debo mantener tratos comerciales con esos herejes, fray Cándido?

Se lo había dicho en un cuchicheo irónico, aprovechándose del jolgorio ambiental, antes de reunirse en el porche con Van Houten.

—Quien roba a un ladrón... —rezongó fray Cándido.

Rutger van Houten había logrado, después de muchos tiras y aflojas, cerrar la venta de armas al Katipunan, consiguiendo que sus miembros apoquinaran los quinientos mil pesos que Aguinaldo se había pulido en putas u obras de beneficencia, durante su dorado exilio en Hong Kong. Una vez ingresado el dinero en su cuenta, Van Houten estaba recorriendo las provincias de la isla de Luzón, para calcular las necesidades de armamento y munición de los insurrectos, antes de proceder a su reparto, que en cualquier caso no se haría hasta que los americanos controlasen el puerto de Manila. Van Houten se había ido con disgusto de la capital, donde los katipuneros pudientes le dispensaban una vida regalada, invitándolo a tenidas rocambolescas y a veladas con derecho a importunar a sus esposas y querindongas. Echaba, sobre todo, de menos, a las niñas que la señora Li le proporcionaba regularmente, a las que redimía de su cautiverio, después de sumirlas en el sueño de la morfina. Y lamentaba haber tenido que marcharse sin dar su merecido a la mujer de Nicomedes Arellano, su primer anfitrión en Manila, y a otras tagalas presuntuosas de su misma clase, que se habían parapetado en la excusa de la fidelidad conyugal predicada por los frailes para rechazar sus aproximaciones. Ignoraban, las muy pazguatas, que todas aquellas ataduras impuestas por la religión serían pronto aniquiladas, cuando Manila ardiese, convertida en una gran pira funeraria en la que, al fin, Van Houten pudiese campear a sus anchas. Pero por el momento tendría que diferir ese presentido placer y fingirse halagado por los agasajos del *castila* ultramontano dueño de aquella hacienda.

—¡Cuánto le agradezco, querido don Ramiro, que me haya invitado a su fiesta, para poder saludar a los bravos soldados españoles! —dijo, avanzando como un gólem risueño, con los brazos amistosamente extendidos.

Garzón le presentó primero a fray Cándido, después al teniente Martín Cerezo, dejando para el final a Las Morenas. A todos les estrechó o atenazó la mano con mucho brío, amagando con hacérsela papilla entre las suyas.

—El capitán Las Morenas es comandante político-militar del distrito del Príncipe, con sede en Baler —lo informó Garzón.

—¿Baler? —preguntó Van Houten, sin disimular del todo su desdén—. En mi juventud pasé por aquel lugar. Me pareció un pueblucho sin civilizar...

Se quedaron todos un poco descolocados por el expeditivo juicio de Van Houten. En la explanada proseguía el jolgorio; y los criados ya se habían ataviado con sus mejores galas y preparaban la mesa de las viandas que servirían de refrigerio a los invitados, antes de que empezase el *bailujan*. Las Morenas trató de contemporizar:

—Pero en los últimos veinte años, Baler ha cambiado mucho. Fray Cándido es testigo...

—De lo que soy testigo —tomó el relevo el aludido, mucho menos propenso a contemporizar que Las Morenas— es de que España no se ha dedicado a arrasar los pueblos de Filipinas, a diferencia de lo que han hecho otras naciones en sus colonias...

Van Houten parpadeó, atónito ante la belicosidad de aquel fraile trabucaire, al que le habría gustado martirizar personalmente. Martín Cerezo intuyó que sus tesis más liberales podrían encontrar un oyente hospitalario en el holandés:

—Nuestro mayor error —reflexionó— ha consistido en no conceder a las Filipinas representación en Cortes y un régimen de libertades. Esto habría facilitado enormemente la colonización...

Van Houten se cachondeó, escéptico:

—¡Pues sí que iban a hacer buen uso de las libertades estos salvajes!

Imaginó con delectación aquella zahúrda de indios devorada por las llamas, con los cadáveres de sus pobladores amontonados en escombreras de carne y los escasos supervivientes reducidos a la esclavitud, obligados a chamullar inglés.

—Los Estados Unidos acabarán aprovechándose de nuestros errores —insistió todavía Martín Cerezo, en su afán por congraciarse con el recién llegado.

—¡Los Estados Unidos! —exclamó Van Houten, decidido a representar su pantomima—. ¡Menuda panda de bellacos sin honor! ¿Qué opina su gobierno de lo que están haciendo los Estados Unidos?

Van Houten se había vuelto hacia Las Morenas, ignorando malévolamente a Martín Cerezo, por considerar que debía camelar primeramente a los reaccionarios.

—Es muy difícil formar juicio de lo que pasará por las cabezas de nuestros ministros, a tres mil leguas de distancia —dijo Las Morenas, en un tono resignado—. Todo lo que sabemos por correo de Europa llega aquí fiambre; y los cables que nos mandan son parcos en palabras. No quiero dármelas de adivino, pero creo que en el gobierno saben que los americanos van a atacarnos.

Garzón, menos componedor que Las Morenas, intervino:

—Harán aquí como han hecho en Cuba, no tenga la menor duda.

Fray Cándido apostilló:

—Su táctica consiste en acumular conflicto sobre conflicto, hasta agotarnos en una guerra desigual. Saben que los españoles tenemos sangre caliente y que siempre respondemos a las provocaciones, aunque llevemos las de perder.

Van Houten se rió para sus adentros, pues conocía bien ese carácter calenturiento o quijotesco de los necios españoles, condenados a la irrelevancia en un mundo regido por los calculadores y los vivos. Pero prosiguió con la farsa:

—Desde luego, la campaña organizada por la prensa americana con motivo de la desgraciada voladura del *Maine* ha sido la más baja e infame que uno pueda imaginarse...

—Calumnia más burda jamás se urdió, pero el mundo entero la ha escuchado indiferente —dijo Garzón—. ¡Y muchas naciones la han creído, incluso! Así han arruinado el crédito de España esos reyes felones.

Las Morenas rebajó la responsabilidad a nivel ministerial:

—Lo peor de todo es que no sabremos si ha estallado la guerra hasta que escuchemos los primeros tiros. Aquí, en Filipinas, es imposible saber nada con certeza. Nuestras autoridades tienen la inveterada costumbre de no decir nunca esta boca es mía.

Martín Cerezo lo corrigió, muy cautamente:

—Pero la reserva es indispensable en las grandes crisis, mi capitán...

Disfrutaba Van Houten de las desavenencias de los dos oficiales, mucho más evidentes de lo que ellos seguramente creían. Se situó por encima de tales desavenencias, queriendo adularlos a todos:

—Los Estados Unidos son un pueblo práctico. Lo que codician se lo llevan, pese a quien pese, sin importarles la injusticia de sus propósitos. Como Filipinas se cuente entre sus objetos de codicia...

A Las Morenas le resultaba llamativo que el holandés hablase tan correctamente. Denotaba gran fijación en lo español, que sólo el amor o el odio justifican; pero le costaba determinar cuál de estas dos pasiones lo movía. Garzón terció:

—Aunque, por supuesto, encubrirán sus verdaderos fines con palabras de mucho relumbrón. —E, introduciendo un esguince en la conversación, inquirió a Van Houten—: Pero usted viene de Manila. ¿Qué es lo que se cuece por allí?

Por supuesto, Van Houten se calló el cocedero de intrigas de las tenidas katipunescas, en las que reinaba como monarca absoluto:

—Desde el mes de marzo viene diciéndose que el gobierno español tiene noticias de las intenciones yanquis. Y se asegura que el general Primo de Rivera ha recibido un despacho telegráfico de Madrid, en el que se le apercibe para que planifique la defensa de la ciudad. Todo esto, por supuesto —añadió socarrón—, lo sé oficiosamente, porque las autoridades mantienen la más completa reserva.

—Reserva muy de agradecer —añadió Martín Cerezo, en un tono ahora hostil hacia el comerciante que trataba de ningunearlo—. Esos planes estratégicos deben ocultarse incluso a los propios, para que no los aprovechen los extraños.

Pero Van Houten, con dinero del consulado americano en Singapur, ya había sobornado a varios miembros del estado mayor de Primo de Rivera, que le pasaban cumplida información de los patéticos y desesperados esfuerzos defensivos de los españoles. La disposición al soborno que mostraban aquellos militarotes tartufos, que se gastaban en el burdel las propinas muy rumbosas que les repartía Van Houten, le confirmaba que la España numantina que él tanto aborrecía tenía las horas contadas.

—¿Y no ha trascendido nada más? —se interesó Las Morenas.

—Se dice que han autorizado la construcción de blocaos, para el emplazamiento de los cañones que se guardan en el arsenal de Cavite —respondió caritativamente Van Houten, como quien arroja unas migajillas a los mendigos. Y añadió teatralmente—: ¡Ah, sí! Y acaba de constituirse una comisión civil de defensa.

—¿Y quiénes la forman? —preguntó Martín Cerezo.

A Van Houten le costaba dominar la hilaridad:

—El gobernador civil de Manila, el alcalde y el arzobispo Nozaleda.

—¿El arzobispo? —se extrañó fray Cándido—. ¿Y desde cuándo es el arzobispo Nozaleda perito en cuestiones militares? Y miren que yo admiro a ese santo varón...

—No debemos olvidar —dijo Van Houten, haciéndose el piadoso— que Nozaleda podría convencer al Santo Padre para que intervenga en el conflicto. Tal vez los americanos, ante una petición de clemencia de Roma, se lo piensen antes de atacar...

Se rió para sus adentros, sabiendo que las peticiones de clemencia de Roma serían desoídas por los americanos. Van Houten soñaba con ver el día en que al fin se le propinase el hachazo definitivo al árbol de la superstición romana. No había que conformarse, sin embargo, con podarle las ramas; había que desarraigarlo por completo, para evitar sus efectos deletéreos sobre la salud de los ciudadanos. Había, en primer lugar, que aniquilar a los frailes, para que no pudieran volver a predicar y esparcir los gérmenes venenosos de la superstición; había que hacer leña y entregar al fuego sus ídolos; había que convertir sus templos en muladares; había que impedir a toda costa la administración de sus sacramentos; había que entregar a su dios de harina para pitanza de los ratones. No había que conceder a Roma ni siquiera la oportunidad de conservar a unos pocos prosélitos, como habían hecho los indecisos revolucionarios franceses; había que golpear sin miramientos su cabeza provecta y altiva, para que se alzase el árbol frondoso de la libertad sobre los despojos de la cátedra de Pedro, borrando para siempre sus dogmas absurdos, sus misterios insondables, sus ceremonias monstruosas, su moral repugnante, a la vez implacable con el pecado y misericordiosa con el pecador. Van Houten tembló de placer, anticipando aquel paraíso anhelado, antes de preguntar:

—Y usted, capitán, ¿piensa que hay algún modo de rechazar un hipotético ataque de la escuadra americana?

—Desde luego, con nuestra escuadrilla no habría nada que hacer, porque nuestros barcos son de escaso tonelaje y más escasa artillería, y tienen las dotaciones incompletas —respondió Las Morenas con pesadumbre—. Pero si se emplazasen los cañones de los barcos en tierra apoyando a las baterías, se desperdigase la escuadrilla y se esperase al enemigo en las bocas... Tal vez hubiese una oportunidad. Esto es lo que yo haría, si estuviese a mi cargo defender Manila.

—Pero ellos no lo harán, capitán, descuide —dijo fray Cándido, entre la lástima y el enojo—. Los españoles somos muy cabezotas, y todo lo que no sea salir al encuentro del enemigo y rompernos la crisma con él no encaja en nuestros gustos.

Garzón los trató de apacentar, invitándolos a entrar en su casa, donde ya habían concluido los preparativos:

—Habremos de ver cosas muy deplorables, queridos amigos. Pero les ruego que esta noche olviden sus cuitas. Si son tan amables de acompañarme...

Pasaron a la *caída*, justo en el momento en que sor Lucía salía presurosa al porche, en busca de fray Cándido, después de hacer algunas indagaciones entre los criados de Garzón, tratando de recabar noticias sobre Moisés, al que no habían vuelto a ver por Baler desde hacía cuatro semanas. Las Morenas hizo una leve inclinación ante ella y le dirigió una mirada admirativa y casta; también se la dirigió, menos admirativa y menos casta,

Van Houten, que no acertaba a comprender aquella plaga de vestales que pululaba en torno a la superstición romana. Por supuesto, en el mundo futuro que la derrocase, todas las vestales serían profanadas.

—¿Ha sacado algo en limpio? —preguntó fray Cándido a sor Lucía, quedándose rezagado en el porche.

Todavía Van Houten dirigió una última mirada taimada o perversa a sor Lucía, que ella le mantuvo sin ruborizarse, antes de que se perdiera en el interior de la casa.

—Qué pinta de hijo de Satanás tiene ese rubiales gigantón... —murmuró, reprimiendo un escalofrío, antes de responder a fray Cándido—: Ninguno me ha sabido decir nada con certeza. Juran y perjuran que tampoco lo han visto en las últimas semanas. Pero los he sorprendido más de una vez cruzándose miradas de entendimiento, como si me estuviesen ocultando la verdad. Se creerán que me chupo el dedo.

Había preguntado entre los fámulos de la casa, entre las doncellas y las amas y, sobre todo, entre los abacaleros, que se tiraban el día entero en el campo. La desaparición de Moisés la traía azogada y en constante desvelo; a fray Cándido lo manchaba de una aflicción sin alivio:

—¿Y qué verdad cree que le ocultan?

A sor Lucía le costaba decirlo, por temor a que resultase descorazonador u ofensivo para fray Cándido:

—Juraría que se ha sumado a los insurrectos. Me resulta inexplicable, porque nunca tuvo demasiadas inquietudes políticas, pero...

Fray Cándido la azuzó:

—¿Pero qué? ¿Desde cuándo hubo entre nosotros tantas reticencias?

—No es por usted, fray Cándido —aclaró sor Lucía, mordiéndose el labio con saña—. Es porque me siento traicionada. En las semanas anteriores a su desaparición, Moisés hizo amistad con Teodorico Novicio. Mucho me temo que lo intoxicara con propaganda rebelde y le metiera el veneno de la maldita política.

Se sentía muy defraudada. No podía entender que Novicio se erigiera en su ángel guardián y, al mismo tiempo, empujase al peligro a quienes ella amaba. Fray Candido chasqueó la lengua:

—Me permitirá que ponga en duda ese pálpito, sor Lucía. Creo que Moisés, de alguna extraña manera, supo que yo era su padre. Y creo que se ha sumado al Katipunan porque quiere vengar esa afrenta.

—¡Pero eso no puede ser! —se rebeló sor Lucía—. ¿Quién se lo iba a contar? ¿Su tía, que fue quien le aconsejó a usted que no lo contara? Resulta absurdo.

Fray Cándido procuró que sus palabras no sonasen a reproche; pero tal vez no lo logró:

—Empiezo a pensar que fue un error venir a Baler...

—Hizo lo que tenía que hacer, fray Cándido —lo atajó sor Lucía, mandona—. Y Moisés terminará agradeciéndoselo. Porque estoy segura de que regresará... Novicio nos lo devolverá sano y salvo.

Desde el salón principal de la casa, donde se había dispuesto la mesa con las viandas, los requerían para la bendición. Hacia allí se dirigieron, con una sonrisa postrada.

—Mucho confía usted en ese Novicio, sor Lucía —murmuró fray Cándido.

—Demasiado, tal vez —dijo ella crípticamente, herida en su orgullo o quizá desengañada.

Cruzaron la *caída* y se reunieron con todos los invitados en el espacioso salón, del que arrancaba una ancha escalera de un solo tramo, construida con madera de molave, que conducía al piso superior, donde se hallaban las habitaciones. Toda la casa de don Ramiro había sido erigida al modo tradicional, con piso y tabiques de madera de camagón, rojiza con vetas negras, que le confería un característico sabor rústico. Presidiendo el salón, en el centro del testero, había un óleo un poco tenebrista o necesitado de limpieza de la Virgen del Rosario, que rememoraba la victoria de la flota española sobre la holandesa en la bahía de Manila. Debajo del lienzo se alzaba un altar de madera de alcanforero, cuyo aroma todavía persistía y llenaba la estancia, con un Cristo de marfil en el centro, cubierto por una urna de cristal. Ante estas imágenes rezó fray Cándido, pidiendo la bendición para los alimentos y los comensales. Rutger van Houten se aflojó el lazo de la chalina, pero no lograba disimular los trasudores y las bascas que habían empezado a hostigarlo. Mientras fray

Cándido proseguía con sus rezos, se prometió hacer leña de aquellos ídolos cuando, por fin, llegase la hora de la sangre.

—¡No le faltará protección a esta casa! —le dijo a don Ramiro Garzón al acabar la bendición, afectando una jovialidad que desmentía el tono amarillecido de su rostro.

—Mejor pecar por exceso que por defecto, ¿no le parece? —bromeó Garzón, palmeando sus espaldas y por completo ajeno a los desarreglos que la iconografía del salón provocaba en Van Houten.

Para que se le aplacasen, rogó a su anfitrión que le mostrara la vivienda, a lo que Garzón accedió encantado, dejando a los demás invitados al cuidado de los criados. En el centro del salón había una mesa muy galana atestada de manjares dispuestos con sensibilidad pictórica, desde la tradicional tinola, un guiso de gallina y calabaza, al *guinatang*, una sopa de leche de coco con tapioca, ñame y plátano, pasando por el *pansit*, unos fideos sumamente gruesos, elaborados con harina de arroz y guisados con camaroncitos, huevos de pato y otra infinidad de ingredientes. Había rollitos de buyo, ensaladas de bejuco y de palmito y una variedad apabullante de alimentos crudos remojados, al modo de un cebiche, en un adobo muy ácido que los nativos llaman *kinilaw*: verduras, flores, frutas, caracoles, pescados, vísceras de cerdo y hasta culebras y larvas de insectos. Los soldados del destacamento se apelotonaron ante la mesa, empujados por la gula; pero el exotismo de algunas viandas los arredraba un poco, y también el escrutinio atento de las criadas de la casa, de una belleza a la vez incitadora y cándida. Antes de que se desmandaran, el cabo González Toca los aleccionó:

—Cazadores —dijo, sacando pecho—, no hace falta que os advierta que debéis comportaros como caballeros españoles.

Menache le preguntó con retranca:

—¿Y cómo se supone que debe comportarse un caballero español ante una mesa tan bien provista?

—Comiendo con medida —respondió González Toca, y levantó el dedo índice, como si imitase a un maestresala quisquilloso—. Es decir, primero mide uno sus fuerzas, y después embaula todo lo que pilla.

Su rostro de ídolo azteca se ensanchó en una sonrisa. Aliviados, los cazadores se arrimaron todavía más a la mesa. Una dalaga iba repartiéndoles tabos para que cada uno pudiera prepararse a discreción su comistrajo. A Calvete se le fueron los ojos detrás de la dalaga, prendidos de su cintura. El cabo González Toca le puso una mano sobre el rostro:

—¡Un poco de compostura, Julián! —dijo, y cuando la dalaga pasó otra vez a su lado, se alisó la guerrera—. Deja las primicias para los mayores en edad, dignidad y gobierno.

—Pero ¿qué debe hacer un caballero español con criaturas tan dulces? —lo azuzó Menache.

González Toca se encogió de hombros, resuelto:

—Anda, pues lo que se hace con los dulces: hincarles el diente. ¿O es que eres bujarrón? Perdón, quería decir diabético.

Y, entre la rechifla o envidia de los soldados, el cabo ofreció su brazo a la dalaga, que ya había acabado de repartir los tabos, y muy ceremoniosamente se paseó con ella delante de la mesa, dejando que llenase el suyo con las viandas más variopintas. Entre ellas, se contaba alguna rodaja de culebra con su guarnición de larvas de escarabajo del coco. La dalaga le señalaba risueña las larvas, gordas como croquetas:

—*Abatud*, rico, rico —le decía, en su limitado español.

El gesto de González Toca, a la vez asqueado y galante, era un poema. Se rascó dubitativo el pestorejo.

—¡Adelante, cabo! ¡A disfrutar de las primicias! —se choteó Menache.

Como el cabo no se decidía, la dalaga tomó uno de aquellos gusanos reborondos entre los dedos y se lo llevó a los labios. González Toca cerró los ojos y masticó, poniendo cara de mártir; pero, poco a poco, de mártir gustoso.

—Díganos, cabo —intervino, expectante, Santamaría—, ¿es comestible?

González Toca solicitó otro gusano a la dalaga, que volvió a llevárselo a los labios; esta vez, después de masticarlo, el cabo la besó por sorpresa en la mejilla.

—*Abatud*... ¡riquísimo, suculento! —ponderó.

Lo que bastó para que todos los demás soldados se arrojaran sin reparos sobre las viandas, comiendo con la medida propia de los caballeros hambrientos. Y, a la vez que embaulaban, chorreaban requiebros y piropos a las criadas de la casa, exaltando su belleza y sus dotes culinarias. Chamizo bromeó:

—¡Cuidado, que el empacho siempre es malo! ¡Aunque sea de dulces!

Empezaba a impacientarlo la ausencia de Guicay, a la que imaginaba preparándose todavía en su alcoba, para aparecer rutilante ante los invitados. Había traído el ejemplar de *Noli me tangere*, la novela de Rizal, envuelto entre papelorios, para que a nadie le llamase la atención; y estaba deseoso de desprenderse de él, después de haberlo leído a hurtadillas, en los ratos perdidos entre las guardias y el trabajo en comandancia. Aunque le había hastiado un poco el tono victimista del autor, la novela le había procurado muchas enseñanzas sobre Filipinas y sus gentes.

—Nada, nada, vosotros empacharos, que en Baler ya sabéis lo que nos espera: comida de rancho y más ayunos que en cuaresma —dijo Menache, masticando a dos carrillos—. En caso de necesidad hay que recurrir a la dieta del dromedario.

El festín parecía lavarle la acrimonia y hasta la negrura que se le refugiaba en las arrugas de la cara. Santamaría preguntó:

—¿Y en qué consiste esa dieta?

—Se almacenan grasas en la joroba, en este caso panza, y luego se van consumiendo durante las semanas siguientes —explicó Menache.

Y a la primera fase de la dieta del dromedario se aplicaron con denuedo. Para enjuagarse había en la mesa un gran bol lleno de ponche, del cual se servían con un cazo. Pero, acostumbrados a la tuba, el ponche les sabía a aguachirle. Así trataba de explicárselo González Toca a la dalaga con la que se había emparejado y a la que se pegaba como lapa sobre la roca:

—Los muchachos quieren refrescar el gaznate, pero este ponche es para ursulinas —le decía, haciendo ademán de empinar el codo—. Necesitamos algo más fuerte.

Y apretaba los puños y los dientes hasta ponerse colorado. La dalaga lo entendió al fin y encargó que trajeran una garrafita de *lambanog*, un licor de altísima graduación que preparaban en la propia hacienda por destilación de la savia de las flores del cocotero. González Toca acercó una taza, que le llenaron hasta los bordes y se bebió de un trago. El *lambanog* lo dejó congestionado, como si le hubiese sobrevenido una erisipela; de sus ojos súbitamente enrojecidos brotaron lágrimas ardientes.

—¿Qué tal, cabo? —le preguntó Las Morenas, que contemplaba con curiosidad la metamorfosis de su semblante.

González Toca, después de soplar, habló hacia dentro:

—Opino que es mejor que nada, mi capitán.

Chamizo reparó en una criada que vestía con más atildamiento o empaque que las demás y se disponía a subir por la escalera de molave. La asaltó en los primeros peldaños y, para expresar de modo sutil su impaciencia, le entregó el libro de Rizal, con la encomienda de que se lo hiciera llegar a Guicay. Precisamente impacientarlo era lo que Guicay pretendía; y por eso había despachado a su doncella —que era, en efecto, la criada asaltada por Chamizo—, para que ayudase en el salón, mientras ella escuchaba el bullicio creciente de la fiesta desde su alcoba. Durante aquellos tres meses transcurridos desde que el destacamento llegase a Baler, Guicay no se había visto con Chamizo más allá de tres o cuatro veces, y eso gracias a que la propia Guicay se había desplazado al pueblo, con la disculpa de visitar la escuela o cumplimentar algún trámite administrativo. Se miró en la luna de su tocador, se ciñó su cuerpo con el peinador y sonrió con satisfecha malicia. La cortinas de jusi casi transparente que ornamentaban los dos amplios ventanales de su alcoba entibiaban la luz declinante. Entró en ese momento su doncella, que al sorprenderla casi desnuda y haciendo posturitas ante el espejo no pudo contener la risa.

—¿Qué te hace tanta gracia? —la reprendió Guicay.

—Pensé que tal vez se estaba preparando para el *castila* que me dio este paquete —dijo la doncella, picarona.

Guicay recogió el paquete, en el que enseguida reconoció por el tacto la novela de Rizal. Para no provocar alarma en la doncella, lo guardó sin aspavientos en su secreter bajo llave. Luego se sentó frente al tocador, extendiendo sobre los hombros su profusa cabellera negra, todavía húmeda y perfumada con *gogo*, un jabón elaborado con la corteza de las mimosas. La doncella se la recogió en un abultado posó que anudó muy graciosamente y sujetó con alfileres de plata rematados con perlas.

—Todos la esperan, señorita Guicay —la urgió—. Su padre no se atreverá a empezar el *bailujan* antes de que usted haya bajado.

—Anda, ayúdame a vestirme.

Pero Guicay lo hacía con parsimonia, como si saborease el placer de mantener a los demás en vilo. Se calzó unas chinelas de raso celeste bordado en hilo dorado y se vistió una saya de tisú del mismo color, sobre la que se ciñó, desde la cintura hasta la parte inferior de las piernas, un tapis negro de dos varas de largo que modelaba sus formas. Una camisa muy holgada de finísimo sinamay y un pañuelo de gasa de piña que le cubría el pecho y la espalda completaron su atuendo. Mientras bajaba parsimoniosamente por la escalera de molave, el bullicio de la fiesta, que ya era ensordecedor, fue amainando, hasta convertirse en un silencio devoto. Chamizo corrió a recibirla al nacimiento de las escaleras y le brindó su mano.

—Estás infringiendo todas las reglas —le cuchicheó Guicay, sin despegar apenas los labios—. Tendría que haber sido mi padre quien me recibiera al pie de las escaleras, o en su defecto el capitán.

Y Chamizo comprobó abochornado que, en efecto, ambos se habían apostado en uno y otro pasamanos, aguardando el descenso de Guicay, que lo forzó a caminar hasta la mesa de las viandas, sonriendo a diestra y siniestra a los invitados que les habían abierto pasillo y regocijándose íntimamente por la vergüenza que Chamizo estaba pasando.

—Tierra, trágame... —murmuró.

—Déjate de pamplinas y apechuga con tus errores —lo zahirió Guicay, que seguía prodigando sus saludos—. Más debería avergonzarte no haberte preocupado de mí en estas últimas semanas. Eres igual de pillo que todos los hombres.

Habían alcanzado la mesa, en medio de un silencio curioso. Guicay reparó entonces en Van Houten, que le dirigió una mirada lasciva antes de mezclarse entre los invitados; fue apenas un instante lo que se cruzaron sus ojos con los del holandés, pero bastó para que sintiera que un estoque se clavaba en sus entrañas y escarbaba dentro de ellas. Guicay se volvió hacia la mesa y se acercó a una bandeja donde se amontonaban los rollitos de buyo:

—Están hechos con nuez de areca —le explicó a Chamizo, todavía un poco desasosegada, tomando uno en la mano—. Se envuelven en hojas de betel y se cubren con cal de conchas. ¿Lo ves?

—¿Y eso se come? —preguntó Chamizo, algo aturullado.

—No, sólo se masca —dijo Guicay, llevándoselo a la boca—. Y después se escupe, o bien...

El buyo mascado le dejaba una mancha bermellón intensísima en labios y dientes. Al principio, a Chamizo le dio un poco de asco, porque le recordó la hemoptisis de un tuberculoso; pero enseguida el asco se transformó en deseo.

—¿O bien? —la urgió a que completara la frase.

—O bien se pasa a la boca de la persona amada.

Guicay se le acercó con la boca entreabierta e incitadora, que parecía estar sangrando. Chamizo la tomó del talle, deseoso de probar el buyo mascado y la voluptuosidad irresistible de su boca; pero entonces la mirada de Guicay volvió a cruzarse con la de Van Houten, y una especie de frío candente la amustió por dentro. Se escabulló del abrazo de Chamizo:

—Si te portas bien —le susurró al oído—, te mostraré luego nuestro jardín botánico. Allí estaremos a solas.

Pero el disgusto que le había provocado el escrutinio de Van Houten malograba el sentido promisorio de sus palabras. Una *cumparsa* había ocupado la escalera de molave y empezado a tocar con instrumentos de cuerda y percusión, mientras unos criados, acuclillados en el suelo, hacían entrechocar unas pértigas de bambú.

—Es el *tinikling*, una danza popular tagala —informó Guicay a Chamizo—. Los bailarines imitan el movimiento de los pájaros cuando burlan las trampas de bambú colocadas por los campesinos.

Algunos soldados del destacamento, empezando por el cabo González Toca, se lanzaron insensatamente a bailar, requeridos por las dalagas que los habían atendido ante la mesa de las viandas, y no tardaban en caer, enredados entre las cañas de bambú. Sólo el zagal Calvete, acostumbrado a brincar entre las peñas, lograba mantenerse en pie, moviendo sus pies con una gracilidad pasmosa; la dalaga que antes se había emparejado con el cabo González Toca, viendo que Calvete era mejor bailarín, se arrimó a él, para danzar entre los bambúes.

—¡Espabílese, cabo, que el muchacho es un lince! —se choteó Menache.

También Chamizo y Guicay se habían animado a bailar el *tinikling* con desigual fortuna. Van Houten, que aún persistía en su acecho de Guicay, contemplaba con creciente desagrado la agitación que se iba adueñando de los asistentes; siempre le había asqueado esa promiscuidad jocunda y retozona —tan odiosamente católica— que tanto españoles como tagalos expresaban a través del baile, así que aprovechó para salir al porche, antes de que ese asco resultase demasiado evidente. El capitán Las Morenas lo vio alejarse con una mezcla de alivio e inquietud; luego siguió contemplando la danza un tanto agarrotado o vencido por la timidez, pues sor Lucía se había colocado a su vera. Al verlos juntos, Garzón los aguijoneó:

—Ya me contó fray Cándido que hacen ustedes una magnífica pareja de baile.

Lo había dicho a voces, atrayendo la atención de los circunstantes, que los miraban con expectación. Las Morenas se sonrojó y habló como si se excusara:

—Para mi sorpresa, sor Lucía sabe llevar muy bien el ritmo. Fue suyo todo el mérito.

—¿Cómo que para su sorpresa? —fingió enfadarse ella—. ¿Es que pensaba que sólo sé rezar y ayunar por cuaresma?

Había concluido el *tinikling* y la *cumparsita* atacaba los primeros compases de una «cariñosa», un baile galante y muy delicado de reminiscencias españolas. El centro del salón, después de que se retiraran los criados con las pértigas de bambú, se había quedado expedito. Las Morenas descubrió que todas las miradas convergían en ellos dos.

—Un desaire no sería bien entendido por estas gentes —le susurró sor Lucía—. Considerarían que rechaza su hospitalidad.

Las Morenas recordó el olor del azahar, mientras bailaban el vals en la plaza de Baler, y se fueron disolviendo sus reticencias. Finalmente, tendió el brazo a sor Lucía y avanzó solemnemente con ella hasta el centro del salón; no se atrevía a mirar a la tropa, por temor al recochineo:

—Usted es la que está infringiendo el decoro monjil —murmuró—. Y esta vez, además, tendrá que ser usted quien me lleve a mí.

Seguían sonando los compases de la «cariñosa», de una pudorosa y ensimismada melancolía que Las Morenas no tardó en hacer suya, siguiendo los pasos de su pareja. Sor Lucía se sacó del hábito un abanico que Las Morenas enseguida reconoció (lo había ganado fray Cándido disparando al blanco en una barraca del paseo de la Escolta, allá en Manila), que se iba a convertir en ingrediente sustancial del baile; lo desplegaba, a modo de señuelo, y fingía tendérselo a Las Morenas, para luego recogerlo y escamoteárselo, y así una y otra vez, en un juego que representaba las cesiones y rechazos del cortejo.

—¿Sabía que está usted representando el papel del galán que requiebra a la dalaga, capitán? —lo zahirió sor Lucía.

Las Morenas procuraba, con gesto adusto, anticipar los movimientos del baile mirando a los ojos de su pareja.

—Pues me ha tocado requebrar a un hueso duro de roer, entonces —bromeó.

Los soldados del destacamento los contemplaban engolosinados; no así Martín Cerezo, a quien repugnaba el mariposeo de Las Morenas en torno a sor Lucía, la monja trapalona que le había sorbido el seso y lo había reducido a la condición de lacayo o correveidile de sus caprichos. La «cariñosa» concluyó con este mariposeo, del que sor Lucía siempre escapaba, hasta que Las Morenas hincó con el último acorde la rodilla en el suelo. Resonó el aplauso caluroso de los presentes.

—Vaya, capitán, me sorprende usted —dijo sor Lucía, risueña—. Yo pensaba que...

—Ya. Pensaba que sólo sabía manejarme con los bailes europeos —ironizó Las Morenas—. Pues ya ha visto que sé adaptarme al medio.

A la improvisada pista había salido ahora una dalaga que cantaba un *kumintang*, una canción con reminiscencias de las antiguas cantigas moriscas que recordaba en su tono gimiente el polo gitano; sus notas eran como quejas arrancadas del corazón que espera o desespera, del emigrado que añora su patria, del desterrado que la busca y no la encuentra. El *kumintang* caía sobre los invitados como un bálsamo, pero también como una espina de nostalgia; y todos se iban abismando en una mezcla de languidez y discreta tristeza. Guicay se apretó contra Chamizo:

—Ven conmigo, Juan.

Chamizo se dejó tomar de la mano, mesmerizado todavía por las notas del *kumintang*. Salieron al porche, donde ya la tarde se iba haciendo borrosa, acechada por la inminencia de la noche, que no tardaría en comérsela de un bocado. En la explanada que servía de atrio a la casa, un grupo de niñas apenas púberes, hijas de los criados, estaban jugando a un juego un tanto descocado que los tagalos llaman *colasisi*, en alusión a las capacidades miméticas de cierto loro filipino. En el *colasisi* hay un director del juego —el *hari*— y un secretario, llamado «espadilla», encargado de vigilar a los jugadores, que han de repetir lo que el *hari* haga y diga, con sus mismos gestos y ademanes; todo jugador que se descuide en remedar al *hari* es de inmediato señalado por el «espadilla» y tiene que quitarse una prenda. Guicay observó con alarma que Van Houten estaba haciendo de «espadilla»; por supuesto, no señalaba con su bejuco a las niñas que fallaban en su intento de imitación del *hari*, sino a las que deseaba ver desnudas, siguiendo un patrón estético perfectamente establecido: siempre niñas a punto de ser mujeres, o mujeres todavía aniñadas, de caderas breves y nalgas prietas, pecho todavía incipiente pero ya pimpante. El propio Van Houten se encargaba de quitarles las prendas: a una le descalzaba las chinelas, a otra le remangaba el patadión hasta encima de los muslos, a otra le desabotonaba temblorosamente la blusa; y a todas, después de despojarlas de la prenda, les estampaba un delicado beso en la piel descubierta, como si deseara probar su sabor salobre. A Chamizo tampoco se le escapaban las intenciones aberrantes de aquel tipejo.

—Me está sacando de quicio —dijo—. ¿Quién es?

—Un comerciante holandés —le respondió Guicay, con un escalofrío—. Al parecer, anda en tratos con mi padre, para comprarle hilo de abacá.

Y, sin poder contenerse más, se adelantó para encararse con él. Aunque temblaba por dentro, fingió aplomo:

—¿Se puede saber qué está haciendo, señor?

Van Houten se volvió sin sobresalto. Su cabellera rubia fosforecía en la noche, al igual que sus ojos gélidos, encendidos por la chispa del deseo; y sus labios tenían un mohín libidinoso:

—Cuánto honor, señorita Guicay —dijo obsequioso—. Tan sólo estaba jugando. No le negaré que el juego sea un poco perverso, pero es el que las niñas querían jugar —se excusó sin contrición.

Tomó la mano de Guicay, antes de que ella pudiese retirarla, y la besó en el dorso, lamiéndola muy subrepticiamente, para averiguar el grosor y disposición de sus venas. Luego contempló la fibrosa constitución de sus brazos bajo la finísima camisa de sinamay, con venas por las que la morfina podría bogar largamente, como por un río sin orillas. Guicay retiró la mano con aspereza:

—Es un juego inocente, si sólo lo juegan niñas. Pero a usted ya se le pasó esa edad. Juegue con adultos a lo que quiera, pero deje a las niñas en paz —dijo, en un tono hostil.

A Van Houten le gustaba verla enojada, encendida por la indignación y con el sudor impregnándole las sienes, por efecto del calor sofocante. La imaginó sudando la fiebre de la morfina, con aquellas venas fluviales expoliadas por la aguja hipodérmica, suplicándole en sus escasos lapsos de consciencia que volviese a inyectarla, que volviese a enviarla al país de los sueños.

—Discúlpeme si en algo la he ofendido, señorita Guicay —dijo, esbozando un puchero—. Pero ¿quién no tiene algo de niño?

—Búsquese entonces a adultos que tengan algo de niño. Con ellos podrá hacer juegos perversos —le reprochó Guicay.

Van Houten reparó entonces en Chamizo, que respaldaba a Guicay con gesto hosco, sin atreverse a intervenir. Imaginó los escarceos que la mestiza tendría con aquel soldadito y sufrió una náusea entreverada de cólera, como si un extraño estuviese profanando algo que le pertenecía. La irrupción de Guicay había hecho súbitamente conscientes a las niñas de que estaban participando en algo sucio que se les escapaba y se dispersaron, después de recoger sus prendas.

—Y para esos juegos de adultos —le preguntó Van Houten, descarado—, ¿podré contar con usted?

—Por supuesto que no. Yo sigo siendo una niña.

Y se marchó sin darle posibilidad de réplica. El tono desafiante de aquella última frase enardeció a Van Houten. Mientras la veía alejarse con unos andares que la angostura del tapis tornaba incitantes, imaginó su sangre desprevenida y hospitalaria cediendo al veneno de la morfina; la imaginó, arriada ya su belleza, con los ojos como canicas mareadas y la piel como cera macilenta, acribillada de cráteres lívidos. Van Houten se prometió darle un escarmiento, tan pronto como pudiera.

—Viejo repugnante. ¿Te diste cuenta de cómo me miraba? —le preguntó Guicay a Chamizo, mientras se internaban por el camino que los conducía al jardín botánico.

—El puritanismo calvinista ha engendrado muchos tarados —despachó el asunto Chamizo.

Guicay sentía la mirada de Van Houten en el cogote, primero como un berbiquí y después como una lengua viscosa que se derramaba por su espalda, por su cintura, nalgas y muslos, embadurnándola de podredumbre; pero no se volvió, para no concederle ese triunfo. El camino, después de algunas revueltas, desembocaba sin aviso en un jardín, casi onírico en su frondosidad. Las raíces protuberantes de los árboles abultaban el suelo; y, sobre sus cabezas, la tupidísima vegetación formaba una especie de dosel, de tal modo que parecía que estuviesen caminando por una gruta. Como si flotase en la atmósfera de un sueño, Chamizo contemplaba, moviendo el rostro a diestro y siniestro, los árboles que, a la luz crepuscular, cobraban un aspecto amenazador. Allí estaban representados el molave, el tíndalo, el camagón y el malatapay, muy apreciados por su madera; el mango, el guayabo, el papayo, el ate y el cocotero, de frutos más tentadores que el que comió Eva; y mil especies que Guicay iba nombrando, como una enciclopedia andante.

—Este es el *ilang-ilang*, cuyas flores, cuando llega la noche, exhalan el mejor perfume.

Y, como la noche ya se avecindaba a lo lejos, el aire empezaba a embalsamarse de ese perfume, que emborrachaba la pituitaria. Guicay seguía ensartando nombres imposibles que parecían bautizar una Creación inédita: mayapi, cabonegro, malatumbaga, nato, dungol. Y, dirigiendo la mirada al suelo, iba nombrando una turbamulta de hierbas que alfombraban sus pasos, como un hervidero de aromas y florescencias: camantigue, gumamela, pandacaque, pasionaria, calachuche, sampaca, hierbaluisa...

—¡Basta, pareces la hija sabihonda de Linneo! —se rió Chamizo, borracho de palabras eufónicas, y se abalanzó sobre ella, arrojándola casi al suelo—. Ahora en serio, esto es lo más parecido al Edén que haya visto nunca.

Guicay se quitó los alfileres del posó y liberó su cabellera larguísima. Antes de que Chamizo pudiera hundir el rostro en ella, Guicay empezó a dar vueltas sobre sus pies, giróvaga y ensoñadora:

—Cuando era niña, pasé muy buenos ratos aquí. Bajaba todos los días a merendar con mi padre. Y jugábamos al escondite...

Las vueltas habían agitado su respiración. Chamizo hincó la barbilla sobre su hombro, tomándola de espaldas por la cintura, y le susurró:

—¿Es que has dejado de bajar?

—Desde que estallaron las revueltas, mi padre ya no me deja.

Lo había dicho con un timbre levemente enfurruñado. Se tumbó sobre la hierba, para recuperar el aliento, reclinando la cabeza sobre una mata de flores de candorosa pureza, muy semejantes al jazmín. El contraste de su blancura con los cabellos de Guicay, negrísimos y desmadejados, turbó a Chamizo.

—Es la sampaguita —dijo Guicay, cortando el tallo de una de aquellas flores, mientras Chamizo se sentaba a su lado—. Las novias suelen adornar sus vestidos de boda con ella.

Chamizo cogió la sampaguita, la olió con fruición y la depositó sobre el escote de Guicay, que escondía una palpitación tibia. Se inclinó para besarla en la garganta, esbelta como una torre:

—La conservaré como un recuerdo de este día —farfulló, mientras la besaba—. ¿Puedo ya considerarme oficialmente tu novio?

Guicay se encogió entre risas, como si la barba un poco crecida de Chamizo le hiciese cosquillas en el cuello.

—¡Ni hablar! —fingió escandalizarse—. Pero ¿qué te has creído? Tendrás que ganarme con el sudor de tu frente.

—Eso suena a maldición bíblica —se quejó él—. Y todavía estamos en el Edén...

Guicay rodó sobre la hierba, escapando de su abrazo, mientras se carcajeaba:

—Tendrás que adaptarte a las costumbres tagalas, descarado. Para demostrar que tus intenciones son nobles, antes deberás prestar el *pamimianan*.

Chamizo le lanzó un zarpazo, revolcándose también sobre las sampaguitas, pero Guicay lo esquivó.

—¿Y eso qué es, si puede saberse?

—¿El *pamimianan*? Pues un servicio especial, por el que deberás realizar todas las labores domésticas que mi padre te imponga: limpiar los platos, barrer el suelo, pilar el arroz, recolectar el abacá, lo que sea.

Definitivamente, era una condena bíblica. Chamizo esperó que, al menos, Garzón no fuese tan ladino y explotador como Labán:

—¿Y eso, durante cuánto tiempo?

—Un año entero, de cosecha a cosecha —se mofó Guicay—. ¡Qué menos!

Chamizo logró agarrarla por la cintura. La atrajo hacia sí:

—¡Pero eso es un abuso! —se rebeló, teatralmente.

—No, no, desde el momento en que comiences tu *pamimianan* tendrás derecho a que se te abonen dos reales por los servicios de noche y uno por los de día —le aclaró Guicay—. Vas tomando nota y, al final del año, se te hace liquidación. Y entonces recibes tu sentencia.

—¿Mi sentencia? —se sobresaltó Chamizo, alzando el torso de la hierba.

—Naturalmente. Mi padre tendrá que resolver si te acepta o no.

Se rieron a gusto. El cabello de Guicay se extendía como una enredadera, alargando sus zarcillos entre el césped, mimetizándose con las raíces de los árboles. Chamizo se tumbó a su lado e impostó una voz exhausta:

—O sea, que después de exprimirme durante un año entero... todavía tu padre podría rechazarme. ¡Para eso prefiero que me des calabazas desde el principio!

Chamizo buscaba, entre la enramada, las primeras estrellas, imaginando que la línea de las constelaciones dibujaba el perfil de Guicay.

—¡Puedo dártelas al final! ¿O es que pensabas que en Filipinas la mujer no tiene la última palabra?

Guicay disfrutaba con aquel ritual galante que dilataba infinitamente la consecución del premio. Chamizo simuló perecer entre tantos trámites:

—Y hasta que me pongas a trabajar como a un negro, ¿dónde nos veremos? —preguntó en un susurro—. Podría pedirle al capitán Las Morenas que me mande de vigía a la Punta del Encanto...

Guicay se hizo la remolona, zafándose de sus manos acuciosas:

—¿Y tú crees que ese paraje es el idóneo para un noviazgo casto como el nuestro? —preguntó, afectando mojigatería—. ¿Qué quieres hacerme allí? ¿Aprovecharte de mi desvalimiento?

Chamizo trató de sofaldarla en un arranque de osadía, pero el tapis, muy ceñido, convertía aquella empresa en una hazaña.

—Eso por descontado —afirmó, ansioso—. Pero también te leeré poemas. Y jugaremos a imaginarnos nuestro futuro juntos...

Un látigo sombrío azotó de repente el rostro de Guicay:

—Eso no, Juan. En las presentes circunstancias, la imaginación es la infelicidad.

—¿Por qué dices eso? —se resistió Chamizo.

La noche se derramó entre las espesuras de aquel vergel, trayendo bajo su manto el aroma de la pólvora.

—La imaginación hace que veamos las cosas vivas y palpitantes —dijo Guicay, en un murmullo—. Y, al no poder poseerlas, nos reconcome la tristeza. Si empezamos ahora a imaginarnos el futuro, estamos perdidos.

—¿Por qué? —insistió él.

—Porque siempre hay una gran distancia entre lo que se posee y lo que se aspira a poseer. —Hablaba sin atreverse a resultar explícita, como una sibila—. La gente más feliz y satisfecha es la que carece de imaginación.

Se quedaron un rato callados, mientras el azul del cielo y el verde de la fronda se fundían en un negro indistinto.

—Pero tú tienes mucha imaginación, Guicay. ¿O me equivoco? —preguntó al fin Chamizo.

—Tal vez demasiada —respondió ella, reprimiendo un estremecimiento—. Y tengo mucho miedo al futuro, Juan.

Se oyó, lejanísimo y espectral, como una confirmación de sus temores, el tañido de un *tambuli*, que tal vez anunciase la hora de acostarse o tal vez la hora de guerrear. El miedo que había mencionado Guicay se extendió a la respiración de ambos, como la música de un fuelle averiado; y ese miedo a imaginarse el futuro desovaba en su presente, carcomiendo sus esperanzas. Volvieron hacia la casa agarrados de la mano, pero sobrecogidos o acongojados por la sombra torva de ese futuro que no se atrevían a imaginar y la putrescencia del presente que les arrojaba un fardo de años encima, marchitando su juventud. Garzón había ordenado circundar con antorchas la casa, que de este modo resplandecía en medio de la noche como un faro. Guicay volvió a sentir o presentir un berbiquí que taladraba sus entrañas, y no le sorprendió descubrir a Van Houten en la azotea de la casa, oteándolos con sus ojos gélidos, tratando de descubrir si había algún signo de descompostura —alguna arruga en el vestido, alguna brizna de hierba en el cabello— que delatase actividades deshonestas en la hija de su anfitrión. A Van Houten le repugnaba y al mismo tiempo excitaba esa posibilidad, que enseguida vio confirmada con creces, pues Guicay tenía, en efecto, el tapis algo más desceñido de lo que aconseja el recato y decenas de hojas secas y briznas de hierba prendidas del cabello. Imaginó a Guicay y Chamizo en una lucha de amor, encadenados de brazos y pies y manos, queriendo también fundir sus almas, y le ascendió una marea ácida de vómito hasta la tráquea. Acababa de apoyarse en la balaustrada de la azotea el teniente Martín Cerezo, que fumaba un veguero.

—¿Se ha fijado en la hija de don Ramiro? —le preguntó Van Houten, con una intención malévola.

Martín Cerezo, que apenas unos meses atrás se había asomado al abismo y no se había arredrado ante la contemplación de los horrores que anidan en los reinos de la muerte, sentía sin embargo una pululación desasosegante en presencia del holandés.

—Una hermosa criatura, sin lugar a dudas —dijo.

—Y mire a ese soldado... —prosiguió Van Houten, poniendo en cada palabra un veneno de áspid—. El pobre diablo ya ha caído en sus garras...

Martín Cerezo se acercó más a Van Houten, que abarcaba con sus manos de ogro el ancho listón de la balaustrada. Le arrojó al rostro el humo del veguero, como desquite por el ninguneo al que lo había sometido, después de la pelea de gallos:

—Sospecho que tanto usted como yo nos moriríamos de gusto por estar en el lugar de ese soldado. Así que déjese de insinuaciones racistas.

Van Houten seguía esgrimiendo una vara de bejuco. La blandió en el aire, rasgándolo como si fuese papel, y se volvió de espaldas a la balaustrada, para no ver más a Guicay.

—Dios, que es muy sabio, puso el bejuco en estas tierras... —susurró, ensimismado en alguna visión aberrante.

Martín Cerezo se volvió también. La azotea estaba rodeada de tinajas, dispuestas allí para recoger el agua de la lluvia.

—Perdone, pero no le entiendo... —dijo, cautamente.

—Desengáñese, teniente —se destapó al fin Van Houten, con un vozarrón súbitamente destemplado, como borracho de crueldad—. A los indios hay que gobernarlos con el bejuco, no entienden otro lenguaje. Si no les paran pronto los pies, acabarán pidiendo igualdad entre el indio y el blanco. Ustedes, los españoles, deberían aprender de lo que hacemos nosotros en nuestras colonias.

Martín Cerezo le escupió su orgullo herido:

—Los españoles nunca quisimos hacer de los países que civilizamos colonias. Ustedes ponen una altiva distancia con los nativos; nosotros nos hemos mezclado con ellos sin ningún remilgo.

Van Houten se palmeó las rodillas, regocijado:

—¡Y ya ven cómo les pagan! Queriéndose separar de ustedes...

—Quién sabe, a lo mejor el día de mañana volvamos a unirnos —dijo Martín Cerezo—. Sobre todo, si para entonces aspira a sojuzgarnos un yugo común.

—Eso son sueños utópicos —se carcajeó Van Houten—. Aprendan de lo que han hecho los ingleses en el Indostán, o nosotros en Java.

—Ustedes en Java y los ingleses en el Indostán han hecho lo que era más acorde a los fines que los llevaron allí —contraatacó Martín Cerezo, ahora con mayor convicción—. ¿No deseaban explotar comercialmente sus colonias? Pues es natural que negasen la instrucción a sus nativos, que no se casasen con ellos ni les permitieran acogerse a sus leyes. Todo acorde con un fin egoísta de lucro.

Van Houten tardó en reaccionar, como si le costase captar la intención de Martín Cerezo:

—Y debo entender, entonces, que ustedes buscaban un fin más elevado... —dijo, sarcástico.

—¡Por supuesto! —exclamó Martín Cerezo—. Otra cosa es que ese fin no se haya logrado plenamente, porque entre nosotros también hay muchos egoístas.

Martín Cerezo no se atrevió, sin embargo, a nombrar ese fin más elevado. Van Houten tampoco lo necesitaba: sabía olfatearlo en cuanto pisaba suelo español, a uno y otro lado del océano, porque empapaba cuantas empresas acometían aquellos necios, desde la noche de los tiempos; y no habría sino que despojarlos de ese fin, para convertirlos en una nación tan birriosa como la suya.

—No sé cuál será ese fin tan elevado al que se refiere —mintió Van Houten—, pero de poco les ha valido el esfuerzo. Los filipinos que viajan a España se hacen masones y librepensadores y luego vuelven aquí dispuestos a acabar con la teocracia. —Hizo una pausa para reírse inmoderadamente—. Tiene guasa: muchos de los insurrectos filipinos más activos recibieron estudios de los frailes y ahora están escribiendo contra la religión, los muy cabrones. —Tosió, atorado por la risa—. ¡Indios convertidos en masones! En cambio, fíjese lo bien que funcionan nuestras colonias, donde no dejamos que los indios accedan a la educación. Los salvajes en su sitio; nosotros, en el nuestro.

Palmeó la espalda de Martín Cerezo, al que casi arrojó al suelo por la fuerza de aquella manaza grande como un bacalao, y se marchó, todavía sacudido por la hilaridad, tambaleándose entre las tinajas de la azotea, hasta perderse en la escalera que conducía al interior de la vivienda. Martín Cerezo tiró el veguero y respiró hondo, apoyado en la balaustrada, para purificarse de la pululación ominosa que Van Houten había dejado en el aire. Reparó en el capitán Las Morenas, que después de la dispersión de la fiesta, paseaba por la explanada con sor Lucía, como si no le hubiese bastado bailar con ella; sostenía en la mano las bridas de su caballito, que los seguía dócilmente. Martín Cerezo trató de aguzar el oído, para escuchar lo que hablaban; pero sus palabras le llegaban amortiguadas por el runrún de la fiesta:

—Al menos, después de esta noche, ya no nos juzgaremos el uno al otro con prejuicios, ¿no le parece? —dijo sor Lucía.

Había vuelto a desplegar el abanico que le regalase fray Cándido y se refrescaba con él. En el porche, Garzón se despedía cordialmente de cada uno de los soldados del destacamento. Las Morenas parecía más animado que de costumbre:

—Cuente con ello —dijo, halagador—. ¿Y cómo volverá a Baler, hermana? No hace falta que le diga que tiene mi caballito a su disposición.

E hizo ademán de cederle las riendas.

—No se preocupe, capitán. Don Ramiro nos llevará en su carruaje a fray Cándido y a mí. Alguna ventaja había de tener llevar hábito.

Un joven nativo se había puesto a cantar en el porche una tonada que sonaba perfumada por la desdicha o la nostalgia, acompañado de una guitarra tagala.

—El que no se consuela es porque no quiere —bromeó Las Morenas—. A cambio de esas pocas ventajas, imagino que los perjuicios serán muchos...

Sor Lucía se detuvo, desafiante o picada en su orgullo:

—No comprendo. ¿A qué perjuicios se refiere?

—No quería ofenderla por nada del mundo —se excusó Las Morenas, aturullado—. Pero, en fin... sus votos.

El caballito detectó que había cambiado el humor de sor Lucía y piafó anunciándolo. Las Morenas tironeó de las bridas y le palmeó el lomo.

—Capitán —se encampanó sor Lucía—, estoy hasta el moño de que la gente me confunda con una monja. Las hijas de la

Caridad no hacemos votos, tan sólo promesas ante Dios y ante nuestra conciencia, renovables anualmente.

Había hablado con un énfasis que, en otras circunstancias, habría parecido cómico a Las Morenas; pero en aquella ocasión sor Lucía parecía de veras enojada. Se había interpuesto entre ambos el caballito, mientras Las Morenas aseguraba las cinchas de la silla.

—Votos, promesas... qué más da —masculló—. Existe un compromiso que la ata, en cualquier caso.

Las Morenas llevó las manos al arzón. Sor Lucía dirigió la mirada con cierta acritud a la alianza que ceñía el dedo anular de su mano derecha. Luego le preguntó, como si lo increpase:

—¿Y a quién no lo ata un compromiso, capitán?

Se miraron, cohibidos ambos, incapaces de decirse nada, o temerosos de haberse dicho demasiado. La canción del joven tagalo añadió un fondo de pesadumbre o desconsuelo a su silencio.

—Es *Tierra querida y sagrada*, una canción muy popular por aquí —dijo sor Lucía, y le tradujo la letra de una de sus estrofas—: «Hermosa tierra del amor, oh tierra de la luz, / recostarnos en tus brazos es un éxtasis. / Pero también será para nosotros, tus hijos, una gran gloria, / cuando seas agraviada, sufrir y perecer».

Los últimos acordes de la canción se extraviaron en la noche como ánimas en pena que mendigan bienaventuranza. Las Morenas y sor Lucía intercambiaron un gesto de atribulada complicidad: ambos sabían que se aproximaba la hora de esa gran gloria que prefiguraba la canción; y también sabían que a ambos les iba a tocar sufrir y tal vez perecer. El cantor había dejado apoyada su guitarra contra un poste del porche y se había levantado, para aprestar el caballito bayo de Van Houten, que se disponía también a abandonar la fiesta. Cuando fue a subirse sobre su montura, se comprobó sin embargo que había sido mal cinchada, pues cayó al suelo aparatosamente. Van Houten se levantó con una prontitud felina, insólita en un hombre de su envergadura, y se lió a vergajazos con el joven tagalo, utilizando el bejuco que no había soltado en toda la tarde. Zumbaba el aire a cada vergajazo y dejaba su escritura cursiva sobre la espalda del improvisado palafrenero, que imploraba perdón, derribado en tierra y protegiéndose el rostro con el brazo. Van Houten no atendía sus disculpas y arreciaba con los azotes, poseído por un frenesí vesánico. En derredor del porche se habían arremolinado muchos soldados del destacamento, dispersos hasta ese momento por el salón, la *caída* y la explanada; pero no se atrevían a intervenir, paralizados por el estupor. Sólo Las Morenas tuvo redaños para reaccionar e interponerse entre el holandés y el vapuleado mozo:

—¡Basta ya! —exclamó—. ¿Es que se ha vuelto loco?

De buen grado Van Houten la habría emprendido también a zurriagazos con aquel capitancito alfeñique. Habría querido reventar su cráneo entre sus manos, majar su sesera como se maja un ajo en el almirez; pero tales caprichos del instinto convenía postergarlos hasta la hora propicia.

—Perdone, capitán —balbuceó, retrocediendo hasta su caballito; y, dirigiéndose a los espectadores mudos de la escena, añadió—: Les pido disculpas a todos. Ha sido un instante de acaloramiento que no volverá a repetirse.

Cinchó el caballito debidamente y se subió a él, impostando un gesto contrito. Lo vieron marcharse con una tímida aprensión que no acertaba a concretarse en un desahogo sincero, por respeto al anfitrión, al que tomaban equivocadamente por socio o amigo de aquel energúmeno. El joven tagalo al que Las Morenas había librado de la zurra se hincó de hinojos y tomó su mano para besarla. Las Morenas trató de zafarse:

—¡Aparta, muchacho! ¿Qué demonios haces?

Pero el tagalo se resistía a soltarle la mano, como si de ese contacto dependiera su supervivencia:

—Quiero besar la mano del *castila* bueno —repetía—. El *castila* me ha librado del látigo.

En un tono imperativo, Las Morenas le ordenó alzarse del suelo. Lo agarró del blusón y lo sacudió con una cierta violencia:

—La gratitud entre hombres no se demuestra besando la mano, ni de rodillas —le gritó—. Si quieres agradecerme algo, abrázame.

Así lo hizo el joven, con vigor inusitado, provocando un murmullo de simpatía entre los circunstantes. Las Morenas correspondió abrazándolo del cuello y dándole un cachete afectuoso en la mejilla; pero el muchacho no quería acaparar por más tiempo el protagonismo y se marchó corriendo, tras hacer una leve inclinación ante Las Morenas. Martín Cerezo, que había bajado de la azotea en cuanto oyó el barullo, llegó a tiempo para ver cómo Van Houten se marchaba con el rabo entre las piernas, después de que el capitán pusiera coto a sus excesos. Se abrió paso entre los soldados y se cuadró ante Las Morenas, saludándolo:

—Creo hablar en nombre del destacamento, mi capitán —dijo—. Es un honor estar a sus órdenes.

Las Morenas buscó con la mirada, un tanto abrumado o cohibido, a sor Lucía, que asintió muy recatadamente. Tomó en un aparte a Martín Cerezo:

—Saturnino, ese Van Houten no me gusta un comino —le confió.

—Por una vez estamos de acuerdo —dijo el teniente.

La noche se preñaba de augurios. Las Morenas miró hacia lo alto, allá donde las estrellas tejían su alfabeto vertiginoso.

—Don Ramiro tiene en la hacienda un puesto telegráfico —susurró—. Mande un cable a Manila, por favor. Que pregunten si en Batavia opera un comerciante llamado Van Houten; y que averigüen a qué se dedica.

—A sus órdenes, mi capitán —obedeció Martín Cerezo, cuadrándose otra vez y marchándose de inmediato para ejecutar la orden.

La noche se llenaba de un zumbido ominoso, como si una honda se agitara en el aire, presta a descargar una piedra que los fuese a descalabrar. En ese zumbido, que tal vez fuese una ilusión acústica, Las Morenas creyó descubrir una aceleración del tiempo, trazando remolinos bajo sus pies.

TERCERA PARTE

MAYO DE 1898 - JUNIO DE 1899

1

Novicio había ideado una trampa mortal que le permitía asegurar la provisión de comida para sí y para sus hombres en los manglares; y, de paso, también rememorar los días felices y peligrosos en que, acompañado por sor Lucía, se internó en aquella misma zona pantanosa y mató un caimán con sus propias manos, improvisando después un festín con su carne blanca como pulpa de coco, carne de arcángel o querubín, sin pecado ni espinas. Pero cazar caimanes en lucha cuerpo a cuerpo era una empresa suicida que no convenía repetir; en su lugar, Novicio había pergeñado con una polea, un anzuelo y una soga un ingenio que le deparaba excelentes resultados. En el anzuelo, que era muy poderoso y desgarrador, ensartaba una porción nada escasa de carroña, que mantenía a flor de agua mediante la polea, y ataba la soga al tronco de un mangle robusto; al mismo tiempo, envolvía la carroña con una gruesa mata de abacá, cuyos filamentos remataba con tres o cuatro cañas cortadas al bies y muy fuertemente anudadas. Atraído por las emanaciones de la carroña, el caimán se lanzaba voraz sobre el cebo y se clavaba el anzuelo, a la vez que sus temibles mandíbulas se llenaban con aquella borra estoposa de filamentos de abacá y las cañas le perforaban el paladar y le rasgaban la garganta. Y, cuanto más se enfurecía el caimán atrapado, más lo asfixiaban las hebras de abacá y más se le clavaban las cañas, de tal modo que acababa por agotarse; e incluso si lograba romper de una dentellada la soga a la que estaba amarrado el anzuelo, su destino —con las mandíbulas laceradas por las cañas y la garganta obstruida por el abacá— no era otro sino ahogarse. Cada vez que un caimán mordía el anzuelo, Novicio lo dejaba agotarse durante un par de horas en la difícil postura a la que lo obligaba la trampa, con la cabeza contorsionada, sacudiendo latigazos con la cola sobre el agua, hasta convertirla en un lodazal; cuando ya estaba exhausto y rendido a su suerte, trepaba al mangle que soportaba el peso del caimán y, con ayuda de la polea, lo alzaba hasta dejar fuera del agua todo su vientre. Después se adentraba en el pantano, cuidando de que el caimán no acertase todavía a sacudirle un coletazo en los estertores de la asfixia, y se abrazaba blandamente a él, antes de hincarle un puñal a la altura del corazón. Una vez que el animal se había desangrado, Novicio lo abría en canal, lo destripaba y despellejaba, antes de despiezarlo con la esmerada y meticulosa paciencia de un matarife.

Acababa de clavarle el puñal en el corazón a un caimán de más de dos metros de longitud cuando Moisés apareció entre los manglares, jinete sobre un caballito que muy probablemente hubiese robado de alguna hacienda o poblado. Llevaba colgado sobre el torso desnudo un fusil en bandolera; y tenía la piel lubricada de una grasa que había oscurecido con algún tizne o ceniza. En apenas dos meses, desde que se incorporase a las filas insurrectas, su aspecto físico había cambiado por completo, como si la edad adulta se le hubiese echado encima de repente, calcinando los últimos brotes de su juventud: ahora era más cetrino y montaraz, su cuerpo más robusto y fibroso y su mirada más torva e impávida, encendida siempre por el rescoldo de un odio que Novicio no acababa de descifrar. No quedaba en él nada de aquel muchacho encandilado por la belleza, bendecido por una rara sensibilidad, capaz de liberar de un tarugo de madera el tesoro escondido de una talla. Pero, por un segundo, al ver colgado del anzuelo el caimán ya exánime que seguía chorreando sangre por la herida, Moisés tembló intimidado. Una vez repuesto de la sorpresa, anunció:

—Misión cumplida. Hemos cortado la vía en cinco puntos. Tardarán varias semanas en repararla.

Novicio había recibido órdenes, al parecer dictadas por el propio Aguinaldo desde Hong Kong, de destrozar las líneas férrea y telegráfica que unían Manila y Dagupán, de tal modo que los destacamentos de la isla de Luzón quedaran completamente aislados. Obedeciendo parcialmente esas instrucciones, Novicio había enviado a Moisés al mando de una cuadrilla de rebeldes, con la encomienda de desbaratar la línea férrea en diversos puntos, desmontando rieles, arrancando traviesas y excavando zanjones; en cambio, no había encargado todavía la destrucción del tendido telegráfico.

—Magnífico, muchacho —dijo Novicio, sin atisbo de entusiasmo—. Para entonces, si nada se tuerce, los destacamentos *castilas* se habrán rendido, después de conocer la caída de Manila. Ojalá sea sin disparar un solo tiro. ¿Cómo está la moral de los hombres?

A Moisés solía asignarle misiones que lo mantuvieran alejado de Baler, que era el epicentro de su odio, como repetidamente había tenido ocasión de advertir. Había descabalgado con agilidad y seguía contemplando el desangramiento del caimán.

—Están deseosos de entrar en combate —informó, en un tono de reproche—. Sienten que se les está marchitando el espíritu guerrero. Si no se enfrentan pronto al enemigo, acabarán por desmoralizarse.

Novicio se abrazó al vientre del caimán, empapándose de su sangre; al notar aquel calor tibio y acre embadurnando su rostro se sintió lleno de ganas de vivir y dio de lado los pensamientos fúnebres que, desde hacía algún tiempo, lo venían rondando. De repente, contemplaba como una espléndida tierra de promisión los años o meses o días que aún le restaban por vivir; y, al abrazar al caimán, era como si los apretase contra su pecho. Una fuerza torrencial se alzaba de todos los rincones de su cuerpo, como si le hubiesen crecido nuevas venas y arterias, frescas y flexibles.

—¿Y cómo has conseguido mantenerlos ocupados durante todos estos días? —preguntó a Moisés, tratando de resucitar en él la nostalgia de su arte—. ¿Les has mostrado tu habilidad para tallar la madera?

—No —se apresuró a responder Moisés, en un tono hosco—. Han sido ellos quienes me han mantenido despierto y en vilo a mí, con sus cánticos añorantes de libertad y con las leyendas ancestrales que contaban alrededor del fuego. Como por ejemplo la del rey de los indios, al que llaman Bernardo Carpio.

Novicio sonrió al escuchar aquel nombre, de inequívoca prosapia *castila*. Comentó:

—Curioso nombre para un rey indígena. ¿Y qué cuenta la leyenda?

—Cuenta que el rey Bernardo está encadenado en el interior de una cueva, en las montañas de Montalbán, pero vendrá pronto a salvarnos de la opresión —dijo Moisés, pasando por alto el tono irónico o condescendiente de Novicio—. Cada cien años rompe una de sus cadenas, provocando los temblores y terremotos que padecemos. Ya tiene las manos y el pie izquierdo libres; sólo le resta el derecho para liberarse por completo. Cuando por fin consiga soltarlo, Filipinas dejará atrás siglos de esclavitud.

Moisés parecía hallar en aquella leyenda una hermosa metáfora de las ansias de libertad del pueblo filipino. Novicio incorporó cierta sorna:

—Fíjate si será ancestral esa leyenda que el nombre de ese rey encadenado es el mismo que el de un héroe medieval español, Bernardo del Carpio, que batalló en Roncesvalles a los franceses. —Novicio se apartó del vientre del caimán. Toda su porción de cuerpo que sobresalía del agua, desde la frente hasta la cintura, estaba embadurnada de una sangre tinta—. Ya ves que, hasta para elaborar nuestras leyendas, echamos mano de lo que hemos aprendido de los *castilas*.

Moisés se acercó furioso hasta la orilla del manglar, como si hubiese sorprendido a su jefe en un renuncio:

—Hay infinidad de cosas que no aprendimos de ellos —se encastilló—. Antes de que vinieran aquí los *castilas* ya teníamos nuestras leyes e impartíamos justicia.

Novicio recordó cierta conversación con Las Morenas que lo había hecho un poco más escéptico o un poco menos acalorado. Y, recordando aquella conversación, se acordó también, con un pinchazo de tristeza, de sor Lucía.

—Claro que teníamos nuestra justicia —ironizó—. Cuando dos o más eran acusados de un mismo delito y no había certidumbre de quién era el autor, se les mandaba meter un brazo desnudo en agua hirviendo, y el primero que lo sacaba era elegido como criminal. ¡Bonita manera de impartir justicia!

Frotó el vientre rugoso del caimán, antes de rajarlo. Moisés recorría la orilla del manglar, como si buscase el modo de acercarse a Novicio sin adentrarse en aquella agua sanguinolenta.

—¿Querrás negarme que los *castilas* nos esclavizaron y encadenaron?

—Aquí sólo hubo esclavitud, auténtica esclavitud, antes de que llegaran los *castilas*, Moisés —le respondió calmosamente—. Y podían hacerte esclavo por cualquier cosa: por ser derrotado en una pelea entre tribus; incluso por no poder pagar una deuda... Y como la deuda se iba multiplicando conforme pasaba el tiempo, la esclavitud podía extenderse de generación en generación. Con eso acabaron los *castilas*.

Moisés se adentró, por fin, en el agua pantanosa. En su voz había recelo, incluso algo de horror:

—No logro entenderte. ¿Cómo puedes defender y al mismo tiempo combatir a los *castilas*?

—¿Y tú, Moisés? —se exasperó Novicio—. ¿Cómo puedes odiar tanto a los *castilas*, cuando sor Lucía te ha hecho tanto bien y se ha desvelado por ti como si fuese una madre?

Había logrado que Moisés se abochornara, siquiera momentáneamente:

—Ya veo que no quieres responder a mi pregunta —se escudó.

—No los defiendo —dijo al fin Novicio, para romper aquel círculo vicioso de recriminaciones—, sino que me limito a decir la verdad, nada más. Y mi intención, desde luego, es combatirlos en la menor medida posible; pues cuanto menos los combatamos, menos muertes tendremos que lamentar, también en nuestro bando.

Moisés caminaba con cautelas sobre el suelo cenagoso, temiendo que los pies se le quedasen atrapados en el fango. Sus palabras sonaron imprecatorias:

—¡Ahora resulta que eres un apóstol de la paz! Pronto te has arrepentido de lo que hiciste en Baler —dijo, enrabietado—. Si tan pacífico te has vuelto, ¿por qué no te metes fraile? Todas esas ideas tuyas sólo servirán para desalentar a los hombres y matar su ímpetu.

El odio le crispaba las facciones, como un azogue sin antídoto. Novicio procuró no azuzarlo demasiado:

—No te preocupes, ímpetu tienen demasiado. Lo mismo que tú.

Se encararon. Tinto en la sangre del caimán el uno, embetunado de grasa el otro, parecían trogloditas de alguna oscura mitología.

—Yo he jurado morir y matar por mi patria —dijo Moisés, masticando casi las palabras—. Sin ímpetu no se puede luchar hasta ese extremo.

Novicio trató en vano de penetrar en el fuego que lo socarraba por dentro:

—Si el ímpetu es noble, tal vez. Pero el tuyo no lo es, Moisés. Aún no me explico qué fue lo que te llevó a alistarte, pero sé que te mueve el odio. No hay más que mirarte a los ojos. No hay más que comprobar cómo se esfumaron todas tus ambiciones de artista.

Le dio la espalda y clavó el puñal en la gorja del caimán. Irritado, Moisés iba a responder a sus acusaciones, pero un centinela se había acercado hasta donde se hallaban para anunciarles la llegada de un extranjero, emisario del Consejo Supremo del Katipunan. Novicio estaba al tanto de la visita de aquel hombre, encargado de proveer de armas a las partidas de insurrectos diseminadas por provincias; y ordenó al centinela que lo trajeran a su presencia. Empezaba a resultarle llamativo que súbditos de naciones que jamás se habían preocupado por el destino de Filipinas —si no era para disputarse las concesiones administrativas que les hacían los gobiernos corruptos de Madrid—, se desvivieran ahora por facilitarles medios para afrontar la guerra; y se preguntó si los filipinos no estarían a punto de convertirse, como había profetizado Las Morenas, en un juguete en manos extranjeras. Moisés había vuelto a la orilla, pero se resistía a marchar; tampoco Novicio hizo nada por forzarlo, pues le convenía contar con un testigo que pudiera dejar constancia de sus tratos con Rutger van Houten.

—Me moría de ganas por conocer al heroico y audaz Novicio —dijo el visitante, a guisa de saludo—. Tu asalto a Baler, el pasado año, todavía se recuerda como uno de los golpes más osados al dominio español. ¿Estás dispuesto a repetir la hazaña, pero contando esta vez con armas?

Van Houten, que conocía minuciosamente la lengua de Cervantes (casi tanto como la detestaba), había elegido el tuteo, aunque se dirigía a personas a las que ni siquiera conocía, para hacer patente su jovial desprecio a los insurrectos. Se arrepintió, sin embargo, apenas proferidas aquellas primeras frases: estaba habituado a tratar con tagalos empachados de modas europeas y racialmente acomplejados, o bien con campesinos raquíticos y sumisos a los que podía dispersar agitando el bejuco, como si fuesen nubes de mosquitos; pero nunca se había enfrentado a unos individuos como aquellos, agrestes y malencarados, sucios de grasa y de barro, de ceniza y de sangre, como alimañas del bosque. Aunque doblaba a ambos en corpulencia, lo agitaron el miedo y la zozobra; sobre todo cuando reparó en el caimán que Novicio se disponía a despanzurrar, suspendido verticalmente como un estandarte de alguna guerra bárbara.

—Con armas o sin armas, espero no repetir —respondió Novicio sin contemplaciones—. Aquello no fue ninguna hazaña, y además no sirvió para nada. Demasiadas bajas y resultados nulos.

Van Houten le había tendido desde la orilla la mano de dedos como morcillas. Para evitar estrecharla, Novicio rasgó con el cuchillo el vientre del caimán, del que brotaron, en un serpenteo blando, sus tripas humeantes y calentorras. Luego introdujo las manos en la cavidad donde se arracimaban las otras vísceras y las sacó enguantadas de viscosidades.

—Entonces faltaba coordinación —dijo Van Houten, contemporizador—. Las energías se gastaban a lo loco, sin un plan establecido. Pero ahora las cosas han cambiado. Para bien, por supuesto.

Indagó con su mirada gélida en los pensamientos de Novicio, mas sin resultado. Distinguió enseguida una barrera de cerrazón y astutas reservas que impedía cualquier intento de aproximación; observó, en cambio, que el joven parecía más predispuesto a su favor. Novicio se despojó de la camisa, que extendió sobre la superficie del agua, como si se dispusiera a lavarla; pero, cuando ató las mangas a la cola del caimán, Van Houten comprendió que la iba a utilizar a guisa de fardel, para recoger sus vísceras, que empezó a desprender, hurgando en sus entrañas con el puñal que antes había utilizado para abrirlo en canal.

—Eso habrá que verlo —dijo Novicio—. Será para bien si podemos alcanzar la victoria sin víctimas.

—Su objetivo es alcanzar la victoria, Novicio —lo rectificó Van Houten, retirándole el tuteo—. Para ello, debe emplear hasta el último hombre y hasta la última bala. Esas son las órdenes del Katipunan. A los hombres debe conseguirlos usted; las balas se las proporcionaré yo.

Con la cabeza casi enterrada en el vientre del caimán, y blandiendo el puñal como el barbero la navaja de afeitar, Novicio iba desprendiendo de su cavidad la cloaca, la vejiga y el riñón, el bazo, el páncreas y la vesícula biliar, un amasijo hediondo que fue arrojando sobre la camisa convertida en fardel.

—¿Cuándo contaremos con las armas y con las municiones? —preguntó, sin desatender su labor.

—En un par de días, el comodoro Dewey se enfrentará a la escuadra española, si es que antes esos piojosos no piden clemencia —respondió Van Houten con un circunloquio—. A partir de ahí, con la escuadra española destrozada, se exigirá la rendición de Manila, so pena de que la ciudad sea bombardeada. Será entonces cuando podamos distribuir las armas, que llegarán a Manila desde Hong Kong, a rebufo de la escuadra americana.

Novicio seguía llenando de vísceras su camisa; con el hígado, el pulmón y el corazón ya no daba más abasto. La anudó y arrojó el fardo hediondo a la orilla, casi a los pies de Van Houten, despreocupándose de que lo salpicara. El holandés no supo si enojarse o respirar exultante ante la carnicería; tampoco supo si despreciar o admirar la desapasionada destreza que Novicio mostraba en el descuartizamiento.

—¿Y usted qué hará entretanto, amigo? —preguntó Novicio, tratando de no mostrar curiosidad alguna.

—De aquí me iré a Pangasinán, última estación en mi gira, para hablar con los cabecillas de la insurrección en esa provincia —dijo Van Houten—. Luego espero poder entrar en Manila, si los americanos ya la han tomado, desde donde organizaré el traslado de las armas.

Novicio hizo un corte circular en la gorja del caimán, justo por debajo del cogote, donde se hallaba su raquítico cerebro, seccionando la piel correosa. Aún disponía, pues, de unas semanas, o tal vez incluso meses, antes de que las armas de Van Houten se distribuyeran por la región. Debía aprovechar ese lapso para tratar de lograr la rendición del destacamento de Baler sin ocasionar daños, tal como le había prometido a sor Lucía.

—Nosotros trataremos de pacificar esta zona antes incluso de que nos lleguen sus armas —informó Novicio, restando importancia a la aportación de Van Houten—. Estas semanas próximas serán preciosas, pues luego los *castilas*, una vez que reparen la línea férrea, podrían reorganizarse. Además, ¿quién nos asegura que los americanos vayan a rendir Manila?

Van Houten había sostenido siempre que confiar a razas inferiores el éxito de una revolución era suicida; pero el plan de invasión americano requería botarates que sirviesen de carne de cañón, y había que transigir con sus excentricidades. Aquella, sin embargo, era una excentricidad excesiva:

—¿Está bromeando? —preguntó, buscando con la mirada la complicidad de Moisés—. ¿Con cuántos rifles cuentan?

—Tenemos escondidos en Pantabangán los suficientes para afrontar la situación —dijo Novicio tranquilamente, sin mirarlo siquiera, buscando cómo desollar el caimán del modo más limpio posible.

—¿Cuántos? —insistió Van Houten.

Se dirigió esta vez, específicamente, al joven, a quien desde el principio había intuido más maleable e inflamado por el odio que su jefecillo.

—Quince fusiles, señor —respondió, abochornado o pudibundo, Moisés.

—¿Y con quince fusiles esperan copar todos los destacamentos de la región? —se encolerizó Van Houten, hablándole de nuevo a Novicio—. ¿Es que se ha vuelto loco?

Pero Novicio seguía sin inmutarse. Había hecho algunos cortes longitudinales en los costados del caimán, antes de tirar con ímpetu de la piel, despegándola de la carne blanca como pulpa de coco. El cadáver del animal exhalaba tufaradas fétidas, como de azufre o letrina.

—Nos centraremos en Baler —dijo Novicio, calmoso—. En Casigurán, San José y demás lugares las guarniciones son muy pequeñas, apenas un retén formado en su mayoría por voluntarios tagalos. Bastará que caiga Baler en nuestras manos para que el resto de destacamentos se rindan.

Para desprender la piel se ayudaba de vez en cuando de una navaja, con la que raspaba alguna virutilla de carne que se llevaba a los labios, a modo de aperitivo del festín que después se pegaría, en compañía de sus hombres, en torno a la hoguera. Al saborear la carne cruda del caimán, recordó inevitablemente a sor Lucía, devorando casi un solomillo entero, con una voracidad llena de júbilo, inverosímil en una mujer tan flaca. Se preguntó si volverían alguna vez aquellos días felices.

—No sé si es usted un pánfilo o un temerario —le escupió Van Houten—, pero creo que Aguinaldo se equivoca gravemente confiándole el mando de la insurrección en este distrito. —Contempló, avariento, la piel del caimán, que pendía como un capote sobre el agua cenagosa—: En Europa le pagarían un dineral por ese pellejo.

Novicio no supo si lo decía sugiriéndole que cambiara de oficio o si le estaba pidiendo que se la regalase. Prosiguió imperturbable su tarea:

—Cada uno en su casa y Dios en la de todos —dijo—. Usted encárguese de distribuir esas armas, que para eso le pagan. Nosotros nos encargaremos de luchar gratuitamente.

Van Houten reconocía a la legua la procedencia española de esa fanfarronería, de esa insolencia, de esa gallardía de echar a barato la vida, de ese desprecio del vil metal; y reconociéndola, podía permitirse odiar más efusivamente a aquella progenie bastarda del tronco hispánico. No quiso prolongar la controversia:

—Por cierto, en su plan de ataque no deben olvidarse de una hacienda que hay a un par de leguas al oeste de Baler —dijo, fingiendo un interés muy somero—. Es propiedad de Ramiro Garzón, un ultramontano que, después de perder la guerra en España, prosperó en estas tierras. Ha mandado tender un hilo telegráfico hasta su casa. Deben cortarlo de inmediato. Así el destacamento de Baler quedará aislado por completo.

—Lo haremos en su debido momento —lo cortó Novicio, un poco harto ya de las injerencias del holandés—. Prefiero que primero puedan enterarse de lo que va a ocurrir en Manila. Así tendrán la oportunidad de rendirse sin pegar un solo tiro.

Moisés no pudo ocultar su consternación:

—¿Ni un solo tiro? ¿Entonces qué hacemos aquí? ¿Por qué no dejamos el campo libre a los diplomáticos?

Novicio respondió con un improperio en tagalo que acalló a Moisés. Van Houten reparó más atentamente en el joven y pensó que podría ser mestizo.

—Convendría que dieran a ese Ramiro Garzón un severo correctivo —los instigó, aunque ya sólo hablaba para Moisés—. Al parecer, debió de dedicarse en la juventud a forzar mujeres tagalas, porque tiene una hija mestiza. Deshaganse de él, alisten a sus criados en el Katipunan y utilicen su casa como cuartel general. —Rió, con una risa que le brotaba de las tripas—. ¡Ah! Y resérvenme una estancia. Cuando vuelva por la región, quisiera alojarme allí y proseguir una conversación iniciada con la hija del dueño, la bella Guicay.

Lo que en verdad quería era expoliar su sangre desprevenida y hospitalaria; pero Van Houten intuía que, mientras Novicio estuviese al mando de los insurrectos, sus visiones llameantes tendrían poco futuro en Baler y alrededores: la condescendencia, el repudio de la crueldad, las cortesías con el enemigo —bien lo sabía Van Houten— siempre degeneran en flojera. Novicio había terminado de arrancar la piel del caimán, que empezaba a convocar en su derredor un séquito o aureola de moscas, y la arrojó a la orilla, tirándola también a los pies de Van Houten, que no hizo ademán de recogerla.

—Aparte del dinero, ¿a usted qué lo mueve? —lo interpeló Novicio—. ¿Por qué ayuda a los insurrectos?

El pellejo del caimán exhalaba un hedor acre que le anestesiaba la pituitaria, a la vez que estimulaba sus anhelos más dañinos. Novicio le había hecho una pregunta retórica, pues bastaba con reparar en su mirada gélida para comprender su motivación. Van Houten se permitió el sarcasmo:

—El progreso de los pueblos, Novicio, ese es mi único móvil. Sólo la libertad puede impulsar el progreso de los pueblos —respondió. Agitó una de sus manazas, en señal de despedida—. Que tengan mucha suerte, señores. Volveremos a vernos.

Una risa floja le rebullía en las entrañas mientras se alejaba del estero, custodiado por el centinela que lo condujo hasta su caballito bayo. Novicio y Moisés guardaron silencio durante un largo rato, mientras Van Houten se alejaba. Cuando comenzaba a despiezar parsimoniosamente el caimán, la voz de Novicio sonó imperativa:

—Moisés, te instalarás en la hacienda de don Ramiro con media docena de hombres.

El muchacho se revolvió como un áspid, afrentado y colérico. En su mirada palpitaba una lumbre voraz:

—¿Por qué yo? Quiero prestar mi servicio a la patria en el lugar en el que nací y me he criado. Conozco bien Baler, y...

—Precisamente por ello —lo cortó Novicio—. Conoces demasiado bien Baler. Un vínculo tan estrecho te impediría actuar con la mente fría. No quiero a mis órdenes gente que aprovecha la guerra para saldar cuentas personales. —Hizo una pausa, mientras hurgaba con el cuchillo en las entretelas que rodeaban los solomillos del caimán, dificultando su extracción—. Irás a la hacienda de don Ramiro y te encargarás de tener controlado a ese Van Houten cuando vuelva. Me temo que él también quiere aprovechar la insurrección para saldar cuentas personales.

Moisés se mordió las lágrimas. Cuando Novicio acabó de extraer los solomillos del caimán, ya se había adentrado en la espesura de la selva para vomitar su rabia.

* * *

El capitán Las Morenas siguió a través de los gemelos a Guicay, que acababa de abandonar el puesto de vigía de la Punta del Encanto, donde había permanecido durante horas con Chamizo, absortos ambos en sus amorosos coloquios. Caminaba por la playa descalza y con los cabellos sueltos, sosteniendo en una mano las chinelas y en la otra las bridas de su caballito, que la seguía manso por la franja de arena húmeda que alcanzaban a lamer las olas del mar. Venciendo un absurdo pudor, Las Morenas reparó en sus pies menudos, que se hundían —como los cascos del caballito—, en la arena, dejando tras de sí una hilera de huellas atolondradas, que de vez en cuando eran borroneadas por las olas. Las Morenas reparó en el gesto de indefinible tristeza de la mestiza, la misma indefinible tristeza que empezaba a embargarlo a él mismo, ante un porvenir cada vez más encapotado que les exigía una entrega resignada y acaso un sacrificio estéril. Guicay hizo visera con una mano y contempló el cielo presagioso: tal vez descubriese entonces al capitán Las Morenas, que la oteaba desde un médano, escondido entre la vegetación que casi alcanzaba la playa; pero si lo descubrió no hizo ni el más mínimo ademán de alarma o desazón, como si de algún modo se supiese tácitamente autorizada para visitar a Chamizo. Antes de echar otra vez a andar, Guicay volvió la vista hacia el puesto de vigía, agitó una mano en señal de despedida, se recogió las faldas y montó resueltamente a horcajadas sobre su caballito, metiendo el dedo pulgar en los estribos, al modo tagalo. Ya no volvió más la cabeza, dejando que la brisa le secase las lágrimas que habían empezado a descender por sus mejillas, mientras el caballito se alejaba al trote.

Las Morenas ensayó una sonrisa aflictiva, enseguida sustituida por un gesto de preocupación. Desde hacía algunas semanas, se topaba entre los vecinos de Baler con actitudes poco cálidas, casi displicentes, que acrecentaban cada día sus recelos y suspicacias. Se había esforzado sobremanera por ganarse la confianza de los balereños; y había exigido a la tropa un trato hacia ellos siempre cortés y deferente que no pudiera justificar descontento alguno. Pero, de un tiempo a esta parte, las voces de los balereños sonaban menos dóciles que de costumbre; sus inclinaciones en los saludos eran más desganadas; los encargos ya no los hacían con la solicitud y rapidez acostumbradas; y, en sus relaciones con los soldados del destacamento, había un embarazo, una tensión soterrada, una cordialidad fingida que redundaba en mayor desasosiego. La propia sor Lucía, y lo mismo fray Cándido, que conocían de sobra las costumbres del lugar y el carácter de sus pobladores, habían constatado también este cambio operado en cuestión de semanas, aunque todavía no hubiese cristalizado en actos concretos de desacato o rebeldía. Era como cuando empieza a tramarse una tormenta y las bandadas de pájaros se recogen en la copa de los árboles, anunciando desde allí con su algarabía lo que está a punto de suceder.

Desde que dormía en comandancia, Las Morenas solía despertarse en mitad de la noche como si le faltase el aire, acongojado por un presentimiento que no acertaba a concretar. Sor Lucía le había recordado, durante la fiesta de bienvenida celebrada en casa de don Ramiro Garzón, que a todos nos atan compromisos; y Las Morenas, que jamás había traicionado los suyos, lamentaba ahora no haberlos cuidado con mayor esmero. Lamentaba no haber puesto más fervor cuando narraba a Enriquillo las batallas que le servían para conciliar el sueño; lamentaba no haberse esforzado más por salvar del tedio y la pudrición su matrimonio; lamentaba haberse parapetado en su carrera castrense para justificar la agonía de su vida conyugal y acallar los remordimientos. Tal vez fuese el suyo un escrúpulo excesivo, nacido del temor a no poder reverdecer tales compromisos y de la conciencia aciaga de que Baler sería su tumba, como era la tumba de las cartas que casi diariamente escribía, dirigidas a su esposa y a su hijo, sabiendo que no llegarían a su destino, pues las comunicaciones marítimas con Baler no habían sido restablecidas tras la paz o simulacro de paz de Biacnabató y el correo terrestre había quedado por completo interrumpido, tras los recientes sabotajes de la vía férrea. En aquellas cartas, Las Morenas detallaba, con una minuciosidad casi asfixiante, las rutinas del día; y ocultaba absurdamente sus zozobras e inquietudes, que luego hallaban desaguadero envenenando sus sueños. Pero de nada servía lamentarse; la milicia —al menos la milicia que Las Morenas anhelaba, no la milicia adulterada por los políticos corruptos— exigía sepultar los lamentos. Dirigió su caballito hacia el puesto de vigía y lo dejó atado a un palasan, dejando que ramonease entre sus bayas. Los escalones que trepaban por la roca hasta el baluarte en lo alto del promontorio eran desiguales y resbalosos, tapizados de algas pachuchas que imploraban una nueva pleamar.

—Buenos días, soldado —saludó Las Morenas a Chamizo, sorprendiéndolo absorto en sus cavilaciones.

Aunque fingía leer, Chamizo tenía todas las cámaras de su pensamiento ocupadas por Guicay. Le bastaba pronunciar su nombre en voz baja para sentir su cuerpo anegado por el placer más noble y desinteresado y por la felicidad de no exigir nada a la persona amada, tan sólo poder seguir amándola y admirándola.

—Sin novedad en el puesto, mi capitán —se sobresaltó.

Chamizo tomó su fusil, que tenía apoyado contra una pared del baluarte, y se cuadró ante Las Morenas, saludándolo con una rigidez excesiva. Había utilizado el tallo de una sampaguita para señalar el punto en el que había abandonado la lectura. Las Morenas, al asomarse a la abertura de la garita que permitía la contemplación de la playa y del mar calmo, reparó en el temblor diminuto de la sampaguita y en el título del libro. Era un ejemplar de *La Ilíada*, en edición de Rivadeneyra.

—Descanse. ¿Qué tal va la guerra de Troya, soldado? —le preguntó, mientras escudriñaba el horizonte con sus prismáticos.

Chamizo no se atrevía a abandonar todavía la postura envarada de saludo:

—Héctor se dispone a entrar en combate, mi capitán —dijo, un poco aturullado—. Su mujer, Andrómaca, trata de disuadirlo y de impedir que salga de la ciudad sitiada.

Ambos callaron por un instante, pesarosos tal vez de que la naturaleza, una vez más, imitase el arte. Las Morenas recitó en un tono que sonó premonitorio, casi lúgubre:

—«¡Desdichado! Ni siquiera te apiadas de mí, que pronto viuda de ti quedaré». —Apartó los prismáticos de los ojos y se volvió hacia Chamizo, a quien solicitó con un gesto que descansara—. «Y para mí mejor sería, si te pierdo, sepultarme bajo tierra».

Se agachó, para recoger del suelo un alfiler de plata, de los que Guicay empleaba para domeñar su larga cabellera, y se lo introdujo a Chamizo en el bolsillo de la guerrera, sin hacer ningún comentario. Chamizo, en lugar de ponerse nervioso, se entristeció, tal vez recordando la conversación que acababa de mantener con Guicay. Se sinceró:

—¿Sabe, mi capitán? Sólo lamento que su padre sea un hombre rico. Pensarán que ando detrás de su fortuna.

—¿Y quién habría de pensar semejante majadería? ¿Los maldicientes, tal vez? —Las Morenas se encogió de hombros, con un gesto de desdén—. ¿Qué más da lo que piense esa gentuza?

Le aseguro que a don Ramiro le importa un comino que sea usted pobre o rico. —Hizo una pausa y añadió, risueño—: Aunque, ya que no es usted rico, espero que pague mis servicios de alcahuete nombrándome padrino de boda...

Chamizo se sonrojó:

—Será un inmenso honor, mi capitán.

Las Morenas le palmeó la espalda, en señal de camaradería, pero enseguida su rostro se ensombreció:

—Lo único que le pido es que deje de verse con ella aquí. —Antes de que Chamizo probase a farfullar una excusa, Las Morenas prosiguió—: No, no se lo digo porque esté desatendiendo la guardia, pues por el mar no llegará ningún peligro, al menos de momento. Pero sí puede llegar, y de manera inminente, por tierra. Me escalofría pensar que esa muchacha ande sola por los caminos.

Chamizo sintió, de repente, el irreprimible deseo de correr detrás de Guicay, para custodiarla en su regreso a la hacienda. Pero para entonces tal vez ya hubiese cubierto la mitad del trecho.

—¿Tan... tan difíciles están las cosas? —balbució.

—Lo acabo de saber, precisamente, por don Ramiro, que vino a Baler a decírnoslo —respondió Las Morenas, esbozando un mohín compungido—. Esta mañana ha recibido un cable de Manila. Ya se han roto las hostilidades con los Estados Unidos.

Chamizo se tambaleó y necesitó apoyar la culata del fusil en el suelo, utilizándola a guisa de bastón:

—¿Eso significa que estamos en guerra? —preguntó tontamente.

—Bien quisiera equivocarme, pero me temo que significa mucho más —masculló Las Morenas—. Esta guerra será nuestra perdición. España va al abismo. Sospecho que no levantaremos cabeza en varios siglos.

Un frío en el alma los embargó a ambos; una sensación de grávida pesadumbre, como si hubiese caído sobre ellos una de esas desgracias que nos impiden reaccionar, arrojando un sopor o marasmo sobre todos nuestros sentidos, hasta provocar un letargo de la conciencia.

—¿Está totalmente seguro, mi capitán? —acertó, al fin, a preguntar Chamizo.

—La escuadra americana, al parecer, ya ha salido de Hong Kong —dijo Las Morenas muy lentamente, como si la lengua se le hubiera tornado arenosa, anestesiada por algún bebedizo—. El telegrama no dice de modo seguro el rumbo que ha tomado, pero sospecho que a estas horas ya estará en la bahía de Manila, descargando todas sus baterías contra nuestros pobres cascarones.

De repente, encerrado en aquella garita de vigilancia, encaramado en el promontorio que se asomaba al mar, Chamizo se sentía como encerrado en una mazmorra. Volvió a otear otra vez el horizonte a través de la abertura en la pared, como si aspirase a ver a lo lejos los estragos de esa batalla naval que Las Morenas acababa de augurar:

—¿Y entonces? —preguntó, desconcertado—. ¿Qué se supone que debemos hacer?

—Usted, por lo pronto, no podrá volver a verse con Guicay, salvo cuando disfrute de permiso, y tendrá que hacerlo en la hacienda de su padre —dijo Las Morenas, sin contemporizaciones—. Aunque mejor todavía sería que no se viesen en absoluto, mientras no se aclaren las cosas.

Chamizo asentía, estupefacto o lastimado por ese porvenir encapotado que venía a aguar —y tal vez ahogar— sus ilusiones:

—¿Y qué piensa hacer usted, capitán, si la guerra se extiende hasta esta región? —insistió.

La mirada de Las Morenas no era dura, sino tan sólo opaca, como si de ella hubiese desertado la vida:

—Resistir, soldado. Resistir como los troyanos.

2

Resonaban en la tarde los *tambulis* con una reverberación mortuoria. En realidad, no habían dejado de resonar en los últimos días, pero desde hacía unas horas su tañido se había convertido en un sonido uniforme, monótono y aturdidor, sin lapsos de silencio, como si las partidas que hasta entonces se habían refugiado en la sierra o dispersado en los manglares se hubiesen congregado en un único sitio y celebrasen la reunión previa a la ofensiva final. Aquellos tañidos aturdidores tenían la propiedad de asustar a la tropa, a la que acometía una suerte de torpor o parálisis que luego se resolvía en ataques de excitación nerviosa, a veces muy poco viriles. En cambio, al teniente Martín Cerezo le infundían un júbilo sereno, tan pujante y ardoroso que debía ocultárselo a la tropa y al propio capitán, para que no lo tomasen por loco. De algún extraño y alambicado modo, la vibración de los *tambulis* lo redimía de los meses de tensa espera, de sus fricciones y encontronazos con Las Morenas, de su aversión a la monja alférez y el fraile trabucaire, de la exasperación que le provocaban los soldados con sus indisciplinas y desafueros; y lo redimía, sobre todo, de su aflicción sin consuelo, de su doble orfandad sin lenitivo, de su viudez sin esperanza de la resurrección de la carne. Ninguno de sus dolores se había solucionado ni sanado; y todos ellos seguían conservando los dientes afilados, prestos a lanzar otra vez su mordisco cuando más desprevenido estuviera. Pero el aire mecido por el tañido de los *tambulis* temblaba con inminencias de pólvora, y todo vestigio de dolor quedaba de momento adormecido, aplazado, relegado a un segundo término. Aunque sabía que no estaba salvado y que tal vez nunca llegase a estarlo, el aroma de la guerra en ciernes lo resarcía de su dolor.

En otra circunstancia, Martín Cerezo habría enviado a su asistente, o a cualquier otro soldado de la guarnición, en busca del botarate de Juan Chamizo, que había empleado unas pocas horas de permiso para rendir visita —¡otra vez!— a la mestiza Guicay. Pero el tañido de los *tambulis* resonando juntos en la tarde, mientras cabalgaba al galope por el camino que lo llevaba a la hacienda de don Ramiro Garzón, inspiraba en Martín Cerezo una suerte de orgulloso sentimiento de invulnerabilidad; y también una magnánima relajación de su celo disciplinario: podía castigar, si así lo deseaba, aquella escapada de Chamizo con una semana de calabozo al menos, pero no pensaba ni siquiera echarle una reprimenda; o, si se la echaba, sería tan sólo para mantener en el infractor cierta conciencia de culpa. Cuando al fin llegó a la hacienda de Garzón no le sorprendió que ningún criado acudiera para ayudarlo a desmontar; pues ya el camino lo había encontrado desierto, ahuyentados por el tañido de los *tambulis* todos los habitantes de los alrededores y hasta las faunas de la selva, a las que tal vez aquel sonido ululante también amedrentase. Cuando descabalgó, sin frenar casi el caballito, lo aguardaban en el porche de la casa Garzón, Guicay y Chamizo, estos dos últimos muy melindrosamente abrazados.

—Soldado Chamizo —lo reconvino Martín Cerezo, sin detenerse siquiera a intercambiar un saludo con Garzón o con su hija—, tiene que acompañarme de inmediato de vuelta a Baler. ¿Es que no oye sonar esos cuernos?

Era una pregunta ridícula, pues el sonido se tornaba cada vez más atronador y desquiciante.

—Los oigo, mi teniente. Pero considero que mi sitio está al lado de Guicay.

Martín Cerezo supuso que Chamizo había pretendido que sus palabras sonasen bizarras; y pensó que el mejor modo de tornarlas altisonantes y ridículas consistía en desatenderlas. Se dirigió a Garzón:

—¿Ha recibido algún cable de Manila en las últimas horas?

—Esta mañana cortaron la línea telegráfica —contestó Garzón con un raro aplomo—. Pero antes llegaron estos mensajes.

Le tendió con gesto sombrío unos papelotes arrugados que Martín Cerezo ojeó con premura. Todos ellos abundaban en noticias desoladoras, pero previsibles: «Prosigue sitio Manila. Bloqueo imposibilita entrada y salida auxilios»; «Guarniciones Zambales, Pampanga, Bulacán atacadas»; «Rutger van Houten encargado venta armas insurrectos». Los devolvió a Garzón, que parecía más pálido y ojeroso que de costumbre; la barba rubiasca le crecía como una pelusa delatora de un cierto desaseo. Se interrumpió de súbito el estrépito de los *tambulis*; y el silencio que siguió resultó aún más atronador que su tañido.

—Los insurrectos ya se han reunido —dijo Garzón con una voz neutra, como si se la hubiese pedido prestada a otra persona y no la dominase aún en todas sus inflexiones—. A estas horas estarán recibiendo la arenga con las últimas instrucciones.

Frente a su estolidez, Guicay reaccionó resuelta:

—Huyamos de aquí de inmediato, papá. Voy a preparar los caballos.

—¿Huir? ¿Por qué hemos de huir? —preguntó Garzón con extrañeza. Había tomado a Guicay de la muñeca, impidiendo que caminase hacia las cuadras—. No, hija. Yo no puedo huir como un bandido, o como si fuese un enemigo del pueblo.

Martín Cerezo intervino, resolutivo:

—Será mejor que haga como dice su hija. Esos hombres no respetarán nada.

Había en el gesto de Garzón algo de petulancia heroica que molestó a Martín Cerezo:

—Sabrán respetar a Ramiro Garzón —dijo—. Nada tengo que temer de ellos, puesto que les hice todo el bien que pude. Y de mi amor a esta tierra tú eres el mejor testimonio, Guicay.

E intercambiaron una mirada de recíproca entrega. Martín Cerezo insistió:

—Se lo ruego por última vez, don Ramiro. Vénganse conmigo.

Garzón tomó aire con una difícil ansiedad, como el enfermo que tiene los bronquios congestionados y está a punto de ahogarse. El silencio había impuesto su ley también sobre el cántico de las chicharras.

—Agradezco de veras su ofrecimiento —dijo, muy gentil o temerariamente—, pero yo ni huyo ni me oculto. Aquí encontrarán a la familia Garzón, que a nadie hizo mal y de nadie espera recibirlo.

Cruzó una mirada de anuencia con su hija Guicay, a quien sin embargo empezaban a acuciarla los sollozos. Se había vuelto a cobijar en los brazos de Chamizo.

—No se confíe usted, don Ramiro —le aconsejó Martín Cerezo, con una condescendencia que trataba de disimular su exasperación—, que esta gente nos tiene mucho odio. Y el que no nos tiene odio es un cobarde. Dígame usted, si no —se ensañó—, dónde han ido a parar esos criados suyos, que hace apenas unos días parecían tan obsequiosos.

Aunque reconociese la bravura del viejo carlistón, lo repateaba aquel prurito de brindarse gallardamente al enemigo sin oponer resistencia, a imitación de Cristo en Getsemaní. También aquel pasaje evangélico, tan entreguista, había repateado siempre a Martín Cerezo.

—Esta mañana habían desaparecido todos sin dejar ni rastro —respondió Guicay en lugar de su padre—. Imagino que los habrán obligado a sumarse a la insurrección. —Se volvió hacia Chamizo—: Pero le ruego, teniente, que no me separe de Juan.

Un sollozo se le había quedado atravesado en la garganta. A Martín Cerezo no le gustaba oficiar de aguafiestas:

—Si lo desea, señorita Guicay, puede venirse con nosotros —dijo—. Pero comprenderá y no hará falta que le explique que su novio está sometido a disciplina militar. —Chamizo fue a decir algo, indeciso, pero Martín Cerezo no se lo permitió. Exclamó en un tono agrio—: ¡Cumpla con su obligación, soldado, y súbase ahora mismo a la grupa de mi caballo!

Rodó, como una estampida lejana en el cielo, el primer trueno, anunciando la inminente tormenta y aliviando aquel silencio telúrico que amenazaba con estrangularlos. A despecho de su voluntad, Chamizo abrazó por última vez a Guicay y montó, ayudado por el propio Martín Cerezo, en el caballito que apenas podía con ambos. Antes de aguijonearlo, el teniente aún dijo:

—Si cambian de opinión, en Baler nos tienen a su servicio.

Y se alejaron por la explanada que servía de atrio a la casa, rumbo al este, hacia la espesura que pronto los devoraría, cuando la tarde se rayaba con relámpagos que parecían resquebrajar la bóveda celeste. Guicay los vio empequeñecerse con un llanto mudo, sin exhalar una sola queja ni lanzar un solo reproche a su padre, aunque seguía sin comprender su obstinación. El segundo trueno, mucho más estrepitoso que el primero, tuvo algo de redoble de tambor y de rotura de dique. Ante el porche cayeron las primeras gotas, lentas, gordas y espaciadas.

—¿Y qué hacemos ahora? —preguntó Guicay, sin poder evitar que su voz sonase despechada—. ¿Vamos a ponernos a pegar tiros, como cuando eras joven?

Garzón entró meditabundo en la *caída* de la casa, que todavía guardaba, prófuga del cielo anubarrado, la luz dichosa de los días pretéritos. Sus pasos sonaban sobre la madera rojiza del camagón como sobre el tablado de un patíbulo:

—Aquella edad se fue para no volver, hija —dijo, sintiendo que sobre sus miembros se derramaba una suerte de plácido cansancio—. Anda, enciende unas lamparillas a la Virgen.

Así lo hizo Guicay, mientras la lluvia iba cobrando violencia y espesor, hasta convertir la casa de madera en una caja de resonancia acribillada por una incesante metralla. Rezaron un rato ante el óleo de la Virgen del Rosario y volvieron luego a la *caída*, donde se sentaron, el uno frente al otro, en sendas butacas de bejuco, como habían hecho tantas veces en los años felices, cuando se disponían a intercambiar confidencias. En esta ocasión apenas hablaban; y no porque la congoja los trabara, sino porque no necesitaban hablar para expresar lo que sentían. La lluvia arreciaba y la luz refugiada en la *caída* se iba extinguiendo, hasta que el tono rojizo del camagón se tornó cárdeno como el de un hígado congestionado. Habló Garzón con una imperturbable serenidad:

—Ese muchacho, Juan Chamizo, me gusta mucho, Guicay. —Y hasta procuró añadir una pincelada de jovialidad—: ¡Pero os separa un océano!

Guicay seguía esforzándose, ahora más que nunca, por no imaginar el futuro, pero era una tarea acaso sobrehumana:

—Me ha pedido que lo visitemos en Madrid y se ha ofrecido a enseñarnos la ciudad. ¿Sabías que en Madrid ya hay tranvías eléctricos?

Garzón suspiró, como si contemplara desde un andén de soledad la marcha de todos los tranvías:

—Sospecho que esos avances del progreso ya no son para mí —dijo, en un murmullo que la lluvia claveteaba y sepultaba—.

Sospecho que Madrid tampoco. Aquí he pasado la mitad de mi vida y aquí me gustaría morir. El futuro es para vosotros.

Y mientras sus palabras se iban haciendo más y más susurrantes, hasta tornarse casi inaudibles, se fueron intensificando los aullidos e imprecaciones de los insurrectos, que ya habían hecho irrupción en la hacienda. Los capitaneaba Moisés, jinete sobre un caballito y fusil en ristre. Al llegar ante el porche disparó al aire varias veces, como si quisiera intimidar a los truenos, a la vez que a los habitantes de la casa; por un momento parecía que fuese a desmontar, pero finalmente decidió azuzar el caballito para que salvara los escalones del porche y entró con él en la *caída*. A su espalda, la media docena de insurrectos que lo secundaban, entre un pandemónium de consignas e interjecciones, gritaban el lema de la revolución:

—¡*Castila patay*! ¡*Castila patay*!

Moisés apuntó con su fusil a Garzón, que se levantó de su butaca como si se dispusiera a recibir a un huésped largamente esperado. Aunque la *caída* era una estancia amplia y despejada de mobiliario, la irrupción del caballito, que no paraba de piafar y caracolear y revolverse, le comunicaba un súbito aire de habitación atestada y atosigante.

—Don Ramiro Garzón —dijo Moisés, mirándolo ceñudo—, va usted a morir.

El golpeteo de los cascos del caballito sobre el suelo de madera añadía una solemnidad fúnebre a aquella sentencia sin cargos. Aunque abatido, Garzón no se arredró:

—Aquí me tienes, muchacho. Pero ¿puede saberse cuál es mi delito?

Los insurrectos se habían repartido por la casa; un par de ellos se encargaron de inmovilizar a Guicay, que lloraba lastimeramente y pugnaba por abrazarse a su padre. En su forcejeo, llegó a tumbar a sus aprehensores, que sin embargo lograron reducirla de nuevo.

—Si vais a hacer esa canallada, matadme a mí con él —dijo Guicay, entre llantos convulsos.

Moisés hizo un gesto a sus secuaces, para que la llevaran a las habitaciones altas de la casa y la retuvieran allí. Mientras la subían a trancas y barrancas (Guicay arañaba el pasamanos, pataleaba furiosa y chillaba hasta quedar afónica), Moisés se mantuvo extrañamente ajeno a la escena, como evadido de la realidad.

—Muchacho, te recuerdo bien —dijo entonces Garzón—. Tú eres un artista, un hombre sensible. ¿Qué demonios haces en el Katipunan?

—Decíais de nosotros que éramos unos incapaces —respondió Moisés incongruentemente, con voz de visionario—. Ahora vais a saber de lo que somos capaces. Sorprenderemos al mundo entero.

Garzón dio un paso al frente, hasta casi ofrecer su pecho al contacto del fusil que lo apuntaba. En su osadía tal vez hubiese algo de insensatez:

—¿Quién te decía que eras un incapaz? ¿Acaso sor Lucía, que siempre se desvivió por ti? ¿Acaso los frailes?

Ante la mención de los frailes, Moisés se encabritó y tiró de las riendas, obligando de nuevo a piafar al caballito, que derribó al suelo a Garzón. Recitó un repertorio de agravios como el juramentado recita su lección sectaria:

—Nos habéis tenido sujetos y esclavizados durante mucho tiempo. Os habéis aprovechado de nuestra buena voluntad. Habéis explotado a nuestros mayores, violado a nuestras mujeres, pervertido a nuestros niños... Ahora las vais a pagar todas juntas.

—¡Basta, Moisés! —se sublevó Garzón—. Puedo aceptar que me trates como a un enemigo, si es que en tu secta te obligan a hacerlo con todos los *castilas*. Pero no voy a permitirte que me ensucies con esas infamias. He dado trabajo a mucha gente de tu pueblo y les he pagado por ello; a muchos los he criado y educado en esta hacienda; y he juntado mi sangre con la vuestra. De modo que guárdate toda esa propaganda masónica. Y te recuerdo que, aunque me consideres tu enemigo, estoy desarmado y me he entregado sin oponer resistencia; de modo que exijo un trato digno.

Esta última reconvención hizo mella en Moisés, que tenía órdenes de Novicio de tratar con delicadeza a sus prisioneros. Pero el odio se revolvía en sus tripas como una fiera enviscada:

—Nuestros aliados americanos nos piden que no tengamos piedad con el enemigo —dijo, para justificarse.

—Pues así sólo conseguiréis restar fuerzas y enajenaros simpatías —prosiguió Garzón, que había hallado su flanco débil—. Luego los americanos no tendrán más que alegar que los filipinos sois unos salvajes incapaces de gobernaros a vosotros mismos, que es el pretexto que emplean los imperialistas para aprovecharse de la presa que codician. Los rencores os están cegando, Moisés; y así sólo conseguiréis desacreditaros. ¡No entiendo para qué os enseñaron los frailes la doctrina, si luego la contradecís de esta manera!

La repetida mención a los frailes encrespó a Moisés, que desmontó del caballito y volvió a apuntar a Garzón, esta vez en la frente, sosteniendo el fusil con ambas manos:

—¡Son los propios frailes quienes desacreditan con sus actos la doctrina que nos enseñaron! —Hablaba como un enajenado—. Por eso, en pago por las felonías que han cometido, les hemos jurado odio eterno...

E, inopinadamente, lo sacudió un sollozo, seguido por un tembleque que lo obligó a arrojar el fusil al suelo. Garzón trató de rastrear en su mirada el odio teológico que se inculcaba en las logias; pero sólo descubrió un odio visceral, más atolondrado y tortuoso, más humano también.

—Haz lo que tengas que hacer —dijo, incapaz de descifrar las razones de aquel odio.

Moisés caminaba errático y tambaleándose por la *caída*. El repiqueteo de la lluvia anegaba su hilo de voz:

—Si por mí fuera, los habría matado —dijo sin convicción—. Pero Novicio no es de mi misma opinión; él es mucho más prudente y benévolo, y es quien manda. Para luchar hace falta mucho dinero, así que pediremos rescate por usted y por su hija al gobierno español. Si no intentan escapar, nada malo les ocurrirá.

Aquella solución se le antojó irrisoria a Garzón:

—Pues dudo mucho que el gobierno español desembolse un mísero duro por nosotros —comentó, encogiéndose de hombros—. Yo ya perdí una guerra en España; y soy un desterrado del que muy tranquilamente pueden desprenderse sin remordimiento.

—¡Cállese y no me tiente más! —gritó Moisés.

Y salió al porche, para aplacar su ofuscación y respirar el aire refrescado por la lluvia. La humedad ambiental se le inmiscuyó en los pulmones como si fuera un cemento a punto de fraguar, asfixiándolo casi. Avergonzado de sí mismo, Moisés reprimió un vómito.

* * *

En Baler, entretanto, apenas si quedaba alma viviente, aparte de los soldados del destacamento; y los pocos balereños que aún permanecían en sus casas se apresuraban a desalojarlas a toda prisa, llevándose consigo la ropa y enseres indispensables, así como las pocas alhajas y objetos de valor que poseían. Desde que por la mañana empezaran a sonar los *tambulis*, se iniciaron las defecciones, que adquirieron ribetes de desbandada al fundirse en uno todos los tañidos, atronando los contornos. Y cuando finalmente los *tambulis* enmudecieron, ya sólo quedaba en el pueblo alguna familia rezagada que todavía dudaba entre mantener su lealtad a los *castilas* o huir al monte, abandonando su *bahay* y sus sementeras; y acabaron por marcharse, temerosas de las represalias de los insurrectos. El capitán Las Morenas había intentado persuadir a los balereños con un repertorio de variados argumentos, asegurándoles que nada les pasaría, pues la tropa estaba allí para defender la plaza y a la gente pacífica que se pusiera bajo su protección. Pero ninguno había atendido sus exhortaciones, bien por miedo, bien porque creían en el éxito de la revolución, bien por tener familiares entre los rebeldes; y Las Morenas tuvo que presenciar, con harto sentimiento de fracaso, la huida de la población al completo, sin que las relaciones de buena vecindad trabadas durante los más de cuatro meses que llevaba al mando sirviesen de nada. Tampoco, por cierto, habían influido en el ánimo de los balereños las recomendaciones de fray Cándido y sor Lucía, que eran, con diferencia, los *castilas* con más ascendiente en el pueblo.

—¡Vamos, muchachos, dense prisa! —se desgañitaba Las Morenas bajo la lluvia tempestuosa—. Trasladen todos los víveres a la iglesia. ¡Y no se olviden esos sacos de harina del porche!

Lanzó una mirada desilusionada o descreída al ángel custodio que Moisés había tallado sobre la puerta de entrada a la comandancia, que había resuelto abandonar, sabedor de que en un hipotético asedio no tardaría en ser pasto de las llamas. Habían comenzado por meter en la iglesia veintitantas tinajas llenas de agua, a pesar de que acababa de estrenarse la estación de las lluvias, en previsión de un largo sitio; habían seguido con las municiones, que eran sobradas; y ahora cargaban con las provisiones, que por el contrario eran más bien escasas y en dudoso estado de conservación, por causa de la humedad. Vigil, el teniente médico, salía de comandancia cargando una torre de latas de carne. Las Morenas lo detuvo:

—No, Vigil, usted encárguese del botiquín, que es mucho más importante.

Vigil trató de comunicar a sus palabras un cierto gracejo malagueño, pero le brotaron más bien alicaídas:

—Mi capitán debe de estar de guasa. No tenemos más botiquín que lo que pude cargar en mi petate. Un poco de algodón y de gasas, unos frascos de yodo y sulfatos, algunas medicinas que tal vez estén caducadas...

—Será suficiente, ya lo verá —lo interrumpió Las Morenas, fingiéndose optimista, pero abrumado en el fondo—. Apenas tendrá que curar unos pocos rasguños.

Y le palmeó la espalda, dándole bríos para afrontar la lluvia, convertida en un cortinón que calaba apenas en un instante y ya había convertido las calles en un impracticable barrizal. Las Morenas contempló con el alma encogida el trasiego de los soldados en la plaza de los naranjos, cargando con fardos y barriles que pesaban casi más que ellos y los hundían en el lodo. Llegó al porche de comandancia, con el hábito empapado, fray Cándido, que fue a cargar otro saco de harina.

—¿Usted cree que la iglesia podrá aguantar un asedio? —le preguntó.

El edificio descollaba sobre los naranjos de la plaza, con las paredes enjalbegadas que la lluvia y el cielo anubarrado agrisaban. Tenía algo de almacén y algo de fortaleza, con pilares fornidos y un tejado de dos aguas forrado con una gruesa chapa de cinc. Aunque algo achaparrada, la torreta de madera del campanario le añadía cierta gracilidad.

—Si no resiste esa iglesia, no hay ninguna en el mundo que pueda hacerlo —aseguró fray Cándido—. La levantó fray José Urbina, que sabía mucho de arquitectura militar, poco antes de que yo viniera a Baler por primera vez. Sus únicos puntos flacos son la torreta del campanario y la sacristía y casa parroquial anejas, también de madera. Pero los muros tienen metro y medio de espesor. Necesitarían cañones de gran calibre para derribarlos. Y no creo que los tengan.

Acababa de llegar ante el edificio de comandancia, procedente de la hacienda de Garzón, el teniente Martín Cerezo, con Chamizo a la grupa de su caballito. Había escuchado el diagnóstico de fray Cándido sobre la inexpugnabilidad de la iglesia:

—Y aunque tuviesen esos cañones —dijo, desmontando—, no podrían atravesar con ellos la sierra. Los verdaderos problemas a los que nos enfrentamos no están en la resistencia de la iglesia.

—¿Dónde, entonces? —preguntó Las Morenas.

Observó que la lluvia humeaba en la guerrera de Martín Cerezo, como si lo agitase una incandescencia interior, capaz de evaporar al instante el agua. Y, en efecto, después del marasmo de los meses anteriores, Martín Cerezo parecía galvanizado, como si la proximidad de la batalla lo llenase de una trepidación incontenible.

—Debemos empezar por excavar una trinchera, asegurándonos un terreno en derredor de la iglesia, para repeler los ataques —dijo, con ademanes de estratega—. Si los insurrectos son pocos, podríamos incluso hacerles frente desde la trinchera, sin necesidad de encerrarnos en la iglesia.

Tal vez encerrarse en la iglesia le causara un cierto repeluzno, después de que el silencio de Dios lo llevara por el sendero de la destrucción. La lluvia había empezado a amainar misteriosamente, como domeñada por la resolución de Martín Cerezo.

—Dudo que sean pocos —dijo Las Morenas, sin pretender resultar agorero—. Y aparte de excavar esa trinchera, ¿qué debemos hacer, a su juicio?

Martín Cerezo no se recató de lanzarle algún reproche:

—Si el asedio fuera largo, nuestro principal problema será el suministro de agua. Se lo advertí muchas veces, mi capitán: era preciso excavar un pozo, porque en caso de revuelta los insurrectos no nos dejarían acceder al canal. Usted no me hizo caso entonces y ahora nos coge el toro.

Las Morenas reconoció su error, nacido de un exceso de confianza, con un gesto mohíno. Se excusó:

—He ordenado meter más de veinte tinajas en la iglesia...

—Como si son cincuenta, mi capitán —lo interrumpió Martín Cerezo—. Por muchas que metamos siempre se nos podrán acabar, si el asedio dura mucho. Le propongo excavar un pozo en el interior de la iglesia.

Las Morenas buscó la asistencia de fray Cándido:

—¿Usted cree que habrá agua debajo de la iglesia?

—Yo diría que sí... —dudó fray Cándido—. Sobre todo en la parte del corral he notado mucha humedad en el suelo.

Chamizo asistía a la conversación de los oficiales y el fraile como un pasmarote, tal vez sin escucharla, con la mente todavía prisionera en brazos de Guicay.

—Cójase entonces a Chamizo y a otros cinco soldados y pónganse a excavar ese pozo, teniente —decidió Las Morenas—. Yo me encargaré de dirigir la obra de las trincheras. —Se volvió hacia Chamizo, infundiéndole ánimos—: Volverá a reunirse con ella, soldado; y en mucho menos tiempo del que tardó Odiseo en reunirse con Penélope.

—Eso espero, mi capitán —se cuadró Chamizo y remató la broma homérica—: Y también espero que la asedien algo menos los pretendientes, entretanto.

Y se marchó, en pos de Martín Cerezo, que ya se encaminaba, con zancadas muy impetuosas, hacia la iglesia. Las Morenas, abrumado por la celeridad con que se sucedían los acontecimientos, afianzó las manos sobre el balaústre del porche. Fray Cándido miró el ángel tallado por Moisés y se santiguó; se acercó a Las Morenas arrastrando el saco de harina:

—Capitán, no tiene por qué reprocharse nada —dijo, contrito—. Somos otros quienes deberíamos hacerlo.

La lluvia les concedía al fin una tregua, declarándose en retirada para ceder paso a la noche. Las Morenas dirigió la mirada al *bahay* de la escuela; de uno de sus ventanucos brotó la tímida luz de una lámpara de petróleo.

—Todos escondemos algún pecado, fray Cándido —dijo, haciendo examen de conciencia—. Usted seguro que al menos tiene el valor de confesarlos.

Su comentario obró benéficamente, como un bálsamo, sobre la tribulación de fray Cándido. Las Morenas seguía con la vista clavada en la escuela; y como si sus pensamientos tuviesen la fuerza de un ensalmo, salió de repente sor Lucía, tras comprobar que había dejado de llover. Su toca fosforecía en la oscuridad, como una llama pálida.

—Yo, en cambio, no creo que lo tuviera para confesar los míos —dijo Las Morenas crípticamente, en un susurro.

Siguió con la mirada a sor Lucía, que caminaba con premura hacia la comandancia, sujetándose la toca. El revoloteo de su hábito, en combate con ráfagas encontradas de viento, le comunicaba un aspecto a la vez desvalido y pugnaz.

—Para pecar hace falta una mirada turbia, capitán —lo consoló fray Cándido—. Su mirada es más blanca que la toca de la hermana.

Y, cargando con el saco, se dirigió a la iglesia, cruzándose en el camino con sor Lucía, que siguió hasta comandancia, donde la aguardaba Las Morenas, algo turbado por su presencia. Sor Lucía trataba de sonreír, pero la sonrisa, increíblemente, se le dibujaba desangelada en los labios:

—Los *tambulis* han dejado de sonar... —dijo, mirando hacia los lejanos montes, tintos de sombra—. Tal vez hayan decidido retirarse.

La separaba de Las Morenas el balaústre de comandancia. Su interpretación del silencio que había seguido al tañido de los *tambulis* era más piadosa que verosímil.

—Más bien sospecho que ya habrán reunido a sus gentes y que se aprestan para lanzar su ataque al amanecer.

Sor Lucía acató aquella rectificación como si fuese un rapapolvo a su exceso de optimismo. Se mordió el labio inferior:

—¿Y qué piensa hacer entonces?

—Lo que se espera de mí —dijo Las Morenas, con un acento tétrico o fatalista—. Defender la plaza. Para eso me pagan.

Sor Lucía llevó las manos al balaústre, como dos palomas que buscan cobijo bajo el alero de un tejado. Las Morenas estuvo tentado de recogerlas entre las suyas. Tembló cuando sor Lucía le dijo, como si implorase:

—¿Y hasta cuándo, capitán?

Quería decirle muchas cosas, a lomos de esa locuacidad que nos asalta cuando presentimos que la muerte nos merodea, pero ninguna le parecía decorosa, aunque todas le brotasen del alma. En su lugar, divagó:

—¿Hasta cuándo? Hasta que el enemigo nos aniquile, hasta que lleguen refuerzos, hasta que los insurrectos se rindan... Quién sabe. —Y añadió abruptamente, venciendo el pudor—: Pero, por favor se lo pido, véngase con nosotros a la iglesia.

Sor Lucía sonrió, ahora con desarmante franqueza, como si esa petición de Las Morenas le hubiese sonado como un piropo. Luego denegó con la cabeza, tozuda:

—Seré más útil aquí, capitán. Novicio me necesita tanto como usted; y, mientras me tenga cerca, respetará sus vidas, por respeto hacia mí. —Hizo una pausa y añadió enigmática—: Tal vez no respete a la monja, pero sí a la mujer.

Un grupo de soldados comandados por el cabo González Toca volvían a comandancia, con las manos vacías después del traslado de municiones y de víveres. Las Morenas les solicitó que comenzaran a excavar una trinchera en derredor de la fachada este de la iglesia, empleando la propia tierra desalojada para elevar un pequeño parapeto; y prometió reunirse con ellos enseguida. Cuando se hubieron alejado un poco, Las Morenas zahirió amablemente a sor Lucía:

—¿Se puede distinguir entre la monja y la mujer?

Para su sorpresa, aquella pulla —que le había parecido inofensiva al formularla— ofendió a sor Lucía, que retiró las manos de la balaustrada:

—Claro que se puede —contestó, en un tono un tanto recriminatorio—. La mujer siente miedo y huiría de buena gana; la monja se mantiene en su puesto. La mujer se rinde a los halagos; la monja los rechaza. La mujer duerme; la monja se mantiene en vela. La mujer...

Las Morenas la miró dulcemente; y por un segundo imaginó que la mujer triunfaba sobre la monja.

—¿Es la monja el escudo de la mujer? —preguntó a bocajarro.

Se hizo un silencio perplejo; pero enseguida sor Lucía contraatacó, casi colérica:

—¿Y el militar? ¿Es el militar el escudo del hombre?

Las Morenas recibió aquella pregunta como un salivazo o una imprecación, en justo castigo por haberse propasado. Sentía que la inminencia del peligro le infundía una insensata temeridad; y que la expectativa de separarse de sor Lucía le inspiraba unos celos de Novicio todavía más insensatos:

—Dejémonos de acertijos, hermana —dijo, adoptando un falso tono circunspecto—. Yo de usted me tomaría mis precauciones. Recójase en la escuela y no salga hasta que no vea alzar la bandera blanca a uno de los contendientes.

Sor Lucía crispó los puños, como si tratara de reprimir una rabieta:

—¡Bonita manera de despedirse de una amiga! —lo censuró—. Ya le he dicho mil veces que confío plenamente en Novicio. Le he pedido que no repita la carnicería del pasado año y tengo la absoluta convicción de que no lo hará. No sé si tiene usted la misma confianza en sus hombres. Yo en su lugar me preocuparía de atar en corto al teniente Martín Cerezo. —Trastabilló, irresoluta, mientras retrocedía hacia el *bahay* de la escuela—. ¡Buenas noches y mucha suerte!

—Buenas noches, hermana —murmuró Las Morenas—. Volveremos a vernos... espero.

La pálida fosforescencia de su toca se fue empequeñeciendo, hasta que se la tragó la noche. No sabía Las Morenas cómo podría atar en corto al teniente Martín Cerezo, que desde que la guarnición se empezase a preparar contra el previsible ataque de los insurrectos parecía otra persona, o tal vez muchas personas en una, juntando en él un brío sobrehumano, como las flechas se juntan en un haz. Durante aquella noche, desdoblándose sin descanso y espoleando a la tropa con palabras siempre enardecedoras, Martín Cerezo logró concluir las obras de fortificación de la iglesia, o al menos las imprescindibles para afrontar un asalto. Halló, en primer lugar, agua en abundancia y suficientemente potable en el pozo que habían excavado en el patio de la sacristía, cuando aún no habían profundizado más de dos metros y medio; como el suelo era muy arenoso y la corriente subterránea muy fuerte, para que no se cegara el hoyo, revistieron las paredes con baldosas de piedra y encajaron media pipa de vino en el fondo. Después Martín Cerezo se dedicó, pidiendo prestados más hombres a Las Morenas, a terraplenar las puertas y ventanas de la iglesia, dejando únicamente una aspillera en ellas para poder disparar al enemigo. En el baptisterio ordenó abrir tres troneras que permitían tener una vista completa sobre la plaza de los naranjos y ángulos de tiro, tanto frontal como laterales. Para fortificar la sacristía, que tenía las paredes de madera muy endeble, mandó construir otra pared concéntrica del mismo material, dejando entre la una y la otra una distancia de medio metro que los soldados rellenaron de tierra procedente de las trincheras, hasta la altura de un hombre mediano. La puerta que conducía al patio desde la sacristía la mandó proteger con una tapia levantada con guijarros y mortero; y cerca de donde habían excavado el pozo construyeron también una letrina. Además, Martín Cerezo ordenó hacer otra trinchera en forma de ángulo que protegiera la puerta de la sacristía y el acceso al patio. Y todo ello logró hacerlo mientras Las Morenas aún se afanaba con un grupo de soldados en rodear la iglesia con un foso que cerrase, también en ángulo recto, los dos accesos principales. Cuando concluyó las obras principales de fortificación, Martín Cerezo se subió al coro de la iglesia, alumbrada por lámparas de petróleo, para supervisar el trabajo de los soldados, que aunque exhaustos todavía tenían fuerzas para cargar con los bancos de la nave y convertirlos, a golpe de hacha, en leña, que apilaban en la sacristía, mientras otros se encargaban de aspillerar las ventanas, con los sacos de tierra extraída de las trincheras. Inmune a la fatiga y al sueño, como si acabara de dormir una siesta, Martín Cerezo contempló con inconfesable regocijo la iglesia convertida en pocas horas en un fortín, inservible para el culto. Entonces, oscureciendo ese regocijo íntimo, reparó en la imagen que presidía el altar, un inmenso Crucificado de rasgos algo toscos y truculentos, con la cabeza inclinada sobre el pecho, como si acabase de expirar. Llamó enérgico a su asistente, después de comprobar que no podía localizarlo a simple vista:

—¡Caldentey! ¡Preséntese en el coro de inmediato!

Apareció por la puerta de la sacristía Caldentey, un tanto intimidado por el despliegue de actividad exhibido por Martín Cerezo:

—A sus órdenes, mi teniente —dijo, después de quedarse casi sin resuello subiendo las escaleras del coro—. ¿Qué se le ofrece?

Martín Cerezo señaló el Crucificado del altar, como si lo estuviese apuntando con un revólver:

—¡Encárguese de bajar ese ídolo y convertirlo en leña!

Había dado la orden con una voz terminante que retumbó en las paredes de la iglesia, provocando conmoción y extrañeza entre los soldados, a quienes se les antojaba sacrílega o, al menos, irreverente. Caldentey vaciló, cobardón; y cuando ya se disponía, tartamudo y agitado por un tembleque supersticioso, a ejecutar la encomienda, salió fray Cándido de la sacristía, donde se hallaba ayudando a los soldados a apilar la leña. Tenía el rostro tiznado y el hábito todavía húmedo; y caminó parsimoniosamente hasta el centro de la nave:

—Ese ídolo, como usted dice, se queda quietecito donde está —dijo, con los brazos en jarras y alzando la mirada, retador.

Martín Cerezo dio un paso al frente, asomando medio cuerpo sobre el antepecho del coro:

—Le advierto que quien manda sobre la tropa soy yo...

—Y yo le advierto que entre estas paredes el que manda soy yo —le replicó fray Cándido, con un retintín pendenciero.

El teniente se quedó mirándolo con reconcentrada hostilidad, en la certeza de que el fraile sería su principal oponente, mientras durase la campaña que apenas se iniciaba. Cuando Martín Cerezo dudaba si enzarzarse en una disputa más agria, entró Las Morenas en la iglesia, solicitando que los hombres que hubiesen concluido sus labores tomaran palas y azadones, para ayudar a los que todavía excavaban la trinchera. Se había quedado una noche clara después de la tormenta, como si las nubes también hubiesen decidido huir despavoridas de Baler, siguiendo el ejemplo de sus pobladores y dejando rezagadas a las estrellas, que titilaban o tiritaban desguarnecidas. Su conversación última con sor Lucía había dejado en el capitán un poso de zozobra que trató de exorcizar metiéndose también él en la zanja que excavaban sus hombres. El trabajo físico le devolvía las ganas de seguir vivo.

—Anda, mi capitán, que si me dicen a mí cuando me enviaban a escardar que en el ejército también me iba a tocar doblar el espinazo... —bromeó Santamaría.

—Hazte a la idea de que estás buscando un tesoro que enterraron aquí los bucaneros —lo consoló Las Morenas, hundiendo la azada en aquella tierra blanda que parecía invitar a descansar o expirar.

Santamaría se echó la pala al hombro, perplejo:

—Pues sí que lo enterraron hondo, los muy cabritos.

Los soldados celebraron la chanza con risotadas demasiado estrepitosas, como si más que expresar alegría deseasen espantar el miedo. Las Morenas reparó en el zagal Calvete, que se afanaba en la trinchera con las botas militares colgadas al hombro a modo de albarda. Relucían impolutas, como si las acabase de abrillantar con grasa de caballo.

—¿Será posible que todavía no haya jubilado las polainas? —le preguntó, admirado.

—A punto estoy de hacerlo, mi capitán —respondió Calvete, con la ingenuidad de siempre—. Y no porque no me puedan tirar todavía un poco. Pero ahora que vamos a encerrarnos en una iglesia...

Menache, más sombrío que los demás, rezongó:

—¿Pues qué? Allí dentro estarás menos expuesto al barro y a la lluvia, conque no te harán falta las botas.

—¡Pero serás bruto! —lo reprendió Calvete, que le había perdido el miedo—. A una iglesia no se puede entrar con polainas, hay que ser respetuosos.

A Las Morenas lo conmovió aquel sentido del decoro, tan campesino, que ya se iba perdiendo entre las gentes de ciudad. Cifraba en ese sentido del decoro la supervivencia de un cierto modo agónico de ser español:

—Pero la iglesia la ha desconsagrado fray Cándido esta tarde, Calvete —lo exoneró Las Morenas de sus escrúpulos—. Puede calzar como le apetezca.

—No, mi capitán, que el que tuvo, retuvo —se obstinó Calvete—. Y si en la iglesia se consagraba todos los días, digo yo que porque se haya desconsagrado una vez no va Dios a tomar las de Villadiego así como así. Además, que yo soy animal de costumbres. Y que cada uno haga de su capa un sayo.

Había en aquellas palabras algo a la vez cazurro y sutil que encandilaba a Las Morenas. Volvieron los soldados a reír con estrépito y el cabo González Toca empezó a silbotear con un ímpetu que ponía a prueba su capacidad pulmonar.

—Qué bárbaro, cabo, parece usted un jilguero.

—Es que he descubierto cuál es la fórmula para soportar la vida y hacernos dignos de ella, mi capitán.

Como era un poco tripón y tenía los huesos demasiado bataneados, le costaba doblarse más que a los demás. Su silboteo, de vez en cuando, disimulaba un pinchazo de lumbago.

—Vaya, vaya —dijo Las Morenas, inquisitivo—. ¿Y cuál es esa fórmula?

González Toca frunció sus rasgos de ídolo azteca con un ademán tribunicio:

—Llenarla con una gran idea, con un fin noble.

—¿Y con qué fin ha decidido usted llenarla?

—Con la felicidad de dedicarme a lo que me gusta —se apresuró a responder González Toca—. Mira que los soldados llevamos una vida perra... Pero pienso en la que llevaría si me hubiese dedicado a cualquier otro oficio, que seguramente sería mucho más cómoda pero también mucho más insípida, y bendigo mi miseria de pobre soldado. Y cuando uno ha alcanzado lo que desea, es un pecado estar triste. Así que me he propuesto no querer averiguar los misterios de mi destino: me pongo en las manos de Dios y disfruto del regalo que me hizo, permitiéndome ser soldado.

Su reflexión despertó comentarios encontrados entre sus compañeros. Las Morenas pensó que un pueblo que brindaba espontáneamente aquellos frutos de humanidad hubiese merecido mejores gobernantes; y también que esos gobernantes indignos acabarían maleando al pueblo.

—Yo quisiera también estar alegre —intervino Menache—, pero el fin con el que me propuse llenar mi vida fracasó. Tal vez porque era un imposible.

—¿Y cuál era ese fin? —preguntó Las Morenas.

La excavación de la trinchera quizá le recordase su época de minero en Pueblonuevo del Terrible, picando carbón; y las arrugas de su rostro se volvían a ahondar como chirlos.

—Descubrí que el mundo es un negocio en manos de unos pocos, mi capitán —dijo, con un resabio incurable—. Y que mientras la posesión de las riquezas no estuviese repartida de una forma equilibrada no habría paz en él. —Se quedó callado, esperando que Las Morenas lo rebatiese, pero Las Morenas nada podía objetar a esa conclusión—. Hasta que llegué a darme cuenta de que no habría paz nunca.

—Con la muerte, si acaso —terció Santamaría.

Menache remató sarcástico, hincando la pala en la tierra:

—Pues cuando nos llegue esa paz, al menos nos pillará con la tumba excavada.

Rieron también los soldados esta muestra de humor negro. Y así, entre chanzas y quiebros macabros, jugaban al escamoteo con la muerte, que les seguía deslizando palabras ofidias al oído. Con los primeros clarores, las trincheras habían quedado más o menos terminadas; y fue la hora en que Las Morenas se refugió con una docena de hombres en el interior, mientras Martín Cerezo se quedaba en las trincheras con el resto del destacamento, pues todavía seguía acariciando la posibilidad de repeler el ataque de los insurrectos defendiendo la posición, sin necesidad de encerrarse en la iglesia, donde ya no quedaría otra táctica sino resistir el asedio numantinamente. A las cinco, aproximadamente, los pájaros que saludaban la mañana con su canto enmudecieron; y hasta el rocío dejó de posarse sobre la hierba, por no hacer ruido. Poco a poco, emergiendo de ese silencio fúnebre, como el magma emerge de las profundidades de la tierra, se empezó a oír un rumor bronco, aunque todavía en sordina. Martín Cerezo revistó a los hombres mientras el rumor se convertía en mugido y pronto en una gritería espantosa, como brotada simultáneamente de cientos o miles de gargantas, que hizo perder la serenidad a la tropa. Procedente del río, una marabunta de gentes, encabezada por unos pocos insurrectos armados, se aproximaba a la iglesia, al principio con paso quedo, pero enseguida a la carrera, haciendo retumbar la tierra como si fuesen una estampida de carabaos. Detrás de los insurrectos iba una multitud de campesinos, muchos de ellos seguramente de Baler, sin más armas que los utensilios de su oficio.

—¡Preparen armas! —ordenó Martín Cerezo.

Los soldados cargaron sus fusiles. Al verlos asomar por las trincheras, los insurrectos detuvieron su carrera y, aunque siguieron avanzando, lo hicieron más medrosamente. Ya podían distinguirse sus rostros: en la vanguardia, caminando a pecho descubierto, Martín Cerezo reconoció a Novicio, quien durante semanas se había paseado impunemente por las calles de Baler, sin que Las Morenas hiciese nada por evitarlo.

—¡Apunten! —gritó.

Los insurrectos y su séquito se detuvieron en seco, mientras los españoles los apuntaban tensos. Novicio hizo gestos ostentosos de contención, exhortando a los suyos a retroceder, pero entre sus filas brotaron algunos exaltados que arrancaron a correr hacia la trinchera, al grito consabido de ¡*Castila patay*!, y arrastraron a su rebufo a varias decenas de incautos. Martín Cerezo ordenó impávido:

—¡Fuego!

Sonaron las detonaciones como una traca sin alborozo e iluminaron la plaza, donde todavía se refugiaba la noche, al modo de un relámpago. Cayeron varios tagalos, algunos tan sólo heridos, pero esto no arredró a los exaltados que prosiguieron su absurda carga, avanzando entre los naranjos, mientras Novicio se mesaba los cabellos, furibundo. Martín Cerezo mandó cargar otra vez los fusiles; sonó el chasquido característico de los cerrojos cuando se corren y los soldados introdujeron otra bala en la recámara. Mandó apuntar cuando ya los insurrectos alcanzaban la tierra de nadie que mediaba entre los naranjos y la trinchera; y esta vez la descarga causó más estropicio entre el enemigo. Tanto que Novicio, viendo caer a sus hombres, decidió por coraje asistirlos (aunque hubiesen desobedecido las consignas que les había dado), y ordenó la carga a su contingente, que lo hizo reanudando la gritería ensordecedora y la carrera en marabunta. Mientras corrían hacia la trinchera, disparaban sus escasos fusiles para obligar a los *castilas* a protegerse detrás de los parapetos.

—¡Agáchense! —ordenó Martín Cerezo, a quien sin embargo no arredraba el silbido de las balas—. ¿No me han oído?

La tierra temblaba bajo sus pies y algunas balas se incrustaban en los sacos terreros del parapeto. González Toca se arrastró con dificultad por la trinchera, hasta situarse a la vera de Martín Cerezo:

—Con su permiso, mi teniente. Una retirada a tiempo...

Pero con esa retirada se disipaba la última posibilidad de presentar batalla en el exterior y conservar bajo su poder el pueblo de Baler. Nunca había imaginado Martín Cerezo que los insurrectos pudieran lograr tantas adhesiones. Cedió a regañadientes:

—Está bien, cabo. —Y lanzó la orden fatídica—: ¡Volvemos a la iglesia!

La marabunta de los insurrectos ya había alcanzado la plaza de los naranjos cuando realizaron ordenadamente el desalojo de la trinchera. Se abrió el portón de la iglesia para acogerlos, mientras los hombres al mando de Las Morenas les cubrían la retirada con una nueva andanada. Comprobando que retrocedían, Novicio detuvo la carga y ordenó a sus hombres ocuparse de los heridos y de los cadáveres que se dispersaban entre los naranjos como frutos pochos; se le notaba apesadumbrado, pues se disipaban todas sus magras esperanzas de resolver la situación sin derramamiento de sangre. Martín Cerezo fue el último en entrar en la iglesia, desalentado y exhausto, como si el cansancio de la noche frenética y en vela le hubiese caído de repente encima, como un fardo de chatarra. Tenía, como los demás soldados que se habían afanado en las trincheras, el uniforme completamente embarrado; y se derrumbó, resollante, sobre el suelo de la iglesia con los brazos en cruz, a imitación de la imagen que un rato antes había querido convertir en leña.

—¿Por qué disparó, Saturnino? —le reprochó Las Morenas, a la vez que le tendía la mano, para ayudarlo a alzarse—. Apenas tenían armas. Y no cargaron más de una docena...

Chirriaron los goznes del portón al cerrarse. Los soldados lo aseguraron, echándole la tranca y fortificándolo con sacos terreros; a sus rostros afloraban gestos mortuorios. Así debían de sentirse los criados de los faraones egipcios, cuando los encerraban con los cadáveres de sus señores en el corazón de una mastaba.

—¿Es que no los vio venir como fieras, mi capitán? —se justificó Martín Cerezo—. Nos habrían hecho picadillo...

Las Morenas escudriñó el patio de los naranjos, acercando el ojo a una hendidura en el portón.

—Son muchos más de los que pudiéramos suponer... —dijo, preocupado.

—Ya le advertí que desconfiara de los indios, mi capitán —le recordó Martín Cerezo, con engreído despecho—. Llevan la traición en la sangre.

Y ellos notaron que la suya se empezaba a agostar, al quedarse sin horizontes. Era la mañana del 30 de junio de 1898.

3

Durante las primeras semanas del asedio no hizo sino llover con encono, diluviar como los soldados del destacamento no podían ni siquiera imaginar que fuera posible; y el repiqueteo incesante de la lluvia en el tejado, amplificado por la concavidad del templo, tenía algo de martilleo que iba magullando la cordura. Fuera de las numerosas guardias que debían hacer, y siempre que el ulular del viento que se colaba por las aspilleras no los asperjase de agua de lluvia, el estado habitual de los soldados, después de la inquietud de los primeros días, era de duermevela; una duermevela casi vegetativa que, poco a poco, se convertía en rutina y extenuaba las capacidades mentales, comenzando por la voluntad, siguiendo por el entendimiento y terminando por la memoria. Sin apenas darse cuenta, se iban haciendo más indolentes y descuidados, no sólo en la higiene personal y en su trato con los demás, sino incluso en aquellas funciones fisiológicas que aseguraban su supervivencia. A veces, extrañamente, se sentían sin apetito, sin ganas de dormir, incluso sin deseos de solazarse, aunque sólo fuera jugando a las cartas o conversando entre sí; y esta pereza sibilina que se apropiaba de su voluntad se fue convirtiendo paulatinamente en desidia, en acedia, en un hastío de vivir que, como gas venenoso, les iba corroyendo el alma. En la iglesia —cuyas ventanas habían sido fortificadas sin excepción, dejando tan sólo una rendija de luz, por si hubiese que disparar contra el enemigo— apenas disfrutaban de luz natural; y así las diferencias entre el día y la noche se fueron poco a poco difuminando, y con su difuminación empezó a derramarse un torpor sobre los sentidos que hacía cada vez más difícil cubrir las guardias con la debida atención, escuchar con aprovechamiento las instrucciones de los oficiales y hasta seguir el hilo de los rosarios que rezaban de noche, bajo la guía de fray Cándido. También la memoria empezaba a fallarles, pues al no saber en qué día vivían, no sabían tampoco distinguir las cosas que dentro de ese tiempo sucedían, que se tornaban borrosas, inciertas, intercambiables. Semejante estado de galbana tenía también sus ventajas: pues, cuanto menos despiertos tenían los sentidos y más embotada la inteligencia, menos los hería el zarpazo de la nostalgia, menos los reclamaba la vida que seguía danzando fuera, menos sentían la ausencia de las personas que allá a lo lejos los esperaban, hasta que los calendarios se quedasen calvos o las ranas criasen pelo.

De este marasmo querido que actuaba a modo de exorcismo de las penas sólo los sacaban, muy de vez en cuando, los disparos retóricos que hacía el enemigo desde la plaza de los naranjos. Eran siempre tiroteos poco nutridos, como el petardeo de una verbena sin pedigrí, acordes con los escasísimos fusiles con que contaban los sitiadores; y los sitiados, a quienes sobraban las municiones, respondían entonces con descargas cerradas de fusilería que alargaban durante horas, aunque eran más bien salvas al aire, puesto que desde las ventanas aspilleradas no podían precisar la puntería. A veces, cuando no querían gastar inútilmente balas, los insurrectos los intimaban a que se rindieran, prometiéndoles que si lo hacían recibirían los agasajos que se reservan a los huéspedes más queridos; y amenazándolos con dispensarles un trato vejatorio si, por el contrario, se obstinaban en su encierro. A estas baladronadas se respondía desde la iglesia en parecidos términos; y los avisos y admoniciones que lanzaban a los insurrectos, por supuesto acompañados de sarcasmos y denuestos, eran siempre una excusa para afilar el ingenio, demasiado adormecido —casi aletargado— en las horas de calma chicha. Una noche, ya iniciado el mes de agosto, los sitiadores trataron de acceder al tejado de la iglesia apoyando una escalera de bambú en su fachada norte, que era la menos visible para los sitiados, por carecer de ventanas y estar flanqueada por dos contrafuertes semicirculares en las esquinas. Su propósito consistía en incendiar las vigas de la techumbre, introduciendo entre sus junturas paños empapados en petróleo, a los que pensaban prender fuego antes de marchar, de tal modo que los sitiados se vieran obligados a abandonar el encierro y rendirse, asfixiados por el humo, o bien, si lo lograban soportar, a padecer las inclemencias del cielo si el tejado se derrumbaba por efecto del incendio. Novicio planificó el sigiloso asalto a la medianoche, valiéndose de la oscuridad; pero los encargados de realizarlo resultaron demasiado patosos y fueron descubiertos por un centinela, que de inmediato dio la voz de alarma. Martín Cerezo (que era tal vez el único al que el encierro, lejos de embotar los sentidos y la inteligencia, se los había aguzado) ordenó muy astutamente que el corneta tocase generala, lo que los asaltantes interpretaron como que los sitiados se disponían a hacer una descubierta, por lo que huyeron al instante, dejando abandonadas la escalera y las latas de petróleo, mientras desde las dos posiciones se intercambiaban los consabidos disparos.

En este tipo de escaramuzas un poco sainetescas se fueron consumiendo las semanas, sin que los sitiadores se decidieran a lanzar una ofensiva en condiciones que pudiera causar demasiadas bajas. En aquel modo de obrar de los insurrectos, Las Morenas descubría que Novicio estaba, en efecto, dispuesto a cumplir sus juramentos —pese a los muertos causados en la fallida carga que precedió al asedio—, para mejor proteger a sus paisanos y, muy especialmente, a sor Lucía; pero de esto nada dijo a Martín Cerezo, para que no tomara más aversión a Novicio, y tampoco a los demás soldados del destacamento, para que no decayese todavía más su celo en la vigilancia. En todo lo que los sitiadores hacían —o más bien dejaban de hacer— descubría Las Morenas la inspiración de sor Lucía, el consejo de sor Lucía y también la exigencia y la imposición de sor Lucía, pues por encima de cualquier otra cosa sor Lucía era habilidosísima para imponer su santa voluntad, preferiblemente de manera meliflua, pero llegado el caso pegando un puñetazo encima de la mesa si era necesario; y esta certidumbre despertaba en Las Morenas la tristeza de no saber más de ella, de no poder él también disponer de su inspiración ni disfrutar de su compañía, como sin duda estaría disfrutando constantemente Novicio, a quien raramente se veía entre sus hombres, que se habían instalado relajadamente entre los naranjos de la plaza, como un campamento de zíngaros.

El pueblo de Baler, entretanto, había recuperado sus antiguos hábitos. Habían vuelto del monte sus pobladores, tras la desbandada provocada por el tañido de los *tambulis*, la víspera de la insurrección; poco a poco, aunque con recelos y temores, habían vuelto a cultivar sus sementeras y a ocuparse en sus labores domésticas; y ya se paseaban tan campantes por la plaza de los naranjos, para departir con los insurrectos que allí hacían guardia o venderles sus quincallas, olvidados de que en la iglesia se habían encerrado unos brumosos *castilas* que, poco a poco, sin hacer demasiada tragedia, se irían consumiendo, hasta morir de inanición y quedarse momificados entre sus paredes. Para que no olvidasen que seguían allí, y para recordarles que la posición seguía siendo española, Las Morenas ordenaba cada mañana tocar la corneta e izar provocadoramente la bandera española en la torreta del campanario, sobre la que los insurrectos solían hacer puntería; a lo que, puntualmente, se respondía desde la iglesia con una nutrida descarga que obligaba a los insurrectos a echar cuerpo a tierra. En estos juegos y escamoteos anduvieron mes y medio, hasta que en la mañana de la fiesta de la Asunción flameó entre los naranjos una bandera blanca. Santamaría, que hacía guardia en el baptisterio, dio la alarma:

—¡Capitán Las Morenas! El jefe de los tagalos desea parlamentar.

Desde las troneras del baptisterio Las Morenas vio, en efecto, a Novicio avanzar muy calmosamente hasta la tierra de nadie y clavar el asta de la bandera ante la trinchera; exhibía un ceño adusto o cascarrabias, propio de quien es obligado a hacer algo a disgusto (y aquí enseguida intuyó Las Morenas que sor Lucía lo había obligado a parlamentar). Aprovechando un roquete muy raído de fray Cándido, le confeccionaron a Las Morenas otra bandera blanca, que entre los rotos y los encajes más parecía andrajo que bandera. Después de asomarla por el portón entreabierto, Las Morenas salió hasta situarse ante el parapeto de la trinchera. La luz solar, después de tan largo encierro, se le antojó implacable y confiscadora; pero el aire de la mañana, en cambio, le esponjaba los pulmones y el alma.

—Vengo a parlamentar con usted por indicación de sor Lucía —gruñó Novicio.

Sonrió Las Morenas, orgulloso de su adivinación. Pero enseguida adoptó un tono circunspecto:

—¿Y por qué no ha venido ella?

—Pues por la sencilla razón de que no estoy dispuesto a poner en peligro su vida. —Y le lanzó una pulla—: No quiero arriesgarme a que ese teniente suyo ordene una descarga sin ton ni son, como hizo al principio de este asedio.

Novicio miró las ventanas aspilleradas de la iglesia, barruntando que en alguna de ellas estaría Martín Cerezo, observándolo. Las Morenas defendió a su subordinado:

—El teniente no hizo sino responder a su provocación.

—¿De qué provocación habla? —se encrespó Novicio—. Yo sólo deseaba mostrarles mi contingente, para que se rindieran. Pero no he venido aquí para discutir con usted sobre esos asuntos pasados, sino para pedirle que se rinda. Así lo han hecho todos los destacamentos de Nueva Écija y Bulacán. —Aguardó un poco, para comprobar el efecto que la siguiente revelación haría en su ánimo—: Y hace un par de días lo ha hecho al fin Manila, después de aguantar durante más de dos meses el asedio. Reconozco que son ustedes bravos, pero es la suya una bravura estéril. Tienen perdida esta guerra, capitán, y usted lo sabe perfectamente. Además, una vez caída Manila, nos llegarán muchas armas.

Las Morenas no prestó atención a esta última advertencia, que tal vez juzgase inverosímil. En su lugar, se preocupó por la suerte de los manileños:

—¿Y ha habido mucha mortandad?

—Sólo la natural causada por las enfermedades y el bloqueo de los alimentos —respondió Novicio, para añadir con intención disuasoria—: En resumidas cuentas, la rendición la han causado la falta de abastecimiento y la escasez de agua. Sin provisión de agua no se puede resistir, capitán.

Miró con una especie de inquisitiva misericordia a Las Morenas, pensando que en la iglesia no tendrían más agua que la que hubiesen podido almacenar antes del sitio. Las Morenas lanzó un envite:

—Me está tratando de engañar, Novicio. Manila no se rendiría por falta de agua, teniendo en abundancia la que le ofrece el mar.

—No tenían medios para desalarla —se exasperó Novicio ante la salida por la tangente de su interlocutor—. Mire, capitán, lo estoy invitando a deponer las armas por las buenas. Sus hombres podrán volver a España sin pasar más calamidades. Y sor Lucía al fin descansará. Además...

Hizo un mohín de disgusto y calló, por no mostrar sus cartas.

—¿Qué iba a decir? —lo asedió Las Morenas.

—Tengo a las beatas del pueblo al borde de la sedición; y encima las capitanea sor Lucía, así que ya puede usted imaginar que me traen por la calle de la amargura —sonrió compungidamente, buscando la conmiseración de Las Morenas—. Todo el día hacen cola delante de mi casa, pidiéndome que fray Cándido vuelva a celebrar misa. Hoy, que al parecer es la fiesta de la Virgen, la tabarra que me están dando no hay hijo de madre que la aguante. —Esbozó un puchero—: Pero usted, que es católico, comprenderá que a esas mujeres se les está causando un tremendo daño...

Aquella utilización de las beatas del pueblo como coartada para suplicar la rendición del destacamento hizo gracia a Las Morenas:

—¿Pero no iban ustedes a suprimir la religión y a expulsar a los frailes? —se burló.

A Novicio le gustaba alardear de los refranes que le había enseñado sor Lucía:

—Del dicho al hecho hay un gran trecho, capitán. Y, además, una cosa es predicar y otra dar trigo. Si les quito a esas beatas la religión, la revolución me la hacen a mí...

Rieron ambos sinceramente, enterradas por un instante sus diferencias. Las Morenas trató de aprovechar aquella debilidad de Novicio:

—Se me ocurre otra solución bien sencilla. Ustedes deponen las armas de inmediato, vuelven a la obediencia española y los recibiremos con los brazos abiertos. —Novicio se revolvió impaciente—. Y esta misma tarde fray Cándido oficia una misa de reconciliación. Le juro que no habrá represalias.

Novicio, cabizbajo, empezó a hurgar con los talones en el suelo embarrado. Parecía más apenado que iracundo:

—Créame que me duele su situación, capitán. Su resistencia es temeraria. La soberanía española sobre estas tierras tiene las horas contadas. Nuestro caudillo y comandante Aguinaldo ya ha proclamado la independencia de las islas Filipinas.

Lo miró con ojos de cordero degollado que parecían sinceramente compadecidos de la inutilidad de sus esfuerzos. Las Morenas evitó esa mirada piadosa, desviando la suya hacia la izquierda, buscando el *bahay* de la escuela, con la esperanza de que sor Lucía estuviese allí y le pudiera corroborar o desmentir con un gesto las afirmaciones de Novicio. Pero los naranjos de la plaza impedían ver la escuela.

—Debo consultarlo con mis oficiales, Novicio —dijo al fin—. Pero, para que pueda hacerme una composición de lugar... En caso de que decidamos entregar las armas, ¿me promete que no seríamos hechos prisioneros, ni sometidos a ningún tipo de vejaciones?

—Yo mismo me comprometo a llevarlos a Manila con todos los honores y hasta a buscarles pasaje en un vapor para su repatriación, si es preciso —aseguró Novicio con solemnidad.

Las Morenas volvió a la iglesia, donde lo aguardaban expectantes los sitiados, mientras Novicio esperaba respuesta en la tierra de nadie. Se reunió en la sacristía con Martín Cerezo, fray Cándido y el médico Vigil y, después de exponerles las razones de Novicio y de confesar que el cabecilla tagalo le merecía la mejor consideración, tuvo que reconocer que, en cambio, sus partes de guerra le provocaban ciertas reticencias, pues podían estar contaminados de las inevitables hipérboles y ofuscaciones propias de la parcialidad. Concluyó así su exposición:

—Los he reunido aquí para que, juntos, decidamos lo que estimemos más recomendable, considerando nuestras obligaciones hacia la patria y también las necesidades de la tropa. El cerco al que nos someten los insurrectos es imposible forzarlo, dado el ingente número de efectivos con que cuentan. Si decidimos seguir resistiendo, tal vez la historia grabe nuestros nombres con letras de oro, porque habremos muerto por la patria y por el honor. Si, por el contrario, decidimos capitular en atención a las penalidades que nuestros hombres empiezan a padecer, deberíamos nombrar una comisión que vaya a entenderse con los insurrectos...

Se hizo un silencio atribulado, como si ninguno de los asistentes a la reunión se atreviera a inclinar el fiel de la balanza y prefirieran descargar toda la responsabilidad de la decisión sobre Las Morenas. Pero era una impresión falsa: Martín Cerezo tenía muy clara su respuesta; y, además, se había preocupado de comprobar que la tropa, por amor propio o por sugestión, nada deseaba menos que deponer las armas:

—Yo creo, mi capitán —intervino con mucha prosopopeya—, que hablo en nombre de la guarnición si le digo que debemos resistir mientras nos quede un cargador en las cartucheras y un grano de arroz que llevar a la boca. Más aún, el día en que ya las municiones se hayan agotado, deberíamos morir defendiéndonos a la bayoneta.

A Las Morenas se le antojó una fanfarronada aquella apelación a un heroísmo desesperado; y se prometió vigilar las proclividades un tanto suicidas o bravuconas del teniente. Pero, misteriosamente, cuando Martín Cerezo repitió casi al dedillo aquellas mismas palabras a la tropa, después de que en la sacristía se decidiera aguantar el cerco, la mayoría de los soldados prorrumpieron en vítores y aplausos. Las Morenas se acercó, entre perplejo y admirado de la bizarría de sus hombres, a una de las troneras del baptisterio y desde allí habló a Novicio:

—Nos damos por enterados de su propuesta, pero no nos rendimos. Puede usted retirarse.

Novicio se quedó paralizado por el estupor, incapaz de asimilar tanto cerrilismo. Escupió en el suelo y dijo con despecho, antes de darse la vuelta:

—Y ustedes pueden irse al infierno, jodidos *castilas*.

* * *

A Chamizo le gustaba hacer guardia en el baptisterio por una razón tan peregrina como inconfesable. No porque fuese el único puesto de centinela desde el que se tenía una visión completa (aunque muy a ras de tierra) del campamento enemigo, ni siquiera porque fuese un lugar recogido donde podía dedicarse a componer versos (Chamizo no se había traído papel y lápiz a la iglesia, con las premuras de los preparativos, y ya sólo podía componer versos de memoria), sino porque había descubierto, al fondo de la pila bautismal, una mancha hecha por el sedimento del agua sobre la piedra que le evocaba los contornos del perfil de Guicay. Se los evocaba tanto que, de hecho, había llegado a convertir aquella mancha —mediante una imaginación demasiado fantasiosa o platónica, tal vez— en el retrato exacto del perfil de Guicay: la frente ligeramente abombaba, los pómulos muy elevados, la nariz menuda y un poco arremangada, la curva pugnaz de la mandíbula, el cuello como una torre esbelta que reclamaba el asedio de los besos, más la catarata de sus cabellos endrinos, como un río que se desborda, que en la mancha de la pila bautismal se difuminaba progresivamente, como la cola de un cometa. A Chamizo le bastaba abismarse en la contemplación de aquella mancha para volver a ver a Guicay en el vagón del tren que los llevaba a Tarlac, sobre el tapiz vegetal que se desplegaba al pie de la vía; o, todavía mejor, la veía con los cabellos extendiendo sus zarcillos como una enredadera, tumbada sobre una mata de sampaguitas en el jardín botánico de la hacienda de su padre. Estos ensimismamientos le servían a Chamizo para soportar algo mejor (o algo menos mal) la ausencia de Guicay; y también para acallar los presagios funestos y las preguntas tortuosas que, inevitablemente, lo rondaban, en torno a la suerte que ella y su padre habrían corrido, tras el estallido de la insurrección. Pero el aspecto lozano que Chamizo creía atisbar en la mancha de la pila (aspecto imaginario que él, a solas con su quimera, le atribuía) le servía supersticiosamente para acallar, o siquiera pacificar, su inquietud. Y, siempre que hacía guardia en el baptisterio, se cercioraba de que la mancha se mantuviese incólume y sin variación alguna, retratando a Guicay en su esplendor; y, al comprobar que nada la había alterado, respiraba con alivio, pues pensaba supersticiosamente que tampoco Guicay estaría sufriendo penalidades.

Cuando la guardia era nocturna, sin embargo, no podía embeberse, por falta de luz, en la contemplación de la mancha, sino tan sólo imaginársela quieta en sus contornos y velar rezando para que nada los cambiase. Y mientras la imaginación y los responsorios corrían desbocados, los sentidos de Chamizo se mantenían extrañamente avizor, emergiendo del marasmo en el que los mantenía postrados el encierro. Fue así como, cierta noche de principios de octubre, acertó a oír movimientos clandestinos en la tierra de nadie en derredor de la iglesia; y, escrutando la noche hasta que sus pupilas se dilataron suficientemente, alcanzó a ver las figuras clandestinas de unos sitiadores que, con gran disimulo y sigilo, estaban excavando trincheras que estrechaban el cerco a la iglesia, como una araña que teje despiadada y habilidosa su tela, para asegurarse de que dejará sin escapatoria posible a su presa. Auspiciados por el lejano runrún de las olas que se tragaba sus ruidos y por las tinieblas nocturnas, los insurrectos ya habían llegado con sus trincheras hasta unos cincuenta pasos de la iglesia, trazando una línea de contravalación irregular que, de trecho en trecho, se cubría y flanqueaba con los *bahays* más próximos. Además, Chamizo comprobó que habían terraplenado algunas de estas viviendas, transformándolas en improvisados baluartes, desde los cuales los insurrectos podrían protegerse de los proyectiles y hostilizarlos desde el parapeto que en cada *bahay* estaban levantando. Luego, durante el día, todas estas obras las ocultaban cubriéndolas con hojas de platanera y la multitud de malezas que allí crecían con increíble feracidad. Chamizo fue en busca de los oficiales, para comunicarles el hallazgo, encontrándolos en el pequeño patio de la iglesia, donde Martín Cerezo se había empeñado en construir un horno para cocer pan, ahora que la harina empezaba a escasear. Los sorprendió en una conversación con el teniente médico Vigil, cuya salud había empezado a flaquear en las últimas semanas.

—Tenemos todavía provisiones de sobra para meses —afirmaba tajante Martín Cerezo.

—Pero empiezan a estar en mal estado. Nos hacen falta alimentos frescos —repuso Vigil, pachucho, con una voz que se le iba quedando afónica—. Si sólo pudiéramos hacernos con esas calabaceras que las lluvias hacen crecer cada día en la tierra de nadie...

A Chamizo, como a los demás soldados del destacamento, también le habría gustado devorar aquellas plantas que los insurrectos empleaban como forraje para el ganado y para camuflar sus obras de atrincheramiento. Pero tenía que conformarse con complementar la dieta de raciones rancias con las hierbas que crecían cerca de las letrinas, venciendo la repugnancia y evitando preguntarse cuál era el abono que les brindaba vigor. Chamizo pidió permiso para pasar y se cuadró ante los oficiales:

—Los insurrectos estrechan el sitio —anunció—. Están excavando trincheras y fortificando los *bahays* más próximos a la iglesia.

Martín Cerezo se mostró extrañamente expeditivo o desinteresado:

—Disparen contra ellos. No les dejen trabajar.

—No se ve ni a jurar, mi teniente —adujo Chamizo—. Con todos mis respetos, creo que sería munición desperdiciada.

Las Morenas, más cauto y caviloso, removía con un bejuco la tierra oscura del corral, que parecía reclamar a gritos su conversión en camposanto. Dijo en un murmullo:

—Hay algunos *bahays* muy próximos a la iglesia, en la esquina nordeste. Si logran atrincherarse allí, estaremos perdidos...

—Entonces sólo queda una solución, mi capitán —se apresuró a cortarlo Martín Cerezo.

Chamizo llegó a comprender, sólo mediante un atisbo, la estrategia del teniente, que se había fingido desentendido tan sólo para provocar en Las Morenas una reacción contraria y, de esta manera, poder imponer más fácilmente su parecer. Se preguntó si Martín Cerezo no sabría desde mucho antes que los insurrectos estaban cercando la iglesia y sólo estuviese esperando a que Las Morenas se viese forzado a intervenir.

—¿Y cuál es esa solución, Saturnino? —preguntó el médico Vigil, ajeno a estos maquiavelismos.

—Prender fuego de inmediato a esos *bahays* —dijo tajante Martín Cerezo—. Así extenderíamos la tierra de nadie alrededor de la iglesia, impidiendo que los insurrectos se embosquen. Y si los expulsamos de esa zona podremos, además, hacernos con las calabaceras y demás verduras frescas que crezcan allí, para dar gusto a Vigil. Así se matan dos pájaros de un tiro.

Lanzó al médico una mirada entre misericordiosa y despectiva, como la de quien, a la vez que se apiada de nuestra enfermedad, nos desprecia por ser unos alfeñiques.

—¿Y cuántos hombres calcula que serían necesarios? —preguntó Las Morenas.

Antes de que respondiera Martín Cerezo, Chamizo dio un paso al frente:

—Con su permiso, mi capitán. Yo podría desempeñar esa misión. Me bastaría con que otro soldado me acompañase, para cubrirme mientras quemo los *bahays*.

Las Morenas lo miró desconcertado, como si no lograra explicarse las razones de aquel repentino arrojo. Y el propio Chamizo tampoco hubiese podido, salvo de un modo irracional o expiatorio; pues había llegado a pensar que ofreciendo al cielo aquella misión arriesgada conjuraba los riesgos que pudieran rondar a Guicay. Tal vez fuese un pensamiento desquiciado o quimérico, pero así funciona, expuesta a trances difíciles, la mente humana cuando desea la supervivencia de un ser querido que no puede asegurar por sus propios medios. Pasaron a la iglesia, donde los soldados del destacamento, estragados por la mala alimentación y la falta de ejercicio, ya dormían envueltos en sus mantas, emboscados de barba y de noche. Martín Cerezo solicitó un voluntario para acompañar en su expedición incendiaria a Chamizo.

—Servidor —se ofreció Julián Calvete, el zagal de Valdelugueros, y en un santiamén se deshizo de la manta y se calzó las botas que hasta entonces no se había probado siquiera—. Aprovecharé la ocasión para estrenarlas. Antes de regalárselas a mi hermano, conviene que se las dome un poco.

Sonrió con aquella candidez como de arcángel palurdo, tan característica suya. Martín Cerezo hizo piña con ambos voluntarios, tomándolos de los hombros, para brindarles ánimo:

—De nuestro lado están la audacia y el factor sorpresa. Con estos dos elementos se han logrado las victorias más importantes de la historia militar —dijo, con algo de grandilocuencia. Y los miró con ojos alucinados—: Tenéis que salir como fieras, a vencer o morir.

—Así lo haremos, mi teniente —convino Chamizo, a quien intimidaba más Martín Cerezo que los tagalos a los que en breve tendría que enfrentarse.

Se pertrecharon con una lata de petróleo que habían dejado abandonada los insurrectos, cuando su intentona frustrada de prender fuego a la techumbre de la iglesia, jirones de tela, una tea y un chisquero. Salieron por el hueco a modo de gatera que habían hecho en el portón, retirando los sacos terreros que lo cubrían, y se arrastraron hasta la esquina nordeste de la iglesia, culebreando entre la maleza. Calvete precedía a Chamizo, avanzando con una agilidad que Chamizo ya había perdido, o que no había llegado a tener nunca; y la luna relucía en sus botas recién estrenadas, acharolándolas. Llegaron a unos quince o veinte pasos de los primeros *bahays*, en los que se advertía —aunque llevados con mucho sigilo— gran actividad y trasiego. Los tagalos estaban terraplenando las puertas, estibando sacos terreros contra las paredes, aspillerando las ventanas, mientras otros cavaban zanjas en derredor, como si más que una trinchera desearan excavar un laberinto. Un centinela patrullaba rutinariamente la zona, protegido por una línea de parapetos.

—Tú ahora te quedas aquí, cubriéndome las espaldas —bisbiseó Chamizo, en un tono autoritario, para que Calvete ni siquiera rechistase.

—Pero yo soy más rápido que tú... —protestó Calvete, sin inmodestia—. Es mejor...

—¡Que no! —dijo, tapándole la boca—. Tú no dispares mientras ellos no lo hagan. ¿Me has entendido?

Calvete asintió, sin osar oponerse más a Chamizo, que ante todo deseaba arrostrar el riesgo principal de la misión. Avanzó entre la maleza, procurando no hacer el más mínimo ruido; en algunos lugares, el terreno estaba encharcado por las lluvias recientes y convertido en un cenagal donde culebreaban los gusarapos. Bordeó el parapeto de los insurrectos y se introdujo por debajo de las estacas que elevaban, a modo de palafitos, los *bahays* sobre el nivel del suelo, para prevenir las inundaciones durante la estación lluviosa. Al colgarse Chamizo la lata de petróleo en bandolera, la hizo chocar someramente contra la hebilla del cinturón y sonó un breve tintineo metálico. Un tagalo interrumpió las labores de fortificación en el interior del *bahay* y se asomó a la noche, que permanecía muda y hermética, mientras Chamizo, a sus pies, se apretaba contra el barro, que casi llegaba a cubrirlo. El centinela cruzó con el tagalo suspicaz una mirada de rutinaria desgana y ambos volvieron a su labor. Chamizo empapó un jirón de tela en petróleo y lo introdujo, hecho un gurruño, entre las cañas de bambú que sustentaban el suelo del *bahay*, dejando que colgase un extremo, a guisa de mecha. Fue repitiendo la misma operación en todos los *bahays* que ceñían la esquina nordeste de la iglesia; cuando concluyó esta primera ronda dejó enfriar su calentura y su cansancio sobre el barro, dedicando sus pensamientos a Guicay y suplicando a Dios que velase por ella. Luego, armándose de valor, prendió la tea con el chisquero y repitió a la inversa el mismo trayecto que ya había hecho antes, prendiendo los jirones de tela, que de inmediato extendían su combustión a los *bahays*. En apenas un par de minutos, un cerco de fuego relumbraba en torno a la iglesia, avivado por el viento que soplaba del norte; la nipa crepitaba con alegría de entregarse al incendio, alimentando unas llamas que ya provocaban la huida despavorida de los insurrectos. El centinela que vigilaba los parapetos sorprendió a Chamizo que, exhausto y por abreviar su escaramuza, se había incorporado, tras prender la mecha del último *bahay*, y arrancado a correr hacia la iglesia, incapaz de seguirse arrastrando en el barro. Antes de que diera la alarma, Chamizo ya le había arrojado la tea encendida, pero el centinela le disparó mientras caía; y, aunque sin acierto, ese disparo sirvió, como si de una señal se tratara, para que otros tagalos emboscados aquí y allá comenzaran también a disparar en la misma dirección. Fue entonces cuando Calvete, apostado entre la maleza pero demasiado visible a causa del resplandor de las llamas que ya casi alcanzaban los tejados de los *bahays*, respondió disparando a su vez, reponiendo la carga de su máuser con gran celeridad, para proteger la retirada un tanto premiosa y alocada de Chamizo. Al menos con uno de los disparos acertó a descalabrar a uno de los centinelas que tiraban contra su compañero.

—Lo hemos conseguido, Julián. ¡Lo hemos conseguido! —gritó exultante o histérico Chamizo, dejándose resbalar sobre el barro, al reunirse con Calvete.

Pero aún les restaba llegar hasta la iglesia, y el fuego de los tagalos era cada vez más nutrido y enrabietado. Agachados, echaron ambos a correr hacia la gatera del portón, fundidos con la noche gracias al rebozo de barro que facilitaba su camuflaje.

Chamizo pasó primero por el angosto agujero, y se dejó arrastrar hacia el interior de la iglesia por las manos de sus compañeros, que lo acogieron jubilosos, mientras Calvete, al otro lado del portón, volvía a disparar. Luego se escurrió a su vez por la gatera, y las mismas manos que habían tirado de Chamizo tiraron también de él, saludándolo con el mismo júbilo. Calvete respondió con una carcajada alborozada que se estranguló en grito desgarrador cuando una bala perdida le atravesó el muslo. En apenas unos segundos el vitalismo risueño de Calvete quedó anegado por una máscara de dolor; y cuando pudo contemplar el escándalo de sangre que le empapaba la pierna y se extendía sobre el suelo de la iglesia se desmayó, casi exánime. Vigil se abrió paso entre el corro de soldados que se habían quedado petrificados en mitad de las celebraciones. La sangre seguía fluyendo, como una marea caliente, alcanzando las botas recién estrenadas de Calvete, que se iba quedando blanco como el yeso.

—Le han perforado la femoral —dijo Vigil, aplastado por la evidencia—. Hay que hacerle de inmediato un torniquete.

* * *

Desde las ventanas aspilleradas del baptisterio, Chamizo contemplaba los efectos de la escaramuza de la semana anterior. Las llamas habían consumido por completo los *bahays* que los insurrectos estaban utilizando para sus obras de fortificación; y habían dejado limpia una zona de aproximadamente doscientos metros de radio que había obligado a los sitiadores a replegarse hasta más allá de la plaza de los naranjos, desde donde sus disparos casi resultaban inofensivos. El alejamiento obligado de los insurrectos había permitido, además, a los sitiados abrir el portón para orear la iglesia, con mejoría inmediata de los enfermos, salvo del propio Calvete, cuyo estado de extrema gravedad en nada dependía de las condiciones de salubridad de la iglesia, ni de la pureza del aire. La misma noche de la escaramuza, alumbrado con lámparas de petróleo, Vigil lo había operado, extrayéndole la bala que le había perforado la femoral con gran destrozo y tratando de detener la hemorragia en la que se le iba la vida. Lo consiguió *in extremis*; pero en una semana se había comprobado que la pierna de Calvete se había gangrenado, adquiriendo un color entre amoratado y verdoso que el hedor característico de la putrefacción hacía todavía más intimidante. Esa misma mañana Vigil se había decidido a amputar, antes de que la gangrena se extendiese al resto del cuerpo; y desde entonces no había abandonado el lecho de Calvete, al que habían tumbado sobre una mesa en el coro, esperando que despertase. Había tardado casi seis horas en hacerlo; y había sido el despertar de quien ya se ha paseado por la otra orilla y se trae en la mirada el recuerdo de los páramos de la muerte.

—¿Cree que se salvará? —le preguntó Chamizo a Vigil, que bajaba las escaleras del coro con andares tartamudos, como si estuviese borracho.

Vigil lo miró como si no lo reconociese, mientras se frotaba las manos con un trapo ensangrentado; Chamizo observó que, aunque ya se las había limpiado, seguía frotándolas, por pura nerviosidad. Tenía el rostro perlado por un sudor viscoso, la barba facinerosa, los ojos esmaltados de fiebre o de insomnio:

—¿Y cómo quiere que lo sepa? —se lamentó Vigil, en un tono desabrido. He tenido que operar sin antisépticos.

Ya no quedaba en él casi nada del hombre jovial e inquisitivo con el que había mantenido largas conversaciones sobre todo lo divino y lo humano durante la travesía hasta Manila. Vigil fue a quitarlo de en medio de un empujón; pero entonces reconoció a Chamizo, con quien tan unido había llegado a sentirse en el barco:

—¡Perdóneme, querido amigo! —se excusó, en un tono como de plañidera—. Ni siquiera había reparado en que era usted quien me hablaba... Aquella salida que hizo usted con Calvete nos ha salvado la vida. —Se palpó los bolsillos de la guerrera—. Tenga, tenga, quiero hacerle un regalo.

Y extrajo un reloj de bolsillo, una saboneta con una tapa de plata cubriendo la esfera de porcelana, con sus números romanos y sus agujas rematadas como saetas.

—Pero no puedo aceptarlo... —se resistió Chamizo—. Es demasiado valioso.

Vigil cerró la mano de Chamizo sobre la tapa de la saboneta:

—Usted merece esto y mucho más. Todo lo que me dijo en el barco me ha hecho ver la vida de otra manera. Y si estoy aquí para contarlo es gracias a usted... y a Calvete.

Y decía verdad, pues desde que el incendio obligara a retroceder a los insurrectos, Vigil había podido alimentarse, al igual que otros soldados enfermos del destacamento, con la vegetación fresca que crecía en la tierra de nadie, aplazando así el acecho de la enfermedad. Chamizo sintió el tictac de la saboneta en su mano como la palpitación de un corazón suplementario, bombeando segundos; y, por cada segundo que bombease, la ausencia de Guicay se le haría más dolorosa, como ocurre siempre que podemos medir en tiempo nuestra desgracia.

—Se lo agradezco infinitamente, Vigil —accedió Chamizo, a sabiendas de que el reloj lo obligaría a sobrellevar esa condena.

Subió Chamizo al coro, para saludar a Calvete, que tenía los ojos vidriosos y la piel exangüe, como si la escasa sangre que aún circulaba por sus venas se hubiese declarado en huelga. A cada poco, un trallazo de dolor convulsionaba su cuerpo cercenado; Chamizo corrió a estrecharle una mano fuertemente, para amortiguar sus paroxismos. Procuró esbozar una sonrisa tranquilizadora:

—¿Qué tal te encuentras hoy, Julián? —le preguntó.

Calvete habló con un hilo de voz venido de ultratumba:

—No me quejaría... si no fuera por esta puñetera pierna, que me duele una barbaridad.

Y se señalaba la pierna amputada, que el propio Chamizo había enterrado aquella misma mañana, envuelta en un paño, en el patio, por encomienda de Las Morenas, después de que Vigil se la entregara tras concluir la operación. Bajo la manta se percibía que había sido amputado casi a la altura de la ingle; pero Calvete había extraviado todas las percepciones. Su tez, antaño morena de nieve y de luna, se había tornado amarillenta, casi apergaminada, como si de ella hubiese desertado la vida, que se replegaba hacia las últimas vísceras que aún no habían sido dañadas por la corrupción, mientras la muerte se enseñoreaba del resto de su organismo y se posaba en sus ojos como en un trono. Calvete había extraviado la gracia arcangélica de sus rasgos perfilados; y su voz era apenas un silbido ronco y desvaído.

—Pronto volveremos a casa —lo animó Chamizo, fingiendo optimismo—. Allí te terminarás de recuperar y quedarás como nuevo.

Las uñas de Calvete se habían vuelto cárdenas, de tan violáceas. Señaló sus botas casi sin estrenar, que se hallaban en una esquina del coro, y después agarró a Chamizo de la guerrera con ansiedad:

—No dejes de limpiármelas todos los días, ¿eh? —Hablaba atropelladamente—. Quiero mandárselas a mi hermano en el mejor estado posible.

—Descuida, Julián. Así lo haré.

Habían subido al coro unos cuantos soldados para interesarse por la salud de Calvete; pero al reparar en el muñón de la pierna que la manta permitía distinguir perfectamente, no se atrevían a acercarse a su camastro, como amilanados de quedarse ellos también tullidos por contagio. Entre los visitadores se contaba Menache, que se abalanzó sobre las botas de Calvete, contemplándolas codicioso; las suyas, como las del resto de la guarnición, estaban despellejadas, con las costuras rotas y las suelas gastadas o podridas. Las enarboló como si fueran un trofeo y se acercó al camastro donde convalecía o agonizaba Calvete:

—¿Por qué no me las regalas, Julián? —le preguntó, brutal, sin mayores preámbulos—. Me harían muchísimo servicio. Las mías están hechas una piltrafa y tengo los pies destrozados.

Chamizo le dirigió una mirada fulminante y reprobatoria que lo ahuyentó; antes de marchar, Menache dejó las botas de Calvete en el mismo lugar del que las había tomado. Cuando Chamizo se quedó de nuevo a solas con él, Calvete le susurró:

—Frótame un poco la pierna, por favor. Tengo en ella un hormiguillo que no me deja vivir.

Y Chamizo le frotó (o acarició, más bien) el muñón por encima de la manta, muy cuidadosamente, para no irritar más la herida todavía no cicatrizada. Aquel masajeo constante parecía pacificar los quebrantos de Calvete, que se fue entregando a la somnolencia. Se había hecho, entretanto, de noche, y un número nada exiguo de soldados abandonó sigilosa y furtivamente la iglesia, colándose por la gatera del portón, para pegarse un hartazgo propio de animales rumiantes con la vegetación feraz que había crecido en la tierra de nadie, abonada por las cenizas del incendio y fecundada por las últimas lluvias, una multitud de calabaceras y dondiegos y otras plantas de inverosímil exuberancia que, después de ser devoradas cada noche, volvían a crecer de la noche a la mañana, como por intervención milagrosa, sobre una muelle alfombra de hierbas no menos apetitosas. Las provisiones que se guardaban en la iglesia, rancias y desabridas, cada vez más enmohecidas y apelmazadas por la humedad, cada vez más carcomidas por el gorgojo, provocaban repugnancia entre la tropa, en comparación con aquellas plantas que los incitaban con su lozanía fresca, con sus apetitosos frutos y sus temblorosas flores; y hasta la grama, con su aderezo de rocío, constituía un manjar en aquellas circunstancias. Salir a recolectar aquellas plantas, sin embargo, seguía siendo empresa arriesgada, pues aunque el cerco de los insurrectos había retrocedido doscientos metros, la tierra de nadie seguía estando al alcance de sus balas; pero muchos soldados preferían asumir ese riesgo antes que someterse a la dieta monótona y revenida a la que los condenaban las provisiones de la iglesia. Entre los más entusiastas comedores de grama y calabaceras se contaba el médico Vigil, que así fue recuperando poco a poco su vigor para poder seguir atendiendo a los enfermos; y también el teniente Martín Cerezo, que nunca había llegado a perder el vigor pero que con aquellos festines herbívoros lo duplicó o centuplicó, convirtiéndose en centinela perpetuo, siempre ojo avizor, y censor implacable de cualquier conducta que infringiese siquiera venialmente las ordenanzas, así como en espía de conversaciones y buzo de cuchicheos. Habían empezado a circular entre los soldados especies con ínfulas de leyenda en las que se afirmaba que Martín Cerezo había desarrollado ojos nictálopes, como los gatos, y oído de tísico o de lechuza; y que podía olfatear el miedo o los pensamientos de cualquier soldado, como los perros olfatean el rastro de la carne; y que era capaz de dormir de pie, incluso de dormir andando (y, en efecto, muchas noches los soldados podían escuchar el eco de sus pisadas mientras trataban de dormir, como una espada de Damocles emponzoñando sus sueños). Y, mientras crecía el vigor de Martín Cerezo, comenzaba a languidecer el del capitán Las Morenas, como en general les iba ocurriendo a todos los sitiados. Después de pegarse el acostumbrado atracón de grama y calabaceras, subió el médico Vigil al coro, justo en el momento en que sacudía otro paroxismo a Calvete, que trataba de quejarse, pero los quejidos le brotaban con un principio de estertor. Chamizo y el propio Vigil trataron de amortiguar sus convulsiones, que concluyeron en un desmayo. Vigil aprovechó entonces para descubrirle el muñón y cambiarle el vendaje, después de desinfectar la herida con yodo; pero alrededor de la herida había una cenefa de purulencia y putrefacción muy poco tranquilizadora.

—¿Queda alguna esperanza? —preguntó Chamizo.

Vigil no llegó a denegar con la cabeza, pero su gesto era más bien desesperanzado. La noche exageraba su barba facinerosa.

—Me temo que no he conseguido detener la septicemia, pero aún tendremos que esperar un par de días para saberlo. Si al menos tuviéramos un poco de morfina... ¡Hay que ver lo que cuesta morir a veces!

Y, como si confirmara sus lamentaciones, Calvete exhaló un suspiro. Sus facciones, sin embargo, volvieron a ser risueñas por un segundo, como si soñase que brincaba entre los riscos de las montañas de León, persiguiendo a su rebaño.

4

—Venía a pedirle un favor.

Novicio había entrado en la escuela después de quitarse el sombrero de nito, que sostenía entre las manos, cabizbajo, sin atreverse a dar un paso más hasta que sor Lucía asomase detrás de la mampara que resguardaba su intimidad. Durante los últimos meses, desde que comenzase el asedio de la iglesia, Novicio procuraba no mantener demasiado trato con ella, para evitar las suspicacias de sus hombres. Muchos de ellos habrían interpretado cualquier muestra de proximidad a la monja (o lo que fuera) como una prueba de deslealtad a la revolución; de modo que, para que su posición de mando no fuera discutida, Novicio mantenía una apariencia de hosquedad en su trato con sor Lucía, y hasta había encomendado a un par de hombres de su confianza que la vigilasen, supuestamente para que no confabulara con las beatas del pueblo, pero en realidad para asegurarse de que los insurrectos más zafios o anticlericales no la importunaran o sometieran a vejámenes. Por supuesto, cuando Novicio se refería ante sus hombres a sor Lucía, adoptaba un tono despreocupado y jaque, del que no excluía alguna broma de mal gusto, para granjearse su confianza; pero apenas entró en la escuela volvió a ser su ángel custodio y atolondrado. Al fin sor Lucía asomó detrás de la mampara, algo irritada:

—¿Y desde cuándo se piden favores a los prisioneros? Porque ese par de esbirros que me ha puesto a la puerta dicen que soy su prisionera...

Durante los últimos meses, desde que comenzara el asedio, eran contadas las ocasiones en que habían podido departir sin temor a sentirse vigilados. Y sor Lucía había acabado por confundir la reserva y prudencia de Novicio con desatención y abandono, llegando incluso a padecer arrebatos de despecho que, por supuesto, se guardaba en su coleto, pues ni harta de vino reconocería que echaba de menos la privanza y complicidad de sus días selváticos. Para desaguar ese despecho, sor Lucía había empezado a soliviantar a las beatas que iban a visitarla a la escuela, incitándolas a protestar por la privación del culto y de los sacramentos que estaban sufriendo desde el inicio del asedio y a reclamar la liberación de fray Cándido. Poco a poco, iba consiguiendo para su regocijo más y más adhesiones entre el beaterío, cuyas vindicaciones empezaban a convertirse en un quebradero de cabeza para los insurrectos.

—¿Y qué quiere que haga? —protestó sin énfasis Novicio—. ¿Prefiere que mis hombres piensen que estamos conchabados? ¡Una *castila* en el pueblo, y encima monja! Habría que pasarla inmediatamente por las armas, o al menos encerrarla en prisión. Debe parecer que, al menos, ha sido tomada como rehén, para no levantar sospechas. Piense que lo primero que harían sería irle con el cuento a Aguinaldo.

Sor Lucía hizo un gesto desdeñoso:

—No creo que a Aguinaldo le preocupe mucho lo que suceda en un pueblucho. Suficiente preocupación tendrá él con no dejarse comer los piñones por los yanquis.

—En eso se equivoca. —Novicio había adoptado, de repente, un tono a la vez solemne y compungido, para introducir el asunto que lo había llevado ante sor Lucía—. La fama de la resistencia de los soldados refugiados en la iglesia ha llegado a oídos de Aguinaldo. Y me ha hecho llegar esta carta, para que se la entregue al oficial al mando.

Le enseñó a sor Lucía el documento, escrito de puño y letra por el propio Emilio Aguinaldo, que acababa de proclamarse presidente de la República Filipina y caudillo de su ejército. La caligrafía era nerviosa, exaltada, casi ampulosa:

> *Yo, Emilio Aguinaldo, sigo al frente de la revolución. Bajo mis órdenes opera un ejército numeroso, bien armado y mejor municionado; al empuje de los soldados filipinos no saben resistir los soldados españoles, más soberbios y arrogantes que valien-*

tes. Casi todos sus destacamentos están ya en nuestro poder y sus fusiles en nuestras manos. Manila ya no ofrece más resistencia que la que ofrece un palomar a los ataques de los animales carnívoros; y, en fin, muy pronto Filipinas habrá conseguido las aspiraciones de todos sus hijos: la libertad del yugo español, la libertad de la opresión bajo la que tantos años ha gemido, la independencia tan suspirada. Los americanos, nuestros amigos, nos proporcionan lo que necesitamos para continuar la guerra en contra de España: con sus barcos impedirán que lleguen a Baler socorros; nos han dado algunos cañones con sus municiones correspondientes y, si necesario fuere, irán a Baler los vapores que les pidamos para bombardear ese fuerte que los españoles creen inexpugnable. Y entonces, ¡ah, entonces!, todos morirán entre las ruinas, y si alguno consigue escapar de la catástrofe, será de inmediato pasado a cuchillo. No será entonces tiempo de perdón, pero ahora aún lo es; si se entregan, serán tratados como caballeros, se les dispensará toda clase de atenciones y, en una palabra, no tendrán queja alguna de nosotros.

Dejando a un lado la quincalla retórica, con sus apelaciones maniáticas a la libertad y sus ruborizantes expresiones de gratitud a los americanos, le pareció a sor Lucía que la carta denotaba cierta nobleza, aguada con muchas azumbres de engreimiento.

—Aguinaldo sabe que es tan esclavo de sus palabras como dueño de sus silencios —le dijo Novicio—. Si los *castilas* capitulan, obtendrán ese trato de caballeros que les promete en la carta. Ahora, como no lo hagan... que se vayan preparando. Por no hablar de lo que Aguinaldo me tendrá reservado, si no logro rendir esa iglesia.

Se odió por tratar de ganarse a sor Lucía apelando a su compasión; pero comprobó que daba resultado:

—¿Qué le tendrá reservado? —preguntó, alarmada.

—No hace falta que le recuerde que, durante la anterior rebelión, desobedecí en varias ocasiones a Aguinaldo, negándome a llevarla a Biacnabató. Desde entonces, algunos de sus lugartenientes me tienen entre ceja y ceja. Si ahora volviese a contrariarlo, sería fatal para mí...

Sor Lucía se había quedado sinceramente conmovida. De repente, se arrepentía de haber enviscado a las beatas del pueblo, para erosionar a Novicio. Se ofreció:

—¿Puedo hacer algo por usted?

Novicio quiso aprovechar que sor Lucía bajaba la guardia para exponerle sin ambages la ayuda que le demandaba:

—Llévelas la carta de Aguinaldo. Pídale al capitán Las Morenas que capitule. A usted la escuchará.

Le lanzó una mirada en la que tal vez, junto a la súplica, se deslizase un discreto reproche. Sor Lucía se resistió, escéptica:

—¿Por qué está tan seguro?

—Yo la escucharía —aseguró Novicio rotundamente y se sonrojó—: Y haría lo que usted me pidiese. —Tras una pausa, volvió a alzar la cabeza, mostrando absoluta certeza en lo que iba a decir—: Y al capitán Las Morenas le sucederá lo mismo. Sé reconocer en los demás mis propios sentimientos.

Sor Lucía, ensimismada, hizo como que no había escuchado el último comentario de Novicio. Denegó levemente, recordando su última conversación con Las Morenas:

—A la mujer tal vez la escuche. Pero no sé yo si a la monja...

Novicio esperó en vano a que sor Lucía concluyera la frase.

—Perdone, pero no la entiendo —dijo al fin, confuso.

—Quiero decir que mi hábito lo hará recelar. Los militares nos tienen a las monjas por pobres tontas manipulables, y pensará que me he dejado embaucar por usted —aclaró o embrolló aún más sus palabras anteriores, falseando su verdadero sentido—. Pero ¿qué tendría que hacer?

—Tan sólo entregarles la carta de Aguinaldo —aseguró Novicio—. Y reiterarles que, tras la caída de Manila, sólo les resta sentarse a negociar las condiciones de la rendición.

Sor Lucía hizo de nuevo un mohín de escepticismo:

—¿Y si no se rinden?

—Ya ha leído a Aguinaldo —respondió Novicio, en un tono teatralmente resignado—. Mandarán cañones, bombardearán la iglesia y los degollarán. Y, para entonces, yo ya no podré hacer nada por evitarlo. Tal vez para entonces ya ni siquiera podré hacer nada para protegerla a usted.

Pero Novicio sabía que estaba mintiendo, pues antes que dejar que hiciesen daño a sor Lucía se batiría sin un titubeo como un león, hasta entregar la vida.

—No creo que esas amenazas los vayan a intimidar —dijo ella—. ¿Cómo sabrán que no les está mintiendo?

—Yo a usted no puedo mentirle; me basta con que usted lo sepa —respondió orgulloso Novicio—. Piense, además, que les estamos haciendo un inmenso favor. A estas alturas, estarán bebiendo agua del cielo; pero ¿qué harán cuando concluya la estación de las lluvias? Y todas sus provisiones se habrán echado a perder, tendrán la carne agusanada y la harina hecha bodoques. No hay alimento que resista esta humedad.

Sor Lucía tomó la carta de Novicio, que se guardó en el hábito.

—Está bien, iré —resolvió—. ¿Cuándo será eso?

Dejó que Novicio la abrazara, agradecido; y se contuvo, para no abrazarlo ella también, mientras se le desbocaba el pulso.

* * *

A Calvete lo habían trasladado en parihuelas al baptisterio; y allí le habían preparado un camastro algo más cómodo, o menos áspero, esperando supersticiosamente que la luz y el aire nuevo que entraban por los tres ventanucos disipasen los estragos de la septicemia, que en unos pocos días se extendió por todo su organismo, sin que las escasas reservas de sulfamidas que aún conservaba el teniente Vigil pudieran hacer nada por evitarlo. Chamizo se tiraba largas horas a la vera de su camastro, velando su agonía; y en los breves intervalos en que Calvete hallaba descanso en medio de sus padecimientos, aprovechaba para ensimismarse melancólicamente en la contemplación de la mancha de la pila bautismal, que seguía dibujando los contornos del perfil de Guicay. El aspecto de Calvete resultaba, en verdad, estremecedor: la frente se le había abombado, bajo la piel traslúcida, y su nariz se había afilado hasta la consunción, revelando el cartílago. Ya sólo era un hombre que se pudre en vida, lívido e infestado de purulencias, sin fuerzas para respirar, acosado por delirios tenaces y acechado por los estertores de la muerte. Chamizo le enjugaba con frecuencia el sudor con un paño que se ensuciaba con una especie de barrillo parduzco, como si cada vez que lo pasaba por su piel se llevara un cementerio de células gangrenadas. También le liaba cigarrillos, pues Calvete, que no había fumado en su vida, había descubierto casi póstumamente el placer reparador del tabaco; sin embargo, ya casi no tenía fuerzas para pegar dos caladas seguidas y los cigarrillos se le consumían en la comisura de los labios, llagados y tumefactos.

—¿Me han cortado la pierna, verdad? —preguntó a Chamizo de repente, en un acceso de lucidez.

Era la primera vez que se mostraba consciente de la amputación. Chamizo esquivó la respuesta:

—Alégrate de haber salido con vida, Julián. Pronto te habrás recuperado y podrás volver a casa.

Calvete le dirigió una sonrisa desvanecida y repentinamente adulta:

—¿A quién te crees que estás engañando, amigo? —le preguntó.

Chamizo aún se obstinó en mantener un poco más la impostura:

—Ni por lo más remoto se me había pasado por la cabeza engañarte. Vas a volver pronto. Pero primero debes curarte del todo.

Un nuevo paroxismo de dolor crispó a Calvete, al que una enramada de venas negruzcas y sin volumen, como vaciadas de sangre, le asomaba en la piel. La ceniza del cigarrillo manchó su rostro como una premonición fúnebre. Habló con esa clarividencia febril que suele bendecir a los agonizantes:

—Pronto voy a viajar, pero no será a casa. No volveré a pastorear nunca. Y la hija del rabadán nunca sabrá que estuve enamorado de ella.

Chamizo le apartó el cigarrillo de los labios casi inertes y le sacudió la ceniza. La tonalidad cérea de su piel era ya la propia de un difunto; o incluso de un espectro.

—No digas estupideces, hombre —se empeñó Chamizo en insuflarle esperanzas hasta el último momento—. Una pierna amputada no es algo tan terrible. Aunque no puedas saltar por las peñas, podrás guardar el ganado en la majada.

Se hizo un silencio opresivo. La respiración de Calvete era ya un acordeón roto, desfondado de notas, en busca del calderón definitivo que suspendiera para siempre su compás. Con una mano huesuda, de dedos largos como varillas, hizo un débil ademán hacia sus botas, que se hallaban al pie del fuste que sostenía la pila bautismal.

—Puedes dárselas a Menache —dijo sin pena.

—¡De eso nada! —se rebeló Chamizo—. Esas botas se las tienes que regalar a tu hermano, como tenías previsto. Anda, déjate de bobadas y duérmete un poco.

Calvete cerró los párpados, turbadoramente violáceos. La línea de los labios se le había afinado hasta casi desaparecer; las encías se le habían retraído, mostrando la raíz de los dientes, que sobresalían como teclas de clavicordio; y la calavera se le abría paso desde dentro, en las sienes hundidas, en la frente, en los pómulos, borrando su fisonomía arcangélica. Chamizo desvió la mirada hacia la pila bautismal, para no contemplar aquella tétrica metamorfosis; y por primera vez tuvo la impresión de que los contornos de la mancha habían variado un poco, mostrando una cierta consunción o enflaquecimiento en los rasgos de aquella Guicay imaginaria. De súbito, Calvete gritó con alarma, incorporándose casi sobre el camastro:

—¿Dónde está fray Cándido? Quiero confesar.

Las articulaciones de los huesos le crujían como tabas o pecados castañeteantes. Pero a Chamizo le parecía improbable que Calvete pudiera guardar en alguna recámara del alma pecados de enjundia o consideración. Repitió el llamamiento de Calvete:

—¡Fray Cándido, venga rápido! Julián lo reclama.

Y fray Cándido acudió corriendo, con el viático en la mano. Había guardado celosamente unas pocas hostias consagradas para administrárselas a los enfermos en el trance de la muerte, ahora que ya no le quedaban para celebrar misa. Se puso una estola de color morado al cuello y se agachó sobre el camastro de Calvete, acercando su oreja hasta los labios del agonizante, que barboteaban cada vez con más dificultad una confesión premiosa y seguramente superflua, a juzgar por la sonrisa condescendiente de fray Cándido, que puso la hostia en su lengua, como un círculo de nieve sobre la carne gangrenada. Luego inició la liturgia de la extremaunción, que por momentos le sonó paradójica a Chamizo:

—*Introeat, Domine Iesu Christe, domum hanc sub nostrae humilitatis ingressu, aeterna felicitas, divina prosperitas, serena laeticia, charitas fructuosa, sanitas sempiterna: effugiat ex hoc loco accessus daemonun adsint Angeli pacis, domumque hanc deserat omnis maligna discordia.*

Chamizo buscó entre las paredes de aquella iglesia la eterna felicidad, la prosperidad divina, la alegría serena, la caridad fructuosa, la salud sempiterna invocadas por fray Cándido, mas sin éxito; y se preguntó si los demonios no habrían entrado ya en aquel lugar, pululante de discordias, abandonado de los ángeles de paz. Proseguía fray Cándido con sus latines reparadores, balsámicos, que exorcizaban el poder de las tinieblas, y comenzó con las unciones sacramentales, mojando la yema del dedo pulgar en óleo y ungiendo a Calvete en los ojos, orejas, narices y boca con una cruz, para que todos sus sentidos iniciaran purificados el viaje definitivo. El aire fétido de la gangrena se rindió ante el perfume del óleo; y el rostro angustiado de Calvete se fue relajando blandamente, hasta que en un último estertor volvió a crisparse; y Calvete, aferrándose a la estola de fray Cándido como a un último asidero ante el barranco, preguntó, con los ojos fuera de las órbitas y la respiración de pájaro estrangulado:

—¿Está seguro de que existe el cielo, padre?

Las ansias de la muerte lo golpeaban con su aldaba en el pecho. Fray Cándido le susurró:

—Pues claro que sí, muchacho. ¿Es que no lo estás viendo ya?

Lo había dicho con tal convicción que Calvete se sintió confortado y volvió a posar la cabeza sobre la almohada del camastro:

—Descríbamelo, padre —le pidió.

—¿Para qué, si tú mismo lo ves? —dijo fray Cándido, con voz susurrante y apaciguadora—. ¿No sientes el olor a hierba recién segada y a establo limpio y bien ventilado? Caminas por un valle encajado entre montañas, con una cabaña al fondo; y sientes el crujido de la nieve bajo tus pies. Es la majada de tu hermano; y han preparado una fiesta de bienvenida en tu honor. Te sientas junto al fuego, para desentumecerte, y notas el cosquilleo grato de la sangre trepando por tus piernas... —Ante la descripción de un cielo tan familiar, Calvete se moría plácidamente, sin estertores, sin desconsuelos ni angustias—. Vuelves a probar el sabor de la leche recién ordeñada, que te emborracha, y hay una muchacha que se acurruca junto a ti. Sus cabellos huelen a brezo, a hogaza recién salida del horno y todavía caliente, y su cintura es tan breve que puedes abarcarla con tu brazo. Cuando ríe lo hace con aquella risa de la infancia que creías olvidada. Y ya no piensas en los años perdidos que dejaste atrás, porque ahora tienes todo el tiempo de Dios por delante, porque en esa cabaña no se apaga nunca la lumbre, porque en esa cabaña nunca hace frío, porque en esa cabaña la muchacha nunca deja de reír y la leche siempre acaba de ser ordeñada. Ya puedes descansar, Julián, estás en el cielo.

Calvete expiró con un sollozo de dicha, hondo y manso como un ancho río sin orillas. Sus facciones bien delineadas habían recuperado la jovialidad y lozanía de antaño; y su mirada yerta parecía alimentarse de esa lumbre bienhechora evocada por fray Cándido, que pasó una mano por su rostro, bajándole delicadamente los párpados.

—Que en paz descanse. Ha sido, en el fondo, más afortunado que nosotros —dijo y se retiró pudorosamente, para rezar por su alma.

Chamizo estiró la manta y cubrió el rostro de Calvete, que a cada segundo que pasaba parecía más descansado y radiante. En derredor del baptisterio se habían congregado decenas de soldados, contritos y cabizbajos: algunos probaban también a rezar, otros lloraban en sordina, fingiendo que carraspeaban o se sorbían los mocos; y también los había que lloraban declaradamente y sin disimulos. Chamizo recogió las botas de Calvete con parsimonia; y en un ataque de rabia se las arrojó a Menache a la cara, que se quedó mirándolo con perplejidad.

—Calvete me dijo que podías quedártelas —masculló Chamizo, como si lo maldijese—. Ojalá se te pudran los pies en ellas.

Y se abrió paso entre sus compañeros, prófugo de la eterna felicidad, la prosperidad divina, la alegría serena, la caridad fructuosa, la salud sempiterna, buscando un escondrijo donde llorar su pena.

* * *

El cadáver de Calvete, envuelto en una mortaja de blancura intacta (como la blancura de la nieve que aún no ha sido hollada o la leche que se acaba de ordeñar), fue depositado en la hoya que acababan de cavar en el patio de la iglesia. Chamizo se encargó de arrojar las primeras paletadas de tierra, que mordían sarcásticas la blancura de la tela, mientras la corneta sonaba funeral. Todos los soldados, con sus oficiales al frente, contemplaban el enterramiento con la cabeza descubierta, mirando sobrecogidos la tierra removida que ya iba formando un túmulo y tenía una consistencia pegajosa y oscura, como de alquitrán. Fray Cándido, que había tallado una cruz tosca con la madera de los bancos reducidos a leña, rezó el responso por Calvete, que sonó a responso anticipado por todos los que todavía seguían vivos. Habían dejado la iglesia sin centinelas, durante el rato que había durado el enterramiento; y, embargados por la pena, no habían oído los gritos desgañitados de un insurrecto con bandera blanca que, apostado en la tierra de nadie, había reclamado hasta tres veces parlamento, sin obtener respuesta. A la cuarta petición, de vuelta todos a la iglesia, pudieron oírlo al fin. Aceptando el parlamento, Las Morenas mandó sacar el roquete hecho jirones de fray Cándido por una de las aspilleras del baptisterio, donde todavía se hallaban sin recoger los vendajes de Calvete, sucios de purulencias y humores sanguinolentos. Tardó en reparar en la persona que acompañaba al emisario de Novicio:

—No me lo puedo creer... —comentó Las Morenas, al reconocer a sor Lucía.

Martín Cerezo, presto y al quite, no lo dejó llevarse por el entusiasmo:

—Tenga mucho cuidado, mi capitán, y obre con astucia. Esa mujer puede haberse pasado a los insurrectos. —Y como aquella presunción le pareciese excesiva, incluso para él, la matizó—: O los insurrectos podrían estarla utilizando para hacernos caer en sus asechanzas. Todo lo que nos diga deberíamos interpretarlo al revés.

Con leve desaliento, Las Morenas pensó que Martín Cerezo nunca podría dejar de ser insidioso y desconfiado; pero también debía reconocer que muchas de sus suspicacias se habían probado luego ciertas. Ordenó que abriesen el portón, cuyos goznes chirriaron como plañideras que se sumasen al duelo por la muerte de Calvete. El insurrecto se detuvo ante el umbral y pasó al interior de la iglesia sor Lucía, que tardó en acostumbrarse a la penumbra ceñuda del lugar y a su atmósfera cargada y pululante de miasmas que a punto estuvo de desvanecerla, a pesar de que no era escrupulosa y estaba acostumbrada a tratar con enfermos. Miró con pudorosa lástima a los soldados, pálidos y torpones por la falta de ejercicio y a la vez consumidos por la escasa alimentación. El rayadillo de sus uniformes había sido borrado por la mugre; y las rasgaduras de la tela, como las botas de suelas comidas por la humedad, los asemejaban a zarrapastrosos. El hábito de fray Cándido, más mendicante que nunca, revelaba en forma de bolsones de aire que su ocupante había adelgazado más de una arroba. Y observó también que el capitán Las Morenas estaba macilento y que se movía con una rara prevención, como si tuviese los huesos de vidrio; en sus labios lívidos y en las ojeras se apuntaban los signos de alguna consunción interna, tal vez provocada por la anemia. Fue él quien la saludó con gesto atribulado:

—Espero que sepa disculparnos, sor Lucía. Estábamos enterrando a Julián Calvete, uno de los mejores hombres de este destacamento.

La nueva sobresaltó y apenó a partes iguales a sor Lucía, que había soñado con una insurrección que no dejase bajas en Baler y comprobaba que aquel sueño quimérico se hacía trizas. Pero ni siquiera pudo mostrar su consternación, porque el teniente Martín Cerezo intervino como un resorte: era la primera vez que se atrevía a corregir a su superior delante de los soldados; y sabía que, haciéndolo, estaba pisando una línea que tal vez no admitiese marcha atrás:

—Con todos mis respetos, mi capitán, me permito recordarle que la emisaria viene del campo enemigo y a él ha de volver. No considero prudente revelarle nada que ataña a lo que aquí dentro sucede. A la larga, pueden ser datos que, confiados al enemigo, le brinden ventaja en la lucha.

Las Morenas lo miró fríamente, con más estupor que contrariedad; y, además, su estupor no lo provocaba tanto la osadía de la desautorización pública como los recelos de Martín Cerezo, que se le antojaban propios de un paranoico, pues no podía imaginar persona más digna de confianza que sor Lucía. Pero no se le escapaba tampoco que Martín Cerezo siempre había profesado a la monja una inquina más o menos contenida, según la circunstancia (y aquella, desde luego, permitía quitarse todas las caretas). Se creó entre ambos un clima de animadversión latente, del que sor Lucía se sustrajo, entablando conversación con fray Cándido, al que por fin pudo darle nuevas de Moisés, enviado por Novicio a la hacienda de don Ramiro Garzón, que gracias a Dios también estaba sano y salvo, al igual que su hija Guicay, aunque rehenes ambos de los insurrectos, que habían reclamado rescate por ellos al gobierno español, sin obtener hasta la fecha respuesta satisfactoria. Chamizo escuchó con una mezcla de desazón y alivio las explicaciones de sor Lucía y quiso preguntarle más específicamente por Guicay; pero ya Las Morenas la invitaba a pasar a la sacristía, quizá la única dependencia de la iglesia que a aquellas alturas no presentaba un aspecto deplorable y desde luego la única que aún contaba con mesa y sillas, pues todos los demás muebles habían sido desguazados, para hacer leña. En la sacristía se reunieron con sor Lucía Las Morenas, Martín Cerezo y fray Cándido: ella empezó por mostrarles la carta de Aguinaldo que los exhortaba a una inmediata rendición; y prosiguió describiéndoles con detalle el cuadro rotundamente desfavorable para los intereses españoles que le había pintado Novicio, quien volvía a ofrecer a los sitiados un trato benigno si no prolongaban más la resistencia. Se hizo un silencio aguzado de resquemores y desconfianzas; Martín Cerezo habría deseado someter a la emisaria a un interrogatorio todo lo exhaustivo y hasta capcioso que hubiese sido menester, pero dejó que esta vez fuera el capitán quien tomase la iniciativa, por evitar el enfrentamiento.

—¿Y qué noticias de primera mano tiene usted, sor Lucía? —preguntó al fin Las Morenas—. ¿Qué es exactamente lo que ha ocurrido en Manila?

—Yo no he salido ni un solo momento de este pueblo, así que nada puedo decirles de lo que haya ocurrido fuera, si no es de oídas —contestó sor Lucía con un mohín resignado—. Aunque, desde luego, en Baler todo el mundo da a los insurrectos por victoriosos.

Martín Cerezo la miró con desdén; pero sabía que, sepultada por ese desdén, alentaba una admiración callada hacia la monja entrometida y alférez. Y esa admiración vergonzante lo mortificaba:

—¿De modo que no ha visto nada de lo que Novicio le ha dicho? —le preguntó—. ¿No ha presenciado ninguna de las catástrofes que relata Aguinaldo en su carta?

—Ninguna absolutamente.

Martín Cerezo lanzó una mirada de malicioso entendimiento a Las Morenas, que no quiso devolvérsela. Cuando hablaba a sor Lucía, procuraba no dirigir la vista hacia su rostro, por no revelar los síntomas de la veneración.

—¿Y a usted qué le parece todo esto? —inquirió Las Morenas.

Sor Lucía, en cambio, lo miraba, sin rebozo ni gazmoñería:

—Novicio no me engañaría —comenzó con firmeza—. Aunque quizá, cuando habla de sucesos que no ha presenciado, esté creyendo las exageraciones que otros le han contado. La verdad es que no puedo formar un juicio cierto. —Buscó ahora la anuencia de fray Cándido, que parecía como ausente, embebido en sus cavilaciones sombrías—. He preguntado a diversas personas en el pueblo, he indagado minuciosamente, he procurado por todos los medios a mi alcance enterarme y no he sacado nada en limpio, tan sólo contradicciones y vaguedades. La mayor parte de la gente refiere lo que otros les han dicho, cada uno lo cuenta a su modo y ninguno ha presenciado los hechos.

Martín Cerezo exhaló un breve amago o espectro de risa, sarcástico y seco:

—¡Lo que yo decía! —exclamó, cada vez más exaltado—. Todo es una pura mentira. Esos bandidos quieren engañarnos. ¡Pero no lo conseguirán!

Esta última afirmación la acompañó de un puñetazo en la mesa que conturbó, por distintos motivos, a los circunstantes:

a fray Cándido porque lo extrajo de su ensimismamiento; a sor Lucía porque veía en aquel hombre un inexpugnable fortín de suspicacias y prejuicios; a Las Morenas porque intuía que el conflicto de autoridad con Martín Cerezo era cada vez más insoslayable y se sabía sin aliento para afrontarlo. Trató de devolver a la reunión cierta ecuanimidad:

—No podemos fiarnos de rumores, sor Lucía, por mucho crédito que le merezca Novicio.

Pero detrás de la fachada ecuánime latía un velado reproche. A Martín Cerezo le ofendía que su superior anduviese pesaroso y mohíno porque una monja metomentodo le ofreciera su confianza a un filibustero, cuando lo que tendría que hacer era castigarla sin contemplaciones por andar intimando con el enemigo. Aprovechó para meter baza:

—Yo sigo manteniendo, mi capitán, lo mismo que ya le dije después de su parlamento con Novicio. Debemos resistir mientras nos quede un cargador en las cartucheras y un grano de arroz que llevar a la boca.

Las Morenas quiso poner freno a las intemperancias de Martín Cerezo:

—Caballeros, ya han oído a sor Lucía —dijo—. Si de esta reunión se acuerda la resistencia, quizá nos condecoren con alguna medalla. Pero tenemos a nuestro cuidado las vidas de... —recordó la defunción de Calvete— casi cincuenta hombres. Hay que elegir entre la gloria y la conciencia.

Todos se quedaron meditabundos. Su dubitación la volvió a aprovechar Martín Cerezo para aportar una solución de apariencia salomónica:

—Esperemos, al menos, a recibir confirmación de la superioridad. Esperemos hasta que nos notifiquen que, en efecto, España ha capitulado y cedido su soberanía sobre estas tierras. Es lo que exigen las ordenanzas.

Aquel Martín Cerezo más reposado y circunspecto, adalid de la legalidad, se le antojaba a Las Morenas mucho más peligroso que el Martín Cerezo impulsivo y energúmeno:

—No comparto esa observancia tan maniática de las ordenanzas, Saturnino. Pero quizá tenga razón esta vez —concedió Las Morenas.

Martín Cerezo no pudo reprimir un gesto de orgullo o vanagloria. Ya se iba a alzar de la mesa, para transmitir al destacamento que se mantenía la resistencia, pero Las Morenas le indicó que permaneciese sentado con un leve ademán de la mano. Sor Lucía se atrevió a susurrar tímidamente:

—Novicio se pondrá furioso cuando le diga...

—Usted no volverá con Novicio —la cortó Las Morenas, dulce pero terminantemente—. No puedo arriesgarme a que la sonsaque sobre lo que ha visto aquí.

Bajo su aspecto postrado, Las Morenas revelaba —por el brillo de la mirada, por una sombra risueña en los labios— cierta discreta exultación. Martín Cerezo comprendió entonces que Las Morenas había aprovechado sus argumentos, fingiéndose que lo habían convencido, para salirse con la suya, que no era otra sino retener a su lado a la monja hechicera.

—Yo... capitán... con mucho... —balbuceaba sor Lucía, a la que la inopinada decisión de Las Morenas había pillado por completo desprevenida— con mucho gusto me quedaría aquí. Pero Novicio montará en cólera si lo hago. Y si esta iglesia cae en manos de los insurrectos, me temo que ya no podré responder por usted...

—Pierda el cuidado, no tendrán la satisfacción de vernos en su poder —dijo Las Morenas, cuya exultación iba derivando hacia la fanfarronería—. Tenemos aún víveres en abundancia; y antes de que se terminen, vendrán a socorrernos. Además, mirándolo bien, esta situación no puede dilatarse mucho tiempo. Y, al terminar, venza España o Estados Unidos, seremos socorridos por una nación u otra. Esto es de sentido común, y basado en el derecho de gentes. Y si tardasen mucho y cayésemos enfermos, contamos con un médico excelente y medicinas de sobra.

Las Morenas sabía que había ensartado una sucesión de mentiras crasas y medias verdades halagüeñas que, en conjunto, carecía de la más mínima exigencia de verosimilitud; pero la perspectiva de contar con la compañía de sor Lucía le transmitía un insensato optimismo. Sor Lucía, por su parte, sentía en aquel momento un desgarro interior muy lacerante: por un lado, se alzaba el deber patriótico de compartir el infortunio de aquellos soldados; por otro, le dolía abandonar a los balereños que le habían sido encomendados. Sabía, además, que Novicio no sería el mismo cuando le faltasen su inspiración y consejo; y también que el cambio que su ausencia obrase en su carácter sería, inevitablemente, funesto. Y temía, en fin, que otros viniesen a inspirarlo y aconsejarlo; y que su influencia, abonada por el despecho de Novicio, fuese nefasta.

—Está bien —dijo, sabiendo que todos sus reparos no serían escuchados por Las Morenas—. Me quedo. Soy española; y la suerte que corra un español en Baler debe ser la que corramos todos.

Las Morenas ordenó a Martín Cerezo que retiraran la bandera blanca, dando por concluido el tiempo para parlamentar. Martín Cerezo accedió a regañadientes, contrariado de que, a la presencia indeseable de fray Cándido, se sumase la de la monja anuladora de voluntades, la monja cínife y moscardona que había sorbido el seso al capitán y lo había envuelto en sus redes de seducción. Cuando salía de la sacristía, sor Lucía se volvió hacia Las Morenas, con una mirada a la vez halagada y recriminatoria:

—Y esto no me dirá que lo hace por deber...

Las Morenas comprobó con satisfacción cómo el roquete de fray Cándido era retirado de la aspillera. Respondió a sor Lucía en un tono zumbón:

—El militar es el escudo que se pone el hombre, usted misma lo dijo. Así el hombre disfraza sus deseos de deberes.

El insurrecto que había acompañado a sor Lucía hasta la puerta de la iglesia, al comprobar que la bandera blanca se retiraba sin que saliese la monja, se volvió hacia su campamento, haciendo visajes de escándalo y vociferando en tagalo. Novicio abandonó las trincheras sulfurado y fue a reunirse con él en la tierra de nadie. De repente, el cielo se encapotó, como si se solidarizara con el disgusto y la iracundia de Novicio.

—¿Y son ustedes los que se precian de conocer las leyes de la guerra? —bramó, acercándose a las aspilleras del baptisterio—. Todas estas felonías que están cometiendo las van a pagar con creces.

Y, como si quisiera rubricar su amenaza, escupió contra la pared del baptisterio. Las Morenas se abrió paso entre los soldados del destacamento y se arrimó a la aspillera. En su voz había una irónica candidez muy acorde con la fanfarronería que había mostrado antes en la sacristía:

—Disculpe, Novicio, pero el hombre que vino como parlamentario era el que traía la bandera blanca. A ese lo hemos respetado como establecen las leyes y ya está con ustedes. —Las Morenas cruzó una risa sardónica con Martín Cerezo, demostrándole que él también sabía cobijarse en las ordenanzas cuando le convenía—. En cuanto a la hermana, que no traía insignia alguna de parlamentaria, se ha quedado aquí porque creíamos que ustedes nos la mandaban para que nosotros, como españoles, la socorriésemos. Hemos imaginado que no tendrían con qué alimentarla; y, siendo además religiosa, hemos supuesto que no les gustaría tenerla a su lado, por ser ustedes unos ateos tan tremendos.

Las chanzas de Las Morenas habían estimulado la hilaridad de los sitiados, al principio cariacontecidos. Menos divertido parecía Novicio, que volvía a las filas insurrectas lanzando una andanada de improperios:

—¡Moriréis todos, malditos *castilas*! —berreó—. Todos, sin perdonar a uno, seréis pasados a cuchillo. Y arrojaré vuestros cadáveres a los perros.

Y, una vez que se hubo alejado suficientemente, empezó a animar a los soldados del destacamento a que desertasen, o a que se rebelasen contra sus oficiales, si no deseaban correr su misma suerte cuando la iglesia fuese tomada. Del cielo anubarrado había empezado a caer un agua sorda y violenta que pronto adquirió densidad de cortina. Entonces se le ocurrió a Novicio una idea de sibarítica crueldad que, a buen seguro, sor Lucía habría desaprobado; pero sor Lucía lo había traicionado y sus pretensiones pacíficas —se convenció— habían dejado de tener ascendiente en su corazón. No quería reconocerlo, no podía ni siquiera discernirlo en medio de la nube de cólera que ofuscaba su entendimiento, pero sin sor Lucía era un perrillo sin amo, desamparado y confuso.

—¡Disparad contra el tejado! —ordenó a sus tiradores.

Y durante todo el día, acompañando a la persistente lluvia, cayó una granizada rala, pero constante, de balas contra el tejado de cinc de la iglesia, que no tardó en quedar como una criba, según Novicio había imaginado que ocurriría desde el comienzo del asedio y no había hecho hasta entonces, por misericordia hacia los sitiados. Pero todo rastro de misericordia se había borrado de su conciencia; y, a partir de entonces, los *castilas* podrían disfrutar, en las noches claras, de las estrellas del firmamento, escudriñándolas a través de los boquetes del tejado, como a través de una tupida celosía. Y, mientras durase la estación de las lluvias (y aún quedaba casi un mes por delante), tendrían que acostumbrarse a vivir en remojo, al menos hasta que idearan alguna industria para combatir los efectos del despecho de Novicio, que aquella noche, una vez aplacada su cólera, no pudo pegar ojo, pensando mientras veía caer chuzos de punta que tal vez sor Lucía contrajese una pulmonía por su culpa. Trató de tranquilizarse pensando que una mujer que no había enfermado durante los cuatro meses que había permanecido con él en la selva no iba a enfermar ahora, por unas goteras de nada, o en todo caso podría tal vez pillar un catarro del que no tardaría en reponerse; y que, por lo demás, tenía bien merecido.

Así trataba Novicio de espantar los remordimientos; y sin embargo aquella noche, como las siguientes, no pudo dormir, desazonado, porque era un ángel guardián que se había quedado sin su guardada, por negligencia o exceso de confianza. Y en medio de su desvelo, sentía como si un amasijo de ortigas le navegase la sangre.

5

Rutger van Houten había abandonado Manila después de muchos intentos fallidos por imponer su parecer entre los mandos estadounidenses que ya se enseñoreaban de la plaza. Había soñado que la victoria de los americanos le permitiría, al fin, campear por las calles de la capital, que tantas veces había imaginado invadidas por montañas de cadáveres desmembrados y abiertos en canal como lecciones de anatomía de Rembrandt; había soñado con limpiar Manila de aquella repugnante proliferación de razas inferiores y de imágenes execrables de la madre del Galileo, quemando iglesias y fusilando cada mañana a doscientos o trescientos tagalos. Pero los americanos no deseaban, al menos por el momento, instaurar un reinado de terror en Manila: para su sorpresa, los españoles no les habían presentado encarnizada batalla (hasta las estirpes más esforzadas acaban flojeando, cuando las corrompe la ponzoña de un mal gobierno); y, tras una victoria tan poco disputada, se habían conformado con mantener el orden en la capital. Sólo que, manteniendo el orden, se mantenían también los frenos que impedían el reinado de la plena libertad, que exige que no rija otra ley sino el deseo y la voluntad caprichosa.

Los americanos, además, no acababan de entender que, si deseaban hacerse pronto dueños de Filipinas, deberían liberarla a un mismo tiempo del cetro y del báculo; pues la libertad que Van Houten ansiaba —la única libertad que merecía su afán y su militancia— sólo podía prender en un terreno donde previamente hubiese sido aniquilado el nefando culto romano. Los americanos, por el contrario, no deseaban matanzas que los hicieran aparecer como salvajes ante el concierto de las naciones que pronto esperaban enseñorear, como los domadores de circo se enseñorean de los leones pitañosos y reumáticos. Además, pensaban que la superstición religiosa es muy útil para amansar a los pueblos; y, más que profanar templos, saquear conventos o pisotear hostias consagradas, pretendían desvirtuar y falsificar la fe de los filipinos, permitiéndoles por un lado fundar una iglesia seudocatólica nacional, sin sometimiento a Roma, y por otro infestándolos con el enjambre de sectas que los propios americanos habían prohijado en su país, a cada cual más mentecata en su aliño de dogmas en ensalada, copiados unos de Roma e inspirados otros por una caterva de profetas beodos. Consideraban los americanos —acaso con certero juicio— que aquellos cultos estrambóticos se multiplicarían entre los filipinos como los chinches se multiplican en un muladar, acabando con los vestigios de la fe tan aborrecida por Van Houten en apenas treinta o cuarenta años. Tal vez ocurriese como preveían, tal vez aquel método sibilino deparase a la larga un resultado mejor que el método quirúrgico propugnado por Van Houten; pero, desde luego, sus sueños de derrocar los ídolos erigidos por los españoles, profanar sus templos y arruinar las almas seducidas por la superstición romana se desleían como un azucarillo en el agua.

Para terminar de malograr sus anhelos de violencia, los americanos habían decidido retener en Manila las armas que el Katipunan había comprado a Van Houten, impidiendo que las distribuyera por provincias. La mayoría de los destacamentos españoles habían sucumbido durante el asedio de Manila, o bien habían capitulado nada más saber que la capital se había rendido, oponiendo mucha menos resistencia de la esperada; y los americanos preferían que los pocos que aún resistían siguieran haciéndolo, pues de este modo los tagalos se quedarían exhaustos y sin munición cuando los invasores disfrazados de aliados decidieran lanzar el golpe final que tronchara sus ilusiones grotescas de independencia. Después de impedir durante semanas que el cargamento de armas traído por Van Houten abandonase el puerto de Manila, los americanos habían terminado confiscándolo, permitiéndole sin embargo que se embolsara el importe íntegro de la transacción. Y, haciendo una excepción reticente, habían autorizado despachar un envío de armas a Baler, donde para entonces se hallaba la única guarnición española que aún no se había rendido. A Baler se había ido por tierra Van Houten, anticipándose al envío de armas por mar y acompañado de una columna de soldados tagalos, a los que los americanos habían armado con fusiles Remington, mucho más rápidos que los máuseres empleados por los españoles. De aquella misión, demasiado modesta si la comparaba con la magnitud de sus cálculos iniciales, atraía a Van Houten la posibilidad de erigirse en reyezuelo de la comarca, instaurando en ella, a modo de humilde pero sabrosa consolación, el reinado de horror que le había sido vedado en Manila. Y esperaba poder asentar sus reales en la hacienda de don Ramiro Garzón, donde además confiaba encontrarse otra vez con su hija, aquella presuntuosa e incitante Guicay.

El traslado hasta Tarlac, restablecida la comunicación por ferrocarril, fue sencillísimo. Desde allí hasta la hacienda de Garzón todo habían sido, en cambio, penalidades: a las lluvias torrenciales que los acompañaron en su peregrinaje por la selva se sumó el inopinado ataque de una partida de ilongotes que desató un miedo pánico entre la patulea de tagalos cobardones que formaban su séquito, ocasionándoles cuantiosas bajas. A Van Houten le había costado mucho convencerlos de que la superioridad numérica y los fusiles Remington los harían vencedores en un enfrentamiento directo con los salvajes, a poco que se mantuvieran unidos e improvisaran un parapeto. Así lograron abatir a una decena y apresar a otros tantos ilongotes, que nunca antes se habían enfrentado a enemigos pertrechados con armas tan devastadoras, ni comandados por alguien que disfrutara más atormentando a sus prisioneros con brasas encendidas en las plantas de los pies y en sus partes pudendas. Con una decena de ilongotes atados en reata codo con codo, como racimo de carne humana, llegó la comitiva de Van Houten a la hacienda de Garzón, recién estrenado el mes de diciembre. El holandés iba al frente, rozagante sobre su caballito bayo; a su zaga iban los ilongotes, completamente desnudos, custodiados por los quince tagalos supervivientes de la refriega, maniatados y pegados unos a otros para economizar cuerda. La extenuación y el desaliento estaban pintados en sus semblantes, que ya habían perdido su dureza montaraz y sólo ansiaban el golpe definitivo que abreviase sus penalidades. Los más resistentes miraban el suelo, cabizbajos; pero la mayoría llegaban cojitrancos o encorvados por el dolor. Si alguno entorpecía la marcha y se trompicaba, enseguida un soldado se acercaba blandiendo un bejuco y lo obligaba a levantarse o avivar el paso, repartiendo zurriagazos a diestro y siniestro. El cordón de los ilongotes corría entonces, arrastrando al desgraciado, que se revolcaba en el polvo y aullaba en su idioma indescifrable, suplicando la muerte; si lograba levantarse, seguía su camino entonando una salmodia lastimera, como si maldijera la hora en que había sido concebido. Y mientras el bejuco silbaba y caía sobre la piel de sus espaldas, ya reducida a jirones, la sed los abrasaba.

—¡Ah de la casa! —voceó jubiloso el holandés, al llegar a la explanada que servía de atrio a la vivienda de Garzón.

Salió al porche, con el rifle en bandolera —Van Houten enseguida lo reconoció—, aquel jovencito airado que acompañaba a Novicio el día que se entrevistó con él en los manglares, mientras despellejaba un caimán. Viendo la reata de los ilongotes, Moisés se quedó petrificado por el pasmo.

—Pero... pero si son... —tartamudeó.

—Ilongotes, en efecto —confirmó Van Houten, y soltó una risotada vehemente—. No es tan fiero el león como lo pintan. Ahí los tienes, convertidos en piltrafas. Y aún les queda mucho por sufrir a los pobrecitos.

Moisés los miró con sobrecogida lástima, reparando en la piel de sus espaldas, reducida a pulpa. Jamás había imaginado que llegase a sentir lástima por los ilongotes, a quienes había aprendido a temer y odiar desde que tenía uso de razón, escuchando los relatos de sus cacerías de cabezas. Van Houten desmontó del caballito, exhalando un gemido de alivio; se sacudió a manotazos el polvo del camino y se remetió en el cinturón el bejuco que había empleado como fusta.

—¿Y qué ha sido del dueño de la hacienda? —inquirió—. Espero que no hayas sido demasiado blando con él, Moisés. Aunque teniendo como maestro a ese pacifista de Novicio, no sé yo...

Habían salido al porche la media docena de insurrectos que acompañaban a Moisés en la custodia de Garzón y de Guicay. Todos contemplaban atónitos a los ilongotes.

—Novicio está en Baler, sitiando desde hace cinco meses a los *castilas*, que se han hecho fuertes en la iglesia —repuso Moisés, todavía amedrentado—. Me ha pedido que no toque a los prisioneros. Estamos esperando que nos paguen rescate por ellos.

Van Houten sonrió sardónico. Se acercó a Moisés y le palmeó la espalda como si le quisiera dislocar los omóplatos:

—Que no hayas tocado a la mestiza no lo veo mal, así no seguís mezclando sangres de distinta raza. Pero, a su padre, ¿cómo es que no le has arrancado siquiera las uñas, o lo has marcado como al ganado?

Le sacudió un pasagonzalo, más burlón que afectuoso, y desenganchó del arzón de su caballito el maletín que siempre lo acompañaba, con los frascos de morfina y los adminículos necesarios para administrarla. Moisés se hizo el gallito:

—De momento, prefiero no marcarlo, para que los *castilas* nos paguen más por él —dijo. Y trató de cambiar de asunto—: Así que Manila ya es nuestra...

Van Houten le dirigió una sonrisa cínica:

—Manila ya es de quien los americanos quieran que sea, amiguito —repuso, como quien se sacude un engorro, y llevó otra vez la conversación al punto en que Moisés había tratado de desviarla—: Hay que pasar a cuchillo a todos los *castilas*. Y más si son contrarrevolucionarios, como ese Garzón.

Dio órdenes a los soldados que lo acompañaban para que condujesen a los ilongotes prisioneros a un almacén de abacá próximo a la vivienda. Desfiló la reata como una procesión de penitentes, ante la apabullada admiración de los hombres de Moisés, que nunca antes habían visto ilongotes en cautiverio.

—¿A todos los *castilas*? —balbuceó Moisés—. ¿Aunque no hayan hecho nada malo?

—¡A todos! —se mofó Van Houten, revisando que los frascos de su maletín, convenientemente envueltos en algodón, no se hubiesen quebrado—. Todos han hecho algo malo, en mayor o menor medida. Este Garzón, sin ir más lejos, se dedicó en su juventud a violar y embarazar mujeres tagalas.

Dejó que Moisés digiriera la infamia y esperó su reacción, que lo decepcionó amargamente:

—No, señor, sino que amó a una mujer tagala, se casó y tuvo con ella una hija.

—¡Vaya! ¡Así que tú también te has vuelto clemente, como Novicio! —se burló Van Houten—. Deja de mirar la muerte al detalle; contémplala desde una atalaya y verás cómo cambia la perspectiva. Tal vez una muerte concreta pueda parecerte una tragedia, pero... ¿Qué significa una hecatombe de diez mil o veinte mil desgraciados? ¡Diez mil o veinte mil historias de padecimientos menos! ¿De veras te estremece quitar la vida a esos españoles piojosos? —Lo tomó de los hombros, como si quisiera reconfortarlo—. Un pueblo viciado ha de morir, para dar vida a otro pueblo nuevo, joven y lleno de energía como el vuestro. Como ocurre siempre en los cantares épicos: hay que matar al dragón para bañar en su sangre al pueblo y hacerlo así invulnerable. ¿Has leído a Darwin, muchacho?

Era, por supuesto, una pregunta bufa, más que retórica. Se habían quedado solos en el porche de la casa, entregado a la incuria.

—No, señor —murmuró Moisés.

—Pues deberías hacerlo, en lugar de leer las fábulas de los frailes —lo azuzó Van Houten—. Es la inexorable ley de la naturaleza. Hay una constante pugna entre los débiles y los fuertes que se salda siempre de idéntico modo: el débil perece para que no se perpetúe la especie viciada y la evolución pueda seguir su camino, inalterable. ¡Fuera esos escrúpulos tan femeninos, Moisés! —lo exhortó, jubiloso—. La tierra es más fecunda cuando se riega con sangre; y las naciones más seguras cuando se cimentan sobre cadáveres. A arrancar las malas hierbas de un campo, ¿tú lo llamarías matar? Yo más bien creo que es vivificar. Y Filipinas tiene muchas malas hierbas que debemos arrancar, desde los *castilas* a los ilongotes.

Tan bestiales sofismas, dichos con convicción y frialdad, anonadaban a Moisés. Van Houten inhaló aire con fruición, como si ventease el olor fecundo y vivificante de la sangre.

—Pero... un hombre no es lo mismo que una hierba —se opuso ingenuamente Moisés—. Tiene un alma que, por muy envilecida que esté, puede ser redimida. Sólo Dios tiene en su mano las vidas de los hombres.

Van Houten almohazaba el lomo de su caballito bayo, mientras lo conducía de las riendas hasta el balaústre del porche. Se carcajeó sin rebozo:

—¿No dejó Dios ministros en la tierra para rememorar su sacrificio? Pues también los dejó para que le abreviásemos el trabajo de condenar las almas de los débiles, Moisés. Y, aquí y ahora, nosotros somos esos ministros. Nuestra obligación es matar a nuestros enemigos.

Del almacén donde habían guarecido a los ilongotes brotaba ruido de zambra y risotadas patibularias. Van Houten miró engolosinado y se encaminó hacia allí, haciendo a Moisés un gesto para que lo acompañase.

—¿Y qué dirían las demás naciones, a la vista de semejante carnicería?

—Las demás naciones aplaudirían encantadas dando la razón al más fuerte, como hacen siempre —contestó sin dificultad Van Houten—. ¿No aplaudieron a los ingleses que esclavizaban a los negros? ¿Y no han aplaudido a los Estados Unidos en sus matanzas de pieles rojas? Las naciones aplauden como se aplaude el final de un drama, sin fijarse demasiado en el fondo, y atendiendo sólo al efecto final. Y aquí el efecto final será grandioso: ¡España, la espada de Roma, puesta al fin de rodillas y sin posibilidad de volver a levantarse!

Su regocijo era tan deleitoso que las fatigas del viaje se le habían disipado por completo. Caminaron hasta el almacén de abacá donde habían conducido a los ilongotes; y lo que allí vio hizo a Moisés sentir asco de sí mismo y de servir a la misma causa que aquellos soldados llegados con Van Houten de Manila, vestidos con uniformes estrafalarios que mezclaban algunas prendas autóctonas con otras prestadas por el aliado yanqui. Habían tomado a uno de los ilongotes y le habían amarrado las manos a la espalda, para después pasar la soga por encima de una de las vigas de la techumbre y levantarlo entre varios en el aire, descoyuntándole los hombros con el peso del cuerpo y la posición invertida de los brazos. Una vez elevado, le habían atado también los pies con otra soga, de la que tiraban unos cuantos, balanceando el cuerpo del ilongote, que iba a chocar una y otra vez, como si lo estuviesen columpiando, con las puntas de los cuchillos y las bayonetas que otros le clavaban en las piernas, en medio de grandes muestras de algazara. La sangre mojaba los muslos del ilongote, que berreaba en su jerga ininteligible, tal vez pidiendo lastimeramente que lo rematasen. En el almacén había un hedor mixto de matadero y letrina que golpeaba los sentidos y magullaba el alma.

—Que pasen de momento la noche en este almacén —ordenó Van Houten a sus hombres—. Si protestan, les hacéis como a este. Y si alguno tiene hambre y os pide algo de comer, le cortáis un trozo de pantorrilla y se lo metéis en la boca.

Enmudecido por el horror, Moisés pensó en el muchacho que, apenas unos meses atrás, tallaba ángeles sobre la madera, como en un remoto antepasado cuya memoria había traicionado, sin posibilidad alguna de retractación.

—Pero... ¿a qué viene tanta crueldad? —se atrevió a preguntar, dominando a duras penas las bascas.

—¿Y tú me lo preguntas? —se alborotó Van Houten—. ¿No han matado los ilongotes a muchos tagalos como tú, cortándoles la cabeza?

—Mátelos, entonces —dijo Moisés, en un tono más suplicante que imperativo—. Pero ¿qué sentido tiene torturarlos de ese modo?

Van Houten contempló con arrobo y ensimismamiento al ilongote suspendido de la maroma. Una oleada de placer le rehogaba los testículos.

—Que purguen sus pecados —respondió, desafiante—. ¿Te parece poco sentido?

Moisés retrocedió, como si la lumbre quieta que esmaltaba la mirada de Van Houten lo quemase. Había visto palpitar, allá al fondo de sus retinas, una forma de odio que ni siquiera había imaginado que pudiera existir: el odio de quienes creen y tiemblan, aquilatado en los crisoles de un resentimiento atávico.

—Ni siquiera tendrán conciencia de pecado... —susurró Moisés—. Nunca les enseñaron la doctrina.

Y, al escucharle decir eso, la lumbre de los ojos de Van Houten llameó, como cuando se remueve una brasa con el atizador, y desprendió pavesas en la penumbra del almacén, cuya fetidez Moisés ya no podía soportar. El ilongote torturado había perdido la consciencia, mientras todavía se balanceaba en el aire.

—¿De veras? —inquirió Van Houten—. ¿Quieres decir que los frailes no consiguieron evangelizarlos? —Moisés asintió, medroso—. ¡Entonces, que prueben los sufrimientos del Galileo, a ver si así logramos que se conviertan! —exclamó, en un éxtasis cruel. Y se volvió hacia sus secuaces—: ¡Basta, bajadlo inmediatamente de ahí!

Los soldados tagalos obedecieron al instante, cortando la soga que mantenía colgado al ilongote, que cayó sobre las pacas de abacá retorciéndose como un limaco. Los otros ilongotes, que aguardaban turno de tortura encadenados a una pilastra, lo miraban con ojos coagulados de espanto, entre apiadados y vindicativos.

—¿A qué esperáis? —azuzó Van Houten a los soldados—. Quiero que vayáis a la selva y os pongáis de inmediato a talar árboles. Quiero que hagáis... —contó a los ilongotes— diez cruces.

Todos lo miraban incrédulos; y Van Houten disfrutaba de su desconcierto. Moisés preguntó, pensando tal vez que así la pesadilla se disiparía milagrosamente:

—¿Qué piensa hacer?

—Si hubiésemos cazado tan sólo a cuatro más, podríamos haber hecho un bonito vía crucis con todas las estaciones, de aquí a Baler, ¿no te parece, Moisés? —Lo tomó, confianzudo, de los hombros y se dirigieron juntos hacia la explanada—. Sí, voy a crucificarlos a todos, tú me has dado la idea. Me encantará verlos morir, colgados de un madero, y ver cómo se pudre su carroña. —Y añadió, en un tono solemne—: Pero ahora quiero ver a ese seductor de nativas al que tienes preso.

Moisés le apartó la mano del hombro, que pesaba al menos una arroba. Se resistió:

—Novicio me ha pedido que...

—Me importa un comino lo que Novicio te haya pedido —se exasperó Van Houten—. Antes que las instrucciones de ese cretino debes obedecer los juramentos del Katipunan, que te obligan a matar y hacer al *castila* todo el daño que esté a tu alcance. Pero puedes estar tranquilo, sólo quiero hacerle una visita, por el momento.

Habían dejado atrás el almacén. Temeroso de que Van Houten lo llevara ante el tribunal del Katipunan, Moisés desembuchó:

—Don Ramiro está en la bodega. Hubo que encerrarlo allí porque trató de escapar en varias ocasiones.

—¿Y eso no te parece suficiente motivo para castigarlo? —le preguntó Van Houten—. Menuda raza de flojos que estáis hechos los filipinos... —Entraron en la casa y cruzaron el comedor que había servido como pista de baile en los días felices. Van Houten procuró no mostrar demasiado interés—: Y la hija mestiza del hacendado, ¿está también en la bodega?

—Guicay está en su habitación —repuso Moisés, con un gesto atribulado—. Pero se niega a hablar con nadie.

—Eso será porque no habéis sabido consolarla.

La chanza de Van Houten, tan socarrona como desapasionada, lo hizo temblar. El abandono y la desidia se enseñoreaban de cada rincón de la casa; hasta la tonalidad rojiza de la madera de camagón se había vuelto negruzca, como si anticipase el luto. Descendieron a la bodega por una escalera de peldaños desiguales excavada en la tierra y se detuvieron ante una poterna asegurada con un cerrojo; apenas llegaba la luz y Moisés tardó en encajar la llave en la cerradura.

—¿Cuál es la ración de comida que se le da al criado más miserable? —le preguntó Van Houten inopinadamente.

—Dos chupas y media de arroz, con su correspondiente vianda de pescadillos o verduras condimentadas —respondió Moisés—. ¿Por qué?

Se oyó, al fin, el chasquido de la cerradura al ceder. Van Houten habló en un susurro:

—Porque vas a poner en la escudilla de Garzón exactamente la mitad. Verás como de esta manera deja de pensar en escapadas y poco a poco se va amansando.

—¡Pero eso no puede ser, don Rogelio! —protestó paladinamente Moisés.

—¡No se te ocurra volver a llamarme Rogelio! —chilló Van Houten encorajinado—. Esos nombres ridículos de indios te los guardas para cuando tengas hijos. Para ti soy el señor Van Houten. ¿Me has entendido? —Y silabeó—: Van–Ju–Ten. —Apoyó su zarpa sobre la poterna, antes de que Moisés la abriera—: Y ahora, dime, ¿por qué no puede ser?

El aire subterráneo se adensaba de recelos y resquemores. Moisés respiraba con dificultad:

—Nuestro presidente, Aguinaldo, promulgó un bando, prohibiendo el maltrato gratuito a los prisioneros...

—¡Vuestro presidente! —se mofó Van Houten—. Ese monigote no llegará a Navidad, de eso se encargan los americanos. Y lo tendrá bien empleado: la revolución no se hace promulgando bandos filantrópicos.

Moisés, intimidado, le cedió el paso a la bodega, muy húmeda y umbría, que era más bien una suerte de despensa expoliada o cuarto trastero entorpecido de cachivaches inservibles. A la luz de un quinqué, Garzón, muy envejecido y encorvado, con barbas de hidalgo desposeído, sostenía entre las manos un devocionario. Van Houten le lanzó una mirada de complacencia y le arrebató de un zarpazo el devocionario, que ojeó con curiosidad, como si se dispusiera a concederle el *nihil obstat*. Lanzó una pregunta absurda, como un circunloquio del ensañamiento:

—Siempre me lo había preguntado. Cuando en un sitio pone, como aquí: «Se rezan tres padrenuestros, tres avemarías y tres glorias»... ¿Cómo hay que rezarlos? ¿Tres padrenuestros seguidos, tres avemarías seguidas y tres glorias seguidos? ¿O tres veces un padrenuestro, un avemaría y un gloria?

Garzón lo contempló estupefacto. Pero Van Houten fruncía el ceño, como si estuviese sinceramente intrigado.

—De la segunda manera que dice... —respondió al fin Garzón, en un murmullo.

Van Houten dejó su maletín sobre una encimera y arrimó un taburete, para sentarse frente a quien había sido, poco tiempo atrás, su anfitrión.

—Y, sin embargo... —dijo, con un vozarrón destemplado que se regocijaba en sus bufonerías—. Yo tenía entendido que a ustedes, los católicos, no les gusta mucho andar mezclando a los machos con las hembras, ¿no? Los machos a un lado y las hembras a otro, como hacen en misa. Porque los padrenuestros son machos y las avemarías hembras... Pero ¿qué hacemos con los glorias, que son los hijitos? ¿Dónde los ponemos? —Miró inquisitivo a Garzón; y después a Moisés, a quien no cesaba de horripilar su extravío—. Pues de los hijitos puedo ocuparme yo, si a ustedes no les importa, y así los entretengo en el atrio de iglesia, mientras sus papás rezan...

Se carcajeó. Sus asociaciones mentales tal vez fuesen erráticas, o inconexas, u obsesivamente blasfemas, como les ocurre a quienes creen y tiemblan. Murmuró Garzón, desalentado:

—¡Pobres hijos, entonces!

Van Houten rió hasta quedarse sin aire en las tripas, escarranchado sobre el taburete. De repente, sobre su rostro descendió un velo de lúgubre seriedad:

—Corren tiempos muy revueltos, don Ramiro, y conviene no dejar nunca solos a los hijos, porque puede aparecer cualquier desaprensivo que los importuna, los desflora o los mata. —Su mirada gélida se abismó en la nada; su iris zarco fosforescía en la penumbra—. Gracias a Dios, eso no le ocurrirá a Guicay, porque a partir de hoy me encargaré de cuidarla yo mismo...

Y dio unas palmadas a su maletín, como si estuviese aquietando a una fiera. Garzón le escupió en la jeta; y su gargajo fue a caer sobre su flequillo rubio, un poco asalvajado después de varios días en la selva. Van Houten ni siquiera se inmutó.

—Miserable tipejo repugnante, hijo de la gran puta —enhebró Garzón, sin tomar aire—. No le doy una bofetada por no ensuciarme la mano. Deje a mi hija en paz.

Moisés se descolgó el rifle que llevaba en bandolera y lo empuñó, pero no sabía muy bien hacia quién apuntarlo. Van Houten se limpió el gargajo con la bocamanga de la chaqueta, como si borrase un pensamiento impuro. Se alzó del taburete calmosamente:

—Mejor que no me la dé, don Ramiro, porque me vería obligado a responderle... y le reventaría la cara.

Se miró las manazas como bacalaos, que le temblaban, agitadas por la expectación. Luego cerró los ojos, para contemplar los amenos paisajes de su mente, como alegorías del Bosco, con hogueras devoradoras, cuerpos degollados e insectos mastodónticos. Tenía la saliva espesa y de un sabor como de greda cuando tomó la cabeza de Garzón entre sus manos y empezó a apretarle las paredes del cráneo. Los pulgares le buscaron las cuencas, codiciosos de emplearlas a modo de almirez mientras le majaba los ojos. Garzón no emitió ni un solo quejido.

—¡Suéltelo de una vez! —se atrevió al fin Moisés, enarbolando el rifle—. ¡Suéltelo le digo!

Van Houten obedeció; y al soltarlo, don Ramiro cayó al suelo, arrastrando consigo una montonera de peroles de cobre que impusieron su zarabanda.

—Por supuesto que sí —dijo—. Además, primero tiene que decirnos dónde esconde el dinero.

Se sacó el bejuco del cinturón y lo cimbreó, haciendo filetes con el aire estancado de la bodega.

—Yo no escondo ni un céntimo —protestó don Ramiro, con un gesto de extrañeza—. No sé de dónde se habrá sacado semejante fábula. Todo lo que gano lo invierto en la hacienda y en pagar a mis empleados.

Antes de que pudiera alzarse, Van Houten se lió a azotarlo con el bejuco, con ira pero sin perder el control de sí, mientras le preguntaba:

—¿Todavía se obstina en negar? Si no me confiesa dónde esconde el dinero, lo haré puré.

Tenía entendido que los españoles viejos (y no se le ocurría español más antañón y trasnochado que don Ramiro, defensor de dinastías despojadas y amante de las razas inferiores) escondían sus ahorros en un arcón bajo llave, o debajo de una baldosa, desconfiados de los bancos que multiplican o hacen desaparecer el dinero como por arte de birlibirloque calvinista, según tocase.

—Hágame puré o lo que le dé la gana —dijo Garzón, despectivo—. Ya le he dicho que no escondo ningún dinero. Llévese los muebles de la casa, o la ropa, y véndalo todo si quiere.

Van Houten le pegó un guantazo que volvió a derrumbarlo entre la quincalla polvorienta que atestaba la bodega. Garzón empezó a recitar en un murmullo el salmo *Miserere.*

—¿No es eso lo que rezan los frailes cuando se disciplinan? —preguntó Van Houten, sarcástico—. Pues rece, rece, que disciplina no le va a faltar.

De otra bofetada le hizo perder el sentido. Y lo iba a levantar en volandas, como un atlante ebrio de violencia, cuando Moisés lo apuntó con el fusil:

—¡Déjelo ahora mismo o no respondo de lo que haga! —lo amenazó.

Van Houten soltó a Garzón, como si fuera un guiñapo, y se volvió rápidamente, para arrebatarle de un zarpazo el fusil. Moisés sintió que al holandés lo asistía una fuerza sobrehumana; pero no lograba entender quién era el asistente. Van Houten hablaba con el sosiego de los alucinados:

—Tranquilo, Moisés, no voy a darle a don Ramiro el gusto de morir como un mártir. Quiero que muera odiándome. Odiándome... por cuidar de su hija.

Recogió el maletín de la encimera y lo apretó contra su pecho, como si fuera un recién nacido. Con la otra mano, dirigió el fusil hacia Moisés, indicándole que prestara sus auxilios al desvanecido Garzón, y subió hasta alcanzar la planta alta de la casa. Reconoció enseguida la habitación de Guicay porque ante su umbral había un insurrecto guardándola. Van Houten le ordenó que se apostase en la escalera y no dejase subir a nadie, ni siquiera a Moisés; el insurrecto amagó con oponerse, pero se acoquinó y acató la encomienda en cuanto reparó en la expresión ausente de Van Houten y en sus ojos de lumbre dura. Abrió la puerta sin llamar, de un empellón, y enseguida distinguió a Guicay, desgreñada y enflaquecida; pero ni el descuido ni la tristeza habían logrado destruir su belleza. Se hallaba al fondo de la habitación, sentada de cualquier manera ante el tocador, realzado de encajes y muselinas que el polvo y la desidia habían oscurecido. El camisón le dejaba un hombro y un mordisco de espalda al desnudo; pero en cuanto reconoció a Van Houten, se recompuso, alarmada u ofendida por aquel instante de intimidad robada, y se levantó del tocador, para ir a refugiarse entre las cortinas de jusi que rodeaban su cama.

—Vine de Batavia en cuanto supe que había sido usted hecha presa —dijo Van Houten, más hipócrita que lascivo—. Señorita Guicay... ¡Cuánto habrá sufrido en manos de estos salvajes!

Van Houten dejó el fusil apoyado en una esquinera y avanzó hacia las cortinas de jusi que velaban la figura de Guicay.

—¡Salga inmediatamente de mi cuarto, hijo de la grandísima puta! —chilló ella, buscando inútilmente algún objeto que le permitiera agredirlo—. Usted no viene de Batavia. Usted no es quien dice ser...

—¿Y qué importa de dónde venga, señorita Guicay? —dijo Van Houten, con voz cansada y enternecida, mientras la cercaba—. Lo que importa es que he venido a salvarla, a impedir que esos indios abusen de usted.

Guicay se acercó otra vez al tocador, que revolvió en busca de alguna horquilla, pasador, alfiler o cualquier otro adminículo punzante. Se armó finalmente de varios, que enseñó a Van Houten:

—Esos indios son mucho más respetuosos con las mujeres que usted, cabrón.

Recordaba su mirada lúbrica, mientras jugaba al *colasisi* con las niñas de la hacienda, obligándolas a desnudarse; también las miradas escrutadoras —mitad berbiquí, mitad lengua viscosa— que le había dirigido a ella, durante la fiesta de bienvenida al destacamento. Van Houten, viendo que Guicay pretendía ganar la salida de la habitación, retrocedió hasta la puerta y se recostó sobre ella, como un cíclope cansado; luego se dejó escurrir hasta sentarse en el suelo. Extrajo calmosamente de su maletín el frasco de la morfina y la jeringa de cristal con refuerzos de plata.

—¿Qué demonios está haciendo? —preguntó Guicay, todavía sin comprender—. ¿Qué está haciendo, perturbado?

—Sólo pretendo traerle un poco de paz, señorita Guicay —respondió Van Houten en un susurro—. No le conviene estar en ese estado de excitación nerviosa. Su salud acabará pagándolo.

Contempló al trasluz el resplandor opalino de la morfina, que volvió a transmitirle el sosiego suficiente para olvidar el ruido y la furia del mundo. Abrió el frasco e introdujo la jeringa, tirando muy cuidadosamente del émbolo, hasta alcanzar la medida exacta. Guicay contemplaba sus manipulaciones ahogada por el horror.

—Vivimos una época muy turbulenta, señorita Guicay —dijo, encajando la aguja hipodérmica en la jeringa, con una sonrisa compungida—. Tenía usted razón; no vengo de Batavia, sino de

Manila; pero prefería ocultarle lo que allí ha sucedido, para no intranquilizarla más. ¡Las cosas que he visto, señorita Guicay! —continuó lastimero—. Cuando los españoles finalmente rindieron la plaza, había gente muerta de hambre en las calles; y mujeres que ofrecían su cuerpo a los americanos a cambio de un dólar; y niños disputando con las gaviotas los despojos que arrojaban desde los barcos. Pero eso no es nada comparado con lo que he visto en la selva, de camino hacia aquí... —Su voz era salmódica, arrulladora, un poco preternatural—. He visto destacamentos enteros macheteados, señorita Guicay, montañas de cadáveres desmembrados en conversación con las moscas. He visto a mujeres *castilas* con los vientres abiertos como una granada y el fruto de sus entrañas a su lado, amoratado y con el cordón umbilical todavía intacto. Y he visto, cara a cara, a los ilongotes en plena cacería, los he visto brincar entre las peñas, como monos con los cuerpos embadurnados de guano y los dientes afilados como colmillos. Los he visto cortar las cabezas de los hombres que me acompañaban, poseídos por el frenesí más salvaje, lanzar aullidos a la luna... —Se detuvo en la evocación de aquella estampa, con una fruición absorta y admirativa—. Pero pagarán por sus desmanes, señorita Guicay, pagarán con creces, porque la sangre llama a la sangre... —Miró con una paternal misericordia a Guicay mientras ella rompía a llorar, sin fuerzas para decir nada—. Una catarata de sangre se ha desatado, señorita Guicay, y no hay modo de frenarla. Pero yo me encargaré de que no la salpique lo más mínimo. No permitiré que nada la altere, señorita Guicay.

Se incorporó otra vez, con la jeringuilla en ristre, y avanzó como un autómata hacia ella. Guicay corrió otra vez a refugiarse absurdamente entre las cortinas de jusi, que antes de que pudiera darse cuenta ya se habían convertido en una cárcel opresiva y pegajosa; y cuanto más trataba de escapar, más se enredaba entre las cortinas. Van Houten, que también se había enredado, las hacía ondear con su respiración tumultuosa; ciñó a Guicay por la cintura y la apretó contra su corpachón, de tal modo que sólo las cortinas de jusi deslindaban sus pieles, mientras ella pataleaba en vano:

—Suélteme, cerdo... ¡Suélteme!

El rostro de Van Houten era como la máscara de un fantasma, envuelto en las cortinas de jusi; y sus labios buscaban el rastro de saliva que Guicay iba dejando en la tela. En sus esfuerzos baldíos por desasirse, Guicay arqueaba el cuello, dejando indefensa la garganta, que fue donde Van Houten hincó la aguja de la jeringa.

—Le traigo felicidad, olvido, reconciliación, consuelo y amor —susurró a su oído, con voz cálida—. Todo en una sola dosis, señorita Guicay.

Apretaba muy suavemente el émbolo mientras le hablaba, y la morfina se adentraba en la sangre desprevenida y hospitalaria como un caimán dormido. Guicay sentía que se ahogaba entre las cortinas de jusi; y sentía la opresión del asco al comprobar que Van Houten rozaba amorosamente con sus labios el lóbulo de sus orejas, como si estuviese venerando una reliquia. Pensó que iba a vomitar; pero, de repente, notó que todos los sufrimientos de su vida —pasados, presentes, incluso futuros— se diluían en el tierno cobijo de unos brazos inmateriales que, por supuesto, no eran los brazos hercúleos de Van Houten, sino más bien unos brazos hechos de espuma, de nube, de brisa calma. Y sintió que, inexplicablemente, una fuerza superior al dolor borraba de un plumazo los padecimientos sufridos durante meses, para llevarla —en un ascenso blando y levitante— a otra dimensión más elevada de la existencia, perfumada por una suave música o silbo amoroso, algo parecido a la armonía de las esferas celestes. En unos pocos segundos, aquella sensación de placidez se extendió a través de la sangre a todos sus miembros, llevando a cada poro de su piel, a cada célula de sus vísceras más íntimas, a cada vislumbre de su alma, una suerte de beatífico aturdimiento ante el cual el dolor —todo dolor, tanto físico como moral— deponía sus armas y se alejaba de ella, como un guerrero vencido. Sintió que su cuerpo se desvanecía de forma gradual, como si estuviera hecho de arena o —todavía más exactamente— de ceniza: primero la cabeza, luego el tronco, por fin las extremidades; y, con su cuerpo, los inservibles sentidos. Y, después de desvanecerse, vino la caída libre en un abismo sin fondo, una caída sin vértigo ni sobresalto, dichosamente blanda, dichosamente voluptuosa, hasta alcanzar un interregno entre el cielo y la tierra. Y sintió un placer más acendrado, menos ligado a la carne que el placer sexual, y se supo dominada por aquel placer, que era a la vez salvífico y esclavizante, poseída sin piedad ni arrogancia por aquel placer que mostraba con ella esa magnanimidad que sólo pueden permitirse los tiranos. Y mientras seguía cayendo blandamente en el abismo sin fondo percibió que, a cambio de entregarse a él sin reticencias, aquel placer la llenaba de una euforia que borraba sus desazones, también sus remordimientos; una euforia que le hacía desear por igual y simultáneamente la resurrección y extinción más absoluta; una euforia que nunca antes había experimentado, ni siquiera en los días felices al lado de su padre, ni siquiera al enamorarse de Chamizo. Y esa euforia era la nada devorando su conciencia, conduciéndola hasta un éxtasis de luz blanca y cegadora que anidaba allá al fondo del abismo sin fondo.

Van Houten tomó muy delicadamente el cuerpo desmayado de Guicay en brazos, le arrancó el camisón y lo posó con infinito cuidado, ya completamente desnudo, sobre la cama. Aunque Guicay tenía turgencias que los cuerpos infantiles preferidos por Van Houten aún no apuntaban, aunque el pubis lo ofuscaba con su llamarada negra y sus pechos tenían el calor grávido de la ovulación, Guicay era también menuda y fibrosa como las niñas tagalas que le conseguía la señora Li, y habitaban dentro de ella nidos de carne núbil que nunca antes había tenido ocasión de explorar. Empezó a llover tímidamente; y el repiqueteo de la lluvia en las ventanas de conchas de nácar se fundía en la misma amalgama acústica con los latidos que brotaban del pecho de Guicay y con el pulso de su sangre en las muñecas. Van Houten se demoró extendiendo en abanico sus larguísimos cabellos endrinos sobre la almohada y se embriagó de su aroma; luego la fue besando minuciosamente en el cuello, en el pecho, en el vientre, en los muslos, recolectando con la punta de la lengua cada gota de sudor que su piel destilaba, para expulsar las toxinas que huían despavoridas de la morfina. Descubrió entonces, con temblor y temor, que todavía conservaba la clara evidencia de su virginidad; y conmovido, quiso de súbito fundirse en una misma respiración con

Guicay, porque allá en sus adentros, bajo sus párpados, bajo su piel dormida, fluía la corriente de la vida, la melodía de la vida, el hechizo de la vida. Y Van Houten supo que, teniendo a Guicay a su lado, podría descansar tranquilo, mientras la muerte desfilaba por la tierra.

6

Habían reparado el tejado de cinc de la iglesia, después del estropicio causado por el tiroteo que Novicio ordenó, rellenando los agujeros con una especie de masilla hecha de harina y de yeso que los propios soldados mascaban, haciéndose la ilusión de que estaban masticando algo de provecho y sustancia. Pero, como a las lluvias seguía un calor sofocante que todo lo encendía, saltaba la pasta y se abrían otra vez las vías de agua, que chorreaba sobre los sitiados y embarraba el suelo de la iglesia. Probaron luego con pedazos de lata recortados a modo de moneda, que introducían en los agujeros causados por las balas, curvándolos en forma de canalillo, de tal manera que vertiesen el agua hacia fuera; este remedio dio mejor resultado y fue más duradero, pero cuando apretaba la lluvia había igualmente que guarecerse bajo cubierto y valerse cada cual como Dios le daba a entender. La humedad reinante en el interior de la iglesia había terminado por comerles el calzado; y los soldados andaban con restos de suela recosidos tenazmente, o con abarcas que ellos mismos confeccionaban, sujetando al pie un pedazo de madera con cuerdas o bramantes. Las Morenas, que también se había confeccionado un par de aquellas abarcas, podía testimoniar que no eran muy cómodas ni gallardas, pero al menos lo exoneraban de caminar descalzo sobre el suelo resbaloso.

—¿Se puede? —preguntó muy tenuemente, después de golpear con los nudillos la puerta de la sacristía.

Y a todas aquellas penalidades, consecuencia directa de las filtraciones de agua, se sumaban la deficiente ventilación de la iglesia, así como la escasez y mala conservación de los alimentos. Las Morenas volvió a golpear con los nudillos, ahora con un poco más de firmeza.

—¿Quién anda ahí? —inquirió sor Lucía, alarmada.

—Discúlpeme, hermana —dijo Las Morenas, un tanto abochornado—. Me pidió que la avisara cuando concluyese mi guardia.

Se escuchó un frufrú de ropas y Las Morenas imaginó que sor Lucía estaría poniéndose la toca. Se había preocupado de prepararle en la sacristía, donde hasta su llegada había dormido fray Cándido, un lecho algo menos menesteroso que los jergones que se esparcían por la nave, cubierto además por un mosquitero de un color amarillento, aunque desde luego no pudiera competir con el colchón de lana que había dejado en la escuela. Desde que se incorporase al sitio, sor Lucía había enflaquecido mucho; y, siendo por naturaleza una mujer delgada, empezaba a parecer el espíritu de la golosina. También su hábito y su toca, tiznados y un poco harapientos, habían perdido su blancura originaria. Pero ni la suciedad ni la flacura habían conseguido amustiar su sonrisa desarmante, ni opacar su mirada de gacela.

—Pase, capitán, estaba rezando los laudes —dijo ella—. Pero puede acompañarme, si lo desea.

También Las Morenas había enflaquecido; y su uniforme, más que de oficial del ejército, parecía de pordiosero con licencia para la sopa boba y pase de pernocta para una hospedería de beneficencia. Aunque todavía conservaba la prestancia castrense, tenía un aire acechado por la sombra de la enfermedad. Pasó a la sacristía, tropezándose casi con sor Lucía, que rezaba de rodillas y de espaldas a la puerta. Las Morenas se quedó escuchando con ensimismamiento sus rezos, en los que se alternaban los himnos y antífonas, salmos y preces propios del Adviento:

—No se apartará de Judá el cetro, ni el bastón de mando de entre sus rodillas, hasta que venga Aquel a quien está reservado y le rindan homenaje los pueblos.

Las Morenas contempló las manos de sor Lucía, en disposición orante, delicadas y vigorosas a un tiempo. Luego, al bajar la mirada hacia el suelo, reparó en sus pies, desnudos y breves y extrañamente limpios, y lo acometió un punzante pudor. Pensó que ya habría concluido sus rezos y preguntó, para espantar la vergüenza:

—¿Y qué tal ha dormido esta noche? Porque llover ha llovido lo que no está escrito...

Pero sor Lucía aún no había terminado con los laudes, que eran prolijos y la obligaban a un gran trasiego en su libro de rezos, señalado con muchas cintas de colores. Cuando por fin terminó, se calzó unos zapatos rotos en las costuras que tenía al pie de su camastro, amparándose en el mosquitero por pudor.

—Pues todo lo bien que se puede, dadas las circunstancias —respondió, reprimiendo un bostezo—. A lo que no acabaré de acostumbrarme es a la falta de higiene.

Salió del mosquitero frotándose los ojos, para apartarse las legañas. Las Morenas sonrió enternecido o nostálgico.

—¿He dicho algo gracioso? —preguntó intrigada.

—Me ha hecho acordarme de mi hijo Enriquillo —respondió Las Morenas, todavía con la sonrisa enganchada en los dientes—. A él le habría hecho muy feliz no tener que lavarse por las mañanas. Creo que se imagina el paraíso como un lugar en el que la higiene ha sido abolida.

Sor Lucía se rió con él, como si ambos fuesen de paseo por el paraíso añorado por Enriquillo.

—Siempre me habla de su hijo, capitán —dijo ella sin malicia—. Bien se nota que lo quiere muchísimo. Creo que, con todo lo que me ha contado sobre él, podría reconocerlo si lo encontrara en la calle. —Hizo una pausa, y tal vez introdujo entonces una sutilísima, acaso involuntaria, malicia—: En cambio, casi nunca me habla de su esposa.

Se hizo un silencio difícil que llenó el estruendo de un trueno, y después una tromba de lluvia que llevó la agitación al destacamento.

—Será porque mi hijo Enriquillo es lo mejor de mi matrimonio —dijo Las Morenas, lacónico.

Sor Lucía se dio entonces cuenta de que tal vez su comentario lo había podido molestar. Tratando de soslayar aquella espinosa cuestión conyugal, comentó jocosamente:

—Tiene gracia. De niña, antes de ingresar en el noviciado, soñaba con tener muchos hijos. Quizá era una manera de resarcirme de mi orfandad.

—Pues su sueño se ha cumplido —bromeó Las Morenas—. Ahora tiene cincuenta hijos a su cargo.

—Bueno, en mis sueños también aparecía alguna niña, no se crea...

Sor Lucía soltó una risa breve. Volvió a abrirse entre ambos un lapso de silencio; pero ahora se trataba de un silencio cómplice y gustoso, lleno de sobrentendidos.

—A mí también me hubiese gustado darle una hermana a Enriquillo —dijo Las Morenas, con voz repentinamente adusta—. Pero mucho me temo que ya sea demasiado tarde...

Sus últimas palabras se las tragó el golpeteo de la lluvia en el tejado de cinc, que se había vuelto atronador.

—No diga eso, capitán —le reprochó sor Lucía—. La vida siempre nos reserva alguna sorpresa.

Pero el horizonte vital de Las Morenas, como el de todos los sitiados, se iba angostando y agostando, hasta agonizar con los primeros síntomas de asfixia. Trató de espantar aquel presentimiento fúnebre mirando hacia el techo:

—¡Cuándo acabarán estas malditas lluvias! —suspiró—. A este paso, se nos van a pudrir todos los alimentos.

El reproche de sor Lucía fue esta vez más lacerante:

—¿Y cuándo piensa deponer las armas, capitán? ¿Qué sentido tiene prolongar esta resistencia?

—Estamos aquí para resistir, hermana —se picó Las Morenas—. Esa es nuestra obligación de soldados a los que se ha encargado la misión de defender una plaza. La pregunta que me ha hecho es ofensiva; y no es la primera vez que me la hace. ¿Se imagina que yo anduviera preguntándole todos los días si piensa colgar los hábitos?

La lluvia mojó enseguida aquel amago de hostilidad. Sor Lucía se despidió sin hacer más comentarios:

—Voy a ver si atiendo un poco a los enfermos, capitán —dijo. Y, antes de salir de la sacristía, se volvió conciliadora—: Por supuesto, le presto mi cama si quiere echar una cabezada.

La necesitaba, después de una larguísima guardia que había durado más de media noche. Las Morenas, al quedarse solo en la sacristía, contempló con abstraída dulzura el camastro que guardaba todavía el molde del cuerpo de sor Lucía y resolvió tumbarse a descansar, venciendo la timidez. Sabía perfectamente que el mantenimiento del orden y la disciplina estaba asegurado en manos del teniente Martín Cerezo, que a medida que se sucedían los meses —a diferencia de lo que ocurría con el resto de sitiados— no hacía sino ganar en perspicacia, como si todo el amasijo de pesadumbres, tensiones, penalidades y angustias que se respiraba en la iglesia se transmutara en alimento nutritivo de su alma. A aquella misma hora, mientras Las Morenas se entregaba al sueño en el camastro de sor Lucía, Martín Cerezo se había reunido debajo del coro con el teniente médico Vigil y con su asistente Caldentey, para revisar el estado de los víveres. Martín Cerezo desbordaba frescura y lozanía, aunque apenas había dormido dos o tres horas, y siempre con un ojo y ambas orejas abiertos. A su vera, Caldentey iba apuntando en un estadillo las cantidades con que todavía contaban para el consumo, descontadas las provisiones que se habían echado a perder.

—Esto, más que una despensa, parece una enfermería —decía Vigil, esforzándose para convencerlo de que algunos alimentos no debían de ser ingeridos ni aun en caso de necesidad—. Fíjese qué harina.

E introdujo la mano en un costal, mostrándole una harina que, en efecto, estaba fermentada y formaba mazacotes. Martín Cerezo se mantuvo ciego ante la evidencia:

—Servirá igualmente, Vigil, no sea tan tiquismiquis. Nuestros hombres tienen el estómago de hierro. Y, además, tenemos garbanzos suficientes para alimentar a un regimiento entero...

Vigil hizo cuenco con las manos y las introdujo en un saco de garbanzos. Sólo sacó un puñado de cáscaras hormigueantes de gorgojo que mostró muy elocuentemente a Martín Cerezo, sin decir palabra.

—Más bien cadáveres de garbanzos... —se atrevió a apuntar Caldentey.

Martín Cerezo ignoró el comentario de su asistente y sacudió las manos de Vigil, para que se librara de aquella inmundicia que pronto acabaría en las escudillas de los soldados. Dijo con un optimismo un poco ido o demente:

—Lo que no mata engorda, Vigil. Y fíjese, fíjese qué lonjas de tocino más suculentas.

En un anaquel se amontonaban, en efecto, como si fuesen cartularios, varias docenas de lonjas de tocino que Martín Cerezo olfateó con gesto engolosinado.

—Vamos, mi teniente, este tocino está más rancio que el brazo de Santa Teresa —rió resignado Vigil—. Y mire, tampoco le faltan inquilinos.

Le enseñó las larvas que se cimbreaban aquí y allá, gordas como lombrices, pegándose la gran pitanza. Martín Cerezo reprimió un repeluzno y señaló hacia otros anaqueles próximos:

—En cualquier caso, tenemos latas de sardinas para dar y tomar.

—Averiadas mayormente, mi teniente —puntualizó Vigil, para exasperación de Martín Cerezo.

—He dicho que tenemos latas de sardinas para dar y tomar —repitió, elevando el tono de voz, que se volvió agria por momentos—. Tenemos también el azúcar intacto y tenemos vino para unos cuantos meses.

Y deslizaba la mirada sobre aquel cementerio de viandas fiambres con complacencia. Caldentey murmuró:

—El vino ya está hecho vinagre.

Martín Cerezo lo había oído y se volvió hecho una fiera:

—¿Es que se han conchabado ustedes dos? ¿Cuándo van a dejar de importunarme?

Vigil dio un paso al frente, por ser el más investido de autoridad, y también el que más había sufrido en su organismo las consecuencias de ingerir alimentos caducos o infestados de parásitos:

—Nada más alejado de nuestro deseo que importunarlo, mi teniente. Pero si seguimos comiendo esas provisiones, moriremos intoxicados.

Se había organizado cierto revuelo en la iglesia, porque al parecer un insurrecto se había adentrado en la tierra de nadie y había dejado una cesta al pie del portón de la iglesia, a modo de obsequio. La interrupción había sido providencial, porque Martín Cerezo ya se disponía a escupir su ira ante Vigil; en su lugar, se dirigió cortante a su asistente:

—Caldentey, vaya a recoger esa cesta.

Y Caldentey corrió hasta el portón, deslizándose un poco patosamente por la gatera, aunque dejando las piernas zancudas en el interior de la iglesia. Volvió al poco con la cesta entre las manos y un júbilo saltarín retratado en el semblante:

—Hay una caja envuelta y un saquito de naranjas, mi teniente —dijo Caldentey, que alargó la cesta a Martín Cerezo.

Pero Martín Cerezo no hizo ademán de cogerla.

—¡Dádivas quebrantan peñas! —comentó, desdeñosamente—. Pero, desde luego, mi peña no la van a quebrantar esos indios ni aunque me regalen un Potosí. Hágale llegar la cesta al capitán Las Morenas. Él siempre se muestra más sensible a las atenciones de esos perros.

Su mordacidad había sonado en exceso rechinante y hasta rencorosa. Algunos soldados que hasta el momento no habían hecho caso a lo que decía Martín Cerezo empezaron a mostrar expectación, después de saber que la cesta contenía un saquito de naranjas, sintiendo que la boca se les hacía agua.

—El capitán descansa, mi teniente —lo informó Caldentey—. Hizo guardia durante casi toda la noche.

Martín Cerezo accedió entonces, aunque rezongando. Primeramente desgarró el envoltorio de la caja, que era de la fábrica de tabacos de Manila. Asomó una carta, escrita de puño y letra por Novicio, que Martín Cerezo leyó con un gesto de hastío y repugnancia.

—¿Qué dice? —inquirió Vigil.

—Habrase visto semejante desfachatez... —murmuró Martín Cerezo, concluyendo la lectura—. Ese indio cabrón nos ofrece las naranjas y nos pide que las aceptemos, «siquiera en atención a sor Lucía». —Había pronunciado estas palabras casi a gritos, para que las oyera la aludida—. ¡Hay que ver cómo se desvive por usted su amiguito Novicio!

Sor Lucía estaba atendiendo a un soldado postrado en su jergón al otro extremo de la nave. Se alzó indignada:

—No voy a responder a esas insinuaciones, teniente. Pero le recomiendo que se tome las cosas con un poco más de sosiego, porque si sigue acumulando bilis terminará reventando. —Paladeó la ofensa—: Y no me gustaría ni pizca que me salpicase con sus inmundicias.

Los soldados que escuchaban el intercambio se tragaron la risa, para no excitar todavía más la cólera de Martín Cerezo, que estuvo tentado de recorrer la nave y cruzarle la cara de un guantazo a la monja metesillas y sacamuertos, pero se contuvo, pues comprendía que tal acción acabaría por ponerle en contra al destacamento entero. Hizo un gurruño con la carta de Novicio; su voz ardía de cólera:

—Y acompañan las naranjas, como señuelo y engañabobos, unos cigarros para la tropa. ¡Pues esto es lo que hago yo con sus cigarros y sus naranjas!

Y cogió con manos furiosas los cigarros liados artesanalmente por las cigarreras de Manila y los estrujó hasta reducirlos a briznas que dispersó por el suelo. Luego tomó el saco de naranjas y se lió a golpearlo contra la pared de la iglesia, para después pisotearlo en el suelo, hasta reducirlo a un amasijo de pulpa y zumo que llenó el aire con su olor astringente y dulcísimo. Martín Cerezo resoplaba bárbaramente, buscando entre los soldados algún rebelde sobre el que descargar su ira, a la menor señal desaprobatoria. Caldentey, como si hiciera oposiciones al suicidio, dijo:

—A muchos nos hubiese gustado probar esos puros, mi teniente.

Martín Cerezo se le acercó, con la córnea de los ojos recorrida por una madeja de venillas. Al hablar lo llenó de perdigonadas de saliva:

—¿Es que no sabe que las ordenanzas prohíben aceptar regalos del enemigo? —Caldentey bajó la cabeza mohíno y Martín Cerezo se esforzó por recuperar el control—: Le diré lo que va a hacer. Va a coger la botella de vino de consagrar del fraile, suponiendo que la monja no se la haya trasegado, y se la entrega a los insurrectos, para que brinden a nuestra salud. —Caldentey se quedó quieto como un pasmarote o como un alucinado—. ¡Vamos! ¿Es que no me ha oído?

—Sí, mi teniente —tragó saliva Caldentey—. Pero pensé que estaba bromeando.

Había visto, allá al fondo de su mirada, el mismo hondón abismal, supurante de dolor irredento, que ya había advertido cuando lo acompañaba en sus expediciones a Binondo, en pos de veneno negro. Caldentey tembló como un álamo.

—¡Pues ya ve que no! —chilló Martín Cerezo—. Cumpla mis órdenes de inmediato.

Y, quitándose de encima a Vigil, que también lo miraba amedrentado, Martín Cerezo cruzó la nave, en pos de sor Lucía, que lo esperaba a pie firme, sin ceder un solo palmo; y que cuando Martín Cerezo ya estaba sólo a cinco metros de ella, se permitió increparlo sin remilgos:

—Es usted un bicho de la peor especie.

Aunque la tenía por una monja viperina, bocona y malasangre, pensaba que era también pazguata; y no acababa de creerse que lo hubiese insultado con tamaño desparpajo:

—¿Cómo ha dicho? —preguntó teatralmente, llevándose la mano a la oreja—. ¿Cómo es que tiene la lengua tan sucia, monja de los demonios? ¿Tanto le ha molestado que me haya deshecho de las naranjas de su amiguito?

Llegaba como un miura revirado y cornigacho, dispuesto a embestir haciendo la mayor carnicería posible; y fray Cándido, que estaba con sor Lucía atendiendo a los enfermos, consideró beneficioso interponerse entre ambos, aun a riesgo de llevarse algún envión o sopapo del teniente. Sor Lucía no se callaba ni debajo del agua:

—Por mí, como si se mete las naranjas por donde amargan los pepinos —siguió increpándolo—. Pero aquí hay muchos soldados que están necesitados de vitaminas a los que esas naranjas les habrían sentado de maravilla. Y quién sabe si alguno no habría recuperado la salud comiéndolas.

En su derredor se alineaban hasta media docena de soldados, derrengados sobre el suelo, a quienes ya les faltaban las fuerzas hasta para ponerse en pie. Tenían las piernas sembradas de purulencias; y los atenazaba una rara parálisis.

—Pamplinas —dijo Martín Cerezo, que no se había atrevido a estrangular a fray Cándido para seguir después con sor Lucía, como hubiese deseado—. Esos hombres están debiluchos porque no aguantan la humedad del clima tropical. O tal vez porque son unos flojos y unos fingidores y pretenden escaquearse. —Esbozó una sonrisa sardónica y se abalanzó sobre ellos—. ¡Arriba todos!

Fray Cándido trató otra vez de refrenarlo:

—Teniente, esos hombres no están fingiendo. Están pasándolas canutas de verdad.

Pero los esfuerzos del fraile por aplacarlo no hacían sino encabritarlo más:

—¡He dicho que os levantéis! —ordenó—. Si pensáis que podéis refugiaros en las faldas monjiles os estáis equivocando de lleno.

Habían llegado al lugar donde transcurría el altercado el médico Vigil y el asistente Caldentey, que intercambió con sor Lucía una mirada de conmiseración. Martín Cerezo había logrado que se irguiesen los enfermos; pero se tropezó con el cuerpo de uno que permanecía tumbado y que le dijo con una vocecilla afónica:

—Es inútil, mi teniente. Estoy enfermo y no pienso levantarme.

El soldado yacente tenía el cabello crespo, las facciones enjutas y borrosas, los dientes muy menudos y rebozados de sarro, y los ojos fuera de las órbitas; una fisonomía que se repetía en muchos de los soldados del destacamento, cuyos nombres a veces trabucaba Martín Cerezo. Esbozó un falso mohín misericordioso y melifluo:

—¡Pobre muchacho, se ha vuelto loco! —dijo. Y, tras una pausa, gritó como un poseso—: ¡Levántate ahora mismo, he dicho!

Pero la estridencia del grito no logró inmutar al soldado, que se mantuvo quieto y callado. Un temblor acucioso se fue extendiendo por sus mejillas chupadas. No había nada retador, sino más bien resignado en su voz:

—No pienso hacerlo.

Martín Cerezo se llenó los pulmones de aire, que exhaló lentamente, para alejar la angina de pecho:

—Muy bien. En ese caso, tendré que comunicárselo al capitán Las Morenas. Te advierto que habrá que hacerte consejo de guerra. —Buscó con ojos turbios a su asistente—: ¡Caldentey, encárguese de vigilar a este hombre!

El muchacho seguía impasible, acurrucado entre sus mantas. Había cerrado los ojos y, a juzgar por el ritmo con que su pecho subía y bajaba, su respiración se hacía cada vez más ardua, más remolona, más languidecente, como si estuviese considerando declararse en huelga.

—Pero hombre, ¿por qué no te levantas? —le musitó al oído Caldentey—. Si es por cabezonería... Mira que como te organicen un consejo de guerra puede sucederte lo peor.

Se había extendido entre los circunstantes una pena que pesaba como un fardo de ropa mojada. La lluvia sonaba sobre el tejado de cinc como metralla; y los soldados parecían como tronados, como si los acabasen de encerrar en una caja de resonancia y sus tímpanos estuviesen a punto de reventar. Salió de repente de la sacristía, tal vez desvelado por los gritos de Martín Cerezo, el capitán Las Morenas. Al reparar en el soldado postrado, se inclinó ante él:

—¿Qué te sucede, muchacho? ¿Tan mal estás? —se interesó.

Martín Cerezo volvió a intervenir, en un tono más circunspecto:

—Cuando te hable el capitán, debes levantarte y ponerte firme.

—No pienso levantarme —repitió el soldado, como en una letanía.

Ahora su voz era más aliviada y como abandonada de sí. Las Morenas se volvió hacia Vigil, que se había agachado también para atenderlo y le tomaba el pulso.

—¿Qué le pasa a este hombre? —preguntó Las Morenas, sin comprender.

—Padece una gran fatiga, mi capitán, y sensación de hormigueo en las piernas, como otros hombres del destacamento —respondió Vigil—. Tal vez se trate de una enfermedad llamada beriberi, complicada probablemente con disentería.

Les golpeó, de repente, el hedor blandujo y escurridizo de la diarrea. El soldado parecía estarse vaciando de los últimos depósitos de fortaleza.

—De lo que se trata es de una insubordinación como un castillo de grande —protestó Martín Cerezo. Y se dirigió al soldado, que tal vez ya no lo escuchase—: Si no te levantas de inmediato, ordenaré tu arresto. Y comenzaré los trámites para tu consejo de guerra.

El muchacho seguía inmóvil, con los ojos cerrados y su pálido rostro casi oculto por la manta. Las Morenas intercambió una mirada aflictiva con sor Lucía. Intervino fray Cándido:

—Conozco bien esa enfermedad, capitán. Es habitual entre los nativos que toman arroz pilado. Se supone que se contrae por la falta de alguna vitamina. Y se distingue porque suelen aparecer llagas en las piernas.

Las Morenas alzó la manta por los pies y comprobó que, en efecto, el soldado tenía las pantorrillas llagadas y purulentas.

—¿Te levantarás o nos obligarás a que te levantemos nosotros? —insistía aún Martín Cerezo, aunque con menor convicción. Se dirigió a su asistente, Caldentey, y al cabo González Toca—: ¿A qué esperan? Sáquenlo de inmediato de su yacija.

La frágil figura del soldado enfermo, vestido con una guerrera de rayadillo tapizada por la mugre y unos calzoncillos llenos de zurrapas y cercos de orín, fue aupada y se mantuvo por un instante en pie entre los dos hombres, como un espantapájaros sostenido por alambres. De pronto se desplomó.

—Se ha desmayado, mi capitán —dijo, perplejo, el cabo González Toca.

—No se ha desmayado. Está muerto —lo corrigió Caldentey.

Y retrocedió neurótico, llevándose las manos a la cara y después a los costados, como si se estuviese palpando pústulas imaginarias. Las Morenas examinó la cara consumida del muerto, que se iba volviendo de un color hepático, antes de cubrirla con la manta. Se oyeron suspiros, gemidos, alguna imprecación susurrada entre la tropa, mientras fray Cándido trazaba una cruz en el aire y comenzaba un responso. Las Morenas habló con una voz fantasmal, o al menos malherida, dirigiéndose a Martín Cerezo:

—¿Sabe, teniente? —empezó—. Me gustaría tener algo personal que decir sobre este soldado. Llevamos casi diez meses juntos, desde que salimos de Manila, y quisiera poder homenajearlo ante sus compañeros. Es la obligación de cualquier oficial al mando que se precie. Quisiera recordar siquiera alguna anécdota protagonizada por el difunto, alguna habilidad suya, algún rasgo de su carácter que me hubiese llamado la atención. —Calló, reconociendo su falta; y cuando volvió a hablar su voz era ya apenas un murmullo—: Pero ¿quiere que le diga la verdad? No se me ocurre nada. Su cara me resulta, incluso, extraña, sólo la recuerdo vagamente; y, dentro de unos pocos días, sus rasgos se me habrán borrado de la memoria por completo. Puede que nunca lo hubiese mirado a los ojos hasta hoy; y, desde luego, nunca con el interés debido. Estos muchachos dependen de mí y no me he tomado la molestia de distinguirlos a unos de otros. ¿Qué piensa? ¿Verdad que es deplorable?

Martín Cerezo se había congestionado, interpretando las palabras de Las Morenas como una reprimenda:

—Mi capitán, no se torture...

Pero Las Morenas ni siquiera lo escuchaba:

—Sencillamente, era un pobre recluta al que enviaron a morir a una tierra muy lejana de la que ni siquiera tendría noticia. Me avergüenzo de no haber prestado a este soldado la atención que merecía. Y a usted debería avergonzarlo el trato que le ha dispensado en los últimos instantes de su vida, mientras agonizaba.

Lo había dicho sin un propósito acusador, como quien enuncia una verdad incontrovertible. Martín Cerezo ensayó una excusa inconsistente:

—Yo no sabía...

—Ninguno sabíamos, teniente, esa es nuestra disculpa —lo atajó Las Morenas—. Así podemos seguir viviendo: gracias a nuestra ignorancia, gracias a nuestras disculpas.

Se alzó pesaroso y se incorporó al responso que rezaba fray Cándido. Después se encerró a solas en la sacristía.

* * *

En los días sucesivos, los enfermos siguieron creciendo de forma exponencial, con la consiguiente desmoralización de la tropa; y en las siguientes cuatro semanas fallecieron hasta diez soldados, todos ellos escuálidos y amarillentos por el beriberi, a veces complicado con disentería y escorbuto. No era una enfermedad contagiosa, pero puesto que todos compartían las mismas condiciones pésimas de salubridad y las raciones de comida podre igualmente escasas, el beriberi sólo tenía que ir eligiendo como víctimas a los soldados de naturaleza más endeble y a la vez erosionando silenciosamente la salud de los de naturaleza más fuerte. Tal como había explicado fray Cándido, el beriberi se empezaba a manifestar en los pies, que cubría de llagas purulentas y tumefacciones; luego extendía por las extremidades inferiores una dolorosa rigidez y temblores compulsivos. Causaba, además de una debilidad progresiva, irritabilidad, insomnio, pérdida de memoria y otros daños cerebrales, incluidos algunos ramalazos de demencia o brotes esquizoides que empezaban a tarar las percepciones de la tropa, incluso —o muy especialmente— durante los turnos de guardia, haciendo ver espejismos. Al doctor Vigil se le habían acabado todos los remedios y sólo le restaba recomendar a los enfermos que procurasen respirar aire fresco, acercándose con precaución a las ventanas, y alimentarse con las plantas de la tierra de nadie, que a medida que se aproximaba el fin de la estación de las lluvias crecían con menos vigor y no se regeneraban tan fácilmente. Por no tener, Vigil ya no tenía ni siquiera desinfectante; así que sólo le restaba recetar —a veces consciente de que se trataba de meros placebos— los hierbajos que crecían en el corral; y recomendaba a los soldados llagados que se aplicaran en las heridas telarañas (de las que nunca faltaba provisión en la iglesia), pues según había leído tenían propiedades antisépticas y coagulantes.

Todas las mañanas, tras el toque de corneta y el izado de una bandera cada vez más andrajosa en la torreta del campanario, los insurrectos los despabilaban con su puntual tiroteo, que empezaba a eso de las seis. De este modo, les recordaban que permanecían allí, al acecho; y Novicio, que sostenía el cerco con las escasísimas armas que pudo reunir antes del estallido de la revolución, lograba mantener a los sitiados en un estado de constante zozobra e impedir el ojeo de sus tiradores, que con la luz de la mañana disfrutaban desde la iglesia de la mejor vista del campamento tagalo. Para aparentar que disponía de muchas más armas de las que en realidad contaba, Novicio había ordenado a sus hombres desarmados que cortasen tallos de bambú y los embetunasen, empuñándolos como si fueran fusiles; y había establecido entre sus artilleros un turno perfectamente medido de relevos que les permitía, con apenas quince fusiles y sin un gasto excesivo de munición, mantener un fuego abierto que, aunque no fuese muy nutrido, se sostenía sin desfallecimiento durante casi media hora, haciendo creer a los sitiados que contaban con medios para mantener indefinidamente el cerco. Habiendo renunciado a soluciones más violentas, a Novicio ya sólo le restaba el recurso de desalentar al enemigo, para lograr su rendición.

Mientras se sucedía el tiroteo pretendidamente intimidatorio (pero cada vez más rutinario) de los insurrectos, fray Cándido y sor Lucía hacían una ronda de atención a los enfermos. Sor Lucía les cambiaba las vendas y les lavaba las llagas con agua hervida del pozo, para impedir hasta donde podía que se les infectasen. Y fray Cándido avanzaba entre los jergones con unos pocos pocillos y una caldera humeante que lanzaba sabrosos efluvios de café en el aire viciado de la iglesia; cada vez más viciado el aire y menos sabrosos los efluvios, porque las reservas de café ya se agotaban. En el coro, un par de soldados estaban aserrando y desbaratando a hachazos la barandilla; cayó un tarugo justo al paso de fray Cándido.

—¿Pero es que queréis descalabrarme, malditos? —les reprochó jocosamente.

—Perdone, padre, pero es que se está acabando la leña y nos dijeron que utilizásemos esta barandilla —se excusaron desde el coro.

Fray Cándido se encogió de hombros y murmuró:

—Total, para lo que hay que cocinar... —Luego voceó a los soldados todavía adormilados—: Vamos, muchachos, que es el último café que nos queda. De recuelo, pero café.

Se acercó al baptisterio, donde sabía que encontraría a Chamizo, cada vez más esquivo y prisionero de sus cavilaciones.

—Venga, Juan —trató de animarlo—, que te conviene tomar un café, aunque sólo sea para engañar el estómago. Esa inapetencia va a terminar matándote.

Chamizo miraba sin pestañear la mancha de sedimento en la pila bautismal. El contorno en el que creía haber visto el perfil de Guicay seguía encogiéndose, como si lo hubiesen jibarizado. Se empezaban a traslucir los huesos de la calavera, apuntando sus aristas y exhibiendo su sonrisa tétrica; y los cabellos luengos parecían ya hierbas marchitas, sin savia y sin pujanza.

—Tengo mucho miedo por Guicay, padre —se excusó Chamizo—. Tanto tiempo sin saber de ella me da muy mala espina.

Pero no se atrevía a revelarle que esa corazonada se fundaba en una superstición absurda. A fray Cándido se le encapotó de súbito el semblante, pues la inquietud de Chamizo le recordaba que él tampoco sabía nada de Moisés. Trató de consolarlo:

—Ya te conté que de la hacienda de don Ramiro se ha hecho cargo el mozo que ayudaba a sor Lucía en la escuela, según le dijo a ella misma Novicio. Mientras Moisés esté al mando no debes preocuparte por Guicay. Pongo la mano en el fuego por él.

Pero sentía, en su fuero íntimo, que podría quemarse si la acercaba demasiado. Pues, a fin de cuentas, fray Cándido sólo conocía al Moisés de antaño, anterior a su alistamiento en la insurrección. Pero tal vez el Moisés de hogaño se hubiese transformado en una alimaña rezumante de odio, como les sucede a tantas personas pacíficas, a quienes un quebranto que pone a prueba sus convicciones vuelve del revés. Chamizo bebió del pocillo que le tendió fray Cándido; el brebaje le supo amargo, pero no con el amargor aromático característico del café, sino con el amargor agrio y como resudado de los calcetines sucios.

—¿Y si Moisés ya no tuviera el mando de la hacienda? ¿Y si ahora estuviese al mando algún criminal irresponsable? —preguntó.

Chamizo había creído sorprender en la mancha de la pila bautismal un gesto de dolor. Fray Cándido se demudó:

—Dios no lo quiera, Juan. Dios protegerá a Guicay... y a Moisés.

Y salió del baptisterio, como si escapase de una premonición, para repartir el café entre los soldados, que habían de beberlo pasándose los pocos pocillos unos a otros, después de que fray Cándido los limpiase con un paño, para que no se pasasen también las babas. El cabo González Toca y el soldado Santamaría andaban liados en alguna discusión bizantina o trascendental. Al cabo González Toca la reducción de las raciones le había dejado pellejos flácidos en su rostro de ídolo azteca, antes orondo y apretado, y también en el bandullo.

—Pues nos ha venido que ni pintada su aparición, fray Cándido —dijo, abordándolo—. Discutía yo con el soldado una cuestión que seguramente nos podría usted resolver.

—Tú dirás —los invitó fray Cándido—. El caso es que pueda.

La tez aceitunada de Santamaría, desde que había dejado de saludarla la luz del sol, se había tornado un poco verdosa, como de aceituna en agraz. Explicó la querella:

—Le preguntaba yo al cabo si los reclutas que han fallecido de beriberi se habrán salvado, aunque hubiesen matado algún tagalo en el tiroteo que hubo, antes de encerrarnos en la iglesia.

—Por supuesto que sí —se apresuró a responder fray Cándido—. Si mataron a alguien, no lo hicieron impulsados por un instinto homicida, sino en defensa de la patria.

Santamaría chasqueó la lengua, no del todo convencido:

—Ahí está el intríngulis, padre. Porque, este suelo de Luzón, ¿es patria nuestra o de los tagalos?

Fray Cándido se dio cuenta de que había retranca y cierta sorna en la pregunta de Santamaría, que al menos parecía haber recobrado la alegría, aunque fuese una alegría maliciosa. Pero trató de responder honestamente:

—Es patria natural de ellos, desde luego, porque aquí nacieron y de aquí son sus padres. Pero es patria española por derecho de conquista; y de ella nuestro rey es soberano. En cualquier caso —añadió, deshaciendo el nudo gordiano—, todo lugar donde alienta un corazón cristiano es patria de Dios.

Tal vez lo hubiese embarullado todo un poco más, procurando esclarecerlo. A González Toca le salió la veta legitimista:

—¿Patria de Dios? ¿Luego esta guerra la ha encargado el Papa?

—No el Papa, sino el rey —rectificó fray Cándido, consciente de haberse metido en un berenjenal—; y, en su nombre, la reina regente y el gobierno.

Santamaría no se chupaba el dedo. Saltó con mucha sorna como un felino:

—¿Y el que obedece al rey tiene asegurado el cielo?

Fray Cándido se rascó la tonsura, un poco exasperado:

—Antes eso estaba bien claro, porque el rey tenía investidura divina; o sea, que representaba a Dios en la tierra. Pero ahora que los reyes tienen que jurar constituciones y tener contentos a los ministros de turno la cosa ya no parece tan clara —se aturulló—. Pero ¿qué demonios de pregunta me queríais hacer?

González Toca volvió a tomar la palabra:

—Verá, padre, discutíamos que si a uno le pegan un tiro y se le escapa, mientras está muriendo, una maldición que ofende a Dios... Si se muere, ¿se salva?

—Pues claro que sí, hombre —recuperó el sosiego fray Cándido, siquiera momentáneamente—. Aunque sea una costumbre muy desaconsejable, Dios no se lo va a tener en cuenta, considerando la gravedad de las circunstancias en las que ha soltado esa maldición.

Menache se había acercado al grupo. Las arrugas como chirlos que le metían la boca entre paréntesis parecían ahora en carne viva, como si quisieran mimetizarse con las llagas del beriberi:

—En cambio, a mí me enchironaron por cagarme en el rey y por decir que su señora madre se aliviaba con sus criados; y si no llego a alistarme, tal vez me hubiesen fusilado. —Miró a fray Cándido con resquemor o con pujos teologales—: ¿No habíamos quedado en que la justicia humana tiene que ser reflejo de la justicia divina? Pues no entiendo yo que Dios tenga clemencia de quien maldice su nombre y, en cambio, en España no se tenga clemencia de quien maldice a un señor que, como usted mismo ha reconocido, lo más posible es que sea tan rey por voluntad divina como pueda serlo yo o mi tía la de Cuenca.

Se rieron todos, también fray Cándido, porque la malevolencia de Menache tenía su jugo y su retranca.

—No te pases de la raya, Menache, que de lo que yo he sugerido a lo que tú has interpretado media un trecho —lo censuró benignamente fray Cándido.

Santamaría se había quedado estupefacto. Trató de resumir, mientras apuraba su café y le pasaba el pocillo a Menache:

—Pues, por lo que yo he sacado en limpio, resulta que es más pecado faltarle al respeto al rey, o incluso a la reina regente, que al mismísimo Dios. ¡Pues sí que andan trastocadas las jerarquías!

Fray Cándido le sacudió un capón:

—Anda, no me seas bellaco y vete a guasearte de tu madre.

Pero, íntimamente, fray Cándido reconocía que no le faltaba razón. Menache, de repente, se puso serio, incluso sombrío:

—Y yo le pregunto, fray Cándido: ¿siempre el que se suicida muere en pecado mortal?

A fray Cándido le subió un escalofrío por el espinazo. Muchas veces se había preguntado si a los soldados, en medio de sus penalidades, no se les pasaría esa idea por la cabeza:

—Anda, anda, no andes lucubrando esas cosas, Menache —dijo, tratando de restarle importancia—. Oye, ¿a ti no se te habrá ocurrido...?

—Esa no es la cuestión —se atrincheró Menache, un poco torvo—. ¿Puede o no puede Dios perdonar al que se suicida?

Fray Cándido pensó, abrumado, que no se había metido franciscano para resolver dilemas teológicos, pues para eso ya estaban, hilando fino y con puntillitas, los jesuitas y los dominicos, siempre a la greña. Quiso tirar por la calle de en medio:

—¡Dios puede perdonar a quien le salga... a quien le dé la divina gana, vaya! —Pero, viendo que Menache se mostraba defraudado, trató de afinar—: Sólo Dios lo sabe, Antonio. Puede que el que se suicida se arrepienta en el último instante...

—¿Aun sin confesarse? —insistió Menache.

—Aun sin confesarse —musitó fray Cándido, conteniendo el aliento y temeroso de estarse metiendo en algún andurrial modernista.

Pero Menache prefería el andurrial de la lucha de clases:

—Es que si no... Los que tendrían más facilidades para ir al cielo serían los ricos, que son los que tienen medios a su disposición para traerse un cura, cuando ven que se ponen malos y están por morirse —dijo Menache, entre cazurro y clarividente—. Y, además, como los ricos no sienten que la vida les ahoga, caen menos en la desesperación del suicidio. Si lee usted las esquelas de los periódicos, verá que los ricos mueren siempre «después de recibir los santos sacramentos», porque algunos tienen hasta capellán en su casa, o son amigos del obispo. Y, claro, así salen disparados para el cielo. Pero los pobres... primero, que no tienen un cura a mano; y luego que, como las han pasado canutas en esta vida, tampoco les quedan muchas ganas de otra vida más, no sea que vaya a ser igual de perra...

—¿Y tú adónde quieres llegar? —se impacientó fray Cándido.

—Pues... —le costaba sintetizar su pregunta a Menache, o tal vez le gustara torear a su interlocutor—. He pensado que, como quienes se suicidan o se mueren sin confesión son casi siempre pobres, y como los que tienen siempre un cura mosconeando alrededor de su cama son ricos, podría darse el caso de que el infierno estuviese lleno de pobres y el cielo lleno de ricos. Cuando lo justo sería al revés, porque quienes merecen una recompensa, por pasarlas moradas en esta vida, son los pobres.

Fray Cándido lo amonestó:

—Eso lo dices porque tienes miedo, Menache. Pero el día que te confieses y sueltes todos esos pecadazos que te corroen, verás llegar la muerte con alegría. —Imploró al cielo un poco de inspiración con el pensamiento—: Mira, a los ricos el dinero los hace cada vez más descreídos, porque sirviéndolo dejan de servir a Dios; y, aunque se confiesen, lo hacen sin contrición, y hasta sin atrición si me apuras, con lo que la confesión no es válida. Jesús se rodeó siempre de pobres, por algo sería; y a los ricos les advirtió que tendrían que adelgazar tanto como para pasar por el ojo de una aguja. Pero, al extenderse por este mundo tan sucio, la religión ha tenido que transigir un algo, y a veces un algo demasiado mucho, con los ricos y poderosos que manejan el cotarro; pero si la religión quiere salvarse tendrá que ponerse cada vez más del lado de los que padecen hambre y sed de justicia.

Se había quedado a gusto, por lo menos tan a gusto como el penitente que suelta todos los pecadazos que lo corroen. Menache remachó:

—Y de pan.

—Y de pan también —condescendió—, aunque no sólo de pan viva el hombre. Así que estate tranquilo, Menache, que siendo pobre siempre tendrás más posibilidades de subir al cielo que siendo rico.

Fray Cándido se dirigió, antes de que siguieran atosigándolo con querellas teológicas, a la fachada oeste de la iglesia, donde Caldentey, el asistente de Martín Cerezo, hacía guardia ante una ventana aspillerada con gesto preocupado. Le tendió un pocillo con el café de recuelo:

—Anda, saboréalo como si fuese una golosina, que tal vez sea el último.

Se le había acentuado a Caldentey su aspecto zancudo en las últimas semanas; pero ahora se asemejaba a una cigüeña que se hubiese quedado atrapada en una chimenea, sometida a una dieta de carbonilla. Caldentey ya no tenía otra obsesión sino la de desertar, escapando de la vigilancia de Martín Cerezo, para poder vivir o morir a su antojo. En las últimas semanas, mientras se sucedían las muertes de sus compañeros por culpa del beriberi, había vuelto a vislumbrar en la mirada de Martín Cerezo aquel abismo escabroso que descubriera cuando lo acompañaba hasta los esteros más alejados del barrio de Binondo; y lo que había contemplado, entonces como ahora, lo llenaba de angustia. Se veía a sí mismo huyendo de aquella iglesia al amparo de la oscuridad, arrancándose a jirones aquel uniforme deshecho y pestilente, ocultándose entre los manglares y las anfractuosidades de la sierra, camino de la libertad. Y estaba dispuesto a enfrentarse a cualquier clase de muerte, con tal de escapar de su encierro, aunque fuese tiroteado desde las trincheras enemigas. Siempre había sido Caldentey una persona nerviosa e insegura, un poco inconstante en sus juicios; pero ahora lo guiaba una determinación inamovible: estaba decidido a desertar a costa de lo que fuera, salvo de su alma.

—Padre, quiero confesión —dijo a bocajarro.

Fray Cándido se dio enseguida cuenta de que estaba terriblemente excitado; hizo un gesto abarcador hacia los enfermos que todavía aguardaban la refacción:

—Hombre, Caldentey, no creo que sea el momento ni el lugar. Espera al menos que termine...

—Aquí y ahora, padre. Lo necesito ya.

Resignado, fray Cándido buscó con la mirada a sor Lucía, que seguía cambiando los vendajes a los enfermos, y le tendió el caldero con el café, poco humeante ya. Luego se recogió con Caldentey en una especie de garita levantada con sacos terreros que había al pie del portón. Caldentey se hincó de hinojos e inclinó la cabeza:

—Ave María purísima...

—Anda, abrevia las fórmulas, que nos va a dar el día del Juicio —gruñó fray Cándido—. Y ya sé que le pegaste un trago al vino de consagrar. —Caldentey se ruborizó—. Pero no te preocupes, que no es tan grave: no teniendo formas, no podemos celebrar misa.

Pensó que quitándole ese peso de encima le aliviaría la congoja. Pero Caldentey seguía con el gesto ceñudo:

—Se lo agradezco, fray Cándido, pero no era eso por lo que quería confesarme. Aunque fue el mismo día en que supe que usted todavía guardaba un poco de vino, el mismo día en que murió el primer soldado de beriberi, cuando me di cuenta...

El cuchicheo de Caldentey sonaba como un estrangulamiento de sus últimas resistencias. Fray Cándido lo azuzó:

—¿De qué te diste cuenta?

—El teniente ha perdido a su mujer y a su hija; ya no le queda nadie en el mundo —respondió Caldentey con una honda certeza—. Así que sólo le importa la gloria. Y, para conseguirla, no le importa que muramos todos.

Fray Cándido compartía el pronóstico de Caldentey, sin atreverse a declararlo. Recurrió al latinajo:

—*Quos vult perdere Iupiter, dementat prius*.

—¿Cómo dice? —se sobresaltó Caldentey.

—Nada, no te preocupes. Pero te recuerdo que quien manda, por encima del teniente, es el capitán Las Morenas.

Fray Cándido se aferraba al escalafón, un poco ingenuamente. Caldentey lo desengañó:

—El capitán está cada vez más débil y enfermo. Martín Cerezo, en cambio... Ya lo ve, está como un roble. Lo sobrevivirá y querrá convertirnos en héroes. —Tragó saliva, a punto de sollozar—. Pero la gloria no existe para nosotros, los soldados rasos. Sólo a los oficiales se les recuerda. Me cisco en la gloria del teniente, padre, me cisco en ella... —Y lanzó su revelación de forma abrupta—: Esta noche voy a desertar.

—¿Te has vuelto loco? —se sobresaltó Fray Cándido. Y tuvo que comedirse para no levantar la voz—: ¿No sabes que la deserción se castiga con el fusilamiento?

Tomó a Caldentey de las solapas de la guerrera y lo obligó a alzarse, para mejor mirarlo a los ojos, pero eran pantallas opacas, ciegas a recapacitar.

—Lo sé bien, y me importa un comino —dijo con firmeza—. Tampoco me importa que me apiolen los tagalos. Cualquier cosa antes que morir aquí, ayudando al teniente a conseguir su estúpida gloria.

Fray Cándido se sintió vacío de argumentos, tronchado en todas sus seguridades:

—¿Por qué no te lo piensas un poco antes de...?

—¿Bromea, padre? —Caldentey se desasió del zamarreo de fray Cándido—. Sabe tan bien como yo que de esta iglesia sólo saldremos con los pies por delante. Usted vio la rabia con que el teniente pisoteó las naranjas que nos mandaron los insurrectos. De acuerdo que nos las mandarían para tentarnos con la rendición; pero lo que hizo el teniente sólo se hace cuando has decidido morir matando.

A fray Cándido ya sólo lo asistía la melancolía:

—Si te marchas, seremos uno menos para impedir que eso ocurra...

—Hagan entonces como yo, padre —lo cortó con aplomo Caldentey. A medida que aliviaba su corazón, se aplacaba su excitación inicial—. Prefiero que me maten de un tiro antes que pudrirme aquí, mientras él me observa a cada minuto. ¿No se ha fijado en él, cuando se sube por las noches al coro? No parpadea siquiera, el maldito; y sabe quién vela y quién duerme. A veces lo he visto mirar retadoramente al Cristo del altar y lanzarle palabras provocadoras, como si se estuviese midiendo de tú a tú con él. —Miró a fray Cándido suplicante, buscando su benevolencia o su adhesión—: Se cree Dios, fray Cándido; y cree que nuestras vidas están a su merced, para hacer con ellas lo que le venga en gana.

Por un instante, como si se aferrase a una última esperanza, fray Cándido pensó que el beriberi había nublado la cordura de Caldentey; y que tal vez, obligándolo a detallar su plan de fuga, se apercibiese de sus propósitos dementes (o sólo desesperados):

—¿Y cómo piensas escapar? —le preguntó, condescendiente.

—¿Estamos todavía bajo secreto de confesión? —se quiso asegurar Caldentey. Fray Cándido asintió solemnemente—. Esta noche me corresponde hacer guardia en una ventana del muro contrario, al este, en uno de los pocos ángulos que no se ven desde el coro. Cuando estemos rezando el rosario, que es el momento en que Martín Cerezo más se despista, porque le jode que recemos, me colaré por la ventana.

Fray Cándido miró el lugar desde el que Caldentey proyectaba evadirse. La ventana, abierta en un lienzo de pared lleno de desconchones, tenía un aspecto lóbrego de escotillón hacia la muerte.

—Pero esa ventana está a más de tres metros de altura, muchacho —trató de disuadirlo—. Desde dentro la alcanzarás sin problema, utilizando el terraplén como trampolín. Pero por la parte de fuera tendrás que pegar un salto en el que te puedes partir las piernas. Y, además, te dispararán desde las trincheras enemigas. Estamos completamente rodeados, no tienes escapatoria posible. —Su voz desfallecía, porque sentía que estaba perdiendo a Caldentey, que ya lo tenía perdido antes de que se iniciase la confesión—. Para eso es mejor que lo hagas a la luz del día, pasándote al bando enemigo.

Caldentey protestó, tocado en su orgullo militar:

—¡Pero es que yo no quiero pasarme al bando enemigo, sino tan sólo alejarme de ese hombre! Sé que tiene dentro una fiera y no quiero que me despedace. —Sonrió, como si fuese él quien debiera consolar a fray Cándido—: Mire, padre: yo conocí en Manila a Martín Cerezo; sé que no le tiene miedo a la muerte, podría dormir con ella y comérsela cruda tan tranquilo. Pero pretende que los demás nos la comamos también. Vamos a caer como moscas, fray Cándido, pero después de sufrir mucho. Mañana, cuando se descubra mi fuga, dirán pestes de mí. Yo quiero que sepa que no escapo por cobardía, sino... sólo por asco. —Premioso, se volvió a poner de rodillas—. Y ahora, se lo pido, absuélvame.

Fray Cándido lo miró largo rato, con los ojos llorosos y los labios arrugados en un gesto compungido:

—Levanta —le dijo finalmente—. No hay nada de que absolverte. Ojalá yo estuviese tan limpio como tú. Pero piensa que tal vez en un par de días estemos todos fuera.

—Será entonces porque a Martín Cerezo lo hayan asesinado —dijo Caldentey, volviendo a su puesto—. Porque, desde luego, de muerte natural no va a morir.

A fray Cándido lo obligaba el secreto de confesión; pero, aunque no hubiese sido así, tampoco habría dicho nada de lo que Caldentey le había confiado, ni siquiera a sor Lucía o Las

Morenas, y mucho menos desde luego a Martín Cerezo, pues creía —con dolor y humillada lástima— que Caldentey estaba en lo cierto y hacía bien en arriesgarse, antes que seguir sufriendo aquella tortura. Para entonces, muchos soldados del destacamento estaban tan depauperados que no podían mover un solo músculo; de manera que los turnos de las guardias se habían prolongado hasta seis horas y algunos de los puestos quedaban sin cubrir, por lo que los centinelas que todavía aguantaban tenían que extremar las medidas de vigilancia. La responsabilidad recaía, sobre todo, en aquellos que estaban más sanos, o menos echados a perder por la enfermedad, entre los que se contaba Caldentey, quien además tenía mano para repartir los turnos y adjudicar los puestos, por ser asistente de Martín Cerezo. Aquella noche, en efecto, Caldentey hizo guardia en la fachada este; y, como todas las noches, Martín Cerezo se subió al coro, para supervisar desde aquella atalaya que los centinelas no se quedasen dormidos y atender la evolución de los enfermos. Era, en verdad, intimidante verlo en vela toda la noche, en un estado de sopor quebradizo o vigilia somnolienta, paseándose con andares rígidos por el coro, sonámbulo o insomne, como un resucitado que aún no le hubiese cogido el tranquillo a su nuevo estado, atento sin embargo al más mínimo roce sobre la tierra, al más leve crujido sobre la madera. Aquella noche fue de una oscuridad tan espesa, sin embargo, que ni siquiera los ojos nictálopes de Martín Cerezo lograban penetrarla; y fray Cándido, además, se esmeró en rezar el rosario con una voz especialmente recia, lo que a su vez provocaba que los soldados ya tumbados en sus respectivas yacijas respondieran a las avemarías de forma atronadora. Caldentey, que ya había desembarazado previamente de sacos terreros la ventana que había elegido para su fuga, esperó a que Martín Cerezo diese las primeras cabezadas, acunado por los rezos de los soldados, y trepó hasta la ventana, deslizándose con dificultad por el hueco. Pero la caída, que fue de bruces, lo dejó contuso y con algún hueso dislocado.

Fue ese golpe seco contra la tierra lo que espabiló a Martín Cerezo; en décimas de segundo, dirigió la vista hacia la ventana por la que Caldentey se había escapado y, viéndola sin aspillerar, entendió lo que había sucedido. Subió como un gamo a la torreta del campanario donde ondeaba la bandera española, o el trapo mustio y descolorido que aspiraba a representarla. Desde allí, a la luz de una luna enferma de pleuresía, pudo contemplar cómo Caldentey, todavía aturdido o descalabrado, atravesaba la tierra de nadie y se adentraba en las trincheras enemigas con paso atolondrado, tropezando una y otra vez entre la maleza. Un centinela insurrecto le dio el alto; pero Caldentey, en lugar de detenerse y alzar los brazos, echó a correr de forma desnortada, hasta que el centinela lo alcanzó con el primer disparo, al que se sumaron enseguida otros muchos, procedentes de diversos puestos de guardia; y Caldentey murió acribillado y mudo, abrazándose a la muerte que tal vez había buscado. Hasta el interior de la iglesia también llegó el eco amortiguado de las detonaciones, que interrumpió el rosario y despertó a los soldados que aprovechaban el sonsonete del rezo para quedarse dormidos. Enseguida se encendieron las pocas velas de sebo que todavía no se habían gastado, en medio del alboroto general; a su luz temblona los soldados enclenques se convertían en gigantes levantiscos cuyas sombras trepaban por las paredes de la iglesia. Fray Cándido, mientras encomendaba el alma de Caldentey, recordó sus explicaciones en la confesión de aquella misma mañana, suficientes para entender la razón por la que se había dejado matar: «Sólo por asco».

—A Caldentey lo acaban de abatir los insurrectos cuando trataba de desertar —anunció Martín Cerezo, de regreso otra vez al coro, con voz desapasionada—. Ese es el destino que aguarda a todos los traidores.

Había encendido una vela en palmatoria que dejó sobre la mesa que el médico Vigil utilizaba como camilla cuando tenía que hacer alguna cura que exigiese cirugía. La sombra de Martín Cerezo, como la de un cíclope que despierta en una cueva, reptó sobre la techumbre de la iglesia, tapándola con un manto de oscuridad y provocando un escalofrío entre los soldados. Hizo un ademán semejante al de una bendición; y por los muros de la iglesia se extendió fantasmagóricamente la sombra de sus brazos, hasta alcanzar con las puntas de los dedos al Cristo que se alzaba en el altar, haciéndolo parecer, en comparación, diminuto.

—Recordadlo bien —dijo—. Los traidores no tienen escapatoria.

Martín Cerezo sopló la vela y se sentó en el coro, rumoroso de cavilaciones e insomnios, oyendo crecer la hierba, oyendo titilar las estrellas, oyendo llorar a los muertos.

7

Había terminado, por fin, la estación de las lluvias, larga y copiosa como un nuevo diluvio con el que Dios hubiese querido borrar otra vez los pecados de los hombres. Ahora, en pleno mes de diciembre, lucía un sol tímido y bajo que se bastaba para abrillantar los colores, como si fuesen de esmalte; y el cielo entablaba una tregua con los sitiados, permitiéndoles secar sus ropas y sus reblandecidos huesos, también con los sitiadores, cansados o aburridos de mantener el cerco, que se pusieron a achicar el agua de las trincheras anegadas por las últimas lluvias. Al capitán Las Morenas, el cambio de estación lo sorprendió tratando de analizar aquel dolor nuevo que se había instalado en su organismo, colonizándolo silenciosamente. No se parecía a ninguna otra sensación que hubiese experimentado antes; no, desde luego, a los quebrantos que había padecido durante las convalecencias por sus heridas de guerra, ni tampoco a los achaques de la anemia que lo habían traído por la calle de la amargura desde la juventud. Era aquel un dolor nuevo y sorprendente que nada tenía que ver con el dolor punzante de una muela picada, ni con el dolor estridente del cólico de riñón, ni con el dolor afilado de la bronquitis, ni con el dolor sordo del reúma; un dolor agudo y a la vez ensimismado que no cesaba ni por un instante, lo mismo de día que de noche, aunque de día y de noche se manifestase de formas muy distintas; y con el que había que aprender a convivir, como se aprende a convivir con los parásitos intestinales. Había empezado a la altura del corazón y después se había derramado en círculos concéntricos por el costado, extendiéndose por último al estómago, donde parecía haberse recluido. Lo sentía como se puede sentir una bala dentro del cuerpo, como un objeto forastero, duro y frío sepultado en la carne; y hasta podía imaginarse su forma tangible (aunque intuía que más bien era intangible), como si fuese un chancro, un tumor o una pústula. Pero no se quedaba quieto, sino que navegaba en su sangre, llevando la muerte de contrabando.

Cuando no tenía que hacer guardia ni organizar el trabajo de los soldados o la intendencia —labores que, por otra parte, desempeñaba con infinita mayor eficacia el teniente Martín Cerezo—, el capitán Las Morenas yacía inmóvil durante horas, con esa quietud decorosa y natural, casi mundana, de los enfermos crónicos, con las manos descansando sobre la manta, pero incorporándose y disfrazando la indolencia con la espalda erguida, recostada en la pared, en una postura que podría ser la de un artista o escritor tuberculoso en un sanatorio de montaña que busca inspiración contemplando un horizonte quebrado de cumbres nevadas. Sólo que enfrente de Las Morenas no había cumbres nevadas, sino la enfermería cada vez más poblada que atendían fray Cándido y sor Lucía, con la supervisión del teniente médico Vigil, que había recaído en sus dolencias y se tiraba la mayor parte del día postrado en su jergón.

—Yo ya me muero, mi capitán —se quejaba Vigil—. Y, como yo, estos enfermos. Si al menos nos pudieran traer algo de comida fresca, tal vez todavía estuviésemos a tiempo de mejorar...

Sor Lucía se acercó a Las Morenas. Ya tenía el hábito tan zarrapastroso y tapizado de mugre como los soldados sus uniformes de rayadillo.

—Tiene razón el doctor, capitán. Un poco de comida fresca bastaría para detener el beriberi. Si mandara salir a unos pocos hombres en busca de provisiones...

—Nos costaría media docena de bajas por lo menos —dijo Las Morenas, rechazando la propuesta—. Les recuerdo que estamos cercados.

Sor Lucía insistió, confiada en la magnanimidad de su ángel guardián:

—Mañana es Nochebuena. Pídale una tregua a Novicio. El corazón se ablanda en estas fechas.

Las Morenas se sobrepuso a un vahído, procurando que no se notase su creciente debilidad. Quien todavía no había dado muestra alguna de decaimiento era el teniente Martín Cerezo, que mientras Las Morenas y sor Lucía mantenían su habitual tira y afloja escudriñaba el exterior desde las troneras del baptisterio con la ayuda de unos prismáticos. Se los había apartado de repente de los ojos, con una mezcla de perplejidad y alborozo:

—¡No se lo van a creer! —exclamó—. Vengan, por favor, vengan corriendo.

Sor Lucía ayudó a Las Morenas a incorporarse y se juntaron, junto a fray Cándido y los soldados que aún se mantenían en pie, en el baptisterio. Un carabao avanzaba, mansote y desprevenido, procedente de la plaza de los naranjos, y ramoneaba pacíficamente entre las malezas de la tierra de nadie, rastrillándola con los cuernos, como si estuviese deseoso de ararla. Fray Cándido aplaudió exultante:

—Esto deja chiquito el milagro del maná —dijo y aprovechó para zaherir la incredulidad de Martín Cerezo—: ¿Lo ve, teniente? El Señor nunca abandona a sus criaturas.

Martín Cerezo encajó la pulla con una sonrisa condescendiente. El júbilo de los soldados sanos o renqueantes se había extendido también a los enfermos, que trataban, algunos en vano, de abandonar sus camastros y parihuelas, para reunirse en el baptisterio. El carabao seguía pastando perezosamente, a una distancia que ya empezaba a resultar accesible para un tirador avezado armado de un fusil.

—¿No les parece un poco raro? —preguntó sor Lucía a los circunstantes, con una intención que no captaron, engolosinados en la contemplación del carabao.

—Portentoso, diría yo —subrayó Las Morenas, que parecía dispuesto a admitir una directa intervención sobrenatural.

Sólo fray Cándido había descubierto una intención irónica o suspicaz en la voz de sor Lucía:

—¿Qué quiere sugerir, hermana? —le preguntó.

—Los carabaos, según he podido comprobar, son animales ariscos —dijo sor Lucía, con una sonrisa agradecida en los labios—. Huyen de los sitios abiertos.

Intervino Martín Cerezo, refractario a las hipótesis providencialistas:

—Quizá el instinto lo haya traído hasta aquí, para pastar toda esa frescura.

Y, en verdad, el carabao se estaba empleando a fondo con las calabaceras recrecidas al auspicio de las últimas lluvias.

—Ya tendrán tiempo de averiguar su procedencia, cuando lo hayamos derribado —zanjó la discusión Las Morenas. Pasó revista con la mirada a los soldados que se habían congregado en el baptisterio, como si buscase al mejor tirador. Pero acabó quitándole a uno de ellos el fusil y dándoselo a fray Cándido, al que dijo—: Padre, espero que conserve la puntería que demostró en aquella barraca del paseo de la Escolta, cuando ganó el abanico para sor Lucía.

Fray Cándido, un poco sorprendido o apabullado, no declinó sin embargo la responsabilidad. Sopesó el máuser, corrió el cerrojo para cerciorarse de que estaba cargado y se abrió paso hacia la tronera.

—Si lo logra matar —aleccionó Las Morenas a los soldados—, en cuanto anochezca organizaremos una salida para recogerlo. Pero habrá que estar atentos durante todo el día, disparando a cualquier insurrecto que trate de acercarse.

—Descuide, no se acercará ninguno —aseguró sor Lucía, enigmática.

Fray Cándido, entretanto, amoldaba la culata del máuser a su hombro, o más bien al revés. Luego se ensalivó un dedo y acarició con él el punto de mira. Toda esta ceremonia preliminar era seguida por los circunstantes con cierta exasperación y nerviosismo.

—No irá a decirnos que tiene el punto de mira desviado —murmuró irónico Martín Cerezo, muy pegado a fray Cándido, como si quisiera hacerle temblar el pulso.

El fraile chasqueó la lengua, un poco contrariado. Finalmente apuntó, concentrándose en su diana, que ya sólo mostraba la cornamenta de vez en cuando, engolfada en la maleza. Fray Cándido apretó el gatillo y el carabao cayó derribado al instante, sin apenas exhalar un mugido. Había sido alcanzado justamente en la testuz, donde los toreros descabellan a sus toros.

—Se lo digo ahora, teniente —dijo fray Cándido, chulapón—. El fusil tenía el punto de mira desviado, en efecto. Pero el ojo atento del tirador puede corregir cualquier desvío.

Le arrojó el máuser con una venial violencia y Martín Cerezo, más corrido que una mona, lo recogió. Los soldados celebraban eufóricos el derribo del carabao y jaleaban a fray Cándido, dispuestos incluso a mantearlo. Entonces sonó, desde las filas insurrectas, el vozarrón de Novicio, que apareció entre los naranjos de la plaza armado de bandera blanca y se apostó en la tierra de nadie, al lado del carabao, comprobando con mirada ponderativa el impacto de la bala en mitad de su frente:

—¡*Castilas*! Ya tenéis cena para la Nochebuena. ¡Podéis salir a recogerla!

Las palabras de Novicio causaron desconcierto y también cierto desaliento entre los soldados, que de repente veían cómo la hazaña que celebraban era tan sólo consecuencia de la magnanimidad del enemigo. Sor Lucía, que se había asomado a la tronera para poder ver, siquiera fuese de lejos, a su ángel custodio, exultaba de alegría:

—Ahí tiene al artífice de su milagro, capitán —dijo con retranca.

Las Morenas refunfuñó algún denuesto y ordenó que asomaran bandera de parlamento. Se abrió el portón de la iglesia con un chirrido gozoso de los goznes, que se desentumecían del óxido acumulado durante la estación de las lluvias. Media docena de soldados, los menos maltrechos y anquilosados por la enfermedad, salieron a la carrera, abalanzándose sobre el carabao, que cargaron sobre sus hombros con gran dificultad. Las Morenas, más debilitado que ellos pero esforzándose por mantener la planta erguida ante Novicio, dirigía la operación:

—¡Adelante, muchachos! —los animaba—. Ya veréis qué poco os pesará cuando le hinquéis el diente.

La fatiga y el alborozo se mezclaban en los resuellos de los soldados, aplastados casi por el carabao, al que la cabeza muerta le penduleaba grávida. Desde la iglesia, los encorajinaban los vítores de sus compañeros. Las Morenas fue al encuentro de Novicio, que echó también a andar; ambos estuvieron tentados de estrecharse calurosamente las manos, pero se reprimieron y detuvieron a unos cinco metros de distancia el uno del otro, como duelistas remolones.

—¡Gracias, Novicio! Se lo agradecemos de corazón. Y le deseamos una muy feliz Navidad —dijo Las Morenas, bienhumorado y sin atisbo de cicatería.

Desde las ventanas aspilleradas de la iglesia, los soldados del destacamento aguardaban expectantes el resultado del parlamento; también los sitiadores se habían asomado a sus trincheras, a la espera de lo que se resolviera en aquella conversación. Tomó la palabra Novicio, más implorante que exigente:

—Capitán Las Morenas, España acaba de firmar la rendición con los Estados Unidos —afirmó a bocajarro—. Su resistencia carece de sentido.

Las Morenas no podía imaginar que la conversación fuera a iniciarse de modo tan abrupto. Reaccionó con cierta arrogancia:

—Cincuenta somos nosotros, y hasta la fecha nada han conseguido. ¿Y quiere hacerme creer de veras que se han rendido otros destacamentos más numerosos?

Por supuesto, ocultaba la decena larga de bajas acumuladas por el beriberi. Novicio llevaba sujetos debajo del brazo unos periódicos que le habían traído emisarios de Manila. Se los tendió con la mayor solemnidad:

—Tenga si no me cree. Puede leerlo usted mismo.

Eran ejemplares de *La Independencia* y *La República Filipina*, dos diarios nacidos al socaire de la revolución, de una parcialidad chirriante y casi cómica. En ambas portadas, con fecha de 10 de diciembre, se reproducía un cablegrama procedente de París; la redacción era más bien barullera o ambigua: «La paz entre España y los Estados Unidos de América ha sido reconocida y ratificada por los representantes de una y otra nación, reunidos en París. Estados Unidos entregará a España veinte millones de dólares por las deudas contraídas en Filipinas». A Las Morenas, como no estaba en antecedentes, el cablegrama y las gacetillas que lo acompañaban se le antojaron por completo crípticos. Preguntó confundido:

—Pero... ¿cuál de las dos naciones ha salido derrotada? No hay manera de entenderlo.

—¿Está de guasa? —se picó Novicio—. Está claro como la luz del día que España.

Las Morenas alzó la vista al cielo, que tenía una claridad discreta, nada rutilante. Replicó con cierta guasa gaditana:

—¿Y desde cuándo se pagan indemnizaciones a los derrotados? ¡Menudo chollo para las naciones que pierden las guerras!

Pero bien sabía que, en todo caso, el chollo sería para los ministros corruptos, la corona dimisionaria y los intermediarios arteros. Novicio no sabía resolver aquella paradoja:

—Allá los americanos con sus enjuagues, ellos sabrán por qué lo hacen. Lo que es un hecho es que el vencedor de esta guerra son las islas Filipinas, cuya independencia será pronto reconocida por el concierto de las naciones, empezando por los Estados Unidos.

Novicio era consciente de haber recurrido a la retórica vacua de los pronunciamientos oficiales, de la que tanto abominaba, según había confesado a Las Morenas en su primer encuentro, allá en la escuela de Baler. Al advertir que había cambiado su manera de expresarse, Las Morenas pensó que la ufanía de la presunta victoria, o la rabia por la pérdida de sor Lucía, su patria más dulce, lo habían encanallado o envuelto en una coraza de cinismo.

—Ya se lo dije en cierta ocasión, Novicio —repitió enfadado—. Ustedes no son más que juguetes en manos de los americanos. Esos cabrones no cumplirán sus promesas; y, llegado el caso, no se detendrán ni ante la calumnia para justificar sus crímenes y latrocinios, como nos hicieron a nosotros con el *Maine*.

—Eso habrá que verlo —se engalló Novicio—. De momento son nuestros aliados. Y ustedes deben capitular de inmediato.

Las Morenas afectó una risueña calma:

—¿Por qué habríamos de hacerlo? Y ahora menos que nunca, si la información que me ha mostrado es cierta. Salga España o Estados Unidos vencedor de esta guerra, ambas naciones tienen el ineludible deber de venir a socorrernos, la una por patriotismo, la otra porque así se lo impone el derecho de gentes.

Novicio empezaba a desazonarse con las fintas y escamoteos de Las Morenas, que primero le advertía sobre las intenciones torticeras de los americanos y luego los pintaba como escrupulosos observantes de las leyes internacionales. Deseaba preservar a sor Lucía antes que ninguna otra cosa y no le importó que pareciese que le estaba suplicando:

—Capitán, en unos pocos días va a llegar a estas playas un vapor con armas de Manila, incluido un cañón de gran calibre. Le ruego que se entregue antes de que sea demasiado tarde. Baler se convertirá entonces en un infierno.

Parecía sinceramente contrito y apesadumbrado; y esa pena que le asomaba a los ojos se le antojó a Las Morenas mucho más convincente que las aseveraciones anteriores sobre la rendición de España. Se escudó, sin embargo, en una colegialidad que no existía en el ejército:

—Ya sabe que antes tendré que consultarlo con mis hombres...

—Y otra cosa más —se apresuró a añadir Novicio, creyendo que así contribuía a inclinar definitivamente el fiel de la balanza a favor de la capitulación—. El arzobispo de Manila, Bernardino Nozaleda, se ha dirigido al general Otis, al mando de aquella plaza, solicitando que le sea devuelta sor Lucía, al parecer llamada a capítulo por su director provincial. —Cruzó una mirada precavida con Las Morenas—. Los americanos nos han pedido que seamos nosotros quienes la acompañemos hasta Manila. Le ruego que sea tan amable de...

—¿Llamada a capítulo? —lo interrumpió Las Morenas—. ¿Es que ha hecho algo malo, acaso?

Novicio se parapetó en un gesto hosco o displicente:

—Desde hace un año, concretamente desde que se disolviese su comunidad, le estaban solicitando que volviese a la capital... —titubeó, por la parte nada exigua de culpa que tenía en ese requerimiento—. Tanto usted como yo sabemos que sor Lucía estará más segura en Manila que aquí; y puesto que ambos no deseamos otra cosa sino su bien...

Las Morenas le devolvió la mirada de rivalidad con redoblada hosquedad, incluso con cierta beligerancia:

—Ya. Y entonces, ¿por qué usted no procuró que se fuera a Manila antes de que estallase la insurrección?

—¡Ella no quería ni oír hablar del asunto! —se encrespó Novicio—. Pero ahora son muy otras las circunstancias.

—Paparruchas, Novicio —sentenció Las Morenas, sañudo y algo despechado—. Yo le voy a decir por qué. Usted no soportaba la idea de tener que separarse de sor Lucía por una sencilla razón: no puede vivir sin ella. —Novicio crispó los puños y enrojeció de cólera—. No, no, no me malinterprete, no estoy insinuando nada sucio. Tan sólo que usted es capaz hasta de faltar a sus deberes, o de auspiciar que ella falte a los suyos, con tal de poder retenerla a su lado.

Novicio lo miró soliviantado. Antes de hablar procuró sosegarse:

—Entonces me ocurre exactamente lo mismo que a usted —dijo, sarcástico, y le lanzó la maldición—: Sepa que, si no nos la entrega en este mismo instante, cualquier cosa que le ocurra a partir de ahora será de su entera responsabilidad. —Hizo una pausa solemne, para permitirle una última oportunidad para la reflexión—. ¿En qué quedamos, capitán Las Morenas? ¿Se rinden ustedes o no?

Novicio contaba con que la fatiga y el descontento habrían crecido entre los sitiados, como crecían de hecho entre los balereños: no sólo entre las beatas que se habían quedado sin misa y sin sacramentos, sino también entre los paisanos que habían visto arder sus *bahays*, tras la descubierta realizada con éxito por Chamizo y el difunto Calvete, o entre los campesinos obligados a alimentar a los insurrectos con el fruto de sus cosechas, con las que en cambio no se les permitía comerciar hasta que no hubiese paz en la región. Las Morenas por fin habló, cachazudo:

—Si le parece bien, Novicio, interrumpamos de momento las hostilidades para celebrar la Navidad. Ya habrá tiempo para rendirnos después... ¿Qué me dice?

Novicio no supo cómo reaccionar, emberrinchado y a la vez perplejo. Lanzó una mirada a la iglesia y le pareció distinguir —pero probablemente fuese un espejismo— las facciones de sor Lucía, que tanto añoraba, asomadas a una tronera del baptisterio. Murmuró:

—Malditos testarudos... —Y, tras una pausa, se volvió hacia sus filas sin despedirse y gritó—: Está bien, tendrán su tregua.

Las Morenas lo miró alejarse, triste por no haberse podido fundir en un abrazo con él. Tanto en las trincheras insurrectas como en la iglesia sitiada la declaración de tregua había sido acogida con algarabía y entusiasmo.

* * *

Por supuesto, Martín Cerezo empleó aquella corta tregua navideña para combatir la insalubridad del recinto, principal causante, junto a la deficiente alimentación, de la extensión del beriberi. Mientras los insurrectos aprovechaban el término de la estación de las lluvias para cubrir de entarimados el fondo de sus trincheras, que durante los últimos meses habían llegado a convertirse en un barrizal, el teniente Martín Cerezo puso a los hombres del destacamento todavía sanos a trabajar a destajo. Ordenó abrir en la parte más alta del portón unos a modo de postigos que, a la vez que facilitaban enormemente la ventilación de la iglesia, no entrañaban ningún peligro, aunque permaneciesen abiertos mientras arreciaba el tiroteo desde la filas enemigas. Ordenó, asimismo, despejar de excrementos e inmundicias el corral y desatascar las letrinas; y construyó con lata de las conservas una rudimentaria canalización que arrastraba, mediante una zanja en declive, las heces fecales y los detritos hasta un pozo negro que se excavó también en aquella ocasión. Viendo, además, que las verduras de la tierra de nadie comenzaban a escasear por la falta de lluvias, Martín Cerezo tuvo la sagaz idea de plantar semillas de calabacera y tomatera silvestre en el terreno anejo a la iglesia protegido por la línea de trincheras, para asegurarse una provisión continua de verduras y de forraje, tan benéficos para el tratamiento del beriberi. Aunque lo que hacía salivar y moquear de gozo a los soldados en las horas previas a la cena de Nochebuena era el carabao abatido por fray Cándido, que habían abierto en canal y desjarretado con poca maña; y que luego trataban de desollar con el característico estropicio de los matarifes primerizos.

—Al que se le da de miedo descuartizar animales es a Novicio —dijo sor Lucía a fray Cándido—. Tendría que haberlo visto. En un periquete te hace chuletas cualquier bicho que cae en sus manos.

Su tono, entre nostálgico y jovial, mereció una mirada reprobatoria de Las Morenas, que en ese momento pasaba por allí, abismado en sus cavilaciones. Aún no le había dicho a sor Lucía lo que Novicio le había transmitido sobre la orden cursada por el general americano Otis, atendiendo la petición del arzobispo Nozaleda, para su regreso a Manila; y justificaba su silencio convenciéndose de que lo hacía por estorbar las pesquisas de los superiores que llamaban a capítulo a sor Lucía para castigarla (pero íntimamente sabía que lo hacía para retenerla a su lado). Sor Lucía y fray Cándido habían sacado de la sacristía una caja llena de figuritas de madera, muy primorosamente embaladas, que representaban el Misterio de Belén. El estilo primitivo y cándido de la talla delataba su autoría. Mientras las disponían en las escaleras del presbiterio, se fue amustiando el semblante de fray Cándido:

—¿Se ha dado cuenta de que los Evangelios apenas nos cuentan nada sobre la infancia de Jesús? —susurró.

A sor Lucía, en cambio, la tibieza del aire y la brisa creada con la nueva ventilación de la iglesia la vivificaban. Sus ojos de gacela mandaban brillos nuevos:

—Nos dicen que se perdió en Jerusalén y que tuvo a sus padres con el corazón en un puño, buscándolo. —Trató de espantar los pensamientos sombríos del fraile—: Sería un niño como los demás niños. Imagino que le gustaría jugar y hacer trastadas...

—No exactamente igual que los demás niños —dijo fray Cándido, con una voz adelgazada por el dolor—. Sus amigos se burlarían de él, recordándole que San José no era su verdadero padre. Y Jesús tal vez volviese a casa llorando alguna vez y le pediría explicaciones a su madre, que le hablaría de la visita de un ángel...

Se sintió desfallecer. Sor Lucía lo confortó:

—Anímese, fray Cándido. Estoy segura de que lo de Moisés se resolverá para bien.

Se había acercado a las escaleras del presbiterio el cabo González Toca, que se rascaba con las manos enguantadas en la sangre del carabao el pestorejo y arrugaba la cara en un puchero compungido, como si acabase de perpetrar alguna travesura, o se dispusiera a hacerlo:

—Padre, es que nos hemos quedado sin leña para asar el carabao...

Fray Cándido tardó en reaccionar. Le golpeaba el olfato el olor acre y cartaginés de la res despanzurrada, que pendía de una maroma al fondo de la iglesia, junto al coro.

—¿Y qué diantres quieres que haga yo? —preguntó desconcertado.

González Toca se encogió de hombros, cabizbajo, y luego se atrevió a dirigir una mirada lastimera hacia el altar. Fray Cándido se volvió, siguiendo la dirección de esa mirada, y se tropezó con el inmenso Cristo de madera, de rasgos toscos y truculentos, que Martín Cerezo había querido convertir en leña al principio del asedio.

—¿Estás seguro de que no queda? —se cercioró, un tanto renuente.

—Ni pizca, padre, ni pizca —se excusó González Toca.

Fray Cándido subió pesaroso las escaleras del presbiterio. Se arrodilló a los pies del Crucificado, súbitamente diminuto ante las dimensiones colosales de la talla. Susurró para su coleto y para el coleto de Dios:

—Pues ya lo ves, Señor, que no queda otro remedio. Entre las llamas de la hoguera y el suplicio de la cruz no creo tampoco que haya mucha diferencia... Y así, con tu muerte, darás vida a estos soldados, que están los pobres para el arrastre... No podrán ver tu imagen, pero te guardarán en el corazón. —Se dio unas palmadas en la barriga, tan escuálida que sonaron como golpes de pecho—. Y en el estómago, Señor. Porque, llegados a esta penuria, uno ya siente más con el estómago que con el corazón. —Alzó la cabeza hacia el rostro sufriente y majestuoso del Cristo—. ¿Me das permiso, entonces?

Se volvió hacia las escaleras del presbiterio, donde aguardaban su sentencia —o la sentencia celestial— sor Lucía, el cabo González Toca y un grupo de soldados famélicos.

—Dice que adelante —concedió fray Cándido—. Y que procurará arder lo justo para dorar la carne.

Muy sonrientes y devotos, los soldados aplaudieron la decisión divina y corrieron a desmontar el Cristo del altar, para después, armados con hachas, desmembrarlo y reducirlo a leña. Saltaban, exultantes, las astillas de madera; y fray Cándido, que se había quedado contemplando la escena, se estremecía cada vez que el filo de un hacha se hincaba en la madera. Luego, cuando prendieron la hoguera para asar el carabao, miró sin pestañear un pedazo de madera en el que aún se reconocía parte del rostro del Crucificado, que parecía como si llorase y arrancase a sudar sangre al mismo tiempo cuando empezó a hervir su pintura polícroma. Y fray Cándido pensó que aquel sacrificio de la hoguera también tenía algo de eucarístico, porque la carne del carabao, socarrada por las llamas, elevaba al techo de la iglesia un humillo que olía todavía mejor que el incienso y desentumecía las tripas y hacía corretear muy lindamente por ellas los más jubilosos borborigmos. El soldado Santamaría, al amor de la lumbre en torno a la cual se arracimaba todo el destacamento, había empezado a cantar con una voz que erizaba el alma un villancico de Lope:

> *—De una Virgen hermosa*
> *celos tiene el sol,*
> *porque vio en sus brazos*
> *otro sol mayor.*

Y al conjuro de esa voz todas las penas y quebrantos se desmoronaban y rendían. Y hasta Las Morenas lograba olvidarse del dolor que vivía dentro de él, como un huésped que hubiese tomado su cuerpo en propiedad. No siempre sentía el dolor de la misma manera: pues, al igual que el amor matutino es diverso del vespertino y ambos a su vez del nocturno —porque los rodean diversos climas, diversos grados de fiebre e intimidad—, el dolor también se metamorfoseaba a lo largo del día. Por la mañana era tenue y pálido, como si estuviera todavía dormido, un dolor agazapado que Las Morenas percibía apenas, como la madre percibe a su hijo en los primeros meses de la gestación: no era como el escozor de una llaga, ni como el pinchazo de un nervio trizado, ni siquiera como la contusión o magulladura de un músculo, sino más bien como un ser autónomo que cobraba vida propia dentro de su cuerpo, que se fortalecía al margen de su debilidad, alimentándose incluso a costa de su debilidad. Luego, por la tarde, ese mismo dolor se mostraba visceral como una amante despechada, revelando una voluntad retorcida y perversa, y se permitía incluso el capricho de mostrarse a ratos apático, a ratos ágil y con gracia banderillera, para acabar exhibiendo su rostro más cruel y despiadado, hasta hacerlo sentir como un animal en su jaula (y la jaula no era otra que el propio dolor). Y, en fin, por la noche el dolor se retiraba cautelosamente, se agazapaba y enterraba muy adentro, brindándole un respiro, como si encogiera sus contornos y se cobijara en los lugares más recónditos e insospechados (los intestinos, tal vez, o la médula de los huesos), para después regresar, como un ladrón o un cazador furtivo, cuando menos lo esperaba. En aquellas ocasiones, el cuerpo de Las Morenas se quitaba sus escudos y armaduras, pensando que se había producido un milagro, pero su alma se mantenía desconfiada, sabiendo que luego, cuando la noche se aquietase de silencios, en la vigilia de la guardia o en el sueño quebradizo del jergón, el dolor volvería de forma inopinada y brutal, para hincarse en su pecho, para reírse con carcajadas bárbaras de su desamparo, para mortificarlo con renovados bríos, hasta que su cuerpo capitulase extenuado y se ofreciera en sacrificio, arrojándose a sus fauces, mientras el alma contemplaba la inmolación desde una atalaya. Pero aquella noche, perfumada de carabao y santidad, el alma de Las Morenas también se había quitado sus escudos y armaduras, mientras escuchaba la voz portentosa del soldado Santamaría:

—«Hermosa María,
—dice el sol vencido—,
de vos ha nacido
el sol que podía
dar al mundo el día
que ha deseado».
Esto dijo humillado
a María el sol,
porque vio en sus brazos
otro sol mayor.

Los soldados aplaudieron, conmovidos, a Santamaría; y sobre ellos descendió como un relente de nostalgia. El resplandor de la hoguera alcanzaba a iluminar la puerta del corral convertido en improvisado cementerio, donde se hallaba un solitario Martín Cerezo, sentado sobre un túmulo y mimetizado con las cruces que allí se congregaban —hasta quince ya—, a modo de bosque desolado. Las Morenas observó que sostenía entre las manos el mismo retrato de su esposa que le mostrara en el tren, camino de Tarlac; para entonces, por efecto del manoseo, parecía el retrato de un ectoplasma, en el que apenas se distinguía la dentadura, la córnea de los ojos y el cabello como una aureola. Martín Cerezo lo contemplaba con gesto más inexpresivo que luctuoso, como un muerto más. Empujado por un impulso compasivo, Las Morenas abandonó el corro y fue a reunirse con Martín Cerezo, sentándose a su vera en respetuoso silencio. Hasta ellos llegaba, como un grito venido de la tierra vieja del candil y de la pena, la voz de olivo de Santamaría, que había empezado a cantar otro villancico. Martín Cerezo tardó todavía un rato en devolver el pálido retrato al bolsillo de la guerrera y levantarse del túmulo.

—¿Qué le aconseja su mujer, Saturnino? —le preguntó Las Morenas, deseoso él también de escuchar su consejo.

—Los muertos no nos dan consejos, mi capitán —dijo Martín Cerezo, con voz funeral—. Sólo nos piden que nos reunamos con ellos lo más pronto posible.

Las Morenas reprimió un escalofrío, ante la respuesta de Martín Cerezo y la contemplación de los túmulos. Murmuró, recordando a Bécquer:

—¡Dios mío, qué solos se quedan los muertos!

Se hizo otra vez el silencio entre ambos, pespunteado por la voz de Santamaría, que hacía quebrar el cristal de las estrellas.

—Mi capitán —se atrevió a decir Martín Cerezo, después de rumiar mucho su pregunta—, hay una duda que me martiriza. Me sorprende cada vez más que los insurrectos se limiten a permanecer a la espera, después de tantos meses. Cuentan con tropas suficientes para arrollarnos. ¿Por qué no se lanzarán de una maldita vez al asalto?

Las Morenas no quiso revelarle que Novicio, el ángel custodio de sor Lucía, había jurado evitar hasta donde le alcanzaran las fuerzas el derramamiento de sangre. Y tampoco que, mientras Novicio permaneciese al mando de los sitiadores y sor Lucía se hallase dentro de la iglesia, ese ataque no llegaría a producirse. Las Morenas conocía la fijación anticlerical del teniente y no deseaba dirigir su atención hacia sor Lucía, ni para bien ni para mal:

—Tal vez tengan miedo de que vengan barcos o columnas a socorrernos —dijo en su lugar, por decir algo—. No querrán mostrarse muy belicosos, por temor de que luego les paguemos con la misma moneda.

Martín Cerezo parecía hablar para sí, minotauro encerrado en el laberinto circular de sus perplejidades:

—Su única muestra de impaciencia son los mensajes y embajadores que nos hacen llegar. Pero, en lo demás, aguardan tranquilamente, como si estuviesen seguros de que el tiempo les va a conceder infaliblemente la victoria, sin necesidad de arriesgar la vida de un solo hombre.

La duda lo corroía; y Las Morenas atacó ese flanco que creía desguarnecido:

—Me niego a creer en nuestra derrota, pero no puedo apartar de la cabeza la sospecha de que sea cierta. Después de todo, si la guerra estuviese en efecto terminada, ¿para qué iban a exponer su vida?

—No diga eso, mi capitán —reaccionó de inmediato Martín Cerezo—. Calculan que resistiremos muy poco ya, por eso no atacan. —Una esperanza alucinada se imponía sobre sus titubeos anteriores—: Sí, eso debe ser. Pero los nuestros acudirán pronto en nuestro auxilio...

Las Morenas lo miró con prevención y postrada lástima:

—¿Usted cree? ¿Y si en efecto se han rendido todos los destacamentos, como machaconamente repite Novicio?

—No, ni hablar —se cerró en banda Martín Cerezo—. Lo más probable es que los nuestros estén luchando en otros lugares aislados o muy alejados, y que esto les impida venir en nuestro auxilio transitoriamente. De ahí, tal vez, que los insurrectos muestren tanta tranquilidad. Saben, además, que nuestras provisiones son escasas y pésimas; y calculan lógicamente que resistiremos muy poco. ¿Para qué van a aventurarse a un asalto?, pensarán. Pero olvidan que el auxilio está a punto de llegarnos.

La tozudez delirante del teniente empezaba a intimidar a Las Morenas, que seguía tratando de rendir su fortaleza:

—Cualquiera entiende a los tagalos... Pero Novicio me aseguró que están a punto de recibir armas más poderosas, incluido algún cañón de gran calibre.

—Nuestra obligación es resistir, mi capitán —dijo Martín Cerezo muy serio, casi conminatorio—. Da igual que nos ataquen con armas más poderosas.

Santamaría había acabado de cantar su villancico y le tomaban el relevo, en comandita, los demás supervivientes del destacamento, que acompañaban sus vozarrones destemplados con instrumentos improvisados —latas de petróleo y barricas de vino, sobre todo—, en un ímpetu de charanga desafinada. Las Morenas y Martín Cerezo dieron por concluido su intercambio y se reunieron con la tropa. El carabao ya empezaba a mostrar un color que avivaba la gula; y el cabo González Toca había empezado a cortarle algunas tajadas, que repartía entre los soldados, a medida que le tendían las escudillas. Comían despacio y con sabrosura, sabiendo que tal vez no volviesen a disfrutar nunca de semejante pitanza; y, mientras masticaban, les brotaba la risa de los rinconcillos de la boca. Menache se chupaba sin rebozo la grasa que le rebozaba los dedos y se incrustaba en sus uñas.

—¿Y vosotros qué haréis cuando por fin nos dejen salir de aquí? —preguntó a sus compañeros.

La pregunta los había dejado un poco confusos y retraídos, porque los avergonzaba responderla delante de los oficiales; y sospechaban, además, que para salir de aquella iglesia habrían de pasar antes por encima del cadáver de Martín Cerezo. Para aliviarles la responsabilidad, Las Morenas reformuló la pregunta de Menache:

—Imaginen que nuestros sitiadores se rinden, o que finalmente se alcanza la paz y nos envían a todos a casa. ¿Qué harían entonces?

Las palabras de Las Morenas, que a Martín Cerezo le parecieron reprobables (aunque se abstuvo de expresarlo) por considerar que contribuían a llenar la cabeza de pájaros a la tropa, fueron acogidas con un murmullo festivo. Santamaría fue el primero en responder:

—Pues lo primero de todo ajumarme hasta quedarme sin sentido.

Estallaron en una carcajada unánime que valía por un refrendo. Menache volvió a tomar la iniciativa:

—Claro, nos ha jodido, como todos. ¿Y después?

—Pues después tomaría el vapor para España, para reunirme con mi familia —respondió Santamaría.

La añoranza de las familias cayó sobre todos como un súbito manto de nieve, dulce y a la vez heladoramente. Menache no se privó de la malevolencia:

—Eso contando con que tus padres no las hayan diñado, mientras nosotros estamos incomunicados en estos andurriales. Que todo podría ser.

Chamizo intervino, cortando de raíz los propósitos enviscadores de Menache:

—De eso nada. Volveremos a casa y nuestras familias nos estarán esperando. Y, a los que tengan novia, también las novias.

Se le puso la carne de gallina recordando a Guicay, a la que en aquellos mismos instantes le habría gustado estar sirviendo, según exigía el *pamimianan* preceptivo entre los tagalos. Apretó en la mano la saboneta que le había regalado Vigil, que parecía desfallecer en cada segundo. Menache se rió entre dientes, desengañado:

—Pues yo, maldita sea la pena negra, no tengo ni padres ni novia que me esperen, así que da un poco igual todo.

—Y usted, cabo, ¿qué haría si mañana saliésemos de nuestro encierro? —preguntó Santamaría.

González Toca se rascó la coronilla, como si buscase inspiración; luego, su rostro se iluminó con una sonrisa:

—Se supone que, para entonces, podremos volver a tratar con mujeres, ¿no es así? —preguntó, precavido.

Las Morenas bromeó:

—Alguna quedará libre, digo yo.

—Pues entonces —dijo González Toca, con los labios relucientes de grasa o lubricidad y los ojos haciéndole chiribitas—, agarraría a una moza como Dios manda y me la llevaría al catre por la vía rápida. ¿Os imagináis qué delicia, compañeros? ¡Estar con una mujer en la cama, con su colchón mullido y su somier y todo!

Ponía más énfasis en la cama que en la mujer, tal vez porque sus asendereados huesos tenían más necesidad de relajo que sus carnes de jolgorio. Menache insistió, picajoso, por ver si sonsacaba al cabo alguna desvergüenza o escabrosidad:

—¿Y después?

Pero el cabo, aunque jocundo, era hombre pudoroso:

—Anda, la leche... —respondió, encogiéndose de hombros—. Pues me reengancharía.

Los soldados volvieron a reír a mandíbula batiente, regocijados por la respuesta, mientras repetían tajada del carabao.

—El cabo no tiene arreglo —se mofó Menache—. ¿En serio que seguirías en el ejército, madrugando cada día y obedeciendo órdenes?

González Toca se embauló en apenas dos bocados el carabao que le restaba en el plato. Su gesto era beatífico, como si estuviese evocando el paraíso:

—No hay vida más plácida que la vida cuartelera. Comes cada día del rancho; duermes cada día en tu cama; tienes un uniforme que vuelve del revés a las criadas. Y si además logras que te asciendan a sargento...

Dejó la frase suspendida en el aire, porque el ascenso a sargento se le antojaba algo así como Jauja y Eldorado juntos. Menache mostró su colmillo revirado:

—Desde luego, no es peor la vida de cuartel que la vida de la mina, picando carbón. Pero a ti nunca te van a nombrar sargento, desengáñate. A un viejo carlistón no van a hacerle ese honor.

González Toca se hundió en un silencio consternado, evocando tal vez las campañas que libró, allá en la juventud exaltada y valiente. Chamizo preguntó:

—Y tú, Menache, ¿qué harás?

Menache se quedó pensativo. Cuando por fin habló, le nació una voz dura, poderosa, hecha de muchas iras, de muchas vejaciones:

—Trato de imaginar cómo será la vida después de Filipinas, pero no lo consigo. Esta guerra me está echando a perder. Antes de que me metieran en chirona, pensaba que me iba a comer el mundo. Me alisté por escapar de la cárcel; y resulta que aquí me he encontrado con otra mucho peor. Ya estoy desengañado de todo.

Se extendió entre ellos el desaliento, apagando incluso el brío de la hoguera. Chamizo murmuró:

—A nadie le resultará fácil volver a su antigua vida, después de haber vivido esto. Llevamos siete meses aquí encerrados, y lo que te rondaré morena. Eso no te lo arrancas de la memoria como el que se arranca un padrastro.

Santamaría suspiró quiméricamente:

—¡Ojalá fuéramos rentistas y pudiéramos vivir sin tener que volver a trabajar, coño!

Se les puso un nudo de pena o de rabia en la garganta que no conseguían escupir, tal vez porque para hacerlo debían acompañarlo de palabras gruesas que no se atrevían a pronunciar delante de sus oficiales. Para facilitarles la labor, Las Morenas se retiró, azorado o cabizbajo; sor Lucía corrió detrás de él, un poco herida en su amor propio:

—Parece como si me estuviese rehuyendo, capitán —le reprochó—. Últimamente, yo diría que le asusta franquearse conmigo.

Más que asustarlo, lo avergonzaba no haberle confiado que Novicio tenía órdenes de conducirla a Manila. Mintió:

—Nunca he sido de hablar mucho, no se crea. —Y era, en verdad, una mentira bastante burda, pues sor Lucía recordaba cómo disfrutaba conversando, mientras paseaban por las calles de Baler, antes de que estallase la revolución—. La gente, cuando habla, se pone una careta y desempeña un papel; y yo ya me conozco todas las caretas y todos los papeles en esta gran farsa de la vida. Así que mucho mejor el silencio.

A sor Lucía le extrañó la virulencia (una virulencia a la defensiva) que Las Morenas había empleado para justificarse. Se hizo entre ambos el silencio de dos seres sin careta ni doblez que se muestran desnudos a través de la callada música de sus almas. La estaba mirando sin parpadear; y sor Lucía se ruborizó:

—Pero hay que hablar, capitán...

—Hablar sólo nos distrae de lo que importa —dijo él.

En aquella ansia de evitar las distracciones adivinó sor Lucía que Las Morenas temía la proximidad de la muerte y que se sentía rondado y acechado por ella.

—¿Y qué es lo que importa? —le preguntó.

Las Morenas le habló como si se le estuviera declarando:

—Enfrentar una verdad a otra verdad, una vida a otra vida.

La voz de sor Lucía sonó quejosa:

—Pero es que la verdad de cada uno no se manifiesta más que hablando, capitán.

—¿De verdad lo cree así? A veces, pienso que hablando no hacemos más que ocultar nuestros pensamientos verdaderos. —Se miraron como si hurgaran en los respectivos pensamientos que ocultaban sus palabras. Las Morenas decidió dar un giro a la conversación, antes de que se tornase demasiado escabrosa—: Los que no hablan ni a tiros son nuestros superiores. Siete meses incomunicados, como recordaba antes Chamizo, y ni una sola instrucción del mando. ¿Se habrán olvidado de nosotros?

—Olvídese también usted de ellos —le recomendó sor Lucía—. ¿Qué mando es ese, que no da señales de vida?

Las Morenas notaba otra vez la emergencia del dolor en su organismo, mucho menos benigno que Novicio en la concesión de treguas. Al intuir que en apenas unas horas estaría a su merced, retorciéndose en el jergón, se volvió agrio:

—¿Y a usted su mando le da señales de vida? ¿No se ha tenido que enfrentar muchas veces al silencio de Dios? Y, sin embargo, persevera en su vocación.

—Pero, aunque Dios calle y yo sufra, al menos no arrastro a otros —respondió malhumorada sor Lucía—. No tenemos derecho a amargar la vida de quienes están a nuestro cargo, capitán.

Pensó que Las Morenas trataría de rebatirla, pero se le notaba demasiado atribulado por el dolor y con conflictos de conciencia para hacerlo:

—Si me rindiera sin presentar batalla, ¿quién me asegura que no nos formarían un consejo de guerra? —dijo, y miró a los soldados que se congregaban en torno a la hoguera, dando cuenta del carabao—. Y las primeras víctimas serían ellos.

Entre fray Cándido y el cabo González Toca cargaban con la última pipa de vino, que habían reservado hasta entonces para celebrar la Navidad con mayor ringorrango y merecimiento. Rompieron la tapa y los soldados hundieron en la pipa sus jícaras, para después brindar ruidosamente. González Toca interpeló a sor Lucía, enarbolando su jícara:

—Vamos, hermana, que un día es un día.

Sor Lucía les dirigió una sonrisa entre agradecida y contrita. Puso una mano en el hombro a Las Morenas, para apaciguar su congoja.

—Perdone —dijo él—. No tengo con quien compartir mis preocupaciones.

—No se deje arrastrar por las zozobras, capitán —le aconsejó sor Lucía—. Aquí tiene hombres de carne y hueso que confían en usted y le piden una respuesta. No los defraude. Y ahora volvamos con ellos.

El vino exaltaba a los soldados y les soltaba la lengua, haciéndola rodar por los despeñaderos de la nostalgia y de la risa. Menache acababa de llenar de aire la vejiga del carabao, que era grande como una luna cautiva, y con ella golpeaba a los demás soldados en la cabeza.

—En mi pueblo —decía, por una vez sin resquemor ni resentimiento—, los mozos salíamos de mojiganga y nos zurrábamos la badana con vejigas de marrano. ¡Aquellas sí que eran Navidades!

Y, en homenaje a sus recuerdos, seguía repartiendo golpes con la vejiga. Santamaría rememoró también las Navidades de su infancia:

—¡Pues nosotros cenábamos pollo en Nochebuena, el único pollo que había en nuestro corral! Durante todo el año lo cebábamos; y luego, cuando llegaba la hora de sacrificarlo, nos daba una pena... —Esbozó un puchero—. ¡La de veces que se me saltaron las lágrimas, ante mi plato de pollo en pepitoria! Pero al final el hambre siempre podía más...

—El hambre puede más siempre —terció sor Lucía, entre la hilaridad de los soldados—. Que os cuente fray Cándido lo que le hacían los enfermos del hospital de Manila... —Fray Cándido hizo un gesto entre divertido y disgustado, cediendo a sor Lucía la anécdota—. Pues resulta que durante la misa del Gallo, mientras predicaba, los enfermos se ponían a escachar las nueces que les habían repartido en la cena. Con los crujidos de las cáscaras, fray Cándido perdía el hilo del sermón y se cogía unos berrinches de padre y señor mío.

—¡Natural! —bramó fray Cándido, alzándose sobre las carcajadas de los circunstantes—. ¡Cómo no voy a cogerme un berrinche, con lo que cuesta preparar un sermón!

—Pues pobrecito del que recibiera el rapapolvo —comentó Las Morenas, sumándose a la jovialidad reinante.

A sor Lucía la alegraba verlo animado:

—¿Y usted qué prefiere de la Navidad, capitán?

—La ilusión de mi hijo Enriquillo en la noche de Reyes, cuando hacemos los preparativos en casa para recibirlos —respondió sin dudarlo—. Todos los años es costumbre dejarles tres copichuelas de vino de Málaga, para que se calienten las tripas, que por supuesto yo me bebo en cuanto mi hijo se acuesta: alguna la apuro del todo y alguna otra la dejo a medias, para que no parezca que los tres Reyes son igual de borrachuzos. Una noche Enriquillo, que estaba despabilado, se levantó a hacer pis y me pilló bebiéndolas... ¡Debí de parecerle el padre más bochornoso e irreverente del mundo! Y tardó varios meses en perdonarme...

Disfrutaban todos de aquellas amables confidencias como del coloquio más ameno y deleitable. Sólo Chamizo parecía tristón y como ido. González Toca trató de incorporarlo a la diversión:

—Anda, Juan, cuéntanos cómo se celebra la Navidad en Madrid, que aquí eres el único que conoce la capital.

Volvió Chamizo a apretar en su mano el reloj de Vigil, que le medía los pulsos de su sangre desfallecida:

—¿Los ricos o los pobres? —preguntó lacónico.

—Coño, para pobres ya estamos nosotros —se choteó González Toca.

—Pues los ricos... —No se esforzaba siquiera en fingir que estaba abstraído, muy lejos de allí—. Los ricos van a misa a los Jerónimos, para lucirse. Y en Nochevieja se juntan en el casino, para cebarse de mazapanes y de turrón. Y luego, claro, les da un ataque de gota.

Se rieron, porque el consuelo en la casa del pobre requiere estos veniales desahogos; pero todos hubiesen consentido en sufrir un ataque de gota, a cambio de poder pegarse un atracón de mazapanes y turrón.

—Sí, sí, pero que les quiten lo bailao —dijo González Toca, resumiendo el sentir general.

Menache le sacudió en las espaldas con la vejiga del carabao:

—Y tú, Chamizo, ¿no te permites algún lujo?

—¿Estás de guasa? —dijo, con una sonrisa exhausta—. El sueldo de maestro no da para lujos. Bueno, si acaso invito a algún amigo a tomar arroz con leche en el café Pombo, junto a la Puerta del Sol.

Santamaría se quedó como embobado, tratando de imaginarse aquellos lujos y exquisiteces de la capital:

—Una vez vi en una revista vieja una fotografía de la Puerta del Sol —dijo, como si tratara de refrescar el sentido remoto de un sueño—. Había más gente que en una romería. Y muchos trenecitos de esos...

La ausencia de Guicay le dolió a Chamizo como un pinchazo, al recordar la conversación sobre los tranvías que habían mantenido durante su primer encuentro, en el tren que los llevaba a Tarlac.

—Tranvías —dijo, casi sin voz.

—Eso, tranvías —repitió Santamaría, rebosante de curiosidad e inconsciente del daño que hacía a Chamizo—. ¿A ti te gusta montar en tranvía, Juan?

González Toca metió baza, picaruelo:

—Dicen que la gente viaja muy apretada. Menudos restregones te habrás pegado con las viajeras, ¿eh, pájaro?

Aunque no le había ofendido el comentario, la respuesta de Chamizo resultó a todos críptica:

—Nunca se bajan en mi parada. Y para una vez que lo hacen...

Postrado por una pena que le impedía seguir respondiendo, Chamizo trató de retirarse discretamente al baptisterio, que era el refugio de sus penitencias amatorias. Santamaría todavía lo inquirió:

—¿Y es verdad que ahora los tranvías son eléctricos y que van sujetos con una pértiga que echa chispas? —Como Chamizo no se volvía, Santamaría gritó—: ¡Oye, Juan, responde!

Chamizo se volvió, rápido y restallante como un látigo, para que no descubrieran que las lágrimas se le agolpaban ya en las comisuras de los párpados:

—Es verdad. Y la pértiga que echa chispas se llama trole.

Corrió a refugiar su desconsuelo en el baptisterio, para estupefacción de sus compañeros, que no acababan de entender su reacción.

—Le habrá venido algún recuerdo doloroso —lo excusó fray Cándido, a quien también le costaba sobreponerse a los suyos.

Desde las troneras del baptisterio se llegaban a atisbar las hogueras de las trincheras enemigas, donde los insurrectos también celebraban la Navidad con villancicos autóctonos y un *bailujan* al que se habían incorporado algunas balereñas samaritanas o pindongas; y en el que circulaban alegremente la tuba y aquellos deliciosos comistrajos que había probado por primera y única vez en la hacienda de don Ramiro Garzón. Con un miedo supersticioso, Chamizo se asomó a la pila bautismal; y descubrió con un escalofrío que la mancha del fondo —tal vez por culpa de un efecto óptico causado por el resplandor del fuego— había cambiado por completo sus contornos. El hermoso perfil de Guicay había sido sustituido por el perfil horrendo de un rostro descarnado, momificado casi, que parecía estarse pudriendo a la intemperie y que mostraba los nervios y las fibras de los músculos, como si acabasen de desollarlo, así como las cuencas de los ojos, vacías y negras como cuevas, y la cabellera rala sobre un cráneo que se iba quedando mondo. Chamizo cerró los ojos, para borrar aquella absurda visión de pesadilla; y trató de rescatar de la memoria las imágenes más luminosas de su idilio con Guicay. Pero entonces se apoderó de él una inmensa y desamparada melancolía y la conciencia irrevocable de que tales recuerdos pertenecían a un mundo sin posibilidad de retorno. Durante los siete meses transcurridos en el interior de la iglesia sitiada, cuando pensaba en Guicay se despertaba en él un furioso anhelo y una incontenible rebeldía, porque se sabía atado a ella, porque sabía que le pertenecía plenamente y ella le pertenecía a él aunque estuviesen separados. Aquel recuerdo vehemente lo había acompañado durante siete meses, ayudándolo a soportar el encierro; pero ahora, de súbito, sentía que había perdido a Guicay. Y, al sentirlo, se supo muerto y sin propósito en el mundo. Quizá aquella impresión de haber estado atado a ella y dependiente de ella que ahora se desvanecía había sido un privilegio de la juventud, que no admite término ni límite a los anhelos del corazón; pero su juventud, como el impulso de su sangre, se había quedado ya enterrada entre los muros de aquella iglesia. Sólo deseaba que Guicay siguiese viva; y, a cambio, daba el entierro de su juventud por bien empleado.

Abrió los ojos, pero la mancha de la pila bautismal seguía mostrándole aquella visión monstruosa de muerte y corrupción. Chamizo sintió que la noche jadeaba por su cansado corazón. A lo lejos, muy a lo lejos, el mar urdía su salmodia inalterable.

8

Moisés y Guicay contemplaban calladamente, con los recuerdos infantiles restallando como sábanas limpias en el tendedero de la memoria, la procesión de Nochebuena, un poco pobretona y triste, organizada por los criados que habían trabajado a las órdenes de don Ramiro Garzón, ahora convertidos en pobres diablos sin oficio ni beneficio al servicio de la insurrección. La primera imagen del desfile, llevada en andas por la explanada, representaba a un anciano de barbas luengas sentado al borde de una fosa, como para indicar que vivía con un pie en el sepulcro; encarnaba a todos los patriarcas del Antiguo Testamento, desconsolados por morir sin haber conocido al Mesías. Detrás de él venían, también en andas, los tres Reyes Magos, en caballitos cojitrancos y matalones, que sin embargo parecían querer encabritarse, ante la impasibilidad de sus jinetes, que tenían el gesto pánfilo y como ausente. Flanqueando a los Reyes, venían los muchachos más jóvenes de la hacienda, alumbrados con cirios y rezando a voz en grito el rosario, como si más bien estuvieran recitando un exorcismo (y Guicay pensó que tal vez así fuera, y que con aquellas avemarías desgañitadas pretendieran aniquilar, o siquiera amansar, al demonio que se enseñoreaba de la hacienda). Venía después de los Reyes San José, con gesto paternal y meditabundo, apoyándose en un báculo con azucenas; y detrás de San José desfilaban unas muchachas, también alumbradas por cirios y también rezando el rosario (aunque menos briosamente que los muchachos), con las cabezas cubiertas por un pañuelo anudado por debajo del mantón. En medio desfilaban los niños de la hacienda, llevando entre las manos unas candelitas rojas hechas de papel; como eran todavía muy pequeños, a veces se tropezaban en algún bache de la explanada y su candela se iba a estrellar en el suelo, donde se consumía después de arder como un fuego fatuo. Cerraba la procesión la Virgen, con un sombrero de viaje de ala ancha y largas plumas de cálao evocador de la caminata hasta Belén; le habían abultado el talle, para significar que estaba encinta, metiéndole trapos y algodones debajo de la saya. Era la más bella imagen de todas, de expresión algo afligida, como suele ocurrir con casi todas las imágenes filipinas, y con un aire algo avergonzado y absorto. Detrás de ella, a modo de estrambote, venían algunos músicos, que aquel año no se atrevían a tocar dulces sones, tal vez por respeto a sus antiguos amos, que estaban pasando las de Caín. Moisés se había descubierto reverentemente al paso de la última figura y rezó un avemaría en silencio.

—Me pidieron que les tallase un Niño Jesús, porque el que tenían estaba despintado y con los brazos rotos —confesó Moisés, compungido.

—¿Y por qué no lo has hecho? —se sorprendió Guicay.

Seguía con la mirada las llamas tartamudas de los cirios, que se acobardaban ante las llamas mucho más vigorosas de los hachones que Van Houten había ordenado encender en la explanada. Moisés apretó los labios hasta hacerlos sangrar:

—Ya no soy digno de tallar la madera —dijo—. Lo he intentado varias veces, pero la madera se niega a desnudarse ante mí, porque huele la sangre en mis manos. He deshonrado mi oficio.

Y Moisés se miró las palmas vueltas hacia su rostro, con horror y ofendido pasmo, como si le hubiesen trasplantado las manos de un homicida, aprovechando que su conciencia dormía. Lloró sigilosamente, vaciándose de algún humor vergonzante y maligno. Guicay lo miró con piedad y también con algo de rubor; estaba muy enflaquecida, como si su belleza se hubiese refugiado en las cavernas de un dolor que no osaba decir su nombre, y su ropa estaba ajada y llena de desgarrones.

—Por favor, Moisés —le pidió, en un esfuerzo por ahuyentar sus pensamientos más tortuosos—, ayúdame a buscar los adornos de Navidad. No quiero que nadie piense que estoy tan hundida como para olvidar las tradiciones de mi infancia.

En realidad, había salido a flote durante las últimas semanas, aunque todavía recordase el sabor mellado de la morfina en la boca y su efecto anestesiante y embriagador en los miembros, el placer voluptuoso y vil de la aniquilación que Van Houten le había estado administrando, para poder dormir abrazado a ella por las noches. Pero llevaba ya casi un mes sin inyectarle aquel veneno, y sin importunarla siquiera, no tanto por hastío o inconstancia en la maldad como por el surgimiento de una pasión nueva en Van Houten, algo parecido a la veneración que ni él mismo podía explicarse (y tal vez por ello mismo había reducido al máximo las visitas a su alcoba). Al principio, Guicay había deseado que le siguiera brindando la experiencia artificial del olvido absoluto, para soportar mejor (o menos mal) el tormento del cautiverio; y hasta había llegado a entender a quienes son capaces de mentir, robar, estafar e incluso asesinar para alcanzar el estado lamentable de la inconsciencia. Pero había logrado vencerse a sí misma; y así Van Houten, que había llegado a la hacienda dispuesto a hacer pagar a Guicay sus desplantes, había tenido que aceptar su derrota. Estaba habituado a que sus víctimas cayeran, al poco de probar la morfina, en un estado de sumisa indiferencia y pasividad, antes de romperse en mil añicos; pero la resistencia y dignidad de Guicay lo habían vencido de un modo milagroso que Van Houten no acertaba a descifrar (y, desde luego, Guicay tampoco), tal vez porque se había enamorado secretamente de ella, al modo inverosímil y retorcido en que puede enamorarse un perturbado. Y no tanto a causa de su belleza, que a fin de cuentas hubiera podido hacer suya mientras dormía el sueño de la morfina, sino sobre todo a causa de su orgullo, que no había conseguido doblegar ni poner de rodillas, aunque su belleza se fuese desgastando con cada inyección de morfina. Van Houten, en fin, había dejado de drogar e importunar a Guicay, asustado de su propia benevolencia, y había empezado a respetarla con temor supersticioso.

—Nunca podré entenderlo, Moisés —reflexionó Guicay en voz alta—. Ese tipejo se acostaba a mi lado, cuando me tenía a su merced, y sin embargo nunca se atrevió a hacerme nada. ¿Tú lo entiendes?

Habían llegado a hacerse las confidencias más desgarradoras, desde que Moisés se convirtiera en su guardián a tiempo completo. Pero en aquella ocasión sintió que una oleada de pudor la removía por dentro, como si estuviera haciéndolo partícipe de algo demasiado malsano que la contaminaba también a ella. Más de una vez, al despertar del sueño de la morfina, había descubierto que Van Houten, tumbado a su vera, la contemplaba arrobado, sin atreverse siquiera a tocarla; y había comprobado, con alivio trémulo (pero también con insidioso estupor), que nunca había llegado a desflorarla, ni tampoco a probar otras vías de acceso en su cuerpo. ¿Qué placer podía encontrar un hombre que no fuese un pervertido en aquel ejercicio de aberrante adoración? ¿Y por qué gozaba envileciendo a las mujeres que adoraba? Guicay era incapaz de penetrar esos misterios, que eran misterios de iniquidad.

—Ese holandés tiene el demonio metido en el cuerpo, señorita Guicay —dijo Moisés, con voz absorta, respondiendo tal vez a sus preguntas—. No puede imaginarse los crímenes que es capaz de maquinar. Es como uno de esos jinetes del Apocalipsis.

La noche se había tragado la procesión de los criados con sus rezos y sus candelas. Moisés no parecía haber hablado a humo de pajas, porque de nuevo lo agitaba un temblor que no podía controlar.

—¿A qué crímenes te refieres? —le preguntó Guicay.

Pero Moisés calló, pudorosamente. Días atrás, Van Houten había ordenado sacar del almacén de abacá a los ilongotes que había capturado en las estribaciones del monte Mingan y se los había llevado, encadenados y en reata, a través de la selva, donde previamente había ordenado a sus secuaces alzar diez cruces. Y allí los habían clavado, después de escarnecerlos y abofetearlos, después de flagelarlos y coronarlos de espinas, para después todavía alancearlos e infligirles todo tipo de sevicias, colgados ya de los maderos (pero se había negado, en cambio, a que sus secuaces les quebraran las piernas, para seguir al pie de la letra el relato evangélico y reproducir exactamente los suplicios que sufrió el Galileo). De aquella orgía de sangre perpetrada en una colina —un paraje maldito ya para siempre, del que habían desertado hasta los pájaros y el agua de las fuentes—

había vuelto Van Houten ahíto de sangre, siquiera por algunos días; pero sus secuaces, aunque eran gentes viles y curtidas en la rapiña y en el asesinato, habían ido desertando, despedazados por la locura, o sumiéndose en el mutismo más hermético, atormentados por el recuerdo tenaz de lo que habían hecho, que los perseguía a todas horas sin tregua, en el sueño y en la vigilia. Moisés miró compasivamente a Guicay:

—No debo decírselo, señorita. Prefiero que viva usted en paz. O en la relativa paz en la que todavía podemos vivir.

Fulguró en Guicay la sombra de un temor:

—¿No le habrá hecho nada malo a mi padre?

—Al principio lo maltrató, señorita —reconoció Moisés, compungido por no haber podido evitarlo—. Pero desde que le cogió respeto a usted ha dejado también en paz a su padre. Usted consiguió amansar a esa fiera del infierno.

La amedrentó aquel papel de sojuzgadora del mal que Moisés le asignaba; sobre todo, porque no era consciente de su poder, y se le antojaba misterioso que Van Houten lo hubiera descubierto en ella. De cuclillas en el suelo, se había puesto a revolver entre los cachivaches que abarrotaban un baúl polvoriento; de él sacó varios *paroles*, las tradicionales lámparas de Navidad filipinas, confeccionadas artesanalmente con bambú y papel japonés, que representaban la estrella de Belén, algunas adornadas con perendengues y colgajos que, agitados en el aire, producían dulce murmullo. Moisés fue en busca de aceite que vertieron en varios vasos de lata, para luego prender en cada uno una mecha que hicieron flotar con un poco de corcho, al modo de una lámpara votiva.

—Todos los años las colgábamos en el porche —dijo Guicay, esbozando una tristísima sonrisa—. Mi padre aseguraba que atraerían a los viajeros en busca de posada... Pero, al final, sólo atraían a las polillas.

Moisés, refugiado en la sombra, habló con voz calcinada:

—Yo también colgaba uno de la puerta de mi *bahay*, esperando que su luz atrajese a mi padre. —Hizo un mohín de conmiseración o desaliento—. Fue en vano, por supuesto.

Guicay había atisbado en las palabras de Moisés una ferocidad vencida que se resquebrajaba. Metieron los vasos de aceite en los *paroles*, que llenaron la habitación de luces semovientes, como un tiovivo fantasmal girando en derredor de sus cabezas y tapizando de sombras chinescas las paredes.

—Moisés, tú no eres como ese hombre —murmuró Guicay—. ¿Por qué no te alejas de él? Si sigues a su lado, terminará arrastrándote consigo al abismo.

La luz de los *paroles* añadía sombras inéditas a su rostro, haciéndolo parecer el rostro de una sibila.

—Me comprometí a cuidar de ustedes, señorita Guicay. Así me lo pidió Novicio —dijo Moisés sin vacilación—. Hasta que llegó esa bestia, estuve muchas veces tentado de marcharme, pero ahora no los dejaría a su merced ni por todo el oro del mundo. Antes de hacerles daño, tendrá que pasar por encima de mi cadáver.

Era, bien lo sabía, una declaración grotesca, pues Van Houten podría pasar por encima de su cadáver como por encima de un gusano, si su furia se desataba; pero, así y todo, estaba dispuesto a afrontar la inmolación. Posaron los *paroles* en el alféizar de la ventana y los colgaron de las fallebas. Las llamas de las lamparillas lanzaron su grito afónico en la noche; y temblaron, a punto de extinguirse, cuando apareció en la explanada la comitiva de los invitados al banquete de Nochebuena que Van Houten había organizado en honor de las nuevas autoridades de la región. A la cita habían acudido los elementos más desaprensivos o abyectos de la administración americana, así como algún gobernadorcillo tagalo que, temeroso de la fama de Van Houten, no había querido desairarlo; tampoco faltaba algún tipejo de la depuesta administración española que trataba de congraciarse con los nuevos amos y ver si podía sacar tajada del desbarajuste, como aquel Federico Encinas, gobernador de Tarlac, de bigotes corniveletos, que había ido a recibir a regañadientes al destacamento de Baler, según Guicay recordaba, aunque apenas se hubiese fijado en él, embebida como estaba a la sazón en su recién estrenado amor por Chamizo (que ahora se le antojaba tan brumoso como los castillos encantados de los cuentos). Los bigotes del gobernador depuesto ya no eran, para entonces, corniveletos, sino alicaídos como los bigotes mongoles, pues el pobre pelele, como el resto de invitados, a duras penas contenía las arcadas y el horror, después de visitar el Gólgota ilongote que Van Houten les había mostrado muy orgullosamente. Volvían silenciosos, tras contemplar los cuerpos crucificados que ya empezaban a corromperse, como si volvieran de un funeral, salvo Van Houten, dicharachero y rozagante sobre su caballito bayo. Cuando descubrió a Moisés y a Guicay asomados a la ventana, les lanzó un saludo con la mano.

—«Y vi un caballo bayo. El jinete se llamaba Muerte y el Abismo lo seguía» —recitó Moisés.

Ahora Guicay también temblaba. Habían salido a recibir a Van Houten y a su comitiva unos pocos criados asustados, que recogían sus levitas y sombreros. Guicay imaginó que el banquete sería tétrico y espectral, con viandas agusanadas en los platos y músicas discordantes, camareros como ánimas en pena que arrastran cadenas e invitados que ríen abominablemente, como pálidas calaveras, sin llegar nunca a sonreír. Reprimió un estremecimiento:

—El mal no puede tener la última palabra, Moisés.

—Ante usted se achantó, señorita —dijo Moisés, con una voz asombrada—. Al mal lo que más lo desarma es el bien.

Se quedaron embalsamados de silencio, mientras la noche empapelaba el cielo de un negro apolillado. Oyeron a los invitados en la *caída*, hablando con voces destempladas o chillonas, y de repente unas pisadas que subían por la escalera de molave. La puerta se abrió de un empellón y apareció maniatado don Ramiro Garzón, con un aspecto que a Guicay le pareció lamentabilísimo (aunque, en puridad, no era mucho más lamentable que el suyo), con ropas andrajosas, muy chupado de cara, magro de miembros y casi irreconocible por la mugre y por la barba, que había sido rubiasca y se había vuelto cana. Detrás de él venía Van Houten, empuñando un fusil con el que lo apuntaba; le cortó las ligaduras y lo empujó, para que se reuniera con su hija. Garzón caminaba con pasos entumecidos, propios del cautivo que apenas tiene espacio para moverse en su celda. Guicay, tras un momento de parálisis, se lanzó como un resorte hacia su padre y lo abrazó con una suerte de fruición desesperada, cubriéndolo de besos y de lágrimas. Garzón, que también tenía los brazos entumecidos, trataba de abrazarla contra su pecho; y ambos, en fin, se palpaban mutuamente, como si fueran ciegos que necesitan reconocerse por el sentido del tacto, tratando de distinguir los estragos del dolor en sus cuerpos.

—Tranquila, mi niña, tranquila —dijo Garzón, tratando de apaciguar el llanto de Guicay, con una voz que era el espectro de su antigua voz.

Van Houten permanecía junto a la puerta, cubriendo el hueco del vano y mirando la escena del reencuentro entre padre e hija con una suerte de abstraída melancolía, como si sus ojos de un azul gélido hubiesen sido velados por una catarata. Moisés advirtió que, en presencia de Guicay, algún mecanismo interior se descomponía en Van Houten, como les ocurre a los relojes en la cercanía de una piedra imán.

—No podía privarlos de estar juntos —dijo el holandés, entre cínico y temeroso—. La Navidad es una fiesta familiar... Y uno también tiene su corazoncito.

Aunque parecía querer captar su benevolencia, Guicay ni siquiera lo miraba. También Garzón le escupía su desprecio con un gesto de aborrecimiento mudo. Intervino Moisés, en un tono a la vez imprecatorio y suplicante:

—¿Qué adelanta con hacerlos sufrir así? ¡Lárguese de una maldita vez y déjelos a mi cargo!

—Me largaré en breve, claro que me largaré —musitó Van Houten, con la mirada todavía extraviada—. Y espero que para entonces la señorita Guicay haya recapacitado y se venga conmigo a Batavia. Allí podrá vivir como se merece. —Y añadió, muy herodianamente irónico—: Todo lo que me pida, aunque sea la mitad de mi reino, lo pondré a sus pies.

—Tendrá que llevarme muerta —le escupió Guicay.

Le costaba aceptar que Guicay nunca fuese a claudicar ante sus ruegos y ofrecimientos de riquezas; y lo sublevaba que jamás lo recompensase con un halago o un mínimo gesto de gratitud. Van Houten pensaba que, en justo castigo, debería volver a envenenar con morfina su sangre desprevenida y hospitalaria; pero enseguida sentía ganas de llorar en su regazo, suplicándole de rodillas que lo perdonase y que dispusiese de su vida a su antojo. A veces, en el paroxismo de su perturbación, Van Houten pensaba con presentido placer que sería hermoso morir sacrificado por la mano de Guicay, sentir el mordisco de sus dientes en su negro corazón, sentir su pie aplastándole la cabeza y no atreverse siquiera a morderle el calcañar.

—Me preocuparé personalmente de que su padre recupere la propiedad de su hacienda y pueda venir a verla a Batavia cuando le plazca, señorita Guicay —proseguía Van Houten con sus requiebros y ensoñaciones—. Es ley de vida, don Ramiro, tarde o temprano las hijas vuelan del nido. Pero, antes de irme, quiero presenciar la rendición de los españoles en Baler.

Garzón se revolvió como un basilisco, pero Van Houten lo encañonó con su fusil. Moisés quiso saber más sobre el destino de los *castilas* sitiados:

—¿Es que hay alguna noticia de que vayan a rendirse?

—De lo que hay noticia —repuso Van Houten, con cansado alborozo— es de que al fin han permitido que partiese del puerto de Manila el vapor con las armas que os prometí. En unos pocos días tendréis a vuestra disposición un cañón capaz de tumbar los muros de esa iglesia.

Garzón dejó entonces de abrazar a Guicay, para hablar a Van Houten. Masticaba las palabras, amasándolas de repugnancia:

—Es usted un miserable asqueroso. ¿Dónde mamó tanto odio?

Van Houten esbozó una sonrisa perpleja o sarcástica:

—¿Odio? ¿Y eso lo dice usted, don Ramiro? ¿Usted, que ve cómo me preocupo por su hija? —Por fin su sonrisa rompió en una carcajada hueca—. Odio, amor... esas son pasiones vulgares, don Ramiro. Ustedes, los españoles, odian y aman con entusiasmo; y algo parecido les ocurre a estos macacos filipinos. Se odian y se aman tanto que, si por ustedes fuera, estarían toda la vida matándose y reconciliándose y volviéndose a matar. —Suspiró, orgulloso de su índole más desapasionada—: Por eso son tan necesarias gentes como yo; gentes que inclinan el fiel de la balanza hacia un lado o hacia otro, dependiendo de quién ponga más dinero en el platillo. Así las guerras se convierten en algo más científico. —La noche se le iba metiendo en los bronquios, en la sangre, en la mirada sin norte y sin tino—. ¿Odio yo, don Ramiro? Las personas como yo no odiamos al modo plebeyo con que odia la gente corriente; sólo odiamos lo que no podemos conquistar o entender, lo que nos desborda o desconcierta con su grandeza. Somos la higiene del mundo, los cirujanos de hierro que el progreso necesita, para extender su evangelio.

Respiraba oprimido por el cansancio, como si lo abrumara su misión apostólica.

—Es usted un pobre desquiciado —dijo Guicay—. Empieza a darme pena.

Van Houten no se inmutó. Los miró por última vez, con ojos de lumbre dura:

—Por algo se empieza, señorita Guicay. Un corazón apenado puede llegar a amar por compasión a quien le suscita tanta pena. —Se inclinó respetuoso ante ella, antes de abandonar la habitación—. Ordenaré a los criados que les suban algo de comida, para que puedan celebrar juntos la Nochebuena. Yo, por desgracia, no podré acompañarlos. Tengo que atender a mis invitados. —Rió sin venir a cuento, con una risa que parecía coruscarle los cabellos. Luego cuchicheó, haciéndolos cómplices—: Están dispuestos a comerse cualquier cosa que les ponga en el plato. Tienen miedo de que los crucifique, también a ellos.

Y siguió riéndose desquiciadamente después de dejarlos solos, mientras bajaba la escalera de molave. Pisaba sobre los peldaños como un ogro a punto de derrengarse.

* * *

Las Morenas despertó febril y sobresaltado, anegado en sudor y en pleno delirio. Lo habían acostado en la sacristía, en el lecho con mosquitero en el que solía descansar sor Lucía, que se hallaba a su vera, velando su sueño tumultuoso.

—¡Enriquillo! ¡Enriquillo! —gritó el capitán, agarrando compulsivamente a sor Lucía del hábito—. ¡Mande usted que salgan a buscar a ese niño! ¡Pronto, por el amor de Dios, que me lo van a coger los insurrectos!

Estaba muy descolorido y ojeroso; y respiraba azotado por las negras furias que se traía de su mal sueño. Sor Lucía le enjugó el sudor de la frente con un paño húmedo y trató de aplacarlo:

—Tranquilícese, capitán. Su hijo está sano y salvo en España, con su madre.

Las Morenas no acertó del todo a comprender lo que sor Lucía le estaba diciendo, que no casaba con las visiones que acababan de martirizarlo, y volvió a derrumbarse en el lecho, cuyas sábanas estaban ya empapadas del sudor y los miasmas de su enfermedad. Sus facciones, sin embargo, reflejaron cierto alivio cuando advirtió que sor Lucía lo estaba atendiendo; y así, pacificado por su proximidad, se sumió en una duermevela que borraba plácidamente las fronteras entre realidad y sueño. Acababan de entrar en la sacristía fray Cándido y el médico Vigil, bastante recuperado de sus anteriores arrechuchos aunque todavía flaco y macilento, como no podía ser de otro modo con la ración diaria que cada día se repartía en la iglesia, compuesta por dos latas de sardinas y un puñado de arroz, más el forraje que cada quisque pudiera agenciarse.

—No sé cuánto podrá resistir... —dijo Vigil en un susurro, después de tomar el pulso al capitán con gesto preocupado.

Fray Cándido se rebelaba contra el apagamiento de Las Morenas, que dejaba al destacamento en manos que no le resultaban simpáticas:

—Y, sin embargo, los otros hombres... y hasta usted mismo, doctor, se han recuperado en cuanto hemos podido comer alimentos frescos —se quejó.

Vigil frunció los labios en un mohín atribulado:

—Es que el capitán padece una anemia crónica —dijo—. Mucho me temo que si no acaba pronto este maldito sitio...

Irrumpió de repente en la sacristía el teniente Martín Cerezo, sin solicitar permiso. Desde que se reanudaran las hostilidades, tras la tregua de Navidad, y con el comienzo del nuevo año, todo se le antojaba nebuloso y siniestro, con la desesperación como término: la salud cada vez más quebrantada de Las Morenas, sumada a su carácter demasiado amable y contemporizador, lo iban convirtiendo en un interlocutor cada vez más improbable para sus cuitas y preocupaciones; fray Cándido, que conocía bien la idiosincrasia de los tagalos y además era gran conocedor del terreno y del clima, tampoco le servía como confidente, pues ambos se repelían; algo similar le ocurría con la monja sibila y hechicera, a la que procuraba no acercarse siquiera, para no sucumbir a sus encantamientos; y Vigil, en fin, aunque le pareciese hombre con entereza de ánimo, carecía de conocimientos militares y su misión en el ejército era transitoria, por lo que tampoco le servía como asesor en aquellas dificilísimas circunstancias. De modo que a nadie podía confiar sus miedos interiores; y en nadie podía hallar el apoyo que precisaba para después aparecer confiado y resuelto ante los soldados y no transmitirles desaliento. Y al no poder referir a nadie sus angustias, Martín Cerezo se iba encastillando en una soledad asfixiante, de la que poco a poco iban brotando, como los hedores fétidos de un cuerpo que se pudre, los vapores amordazados de una nueva percepción de la realidad a la que nadie se atrevía a poner nombre, pero que tal vez se pareciese a la locura. En aquella ocasión, Martín Cerezo entraba muy alarmado, en un estado próximo a la histeria; zarandeó sin demasiadas contemplaciones a Las Morenas, que seguía sumido en la somnolencia, convaleciendo de sus delirios.

—¡Mi capitán, despierte! —gritó—. ¡Esos cabrones han traído artillería pesada!

Las Morenas abrió los ojos, súbitamente consciente del peligro que Martín Cerezo trataba de transmitirle, y pidió que lo condujeran hasta el baptisterio. En efecto, un vapor procedente de Manila acababa de desembarcar en la playa de Baler las armas y municiones prometidas al estallido de la insurrección y retenidas durante meses por las autoridades americanas. El envío incluía varias cajas de fusiles Remington con abundante munición, que habían cargado en un carro tirado por una pareja de mulas, así como un pesado cañón de gran calibre que les había costado enormemente trasladar desde la playa. Van Houten había echado mano de una docena de insurrectos, que tirando de un par de gruesas sogas habían logrado atravesar los médanos con el cañón, mientras otros empujaban por detrás la cureña. Cruzaron con aquella carga el pueblo, en medio de la lúgubre expectación de los balereños, que deseaban que terminara pronto el asedio, para poder reanudar sus rutinas y cultivar sus sementeras, pero no deseaban el mal de los *castilas* que defendían la iglesia, a los que casi todos recordaban con gratitud. Van

Houten supervisaba el traslado de las armas hasta las trincheras tagalas ataviado con un inmaculado traje de lino blanco y pavoneándose sobre su caballito bayo, como un príncipe que se pasea por sus dominios. Disfrutaba del pasmo que el reluciente cañón despertaba entre aquella caterva de indios remolones y fustigaba con una rama de bejuco a la chiquillería que trataba de acercarse al carro de la munición, donde también se apilaban los proyectiles del cañón, gordos como melones. Cuando por fin alcanzaron las trincheras tagalas, Van Houten se encargó de determinar el emplazamiento óptimo del cañón y de dar a los artilleros las instrucciones pertinentes sobre su funcionamiento, aprovechando la ausencia de Novicio, que había ido a visitar a su familia y aún no había tenido tiempo de reunirse otra vez con sus hombres.

—Páseme los gemelos, Saturnino —solicitó Las Morenas al teniente, después de que entre él y Vigil lo ayudaran a caminar hasta el baptisterio.

Logró enfocarlos con tiempo suficiente para distinguir al holandés que habían conocido en la hacienda de don Ramiro Garzón. Espoleaba su caballito y se paseaba, ufano y jaque, por las trincheras enemigas, profiriendo órdenes y amenazas a diestro y siniestro, arrogándose el mando sobre la tropa insurrecta. Al dirigir los gemelos hacia el cañón, Las Morenas distinguió con una mueca de disgusto a un tagalo que introducía un proyectil en la recámara, mientras otro hacía girar una manivela en la cureña que graduaba la inclinación.

—¡Cuerpo a tierra! ¡Nos disparan! —advirtió Las Morenas.

Un artillero tagalo tiró de la anilla del percutor y el cañón lanzó, con un retroceso que asustó a los insurrectos, su proyectil, que fue a estrellarse contra la torrecilla del campanario, donde se hallaba la andrajosa y descolorida bandera rojigualda que todavía izaban cada mañana en la iglesia, al toque de corneta. La torrecilla, por ser de madera, quedó hecha trizas, y las campanas desprendidas de sus yugos cayeron al suelo entre cascotes, con gran estrépito y destrozo, levantando además una polvareda en el interior de la iglesia que más parecía lluvia de ceniza. Varios soldados a pique estuvieron de perecer aplastados bajo el bronce. Martín Cerezo salió del baptisterio para calibrar los desperfectos; soltó una risa un tanto energúmena:

—¡Venga otro bote de pimientos morrones! —exclamó, jocoso.

Parecía como si el bombardeo lo aureolase de una rara euforia. Algo semejante le ocurría en las trincheras enemigas a Van Houten, que ya había ordenado a los artilleros que volvieran a cargar el cañón todavía humeante, bajando un poco su inclinación, para tratar de afinar la puntería. El tagalo encargado de tirar de la anilla del percutor no anduvo ágil, por despiste o por inexperiencia, y el retroceso del cañón le golpeó en el pecho, hundiéndoselo y matándolo al instante. Esta vez el proyectil batió los muros de la iglesia e hizo tembletear las hojas del portón, atronando el recinto con un son hueco y ronco; rompió tres vigas del piso del coro e hizo añicos el facistol, hiriendo y contusionando a varios soldados. No había logrado hacer brecha, pero cayó sobre los sitiados una lluvia de cascotes, hierros retorcidos y astillas de madera, extendiendo una nueva capa de polvo y ceniza sobre los sitiados. Las Morenas buscó entre la polvareda a fray Cándido y alzó su voz sobre el estruendo reinante:

—Me aseguró que los muros resistirían...

—Y de momento resisten, capitán —dijo el fraile, tratando de mostrarse convincente.

Entretanto, sobresaltado por el cañoneo, había alcanzado las trincheras tagalas Novicio, que llegaba cabalgando a pelo, después de interrumpir la visita a su familia. Antes que en ninguna otra cosa, reparó con lástima y enojo en el cadáver del artillero que acababa de sucumbir al retroceso del cañón: tenía el pecho hundido, como si le hubiesen extirpado los pulmones, y le brotaba todavía de la boca, los oídos y los orificios nasales una sangre bituminosa. Otro insurrecto lo había sustituido al pie del cañón; ya había abierto la recámara candente y se disponía a introducir un proyectil, pero Novicio se lo impidió con un ademán brusco:

—¡Basta! —gritó—. ¡Dejad inmediatamente de disparar!

Miró con alivio los muros de la iglesia, en los que todavía no habían logrado los disparos abrir brecha; y pidió al Dios de sor Lucía que la preservara incólume. Van Houten embridó su caballito y se dirigió hacia Novicio. Se habían reconocido de inmediato; y, aunque apenas se habían tratado, sabían lo suficiente el uno del otro como para intuir que eran antípodas, que se repelían mutuamente y que nunca podría haber conciliación ni entendimiento entre ellos.

—¿Está loco, Novicio? —lo increpó Van Houten—. No hemos hecho más que empezar. Me temo que tiene usted mucho más futuro despellejando caimanes que conduciendo ejércitos. ¿Hasta cuándo piensa prolongar este absurdo asedio? Deje que sus hombres sigan disparando hasta que no quede piedra sobre piedra de esa iglesia.

El caballito de Novicio se encabritaba, como si la proximidad de Van Houten lo asustase. Se esforzó por dominarlo, tironeándolo de las crines.

—No estoy dispuesto a poner en peligro la vida de mis hombres —dijo Novicio, señalando al artillero del pecho hundido—. Son demasiado valiosos como para permitir que mueran de modo tan grotesco.

—Tiene usted órdenes del Katipunan de matar cuanto antes a esos *castilas* —trató de arrinconarlo Van Houten.

—Tengo órdenes de tomar esta plaza con el menor número de bajas posibles —lo corrigió Novicio—. Y no estoy dispuesto a que las bajas me las inflijan mis propias armas.

Sus caballitos habían empezado a caracolear, como escenificando la animadversión que se profesaban sus respectivos jinetes.

—Se supone que en las guerras combaten soldados adiestrados, no campesinos ni artesanos sin instrucción en el manejo de las armas —le reprochó Van Houten.

Y contempló cómo los insurrectos se repartían los fusiles Remington, que ni siquiera sabían cargar.

—¡Mis hombres harán lo que yo les mande que hagan! —gritó Novicio con ferocidad—. Y usted ya ha cobrado su trabajo, así que le ruego que desaparezca. Y también que abandone la hacienda en la que se hospeda tan pronto como le sea posible. —Se cruzaron una mirada retadora. Aunque los ojos gélidos de Van Houten ardían de ira, Novicio no se arredró—: He sabido de sus andanzas; y no deseo que el buen nombre de los balereños quede asociado a las salvajadas que usted ha hecho con los ilongotes. Y, por supuesto, no pienso dejar que las repita con los *castilas*.

A Van Houten le habría gustado cruzarle la jeta con el bejuco, pero la proximidad de sus hombres no hacía muy aconsejable aquella reacción. En su lugar, se conformó con esbozar una sonrisa alevosa y asqueada:

—Nunca llegaréis a nada, Novicio —dijo cínicamente—. Sois la rama más raquítica del tronco hispánico, tan estúpidamente caballerosos como los propios españoles. Hacéis de la compasión y el sentimentalismo una épica sin futuro. Sois un estúpido anacronismo; y hasta que no os enseñen a palos a adecuaros a los nuevos tiempos no espabilaréis. Pero esa hora está a punto de llegar.

Picó espuelas sin despedirse y se dirigió hacia la iglesia asediada, esquivando los parapetos que delimitaban el campamento tagalo. Al llegar a la tierra de nadie, Van Houten refrenó su caballito y habló a voces, para que lo pudieran oír los soldados:

—Me he estado preguntando durante años cuál era el rasgo distintivo del español. Ahora ya sé que es el heroísmo estéril. —Esperó alguna reacción procedente de la iglesia, pero no se produjo—. Y compruebo que se lo habéis inculcado a estos pobres imbéciles que os asedian. Al final, unos y otros correréis idéntica suerte. Vendrán pronto los americanos para acabar con esta farsa y aplastaros a todos de una sola tacada.

Los soldados, agazapados detrás de las ventanas aspilleradas, escuchaban cubiertos de polvo y con el fusil presto la filípica de Van Houten. En sus rostros, estragados por la fatiga y la enfermedad, se fundían la rabia y el desdén. Algunos dirigían la vista hacia el baptisterio, como si reclamasen de su capitán la orden para disparar contra el holandés, cuya voz sarcástica seguía llegándoles nítida:

—Lamentaré no estar aquí presente cuando eso suceda, pero brindaré desde Batavia por vuestra aniquilación. Siempre es un gusto veros morder el polvo, convertidos en despojos de vuestro naufragio. —Hizo una pausa, regodeándose malignamente en el daño—: ¡El naufragio de todo lo que un día defendisteis, pensando que erais los paladines de una nueva edad de oro! Ya sólo sois un pueblo de desheredados, a los que no resta sino lamer los culos de quienes en otro tiempo os temieron. ¡Mis felicitaciones! ¡Que disfrutéis del sabor de la mierda!

Martín Cerezo echó mano del revólver, dispuesto a liquidarlo allí mismo, pero Las Morenas le exigió que volviera a enfundarlo. Van Houten espoleó de nuevo su caballito bayo, pero cuando ya empezaba a alejarse, lo embridó y se volvió de nuevo hacia la iglesia. Exclamó con exultación:

—¡Ah, se me olvidaba! ¡Recuerdos de don Ramiro y de su hija Guicay! Si alguna vez la buscáis, preguntad por ella en Batavia.

Y se perdió al galope entre los naranjos de la plaza. Esta última alusión había herido muy vivamente a Chamizo, o encarnizado la herida que compartía con el resto del destacamento, que tácitamente clamaba venganza contra el holandés. Corrió hacia el baptisterio y se encaró con Las Morenas, hablándole con vehemencia:

—¿Lo ha oído, mi capitán? Tengo que ir a rescatar a Guicay. —Y, como Las Morenas esbozase un gesto consternado, insistió suplicante—: Me lo debe. Arriesgué mi vida, en provecho de la guarnición, para quemar los *bahays*. Déjeme ahora arriesgarla por Guicay.

Todos los soldados se habían congregado en derredor del baptisterio, esperando la reacción de Las Morenas. Martín Cerezo se anticipó, disuasorio:

—Eso que está proponiendo sería abandono del puesto militar, Chamizo.

Fray Cándido intervino, con rapidez de dialéctico. Disfrutaba llevándole la contraria al teniente:

—No diría yo eso. Don Ramiro y su hija son súbditos españoles, expuestos a un peligro cierto. En consecuencia, el deber del ejército es socorrerlos.

Aunque escuchaba las razones de los otros, Chamizo no apartaba la vista de Las Morenas, que era quien debía aprobar su petición. Pero Las Morenas se mantenía impasible y taciturno.

—Le juro que, si sobrevivo, volveré a la iglesia —dijo Chamizo. Y luego añadió, insolente—: Pero si no me concede su permiso, desertaré.

Se extendió entre los soldados un murmullo de espanto, porque Chamizo acababa de nombrar en voz alta el tabú que rondaba sus pensamientos, desde hacía meses. Las Morenas respiró hondo y elevó la mirada al techo del baptisterio, abovedado y lleno de desconchones:

—Está bien, soldado. Saldremos esta noche. Vaya preparando unos pocos víveres para el camino. Y llene unas cananas de munición.

Chamizo esbozó una sonrisa de gratitud y los soldados del destacamento prorrumpieron en aplausos. Pero las palabras de Las Morenas habían causado gran desconcierto en el teniente Martín Cerezo y también en sor Lucía.

—¿Saldremos? —preguntó intranquila—. ¿Qué ha querido decir con eso? ¿Quiénes saldrán?

—Le prometí a ese soldado que sería su padrino de boda —dijo Las Morenas, lanzando una mirada de complicidad a Chamizo—. Y un padrino tiene que estar a las duras y a las maduras. No puede dejar a su ahijado en la estacada.

—¿Se ha vuelto loco? —se enfadó sor Lucía—. ¿O es que quiere arruinar la poca salud que le resta?

Las Morenas la miró intensamente, como si desease retener en la memoria las circunstancias de su rostro, en las que le habría gustado copiarse, de haber podido disfrutar de otra vida suplementaria.

—Es por puro egoísmo, hermana. Ya que nunca seré del todo feliz, me resarzo tratando de que Chamizo lo sea en mi lugar.

Sonrió tímidamente. Sor Lucía agachó la mirada, golpeada por el rubor. Y ese rubor atemperaba su enfado:

—Capitán, ninguno logramos todo lo que queremos...

Las Morenas le agradeció aquel comentario, que quiso tomarse como un cumplido. Se volvió hacia Martín Cerezo y habló con determinación:

—Teniente, queda al mando de la plaza.

A Martín Cerezo lo había sorprendido agradablemente aquel rapto de temeridad de Las Morenas, a quien otras veces había juzgado demasiado contemporizador y hasta pusilánime. Pero trató de disuadirlo:

—Mi capitán, lo que va a hacer...

—Sí, ya lo sé, Saturnino —lo interrumpió Las Morenas, despreocupado y hasta divertido—. No lo permiten las ordenanzas. Pero, a estas alturas, ¿a quién le importan las ordenanzas?

Fray Cándido había aguardado turno pacientemente, sacudiéndose el hábito del polvo del cañoneo. Adoptó una actitud entre fatalista y zangolotina:

—Yo también me sumo a la expedición, capitán.

La sorpresa se extendió a todos los circunstantes. Sor Lucía iba a echarle una regañina, pero se le anticipó Las Morenas:

—¿Cómo ha dicho? No, fray Cándido, usted se queda aquí, cuidando de los enfermos y protegiéndolos. Un tirador de su puntería se hace, ahora que los insurrectos tienen nuevos fusiles, más necesario que nunca.

Fray Cándido adoptó un tono compungido y a la vez terminante, denotando que no estaba dispuesto a renunciar a su propósito:

—Más necesario aún seré en la hacienda de don Ramiro, cuando tenga que enfrentarse a ese chacal. —Tragó saliva, contrariado—. Y, además, si usted tiene un compromiso con el que va a ser su ahijado, yo lo tengo con quien tendría que haber sido mi hijo. Le ruego que lo considere.

Aturullado, Las Morenas cruzó con sor Lucía una mirada de inteligencia. Los dolores y la fiebre habían remitido, retraídos ante el reciente despliegue de activismo; pero Las Morenas sabía que aquella era una maniobra de distracción que su enfermedad había urdido, antes de lanzar el zarpazo definitivo.

—Lo echaré mucho de menos, capitán —susurró sor Lucía, atenazada por la inminencia del llanto—. Echaré mucho de menos su conversación, sobre todo.

Las Morenas ya no se atrevía a volver a mirarla, para no delatar su verdad demasiado desnuda, sin disfraz ni doblez, que había decidido callar.

—No se preocupe, hermana. Tenemos toda la eternidad para seguir conversando.

Aquella noche, pertrechados con sendas cananas apretadas de munición y armados de fusiles en bandolera, Las Morenas, Chamizo y fray Cándido abandonaron la iglesia con gran sigilo por la gatera del portón. Como Chamizo ya había realizado otra salida clandestina de la iglesia, fue quien abrió camino, reptando entre las malezas de la tierra de nadie; lo animaba, además, un ímpetu que ni él mismo se conocía. Avanzando a rastras, lograron burlar la vigilancia de los centinelas tagalos; y caminando luego en cuclillas, buscando siempre la protección de ribazos y cañaverales, bordearon el pueblo. Cuando alcanzaron la playa de Baler, después de haber dejado atrás media docena de puestos de vigilancia, decidieron al fin alzarse. Empezaba a clarear, allá a lo lejos; y el mar era una tendida bestia aplacada que repetía, una y otra vez, el mismo quejido.

9

—Me llamo Miguel Olmedo —se presentó el extraño ante Novicio, saludándolo al modo militar—. Soy capitán de infantería del ejército español, comisionado por el general Diego de los Ríos, que es el encargado de la repatriación de los soldados españoles. He venido a solicitar a mi amigo el capitán Enrique Las Morenas que cese en su inútil resistencia. Aquí tiene mis credenciales.

Dio un paso al frente y le tendió unos papelorios. Novicio examinó a su interlocutor con más curiosidad que desconfianza. Olmedo tenía una voz amable y mellada, tal vez un poco hastiada de mostrarse siempre deferente. Era un tipo orondo, atildadito, blandito, más habituado desde luego a la molicie de los despachos que a los rigores de la campaña; aunque vestía con extrema corrección, y aun con pujos de lechuguino, tenía ese aspecto un poco crapuloso que se les queda a los gordos pálidos con la barba mal rasurada.

—¿Y, si es usted militar, por qué va vestido de paisano? —le preguntó Novicio, sinceramente intrigado.

Olmedo rió con una risita subrepticia y feminoide, casi un cloqueo:

—Al general Ríos le hubiese gustado enviar soldados de uniforme para recoger al destacamento —contestó—, pero el general Otis no le concedió autorización para desplazar tropas ni para que ningún soldado español vista su uniforme en una tierra que ha dejado de ser nuestra.

Había llegado el capitán Olmedo a Baler en un vapor procedente de Manila, acompañado por una pareja de soldados filipinos que confirmaban plenamente su versión. En medio de su desaliento, a Novicio lo acometió un insensato acceso de optimismo. Pensó que los tozudos *castilas*, en cuanto escucharan de boca de un compatriota lo que él llevaba repitiéndoles desde hacía ocho meses sin que le prestasen el más mínimo crédito, se caerían del guindo y abandonarían su encierro con el rabo entre las piernas. Pero —pensó también Novicio— tal vez estuviese lanzando las campanas al vuelo y vendiendo la piel del oso antes de cazarlo: le encantaba utilizar constantemente, incluso en el discurso de sus pensamientos, aquellas expresiones que había aprendido en el trato con sor Lucía, porque era una manera de mantener viva su memoria. Preguntó a Olmedo:

—¿Y dice que es usted amigo del capitán Las Morenas?

—Estudiamos juntos en la academia militar, señor Novicio —le confirmó el emisario—. En cuanto me vea me reconocerá y todas sus suspicacias desaparecerán de inmediato. Y ustedes podrán al fin descansar.

Lanzó una mirada desaprobatoria a la tienda de Novicio, que más bien parecía una mezcla de leonera y polvorín; la lona que los cubría abolsaba, además, el calor húmedo, haciendo aún más irrespirable la atmósfera. Olmedo sacó del bolsillo superior de la chaqueta un pañuelo de organdí y se secó el sudor de los mofletes.

—Yo le recomendaría, capitán Olmedo —se atrevió a sugerir Novicio—, que se esfuerce por arrancarle la declaración de rendición antes de que vuelva a encerrarse en la iglesia. Sospecho que el capitán Las Morenas es hombre un poco débil de carácter al que gusta demasiado solicitar consejo a sus subordinados. Y en esa iglesia debe de haber alguien partidario acérrimo de seguir resistiendo que impone siempre su parecer.

Como Novicio no había hecho el más mínimo caso de las credenciales del general Ríos, Olmedo las utilizó para abanicarse:

—He observado —dijo, algo escamado— que cuentan ustedes con una cantidad ingente de fusiles Remington, incluso con un cañón...

—Un cañón que no se lo salta un gitano, en efecto —remachó Novicio con donaire, en honor de sor Lucía, como también era en honor de sor Lucía la resolución de no utilizarlo.

—No entiendo cómo con semejante armamento no han acabado de una maldita vez con el sitio, por muy heroica que sea la resistencia —se maravilló Olmedo.

Novicio formuló una sonrisa cansada. Por supuesto, no iba a explicar a Olmedo las razones de su reticencia al empleo de armas de fuego, reafirmada desde que sor Lucía fuese retenida en la iglesia. Pero Novicio estaba, en efecto, deseoso de que concluyera el cerco; o, más exactamente, deseoso de reunirse otra vez con sor Lucía y de acompañarla personalmente hasta Manila, rememorando los meses que habían vivido juntos, escondidos en la selva, antes de que se firmara la paz de Biacnabató. Muchas veces, en sueños, había revivido aquellos días, que consideraba sin dubitación los más felices de su vida, pues habían sido los primeros en que supo que estaba dedicándose a una cosa cierta y tangible, y no a entelequias mendaces o utopías charlatanescas. Y volvía a verse disputando con ella de cuestiones teológicas; o velando su sueño y haciendo de centinela de su respiración; o comiendo con ella la carne de un caimán recién cazado en los manglares, carne sin pecado ni espinas, carne arcangélica y blanca como la pulpa de coco; o durmiendo juntos sobre la horcadura de un tíndalo, merodeados por los ilongotes, con la cabeza de sor Lucía reclinada sobre su pecho, que ya nunca más había vuelto a protegerse con un amuleto ni con parecidos colgajos. Y, al despertar de sus ensoñaciones, todavía arrullado por su perfume arcádico, Novicio pensaba que, en cuanto volviera a reunirse con sor Lucía, le propondría, como don Quijote a Sancho, que se convirtieran ambos en pastores, para renovar e imitar la pastoril Arcadia y, llamándose ella pastora Luscinda y él pastor Teodoro, andar por los montes, por las selvas y los prados, cantando aquí, endechando allí, bebiendo de los líquidos cristales de las fuentes, o ya de los limpios arroyuelos, o de los caudalosos ríos. Olmedo lo arrancó de sus quimeras:

—¿Me oye, señor Novicio? —le preguntó un poco picado, y Novicio hizo gesto de estar duro de oído—. Le preguntaba si ponía en duda mi capacidad para convencer al capitán Las Morenas. Porque, si es así, habré de concluir que la incredulidad es una dolencia que, por estos pagos, afecta a ambos bandos.

—¡Oh, no, capitán Olmedo! —se apresuró Novicio a halagarlo—. Le aseguro que nadie en el mundo está más interesado que yo en creer a machamartillo en sus dotes persuasivas.

Olmedo asintió, con coquetería o engreimiento:

—Pues está a punto de comprobarlo con sus propios ojos. ¿Sería tan amable de pedir a alguno de sus hombres que anuncie parlamento?

Novicio obedeció, solícito. Acompañó al capitán Olmedo un insurrecto con bandera blanca, que hubo de hacer sonar hasta tres veces el cornetín antes de que se le contestara desde la iglesia, mientras Olmedo aguardaba en la tierra de nadie, chorreando sudor bajo un sol que rodaba alborozado hacia su cenit. El teniente Martín Cerezo se asomó a las ventanas del baptisterio y contempló la figura untuosa de Olmedo, muy impolutamente vestido a la europea, sin ninguna divisa que lo identificase como oficial español. Para distraer la espera, o por atemperar un poco el sofoco, Olmedo volvió a enjugarse el sudor de su rostro abacial con el pañuelo de organdí. Martín Cerezo masculló:

—¿Quién cojones será ese petimetre?

Fuera, Olmedo había empezado a gritar, invocando su amistad con el capitán Las Morenas (que aquella misma noche había abandonado la iglesia, rumbo a una misión incierta), para el que traía, según aseguraba, un mensaje del general Ríos. Martín Cerezo ordenó que hicieran asomar bandera blanca; y resolvió salir sin acompañarse de ningún soldado, intrigado por la aparición del petimetre, que se había detenido ante la línea de trincheras que protegía el huerto de calabaceras. Se abrió el portón de la iglesia y Martín Cerezo se mantuvo quieto en el umbral, sin atreverse todavía a traspasar la línea de sombra de la iglesia, hasta que no se le contrajesen las pupilas, acuchilladas por aquel sol impío. Olmedo, que no tenía sombra donde guarecerse, entrecerraba los ojos y los protegía con una mano, haciendo pantalla.

—¿Es usted el capitán Las Morenas? —preguntó, incapaz de distinguir la fisonomía del militar que acababa de salir de la iglesia.

Martín Cerezo respondió con una elusión y un circunloquio, desconfiado:

—Soy uno de los oficiales de esta guarnición. ¿Qué se le ofrece?

Antes por la voz que por los rasgos que todavía no podía distinguir, deslumbrado por aquel sol cenital, Olmedo dedujo que se hallaba ante un desconocido. Lo asustaba un tanto su aspecto desharrapado; para exorcizar el desaliento, imprimió un tono solemne, casi pomposo, a sus palabras:

—Soy el capitán Miguel Olmedo y vengo de parte del general Diego de los Ríos. Le ruego que depongan las armas y abandonen el pueblo. El general Ríos se compromete a que, a su llegada a Manila, serán ustedes recibidos por él mismo y desde allí enviados a España con todos los honores, sin que filipinos ni americanos los hagan presos.

Aquella cantinela sonó archisabida a Martín Cerezo. Se hizo el desentendido:

—Pues me parece estupendo.

Olmedo no supo cómo interpretar aquella respuesta. Prosiguió:

—Una vez firmada la paz entre Estados Unidos y España, la soberanía española en este archipiélago ha concluido. Están ustedes defendiendo territorio extranjero. —Como Martín Cerezo se mantuviera hierático, sin hacer un solo gesto de entendimiento o desagrado, Olmedo se impacientó—: Por favor, quiero hablar con el señor Las Morenas.

A Martín Cerezo no le había pasado inadvertido que aquel gaznápiro se refiriese a un oficial del ejército con un tratamiento civil. Sonrió cazurramente, pensando que Olmedo era un impostor al que acababa de pillar en un renuncio:

—El capitán no desea hablar con nadie. Para él, la siesta es sagrada. Dígame usted lo que desea y yo se lo transmitiré con mucho gusto.

El sudor empezaba a descomponer la prestancia de Olmedo, en cuyo traje ya asomaban unos cercos oscuros y en expansión debajo de los sobacos. Martín Cerezo, decidiendo que sus pupilas ya habían tenido tiempo sobrado para acostumbrarse a la luz, salió tan campante a la tierra de nadie, aprovechando para hacer flexiones con las piernas que Olmedo juzgó chirigotas irrespetuosas.

—Traigo un oficio que he de entregarle personalmente —insistió, haciéndose el ofendido.

—Pues si no quiere entregármelo a mí, ya puede retirarse con viento fresco —dijo Martín Cerezo, cortante.

Olmedo no sabía cómo reaccionar ante los modales groseros de aquel teniente o gañán que tal vez fuera el oficial que aconsejaba arteramente a Las Morenas proseguir el encierro, aprovechándose de su debilidad de carácter, según le había anticipado Novicio. El sol de repente dejó de lucir, como si hubiese cerrado los párpados, y empezó a pintear. Era la primera lluvia de la estación, premonitoria del anual diluvio que cae sobre aquellas tierras.

—Parece mentira que... que el capitán se comporte así conmigo —balbuceó Olmedo—. Por si no lo sabe, somos paisanos y estudiamos juntos.

Martín Cerezo, socarrón, se plantó ante él con los brazos en jarras. Unos goterones gordos como huevos anunciaban la tormenta torrencial.

—¿Ah, sí? ¿No me diga? —se burló del petimetre, que en pocos minutos iba a terminar como un pingajo—. Y entonces, ¿cómo es que me confundió con él hace un instante?

—Mal... maldita sea, teniente —tartamudeó Olmedo, como si lo hubiesen pillado en un renuncio—. Estaba usted muy lejos. Y el sol...

Relumbró el primer relámpago, como un desgarrón teológico en la túnica de Dios. Y enseguida retumbó el trueno, como una estampida de herejías.

—¿De qué cojones de sol habla? —se choteó Martín Cerezo.

Y, sin atisbo de respeto, arrancó al capitán Olmedo el sobre que portaba en las manos, sellado con lacre.

—No sé si debo... —empezó, intimidado, el emisario.

—Por supuesto que debe —dijo Martín Cerezo, áspero e irónico a un tiempo—. Voy a ver lo que determina el capitán.

Antes de volver otra vez a la iglesia, Martín Cerezo elevó la vista, comprobando con fruición que los nubarrones que en un santiamén habían encapotado el cielo, veloces como fragatas, iban a descargar agua a espuertas sobre aquel fantoche impostor que pretendía hacerle picar el anzuelo y forzar la rendición de la plaza, pensando que se chupaba el dedo. También miró Martín Cerezo la torrecilla del campanario, que se había quedado por completo desmochada y ya no exhibía orgullosa la bandera española. Hizo con el sobre un pasagonzalo burlesco a Olmedo y se metió en la iglesia; nada más cerrarse el portón, un grupo de soldados se aproximó expectante, para conocer el resultado del parlamento. Martín Cerezo les lanzó una mirada poco amistosa, conminándolos a permanecer quietos en sus puestos, y sólo permitió a Vigil acercarse, como único oficial (aunque fuese provisional) de la guarnición, aparte de él. Rasgó el sobre con desgana y leyeron el oficio; iba dirigido al comandante político-militar del distrito del Príncipe, capitán Enrique Las Morenas, y estaba firmado, en efecto, por el general Diego de los Ríos, o por alguien que usurpaba su identidad. Rezaba así:

> *Habiéndose firmado el tratado de paz entre España y Estados Unidos, se servirá usted evacuar la plaza, trayéndose el armamento, municiones y las arcas del tesoro, ciñéndose a las instrucciones verbales que de mi orden le dará el capitán de infantería don Miguel Olmedo. Dios guarde a usted muchos años.*

Martín Cerezo dejó escapar una risita sarcástica; analizó el oficio al trasluz, como si buscara en él trazas de alguna escritura invisible, y se lo tendió a Vigil. Miraba sin ver, como si allá al fondo de sus retinas alguien escondido velase por él.

—¿Qué le parece el nuevo embeleco? —le preguntó a Vigil—. ¿Se ha fijado que hasta nos piden las «arcas del tesoro»?

—Sí que es raro, sí —convino Vigil, cohibido—. El general Ríos debería saber que en Baler no hay arcas ni tesoros ni Dios que lo fundó.

—Pero es que este falso oficio no lo ha escrito el general Ríos, Vigil, sino los insurrectos —afirmó Martín Cerezo sin titubeo—, que deben de pensar que somos el rey Midas por lo menos; y la avaricia de quitarnos las fabulosas riquezas que sólo existen en su imaginación los lleva a cometer este error de bulto. Por lo demás, ya ve que siguen con la misma canción de siempre: que si España se ha rendido, que si tenemos que evacuar la plaza...

¡Paparruchas! Y la falsificación es tan burda que ni siquiera le han puesto número de registro. ¿A quién quieren engañar estos tagalos?

Había alzado adrede la voz, para que la tropa no albergara esperanzas infundadas sobre un desenlace inmediato del sitio. Vigil se atrevió a deslizar:

—Y entonces... ¿Quién es ese Olmedo? Aseguraba conocer al capitán Las Morenas.

Martín Cerezo le lanzó una mirada reprobatoria, como si afeara su falta de perspicacia:

—¿Todavía lo duda? Evidentemente, se trata de un impostor. O, si en verdad se trata del capitán Olmedo que dice ser, sin duda habrá desertado y estará al servicio de los insurrectos.

Sin entrar en mayores disquisiciones, Martín Cerezo rompió el oficio en añicos, que arrojó al suelo, para después pisotearlos maniáticamente, como si fuesen una infestación de cucarachas. Vigil lo miró, entre la consternación y el desaliento; empezaba a descubrir en Martín Cerezo una conducta patológica, con ribetes delirantes, que lo amedrentaba.

—¿Y qué piensa hacer? —murmuró.

Martín Cerezo seguía pisoteando los añicos del oficio con una saña de sepulturero. Tomó aire para sosegarse; y luego sentenció con un raro aplomo y dominio leguleyo:

—Mi obligación como oficial al mando de la plaza no es otra sino obedecer las ordenanzas. Artículo 748 del Reglamento de Campaña: «Recordando que en la guerra son frecuentes los ardides y estratagemas de todo género, aun en el caso de recibir orden escrita de la superioridad para entregar la plaza, suspenderá su ejecución hasta cerciorarse de su perfecta autenticidad».

El repiqueteo de la lluvia sobre el tejado de cinc adquiría un volumen aturdidor. Los soldados asintieron, cabizbajos y mohínos, a las palabras de Martín Cerezo, que requirió la presencia del cabo González Toca, para que le abriesen otra vez el portón y así poder despedir al parlamentario, que se estaba empapando a la intemperie.

—¡Demostraremos a esos tagalos que España no se rinde! —exclamó Martín Cerezo, en un intento de enardecer el sentimiento patriótico de la tropa.

Pero para entonces aquellas proclamas parecían a todos empecinamiento suicida. El cabo González Toca retiró pesaroso la tranca del portón y tiró de las hojas, que chirriaron en los goznes al menos igual de pesarosas que él.

—Anímese, cabo —dijo Martín Cerezo, protocolariamente. Y a continuación le transmitió unas instrucciones incomprensibles—: En la sacristía, encontrará unas vestiduras de monaguillo. Y pídale a la monja que le preste un poco de tela de su mosquitero. Consiga también hilo y agujas.

González Toca no disimuló su desconcierto:

—Discúlpeme, mi teniente, pero no acabo de entender...

—Las vestiduras de monaguillo son rojas. La tela del mosquitero de la monja amarillenta... —se exasperó Martín Cerezo—. Volveremos a izar la bandera, cabo. ¿Hay algo que no entienda todavía?

Salió a la tierra de nadie, donde el capitán Olmedo aguardaba respuesta, calado por la lluvia y tiritando. Todas sus ínfulas lechuguinas se habían disipado en un instante. Martín Cerezo pensó con fruición que no tardaría en contraer una pulmonía. No se dignó siquiera acercarse a él; y prefirió hablarle a voces, entre el fragor de la lluvia:

—El capitán Las Morenas ha dicho que le parece muy bien. Puede usted retirarse.

No se le escapaba que era un mensaje absurdo y desquiciante, pero así podía regodearse en el desconcierto del impostor o desertor Olmedo, que balbució:

—Pero... ¿cuándo... cuándo debo volver por la respuesta?

Martín Cerezo lo miró de arriba abajo, desgalichado y mohíno, con las perneras del pantalón caídas como acordeones mustios sobre los zapatos embarrados. Lo acometió una risa floja:

—No hay respuesta que valga. Lárguese de una puta vez o abriremos fuego.

Olmedo se quedó petrificado, súbitamente consciente de que tal vez aquel teniente energúmeno no estuviese baladroneando. Probó a estimular su piedad:

—Déjeme, al menos, quedarme en la iglesia hasta que escampe.

—Ni hablar —zanjó Martín Cerezo, a la vez que desaparecía de su rostro toda reminiscencia risueña—. Lárguese con viento fresco.

—¿Y dónde quiere que duerma esta noche? —lloriqueó Olmedo.

Empezaba también a empaparse Martín Cerezo; y el agua tenía una cualidad bautismal o purificadora que lo ponía de mal humor:

—¿Y a mí qué me cuenta? Pues donde haya dormido las anteriores. Con sus amiguitos los insurrectos, en amor y compaña.

Aquel sarcasmo hirió el orgullo de Olmedo, que arrancó a andar con grandes zancadas sin importarle que su traje se emporcara con las salpicaduras del barro, hasta encararse con Martín Cerezo:

—¡No puedo creer que el capitán Las Morenas se comporte de esta manera tan contraria a las leyes de la hospitalidad con un compañero de academia! Exijo hablar de inmediato con él.

Martín Cerezo afectó un sosiego que ya había perdido:

—No hablará con él, se ponga como se ponga.

—¿Por qué? —se enrabietó Olmedo—. ¿Lo tiene amordazado? ¿O es que ha sido vilmente asesinado por usted? Si no me aclara de forma más convincente las razones por las que me impide hablar con él, tendré que pensar...

Olmedo enmudeció cuando Martín Cerezo lo tomó de las solapas de la chaqueta y lo aupó en el aire, hasta ponerlo de puntillas. Mientras le hablaba, escupía perdigonadas de saliva:

—Piense lo que le dé la gana. No tengo por qué darle explicaciones de nada, mamarracho.

Y lo soltó con un leve empellón que le hizo perder pie sobre el terreno resbaloso. Olmedo cayó aparatosamente sobre el barro; cuando por fin logró recuperar el equilibrio, Martín Cerezo ya se disponía a entrar otra vez en la iglesia.

—Si el capitán Las Morenas estuviese enfermo, o hubiese muerto en acción de guerra, usted no tendría inconveniente en declararlo —dijo Olmedo, en tono de increpación o anatema—. ¡No me permite hablar con él porque usted mismo lo ha asesinado! ¡Y a saber a cuántos inocentes más habrá matado dentro de esa iglesia!

Martín Cerezo extrajo calmosamente el revólver de la pistolera y se volvió, apuntándolo a la cabeza.

—Márchese de aquí, rata asquerosa, o le pico los bofes —amenazó.

Y Olmedo supo, al reparar en su mirada hueca y abismal, que estaba dispuesto a cumplir su amenaza si volvía a abrir la boca. Retrocedió cobardón, enredándose entre las calabaceras, tropezándose y embarrando su traje de lino blanco, hasta hacerlo parecer de estameña. Martín Cerezo rió, viéndolo huir hacia las líneas enemigas; y la risa seguiría rebulléndole en las tripas, de vuelta a la iglesia, durante horas.

* * *

Avanzaban a través de la selva, rehuyendo el camino desbrozado y expedito que los hubiese conducido directamente hasta la hacienda de don Ramiro Garzón, para evitar ser avistados por los insurrectos y para que nadie pudiese advertir al holandés Van Houten de su determinación. Marchaba en cabeza fray Cándido, caminando impaciente, como si llevase un azogue dentro, orientándose por el sol que asomaba aquí y allá, entre las tupidas copas de los árboles; ni siquiera cuando estalló la tormenta aminoró el ritmo de su paso, aunque resultara más difícil orientarse, como si albergase una brújula en el pecho que le indicaba la ruta. Chamizo hubiese querido acompasar su paso al de fray Cándido, pero debía ocuparse de ayudar al capitán Las Morenas, al que las fuerzas se le iban achicando poco a poco y caminaba muy trabajosamente, desfallecido por el calor pegajoso que reavivaba su fiebre y después jadeando casi al límite del ahogo porque la humedad se le pegaba como engrudo a los pulmones y la lluvia lo hacía tiritar y lo sacudía de escalofríos. Pasado el mediodía, la lluvia alcanzó un espesor de cascada, como si en el cielo hubiesen abierto las esclusas que retenían los humores de los bienaventurados; y el fragor de la tormenta, en conjunción con la soledad honda de aquellos parajes, los aturdía y acongojaba. En medio de aquella suerte de ensordecedora suspensión de los sentidos, y hasta de las potencias del alma, les llegó un runrún lastimero que al principio juzgaron una ilusión acústica que ponía música a su estado de ánimo; pero, poco a poco, a medida que avanzaban entre aquella intrincada cortina de agua (más intrincada aún que la selva), el runrún lastimero cobró mayor consistencia, hasta convertirse en un cántico quejumbroso, gutural y salmódico en el que Las Morenas no tardó en reconocer la lengua de los ilongotes. De vez en cuando, el cántico se estremecía con gritos como de plañidera, muy distintos de los aullidos pánicos de la *buayat* que había escuchado, cuando fray Cándido pidió a Sakdal que ahuyentase a los katipuneros, camino de Baler.

—¿Los oye, fray Cándido? —le preguntó—. ¿No nos estaremos metiendo en la boca del lobo?

Se habían refugiado en una gruta o más bien en una falla de la roca que apenas tenía cabida para cobijarlos. El cielo era bajo, de una hinchazón sucia como la panza de un burro.

—No lo entiendo —dijo fray Cándido—. Están muy lejos de su lugar natural. Los ilongotes ya no se arriesgan a acercarse tanto a los lugares poblados.

Las Morenas se permitió un rasgo de humor:

—Reconozco que hemos perdido la cabeza. Pero cuando nos pongamos a buscarla, sería deseable que la encontrásemos todavía sobre los hombros.

Fray Cándido se esforzaba por discernir el sentido de aquella salmodia. Murmuró intrigado:

—Pero esos no son los cánticos de la *buayat*. Son cánticos fúnebres. No han salido a cortar cabezas, sino a honrar a sus muertos.

Cuando escampó, apartándose un poco de su ruta, se dirigieron hacia el lugar del que brotaba aquel cántico por el que fluía un dolor milenario. Avistaron una colina merodeada por aves carroñeras, cuya arboleda había sido talada recientemente, o bien desmochada hasta dejar los troncos limpios de ramas; sobre algunos de esos troncos desnudos se habían encajado otros a modo de travesaños, formando cruces toscas a las que se habían encaramado los ilongotes, para desclavar a los miembros de su tribu que habían sido allí crucificados. Lo que vieron entonces les produjo un mareo que era a la vez visceral y provocado por el repudio de la razón: sobre la ladera de la colina, descansaban hasta diez cadáveres de ilongotes puestos en hilera, como si aguardasen cola para ascender al cielo; quizá llevasen varias semanas muertos, y los signos de corrupción eran más que notorios: tenían ya los miembros rígidos y apergaminados, y conservaban la posición de brazos abiertos propia de la crucifixión y las huellas del tormento retratadas en sus rostros desfigurados. El hedor a cadaverina y el mosconeo de los insectos necrófagos formaban una amalgama asfixiante que ponía a prueba la capacidad de resistencia de cualquiera que pasase por allí. Precedidos por fray Cándido, caminaron entre los ilongotes que lloraban desconsolados a sus muertos; Chamizo se atrevió a mirar los rostros de los cadáveres: estaban descarnados, momificados casi, y al pudrirse habían quedado al descubierto los nervios y fibras de sus músculos, en los que hervía una gusanera; las cuencas de sus ojos estaban vacías y negras como cuevas, y unas cabelleras ralas y desvaídas sustituían a las vigorosas trenzas que habían exhibido orgullosos en vida. Chamizo recordó entonces, sintiendo que se le helaba la sangre en las venas, la mancha de la pila bautismal, en la que él había creído ver durante algún tiempo el perfil de Guicay; y en la que, cuando se produjo su metamorfosis, había visto premonitoriamente el rostro de aquellos ilongotes crucificados.

—Allí está Sakdal —les dijo fray Cándido—. Quédense aquí quietos un momento. Voy a expresarle mis condolencias.

Las Morenas lo reconoció enseguida, rodeado de mujeres con la piel cubierta de guano y de ceniza que se mesaban los cabellos y elevaban su llanto a un cielo de plomo. Sakdal preservaba sus facciones de aguilucho o de tótem, su figura cenceña y su piel fina y delicada como la de un párpado; pero el dolor le desfiguraba algunos rasgos y le arrojaba al menos veinte años encima, hasta hacerlo parecer un octogenario, tal vez un nonagenario, tal vez un espectro regresado de ultratumba. Un año atrás, cuando Las Morenas vio por primera vez a los ilongotes, le habían provocado un movimiento instintivo de horror, pues le había parecido inverosímil que aquellos salvajes pertenecieran al género humano. En esta ocasión, en cambio, se le antojaban rabiosamente humanos, y tan próximos como hermanos, tanto que se sentía atrapado y fundido en su mismo dolor. Fray Cándido ya se había reunido con Sakdal, a quien había saludado primero al uso ilongote y después al modo español, como ya ocurriera en las cuevas de Mingan; esta vez su abrazo se prolongó durante más tiempo, como si fray Cándido quisiera mostrarle así que se concernía en su desgracia, y mientras lo abrazaba le susurraba palabras al oído en su lengua jeroglífica. Sakdal también habló al antiguo amigo con una voz desmayada en la que, sin embargo, aleteaba un fondo de dureza, un amasijo de dolor y ansias de venganza. Fray Cándido se reunió otra vez con ellos:

—Hace un par de meses, una partida de hombres de su tribu tuvo un encontronazo en la selva con una patrulla de soldados tagalos —les explicó, repitiendo las palabras de Sakdal—. Hubo bajas por ambas partes y algunos ilongotes fueron hechos prisioneros. La patrulla de los soldados la comandaba un hombre grande como un árbol, con el pelo de fuego.

—El holandés Van Houten... —musitó Chamizo.

—Eso mismo he pensado yo —asintió fray Cándido. Ahora su voz sonaba lastimada, herida por una desolación sin consuelo—. Sakdal me ha preguntado si este es el nuevo modo que tenemos los cristianos de convertir a nuestra fe.

A Las Morenas le había dado un vahído, por culpa de la fiebre o del horror que le inspiraba aquella visión dantesca. Pero la sangre le hervía en las venas:

—Dígales que se sumen a nosotros —dijo, supurando rabia—. Juntos seremos más fuertes. Y podremos dar su merecido a esa alimaña.

Fray Cándido asintió, meditabundo:

—Ya se lo dije, capitán. Pero Sakdal tiene que celebrar las exequias por sus hombres. Hasta que no lo haga, sus almas vagarán furiosas por la selva.

Las Morenas observó que las mujeres de la tribu estaban reuniendo leña en un montículo, sobre la cima de la colina, tal vez preparando una pira donde arderían los cadáveres.

—No podemos esperar, mi capitán —intervino Chamizo, impaciente—. Le recuerdo que Guicay y su padre están en poder de ese criminal. Cada hora que pasa es preciosa, si deseamos salvar sus vidas.

Y no le faltaba razón. A Las Morenas le hubiese gustado compartir con los ilongotes aquella misión suicida o solamente bárbara, tal vez porque intuía que iba a exigir de ellos capacidades que no estaban a su alcance; pero sabía también que no podían dilatar más la marcha. Dejaron con sus plañidos desgarradores a los ilongotes, conscientes de que sería muy arduo apartar de su memoria el recuerdo de los cadáveres en hilera, con los brazos abiertos al cielo, atravesados por clavos en pies y manos, fustigados y alanceados y coronados de espinas; y se dirigieron a la hacienda de Garzón, envueltos en un silencio luctuoso o apabullado. Chamizo avanzaba ahora al frente, con una determinación casi sobrehumana, como si con cada minuto que discurría (y llevaba el reloj que le había regalado Vigil encerrado en el puño, dictándole los segundos) se redujesen las posibilidades de hallar con vida a su amada Guicay. A veces, en su ímpetu, tropezaba con alguna raíz que abultaba el suelo, o con alguna roca escondida entre la hojarasca; pero, aunque cayese, ni siquiera se inmutaba, nada sentía ni nada oía, a no ser una voz interior que lo exhortaba a seguir avanzando inexorablemente. Y hasta Las Morenas, que era el más exhausto y debilitado de los tres, se adaptó a su ritmo endiablado, azuzado por el recuerdo de la carnicería de los ilongotes, que disipaba su fiebre y lo mantenía avizor. Cuando ya se acercaban a la hacienda de don Ramiro, Las Morenas cayó a tierra y rodó por un talud, pero se puso de inmediato en pie, antes incluso de que lo auxiliasen Chamizo y fray Cándido, y continuó su camino como si nada hubiese ocurrido, arrancándose las espinas de los abrojos sin sentir apenas dolor. Estaba, como por lo demás también lo estaban sus compañeros, ciego a cuanto lo rodeaba, excepto a la necesidad de alcanzar cuanto antes su objetivo, de hallar pronto a Garzón y a su hija Guicay y de rescatarlos, si era preciso por la fuerza de las armas, combatiendo con un enemigo probablemente muy superior. Y ni siquiera pensaba que aquella misión, más allá de que se saldase con un éxito o con un fracaso, tal vez fuese el desenlace de una vida que daba por perdida desde mucho tiempo atrás; y, dándola ya por perdida, la daba por bien empleada. A veces, en medio de aquella especie de ceguera que lo aislaba de todo lo que no tuviera que ver con esa misión, relumbraba como un relámpago el recuerdo de su familia, a la que imaginaba llevando una vida pacífica, levemente manchada de pena e inquietud, en Cádiz: recordó a su mujer Carmen, a la que acaso debería haberse esforzado por amar más; y recordó a su hijo Enriquillo, al que acaso debería haber insistido más para que renegase de la vocación militar. Pero pensar en su familia sólo le deparaba un sentimiento de amputación y pérdida, como si su recuerdo formase parte de una vida ya conclusa que no le pertenecía, que tal vez no le hubiese pertenecido nunca.

—Agáchese, capitán, ya estamos llegando —le advirtió fray Cándido.

Empezaba a declinar la tarde, allá a lo lejos, aparatosa como una hemorragia. Emboscados entre la maleza, tomaron asiento en un promontorio coronado por rocas desde el que se dominaba la hacienda de don Ramiro Garzón, en medio de la marea verde del abacá. Las Morenas inspeccionó con los prismáticos la explanada que rodeaba la casa, dificultando el asalto y, desde luego, haciéndolo por completo imposible mientras no fuese noche cerrada. Reparó en la pareja de centinelas armados de fusiles que recorrían rutinariamente el porche de la casa; junto a la puerta, había otros tres insurrectos —tal vez alguno de ellos fuese Moisés— sentados de cuclillas en el suelo y jugando a las cartas. Al poco, apareció un sexto hombre, portando tal vez viandas, que caminó hasta un almacén de abacá que había cerca de la casa, donde permaneció durante un rato; Las Morenas pensó que allí tal vez se alojasen los soldados que Van Houten se había traído de Manila, que sumarían al menos otra media docena de hombres armados y dispuestos a repeler su ataque. Las Morenas apartó por un instante los gemelos de los ojos, mientras crecía la curiosidad de Chamizo y fray Cándido, para enseguida volver a llevárselos, dirigiéndolos esta vez hacia las habitaciones del piso superior de la casa; en una de ellas, que imaginó que podría ser la de Guicay, las ventanas de conchas de nácar entreabiertas lanzaban destellos que herían la vista.

—Creo que ya me he hecho una composición del lugar —murmuró.

Y era, desde luego, una composición muy poco tranquilizadora, más bien funesta. Con un palitroque, Las Morenas dibujó sobre la tierra un croquis de la hacienda y explicó a fray Cándido y Chamizo los que, a su juicio, deberían de ser sus próximos movimientos. La atmósfera que se respiraba era pesada, sofocante y húmeda. Chamizo, mientras escuchaba al capitán, sentía que lo abrasaban el odio y el furor homicida; fray Cándido parecía abismado en sombrías cavilaciones.

—Cálmate, muchacho —dijo, viendo que Chamizo se moría por intervenir—. El odio nos ofusca siempre y es mal consejero. Procura estar lo más frío posible.

De repente, una nube muy oscura y cargada de lluvia encapotó el horizonte. Descendieron del otero, al abrigo de la vegetación, y siguieron durante un largo trecho el curso de un arroyo que los condujo hasta las plantaciones de abacá de la hacienda, abandonadas desde que estallase la insurrección. Finalmente llegaron al jardín botánico que Chamizo había visitado con Guicay, donde aguardaron que cayese la noche para lanzar su ataque. Allá donde posaba la vista, Chamizo se tropezaba con el hervidero de plantas exóticas que Guicay le había enseñado a nombrar, como en una mañana del Génesis, por sus nombres autóctonos, sonoros como clarines de bronce: camantigue, calachuche, gumamela, pandacaque. Aquellas plantas habían formado una alfombra paradisíaca que invitaba al retozo; ahora Chamizo las miraba con suspicacia, recordando que no hay paraíso sin serpiente.

—Anímese, Juan —lo exhortó Las Morenas—. A usted y a Guicay los espera una larga vida por delante. Y sea o no sea su padrino de bodas, espero que le pongan a algún hijo mi nombre.

—Cuente con ello, capitán —dijo Chamizo, tratando de forzar una sonrisa—. A condición de que sea también padrino de bautizo.

Al pensar en ese hipotético o improbable hijo, Chamizo recordó la sabia resistencia de Guicay a imaginarse el futuro: «La imaginación hace que veamos las cosas vivas y palpitantes —le había dicho en aquel mismo lugar— y, al no poder poseerlas, nos reconcome la tristeza». Mientras evocaba estas palabras, Chamizo reparó en una mata de sampaguitas, como aquella sobre la que Guicay había posado sus cabellos negrísimos y desmadejados; pero ahora sus flores no le parecieron semejantes al jazmín, sino al crisantemo, y su aroma se le antojó igualmente funeral. Había empezado a anochecer; en el silencio de la fronda, embalsamados por aquel perfume mortuorio, escucharon de repente el murmullo de una letanía que sonaba como un llanto en sordina (o tal fuese al revés). Era fray Cándido, que se había refugiado entre los árboles más leñosos, allá donde el jardín adquiría densidad de bosque, para rezar o llorar ante Dios por los ilongotes sacrificados en la cruz, por su hijo Moisés con el que pronto esperaba reunirse, por sus compañeros en aquella misión suicida y por sí mismo. Chamizo y Las Morenas se adentraron en la fronda y se sumaron a ese rezo o a ese llanto, mientras el miedo, poco a poco, iba fundiendo sus respiraciones, que tenían la música de un fuelle averiado.

Allá a lo lejos, en la casa de don Ramiro Garzón, se encendían las lámparas de las habitaciones. Se imaginaron a Van Houten, paseándose por aquellas dependencias, como una bestia sedienta de sangre que olfatease su miedo.

* * *

A la luz de una hoguera casi exangüe, unos cuantos soldados, sentados en las escaleras del presbiterio, cosían las telas del mosquitero que el cabo González Toca había incautado a sor Lucía, por orden de Martín Cerezo, y las vestiduras de monaguillo que habían hallado en la sacristía, con las que remedaban los colores de la bandera española. Había en sus gestos una mezcla de desgana y resignación que en el cabo González Toca se coagulaba en franco disgusto: al despojar de su mosquitero a sor Lucía, había sentido como si estuviese ofendiendo su recato y, a la vez, humillando gratuitamente su dignidad; pues creía a pies juntillas que la hermana estaba investida de una dignidad más alta que la de los demás hombres allí encerrados, por mujer y por oblata. Pero sor Lucía no había proferido ni una sola queja; e incluso, al saber el destino que se le había adjudicado a su mosquitero, había aplaudido la iniciativa, dando ejemplo de renuncia. Los soldados cosían en silencio, como ánimas en pena que esperan en el purgatorio el beneficio de unas misas; y era un silencio tan acongojante que se oía, incluso, el chapoteo de las olas en la lejana playa, como una cantinela onírica de fondo. González Toca trató de quebrar ese silencio que a punto estaba de enloquecerlo:

—El rojo se supone que es el color de la sangre —dijo, mientras enhebraba una aguja—. ¿Y el amarillo?

La pregunta quedó flotando en el aire durante largo rato, mientras la hoguera seguía consumiéndose, haciendo cada vez más difícil la costura. Santamaría, ingenuo, se atrevió a proponer un significado:

—Quizá el de la gloria.

—¿Gloria? ¿Qué gloria? —terció Menache—. Di mejor esterilidad.

Su gesto se había agriado todavía más en las últimas semanas; y el episodio del capitán Olmedo, aquella misma mañana, había dado matarile a sus últimas esperanzas. González Toca le chistó, sugiriéndole cautela:

—Deberías ser más respetuoso. A fin de cuentas, es el emblema de la patria que defendemos...

Pero Menache no redujo la mordacidad de sus sarcasmos:

—Claro. Y también los tagalos defienden la suya. Dime, ¿quién tiene razón?

Al cabo González Toca sólo le preocupaba que Menache alzase en exceso el tono de la voz. Aunque se hallaba al otro extremo de la iglesia, en aquella suerte de baluarte contra el mundo en que había convertido el coro, Martín Cerezo ya había probado muchas veces que era capaz de captar lo que ningún otro oído humano podía. Mientras los soldados cosían la bandera, Martín Cerezo se paseaba con zancadas desiguales por el coro, como si estuviese herido o borracho, con una peculiar rigidez que de vez en cuando lo hacía tambalearse. Contemplaron con una mezcla de reverencia y espanto aquella danza sonámbula que se repetía cada noche, hasta que finalmente Martín Cerezo se recostó sobre una pared e inclinó la cabeza sobre el pecho, para empezar enseguida a roncar. Eran los suyos unos ronquidos entrecortados e inquietos que auguraban un pronto retorno a la vigilia.

—¿Quieres hablar más bajo? —le reprochó González Toca, con un aspaviento pusilánime—. Ya sabes que oye hasta el vuelo de las moscas.

—Ese hombre es un perturbado —sentenció Menache—. Mejor haríamos en declararnos en rebeldía.

Las incitaciones y críticas de Menache llenaban de zozobra a los otros soldados, que si bien estaban igual de desesperados que él, habían resuelto acatar lo que Martín Cerezo dispusiera, pues temían más su ira que la suerte adversa que pudieran correr.

—Estamos en guerra, Menache —se acorazó González Toca—. Nuestra única misión es obedecer a nuestros superiores y callar.

—¿Ah, sí? ¿Y por qué ha empezado esta guerra, si puede saberse? —le preguntó Menache, incisivo.

—Yo qué sé... Pues por lo que empiezan todas las guerras. Porque se ofende el honor de la patria.

A González Toca, como al resto de la tropa, lo incomodaba la conversación. Pero Menache se negaba a arriar su despecho:

—¿La patria? ¿Qué patria? —preguntó, cáustico, mirando a derecha e izquierda—. La patria, según nos aseguró el capitán Las Morenas, son las cosas que amamos y los recuerdos que nos mantienen vivos... Las mieses brillando en la era como si fueran montañas de oro, dijo Salvador entonces. O la sonrisa de una moza en la verbena de su pueblo, dijo el cabo. Pues ya me diréis si los tagalos han ofendido a las mieses de las eras o a las mozas de las verbenas...

González Toca se rascó el pestorejo, incómodo. Nunca lograba vencer la habilidad dialéctica de Menache:

—Lo que quise decir es que han ofendido al pueblo español... —trató de defenderse.

Menache soltó un espectro de carcajada que enseguida yuguló, para no alborotar el sueño de Martín Cerezo:

—Pues, chico, yo soy del pueblo y no me siento ofendido en absoluto.

Santamaría, que cosía muy aplicadamente, como si en ello le fuese la vida, echó un capote a González Toca:

—Quizá el cabo, al decir pueblo, quería decir «Estado».

—¿Y qué es el Estado, si puede saberse? —se enardeció Menache—. Unos individuos que recaudan impuestos y envían tropas a ultramar, mientras se llenan los bolsillos. ¿Qué tiene que ver esa gentuza con nosotros?

—Ahí sí que llevas razón —convino González Toca—. Nada de nada.

Cruzaron una mirada de connivencia. González Toca sospechó que Menache estaba buscando un cómplice, pero no sabía para qué.

—En cambio —prosiguió Menache—, esos tagalos que están ahí fuera son gente sencilla como nosotros.

—¡Arrea! Pues es verdad —se soliviantó el cabo—. Entonces... ¿por qué estamos en guerra con ellos?

Había picado el anzuelo. Ya sólo restaba tirar del sedal:

—Pues porque hay algunos que quieren sacar tajada. Que no somos ni tú ni yo, ni ninguno de nosotros, evidentemente.

La costura parecía concluida. Abullonaron la bandera, que estaba lista para ser izada a la mañana siguiente, si para entonces España no había sido aún liquidada.

—¿Quiénes, entonces? —preguntó González Toca, un poco lerdo o sugestionado por el liderazgo de Menache.

—Pues, por ejemplo, los gobernantes corruptos. —Hizo una pausa significativa y elevó la mirada hacia el coro—. Y los oficiales con ganas de ascender.

Se hizo un silencio acorazado de temores e incertidumbres. Doblaron la bandera y se distribuyeron entre los jergones y los puestos de guardia. La ausencia de fray Cándido restó bríos al rezo del rosario, al que se sumaron menos soldados, por desgana o porque las malevolencias o verdades como puños de Menache los habían dejado meditabundos y también desasosegados.

—¡Dios, si consigo salir con vida de esta encerrona prometo pegarle un tiro al rey! —se desahogó Menache, mientras buscaba la postura menos incómoda en su jergón.

—¡Calla, loco! —lo reprendió González Toca—. Ya verás cómo, si salimos de esta, olvidas los malos ratos y te quedas con lo bueno. ¡Y luego podrás contar la experiencia a tus nietos!

Entonces la voz de Martín Cerezo exigió imperiosamente silencio desde el coro; y puesto que faltaba fray Cándido y sor Lucía estaba en la sacristía, ordenó también que se interrumpiera el rezo del rosario, sin temor a que su autoridad fuera discutida. Se mató la llama de las lámparas; y al poco escuchó Menache la pesada respiración de los durmientes. Siguió despierto durante un buen rato, tumbado en su jergón, mientras los ronquidos de sus compañeros ganaban en sonoridad y espesor, tan despierto y tan lúcido que de repente cobró conciencia del olor nauseabundo de su manta resudada, de su uniforme harapiento, de la atmósfera prisionera de aquella iglesia. Su cabeza parecía elevarse, como un globo aerostático, convertida en un hervidero de ideas que le impedía descansar. Sintió la necesidad de despertar a González Toca:

—Vicente —dijo, golpeándolo con el codo.

—¿Qué cojones quieres? —preguntó el cabo, desde las ciénagas de la somnolencia.

—Acércate, que quiero hablar contigo —le pidió. Pero como González Toca remoloneaba en su jergón, fue Menache el que se acercó, hasta pegarle la boca al oído—: ¿Tú crees que hay posibilidad de escapar de aquí?

González Toca se revolvió como si le hubiese picado una avispa:

—¿Es que has perdido la chaveta? ¿No recuerdas ya al pobre Caldentey? —se enfadó—. Salvo que tengas poderes mágicos, claro, y sepas un truco que nos permita transportarnos por los aires. —Se rió, para espantar la zozobra—. Ahora en serio, Antonio. Ni se te ocurra pensar en escapar. Si te pillasen, serías considerado un desertor y morirías ejecutado.

—¡Anda! —se sorprendió Menache—. ¿Y crees que es mejor seguir soportando este infierno?

La congoja asomaba a las palabras de González Toca:

—No sé, Antonio, pero tarde o temprano acabarán soltándonos, esta situación no puede eternizarse. —Tragó saliva y se cercioró de que el concierto de ronquidos fuese suficientemente estrepitoso como para tapar su voz—. Pero basta. Sólo por hablar lo que estamos hablando nos podrían levantar consejo de guerra. Te aseguro que no tengo ni ánimos para pensar en escapar.

Menache lo zamarreó, en un esfuerzo último por que no soltase el anzuelo. Le cuchicheó al oído:

—¿Por qué no, Vicente? Tú y yo somos hombres ingeniosos. —Evidentemente, no pensaba que el cabo lo fuera, pero lo necesitaba para su propósito—. Estoy harto de que me traten como a un perro. ¡Tenemos que irnos!

Esta última frase la había pronunciado en un tono perentorio y quizá demasiado áspero. En el coro, Martín Cerezo abrió los ojos, levantó la cabeza y se despegó de la pared en la que permanecía recostado, con la prontitud con que la araña sale de su escondrijo cuando percibe la más mínima vibración en los hilos de su tela. Se asomó al coro, que ya no tenía barandilla, como quien se asoma a un precipicio dispuesto a que se lo trague la oscuridad:

—¡Soldado Menache! ¡Cabo González Toca! —gritó—. ¿Saben cómo se castiga la propaganda sediciosa?

Encendió un candil, que enseguida dramatizó su sombra, todavía más amedrentadora desde que faltase el Cristo del altar. Tenía la mirada inyectada en sangre y el rostro céreo, casi azuloso, de quienes se pasean tranquilamente entre el más acá y el más allá de la locura:

—No me han respondido —insistió, con una voz más atronadora todavía que despertó a todos los miembros del destacamento—. ¿Saben cómo se castiga?

Menache y González Toca se alzaron de sus jergones, mientras Martín Cerezo descendía las escaleras del coro. Una mezcla de horror y estupefacción les impedía formular palabra. Martín Cerezo recorrió parsimoniosamente la nave de la iglesia con las manos cruzadas a la espalda, como si disfrutase de un paseo, salvando los cuerpos tendidos de los soldados que no osaban mover ni un solo músculo. Menache balbució:

—Nada más lejos de mi intención...

—¿A quién pretende engañar, Menache? —lo interrumpió Martín Cerezo, afectando una falsa calma. Y enseguida estalló—: ¡Estaban planeando una fuga! Y después de intentar intoxicar a los soldados, además.

Tal vez nunca se hubiese quedado dormido, tal vez hubiese estado fingiendo y escuchando todas y cada una de sus palabras. Menache quiso apechugar con la culpa:

—Mi teniente, yo soy el único responsable —confesó, contrito.

Por un segundo, pareció que aquella inmolación apaciguaba a Martín Cerezo. Pero un orgulloso sentido del honor acicateó a González Toca, que dio un paso al frente:

—El soldado Menache miente como un bellaco, mi teniente. Ambos somos igualmente culpables.

Martín Cerezo parpadeó, perplejo por aquel rapto de gallardía del cabo. Lo asaltó una vacilación: con el reglamento en la mano, podía ordenar de inmediato el fusilamiento de los dos hombres, pero corría el riesgo de que sus compañeros se compadeciesen de su aciaga suerte y se alzaran, sediciosos, contra su autoridad; mantenerlos vivos, aunque fuese haciéndolos prisioneros y sometiéndolos a estricta vigilancia, también lo presumía muy arriesgado, pues sospechaba que seguirían fomentando la sedición, buscando cómplices en su designio y quién sabe si no se dedicarían, incluso, a urdir infamias y calumnias contra él, tratando de ganarse la confianza de los soldados más fieles. Martín Cerezo recelaba hasta de su propia sombra y no sabía qué decisión tomar. Se decidió, en medio del dilema, por la magnanimidad; o por lo que, en su arriscado y tal vez alucinado entendimiento, juzgaba magnanimidad:

—Podría fusilarlos ahora mismo... pero me conformaré con recluirlos —les dijo. Luego dirigió su furia insolente a los demás soldados—: Quiero que habiliten enseguida el baptisterio como calabozo y que preparen unos grilletes para amarrarlos a la pared. —Como los soldados permaneciesen quietos y asustados, estalló—: ¿Es que no me han oído? ¡Pónganse manos a la obra!

Extrajo el revólver de la pistolera y apuntó con él a Menache y González Toca, que lo miraban mudos y sobrecogidos. Martín Cerezo pensó que, a partir de aquel mismo instante, sus preocupaciones se multiplicaban: tendría que asegurarse de que los aherrojasen convenientemente; y, sobre todo, tendría que resignarse a no volver a dormir nunca, para que nadie tratase de escapar, o intentase matarlo, aprovechando que estaba desprevenido. Pero se veía con fuerzas para hacerlo, porque las debilidades y dependencias humanas ya no se atrevían a rozarlo, a merodearlo, a tentarlo siquiera. Porque, mientras permanecieran en aquel recinto, él era Dios.

10

Era una noche sin estrellas, noche de luto en los altillos del cielo, como la noche de Viernes Santo. Las Morenas y Chamizo habían dejado que fray Cándido se internara en la fronda, para que arreglara sus cuentas con Dios y de paso arreglara también las de ellos, que seguramente exigían más énfasis en la súplica; pero, a medida que transcurría el tiempo, su ausencia empezaba a inquietarlos. Las Morenas pedía a cada poco a Chamizo que le cantase la hora; y cuando ya sólo faltaba media para que se cumpliera la que habían acordado para el asalto a la casa de don Ramiro Garzón, Las Morenas se preguntó, exasperado, por qué fray Cándido no abreviaría sus rezos. Diez minutos más tarde, comenzaron a recelar que le hubiese ocurrido alguna desgracia, de modo que se internaron en el jardín, hasta llegar al paraje donde lo habían dejado, un par de horas atrás. El murmullo de sus plegarias había sido sustituido por el ulular de las aves nocturnas y la fluencia sigilosa de un arroyuelo que serpenteaba entre los árboles; siguiendo su curso lleno de meandros, que era el único modo de avanzar por aquel jardín tupidísimo, llegaron a una suerte de rotonda que ocupaba su centro geométrico, rodeada de los árboles más añosos del lugar. Fue entonces cuando Las Morenas y Chamizo se dieron cuenta de que habían sido víctimas de una emboscada: en un santiamén, una decena de soldados tagalos emergió de la espesura, rodeándolos por todos los flancos y estrechando el cerco, hasta que las bayonetas de sus fusiles casi les rozaban el cuello. Eran los secuaces que Van Houten se había traído de Manila, los pocos que todavía aguantaban a su lado y no habían desertado, después de sufrir las vejaciones del holandés y de participar en la matanza de los ilongotes. Los encañonaron en la oscuridad y, mientras les propinaban puntapiés y mojicones, les ordenaron arrojar las armas al suelo, de las que enseguida se apoderaron; y cuando ya pensaban que iban a ser salvajemente linchados, los soldados se pacificaron y aflojaron su cerco, para abrir paso a un jubiloso Van Houten. Sostenía en una mano una tea encendida y en la otra un revólver.

—¿Buscan al frailecito? —dijo, a guisa de saludo—. Nosotros también. Pero no se preocupen, no puede haber ido muy lejos. Acabará apareciendo.

Parecía evidente que fray Cándido había detectado, mientras se dedicaba a sus rezos, la presencia de los soldados en el jardín. A Las Morenas no le sorprendía, pues conocía la perspicacia del franciscano; en cambio, le sorprendía y contrariaba que hubiese huido sin avisarlos, dejándolos en la estacada. Van Houten lanzó un grito acompañado de varios silbidos a los centinelas de la casa; era la señal pactada para que interrumpieran su fingimiento y se reunieran con él, después de asegurar que los rehenes quedaban a buen recaudo, para iniciar la búsqueda del fraile.

—Sabía que acudirían a la cita —se carcajeó Van Houten—. ¿Cómo iban unos caballeros españoles a abandonar a su suerte a unos compatriotas? Me precio de conocerlos bien; e intuía que su quijotismo los obligaría a venir y que no habría más que esperarlos para darles caza. —Se acercó a Chamizo, apartando a los soldados que lo custodiaban, y se mofó—: Y máxime habiendo un interés sentimental de por medio...

Le acercó la tea a la cara, para alumbrar su desconsuelo.

—¿Qué ha hecho con Guicay? —preguntó Chamizo, tembloroso de odio.

—No se preocupe por ella, soldadito —le respondió—. Vive como una reina, lo mismo que su papá, del que no quiere separarse ni a tiros. Y mejor que vivirá cuando nos vayamos a Batavia.

Chamizo se abalanzó rabioso sobre Van Houten, que lo recibió golpeándolo en la crisma con la culata de su revólver, para enseguida agarrarlo del cuello y, en un alarde de fuerza vesánica, estrellarlo contra el tronco de un tíndalo. Viéndolo desvanecido en el suelo, todavía se entretuvo tundiéndolo a patadas, hasta dejarlo casi sin respiración, mientras Las Morenas pugnaba en vano por desasirse de sus captores.

—¡Déjelo ya de una maldita vez! —exclamó.

Y Van Houten, como haciendo una generosa concesión, dimitió de su saña. A la luz de la antorcha, se alisó y compuso los cuellos de su levita y se ciñó la chalina, como si se acicalara para una cena de gala.

—Siempre me ha llamado la atención el carácter de los españoles —reflexionó en voz alta, con un retintín insidioso—. Tan impulsivo siempre, haciendo gala de esa gallardía insensata, de esa confianza ciega en... ¡En la Providencia! ¡Como si Dios, en caso de existir, no tuviera otra ocupación sino hacer de niñera para ustedes, que son todos unos irresponsables presuntuosos! ¡A quién se le ocurre venir al rescate de unos compatriotas y meterse en la guarida del lobo! —Sacudió la cabeza, incapaz de conceder crédito a tamaña osadía—. Tal vez esa manía de improvisar alegremente les diera buenos resultados en otro tiempo, cuando sus enemigos no podían concebir que nadie obrara con tanta temeridad e improvisación. Pero esos tiempos ya quedaron atrás: ahora el mundo ya se ha acostumbrado a su fanfarronería, y sólo les resta recibir golpes y varapalos. —Alumbró a Las Morenas con la antorcha, acercándosela hasta casi socarrarle la barba, como si quisiera medir su entereza—. Pronto serán el hazmerreír del mundo, capitán, si es que no lo son ya; y hasta esa legión de santos que antaño los protegía, comandados siempre por la madre del Galileo, abandonarán su bando.

—¿Para pasarse al suyo, tal vez? —ironizó Las Morenas.

Van Houten rió gustoso, como si la gallardía insensata —y vencida— de los españoles esponjase su negra alma. Los soldados tagalos lo secundaron por estricto servilismo.

—Oh, no, capitán, créame que no quiero verlos ni en pintura —dijo, atusándose la melena de león—. Lo primero que hice, nada más instalarme en la casa del ultramontano de don Ramiro, fue ordenar que destruyeran ese retablo horrendo que tenía en el comedor. Me repugna esa intimidad que se gastan ustedes con Dios, ese pretender ser de su familia, proclamándose hijos de la que llaman su Madre. —Frunció los labios en un mohín execrable—. Como si hubiesen sido elegidos para una misión divina...

Soplaba una brisa desangelada y funeral como un crespón. Las Morenas pensó que pronto la boca se le llenaría de hormigas.

—No sé con qué españoles habrá tratado usted —dijo escuetamente—. Nunca nos hemos creído superiores a nadie. Ni inferiores tampoco, por supuesto.

Van Houten pasó por alto la insolencia, venial en alguien que estaba a punto de morir y además era español. Señaló con la tea el cuerpo desmadejado de Chamizo, para que lo recogieran sus secuaces del suelo.

—¿Sabe? —se dirigió a Las Morenas, en un tono de confidencia—. En mi juventud llegué a estar obsesionado con España. No comprendía que una nación de vividores y de gentes de temperamento... digamos desordenado hubiese alcanzado en otras épocas tal supremacía sobre sus vecinos. Llegué a odiarlos como nunca he llegado a odiar a nadie; y me zambullí en los viejos tratados de teología, hasta hallar las razones de ese odio. —Sacudió la cabeza en señal de asentimiento y los soldados hicieron lo mismo miméticamente—. Ustedes creen que la gracia la concede Dios a los hombres, no en atención a sus méritos, sino porque el Galileo la obtuvo para todos, a través de su muerte. ¡Me repugnó esa idea obscena de una recompensa indiscriminada! Un Dios racional no puede regalar la gracia a manos llenas, lo mismo al truhán que al prócer, lo mismo al gandul que al laborioso. Un Dios que actuase así tenía que ser, necesariamente, un Dios borracho, un Dios demente. —Había comenzado a alterarse y acompañaba su intempestiva disquisición de manoteos y aspavientos—. ¡Un Dios racional, de existir, tiene que negar la gracia a los que no la merecen! ¿Qué sentido tendría, por ejemplo, conceder la gracia a las razas inferiores que pueblan estas islas? La mera idea de un don asegurado, con independencia de nuestros merecimientos, repugna a la lógica; es una humillación para el hombre abnegado pensar que el holgazán también la disfruta, como para el santo pensar que está igualmente al alcance del pecador. ¡Y así, mientras nosotros, los pueblos del Norte, nos deslomábamos a trabajar, ustedes los españoles se tumbaban a la bartola, reían y bebían y bailaban, pecaban empedernidamente sin provocar las iras de ese Dios loco que les regalaba su gracia a manos llenas, permitiéndoles conquistar continentes enteros o escribir libros inmortales! ¡No, no y no! —gritó, pisoteando la hierba con saña—. Un pueblo así tenía que ser castigado; y, si Dios no se atrevía, debíamos hacerlo los hombres responsables.

Aquel mejunje de odios atávicos y teologías traspilladas aturdía a Las Morenas, deseoso de acabar pronto, o de que lo acabasen pronto. Habían llegado a la rotonda Moisés y los demás insurrectos, portando antorchas; en su actitud reticente se percibía de inmediato que no deseaban mezclarse con los secuaces de Van Houten.

—¿Adónde quiere ir a parar? —preguntó Las Morenas, harto de la cháchara calvinista.

—Quiero ir a parar, capitán, a que la supremacía española ha terminado definitivamente —dijo Van Houten, ebrio de soberbia—. Su Dios los ha abandonado por la sencilla razón de que no es, como ustedes imaginaban, un Dios que prefiera a los débiles, a los enclenques y a los gandules, sino un Dios que se enorgullece y gloría de los fuertes y que se pone de su parte, como el que se arrima al sol que más calienta. Y el sol de España se ha enfriado para siempre, capitán. —Estas últimas palabras las había susurrado muy cerca de su rostro, como si le estuviese deslizando un piropo o una cortesía. Luego se volvió hacia sus secuaces—: Maniatadlos y llevadlos al almacén. Y encontrad al fraile. Haremos con los tres un bonito Gólgota.

Sonó entonces un disparo de máuser que silbó sobre sus cabezas. Instintivamente los secuaces de Van Houten se arrojaron bocabajo sobre la hierba, mientras silbaban nuevos disparos que hacían cundir el terror en el grupo. Se oyó una voz temeraria venida de lo alto:

—Todas esas son herejías que claman al cielo, holandés. O abjura de ellas ahora mismo o condenará su alma por toda la eternidad.

La voz sonaba procedente de alguna de las copas de los árboles que rodeaban la rotonda; pero parecía columpiarse de una a otra, escondida en la enramada, para desazón de Van Houten.

—Es el maldito fraile —dijo. Y ordenó a sus hombres—: ¡Apagad las antorchas!

Hundieron las teas entre la maleza y las frotaron contra el suelo húmedo, hasta matar su llama. Sólo Moisés desobedeció la orden de Van Houten, internándose en la espesura con la antorcha encendida. Las Morenas creyó distinguir, allá en la lejanía, unas remotas fosforescencias o nimbos de pálida luz, como si en torno a la rotonda revoloteasen enjambres de luciérnagas.

—Mucho mejor así, holandés —se burló fray Cándido desde lo alto—. Así tendrán ventaja quienes ven en lo oscuro.

—¿Y quién ve en lo oscuro? —preguntó Van Houten, mientras retrocedía y se refugiaba entre la maleza.

Se había levantado un viento que empezaba a barrer los nubarrones del cielo; y asomaban vergonzantes las primeras estrellas. Fray Cándido parecía seguir brincando de árbol en árbol:

—Para empezar Dios, holandés. Aunque te escondieses bajo tierra, vería tu alma más negra que un nido de murciélagos.

Van Houten se carcajeó petulante:

—No me esconderé nunca. —Y apostrofó a Dios—: ¡Aquí me tienes, Tú que ves en lo oscuro, baja a luchar conmigo o envía a tus ángeles, como hiciste con Jacob!

Volvió a disparar fray Cándido, para bajarle los humos o acallar su monserga:

—Dios te ha enviado a sus ángeles, holandés, no lo dudes —le dijo con sorna—. Ya están de camino. Pero Dios no quiere que paguen justos por pecadores. —Y alzó su voz, buscando otro destinatario—: ¡Quienes no participasteis en la matanza de los ilongotes podéis marchar! ¡Y hacedlo pronto!

Entre los secuaces de Van Houten se extendió una risa nerviosa que era casi un gañido; pues en su fuero más íntimo temían que lo que habían hecho con los ilongotes no podía quedar impune. Van Houten no veía en la oscuridad; en cambio, poseía un sentido de la orientación muy desarrollado y podía localizar aproximadamente el sitio del que procedía la voz de fray Cándido. Apuntó hacia allí su revólver y disparó; aunque su bala se perdió entre la enramada, provocó, de forma casi refleja, la respuesta de fray Cándido. La detonación de su máuser hizo fulgurar por un instante la copa del árbol al que había trepado; y Van

Houten ordenó de inmediato a los soldados que disparasen hacia aquel lugar. Lo hicieron de forma desordenada y tumultuosa, en varias descargas de fusilería que iluminaron la rotonda. Cuando se hizo otra vez el silencio se escuchó la voz de Moisés, dirigiéndose a los hombres que estaban a su mando:

—¿Es que no habéis oído? No tenéis por qué pagar justos por pecadores. ¡Huid antes de que sea tarde!

Fray Cándido remachó:

—Haced como Moisés os dice. Tirad vuestras armas, abandonad el jardín y volved a la explanada con las manos sobre la cabeza. Nadie os hará daño.

Mientras la confusión atenazaba a los insurrectos, Van Houten volvió a disparar hacia el lugar donde intuía que se ocultaba fray Cándido, tratando esta vez de afinar más la puntería; y sus secuaces lo imitaron con descargas todavía más nutridas. A las descargas sucedió esta vez un rumor de ramas tronchadas y el golpe sordo de un cuerpo al caer. Las Morenas advirtió que también a su lado había caído un soldado, abatido tal vez por fray Cándido o alcanzado por sus compañeros. Mientras se sucedían los disparos llenando con su luz fantasmal la rotonda, Las Morenas arrebató al cadáver el fusil, desmontó la bayoneta y la blandió a ciegas. Cuando notó que la bayoneta mordía carne, supo que él también, llegado el caso, podía convertirse en un salvaje, tan peligroso o más que quienes lo rodeaban. El aire se rasgaba con los siniestros silbidos del tiroteo, pero esto ya carecía de importancia para Las Morenas, que había perdido el control, embriagado por el olor acre de la pólvora, dispuesto a matar sin odio y a morir sin duelo, con alegría de matar y de morir. Clavaba la bayoneta en los cuerpos despavoridos que se cruzaban en su camino; y cuantos más cuerpos hendía más abrumadora se le hacía la sed de sangre, hasta el punto de que sus fuerzas físicas parecían duplicarse y aumentaba la rapidez de sus reflejos. Aquella suerte de encantamiento o frenesí animal se quebró cuando se topó con un corpachón como una roca. Antes de que pudiera reaccionar, sintió que le estrujaban el brazo en el que sostenía la bayoneta, quebrándole los huesos como si fuesen de hojaldre.

—Espero que se haya confesado, capitán —le susurró Van Houten, sin soltarle el brazo hecho trizas y apuntándolo con el cañón del revólver en la tripa—: Ya lo ve, tanta gracia como les regala su Dios a manos llenas y luego, si mueren sin confesar, pueden irse al infierno.

Las Morenas trató de zafarse, pero sólo consiguió en el forcejeo que la bala que iba a taladrarle el estómago se desviara para desgarrar su costado. Sintió que las piernas se le hacían de arena y cayó sobre la hierba, desangrándose; intentó alzarse otra vez, pero su cuerpo ya carecía de fuerzas para hacerlo. Miró la unánime noche y vio de nuevo, esta vez más cercanos y nítidos, los nimbos de pálida fosforescencia que rodeaban la rotonda del jardín, como una comitiva de ángeles que lo esperase en los umbrales de ultratumba. Las Morenas se arrastró, dejando tras de sí un rocío de sangre sobre la hierba, en un empeño por llegar hasta esos nimbos y fundirse con ellos. Van Houten lo siguió calmosamente, con esa curiosidad del científico que observa los movimientos de un microbio a través de su microscopio. Volvió a amartillar el revólver.

—¡Bravo, capitán! —se mofó, jaleando sus esfuerzos—. Morirá tan inútilmente como mueren tantos héroes españoles, luchando por ideales en los que ya nadie cree. Pero podrá lucir en su mortaja un montón de medallas.

De repente dejaron de sonar los disparos; y al silencio se añadió una negrura maciza de sepulcro sin esperanza de resurrección. Las Morenas, que seguía arrastrándose cada vez más vacío de sangre, se tropezó con el cuerpo de Chamizo, todavía inconsciente; pero percibió con alivio que respiraba. Van Houten recogió una tea del suelo y sopló sus brasas hasta conseguir reavivar la llama, como si llevase el fuego dentro de los pulmones.

—Debería haberse rodeado de soldados más aguerridos, capitán —dijo—. Este zascandil, el enamorado de la señorita Guicay, por ejemplo, era un pobre alfeñique. ¿De veras pensaba ganarme la partida con maulas semejantes?

Y, sin esperar respuesta, propinó a Las Morenas una patada en el rostro que le reventó la nariz y los labios, dejándolo casi sin sentido y cegado por la sangre. Van Houten esbozó un puchero de falsa lástima, mientras iluminaba con la antorcha las heridas que hacían casi irreconocible la fisonomía del capitán y lo apuntaba con el revólver.

—Aunque tengo entendido que los caballeros españoles consideran un ultraje morir por arma de fuego.

Van Houten clavó la antorcha en el suelo, volvió a remeterse el revólver en el cinturón y tomó el rostro lacerado de Las Morenas entre sus manazas, como si fuera a hacerle una carantoña. Los nimbos de fosforescencia se hacían más y más nítidos, hasta cobrar casi apariencia humana; pero Las Morenas tuvo la certeza de que los irradiaban ángeles y no hombres, porque se movían ligeros entre los árboles, brincando de rama en rama, descendiendo raudos por los troncos, como si tuvieran manos y pies prensiles, y se posaban mullidamente sobre el suelo. No pudo seguirse deleitando en su contemplación, porque Van Houten había empezado a apretarle las paredes del cráneo y sus pulgares buscaban las cuencas de sus ojos, embistiéndolas como arietes.

—Pues con mucho gusto le brindaré una muerte honorable, capitán —le oyó decir, como entre brumas—. La muerte que merece un caballero español.

Y cuando ya sus huesos parietales estaban a punto de quebrarse, cedió la presión hercúlea de aquellas manos, que Van Houten se llevó al cuello, pues había notado un sutil picotazo, como si un finísimo dardo le hubiese inoculado veneno en su sangre desprevenida y hospitalaria. Las Morenas abrió los ojos lastimados; y vio a media docena de ilongotes brincando como fuegos fatuos, barnizados en una luz que no parecía de este mundo. Los reconoció por sus ojos incandescentes, por sus muecas horrendas, por las trenzas en la coronilla que balanceaban como si fuesen péndulos o serpientes dormidas. Se habían restregado el cuerpo, de la cabeza a los pies, con una planta muy abundante por aquellos parajes, que resplandece gracias a los cientos de pequeñas luciérnagas que suelen vivir en ella; y giraban en derredor de Van Houten, en una danza de movimientos espasmódicos, arrojándole con unas larguísimas cerbatanas unos dardos que invariablemente dirigían contra su cuello, impregnados en una sustancia que no lo mataba, ni siquiera lo dormía, pero que, tan pronto como se repartía por su sangre, lo privaba de toda capacidad motriz y hasta adormecía sus órganos de fonación. A Van Houten se le hinchó la carótida, como un río de cólera que derramase su bilis sobre el rostro, pero todos sus esfuerzos por moverse, y aun por hablar, resultaban estériles, pues su cuerpo agarrotado no se movía ni un ápice, y de la boca apenas le brotaba una babilla muda e ignominiosa. Sólo los ojos zarcos conservaban su movilidad y fiereza, que poco a poco se fue encogiendo, devorada por el espanto. Los ilongotes, cuando comprobaron que la parálisis de Van Houten era completa, depusieron sus cerbatanas y se congregaron en torno a su corpachón derruido sin ira ni exaltación, como hubiesen podido congregarse en torno a una pieza cinegética, ponderando su envergadura o el tamaño de sus defensas. Así hasta que apareció, más luminiscente aún que ellos, como bañado en un oro fosfórico, Sakdal, que contempló satisfecho la postración de Van Houten. Llevaba sobre la cabeza un tocado con la excrecencia córnea del cálao, así como diversos colgajos en los que alternaba reliquias animales, discos de metal y una pedrería refulgente, como si se hubiese engalanado para oficiar una boda. Sakdal, que aquella misma mañana semejaba un octogenario, parecía entonces en el vigor de la juventud; y decenas de luciérnagas revoloteaban como polillas alrededor de su cabeza. Se abrió paso entre sus hombres y se puso en cuclillas al lado de Van Houten, para cuchichearle al oído un largo monólogo en el que le describía lo que iban a hacer con él y las razones por las que se lo hacían. Van Houten, naturalmente, no pudo entenderlo; pero Sakdal debió de poner tanto énfasis en la narración que el rostro del holandés se fue demudando y empalideciendo, hasta anegarse de un horror que nunca antes había experimentado, tal vez porque nunca hasta entonces había podido imaginarse la combustión de su negra alma en el infierno.

Sakdal se irguió luego, dando instrucciones muy precisas a sus guerreros: entre cuatro alzaron a Van Houten, llevándoselo al centro de la rotonda, mientras otros cuatro se repartieron entre las Morenas y Chamizo, encargados de curarlos con emplastos de hierbas. Así consiguieron detener la hemorragia de Las Morenas, que para entonces ya se habría desvanecido del todo, si ante sus ojos no se hubiese desarrollado una escena tan desconcertante. Sakdal, entretanto, se paseó entre los cadáveres despedazados de los soldados tagalos, que ya habían sido decapitados por sus guerreros y sus cabezas ensartadas en picas que habían dispuesto en círculo, alternándolas con antorchas, en la rotonda del jardín. Enseguida fue a rendir honores a su viejo amigo fray Cándido, que había sido alcanzado mortalmente en el pecho durante el tiroteo; y que, al caer del árbol en el que se hallaba encaramado, se había tronzado además varios huesos. Lo asistía en su agonía Moisés, que sostenía con una mano su cabeza, para evitar que lo ahogase la sangre. La ira y el resentimiento que había llegado a acumular contra el hombre que durante años le había ocultado su paternidad se habían extinguido durante las semanas anteriores, mientras asistía a los desmanes perpetrados por Van Houten; y ahora que al fin se reunía con fray Cándido, ese amasijo de pasiones aciagas era sustituido por una pleamar de rara dicha, en pugna con el dolor de perderlo, que lo purgaba y purificaba por dentro. Respetando la intimidad de fray Cándido y Moisés, Sakdal se había quedado a una prudente distancia, para no estorbar sus confidencias, y se había prosternado en la hierba regada de sangre, para rezar con una voz salmódica y gutural:

—*Ama me-n vade ca, d, tauen, sambaen tagaren mo, oñãe deme caarianmo, tonoden taguinaua...*

El rumor de la plegaria llegó hasta fray Cándido, que no daba crédito a lo que estaba oyendo. Hizo un esfuerzo por incorporarse que Moisés facilitó, alzándole todavía más la cabeza.

—¿Lo oyes? Es el padrenuestro en ilongote. Se lo traduje hace muchos años. Pero me dijo entonces que jamás rezaría a un dios extranjero.

Fray Cándido sonrió, anegado de una inesperada felicidad. Seguramente fuese la primera vez que se rezaba el padrenuestro en aquella lengua indiscernible; y, mientras la vida se le iba a chorros, lo escuchaba como quien recibe un regalo secreto del que el mundo jamás tendría noticia. Al llegar al *sicut et nos dimittimus debitoribus nostris,* Sakdal calló para no mentir, pues había una deuda que no iba a perdonar; pero para entonces fray Cándido ya no podía oírlo, porque lo atenazaban los primeros estertores. Cuando recuperó el resuello, dijo:

—Nunca pensé que oiría a Sakdal rezando el padrenuestro. Y nunca pensé que llegaría el día en que pudiera mirarte a los ojos...

Y no había odio en ellos. Moisés lo sosegó:

—Descanse ahora, padre. No se esfuerce en hablar.

La bala le había atravesado un pulmón, causándole gran estropicio, además de dañarle las venas que llevaban la sangre al corazón; del boquete de la herida brotaba un silbido macabro, junto a la sangre bullente y muy densa que Moisés no podía contener, que ya no se esforzaba por contener.

—Pronto descansaré... —se ahogaba fray Cándido—. Júrame que me obedecerás en una cosa.

Había una exigencia perentoria en su petición. Moisés asintió:

—Cuente con ello.

—Júrame que te dejarás guiar por sor Lucía y que irás a estudiar a Manila —le dijo, antes de que le volvieran los estertores—. Esa monja es más terca que una mula. Y conseguirá que tu vocación prospere.

Pero Moisés no sabía siquiera si sus manos podrían volver otra vez a desnudar la madera, hasta mostrar sus formas escondidas.

—Se lo juro —contestó con determinación.

—Y perdóname por todo el mal que te hice —suplicó. Su voz se deslavazaba ya—. Por no haberte reconocido...

—No hay nada que perdonar, padre —lo exoneró Moisés.

A fray Cándido se le escapaba el último rescoldo de vida. Bromeó:

—Y conste que mi puntería sigue siendo buena... Pero no se veía ni a jurar.

Los estertores hicieron su respiración todavía más ronca y dificultosa, mientras el silbido de la herida en los pulmones se anegaba de sangre. Y en el instante vertiginoso en el que salía de sus labios el último hálito, fray Cándido aferró muy fuertemente la mano de Moisés y alzó la vista al cielo. Los nubarrones de la tormenta habían sido aventados; y volvían a urdir su alfabeto las estrellas. Fray Cándido comprendió entonces lo que siempre había creído: que la existencia no tiene fin, que toda la majestad y grandeza de la Creación tienen un significado perenne y que todo lo vivo que se muere no se disuelve en la nada, porque la nada no existe, porque Dios había acabado con ella en su acto creador y nada puede volver a lo que ha dejado de existir. Así expiró, sabiéndose parte de ese vasto significado que ni los más sabios son capaces de descifrar. Lo hizo sin duelo, para seguir existiendo allá donde Dios quisiera; y ante su cadáver se juntaron, además de Sakdal y Moisés, el herido Las Morenas y todos los guerreros ilongotes que, al mando de su jefe, comenzaron a entonar el mismo cántico quejumbroso que ya habían entonado aquella misma mañana, ante sus hermanos crucificados.

Sobrecogía escuchar sus plañidos, rezumantes de una tristeza milenaria y a un tiempo fatalmente tranquilos, porque la compensación por tanto dolor ya estaba próxima. Cuando concluyeron su cántico, rodearon a Van Houten, que seguía postrado, sin poder ni siquiera debatirse o forcejear, y lo trasladaron hasta el centro del círculo delimitado por las antorchas y las cabezas ensartadas en picas. Allí le ligaron las muñecas con fibra de abacá a una percha de grueso bambú que izaron en el aire, ayudados por sogas que hicieron pasar por la horcadura de un árbol próximo. Van Houten quedó colgado, con los brazos extendidos, en la postura de un crucificado; volvieron entonces a acudir a su mente las imágenes de violencia y destrucción que tantas veces habían fulgurado en su fantasía: imaginó ciudades en llamas, cataratas de sangre espumosa y lustral, hombres degollados y desmembrados, doncellas estupradas, templos profanados. Los ilongotes fueron desfilando, uno por uno, ante él, saltando como ardillas o ángeles flamígeros para quitarle de un zarpazo las ropas, cada vez más poseídos por el frenesí, cada vez más aureolados por una luz preternatural. Van Houten tenía una desnudez de dios pagano al que la vida de crápula ha empujado hasta la frontera misma del exceso: las piernas arracimadas de varices y a la vez muy membrudas; los brazos de cíclope en los que había anidado una fuerza sobrehumana; la barriga tensa a punto de quebrar la caja torácica; el falo moreno, casi cárdeno, como mordido por la gangrena. Cuando ya estaba por completo desnudo, Sakdal hizo un gesto con una suerte de cetro que mostraba en su parte superior unos cuantos mechones de cabello humano y, señalando a Van Houten, dijo con dureza:

—*Kalasanan de.*

Y extendió los brazos en un ademán semejante a la bendición, a la vez que lanzaba un aullido que trastornó el silencio de la noche, al cual se sumaron enseguida todos los guerreros ilongotes, contorsionándose de modo epiléptico. A Chamizo, entretanto, la cura con emplastos de los ilongotes le había devuelto al fin la consciencia; al tropezarse con aquella escena, creyó estar atrapado en una pesadilla:

—¿Van a ponerse a cortar cabezas, mi capitán? —le preguntó.

La danza de la *buayat* que Las Morenas había presenciado un año atrás se acompañaba de gritos que infundían pánico; en cambio, en aquella danza había algo muy diverso, exultante y eufórico, que invitaba a la participación. Van Houten miraba la danza en torno a su cuerpo desnudo como si la mirase desde otra dimensión, nublados sus sentidos y como mecidos por un vapor deletéreo, pero poco a poco empezó a recuperar el dominio de sus funciones. Primero profirió gritos que eran más bien bufidos, con una lengua de trapo; luego trató en vano de romper las ligaduras de abacá de las muñecas, que se le hincaban en la carne y le segaban las venas. La sangre le recorría los brazos, en goterones veloces, hasta remansarse en el pecho, nevado por un vello que tal vez fuese albino, de tan rubio. Entonces, mientras la danza se aceleraba, Sakdal avanzó hacia él y extrajo de una vaina curva un bolo de ceremonial con la empuñadura repujada. Se hizo de repente un silencio expectante, telúrico, como si la naturaleza entera aguardase un ademán de Sakdal para desatar todas sus furias. Y, a la vez que Sakdal avanzaba, bolo en ristre, Van Houten, que seguía recuperando paulatinamente la sensibilidad, empezó a chillar como un cerdo en la matanza, y también a patalear, pugnando por liberarse de las ligaduras. Entonces uno de los ilongotes le deslizó rápidamente un lazo de bejuco por el cuello y tiró de su cabeza hacia atrás; y Van Houten dejó de inmediato de luchar, ya que el bejuco se le clavaba dolorosamente en la garganta, oprimiéndole la carótida y dejándolo casi sin respiración.

—*Kalasanan de* —repitió Sakdal, mirando a todos sus guerreros.

Las Morenas no parpadeó, para contemplar en todo su espléndido horror lo que allí estaba a punto de suceder. Sakdal atacó con el bolo el pecho de Van Houten y, con un movimiento grácil de la muñeca, le asestó un corte en el costado; luego le levantó sin mayores preámbulos la caja torácica e introdujo la mano, hasta encontrar su corazón, que acarició o masajeó delicadamente mirando a los ojos a Van Houten, cuyos gritos se mezclaron al principio con blasfemias en su lengua nativa, populosa de herejías, y más tarde con oraciones en lengua latina, populosa de dogmas. Sakdal arrancó su corazón de cuajo y de un solo tirón, entre borbotones de una sangre bituminosa, a la vez que Van Houten, en un paroxismo de dolor, quedaba inerte y flojo como un espantapájaros. Sakdal exhibió el despojo todavía palpitante y lo mordió con fruición, para después tenderlo a sus hombres, que hicieron lo mismo, en una suerte de eucaristía caníbal. La noche se tensaba de júbilo y esperanza, como una mujer encinta. Chamizo, estupefacto como Las Morenas, se puso en pie con dificultad, tanteándose los huesos y el alma.

—No puedo más, mi capitán —balbució, apremiado por el vómito—. Voy a liberar a Guicay y a su padre.

Y se perdió por el camino que conducía a la hacienda, tambaleándose, como si estuviera borracho de la sangre del holandés.

* * *

Todavía a la mañana siguiente Chamizo no podía creer lo que había presenciado. Aunque sus sentidos guardaban la impresión nítida de aquel horror, aunque su memoria era plenamente capaz de recrear hasta en sus detalles más ínfimos lo que había sucedido, prefería imaginar que todo había sido una pesadilla. De aquella noche le había quedado un terror limpio y abstracto, sin relación alguna con ningún otro tipo de daño físico o moral que hubiese sufrido antes, como una zona calcinada del alma, una porción de tierra espiritual convertida en páramo en la que ya no podría arraigar ningún cultivo; y sabía que la herida causada por ese terror tardaría mucho tiempo en cicatrizar, si es que alguna vez cicatrizaba. Y, junto a ese terror, le quedaba a Chamizo una sensación de ultraje o vejación moral, como si se le hubiese obligado a participar —aunque su participación hubiese sido pasiva— en algo demasiado aberrante que echaba por tierra todos los fundamentos sobre los que se asentaba su vida. Claro que, al mismo tiempo, tenía que reconocer que el sacrificio de Van Houten a manos de los ilongotes lo había salvado de un peligro de muerte cierta y había también salvado a personas a las que sinceramente quería, lo que en cierto modo lo resarcía del terror y de la mancilla moral que aquel episodio había arrojado sobre su alma; pero era un resarcimiento que, a la vez que lo aliviaba, lo hacía sentir desdichado.

En complicidad con el capitán Las Morenas, decidió que no contaría a Guicay lo que había sucedido en el corazón de su jardín, para no difundir más la semilla insidiosa del horror. El cadáver del holandés se lo habían llevado los ilongotes, pues deseaban despedazarlo y dispersarlo en algún lugar recóndito de la selva, para que su *amet* o alma errante vagase condenada al exilio y sin consuelo por toda la eternidad, sin poder descansar nunca junto a sus restos. A fray Cándido lo enterraron en la misma rotonda del jardín, a la sombra del árbol en el que había hallado valerosamente la muerte. Sobre su túmulo colocaron una cruz que Moisés había tallado aquella misma noche, con un ángel en el astil que desplegaba las alas en el travesaño; era la primera talla que realizaba en meses, y mientras la ejecutaba lloró de rendida gratitud, pues aún no concebía que se le devolviera misteriosamente el don que antes le había sido arrebatado, también misteriosamente. A Guicay y a don Ramiro Garzón, en efecto, Van Houten los había dejado encerrados en la bodega de la casa cuando partió a Baler para entregar a los insurrectos el cargamento de armas; y allí los habían encontrado, muy desmejorados por los padecimientos sufridos durante los últimos meses. También para ellos el tiempo de su cautiverio había sido una pesadilla acaso demasiado estragadora a la que preferían no referirse sino a través de elipsis y circunloquios, como nos referimos a una enfermedad que padecemos en secreto y cuya mera mención provoca repugnancia y lástima entre nuestras amistades. Quien se llevaba la peor parte de aquel episodio era el capitán Las Morenas, al que la pérdida de sangre en el costado había dejado en un estado lamentable; pero la insistencia de Garzón en procurarle una cura antes de marchar a Baler fue vana, pues quería volver cuanto antes a defender la posición que había abandonado, temeroso de que su ausencia agravase el desaliento de sus hombres. Eran muchas, en fin, las heridas que todos se llevaban consigo, cuando abandonaron la hacienda; pero todos habían decidido, sin ponerse de acuerdo siquiera, no referirse demasiado a ellas, puesto que tal vez fuesen incurables o sólo la erosión del olvido las pudiese cerrar.

Volvieron a Baler en cuatro caballitos que lograron reunir de los diezmados establos de la hacienda. Encabezaba a pie la comitiva Moisés, que guiaba la montura del capitán Las Morenas, demasiado débil para conducirla él mismo, tanto que hubo que disponerle unas tablas que lo mantuvieran erguido sobre la silla, como le hicieron al Cid para sacarlo a batallar, después de muerto. Detrás de Las Morenas iba don Ramiro, muy enflaquecido y sustituida la barba somera y azafranada que lucía unos meses antes por una barba, venerable e intonsa. Y cerraban la comitiva Guicay y Chamizo, cada uno jinete sobre un caballito, aunque deseosos de juntarse y alcanzarse como el rosal blanco y el espino albar del romance del Conde Niño. Quizá para poner bálsamo en sus heridas, o para contribuir a disipar los miasmas de la pesadilla vivida, que aún se enredaban en sus pensamientos como yedras venenosas, el día se había acicalado con sus colores más brillantes, como si el mundo acabase de ser inaugurado esa misma mañana; o tal vez fuera que sus maltrechos sentidos, después de zambullirse en sentinas muy turbias, necesitasen esponjarse viendo las cosas como recién lavadas, bajo un cielo de un azul que casi dolía de tan tirante.

—Mi padre quiere enviarme por una temporada a Madrid, a casa de una hermana suya —dijo Guicay, cuando ya se habían alejado de la hacienda—. Al menos mientras duren por aquí los tiros.

Pero, aunque su padre no se lo hubiese pedido, Guicay necesitaba alejarse por un tiempo de Filipinas; pues, de repente, el suelo donde había nacido, y la casa que era su nido, y el jardín donde había retozado de niña, y en general todas las dependencias de aquella sucursal del paraíso que componían su patria habían quedado infectadas por el aliento de la serpiente. No le habían querido contar cuál había sido el fin de Van Houten, aunque le habían asegurado que nunca más tendría que preocuparse por él; pero su mera desaparición o extinción física no lograba impedir que, dondequiera que posase la vista, allá donde antes hallaba motivos incesantes de alborozo, recordase ahora el placer voluptuoso y vil de la aniquilación que Van Houten había infiltrado en su sangre, y la caricia reverente y execrable de sus manos, acompañando su caída placentera en un abismo sin fondo. Y prefería alejarse, siquiera por un tiempo, del paraíso infectado, para no sentir otra vez la caricia de la serpiente, para no sentir su aliento dulce y su mancha indeleble.

—¿Y tu padre no marchará contigo? —le preguntó Chamizo.

—Mi padre es el mayor cabezota del mundo y está empeñado en recuperar la actividad de la hacienda. Cree que en unas pocas semanas, cuando vuelva la tranquilidad, los criados y los abacaleros volverán a presentarse en sus puestos —respondió Guicay, con un latente escepticismo—. Dice que nadie va a moverlo de estas tierras, mientras le reste un poco de salud.

Garzón volvió la cabeza, después de escuchar un retazo de su conversación, y miró a su hija consoladoramente, como si quisiera reparar sus certezas hechas añicos. Guicay montaba sobre una silla de amazona, arte que dominaba a la perfección; pero en aquella ocasión, por falta de práctica o por debilitamiento de sus facultades, parecía a punto de perder el equilibrio, como una cigüeña a la que se obligase a anidar sobre un pináculo. Chamizo, en un esfuerzo por devolverle su brío juvenil, la aguijoneó:

—¿Y tendrás quien te enseñe Madrid?

Adoptó un deje un poco enfurruñado, como si lo remejieran los celos. Guicay sonrió; pero era una sonrisa feble, porque se le había retirado la sangre de los labios:

—Si nadie me la enseña, me montaré en uno de esos tranvías de los que me hablaste. Y esperaré hasta encontrarme con alguien que quiera bajarse conmigo en la misma parada. —Alargó una mano que Chamizo se apresuró a tomar—. ¿Tú cuándo volverás, Juan?

—Mientras duren los tiros tendré que quedarme, es mi obligación como soldado —murmuró, sombrío—. Además, se lo prometí al capitán. Pero no creo que la situación tarde en resolverse.

Guicay asintió melancólicamente. La acometió, raudo como un lince, ese sentimiento de devastación honda que se apodera de nosotros cuando llegamos tarde a una despedida, o cuando desacompasamos nuestro reloj vital del reloj de la persona a la que queremos acompañar, de tal modo que cuando ella entra nosotros salimos, cuando ella duerme nosotros velamos, cuando ella baja nosotros subimos y cuando ríe lloramos, hasta que todo nuestro ímpetu se marchita y se transforma secretamente en conciencia de fracaso. Chamizo trató de animarla:

—¡Eso suponiendo que tu padre me perdone ese año de servicios domésticos que, según tú, tengo que prestarle para ser admitido en la familia!

Había conseguido hacerla reír. Y, aunque todavía convaleciente, su sonrisa era prieta como el cielo sin nubes:

—¡Menudo caradura estás hecho! —dijo—. Tú ponte a trabajar, que un año pasa en un suspiro. Yo me lo pasaré viajando en tranvía.

Aunque esperaba que no fuese tanto como un año, Chamizo sospechaba que aún habría de pasar algún tiempo hasta que pudieran reunirse definitivamente y recomponer las trizas de su amor recién nacido. Tendió a Guicay el reloj que le había regalado el médico Vigil, como si deseara cederle el protagonismo —la condena— de la espera; o tal vez, simplemente, porque para entonces aquel reloj era la única posesión que le restaba:

—Toma —le dijo, zumbón—, para que cuentes las horas hasta que volvamos a estar juntos.

—¡Serás malandrín! —se resistió Guicay.

Pero Chamizo, al pasarle la saboneta, cerró su mano sobre la de Guicay, que así descubrió que en aquel reloj se guardaban muchas cosas, aparte del tiempo. Allí dentro se escondía el pulso de la sangre del hombre que amaba, y el calor de su piel, y la música de sus palabras; y pensó que aquel reloj de bronce algo abollado le permitiría tenerlo mucho más cerca, pegado en coloquio íntimo a su pulso y a su piel y a sus palabras, hasta que sus relojes vitales volvieran a acompasarse; y sintió entonces que en su alma calcinada florecía un húmedo cañaveral de promesas. Estaban acercándose a Baler: en las sementeras, vieron una garza caminando como de puntillas entre los arrozales inundados, como una señorita temerosa de pisar los charcos; y, sobrevolándola, un gavilán que parecía quieto en el aire, embebiéndose del azul del cielo. Chamizo lo tuvo por signo de buen agüero, pero no quiso imaginar el futuro que les aguardaba, para no infiltrar de infelicidad la espera. Cuando se internaron en Baler, empezó a acompañarlos en su renqueante desfile la chiquillería del pueblo, entre sobrecogida y bulliciosa. Las calles de Baler, que apenas un año antes estaban limpias y enarenadas, habían sido invadidas de malezas con las primeras lluvias, como si los vecinos hubiesen renunciado a salir de sus casas y sólo esperasen el momento en que por fin se los tragase la selva. Moisés, encabezando siempre la comitiva, había hecho tremolar un pañuelo blanco, para evitar que algún insurrecto descontrolado o bravucón tuviera la ocurrencia de dispararles; y Las Morenas concitaba la mayor curiosidad entre los lugareños, encajado entre las tablas que lo mantenían erguido, con el rostro cadavérico lleno de costurones y la guerrera empapada de la sangre que seguía manando de su costado, dejándolo sin fuerzas incluso para sostener las riendas. El alboroto y la sorpresa que su aparición causaba iban en aumento; y los insurrectos no tardaron en abandonar las trincheras para salir a su paso en la plaza de los naranjos, encabezados por Novicio, que no daba crédito a lo que veía. Lanzó una mirada de incomprensión a Moisés, que trató de exponerle sucintamente lo sucedido; pero Novicio no salía de su perplejidad. Las Morenas le habló en un hilo de voz:

—Lo hicimos para defender la vida y la hacienda de súbditos españoles, a sabiendas de los riesgos que asumíamos. Por supuesto, Novicio, entenderé que nos haga prisioneros.

A Novicio se lo llevaban los demonios (también esa expresión la había aprendido de sor Lucía), humillado de que los *castilas* hubieran roto el cerco sin que él se hubiese ni siquiera enterado. Sabía que esa humillación lo iba a convertir en la comidilla de sus hombres.

—Mire, capitán —dijo, en un tono piadoso que, a la vez, demandaba piedad—, yo no quiero hacerlo prisionero, sólo quiero que se rinda usted, y con usted todo su destacamento. Demos por concluido este penoso episodio.

Las Morenas suspiró; y, al hacerlo, parecía como si sus últimas fuerzas se vaciaran en la desembocadura de un río, anhelantes de la mar, que es el morir.

—Tiene que entenderlo, Novicio. No podemos hacerlo mientras el alto mando no nos notifique que España se ha rendido...

Novicio imploró y se sublevó, llevándose las manos a la cabeza:

—¡Pero si ayer mismo vinieron a traerles esa notificación! —Las Morenas y todos los circunstantes se quedaron estupefactos—. La trajo un oficial llamado Miguel Olmedo, que aseguraba haber estudiado con usted. ¡Y su lugarteniente lo despidió con cajas destempladas!

—¿Está usted seguro de lo que dice? —le preguntó Las Morenas, con una voz cada vez más inaudible.

—Como de que es de día, capitán —se afianzó Novicio, viendo que al fin podría obtener sin más derramamientos de sangre el ansiado armisticio—. El capitán Olmedo trabaja a las órdenes del general Ríos, encargado por su gobierno de la repatriación de los soldados españoles.

En otra ocasión menos desgraciada, Las Morenas se habría indignado, pues parecía evidente que Martín Cerezo se estaba excediendo en sus atribuciones. Pero ya no tenía fuerzas para indignarse:

—Me permitirá entonces que hable muy seriamente con el teniente —pidió a Novicio—. Necesito escuchar su versión.

Novicio apoyó una mano en el arzón de Las Morenas, en señal de aprecio y como si le brindara su apoyo. Vio entonces la mancha de sangre en su guerrera, empapando la tela:

—Se lo suplico, capitán —le dijo, con un gesto compungido—. Ríndase ahora y fuércele a entregar la plaza. Tengo miedo de que, si entra en la iglesia, no le deje salir.

—Hágame prisionero entonces —le indicó Las Morenas y le ofreció las muñecas desnudas—. Pero lo que me pide es un deshonor. No puedo rendirme sin comunicárselo antes a mis hombres, ni desautorizar al teniente Martín Cerezo sin escuchar sus explicaciones.

Le vino un vahído y se sintió desfallecer. Intervino entonces Garzón:

—El capitán es hombre de palabra, Novicio. Yo respondo por él. Déjele hacer como pide.

Novicio lo miró con un énfasis lastimado:

—Confío plenamente en la palabra del capitán, don Ramiro —dijo—. Pero lo que le estoy proponiendo no es sólo por el bien de mi causa, sino también porque quiero el bien de sus propios soldados. Cualquier día de estos, Baler se puede convertir en un infierno...

Se refugió en el mutismo, sin llegar a concluir la frase. Garzón intuyó lo que encubría su advertencia:

—¿Qué ha ocurrido con los americanos?

Novicio quería rehuir la respuesta, pero finalmente la escupió, como quien escupe una muela cariada:

—Quieren dominar nuestro país; y esto ni es posible ni es lo que se había convenido. —Bajaba la voz, para que sus hombres no lo oyeran—: No habrá más remedio que ir a la guerra con ellos.

—Pero eso será un desastre... —dijo Las Morenas, que parecía haber recuperado mínimamente el resuello—. No cuentan con medios para hacerles frente...

A Novicio se le nubló el ceño:

—No importa. Antes de ser dominados por los americanos, derramaremos nuestra sangre. Treinta veces mejor estábamos con los *castilas*.

Lo dijo tal vez para compensar al capitán, que le había advertido mucho tiempo atrás de lo que ocurriría. Las Morenas hundió la barbilla en el pecho:

—Ciertamente —susurró—. Pero eso ya no tiene remedio.

—Razón de más —se empecinó Novicio—. Antes de dejarnos mandar por los americanos, pereceremos todos los filipinos.

A Garzón lo conmovió aquella obstinación gallarda y condenada a la derrota, que tal vez le recordase sus ardores juveniles. Pero lo desengañó:

—No se equivoque, Novicio. Tendrán que rendirse después de aceptar las condiciones que los yanquis les impongan. Hoy las guerras no se hacen con amor a la patria y valor personal; y el que resulta siempre vencedor es el que posee más y mejores armas.

Novicio agachó la cabeza, desvalido en su valor y en su dulce amor a la patria. La conversación que mantenían al pie de las trincheras había despertado gran expectación entre los balereños, que se habían congregado en la plaza de los naranjos, como antaño hacían a la salida de misa, creyendo que tal vez se hubiese alcanzado el armisticio. Algo semejante debía de ocurrir en la iglesia sitiada, donde la llegada de la comitiva encabezada por Moisés y el capitán Las Morenas no había pasado inadvertida; y donde, para entonces, se estarían preguntando cuál era el asunto de sus parlamentos. Se abrió el portón de la iglesia y apareció inesperadamente sor Lucía, vestida con un hábito cuyo color ya se había fundido con el tono grisáceo o pardusco de la suciedad; en su gesto se aliaban, en una rara simbiosis, la alegría y la preocupación. Hacía medio año que Novicio no veía a sor Lucía, pero había guardado incólumes en el tabernáculo de la memoria los rasgos de su rostro, que no se correspondían del todo con los nuevos rasgos, propios de una mujer escuchimizada, paliducha y casi reducida a la osamenta. Pero, despojada de los aderezos de la lozanía (que en sor Lucía habían sido siempre muy contenidos y discretos), se le antojó todavía más bella.

—El mundo anda manga por hombro, capitán —se lamentó Novicio, recuperando otra expresión más aprendida de sor Lucía.

Las Morenas la contemplaba también, participando de los mismos o parecidos pensamientos admirativos de Novicio:

—¿Por qué lo dice? —preguntó.

Novicio se encogió de hombros, resignado o vencido por el asco:

—En un mundo bien hecho, usted y yo militaríamos en el mismo bando y seríamos amigos. Y, de tener que disputar por algo, lo haríamos por esa mujer, que por supuesto no sería monja. Todo al revés.

Las Morenas quiso reír, pero al intentar hacerlo la herida del costado le lanzó una dentellada, más furiosa que nunca.

—¿Y se queja usted de que llevemos nueve meses peleándonos? —se burló Las Morenas—. En ese mundo bien hecho, estaríamos peleándonos toda la vida.

Novicio rió francamente:

—Tiene razón, capitán. Al menos mientras ella estuviese viva.

Sor Lucía había echado a andar hacia las trincheras insurrectas; y, al reparar en el calamitoso aspecto de Las Morenas, arrancó a correr intrépidamente. Saltó el parapeto de los sitiados, sin importarle ensuciar su hábito de barro, y se abrió paso entre la multitud de los balereños. Un golpe de viento le desprendió la toca, dejándole al aire su cabello ya demasiado largo y cortado a trasquilones.

—Prométame una cosa, Novicio —pidió Las Morenas.

—Dígame.

Ambos la miraban sin parpadear, aunque tal vez Las Morenas no la viese, o la viese con dificultad, entre los barruntos del desmayo. Habló con un tono contrito:

—Envíe de inmediato a sor Lucía, acompañada de Moisés, a Manila. Asegúrese de dejarla en manos de sus superiores. No quiero arriesgar su vida ni un minuto más.

Novicio asintió tercamente, acallando su deseo de hacer lo contrario:

—Me encargaré de ello, se lo juro.

A Novicio le dolía mucho tener que separarse de sor Lucía, después de haber sufrido durante meses su apartamiento, pues lo que más deseaba en el mundo era entregarse con ella a los amenos coloquios sobre lo humano y lo divino que tenían pendientes, pero estaba visto que su sino era, como el don Quijote con Dulcinea, alimentar y a la vez templar sus afectos en la ausencia. Por lo demás, tampoco quería arriesgar ni un minuto más su vida; y prefería no volver a verla nunca en este valle de lágrimas, con tal de que no sufriera más penalidades (aunque, a cambio de esta renuncia, Novicio exigía que hubiese otra vida después de este valle de lágrimas). Sor Lucía, entretanto, ya había dejado atrás la plaza de los naranjos, esquivando el gentío a la carrera. A Las Morenas lo asaltó la certeza de que nunca más volvería a verla; y también la sospecha de que su recuerdo sería uno de los tesoros más preciosos que se llevaría a ultratumba, junto al de su hijo Enriquillo, al que le hubiese gustado volver a abrazar.

—¡Capitán! ¿Qué le ha ocurrido? —gritó sor Lucía, cuando pudo distinguir la sangre de sus heridas—. ¡Por el amor de Dios, Enrique!

Nunca antes lo había llamado por su nombre de pila, como si envolviéndolo en la coraza del militar protegiera mejor a la mujer que se escondía debajo del hábito de monja. Las Morenas sonrió; un estremecimiento de orgullo recorrió su maltrecho cuerpo:

—Es una historia muy larga... —dijo, echando los restos—. A nuestro querido fray Cándido lo mataron, pero abandonó este mundo en paz con Dios y consiguió reconciliarse con Moisés, que era lo que más deseaba en el mundo. —Miró al mestizo, que permanecía mudo, digiriendo los cataclismos que le había tocado vivir últimamente—. Ahora es usted la que tiene que cuidar de él y conseguir que llegue a ser un gran artista.

Tuvo que callar, porque el corazón se le atoraba, como si se lo hubiesen llenado de estopa. Sor Lucía palmeó las ancas de su caballito, buscando un apoyo que la fortaleciera; sentía que la pérdida de fray Cándido la dejaba un poco más sola en el mundo. Y era demasiado vasta la soledad, y demasiado vasto el mundo.

—Cuente que así lo haré —dijo con decisión—. Pero primero tendré que curarle esas heridas...

Las Morenas no quería que sor Lucía lo viese agonizar. Trató de tomar las bridas del caballito, para encaminarlo hacia la iglesia, pero no pudo hacerlo, porque un hormiguillo creciente le atenazaba los brazos y un ansia como una angina que le trepara hasta el cielo de la boca le impedía respirar. Chamizo, que se había abrazado a Guicay por última vez antes de separarse de ella, advirtió las dificultades por las que atravesaba el capitán y corrió a auxiliarlo.

—No se preocupe, sor Lucía, ya me curará Vigil —dijo Las Morenas, sin aire ya, o sólo con el aire destinado a los estertores.

Miró a sor Lucía con indefinible nostalgia, sintiendo que, si no lo sujetasen las tablas, ya se habría deslizado de la silla y dado con su desmigajado cuerpo en el barro.

—Déjeme al menos limpiarle esas heridas —rogó sor Lucía.

Y se sacó del hábito un pañuelo que guardaba milagrosamente limpio y blanco, como una hijuela eucarística, inmune a las podredumbres y penalidades del asedio. Sor Lucía lo mojó en su propia saliva y probó a limpiarle los churretones de sangre del rostro. Aunque entablillado, Las Morenas casi se caía ya del caballito; y Moisés y Chamizo tuvieron que agarrarlo, uno de cada brazo, para que sor Lucía pudiera acabar su labor. Lo hizo acariciando su frente, como si le tomase la temperatura; y Las Morenas, casi sin sentido, estrechó su mano muy desmayadamente y le cogió el pañuelo con el que le había enjugado la sangre. Sin color y trasudando, musitó:

—Fue un honor conocerla, sor Lucía. El más alto honor de mi vida...

Y aguijó el caballito, que trotó libre y sin rumbo, esquivando los troncos de los naranjos antes de que sor Lucía pudiera retenerlo. Quiso correr detrás de él, pero Novicio se lo impidió, agarrándola de ambos brazos por la espalda; sor Lucía forcejeó y se quejó, y hasta le sobrevino una llantina, pero finalmente claudicó, dándose cuenta de que Novicio no iba a aflojar. Las lágrimas le borroneaban la triste figura de Las Morenas, como si lo aureolase una neblina.

—También lo fue para mí, Enrique... —musitó, cuando se sobrepuso a los sollozos.

Chamizo logró alcanzar el caballito del capitán, que se había demorado antes de llegar a la iglesia, ramoneando unas calabaceras que volvían a crecer feraces, abonadas por las lluvias. Se volvió hacia Guicay y ondeó la mano en un ademán de despedida apenas esbozado, porque esperaba reunirse muy pronto con ella, tan pronto como el capitán Las Morenas aclarase lo sucedido durante las últimas horas y fuesen redactados los términos de la rendición del destacamento.

—¡Volveremos a bajar en la misma parada, soldado! —le voceó Guicay, contagiada de su optimismo.

Novicio miraba con aprensión el caballito de Las Morenas, temeroso de que el capitán, molido como don Quijote en la playa de Barcelona, se fuese a caer de un momento a otro. Sor Lucía se sorbió la pena y dijo:

—Es un hombre lleno de nobleza, Teodoro. Tal vez el hombre más noble que he conocido nunca, después de usted.

Un levísimo latigazo de celos cruzó el rostro de Novicio, que sólo se atrevía a mirarla por el rabillo del ojo. No sabía si tomárselo como un halago o mostrarse escamón. Optó por un término medio:

—¿Y en qué consiste ser noble, Luscinda?

—Es difícil definirlo en pocas palabras —musitó ella—. Consiste en sentir la vida con honor, en ser capaz de dar las cosas que nadie nos obliga a dar y en abstenerse de otras que nadie prohíbe; y en saber a cada instante las razones por las que uno puede o debe morir.

Había conseguido dominar los sollozos. El caballito de Las Morenas, conducido ahora por Chamizo, seguía entretenido entre las malezas que casi lo tapaban.

—Antes de que usted llegara le estaba diciendo al capitán que en un mundo bien hecho no nos habría tocado militar en bandos distintos —dijo Novicio.

Sor Lucía habló desde la atalaya de un sueño o visión premonitoria:

—Esa es la obra más estremecedora del misterio de iniquidad. A los nobles se les empuja a pelear entre sí; y los innobles se las arreglan para obligarlos a defender causas distintas, para debilitarlos y hacerse ellos fuertes a costa de su debilidad y así poder sojuzgar mejor a las gentes, que ya no tienen quienes las defiendan. —Calló y se secó las lágrimas con la manga raída del hábito. Luego dijo inopinadamente—: Le he echado mucho de menos, Teodoro. Creo que, después de la comunión, es usted lo que más he echado en falta durante todos estos meses.

—Yo también a usted, Luscinda —correspondió Novicio, inevitablemente envanecido por aquella confesión—. Y la echaré todavía más en falta cuando esté en Manila. Y yo ni siquiera tendré la comunión para consolarme.

Ya no se distinguía al capitán Las Morenas. Sólo alcanzaban a ver la grupa de su caballito y, sobre sus lomos, un jinete desgualdrajado. Sin la toca y con los cabellos cortados a trasquilones, sor Lucía tenía un no sé qué de novicia que ha sido expulsada del convento y vive de la limosna:

—Nos escribiremos largas cartas, Teodoro —dijo, con una sonrisa melancólica—. Siempre quise tener un corresponsal al que poder contar mis cuitas; y no se me ocurre nadie más idóneo que usted. Doy por descontado que vendrá a visitarme a Manila tan pronto como le sea posible.

Novicio no quiso comprometerse a lo que no estaba en su mano cumplir, ahora que los americanos les habían declarado la guerra, después de utilizarlos como carnaza para expulsar a los *castilas*. Cambió de tercio:

—No entiendo cómo han podido resistir durante tanto tiempo. Sin auxilio exterior, sin reservas de agua...

—Agua sí tienen —lo contradijo sor Lucía—. Excavaron un pozo en el corral. Agua es lo único que les sobra.

—¿Y cree que al fin se rendirán?

Una sombra de duda encogió la sonrisa de sor Lucía:

—El segundo de la guarnición, el teniente Martín Cerezo... A veces me daba un poco de miedo, Teodoro. Hay en él algo desazonante, como si buscase la muerte a toda costa, como si quisiera casarse con ella, invitando a todos los demás a la boda. Espero que el capitán sepa imponerse. Y que tenga fuerzas para ello.

Entretanto, se había abierto de par en par el portón de la iglesia con un chirrido claudicante de los goznes, para acoger a Chamizo y a Las Morenas, ya completamente derrengado sobre el cuello de su montura. Cruzaron el umbral lentamente, mientras los soldados del destacamento formaban para recibir a su comandante, afligidos por su aspecto. El portón volvió a cerrarse. Las Morenas sintió entonces que se había cansado de respirar; y que la vida se le retiraba de las venas como una bajamar.

Cuando se acercaron para ayudarlo a desmontar ya estaba muerto. En su mano yerta aún sostenía el pañuelo que sor Lucía había ensalivado para limpiarle la sangre del rostro.

11

—¿Os creéis héroes admirables? ¡Venga ya, no seáis necios! El teniente os quiere convertir en verdugos. La gloria militar es una mentira.

Los gritos de Menache sonaban ya como gañidos afónicos en la noche. Al igual que el cabo González Toca, se hallaba recluido en el baptisterio, que había sido acondicionado a modo de calabozo, con grilletes en las manos y sujeto a un cepo; y, para mayor seguridad —porque Martín Cerezo no se fiaba de la firmeza de los soldados que los vigilaban— se había cerrado con un rastrillo el espacio del baptisterio. Todos los días, aproximadamente a la misma hora (que era la que, en vida de fray Cándido, dedicaban al rezo del rosario), Menache lanzaba imprecaciones sin cuento, ante la pasividad de Martín Cerezo, que a la vez que lo dejaba desfogarse iba acumulando cargos contra él, para aducirlos cuando llegase la hora de juzgarlo. Los soldados supervivientes, que para entonces eran ya poco más de treinta, escuchaban aquella catarata de denuestos en actitud lánguida, como parte de una rutina archisabida; y hasta el cabo González Toca, su compañero de cautiverio, que al principio trataba de acallarlo, pidiéndole que se reportase, lo dejaba desahogar su bilis como quien oye llover. Todos, en definitiva, habían perdido la esperanza de que su encierro pudiese concluir de otro modo que no fuese la consunción. La muerte del capitán Las Morenas había cercenado definitivamente tal esperanza, convirtiendo a Martín Cerezo en monarca absoluto contra el que nadie osaba alzarse en el interior de la iglesia. Y Martín Cerezo había decidido seguir resistiendo contra viento, marea y sentido común, y desoír los consejos de Chamizo, que le había aducido todo tipo de razones a favor de la rendición, desde las de estricta lógica militar a las de índole humanitaria. Durante los primeros días, la cerrazón despótica o desquiciada de Martín Cerezo había estado a pique de sumirlo en la desesperación; después esa desesperación se había metamorfoseado en un odio cocido a fuego lento; pero, como ocurre con los platos, a los que el exceso de cocción desgracia y reblandece, así el odio de Chamizo se fue degradando en hastío y asco de seguir viviendo. Al principio, se había consolado convenciéndose de que Martín Cerezo había enloquecido y que su chaladura desembocaría en una crisis de agotamiento nervioso; pero había terminado por aceptar —con mayor horror si cabe— que la inteligencia de Martín Cerezo no estaba perturbada (o, al menos, no lo estaba al modo convencional), sino que más bien estaba ensimismada, rodeada de una oscuridad espesa que a veces Chamizo probaba inútilmente a penetrar, contemplándola como se contemplaría a alguien que se halla en el fondo de un precipicio donde nunca llega la luz del sol. Ya no le bastaba a Martín Cerezo con no dormir, o con dormir con el oído despierto, o con dormir mientras deambulaba por el coro. Ahora había aprendido a descifrar mensajes recónditos camuflados en el repiqueteo de la lluvia sobre el tejado de cinc de la iglesia, o en la disposición de los boquetes abiertos por las balas enemigas en el mismo tejado, o en la algarabía de los pájaros al amanecer, o en el burbujeo del agua hirviendo en una caldera, o en las líneas quebradas de las grietas en las paredes; y el desciframiento de tales mensajes, que le anticipaban los planes de los insurrectos, lo obligaba a mantenerse avizor las veinticuatro horas del día. Era un ejercicio extenuante, pues a veces los mensajes le procuraban falsos avisos y alarmas, o ponían a prueba sus dotes hermenéuticas con galimatías ininteligibles. No, no estaba loco, sino que había sido bendecido con una forma de clarividencia superior, capaz de comprender lenguajes de signos que a los demás mortales les estaban vedados, o les pasaban inadvertidos.

—¿Es que vais a permanecer ahí, tirados en el suelo como pasmarotes? —proseguía Menache—. ¿Nunca reuniréis el valor necesario para rebelaros?

Pero, antes de reunir tal valor, tendrían que recuperar unas fuerzas que los habían abandonado por completo y que parecía improbable que pudieran restablecer, dado su estado de inanición. Durante los últimos meses, habían empezado por comerse el caballito de Las Morenas, que por unos días les infundió un espejismo de hartazgo. Pero después de devorar el caballito, habían tenido que volver a conformarse con las exiguas y corrompidas provisiones que restaban. Poco a poco, se fueron agotando los garbanzos roídos por el gorgojo, así como los últimos despojos de tocino, que en sus postrimerías eran más bien hervideros de gusanos untados someramente en grasa rancia. Hacia comienzos de mayo, toda su ración de comida se reducía a un poco de arroz y unas cuantas sardinas putrefactas, que complementaban con las consabidas hojas de calabacera y todas las repugnantes faunas que osaran internarse en la iglesia. A mediados del mismo mes, llegaron a considerar seriamente el canibalismo como alternativa; y discurrieron una forma de sorteo por la que el soldado elegido sería inmolado como víctima propiciatoria, para salvar la vida de los demás. Si al final decidieron no llevar a la práctica esta iniciativa fue, en parte, por supervivencia de un escrúpulo cristiano; y, en parte, porque por aquellas mismas fechas incorporaron a la dieta unos caracoles gordos como tumoraciones, negruzcos como sanguijuelas, que repugnaban incluso a las tolerantes tragaderas de los insurrectos y que solo salían de su concha por la noche. Ante los repetidos intentos de incursión del enemigo, Martín Cerezo había ordenado diseminar por los alrededores de la iglesia un montón de latas de conserva atadas con cordeles que después había mandado tender, a modo de alambradas inocuas, entre las calabaceras, para que su tintineo denunciase cualquier movimiento sospechoso. Así fue como descubrieron que cada noche, al reclamo de la humedad incitadora dejada en el ambiente por las lluvias, cientos de aquellos caracoles merodeaban la iglesia, viscosos y lentorros, provocando gran ruido entre las latas, que sonaban como orquestas desafinadas y oníricas. Y así fue como se iniciaron, al amparo de la oscuridad, las cacerías nocturnas de aquellos caracoles, que tenían una carne desabrida, como de pez añejo y musgoso, y cuya digestión les causaba además muchos retortijones y les hacía defecar unas heces envueltas en babas, gordas y negruzcas al igual que los propios caracoles, mientras la piel se les amarillecía, como si estuviesen cloróticos.

—¿No oye las latas, Santamaría? —los sobresaltó una noche Martín Cerezo—. ¿No sabe que, cuando uno está de guardia, debe afinar el oído?

Santamaría, como los demás soldados supervivientes, era ya un ectoplasma de hombre. Nadie hubiese pensado que en su voz escurrida se hubiese agazapado, en otro tiempo no muy lejano, el duende del flamenco:

—Pues... ¿es que no son los caracoles, mi teniente?

Martín Cerezo dejó caer la cabeza entre los hombros, como si la descolgara de su percha, en un gesto de exasperación cansada. Estaba harto de seguir luchando contra la inepcia de sus subordinados, o contra los fantasmas que lo acechaban:

—Los caracoles siguen andando aunque las latas hagan ruido, soldado —dijo, con un retintín didáctico—. Los que ahora las mueven, por el contrario, se detienen temerosos al hacerlas sonar. Y se nota a la legua que procuran evitarlas.

Aquellas filigranas de agudeza acústica no estaban al alcance de los simples mortales, entre los que desde luego se contaba Santamaría:

—¿Quiere decir... —tartamudeó— quiere decir que son insurrectos?

Martín Cerezo frunció pensativo el ceño, como si planeara alguna tortuosa venganza:

—En efecto. Y estoy seguro de que ahora mismo hay varios pegados a la tapia del corral, mirando el modo de franquearla para cegarnos el pozo del agua.

Y, para pasmo de los soldados (que habían llegado a creer que estas cosas las sabía por ciencia infusa), acertó de pleno. Desde la muerte de Las Morenas (de la que nunca había llegado a tener noticia cierta, aunque la diese por supuesta), Novicio había urdido varias argucias con el propósito de hacer cada vez más penosa la situación de los *castilas* y forzar su rendición, sabiendo que el entendimiento con Martín Cerezo era imposible y que las tropas americanas seguían avanzando por doquier, causando una gruesa mortandad a su paso en todos los lugares donde hallaban resistencia. Tarde o temprano se presentarían en Baler, seguramente más temprano que tarde; y Novicio no quería enfrentarse a ellos en el pueblo, para ahorrar a los lugareños los sufrimientos de la batalla. Pero antes tenía que concluir de algún modo aquel episodio del asedio de la iglesia, que empezaba a parecer una parodia del cerco de Troya urdida por un dios borracho. Primero probó a segar cada noche las calabaceras próximas a la iglesia; pero los *castilas* habían dispuesto aquellas latas que advertían de su presencia a los centinelas, haciendo muy difícil el acceso. Y después había resuelto dejarlos sin agua, recordando que sor Lucía le había revelado que contaban con un pozo excavado en el corral. Si sor Lucía hubiese estado todavía en Baler, sin duda le habría reprochado esta añagaza, por cruel y marrullera. Pero sor Lucía ya no estaba en Baler; y su ausencia había hecho a Novicio algo más propenso a la crueldad y la marrullería.

—¡Ya sé lo que haremos! —exclamó Martín Cerezo, después de maquinar la forma de repeler el ataque—. Llenen de agua las calderas y pónganlas a calentar con el máximo sigilo. Cuando echen a hervir, las derramaremos por encima de la tapia.

Se pusieron todos manos a la obra, mientras Martín Cerezo seguía escuchando el tintineo de las latas con alucinada atención, tratando de descifrar en su música las intenciones de Novicio. Los insurrectos estaban desmontando la letrina que Martín Cerezo había mandado construir, meses atrás, para evitar las emanaciones hediondas; y trataban de retirar el conducto de hojalata para introducirse por el hueco y así poder acceder al pozo. Cuando el agua de las calderas alcanzó el punto de ebullición, Martín Cerezo ordenó a los soldados que la derramaran poco a poco por encima de la tapia, ayudándose con una lata vacía atada al extremo de un palo. Así lo hicieron; y enseguida oyeron a los insurrectos que trataban de deslizarse a través de la pared escapar escaldados. Y, como andaban medio desnudos, se percibía la quemadura del agua hirviente en sus carnes, y sus chillidos de ratas despavoridas, que causaban gran hilaridad a Martín Cerezo, y por contagio a los soldados. Los insurrectos, para escapar del castigo, corrían de un extremo a otro de la tapia, pero siempre arrimados a ella, para evitar ponerse a tiro de los centinelas; y así los tuvieron durante horas, propinándoles aquellas rociadas que, poco a poco, los iban despellejando.

—¿No os gusta recibir las aguas del bautismo, bellacos? —los increpaba Martín Cerezo, riéndose a mandíbula batiente de sus chillidos y súplicas de clemencia—. ¿No os gusta que os pelen como a las gallinas?

En estos juegos chuscos o truculentos, monótonamente alternados con lluvias que a veces duraban días enteros, se pasaron los meses de abril y mayo, mientras las últimas provisiones se consumían hasta desaparecer, dejando que el ingenio de cada soldado se las arreglase para combatir la hambruna. Había quienes ponían ligas en las aspilleras, para que los pájaros, a los que atraían con semillas, se enviscaran; y los había que se especializaron en la confección de unos cepos rudimentarios que, cebados con unas virutas de sardinas podridas, atraían a los ratones. Martín Cerezo, en cambio, ni siquiera precisaba alimentarse, pues aquel mundo de suspicacias y mensajes cifrados que había urdido, a modo de coraza frente a la realidad, se encargaba de mantenerlo nutrido de quimeras; y a veces, mientras velaba tratando de descifrar los planes del enemigo —escritos en la delicada arquitectura de las telarañas, en el morse que las termitas dejaban en la madera, en el runrún parsimonioso y bronco de las olas en la playa—, se llevaba a la boca, a modo de golosina, los insectos y otras faunas menudas que pululaban por la iglesia, escarabajos y polillas, moscas y saltamontes, cucarachas y cochinillas de la humedad, que brindaban a su paladar muy sabrosas y crujientes sorpresas y le espantaban el gusanillo del hambre (pero los gusanos, en cambio, tenían un amargor blandujo que le repelía). Una mañana de finales de mayo, cuando los trigos encañan y están los campos en flor, cuando canta la calandria y responde el ruiseñor y se dan por el culo los dos (Martín Cerezo disfrutaba recitando romances y añadiéndoles estrambotes zafios de su cosecha, que celebraba con risotadas), se acercó hasta la iglesia, flanqueado por dos insurrectos que solicitaban parlamento, un hombre de estampa algo engarabitada y fachendosa, de vientre búdico (aunque, para entonces, a los soldados del destacamento cualquier persona que no estuviese en los huesos se les antojaba obesa) y calva que relucía al sol como un pomo de bronce; tenía el gesto bonancible y vestía uniforme del ejército español, con dos estrellas de ocho puntas en la bocamanga que delataban su empleo. Para añadir mayor ringorrango a su embajada, se ceñía la cintura con fajín y portaba bastón de mando y una bandera española.

—¡Ah de la iglesia! —gritó—. Les traigo excelentes nuevas. Soy el teniente coronel Cristóbal Aguilar y vengo de parte del general Ríos.

Martín Cerezo lo escrutó con los gemelos de la cabeza a los pies, desde una ventana aspillerada del coro; luego escrutó las nubes del cielo, interpretando el mensaje cifrado que ocultaban entre sus lóbulos. Lo desconcertaba que todavía los insurrectos se esforzaran en embaucarlo, después de tantas intentonas frustradas. Sonrió como el tahúr que se tira un farol:

—¡Ya bajo, ya bajo! —voceó.

Ordenó que le abrieran el portón de la iglesia y salió a la tierra de nadie tratando de mostrar su perfil más favorecedor, después de espolvorearse por el pecho unas migas de pan que guardaba en un bolsillo de la guerrera, para fingir que acababa de pegarse una comilona. Ni siquiera se dignó saludar militarmente al sedicente teniente coronel; y se permitió soltar un sonoro eructo que le supo a escarabajo agrio, como si lo sofocasen los vapores de la digestión. Aguilar no ocultó su malestar ante tamaña muestra de descortesía; aunque supuso que estaba hablando con una persona asalvajada y embrutecida por casi un año de incomunicación.

—Deben abandonar de inmediato esta plaza —dijo Aguilar sin mayores preámbulos—. Ahora estas islas pertenecen a los Estados Unidos. Puedo enseñarle documentos que así lo acreditan.

Introdujo la mano entre la botonadura de su guerrera. Martín Cerezo hizo un gesto desdeñoso y esbozó una sonrisa entre cáustica y cazurra:

—¿Para qué va a molestarse, buen hombre? Si quieren ustedes que el destacamento se rinda, ha de ser cuando veamos en la plaza fuerza española que venga a recogernos.

Y seguía sonriendo, con la mirada ausente y las manos a la espalda. Aguilar trató de domeñar su enojo:

—Eso no lo verá usted nunca, teniente, pues la fuerza armada española no puede andar por estas islas. Pero en la bahía tienen ustedes un vapor, el *Uranus*, que con mucho gusto los conducirá hasta Manila.

—¡Mira tú qué bien! —se mofó Martín Cerezo, con la voz extraviada o divagatoria—. ¿Y en ese vapor es donde juntan a los prisioneros de guerra antes de llevarlos al matadero?

Aguilar no alcanzaba a comprender el fuego que alimentaba tan delirantes suspicacias. Insistió:

—¿También duda de esto? Pues, para demostrarle que no miento, le ruego que me indique dónde quiere que se sitúe el barco y le haremos la señal que usted desee.

A Martín Cerezo había llegado a gustarle aquel juego de escamoteos. Releyó en las nubes el mensaje que le aconsejaba comportarse como si se hubiese tragado la engañifa y apuntó hacia la playa:

—Que el vapor fondee junto a la Punta del Encanto y que dispare desde allí dos cañonazos en dirección a la sierra.

Aguilar no disimuló su disgusto ante aquella petición caprichosa:

—Está bien. Pero el *Uranus* es un barco mercante y no tiene cañones, sino tan sólo un falconete. Por otra parte, los sitiadores podrían alarmarse... En fin, pediremos permiso a Novicio.

Martín Cerezo se reía mudamente, pero la risa sólo le agitaba el esqueleto, ya que sus carnes —demasiado magras para entonces— no podían agitarse. Lanzó a Aguilar un guiño jocoso:

—Seguro que se lo concede sin ningún problema.

—Espero que de esta manera concluyan al fin sus desconfianzas —dijo Aguilar, pasando por alto tantas excentricidades—. Mañana el barco fondeará en el lugar indicado y hará los disparos. Y así acabará esta resistencia tan heroica como inútil.

La voz de Martín Cerezo adquirió un tono entre la invectiva y la súplica:

—En su mano está... Bastaría con que dejasen de hostilizarnos.

Aguilar golpeó la tierra con el bastón de mando para descargar su ira. Empezaba a sospechar que Martín Cerezo estuviese trastornado:

—No sé de qué me habla. Si se refiere a los filipinos, les hostilizan porque están ustedes invadiendo un sitio que no les pertenece. En fin, lamentaría mucho que siguiese usted prolongando este calvario.

Enarboló la bandera española, antes de darse media vuelta, y se retiró, sin despedirse de Martín Cerezo, que se quedó durante unos minutos quieto, murmurando mientras Aguilar se alejaba.

—¿Dónde habrá robado ese majadero el uniforme? —dijo para sí. Y luego voceó con rechifla, haciendo pantalla con las manos—: ¡Eh, usted! ¡Para que se entere, el fajín ya no es preceptivo! Haga el favor de leerse las ordenanzas...

Aguilar se volvió a lo lejos, apenas un segundo, para dirigirle una mirada más piadosa que airada.

* * *

Desde muy temprano, Martín Cerezo se apostó en la torrecilla del campanario, devastada por el cañonazo que había recibido meses atrás y después precariamente restaurada por los sitiados con los tablones que habían podido rescatar entre los escombros. En los últimos meses, aquellos tablones habían sido además acribillados por las balas de los insurrectos, que habían dejado un enjambre de agujeros en la madera. A Martín Cerezo le bastó descifrar el mensaje escondido en tal escritura para saber lo que iba a suceder a continuación; también los jirones de la bandera que seguían izando cada mañana, confeccionada con vestiduras de monaguillo y tela de mosquitero, flameaban confirmando el mensaje grabado en la madera por las balas. Hacía una mañana sin apenas nubes en el cielo; pero Martín Cerezo ya no necesitaba más mensajes de advertencia para formarse un juicio firme, a pesar de que el médico Vigil se había empecinado en subir con él a la torrecilla:

—Ese tal Aguilar no era ningún impostor —insistía infructuosamente—. ¿Es que no se fijó en la prestancia con la que llevaba el uniforme?

Martín Cerezo chasqueó la lengua, impermeable a sus razones:

—Demasiada prestancia, diría yo. Dime de lo que presumes...

Vigil perseveraba en su empeño baldío, pero Martín Cerezo ya no lo atendía apenas. Sonaron de pronto los dos cañonazos o disparos del falconete; y se levantó una pequeña polvareda en la sierra.

—Ahí tiene otra señal, teniente —se desvivía Vigil—. El barco lleva bandera española y ha lanzado los dos cañonazos, después de situarse en la Punta del Encanto, tal como usted solicitó. ¿Qué más quiere?

Martín Cerezo vaciló por un instante, pero rayó el cielo una bandada de pájaros en abanico, ratificando sus sospechas. Se llevó los gemelos a los ojos y dijo sin inmutarse:

—Esos disparos podrían haberlos hecho desde la playa, no desde el barco...

Velado por la densa vegetación que ribeteaba la costa, se atisbaba un barco mercante; y por efecto de la distancia, parecía como si se hallase en la orilla misma. Martín Cerezo se apartó los gemelos, buscando un mensaje clarificador. Lo halló en los líquenes que habían crecido, a modo de incrustaciones calcáreas, sobre el tejado; leyó entre líneas y enseguida comprendió la tramoya que habían ingeniado los insurrectos:

—Ya decía yo que ese barco estaba demasiado pegado a la playa. En ese lugar, el agua no llega ni a la cintura; es el sitio donde se bañaron los hombres cuando llegamos a Baler —murmuró. Y luego berreó, para terror de Vigil—: ¡Y es que eso no es un barco!

El médico quiso arrebatarle los gemelos, pero Martín Cerezo se lo impidió; trató entonces de forzar la vista para distinguir el *Uranus*, pero la distancia se lo impedía. Intentó hacer entrar en razón a Martín Cerezo con una voz implorante, casi lloricosa:

—Puede tratarse de una ilusión óptica, teniente... Con la distancia a la que estamos y la vegetación que tapa la orilla puede que parezca estar más cerca de lo que en realidad está...

Martín Cerezo lo miró con lástima, casi con repulsa, como si Vigil acabase de hacerle alguna proposición deshonesta:

—¡Cuentos! —se envalentonó, volviéndose a llevar los gemelos a los ojos—: Ese barco es tan sólo un decorado que han fabricado los insurrectos. Apostaría los galones a que la chimenea la han hecho de nipa... ¡Y con qué facilidad y rapidez ejecutan las maniobras! ¡Pero si se ve a los tipos que cargan con el decorado! Mire, mire...

Le cedió al fin los prismáticos. Vigil los enfocó hacia la playa, pero el barco apenas era visible entre la espesa vegetación.

—¿Dónde está el decorado, teniente? —preguntó, perplejo.

—Ande, traiga para acá, que usted no se entera de la misa la media —dijo despectivamente Martín Cerezo, a la vez que le arrebataba los prismáticos para proseguir con sus delirios—. ¡Vaya, ya se han escondido esos bribones! —Se carcajeó, satisfecho, y le chistó a Vigil, para poder escuchar el mensaje cifrado en el trino de un pájaro—. ¿Conque un vapor, eh? Lo que hay en la playa es una barca disfrazada, y la están empujando a mano los insurrectos.

Vigil escuchaba sus desvaríos con un gesto mixto de pavor y resignado escepticismo. Entretanto, el teniente coronel Aguilar había vuelto a internarse, desde el campamento de los insurrectos, en la tierra de nadie, reclamando parlamento. Seguía vistiendo su irreprochable uniforme con el superfluo fajín incluido y portando la bandera española; pero esta vez, anticipando que Martín Cerezo podría poner reparos a la rendición fundándose en suspicacias delirantes, llevaba en lugar del bastón de mando un atado de periódicos de Madrid que demostraban que España había cedido la soberanía de Filipinas. Martín Cerezo dejó a Vigil en la torrecilla con tres palmos de narices y corrió a reunirse con Aguilar; el chirrido de los goznes del portón le dictó las palabras sarcásticas con que debía saludarlo:

—¡Buenos días, amigo! —dijo en un tono tan exultante como zumbón—. Imagino que habrán tenido que trabajar mucho esta noche para fabricar ese barco de pega...

Lo sacudió una risa nerviosa. Aguilar había sustituido el gesto bonancible por otro más bien inquieto:

—¿Cómo dice, alma de cántaro? ¿Todavía no está satisfecho?

—En ese barquito no podríamos cargar toda nuestra artillería, nuestras municiones y nuestros víveres —se burló Martín Cerezo—. ¡Porque nadamos en la opulencia, por si no lo sabía!

Aguilar observó que hacía extraños visajes, como si anduviera en comunicación con las musarañas. Empezaba a sentir por él más lástima que exasperación:

—¡Pero hombre, qué cosas dice! No tienen ustedes por qué llevarse nada de eso...

—¿Ah, no? —se hizo el despistado Martín Cerezo—. ¿Y qué hacemos entonces?

Clavó la vista en el renglón de escritura que trazaba sobre el suelo una larga hilera de hormigas camino de su hormiguero; le advertía tajantemente que no se dejara engatusar por aquel impostor. Y Martín Cerezo no se iba a dejar, por supuesto.

—Claro que no, teniente. Las armas se las dejarán a esta gente —dijo Aguilar, desarbolado.

—¿A los insurrectos? —preguntó al fin, ahogado por una risa floja.

La hilaridad le hinchaba la garganta como una gorguera. A Aguilar, en cambio, lo iba venciendo el enfado:

—¿De qué se extraña? Entérese de una maldita vez: hemos perdido la guerra. Lo mismo han tenido que hacer otros muchos destacamentos en Luzón. Mejor entregárselo a ellos que a los americanos, que en cuatro días estarán aquí.

Martín Cerezo se exasperó y pateó el suelo, cuidando de no alterar la escritura de las hormigas:

—¡La misma canción de siempre! Y si se ha firmado la paz y España ya no manda en estas tierras, ¿por qué no abandonan el asedio? —Y adoptó un ademán admonitorio—: Puede decir a sus jefes que estamos estupendamente y que comemos como marajás. Y que cuando se nos acaben las municiones y la comida estamos dispuestos a lanzar una ofensiva contra Manila.

Esta bravuconada última desengañó por completo a Aguilar, que retrocedió unos pasos, asustado de una posible reacción violenta de Martín Cerezo:

—¿Qué disparates está hablando? Si lo que quiere es suicidarse, deje al menos que sus hombres se salven.

—¡Mis hombres y yo formamos una piña indestructible! —se encrespó Martín Cerezo—. Que vengan, que vengan aquí sus jefes.

—¿Quiere decir que sólo si viniera en persona el general Ríos saldrían de la iglesia? —se esforzó inútilmente Aguilar por desentrañar el sentido de sus palabras.

Martín Cerezo le brindó una sonrisa ufana y enigmática:

—Tal vez. Ya veríamos...

Aguilar resolvió que no tenía sentido prolongar más aquel diálogo de besugos y decidió abandonar el campo. Arrojó con resquemor al atado de periódicos de Madrid a Martín Cerezo, que lo cogió al vuelo.

—Ahí le dejo prensa española. Lea, lea y verá. Así estará entretenido hasta que se celebre su consejo de guerra.

Y se alejó iracundo, precedido por los dos insurrectos que lo habían acompañado en su embajada. Martín Cerezo estudió atentamente las huellas que sus botas dejaban en el barro; descubrió en el tacón de una de ellas una muesca muy reveladora que le confirmaba que aquellos periódicos habían sido confeccionados en alguna imprenta clandestina de Manila.

—¿Periodiquitos falsificados a mí? —gritó a Aguilar, que tal vez ya no pudiera oírlo—. ¿Es que piensan que soy tonto y me voy a tragar ese anzuelo?

Aguilar, entretanto, ya había alcanzado las trincheras insurrectas, jurando en arameo y dispuesto a partir de inmediato, de regreso a la capital. Comentó a Novicio lo ocurrido, que se ajustaba a lo que Novicio había anticipado que ocurriría cuando Aguilar llegó a Baler. Pero lo que pudiera ocurrir a los *castilas*, prisioneros de sus quimeras y tozudamente aferrados a sus fantasmas, le resultaba ya por completo indiferente a Novicio, que mientras Aguilar seguía echando pestes leyó por enésima vez, entre la consternación y la ira, la última carta de sor Lucía, llegada en el mercante *Uranus*. Desde que se marchara a Manila, acompañada por Moisés, no había dejado Novicio de escribirle ni una sola semana; y sor Lucía había respondido a todas sus cartas, que llegaban a Baler —con menos asiduidad de lo que él hubiese deseado— en los barcos que habían empezado a hacer cabotaje por el litoral: así había sabido que, en penitencia o castigo por sus indisciplinas, sus superiores la habían destinado a un hospital de Manila regentado por las hijas de la Caridad; así había sabido también que había logrado que los jesuitas aceptaran a Moisés en su escuela de artes, donde ya el mestizo empezaba a descollar sobre los otros pupilos y a llamar la atención de sus profesores; así había sabido que sor Lucía añoraba Baler y a sus gentes, pero también y sobre todo los meses de vida agreste que había llevado con Novicio antes de la paz de Biacnabató, que para sor Lucía habían sido los mejores de su vida. En aquel intercambio epistolar que ya venía durando un par de meses, Novicio había hallado su huerto clausurado y su bienaventuranza secreta, en medio del tedio que le provocaba el cerco y de la angustia creciente que le procuraba el avance de los americanos. Pero, traída por el *Uranus,* le había llegado aquella carta aciaga en la que sor Lucía le comunicaba la decisión de sus superiores de enviarla a Madrid, donde nunca antes había estado, para apartarla del ambiente filipino, entendiendo que el tiempo que había pasado sola —primeramente secuestrada por los insurrectos y después encerrada en la iglesia de Baler— le habría infligido daños emocionales y espirituales que exigían descanso y un discernimiento de su vocación. La infausta noticia había desarbolado por completo a Novicio, que ya se las pintaba muy felices (también aquella expresión la había aprendido de sor Lucía) de maestro en Manila, dando clase en algún colegio de frailes y visitando todos los días a su benefactora y amiga, a su protegida y protectora, a su dulce amada patria. Sentía Novicio que la marcha de sor Lucía —de cuya duración nada se especificaba en la carta— trastornaba por completo su vida, la descentraba y desorbitaba (porque sor Lucía era a un tiempo su centro y su órbita), la extirpaba de su alma auténtica y hacía de él un apátrida al que sólo los recuerdos protegerían de la intemperie, un mendigo sin hogar y sin fe, un ángel sin alas, un pájaro sin canto, un río sin agua, un planeta sin luz. El teniente coronel Aguilar seguía despotricando contra Martín Cerezo, pero todo le importaba ya un ardite.

—Ese demente se niega en redondo a deponer las armas. ¡Valiente majadero! —escupía Aguilar, hecho un basilisco—. Por mí, Novicio, puede usted echar abajo esa iglesia y sepultarlos a todos bajo sus escombros.

—Así se hará —dijo él, con voz y mirada ausentes, para que Aguilar dejase de dar la murga.

La vida de aquellos *castilas* tercos le importaba un ardite, ahora que su luz y su agua y su canto y sus alas le habían sido arrebatados. Recorrió enrabietado las trincheras donde sus hombres languidecían de aburrimiento:

—¡Ya lo habéis oído! —gritó para enardecerlos—. Los *castilas* no se rinden. Quiero que tiroteéis la iglesia sin descanso. Y, si mañana siguen sin rendirse, volveremos a bombardearlos con el cañón que nos trajo el holandés.

Y los insurrectos comenzaron a disparar, acribillando la torrecilla de la iglesia, cuya armazón era ya una carcasa malamente apuntalada, también los parapetos y las aspilleras desde las que espiaban sus movimientos. Habían llegado a adquirir cierta habilidad en el manejo de los fusiles Remington; y las balas lograban a veces penetrar en la iglesia por las rendijas de las aspilleras y hendir el aire de la iglesia como tábanos rabiosos, para zozobra de los sitiados.

—¡Seguid disparando sin descanso! —los exhortó Novicio.

Y, acuciado por el llanto, se enclaustró en sus recuerdos, su única e inalienable propiedad, ahora que el aire que respiraba y la sangre que caminaba por sus venas se marchaban a Madrid.

* * *

El zumbido de aquellos tábanos rabiosos fundía su música con las palabras sonámbulas de los periódicos que el impostor llamado supuestamente Aguilar le había arrojado antes de marcharse. Martín Cerezo había gastado el día y la noche enteros en el escrutinio de aquellos periódicos, que se presentaban a simple vista como ejemplares atrasados de *El Imparcial*. Bajo los titulares en apariencia convencionales y siempre congruentes con las pretensiones de los insurrectos —«Regreso de los barcos con repatriados de Filipinas», «Estados Unidos rompe hostilidades con Aguinaldo», «Polavieja, nuevo ministro de la Guerra», etcétera—, Martín Cerezo se interesaba sobre todo por la tipografía menuda, por aquel brebaje de palabras repetidas y tumultuosas cacofonías que, en conjunción con el zumbido de los tábanos rabiosos, le susurraba mensajes trascendentales para el mantenimiento de la plaza. Aunque le costó varias horas llegar a comprenderlo —nunca le había resultado tan difícil descifrar un mensaje—, acabó por resolver aquel vasto criptograma, lleno de estructuras verbales truncas, de discordancias y solecismos y tautologías y otras barrabasadas sintácticas (pero no se le escapaba que los tagalos escribían en muy mal castellano) que, por momentos, a pique estuvieron de desanimarlo. Pero al fin, cuando la noche ya comenzaba a aclararse, logró desentrañar la clave que desvelaba el criptograma. Aquellos periódicos eran falsificaciones; primorosas, ciertamente, pero según tenía entendido los tagalos habían llegado a alcanzar gran esmero en el arte de la impresión. Bastó que dilucidara el mensaje que escondían aquellos periódicos falsificados para que cesara el zumbido de los tábanos furiosos. Los ojeó por última vez, con desgana y desprecio:

—La misma tipografía, la misma calidad del papel, el mismo tamaño... ¡Qué tunantes! —rió a placer—. ¡Qué mañosos son cuando quieren engañar! Pero conmigo no hay mañas que valgan.

Y lanzó varios zarpazos sobre los periódicos, arrugando sus hojas y desperdigándolas por el coro; algunas cayeron lentamente, como palomas tullidas, sobre el suelo de la iglesia. Los soldados, atenazados por el miedo, contemplaban su descenso calmoso, dudando si atreverse a recogerlas. Se oyó a Menache, sacudiendo la verja del baptisterio frenéticamente:

—¿Hasta cuándo pensáis agachar la cabeza como corderitos? —preguntó furibundo—. Vigil, Chamizo, vosotros sabéis leer y sois personas cultas. ¿Por qué no comprobáis si esos periódicos son de verdad falsos?

Chamizo y Vigil cruzaron una mirada contrariada, ante la interpelación acusatoria de Menache. En un arranque de coraje, Chamizo se incorporó de su jergón y se dispuso a recoger una de las hojas del periódico arrojadas al suelo.

—¿Adónde cree que va, soldado? —resonó en la penumbra la voz acre de Martín Cerezo.

Se había asomado hasta el mismo trampolín del aire, como si todavía el coro conservase su barandilla. Tenía la barba más facinerosa que nunca, la mirada más extraviada y candente, con la córnea de ese color amarillento que deja la nicotina en las manos.

—Quería tan sólo echarle un vistazo a la falsificación, mi teniente —se excusó Chamizo.

Martín Cerezo le dirigió una mirada más punzante que las balas, disuadiéndolo. Luego oteó desde la altura al resto de los soldados, que no osaban rebullirse:

—Olvídense de ese burdo embuste y repártanse las municiones —ordenó—. Mañana intentaremos romper el cerco enemigo y adentrarnos en el bosque.

Dirigió una mirada abrasada de rencor al baptisterio donde se hallaban encerrados Menache y González Toca. Luego descendió las escaleras del coro calmosamente, brincando sobre los peldaños como si jugase a la rayuela. Chamizo avanzó a su encuentro, distinguiéndose de la docilidad gregaria de sus compañeros, en quienes había cundido la desmoralización:

—Con todos mis respetos, mi teniente, lo que propone es un imposible —dijo, en un esfuerzo sincero por devolverlo a sus cabales—. Apenas somos una treintena de hombres enfermos y desfallecidos por el hambre. El terreno nos resulta mucho más desconocido que al enemigo y nos expondríamos a mil emboscadas. Y, allá donde vayamos, encontraríamos más partidas de insurrectos.

—Cada español vale por cincuenta insurrectos —lo desoyó engreído Martín Cerezo. Y enfiló hacia el baptisterio—. Pero antes me desharé de ese par de miserables.

Menache y González Toca habían reaccionado a sus palabras con estupefacción y horror, incapaces de seguir enhebrando improperios. Chamizo corrió para alcanzarlo:

—Perdone, mi teniente... ¿Qué es lo que ha dicho?

—Entiéndalo, Chamizo —le respondió con naturalidad—. No puedo arrastrar ese estorbo en mi salida.

Volvían a zumbar los tábanos furiosos, pero en esta ocasión no los azuzaba el tiroteo de los insurrectos, sino el enojo que la impertinencia de Chamizo le provocaba. También Vigil, a quien siempre había distinguido con su afecto, osaba separarse del resto de los soldados, atemorizados y estólidos, sumándose al conato de sedición. Martín Cerezo se juró que esa actitud no quedaría sin castigo.

—Déjelos atados y amordazados en el baptisterio, teniente —le propuso Vigil—. Así no podrán escapar.

—Si hiciese eso, tendría que asignarles tres o cuatro soldados de vigilancia —dijo Martín Cerezo, con una voz gélida—. Y cuando los insurrectos los encuentren, los interrogarán y enseguida les sonsacarán que no tenemos víveres y que apenas contamos con munición. Lo que hará que nos persigan más encarnizadamente.

Hablaba con un soniquete de engreída clarividencia que hizo perder la paciencia a Chamizo. Se abalanzó sobre él y lo agarró de la guerrera astrosa, zamarreándolo.

—¡Está hablando de hombres, maldito loco! —gritó—. ¡Está hablando de hombres, no de gusanos!

Martín Cerezo no opuso resistencia al desacato de Chamizo y dejó que lo zarandease, permaneciendo abstraído. Por un momento, Chamizo pensó ilusamente que había conseguido que entrase en razón; pero al momento siguiente, Martín Cerezo le sacudió una puñada en el rostro que le hizo bailar los dientes y lo tumbó en el suelo. Lo señaló mientras lo reprendía furioso:

—En atención a la valentía que ha demostrado en otras acciones no lo mando fusilar aquí mismo. —Y se dirigió a los demás soldados, petrificados por la incredulidad—: ¡Maniátenlo de inmediato! ¿O es que quieren terminar todos ante un consejo de guerra? ¡He dicho que lo maniaten!

Los soldados se mostraban remolones o remisos. Martín Cerezo había desenfundado su revólver, con el que apuntaba compulsivamente a unos y a otros, sin determinar su diana. Menache había vuelto a asomarse a la verja, tratando de arrancarla de sus anclajes; y esta vez se sumaba a su intento el cabo González Toca, que ya había entendido que aquella era su última oportunidad de salvar el pellejo:

—¡Vamos, muchachos! ¡Sois muchos y él uno solo! ¿A qué esperáis?

Martín Cerezo amartilló su revólver y encañonó en la sien a Chamizo, que todavía no había podido levantarse. Sustituyó la furia por un sosiego frío, aunque los tábanos lo picoteasen:

—Si no lo atáis por la vía rápida, os podéis ir despidiendo de él.

Entonces Santamaría se alzó del jergón y se despojó de su correaje para utilizarlo a modo de ligaduras. Su voz sonó mortificada:

—Yo lo haré. —Y agachándose ante Chamizo, mientras comenzaba a maniatarlo, murmuró—: Lo siento, Juan. Eres como un hermano para mí, y no pienso permitir que te maten.

Cuando concluyó su tarea, retrocedió otra vez hasta su jergón, en medio de la hilera de soldados que se pegaban a la pared menos castigada por la humedad, como leprosos en un lazareto. Martín Cerezo asintió complacido:

—Así me gusta. Ahora quiero voluntarios para un pelotón de fusilamiento.

Los soldados se encogieron en sus jergones, muy pudorosamente hastiados de aquella atrocidad. Menache y González Toca habían sustituido las exhortaciones a sus compañeros por una catarata de exabruptos y denuestos, a cada cual más malsonante, dirigidos todos ellos contra el teniente. Y, entreverados con aquel vómito de palabras sucias, como un rebozo de ortigas que les lastimase la garganta, se despeñaban los sollozos. González Toca, tratando de sobreponerse, pidió confesión:

—¡Tenemos derecho a la visita de un cura antes de ser fusilados! ¿No es tan amigo de respetar las ordenanzas? Pues eso es lo que dicen las ordenanzas.

A Martín Cerezo le sobrevino, como emergido de una vida anterior o más bien de una vida descatalogada, el recuerdo de su difunta Teresa, que también había solicitado confesión antes del parto. Y aquel recuerdo extendió en un instante una marea de alquitrán a su atormentada alma, confirmándolo en su designio de fusilar a Menache y González Toca. Intervino Chamizo, al que cada vez le importaba menos correr el mismo destino de los dos condenados, tal vez más benigno que el del resto de la tropa, sometida a la voluntad caprichosa de un demente:

—¿Es que va a matarlos sólo por el miedo a lo que digan, si consiguiésemos volver a España?

Martín Cerezo se volvió hacia él con ensañamiento:

—Voy a fusilarlos porque me asisten las leyes. Voy a fusilar a unos traidores convictos y confesos, en cumplimiento de las atribuciones que me otorgan los artículos 35 y 36 del Código de Justicia Militar.

Habría podido recitárselos de memoria, mientras los tábanos rabiosos se los susurraban al oído, pero prefirió no alardear. Chamizo dijo con doliente sarcasmo:

—El escrúpulo legal que no falte... En ese caso, consígales un cura que los confiese, como solicita el cabo.

—Responderá en su día ante un tribunal por insubordinación, Chamizo —dijo Martín Cerezo, zanjando la discusión. Y volvió a encañonar convulsivamente a los soldados y a desgañitarse—: ¡Necesito cuatro voluntarios para el fusilamiento! Vamos, a qué esperan.

Ninguno de los soldados se ofreció, como ninguno antes había tenido arrestos para pararle los pies; pues habían resuelto que el único modo de combatir la pujanza del horror era entregándose a una vida vegetativa. Algunos lo miraban con gesto sañudo, otros simplemente asqueado, mientras Martín Cerezo les sacudía puntapiés y mojicones, requiriendo su participación. Estaba más solo que nunca, pero lo acompañaba un enjambre de tábanos, picoteándole las meninges para infundirle ánimos.

—Tendrá que hacerlo usted mismo —le dijo Chamizo con desprecio.

Martín Cerezo había perdido con la sofoquina parte de su resolución inicial; pero el sentido del deber que los tábanos jaleaban se impuso finalmente a su flaqueza. Se dirigió al baptisterio y, colocándose a un metro escaso de la verja, disparó repetidamente, acorralando a ambos prisioneros contra las paredes abovedadas. Entre las detonaciones sonó la voz luctuosa de González Toca, al que el plomo ni siquiera dejó concluir un padrenuestro. Menache aguantó alguna bala más; mientras se desangraba por la tripa como un perro reventado por la rueda de un carruaje, las arrugas de su rostro se ennegrecieron, anticipando la gangrena. Resonó entre los muros casi demolidos de la iglesia su maldición:

—Hasta el derecho de confesión nos niegas, cerdo. Pero me alegro. De veras que me alegro. Así podré esperarte en el infierno. —Otra bala le rompió el pecho; pero aún reunió fuerzas antes de expirar—: ¡Hijo de puta, te juro que te estaré esperando en el infierno!

Y cayó hecho un garabato sobre el cadáver de González Toca. Chamizo, incrédulo todavía, se asomó al baptisterio en cuanto Martín Cerezo se apartó y se dejó caer lloroso sobre la verja. Pensó que la guerra no sólo envilece los ideales y ampara todos los crímenes, sino que también desarrolla en quienes la realizan todos los bajos instintos, sin exceptuar ninguno: la necesidad de humillar al prójimo hasta la locura, el egoísmo hasta la ferocidad, la maldad hasta el sadismo, la soberbia hasta la destrucción propia y ajena.

En el aire se había quedado estancado el perfume de la pólvora, como un incienso sacrílego.

* * *

Así transcurrió casi un día entero, en un silencio mortuorio y catacumbal, como de cuadro de Valdés Leal en el que pronto se podría oír, mientras empezaban a pudrirse los cadáveres de Menache y González Toca, la pitanza de los gusanos. Ninguno de los soldados se había movido de su jergón, donde algunos habían llorado sigilosamente y otros habían maldecido su negra suerte en secreto; y donde todos habían reclamado al cielo una señal que les abreviase aquel infierno en vida, aunque sólo fuese anticipándoles el infierno de ultratumba. Ni siquiera cuando los insurrectos volvieron a llevar a la primera línea de trincheras el cañón que a punto había estado, meses atrás, de derribar la fortaleza de la iglesia se inmutaron. Habían pasado la noche en vela, rumiando cada uno su propia soledad, enfrentados al silencio de Dios, menos Martín Cerezo, que ya había conseguido descifrar ese silencio y había podido al fin enzarzarse en una furiosa diatriba, hecha de palabras entrecortadas e ininteligibles, y se había entregado, por primera vez en mucho tiempo, al sueño, o mejor a la pesadilla; y en su pesadilla se había sentido, como ya le ocurriera cuando probó el veneno negro en el fumadero de Binondo, como una piedra que se hunde sobre un lecho de légamo, sin hambre alguna de ser, invadido de una muerte poderosa como un imán que tiraba de su alma hacia el fondo, siempre hacia el fondo, hasta reposar en algún cementerio abisal, al lado del cadáver de Teresa. El médico Vigil, en cambio, no había pegado ojo en toda la noche; y se había atrevido, incluso, a hojear a hurtadillas los periódicos supuestamente falsificados. Cuando Martín Cerezo despertó, miró detenidamente los diminutos orificios de termita en las maltrechas vigas del coro; su vista ya estaba tan avezada en el desciframiento de aquellos criptogramas que en apenas cinco minutos pudo concluir que su proyectada expedición hasta Manila se saldaría con un rutilante éxito que algún día sería estudiado en las academias como paradigma de táctica militar. Aleccionó a sus hombres:

—Ya hemos agotado las últimas provisiones —empezó—. Esta misma noche nos echaremos al monte. Cada soldado cargará con una parte alícuota de las municiones...

Vigil no lo dejó proseguir. Había caminado hasta situarse en el centro de la iglesia y enarbolaba una página de *El Imparcial*, como si fuera el estandarte andrajoso de su desfalleciente cordura:

—Teniente, basta ya. En este periódico hablan de la hija de don Ramiro Garzón.

Chamizo, que hasta ese mismo instante había permanecido tan alicaído como el resto de la tropa, se levantó como un resorte, pese a estar maniatado. Martín Cerezo miró con condescendencia a Vigil:

—Pues más a mi favor, mi querido amigo. Evidentemente, los insurrectos, con esa triquiñuela, se delatan todavía más. Porque ya me dirá usted qué pinta la hija de don Ramiro Garzón en un periódico de Madrid.

Vigil, haciendo caso omiso de las sinrazones de Martín Cerezo, empezó a leer la noticia, con Chamizo a su vera:

—«La bella señorita Guicay Garzón fue hecha prisionera por los tagalos y liberada gracias a la intrepidez del heroico capitán Enrique Las Morenas. —Martín Cerezo quiso interrumpirlo, impaciente, pero Vigil ni siquiera se inmutó—. Ahora, recién llegada a Madrid, la señorita Garzón disfruta de las novedades que le brinda la capital. "Ninguna tan apasionante como montar en tranvía, nos asegura. Un soldado del destacamento de Baler, al que espero volver a ver pronto, me había hablado de la aventura de montar en un tranvía eléctrico, y lo cierto es que no me ha decepcionado..."».

A Chamizo lo golpearon a la vez la nostalgia y la ira. Caminó como sonámbulo, pero enseguida, poseído por una forma de violenta clarividencia, se abalanzó sobre las escaleras del coro, que subió a grandes zancadas, comiéndose los peldaños:

—¡Yo le hablé de los tranvías de Madrid! —gritó—. ¡Yo le dije que tenía que probar a montarse en un tranvía eléctrico, maldito loco!

Embistió como un ariete contra Martín Cerezo y rodaron juntos por el coro. De repente, la voz del teniente sonó con otro timbre más claro, como si por fin pudiera respirar tras una larga zambullida:

—¿Cómo ha dicho? Repita eso.

Su imperturbabilidad había empezado a agrietarse. También la entereza de Chamizo se desmoronaba, rondada por el llanto:

—Yo le hablé de los tranvías. Eso no han podido inventarlo los tagalos...

Martín Cerezo buscó consejo en los mensajes cifrados que lo asistían en sus decisiones, pero todos habían enmudecido de repente: los orificios de bala en el tejado de cinc no escondían ningún código morse, en los agujeros de las termitas no había ninguna escritura microscópica, la delicada arquitectura de las telarañas no encubría revelaciones trascendentales; y, en general, todos los lenguajes crípticos o quiméricos que había aprendido en las últimas semanas se escurrían en torbellino por el desagüe que Chamizo acababa de desatascar. Se hizo un silencio ofendido entre los soldados, que miraban hacia el coro acusatoriamente, mientras Martín Cerezo trataba de asimilar la revelación:

—¡Válgame el cielo! —se asustó—. ¿Qué es lo que he hecho?

Y repitió en letanía, una y otra vez, esta misma frase, mientras bajaba del coro, como un campanero todavía atronado por el tañido del bronce que empieza a recuperar con perplejidad el sentido del oído. Chamizo acompañó con reproches su regreso a la cordura:

—Esos periódicos no eran falsos. España se ha rendido hace seis meses. Hemos estado defendiendo una tierra que ya no es nuestra.

Mientras Chamizo hablaba, arrojando vitriolo sobre su conciencia, Martín Cerezo contempló, como en un mareo de vértigo, las paredes de la iglesia, llenas de desconchones y resquebrajaduras, el corral atestado de túmulos, los soldados famélicos de cuya vida había dispuesto sin misericordia. De sus rasgos se había disipado el último residuo de furia; y el abatimiento y la consternación ocupaban su sitio. Abandonado por la locura que hasta entonces le había servido de coraza frente la realidad, volvió a saberse solo, amputado de su familia, maldito de Dios y de los hombres:

—Luego era cierto todo... —musitó, como en un trance—. Las advertencias de Novicio, las embajadas de Olmedo y Aguilar... todo era cierto. ¡Dios santo!

Chamizo asintió, con más cansancio que ensañamiento:

—Era cierto todo, sí. Quizá se haya ganado la gloria, pero le compadezco. No creo que su conciencia le deje disfrutarla.

Martín Cerezo camino errátil hasta el portón de la iglesia. No se atrevió a desviar la mirada hacia el baptisterio, donde se pudrían los cadáveres de Menache y González Toca, en su singladura hacia ultratumba.

—Ni aunque viviera cien vidas podría resarcirlos por todo el mal que les he causado... —dijo a los soldados, con una voz deshilachada y contrita—. Mi castigo consistirá en seguir viviendo. Espero que ustedes sepan perdonármelo algún día. —Tomó aire, que le supo a herrumbre, antes de lanzar la última orden—: Enseñen bandera blanca. Nos rendimos.

Asomaron por una tronera el roquete repescado de la sacristía, que ya apenas era blanco, y abrieron el portón, cuyos goznes esta vez se quejaron dulcemente, o así al menos pareció a los soldados. Se quedaron todos en el umbral, agrupados y sosteniéndose los unos a los otros, como tullidos que acabaran de ser desahuciados del asilo de beneficencia; los lastimaba la luz del sol con filos de puñal, aunque era un sol que todavía no había alcanzado su cenit. Los sitiadores, estupefactos, abandonaron las trincheras y se dirigieron a la carrera hacia la tierra de nadie, con gesto a la vez expectante y belicoso, armados con sus bolos y fusiles, como si estuviesen dispuestos a lanzarse a la degollina. Novicio, que ya había desesperado de que los *castilas* fueran a deponer las armas, se quedó al principio pasmado; pero reaccionó enseguida, temeroso de que sus hombres desaguaran el despecho acumulado durante casi un año de asedio lanzando un ataque desigual contra aquellos espectros de hombre. Montó de un brinco sobre su caballito, sin ensillarlo siquiera, y galopó hasta ponerse al frente de los sitiadores. Se detuvo ante el parapeto levantado en derredor de la iglesia y miró a los españoles con gesto apenado: parecían una procesión de ánimas en pena, andrajosas y casi descalzas, pálidas y tumefactas; y no faltaban algunos enfermos que necesitaban ser transportados en parihuelas. Poco a poco se iban adaptando sus pupilas a la luz del sol, que escondía sus filos de puñal para hacerse bálsamo y bendición. Santamaría se acercó a Chamizo por la espalda y le cortó las ligaduras con las que él mismo lo había amarrado, aprovechando sus correajes.

—¿Te acuerdas cuando me cogí aquellas purgaciones en Port Said, Juan? —le preguntó en un susurro—. ¡Y pensaba yo entonces que aquel era mi castigo por lo que allí hice! Un pellizco de monja fueron aquellas purgaciones. El castigo estaba por venir.

Chamizo lo miró meditabundo. Pensó que, cuando por fin volviesen a casa, estarían agotados, deshechos, sin raíces y sin frutos, incapaces de encontrar el sendero que les permitiera abandonar el laberinto de horrores vividos. Nadie en España podría comprender en plenitud su dolor moral, porque las generaciones anteriores estarían ocupadas tranquilamente en sus quehaceres y en la crianza de sus hijos; y las posteriores juzgarían pronto que aquel episodio ocurrido en los arrabales del atlas era una fábula de abueletes pelmazos que convenía arrumbar en el desván. Y llegarían a hastiarse de sí mismos: algunos se adaptarían resignadamente a la vida civil; otros seguirían alimentando bilis y resentimiento; y los habría, en fin, que se irían amustiando de desapego y escepticismo, muertas para siempre las ansias de futuro que tenían antes de ser reclutados, ciegos para los mil rostros del porvenir que antes los saludaban en cada esquina. Pero Chamizo quiso pensar que al menos un rostro de ese porvenir seguiría saludándolo: el rostro de Guicay, quien para entonces era su única patria; y pensó también que, sólo por la aventura de montar con ella en tranvía, merecía la pena seguir vivo. Trató de transmitir a Santamaría este pálpito de esperanza:

—Este ha sido nuestro castigo y nuestro premio, Salvador —le dijo—. Estamos vivos, no todos pueden decir lo mismo.

—¿Vivos para qué? —se lamentó Santamaría.

Chamizo lo tomó del hombro y lo estrechó contra sí:

—Para aprender de los errores, amigo. Para volver a nacer. Para dejar atrás una vida antigua.

Aquella esperanza de una vida abierta a un renacimiento tal vez fuese en exceso presuntuosa; pero no quería ver taciturno a Santamaría, que rezongó con sana envidia:

—¡Claro, eso lo dices porque... menuda moza te está esperando en Madrid!

Chamizo lo abrazó como si quisiera fundir su sangre con la sangre agitanada de Santamaría:

—¡Pues anda que no habrá mozas guapas en Campo de Criptana! —lo animó—. Y todas van a recibirte como a un héroe, Salvador; todas beberán los vientos por ti y podrás elegir a la que más te guste.

—Que Dios te oiga y tú lo veas.

—Eso dalo por seguro, amigo —sonrió Chamizo—. Porque pienso ir a visitarte a tu pueblo.

Entretanto, los sitiadores ya se habían congregado todos en derredor de los parapetos; y a ellos se había sumado una multitud de balereños que aguardaba que se resolviese al fin aquella situación. Crecía un murmullo de expectación entre los circunstantes; y tanto españoles como tagalos miraban a Novicio, esperando que diese la orden de ataque o de clemencia. Entonces, inopinadamente, habló el teniente Martín Cerezo, con una voz cansada en la que, sin embargo, todavía alentaba la petulancia:

—Capitulamos porque no nos queda comida, pero deseamos hacerlo de forma honorable —dijo, dirigiéndose a Novicio—. No queremos que nos hagan prisioneros de guerra; y les pedimos también que nos hablen sin ambages y sin engaños. A la menor señal de incumplimiento por su parte, lucharemos hasta morir matando.

Novicio se quedó mirándolo como si quisiera triturarle las carnes magras y chuparle el tuétano de los huesos. Aquellos cabrones testarudos aún tenían la osadía de exigir condiciones para su rendición. Volvió la vista atrás, en busca de un asistente que se abría paso entre la multitud, trayéndole el sable de mando, resguardado en su vaina. Novicio lo desenfundó y lo mantuvo en una posición ambigua, como si fuese a ordenar una carga, mientras lanzaba una mirada recriminatoria a Martín Cerezo. Le habría gustado que sor Lucía hubiese estado allí, presenciando la escena.

—¡Hijos de Filipinas, patria adorada, región del sol querida, perla del mar de Oriente! —exclamó, recordando el poema de despedida de Rizal.

Hizo un amplio ademán con el brazo que sujetaba el sable, para ponerlo erguido. Su caballito se quiso encabritar, pero Novicio lo refrenó. Gritó:

—¡Presenten armas a estos valientes!

Hirió con su sable al sol, en señal de homenaje. Los tagalos abrieron un pasillo a los soldados *castilas*, para que pudieran desfilar, presentando una enramada de fusiles sobre sus cabezas. Entre el clamor popular, en columna de a dos, marcharon los españoles derrengados, dejando atrás la iglesia, como un caparazón inerte del que ha desertado la vida. Novicio murmuró, mientras los veía desfilar:

—Valientes y testarudos...

Y cruzó otra mirada, ahora compasiva, con Martín Cerezo. El aire limpio de la mañana desentumecía los remordimientos; pero el teniente pensó que el tiempo actuaría sobre esos remordimientos desgastándolos, puliendo poco a poco sus aristas, embelleciéndolos con un barniz de gloria, hasta hacerlos desaparecer.

EPÍLOGO

Agosto de 1899

Al general Camilo Polavieja, rutilante ministro de la Guerra en el gabinete del presidente Silvela, lo incomodaba participar en aquel homenaje a los «héroes de Baler» que al día siguiente arribarían al puerto de Barcelona. O, más exactamente, lo incomodaba todo lo que atañía a Filipinas, aquella porción de España arrebatada por los americanos, que no habían hecho sino aprovechar la descomposición institucional y moral de la patria. Por un lado, Polavieja tenía la certeza —tal vez un tanto engreída— de que, si el difunto Cánovas hubiese accedido a enviar más tropas cuando él era capitán general y gobernador de aquellas tierras, la rebelión habría sido sofocada, sin necesidad de recurrir a la componenda grotesca —y a la postre fatal— de la paz de Biacnabató, indignamente aceptada por su inepto sucesor en el cargo, el general Primo de Rivera, con los auspicios del ablandabrevas de Sagasta. Pero, al mismo tiempo, Polavieja tenía la sospecha —delatora de su mala conciencia— de que el fusilamiento de José Rizal, que él mismo había ratificado por partida doble (firmando primero la sentencia de muerte y negándose después a conceder el indulto) podría haber exacerbado los ánimos de los insurrectos y la desafección en general de los filipinos, que ya nunca más habían visto a España como madre, sino más bien como madrastra cruel. Polavieja, en fin, se sabía partícipe, por intervención directa o por omisión, de los errores cometidos en Filipinas, o siquiera instrumento de los errores de otros; y sólo deseaba que aquel episodio poco edificante de la historia española quedase pronto traspapelado. Acababa de instalarse en el vagón del tren que lo llevaría hasta Barcelona, para presidir el recibimiento a los «héroes de Baler»; se trataba, naturalmente, de un vagón acondicionado para acoger a tan ilustre pasajero, con las paredes forradas de raso y terciopelo, un bufete en el que podría redactar o firmar despachos durante el viaje, así como una cama y servicio de aseo protegidos de la curiosidad de los visitantes por una mampara japonesa. Ya era la hora anunciada para la partida; asomó su cabeza, después de golpear ceremoniosamente la puerta del vagón, su secretario o edecán.

—¿Mando pasar a los periodistas, Excelencia? Esperan ardientemente sus declaraciones.

Polavieja se levantó con precaución de la silla poltrona que le habían dispuesto al pie del bufete. A veces ya no sentía como propio su cuerpo, baqueteado en mil batallas y desvalijado por el reúma, que era una batalla acaso más impía. Se acercó, cuidando de no trastabillar en la alfombra, al espejo de medio cuerpo que pendía de una de las paredes del vagón, y contempló sin sorpresa ni entusiasmo su perfil numismático, su bigotón de morsa, su mirada de astucia cansada.

—Supongo que estarán bien aleccionados y que no harán más preguntas que las pactadas... —dijo Polavieja, vencido por la rutina o el tedio.

—Por supuesto —se apresuró a confirmar su secretario o edecán—. Ya sabe Vuecencia que todos los periódicos de Madrid han renunciado gustosos a hacer preguntas impertinentes, a cambio de ser testigos en primera fila de este magno acontecimiento histórico.

Polavieja se alisó la casaca del uniforme de gala, acribillada de condecoraciones, y se ciñó el fajín lo justo, para que no resaltase demasiado su tripa. Rezongó:

—Nuestras buenas perras nos cuesta tener contenta a esa purrela... —Y, volviéndose al secretario o edecán, lo corrigió—: Y magno, magno, tampoco es que sea el acontecimiento, no conviene exagerar. En fin, dígales a esos plumillas que pasen.

Se atusó el bigote, se aplastó con saliva algunos pelos levantiscos del colodrillo y se desplazó lentamente hasta el bufete, detrás del cual aguardó berroqueño la llegada de los periodistas, que entraron en tropel, demasiado desenvueltos y alborotadores para su gusto. Polavieja siempre había sospechado que los directores de los periódicos, aunque recogían todos los meses el consabido sobre del fondo de reptiles, no lo compartían con aquellos pobres gacetilleros, que vivían a salto de mata, obligados a la extorsión y al sablazo. Carraspeó y empezó su discurso, con una pomposa falta de convicción:

—En nombre de Su Majestad el Rey y de su augusta madre, es un honor inmenso para este gobierno que humildemente represento brindar a nuestros gloriosos héroes de Baler el recibimiento que sus probadas virtudes merecen. Durante trescientos treinta y siete días aguantaron el asedio de los insurrectos, con desprecio de sus vidas, sin esperar otra recompensa que la gratitud de los españoles y la honra de la patria. El teniente Saturnino Martín Cerezo ha demostrado un arrojo digno del Cid o don Pelayo. —Le gorgoteaban los lugares comunes en la garganta, como sapos ahítos—. Y como él, los hombres que entregaron su sangre generosa por España: el capitán Moreno...

La mayoría de los gacetilleros no se inmutaron cuando trabucó el apellido y siguieron tomando notas en sus libretas. Sólo uno con pinta de grano en el culo, revirado y tirillas, se atrevió a rectificarlo:

—Las Morenas. Enrique Las Morenas.

Abochornado, el general Polavieja lo abrasó con una mirada rencorosa:

—Sí, perdón, el capitán Enrique Las Morenas y... —Quiso recordar algún otro nombre, pero no le vino ninguno a la cabeza—. Y, en fin, todos y cada uno de aquellos gloriosos mártires cuya gesta recordarán los siglos venideros. Con su regreso a la patria que los recibe con los brazos abiertos, podemos dar por concluida la repatriación de españoles desde Filipinas...

No era cierto. En Filipinas aún aguardaban su liberación más de cinco mil españoles, entre soldados y religiosos, abandonados por su gobierno, que no había apoquinado por ellos el rescate que reclamaba en concepto de indemnización Emilio Aguinaldo, una cantidad muy inferior a los veinte millones de dólares que los Estados Unidos habían pagado, también en concepto de indemnización, al gobierno español, que ya se había zampado el pastel; pero la prensa libre nada tenía que decir sobre esto, ocupada en repartirse los sobres del fondo de reptiles.

Polavieja calculó que, si el día en que al fin fuesen liberados aquellos cinco mil españoles, se organizase un teatro semejante al que se había montado para recibir a los «héroes de Baler», habría que disponer al menos cien trenes. En aquella ocasión habían sido reservados hasta cinco vagones para dar cabida a los familiares de los supervivientes del destacamento de Baler; y aun así el Ministerio de la Guerra no había podido atender todas las peticiones. Mientras Polavieja seguía endilgando su discurso plomizo a la prensa libre, por el andén corría premiosa sor Lucía, alzándose levemente el vuelo del hábito para no enredarse con él y sujetándose la toca, cuyas alas se agitaban como si fuesen a emprender el vuelo. Al llegar al vagón, coincidió en la escalerilla con Guicay Garzón, que viajaba a Barcelona para reunirse con Chamizo. Subieron juntas; y, mientras recuperaba el resuello, sor Lucía comprobó con agrado que Guicay seguía vistiendo al modo filipino, aunque fuese someramente occidentalizado, para no llamar en exceso la atención. Aspiró con deleite el aroma del aceite de coco que impregnaba sus cabellos, recogidos en un posó pero añorantes de desbordarse otra vez, cuanto antes mejor.

—No sabía que estuviese en Madrid, hermana —se excusó Guicay, sorprendida—. Si me lo hubiesen dicho, ya habría ido a hacerle una visita...

Había recuperado el esplendor de los veinte años escasos y la belleza propiciada por la concurrencia de sangres. Sor Lucía suspiró contrariada:

—En realidad sólo estoy a medias, porque el alma me la dejé allí. Pero es la penitencia que me han impuesto. —Formuló un mohín travieso—. Espero que no sea muy larga, porque cada minuto lejos de Filipinas se me hace eterno.

—Lo mismo me ocurre a mí —confirmó Guicay—. Sólo he aguantado sin regresar por esperar a Juan. ¡Ahora tengo que convencerlo para que nos casemos allí! Yo había pensado que, siendo él maestro, podríamos abrir una escuela en Baler...

Guicay extrajo del bolso la saboneta que le había regalado Chamizo y consultó la hora, que excedía en más de quince minutos la establecida para la partida. Echó otra vez la tapa y cobijó la saboneta en sus manos, para acompasar su tictac con el pulso de su sangre.

—¿Y has tenido noticias de Juan y de sus compañeros? —le preguntó sor Lucía.

—Juan me escribió desde Manila, mientras esperaban la orden de embarque —respondió Guicay—. Al parecer, el traslado por tierra hasta Manila fue relativamente tranquilo, gracias a que Novicio les consiguió un salvoconducto firmado por el mismísimo Aguinaldo, en el que se ponderaban su valor numantino y sus virtudes. Ya sabe usted que a mis paisanos les gusta mucho la retórica.

Se rieron ambas, nostálgicas de aquella retórica dulce y cálida. El tren al fin se había puesto en marcha muy perezosamente, como si le costase espantar la indolencia.

—Son hidalgos de alma —dijo sor Lucía, súbitamente melancólica.

Recorrieron el pasillo, todavía entorpecido de pasajeros, en busca de su compartimento. Guicay preguntó:

—¿Y usted qué sabe de Moisés, hermana?

—Todas las semanas me escribe —voceó sor Lucía, para hacerse oír entre el chirrido de las bielas—. Está entusiasmado en la escuela de artes de Manila, que pronto se le quedará pequeña, aunque a la vez sufre mucho, viendo a su pueblo pisoteado por los yanquis. Yo ando moviendo mis hilos para ver si consigo que le den una plaza en la academia de San Fernando. —Se detuvo ante la puerta de su compartimento, que era también el de Guicay. Hizo una pausa luctuosa y su sonrisa se volvió de ceniza—: De quien nada sé, en cambio, es de Teodoro...

—¿De Teodoro? —se extrañó Guicay, que por fin cayó en la cuenta—: ¡Ah, se refiere usted al cabecilla Novicio!

Pasaron al compartimento, avanzando entre estrecheces, pues ya estaba casi lleno. Sor Lucía protestó con donaire:

—¿Cabecilla, dices? De eso nada. ¡Cabeza, corazón y alma! El hombre más noble que he conocido en mi vida. —Se le quebró un poco la voz, como rondada por el fantasma pálido de la soledad—. No he vuelto a saber nada de él. Pero espero volver a tener noticias suyas, cuando la situación se calme...

La sostenía una esperanza herida, magullada, pero todavía invicta. Entre los pasajeros del compartimento, justo enfrente de sor

Lucía, se sentaba una mujer de poco más de treinta años, vestida de riguroso luto, de una belleza en sazón tal vez un poco arisca. Iba acompañada de un niño de mirada muy despierta y vibrante, un poco avasallado por la orfandad. La mujer la abordó tan pronto como sor Lucía se acomodó:

—Disculpe, hermana, pero tengo entendido que usted convivió durante meses con mi difunto marido en el sitio de Baler y que lo trató mucho —dijo, con una suerte de compungida timidez—. Era el oficial al mando, el capitán Enrique Las Morenas.

Sor Lucía la miró con un púdico alborozo, sin querer ofenderla en su duelo:

—¡Entonces usted debe de ser Carmen y este, su hijo Enriquillo! Claro que traté a su marido, señora. Y creo que llegué a conocerlo bastante bien...

Carmen, la viuda de Las Morenas, hablaba con una ansiedad atropellada:

—Y, si llegó a conocerlo, imagino que también llegaría a admirarlo. ¡Era Enrique un hombre tan admirable!

La firmeza de sus palabras demandaba una inmediata anuencia. Sor Lucía no necesitó mentir ni exagerar:

—¡Y tanto que lo era!

—Me enorgullezco mucho de haber sido su esposa y de haber tenido un hijo con él... —dijo Carmen, revolviéndole el pelo a Enriquillo, que se mantenía mudo, como si la agitación levemente histérica de su madre lo abochornase—. ¡Nadie lo ha conocido tan bien como yo!

Tal vez tuviera razón; pero lo había dicho con un mohín agrio en los labios, como cuando decimos a los amigos que nadamos en la abundancia, sabiendo íntimamente que ya hemos agotado nuestros ahorros. Sor Lucía asintió educadamente, mientras Carmen proseguía:

—¡Y no puede imaginarse cuánto celebro poder ahora conversar con usted! Según tengo entendido, usted fue la persona que escuchó sus últimas palabras...

Seguía hablando incesantemente, en un tono que se pretendía exaltado, pero en el que anidaba la desolación, o siquiera las dudas más torturantes. Sor Lucía había sido, en efecto, la destinataria de las últimas palabras del capitán, que recordaba a la perfección: «Fue un honor conocerla, sor Lucía. El más alto honor de mi vida». Y recordaba el vals que juntos habían bailado en la plaza de los naranjos, cuando el perfume del azahar minó sus reservas; y también los paseos por las calles de Baler, levantando cuchicheos y comidillas, mientras el capitán supervisaba la construcción del edificio de comandancia; y la danza «cariñosa» en la hacienda de don Ramiro Garzón, como un cortejo de mariposas; y la perplejidad de Las Morenas, cuando le preguntó enfadada si el militar era el escudo del hombre, después de que él le hubiese inquirido a ella si la monja era el escudo de la mujer... Eran muchos, tal vez demasiados los recuerdos y confidencias que guardaba del capitán Las Morenas; y no todos podían contarse, porque eran el fruto de una verdad enfrentada a otra verdad. Enriquillo la miraba con ojos absortos, rumorosos de llanto.

—Saluda a la hermana, hijo. Se llama sor Lucía —le ordenó Carmen—. Tal vez el capitán le hablase de Enriquillo...

—¿Que si me hablaba de él? ¡No se le caía el nombre de Enriquillo de la boca! —dijo sor Lucía con entusiasmo y le hizo una carantoña al niño, dirigiéndose a él—: Tu padre estaba orgullosísimo de ti, pequeño. Y te echaba mucho de menos. Me dijo que todas las noches, en lugar de cuentos, te contaba batallas...

Saltó al quite la viuda, temerosa de avivar llamas que ya creía extintas:

—En realidad, eso fue hace bastante tiempo. Porque ahora ya no quiere saber nada de batallas. —Lo miró con una nerviosa intensidad, como demandándole aquiescencia—. Enriquillo quiere ser de mayor notario o registrador de la propiedad. ¿Verdad que sí, hijo mío?

Enriquillo se hurgó en los bolsillos del pantalón, muy abultados, y se encogió de hombros. Avergonzado, preguntó:

—¿Puedo salir al pasillo a jugar, madre?

La petición desagradaba a Carmen, que sin embargo se hizo la magnánima ante sor Lucía:

—Está bien, pero no te alejes mucho. —Enriquillo salió escopetado; y Carmen se sinceró con sor Lucía—: No quiero que nuestro hijo siga la carrera militar. Es algo que su padre y yo hablamos, justo antes de separarnos en Manila.

Los ojos se le llenaron de lágrimas en tromba que le empaparon el rostro, haciéndolo resplandecer.

—Tampoco ponga demasiado énfasis en ello —le recomendó sor Lucía—. Basta que a un niño se le quiera prohibir algo para que se empeñe más en hacerlo.

—Procuraré seguir su consejo —asintió Carmen, enjugándose las lágrimas con un pañuelo—. He sido muy feliz al lado de mi marido y ahora temo ser desdichada en la misma medida. Claro que al menos me quedan los recuerdos...

Repetía una y otra vez, de forma circular, la misma idea, disfrazándola de expresiones distintas, como si necesitase convencerse a sí misma. Sor Lucía se apiadó:

—Es hermoso recordar a las personas que hemos querido —dijo, con un deje de serena tristeza.

Carmen se inclinó hacia delante y tomó las manos de sor Lucía. La ansiedad la obligaba a ser un poco capciosa:

—Pero nunca me perdonaré por no haber estado a su lado cuando murió...

Por un instante, se apoderó de sor Lucía un enojo sordo, pero se contuvo:

—Le aseguro que murió con la misma nobleza con la que había vivido.

—¡Pobrecillo! —volvió a llorar la viuda—. ¡Echaría tanto en falta mi compañía, mis besos y caricias! A veces, cuando pienso en los muchos meses que pasó en esa iglesia de Baler, me acongoja imaginar su soledad. Tanto tiempo allí encerrado sin saber nada de mí... tuvo que hacerle mucha mella.

Sor Lucía la miró por un instante con disgusto. No le agradaba aquel afán de querer arrogarse el papel de la esposa modélica; pero decidió brindarle un engaño que le sirviese de consuelo y apaciguase su ansiedad:

—¡Muchísima mella! —le dijo—. No sabe cuantísimo la echaba de menos. Y en sus últimas palabras...

Se asustó de su osadía. Carmen, premiosa y otra vez arrasada por el llanto, le aferró agónicamente las mangas del hábito:

—Dígame, por Dios se lo pido, cuáles fueron. Yo lo amaba tanto...

Pero en sus lágrimas se atisbaba el miedo al desengaño. Sor Lucía, sacando fuerzas de flaqueza, le regaló su mejor sonrisa y habló despacio:

—Las recuerdo perfectamente... Repitió su nombre varias veces y luego añadió: «¡Cuánto te he querido, Carmen! Has sido mi vida entera».

Carmen exhaló un suspiro de alivio, luego prorrumpió en un llanto triunfante, como si todo su dolor se hubiese lavado en las aguas del consuelo. Ocultó jubilosa la cara entre las manos; cuando volvió a mostrarla, sonreía radiante, tan radiante como en el día de su boda:

—Tenía esa corazonada. No sabe lo feliz que me ha hecho, hermana.

Sor Lucía miró con dulce desasimiento el paisaje de blancos alcores y cielos velazqueños que corría raudo por la ventanilla. También miró a Guicay, buscando en su sonrisa la complicidad.

—No sabe usted, Carmen, lo feliz que me ha hecho a mí poder transmitirle esas palabras literalmente. ¡Ese ha sido todo mi mérito! —Contempló con gusto el silencio agradecido, casi extático, de la viuda y se levantó de su asiento—. Si no le importa, voy a ver qué está haciendo su hijo, mientras usted medita esas palabras.

Carmen hizo amago de levantarse por cortesía, pero sor Lucía no se lo permitió. Al salir del compartimento, cuando se dirigía hacia Enriquillo (que jugaba sentado de espaldas en el pasillo), se tropezó con los periodistas que volvían a su vagón, zarandeados por el traqueteo del tren o aturdidos por el discurso grandilocuente y falsorro de Polavieja. Un periodista picado de viruelas comentó:

—Total, que piensan despachar a esos pobres soldados con una pensión de dos reales diarios. Tendrán que pedir limosna para no morir de hambre.

Otro que parecía el más revirado o díscolo, delgado como un huso, ironizó:

—Más les hubiera valido ser toreros que dejar tan alto el honor de la patria.

A sor Lucía sus comentarios, tan descarnados como verdaderos, le dolían como puyazos. Todavía un tercer periodista, más cándido o bondadoso que los otros, añadió:

—¿Y os disteis cuenta? Confundió el nombre de Las Morenas. Como para acordarse de cómo se llamaban los soldados rasos.

—Siempre pasa lo mismo —remachó el periodista más revirado y tirillas—. Se recuerda a los Martín Cerezo de turno y los demás quedan olvidados.

Sor Lucía no pudo aguantar más y se inmiscuyó en su conversación:

—Eso no es cierto.

Los periodistas se quedaron clavados en el pasillo, temerosos de que aquella monja fuese pariente de los soldados o, todavía peor, una correveidile de Polavieja.

—Disculpe si la hemos ofendido... —comenzó uno.

Sor Lucía se abrió paso entre ellos, para acercarse a Enriquillo, que seguía embebido en sus juegos:

—Esos soldados no quedan olvidados, señores, porque no están muertos —dijo con júbilo, aunque al fondo de su voz anidase una recatada tristeza—. Siempre hay alguien que guarda su memoria. Seguimos escuchando su voz, seguimos viendo sus rostros, seguimos hablando con ellos en nuestras oraciones. Mientras nos quede una gota de vida, seguirán presentes entre nosotros. Y, cuando nosotros hayamos muerto, otros más jóvenes nos tomarán el testigo... —Señaló hacia Enriquillo, de espaldas al grupo—. ¿Se han fijado en ese niño tan guapo? Se llama Enrique, como su padre.

Al conjuro de su nombre, Enriquillo volvió la cabeza y sonrió tímida pero gozosamente a sor Lucía; ella le correspondió orgullosa. La intensidad de sus palabras había intrigado a los periodistas, que sin embargo no alcanzaban a comprender. Cedieron el paso a sor Lucía.

—Perdone, hermana, la curiosidad —se atrevió uno de ellos—. Y usted, ¿quién es?

Sor Lucía hizo un gesto cariñoso a Enriquillo, pidiendo que la esperase tan sólo un segundo. Se volvió hacia los periodistas, risueña:

—¿Yo? Una monja, nada más que una monja.

Y los dejó atrás, para reunirse con el niño, que se abrazó a sus piernas, llorando pudorosamente. Sor Lucía pudo ver entonces cuál era el juego que lo mantenía tan embebido.

Eran soldaditos de plomo.

Cuando los americanos tomaron Baler, Teodorico Novicio fue encerrado en una jaula de bambú, donde se le dejó morir de hambre.

El capitán Enrique Las Morenas fue promovido, a título póstumo, al empleo de comandante y condecorado con la Cruz Laureada de San Fernando.

También se le concedió esta distinción al teniente Saturnino Martín Cerezo, quien permaneció en la carrera militar, alcanzando el empleo de general de brigada en la reserva. Murió en diciembre de 1945, después de haberse vuelto a casar; los últimos años de su vida los entristeció el recuerdo del asesinato de su hijo en Paracuellos del Jarama durante la Guerra Civil.

A los soldados supervivientes de Baler se les asignó una pensión vitalicia de siete pesetas y media mensuales, luego elevadas a partir de 1908 y tras largo litigio a sesenta, que podían ser transferidas a esposas, hijos y padres. Aunque se solicitó la concesión de la Laureada también para ellos, sólo se les entregaron dos cruces al mérito militar.

Los soldados muertos durante el asedio fueron exhumados de la iglesia de Baler en 1903 y trasladados a un mausoleo en el cementerio de la Almudena, donde reposan junto a otros héroes de las campañas de Cuba y Filipinas. A sus restos se añadirían más tarde los de Saturnino Martín Cerezo y el médico Rogelio Vigil. Los demás supervivientes del asedio reposan en sus respectivas tumbas.

Saturnino Martín Cerezo publicó sus recuerdos de la campaña filipina en un libro titulado El sitio de Baler. *Los otros protagonistas del suceso nunca gustaron en exceso de referirse a lo que allí había ocurrido.*

Advertencias y agradecimientos

Morir bajo tu cielo es una obra de ficción, inspirada ciertamente en hechos que ocurrieron, pero nada más que inspirada. Incluso los personajes históricos que en ella aparecen están tratados de manera ficticia; y son muchos los personajes imaginarios que con ellos se codean en alegre promiscuidad, como conviene a una fabulación. Algunos zoilos se han puesto en el pasado a «denunciar inexactitudes históricas» de novelas anteriores mías, como si la misión del arte fuese hacer crónica fidelísima de la historia; aunque yo bien sé que tales ínfulas tiquismiquis encubren siempre resabios de otra índole, generalmente quemazones ideológicas que no se atreven a decir su nombre. Para que el lector curioso pueda hacerse una idea sobre el método con el que he operado, comentaré —a título meramente ilustrativo— que la guarnición que luego sería recordada como «los últimos de Filipinas» no viajó de Manila a Baler por tierra, sino por mar (donde, sin embargo, no se tropezó con los ilongotes); también precisaré que durante el sitio de Baler ninguna monja permaneció encerrada en la iglesia (¡y mucho menos una monja como sor Lucía!), aunque a cambio permanecieron tres frailes, que en *Morir bajo tu cielo* quedan condensados en la figura ficticia de fray Cándido Minaya.

Que reivindiquemos la libertad del novelista, aun cuando recrea acontecimientos históricos, no significa que aprobemos aquella sentencia de Oscar Wilde en la que se afirmaba que «mentir y decir bellas falsedades es la única misión del arte». Aunque *Morir bajo tu cielo* no pretenda en ningún momento erigirse en una reconstrucción de lo realmente ocurrido (sino que más bien se rebela contra tal pretensión), no hemos abusado de las «bellas falsedades». Así, por ejemplo, en el episodio del fusilamiento del cabo González Toca y del soldado Menache, algún experto podría acusarnos de tremendistas por haber puesto en las manos del teniente Martín Cerezo la pistola que acaba con sus vidas, cuando en realidad tal misión oprobiosa fue encargada a unos soldados del destacamento cuyos nombres no han llegado hasta nosotros; pero lo cierto es que hemos sido más bien benévolos, pues Martín Cerezo negó la confesión a los condenados antes de fusilarlos, habiendo dos frailes en la iglesia en aquel momento, crueldad que no nos atrevemos a interpretar, más allá de lo que en la novela referimos sobre los últimos meses del asedio.

En la documentación de *Morir bajo tu cielo* hemos consultado multitud de libros y publicaciones de la época. Merece consignarse nuestro débito con las obras de José Rizal, riquísimas en su muestrario de costumbres filipinas y en su exposición de los debates intelectuales del momento. Para la recreación del sitio de Baler, nos han servido de fecunda inspiración las memorias del teniente Saturnino Martín Cerezo y de fray Félix Minaya (contradictorias en no pocos aspectos), así como las espléndidas monografías de Juan Antonio Martín Ruiz (*Una historia olvidada: Baler 1898-1899*) y Carlos Madrid (*Flames over Baler*). Habrá comprobado el atento lector que *Morir bajo tu cielo*, aunque narrada en tercera persona, gusta de meterse en la conciencia del personaje que, en cada pasaje de la novela, protagoniza la acción, de tal modo que casi le presta la voz (y, desde luego, toma prestado su pensamiento). Causa rubor precisar tal particular, pero en este malhadado trozo de planeta por donde cruza errante la sombra de Caín conviene hacerlo: el autor no se identifica con la mayoría de las opiniones de sus personajes, sino que tan sólo trata de ilustrar las opiniones circulantes en la época. Con algunas opiniones sí se identifica, naturalmente; pero «yo no digo mi canción / sino a quien conmigo va».

Y no puedo dejar de rendir tributo a las personas que me brindaron generosamente su ayuda durante la tormentosa escritura de *Morir bajo tu cielo*. En primer lugar, a Iñaqui y a mi padre, siempre en primera línea cuando suenan los tiros, que una vez más se encargaron de mecanografiar un manuscrito impracticable. También a Cárcaba, mi esposa y sin embargo novia, que aguanta mis intemperancias de cada día y no cesa de amarme, inmerecidamente. Y a toda mi familia, con Jimena a la cabeza, que me brinda ánimos y consuelo cada vez que la tentación del desfallecimiento asoma la zarpa. Debo mencionar muy especialmente a mi maestro Pere Gimferrer, que rescató esta novela del barro y la miró con buenos ojos (dejándose, además, las pestañas en ella), así como a Jesús Badenes, que se interesó personalmente por su publicación. Gracias también a Ana Rosa Semprún y a Belén Bermejo, que llevaron estas páginas huérfanas hasta el redil de Espasa Calpe. Mi sabio amigo Miguel Ayuso, que ha sufrido en sus carnes la dentellada de las sabandijas que se envuelven en la bandera de España mientras se reparten su cadáver, se encargó de señalarme, tras una lectura atenta, algunas imprecisiones o inexactitudes. José Luis Garci me descubrió, hace muchos años, la historia de «los últimos de Filipinas», contagiándome un gusanillo que no me ha abandonado desde entonces. Janet Marcos y Ramón Estrada fueron mis cicerones en las islas Filipinas, ayudándome a desenterrar, entre los escombros de la barbarie yanqui, los restos del legado español. Gonzalo Santonja fue, una vez más, el depositario de mis confidencias más atribuladas. Y, en fin, muchos sábados encontramos Cárcaba y yo el calor hospitalario de la fraternidad en los irrepetibles convites que organiza en su casa Santiago Castelo, padre y maestro mágico, liróforo celeste, al lado de José Luis, Maruja, Carlos y Urbano.

A los pocos que estáis siempre a mi lado, antaño en las maduras y hogaño en las duras, gracias mil de mi corazón guerrero y magullado, pero jamás vencido.

Madrid, julio de 2014